Dix-septième Livraison.

Quoique toutes les livraisons doivent être de neuf feuilles, on est cependant quelquefois forcé d'en faire de plus petites ou de plus grosses, à cause de l'étendue des ouvrages qui se terminent souvent sans former une livraison complète.—On ne doit donc compter les feuilles que sur un certain nombre de livraisons. On se convaincra facilement alors que nous livrons toujours à nos souscripteurs au moins le contingent qui leur est dû.

On remarquera aussi de temps en temps que tout en ne suivant par leur numéro, nos livraisons ne se suivent pas par le sujet dont elles traitent, et que même un volume d'une division avant d'être terminé est suivi d'un commencement de volume appartenant à une autre division; il arrivera ainsi au bout d'un certain temps que la plupart des divisions seront commencées, et qu'elles se termineront à peu de distance les unes des autres : deux raisons nous obligent à suivre cette marche. La première, c'est le désir exprimé par un certain nombre de nos abonnés qui tiennent à ne pas attendre trop long-temps certaines parties; la seconde, c'est que les divers collaborateurs de l'Encyclopédie n'ayant pas toujours terminé leur travail à temps pour la régularité des publications, si nous étions astreints à la succession régulière des divisions de cet ouvrage, nous serions souvent obligés de retarder et de suspendre plusieurs mois sa publication. — Du moment où MM. nos souscripteurs ont la certitude que l'Encyclopédie sera entièrement achevée (et le grand succès qu'elle obtient ne peut leur laisser aucun doute à cet égard), il n'y a pour eux aucun inconvénient au mode de publication que nous suivons, et il y a des avantages incontestables.

PARIS.

AU BUREAU DE L'ENCYCLOPÉDIE,

RUE SERVANDONI, 17.

JUILLET, 1835.

ENCYCLOPÉDIE

DES

SCIENCES MÉDICALES.

PARIS.—IMP. DE BÉTHUNE ET PLON,
RUE DE VAUGIRARD, 36.

ENCYCLOPÉDIE

DES

SCIENCES MÉDICALES;

OU

TRAITÉ GÉNÉRAL, MÉTHODIQUE ET COMPLET DES DIVERSES BRANCHES DE L'ART DE GUÉRIR,

PAR MM. ALIBERT, BARBIER, BAYLE, BAUDELOQUE, BOUSQUET, BRACHET, BRICHETEAU, CAPURON, CAVENTOU, CAYOL, CLARION, CLOQUET, COTTEREAU, DOUBLE, FUSTER, GERDY, GIBERT, GUÉRARD, LAENNEC, LENORMAND, LISFRANC, MALLE, MARTINET, PELLETAN, RÉCAMIER, SERRES, AUGUSTE THILLAYE, VELPEAU, VIREY.

SEPTIÈME DIVISION.

COLLECTION DES AUTEURS CLASSIQUES.

Sydenham.

PARIS.

AU BUREAU DE L'ENCYCLOPÉDIE,

RUE SERVANDONI, 17.

1835.

scu
Svd
ver
svs
de
d'
rei
en
dec
moi
écla
pou
tant
liv
cie
tr
ils
tan
den
naç
det
tu
[illegible]
au
da
[illegible]
[illegible]

B
n
[illegible]
[illegible]
[illegible]
[illegible]
[illegible]

MÉDECINE PRATIQUE

DE

THOMAS SYDENHAM,

TRADUITE

PAR A.-F. JAULT,

Docteur en médecine et professeur au collége royal de France.

Nous n'avons pas besoin de justifier l'insertion dans l'ENCYCLOPÉDIE DES SCIENCES MÉDICALES, de cette nouvelle édition de la Médecine pratique de Sydenham. Un médecin qui a mérité par la route nouvelle qu'il s'est ouverte, par une méthode expérimentale pure, dégagée de l'esprit de système qui régnait de son temps, par de grandes découvertes dans l'art de guérir et par sa conformité avec la doctrine du père de la médecine, d'être salué depuis un siècle et demi du titre de *second Hippocrate*, un pareil médecin dont le nom est cité sans cesse, devait naturellement figurer en première ligne dans une publication essentiellement consacrée à la médecine pratique. Les œuvres de Sydenham ne sont point insérées ici pour montrer l'état de la science dans le dix-septième siècle, mais bien pour éclairer le praticien dans l'exercice si difficile de la médecine; elles seront pour lui un sujet de méditations et d'instruction profonde; c'est en imitant la thérapeutique de ce grand maître, qui obtint de si beaux succès au lit du malade, qu'il parviendra à acquérir ce tact médical si rare et si précieux dans le traitement des maladies. C'est là le glorieux privilége des travaux qui sont le fruit de l'observation ; ils ne vieillissent point, et ils éclairent d'âge en âge les nouvelles générations. Ce n'est pas à dire pourtant que nous approuvions tout ce qui se trouve dans les œuvres de Sydenham. Cet auteur tout en secouant les théories chimiatriques et galéniques de son temps, n'a pas toujours su se garantir d'explications hypothétiques quelquefois empruntées aux systèmes même qu'il combattait, tant il est difficile, même aux esprits supérieurs, de se mettre entièrement au-dessus des préjugés de leur siècle. Il est encore d'autres points dans cet auteur qui ne seraient pas à l'abri de la critique, et qui seront discutés soit dans les notes que le traducteur a placées au bas des pages, soit dans la vie de Sydenham, qu'on trouvera dans la biographie médicale de l'Encyclopédie.

Nous avons fait usage de la traduction de Jault, édition revue par Baumes, professeur à la faculté de Montpellier. Quant aux notes, nous n'avons conservé que celles du traducteur français, qui d'après son aveu, sont presque toutes tirées du traducteur anglais des œuvres de notre auteur. Ces notes se sentent nécessairement du temps déjà un peu reculé où elles ont été écrites. Nous avons supprimé celles de Baumes, pour ne pas trop grossir cet ouvrage, et parce que leur place à la fin du texte de Sydenham, leur ôte nécessairement beaucoup de leur intérêt.

AVERTISSEMENT

DU TRADUCTEUR.

Si les auteurs qui ont écrit avec distinction sur quelque matière méritent d'être connus par des traductions de leurs ouvrages, on peut dire avec fondement qu'entre les auteurs de médecine Sydenham le mérite d'une façon particulière.

Les ouvrages qu'il nous a laissés ne sont pas de ces fruits d'une imagination vive et féconde, de ces explications ingénieuses des causes qui produisent les maladies, de ces vains systèmes dont les livres de médecine ne sont que trop remplis, et qui sont plus propres à occuper des philosophes oisifs qu'à instruire dans l'art de guérir. Ce sont des observations de bien des années, et faites sur une infinité de malades, avec tout le soin et l'application imaginables, par un homme d'un génie supérieur, d'une bonne foi et d'une sincérité merveilleuses, et qui joignait à un esprit cultivé par les sciences cette prudence et cette sagesse qui fait le caractère d'un véritable médecin, et sans laquelle il ne saurait employer utilement dans l'exercice de sa profession les lumières et les connaissances qui lui sont d'ailleurs si nécessaires.

Sydenham est le premier d'entre les modernes qui nous ait donné un Recueil considérable d'observations. Je n'entends pas ici, par le terme d'*observations*, un amas de faits particuliers qui souvent ne mènent à rien, quoique je ne nie pas qu'ils ne puissent avoir quelquefois leur utilité : j'entends des descriptions exactes de maladies, et des méthodes curatives qui résultent d'un très-grand nombre d'observations particulières, et qui deviennent alors des règles de pratique.

On peut juger combien un ouvrage de cette nature est propre à perfectionner la médecine. Aussi l'exemple de Sydenham a-t-il animé plusieurs autres auteurs qui nous ont donné, depuis lui, d'excellentes observations.

Je sais qu'un célèbre médecin, dont on a publié depuis peu les ouvrages posthumes, a affecté de rabaisser et même de rendre suspectes les observations de notre auteur, en disant qu'il a écrit ce qu'il a vu, ou du moins ce qu'il a cru voir; mais il n'est rien qu'on ne puisse rendre suspect par une semblable réflexion.

D'ailleurs, celui qui parle de la sorte de Sydenham ne traite pas mieux les autres auteurs de médecine, et il paraît les mépriser tous également. Il y a apparence que le public équitable n'en jugera pas tout-à-fait de même, et qu'il leur rendra plus de justice.

Mais, dira-t-on, quelle nécessité de traduire Sydenham en français? n'est-ce pas mettre des armes entre les mains des ignorants? Objection usée et mille fois réfutée. N'a-t-on pas écrit en français ou traduit en cette langue une infinité de livres sur des matières encore plus délicates? L'abus qu'on en peut faire est-il une raison suffisante pour les supprimer, et peut-il contre-balancer les avantages qu'on en retire? D'un autre côté, n'abuse-t-on pas des meilleures choses? et ne peut-on pas abuser aussi d'un livre latin?

Quand on donne en français les ouvrages de Sydenham, c'est afin que les personnes qui n'entendent pas la langue latine puissent en profiter, et que ceux mêmes qui l'entendent, mais qui aiment encore mieux ce qui est écrit dans leur langue naturelle, lisent plus volontiers des écrits si instructifs et si utiles.

Ce n'est pas qu'en parlant ainsi, je prétende que Sydenham soit exempt de fautes; on lui en a reproché plusieurs. Les uns ont trouvé, par exemple, qu'il ne saignait pas assez dans la pleurésie; les autres, que la quantité de quinquina qu'il prescrivait dans les fièvres quartes était insuffisante. Ceux-ci l'ont blâmé de ce qu'il interdisait les lavements dans certaines fièvres, de peur d'empêcher la coction légitime de l'humeur morbifique; ceux-là ont condamné le grand usage qu'il faisait de l'opium; d'autres ont cru qu'il employait trop de rafraîchissants dans le traitement de la petite-vérole confluente, etc.

Mais quand Sydenham ne se serait trompé en rien, il n'en faudrait pas conclure qu'on dût le suivre en tout. Il faudrait pour cela rencontrer précisément les mêmes maladies, les mêmes tempéraments, et ainsi de tout le reste. D'ailleurs, ce qui convient dans un pays ne convient pas dans un autre, où il se trouve de grandes différences par rapport aux aliments, à la manière de vivre, aux tempéraments, à l'air, aux maladies, à la vertu et à l'effet des remèdes, et à plusieurs autres circonstances qui demandent une grande attention de la part du médecin, et qui l'obligent de se régler sur ce qui est plus convenable au pays où il exerce son art, et non pas précisément sur ce qu'ont pratiqué en d'autres climats d'illustres médecins.

A la vérité, ils doivent lui servir de guides, mais il ne doit pas les suivre aveuglément; il doit profiter de leurs lumières, mais non pas s'y abandonner entièrement.

Je demanderais volontiers à ceux qui craindraient qu'on abusât des

OEuvres de Sydenham, traduites en français, s'ils n'appréhenderaient pas la même chose pour celles d'Hippocrate, de Galien et de tous les autres auteurs de médecine, tant anciens que modernes. Il s'ensuivrait de là qu'on n'en devrait traduire aucun, et même qu'on ne devrait rien écrire sur la médecine en langue vulgaire ; idée absurde et extravagante, qui ne peut partir que d'un esprit aveuglé par des préjugés ridicules, ou sottement jaloux de sa prétendue science.

Pourquoi donc les médecins grecs, les latins, les arabes, ont-ils écrit sur la médecine chacun dans leur langue naturelle? Pourquoi un grand nombre de médecins de nos jours publient-ils, chacun dans la langue de leur pays, les mystères de l'art? Plût à Dieu que tout le monde fût un peu instruit dans la médecine! les médecins pratiqueraient avec plus d'agrément et de succès. On en sent assez les raisons, sans qu'il soit nécessaire de les expliquer.

Et qu'on ne dise pas qu'il y a dans Sydenham quantité de formules qui peuvent devenir nuisibles par le mauvais usage qu'il est aisé d'en faire. J'ai déjà répondu à cette objection ; et j'ajoute que, si elle avait ici quelque force, elle en aurait encore bien davantage contre une infinité d'autres ouvrages de médecine qui sont beaucoup plus chargés de formules, proposées souvent au hasard, ou avec peu de choix et de jugement ; au lieu qu'ici elles sont le produit de l'expérience, et remplissent les indications naturelles que fournissent les maladies.

C'est au médecin à se servir plus ou moins de ces formules, à diminuer ou à augmenter les doses des remèdes, suivant que les différents cas l'exigent, et que la prudence le demande.

On avait d'abord résolu de ne point ajouter de notes à la traduction, se contentant de présenter le texte d'une manière claire et fidèle, et laissant à chacun la liberté d'en porter le jugement qu'il lui plairait. On considérait que des notes sur un pareil ouvrage, pour avoir toute l'utilité qu'on en pouvait attendre, ne demandaient rien moins qu'un praticien consommé, et qu'elles ne seraient pas moins sujettes à la censure que le texte même. Cependant, on s'est ensuite déterminé à en ajouter, dans l'espérance que telles qu'on les donne elles ne seront pas tout-à-fait inutiles ; et on est bien aise d'avertir ici qu'elles sont presque toutes prises du traducteur anglais des œuvres de notre auteur, qui les a lui-même tirées la plupart des meilleurs écrivains de différentes nations.

Au reste, quand je parle d'une traduction fidèle, on comprend bien que cette fidélité consiste uniquement à rendre d'une manière exacte le sens de l'auteur. Je dis cela afin qu'on ne soit pas surpris de ce que j'ai resserré et abrégé certains endroits que je n'ai pas cru pouvoir rendre avec grâce en français dans la même étendue qu'ils ont en latin ; de ce que j'en ai retranché quelques-uns qui n'ajoutaient rien au sens ; et de ce que j'ai fait de légères transpositions dans quelques autres. Ces petites licences doivent être plus que permises dans un ouvrage de cette nature.

Je ne me suis pas moins attaché à la clarté du style qu'à la fidélité de la traduction ; et j'espère qu'on me saura quelque gré d'avoir facilité, par ce moyen, l'intelligence d'un auteur qui n'est pas toujours fort aisé à entendre, et dont le style, quelquefois un peu trop diffus, embarrasse les lecteurs qui n'y sont pas accoutumés.

A MONSIEUR
JEAN MAPLETOFT,

Docteur en médecine, professeur dans le collége de Gresham à Londres, et membre de la société royale.

MONSIEUR,

Permettez-moi de vous rendre compte ici de deux choses : premièrement, des raisons qui m'engagent à publier ce Traité ; secondement, des motifs qui me déterminent à vous le dédier.

Quant au premier article, il y a maintenant trente ans que, venant à Londres, dans le dessein de retourner une seconde fois à Oxford, où les malheurs de la première guerre civile m'empêchaient, depuis quelques années, de me rendre, je rencontrai heureusement le célèbre médecin M. Thomas Coxe, dans le temps qu'il avait soin de mon frère, qui était alors malade. Cet habile homme, qui pratiquait la médecine avec une réputation extraordinaire, et qui joignait une grande probité avec beaucoup de politesse, me demanda agréablement à quoi je me destinais, puisque j'allais reprendre mes études, et que j'étais en âge de me déterminer. Comme il me vit indécis, il m'exhorta à prendre le parti de la médecine. Et, quoique je n'eusse jamais eu la moindre pensée d'embrasser cette profession, ses exhortations firent tant d'impression sur mon esprit que je m'y déterminai entièrement. C'est pourquoi, si mon ouvrage est jamais de quelque utilité au public, on en aura l'obligation à ce grand homme, dont les conseils m'ont engagé dans l'étude de la médecine.

Après avoir étudié cet art durant quelques années dans l'Université, je revins à Londres, où je commençai à pratiquer. Et, comme je m'y appliquais avec tout le soin et l'attention possible, je reconnus bientôt que le meilleur moyen d'apprendre la médecine était l'exercice et l'usage ; et que, suivant toute apparence, le médecin qui étudie avec le plus de soin et d'application les phénomènes des maladies devait être nécessairement le plus capable de connaître les véritables indications curatives.

Voilà la méthode à laquelle je me livrai entièrement, bien persuadé que, si je suivais la nature, quand même je marcherais dans des routes inconnues jusqu'alors et abandonnées, je ne m'écarterais jamais en rien du droit chemin. Me gouvernant donc par cette règle, je m'appliquai à observer exactement les fièvres ; et, après m'être donné, pendant quelques années, bien des peines, des fatigues et des inquiétudes, je découvris enfin une méthode pour les guérir ; c'est celle que j'ai publiée, il y a déjà quelque temps, à la prière de mes amis.

Depuis lors, ayant observé de nouvelles espèces de fièvres qui m'étaient inconnues auparavant, et qui se succédaient continuellement les unes aux autres, je résolus de joindre ensemble, avec le plus de soin qu'il me serait possible, tout ce qui regardait cette matière, ou qui en dépendait, afin de suppléer à l'exiguité de mon premier ouvrage par une histoire plus exacte et plus complète de ces maladies.

Lorsque je méditais ce dessein, et que j'étais entièrement occupé à chercher une méthode propre à guérir toutes sortes de fièvres, eu égard aux divers changements que la nature y opère, et aux divers remèdes qu'il faut employer, je reconnus bientôt qu'au lieu de la reconnaissance que j'avais sujet d'attendre, je n'essuierais que des reproches, et que les uns m'accuseraient de ne suivre d'autre règle que mes propres idées, et les autres de n'en suivre absolument aucune.

J'aurais souhaité ne donner au public mes observations qu'après les avoir encore augmentées et confirmées par l'expérience de quelques années ; mais, fatigué à l'excès par les insultes et les railleries de ces hommes insolents dont la malignité n'épargne personne, j'ai cru devoir condescendre à la volonté de mes amis, au nombre desquels je me fais toujours honneur de mettre l'illustre docteur Gautier Needham, également habile dans la médecine et dans les belles-lettres. Dans cette vue, j'ai entrepris ma propre défense, en publiant des observations qui, à ce que j'espère, mettront tous les honnêtes gens de mon côté.

Quant aux autres, ils me trouveront aussi impassible que ce philosophe romain, qui ne s'étonnait nullement que celui-là pût se livrer lâchement à la calomnie, pour qui les noms de Rutilius et de Caton n'avaient rien de sacré. C'est pourquoi, s'il se rencontre de ces gens que leur humeur satirique porte à se déchaîner avec fureur contre moi, sans examiner si ce que je dis est vrai ou non ; qui blâment aussitôt tout ce qu'un autre qu'eux avance de nouveau, ou ce qu'ils n'ont pas encore entendu, j'espère que je les supporterai tranquillement, du moins je ne leur rendrai point injure pour injure, me contentant de la même réponse, vraiment digne d'un chrétien, que fit autrefois Titus Tacitus à Metellus qui l'insultait : « Vous » pouvez m'attaquer librement, parce que je ne répondrai pas à vos in- » sultes : vous avez appris à outrager les gens, et moi, à qui la conscience » ne reproche rien, j'ai appris à mépriser les outrages. Si vous êtes maître » de dire tout ce qui vous vient à la bouche, je suis maître de vous en- » tendre sans m'en offenser. » Voilà les raisons qui, mûrement pesées, m'ont engagé à publier cet ouvrage.

Celles qui m'ont porté à vous le dédier, Monsieur, sont, d'un côté, notre amitié mutuelle, et de l'autre la situation où vous êtes de pouvoir juger mieux que personne du prix de mes observations, ayant vu vous-même de vos propres yeux, depuis sept ans, plusieurs des principales choses qu'elles contiennent. Votre parfaite probité, que tout le monde connaît si bien, ne vous permet pas de vouloir induire les autres en erreur par de faux exposés, surtout quand il s'agit de la vie des hommes. D'un autre côté, vous êtes si habile et si éclairé qu'il me serait impossible de vous en imposer, quand même je l'entreprendrais sérieusement. Encore moins pourriez-vous vous faire illusion à vous-même au sujet des expériences par lesquelles vous avez reconnu sur vos malades mêmes la vérité de certaines choses que j'ai rapportées dans cet ouvrage, ou que je vous ai déclarées de vive voix.

Vous savez d'ailleurs que M. Jean Locke, notre ami commun, qui connaissait à fond ma méthode, l'approuvait entièrement, et que c'était un homme non moins recommandable par son exacte probité que par l'étendue de son génie et la finesse de son jugement. Mais je n'ai pas besoin de solliciter davantage votre approbation ; il y a long-temps que je suis sûr de l'avoir. Pour ce qui est d'autrui, je suis dans une position telle que, quoi qu'il puisse arriver, rien ne me surprendra. Déjà avancé en âge, je prétends faire de telle sorte, pendant le peu de temps qui me reste à vivre, que, fuyant tout chagrin et étant bien loin d'en donner à qui que ce soit, je puisse jouir ainsi du bonheur qu'un homme célèbre a si bien peint en ces termes :

Ah! combien par son cœur sait s'égaler aux dieux
Le mortel fortuné qui, d'un luxe odieux;
Des plaisirs inquiets, d'une gloire incertaine,
Méprise tout l'éclat, ainsi qu'une ombre vaine;
Et qui, vivant sans bien, sans crime, sans remord,
Loin du monde et du bruit, peut défier la mort (1).

Au reste, Monsieur, je vous prie d'agréer cet ouvrage comme une preuve de mon amitié et de mon estime pour vous, d'autant que les fautes qui s'y rencontreront ne peuvent en aucune façon vous être imputées, et doivent être mises uniquement sur mon compte. Cependant, quelque défectueux que soit mon livre, je ne regretterai pas les peines qu'il m'a coûtées, puisque mes erreurs mêmes m'auront fourni l'occasion de faire connaître à tout le monde l'attachement sincère et le parfait dévouement avec lequel je suis,

MONSIEUR,

Votre très-humble et très-obéissant serviteur,

THOMAS SYDENHAM.

---

(1) *Felix ille animi, Divisque similimus ipsis,*
Quem non mendaci resplendens gloria fuco
Sollicitat, non fastosi mala gaudia luxûs;
Sed tacitos sinit ire dies, et paupere cultu
Exigit innocuæ tranquilla silentia vitæ.

PRÉFACE DE L'AUTEUR.

I. Le corps humain est composé de parties qui se détruisent continuellement: c'est ce qui fait qu'il ne saurait toujours demeurer dans le même état; et il est si fort exposé à l'action des causes extérieures qu'il ne saurait s'en défendre en toute occasion. De là cette multitude de maladies qui, dans tous les temps, a affligé le genre humain. Aussi n'y a-t-il pas lieu de douter que déjà plusieurs siècles avant l'Esculape grec, et même avant l'Esculape égyptien, plus ancien que l'autre de mille ans, la nécessité n'ait obligé les hommes de chercher des remèdes à leurs maux.

II. Mais, comme il n'est pas aisé de savoir qui, le premier, a inventé les bâtiments et les habits pour se garantir des injures de l'air, de même on ne saurait montrer les premières traces de la médecine, d'autant que cet art, ainsi que certains autres, a toujours été en usage, quoiqu'il ait été plus ou moins cultivé, suivant la différence des temps et des pays (1).

III. On sait combien les anciens, et surtout Hippocrate, l'ont enrichi. C'est à eux, et à ceux qui ont recueilli leurs ouvrages, que nous sommes redevables de

---

(1) Si l'on accorde que l'origine de la Médecine a été le désir de sa propre conservation, il n'est aucun art qui puisse s'attribuer une plus grande antiquité, puisque, dans ce sens, la médecine est presque aussi ancienne que le monde; car elle doit, sans doute, avoir commencé immédiatement après la chute de nos premiers pères, lesquels, en punition de leur désobéissance, devinrent nécessairement, eux et tout le reste des hommes, sujets à une infinité de maladies et d'accidents, même à la mort. — Je ne prétends point que la médecine ait été réduite en art dès les premiers temps; mais elle se pratiquait indifféremment par tout le monde, chacun étant son propre médecin. Dans la suite, elle devint un art par le moyen d'un certain nombre d'observations et d'expériences que l'on avait faites; et alors l'exercice en fut confié à certaines gens en particulier, qui, à cause de cela, furent nommés *médecins*. C'est ainsi que la médecine exista avant qu'il y eût des médecins, quoiqu'elle ne pût être appelée proprement un art, jusqu'à ce qu'il se trouvât des gens qui fissent une profession particulière de l'exercer. — En effet, il semble que la maladie et la douleur ont dû nécessairement engager les hommes à chercher un prompt secours, et que ceux-ci ne pouvaient être assez stupides et assez insensibles à leurs propres maux pour négliger une recherche si intéressante. Car on ne s'imaginera pas que l'homme seul fût tellement sourd à la voix de la nature et de la raison qu'il ne s'embarrassât pas de conserver ou de rétablir sa santé, tandis que nous voyons que les animaux sont poussés violemment à cela par le seul instinct naturel. — Après tout, on doit plutôt consulter la certitude et l'utilité d'une science ou d'un art que son antiquité. C'est par ces deux qualités que l'on doit juger de son excellence, et non par son antiquité seule, qui d'elle-même ne lui donne aucun mérite réel, et qui, par une vénération mal entendue qu'elle inspire, ne sert souvent qu'à établir des erreurs pernicieuses.

la plus grande partie de nos connaissances thérapeutiques. Dans les siècles suivants, il y a eu des hommes illustres qui, en s'appliquant à l'anatomie, à la pharmacie ou à la pratique, ont travaillé à perfectionner la médecine. Notre pays même et notre siècle n'ont pas manqué de gens habiles qui se sont distingués dans toutes les sciences capables de l'enrichir, et dont le mérite est au-dessus des louanges que je pourrais leur donner (1).

IV. Nonobstant les travaux des autres, j'ai toujours cru que j'aurais à me reprocher d'avoir vécu inutilement, si ayant pratiqué, comme j'ai fait, la médecine, je ne contribuais pas, du moins de quelque petite chose, à l'avancement de cet art. C'est pourquoi, après de longues et sérieuses réflexions, et des observations faites avec beaucoup de soin durant plusieurs années, j'ai résolu, en premier lieu, de publier mon sentiment touchant les moyens de perfectionner l'art de guérir, et ensuite, de donner un échantillon de ce que j'ai exécuté dans cette matière.

V. Or, je pense que, pour l'avancement de la médecine, il est nécessaire, 1° d'avoir une histoire ou description de toutes les maladies, la plus exacte et la plus fidèle qu'il est possible : 2° d'avoir une méthode sûre et constante pour les traiter (2). Il est aisé de décrire superficiellement les maladies ; mais de le faire d'une manière exempte des défauts que le célèbre Vérulam reprochait aux écrivains de l'histoire naturelle, c'est tout autre chose. « On ne saurait disconvenir, dit » ce grand homme, que nous n'ayons une » histoire naturelle très-ample, pleine » d'une agréable variété, et même de re» cherches curieuses. Néanmoins, si on » en retranche les fables, les citations » d'auteurs, les disputes inutiles, enfin, » l'érudition étrangère et les ornements » (choses qui sont plus propres à des en» tretiens de table et à des conversations » de savants qu'à former des philoso» phes), il se trouvera qu'une telle his» toire sera réduite à fort peu de chose,

(1) En comparant l'ancien état de la médecine avec l'état présent, où elle se trouve enrichie de savantes et utiles découvertes des modernes, on sera surpris du peu de progrès que l'on a fait dans cet art. Mais cela vient assurément de ce qu'on s'est écarté de la seule et véritable méthode de le perfectionner, en joignant la raison avec l'expérience. Quiconque lira attentivement les auteurs praticiens trouvera qu'ils ont avancé, touchant les causes et la nature des maladies, plusieurs choses contraires à l'expérience, comme il paraîtra clairement, si on consulte un certain nombre de ces auteurs sur quelque maladie particulière. On voit par là combien il faut apporter de circonspection pour n'être pas induit en erreur. D'ailleurs, l'expérience nous enseigne une méthode de guérir diverses maladies plus courte et plus facile que l'ordinaire, et il est absurde de raisonner contre les faits. D'où il s'ensuit qu'on ne doit pas s'astreindre à suivre scrupuleusement les méthodes curatives généralement reçues, mais qu'on doit abandonner les chemins battus, suivant que la raison et l'expérience l'indiqueront.

(2) L'histoire des maladies, dit Baglivi, doit être distinguée de la partie curative. La première est une science particulière, et doit uniquement se puiser dans les sources pures de la nature, ou, pour parler sans figure, elle consiste dans une description claire et exacte des maladies, telles qu'un soigneux et judicieux observateur les remarque dans leur commencement, leur augmentation, leur force, leur déclin et leur fin. La médecine curative peut retirer beaucoup d'utilité des autres sciences, et surtout de celles avec qui elle a quelque rapport, et qui en sont comme les branches, telles que la chimie, la botanique, la connaissance des six choses non naturelles, la philosophie expérimentale, l'anatomie et autres semblables. Toutes ces sciences peuvent beaucoup servir à perfectionner la méthode, et à tirer des indications curatives des moindres circonstances. Baglivi, *Op.* 14, 15.

» et qu'elle sera bien éloignée de celle » dont je me forme l'idée. »

Il est très-aisé pareillement d'indiquer, à la manière ordinaire, des moyens de guérison ; mais d'en proposer qui aient réellement le succès qu'on promet, c'est ce qui paraîtra d'une toute autre difficulté à ceux qui ont observé qu'il se trouve dans les auteurs praticiens un grand nombre de maladies que ni ces auteurs ni aucun autre médecin n'ont pu guérir jusqu'à présent.

VI. Quant à l'histoire des maladies, si on examine la chose avec attention, on verra facilement que, pour en donner une bonne, il est nécessaire de porter ses vues beaucoup plus loin qu'on ne croit communément. Voici quelques-unes des choses qu'on doit observer.

VII. En premier lieu, il faut réduire toutes les maladies à des espèces précises et déterminées, avec le même soin et la même exactitude que les botanistes ont fait dans leurs traités sur les plantes. Car, il se trouve des maladies qui, étant du même genre et de même nom, et, outre cela, semblables en quelques symptômes, sont néanmoins d'une nature bien différente, et demandent aussi un traitement différent. On sait que le nom de *chardon* est commun à plusieurs espèces de plantes. Ce serait néanmoins être un botaniste peu exact que de donner seulement une description générale de cette plante, et de la distinguer par là des autres, sans s'embarrasser de marquer les signes propres et particuliers qui en caractérisent et distinguent chaque espèce.

De même il ne suffit pas à un écrivain de marquer seulement les phénomènes communs d'une maladie qui a plusieurs espèces : car, quoique la même variété ne se trouve pas dans toutes les maladies, j'espère néanmoins montrer clairement dans cet ouvrage qu'il en est plusieurs dont les auteurs traitent sous un même nom, sans aucune distinction d'espèces, et qui sont cependant d'une nature très-différente.

VIII. D'ailleurs, lorsqu'on trouve des maladies distinguées par espèces, c'est le plus souvent pour favoriser une hypothèse appuyée sur des phénomènes véritables ; et par conséquent une semblable distinction n'est pas conforme à la nature de la maladie, mais c'est plutôt un produit de l'imagination et des spéculations de l'auteur. On voit, par l'exemple de plusieurs maladies, combien le défaut d'exactitude en ce point a empêché les progrès de la médecine ; car nous ne serions pas aujourd'hui à ignorer la manière de guérir ces maladies, si les auteurs qui ont communiqué là-dessus leurs expériences et leurs observations ne s'étaient pas laissé tromper, en mettant une espèce de maladie pour une autre. C'est ce qui a fait aussi, à mon avis, que la matière médicale est devenue d'une étendue immense, mais avec très-peu de fruit (1).

(1) Les hypothèses doivent leur origine à la vanité et à une vaine curiosité, d'où il est aisé de concevoir combien elles doivent empêcher les progrès de la médecine, qui est une science fondée sur des expériences sages, et des observations exactes et suivies; au lieu que les hypothèses ne sont établies la plupart que sur des principes obscurs ou arbitraires, et ne méritent d'autre nom que celui de « productions informes d'une imagination déréglée. » L'erreur de négliger des effets sensibles et palpables, pour en rechercher les causes secrètes et absolument impénétrables, n'est pas une chose nouvelle. C'est ce qui a embarrassé la médecine d'une multitude d'hypothèses qui n'ont servi qu'à rendre cet art incertain, douteux, trompeur, mystérieux, et, en quelque façon, inintelligible.—En considérant ce pernicieux effet des hypothèses, il paraîtra surprenant qu'elles aient prévalu si long-temps, et qu'elles se soutiennent même aujourd'hui : car il est certain que, depuis plus de deux mille ans qu'on les a introduites dans la médecine, elles n'ont pas servi à découvrir le moindre remède, ni porté le moindre jour dans la pratique; mais qu'elles n'ont fait autre chose que l'embarrasser, la rendre incertaine, et causer des disputes qui ne se peuvent jamais

IX. En second lieu, celui qui voudra donner une histoire des maladies doit renoncer à toute hypothèse et à tout système de philosophie, et marquer avec beaucoup d'exactitude les plus petits phénomènes des maladies qui sont clairs et naturels, imitant en cela les peintres, qui, dans leurs portraits, ont grand soin d'exprimer jusqu'aux moindres taches des personnes qu'ils veulent représenter. On ne saurait presque dire de combien d'erreurs ont été causes ces hypothèses physiques ; d'un côté, les auteurs qui s'en sont laissé entêter attribuent aux maladies des symptômes qui n'ont jamais existé que dans leur cerveau, et qui auraient dû néanmoins se manifester, si leur hypothèse était véritable; d'un autre côté, lorsqu'un symptôme qui accompagne réellement la maladie dont ils veulent tracer l'idée se trouve quadrer avec leur hypothèse, alors ils exagèrent outre mesure ce symptôme, et en font, comme on dit, d'un rat un éléphant, ni plus ni moins que si tout le reste dépendait de là ; mais si le symptôme ne s'accorde pas avec l'hypothèse, alors, ou ils n'en font point du tout mention, ou ils en disent peu de chose, à moins qu'ils ne puissent l'accommoder et l'ajuster à leur système, au moyen de quelque subtilité philosophique.

X. En troisième lieu, il faut, dans la description d'une maladie, exposer séparément les symptômes propres ou essentiels, et les accidentels ou étrangers. J'appelle *accidentels* ceux qui dépendent non-seulement de l'âge et du tempérament des malades, mais encore de la manière de traiter les maladies : car il arrive souvent qu'une maladie est différente suivant la manière différente dont on s'y prend pour la traiter ; et il y a des symptômes qui sont moins l'effet du mal que des remèdes, en sorte que des gens qui auront la même maladie, mais qui seront traités différemment, auront aussi des symptômes différents. De là vient que, sans une grande attention, le jugement que l'on porte sur les symptômes des maladies ne saurait manquer d'être extrêmement vague et incertain. Je ne parle point ici des cas fort rares, ils n'appartiennent pas proprement à l'histoire des maladies. C'est ainsi qu'en décrivant, par exemple, la sauge, on ne met pas les morsures des chenilles au rang des signes distinctifs de cette plante (1).

terminer sans avoir recours à l'expérience, qui est la véritable pierre de touche des opinions en médecine. En effet, comme les hypothèses sont principalement établies sur des suppositions et des principes incertains, ce serait une folie de croire y trouver de la vérité et de la certitude.

(1) Hippocrate découvrit, par des observations attentives, que les maladies avaient certains symptômes essentiels ou propres, et d'autres accidentels ou communs à d'autres maladies; que les premiers dépendaient de la nature constante et invariable de la maladie, et les derniers de la différente manière de la traiter, ou d'un assemblage de quantité de diverses causes. Il forma sur les premiers des aphorismes selon les règles de l'art, et il abandonna les derniers au jugement du médecin. Les symptômes constants et essentiels, qu'on peut nommer les *signes caractéristiques de la maladie*, frappent quelquefois les sens, et d'autres fois demeurent cachés et obscurs. Néanmoins, quels qu'ils soient, le médecin ne doit pas les négliger, mais il doit les remarquer soigneusement, comme il les aperçoit. Car, comme les indications curatives se tirent des moindres circonstances, ainsi les moindres mouvements qui arrivent dans les maladies doivent être observés et décrits, quoiqu'ils soient un peu obscurs. Et, par ce moyen, on aura, non-seulement une histoire complète des maladies, mais aussi une méthode curative, ce qui est encore plus important. On peut rapporter aux mouvements obscurs qui arrivent dans les maladies les jours critiques, les changements secrets des maladies, leur transport sur une partie plutôt que sur une autre, la sympathie cachée et réciproque des parties, les périodes des maladies,

XI. Enfin, on doit remarquer soigneusement les saisons qui favorisent le plus chaque genre de maladie. Il y a, je l'avoue, des maladies qui attaquent dans tous les temps, mais aussi il en est d'autres, et en aussi grand nombre, qui, par un instinct secret de la nature, à l'exemple de certains oiseaux et de certaines plantes, suivent des temps particuliers de l'année. Je me suis souvent étonné de ce qu'il y a eu, jusqu'à présent, si peu de médecins qui aient observé ce caractère de certaines maladies, tandis qu'un grand nombre d'auteurs ont remarqué curieusement le temps auquel naissent les plantes et les animaux. Mais, quelle que soit la cause de cette négligence, je tiens pour certain que la connaissance des saisons qui produisent les maladies sert beaucoup au médecin, tant pour distinguer l'espèce de la maladie, que pour la guérir; et que, faute de cette connaissance, il réussit mal dans ces deux points.

XII. Ce ne sont pas là les seules choses qu'il faut observer en écrivant l'histoire des maladies, mais ce sont du moins les principales. L'utilité d'une semblable histoire pour la pratique de la médecine, est au-dessus de tout ce qu'on peut dire (1), et les spéculations curieuses et les subtilités dont les livres des modernes se trouvent remplis à l'excès, ne sont rien en comparaison. En effet, par quel moyen plus court, et même par quel autre moyen pourrait-on découvrir les causes morbifiques qu'il s'agit de combattre, ou trouver les indications curatives, que par une connaissance claire et distincte des symptômes particuliers? Il n'y a pas la moindre petite circonstance qui ne serve à ces deux fins. Car, quoique le tempérament des personnes et la manière de traiter puissent y causer quelque variété, cependant la nature est si uniforme et si semblable partout à elle-même dans la production des maladies, que les mêmes symptômes de la même maladie se voient le plus souvent dans les différents sujets, et que ceux qu'on aura observés dans un sujet particulier sont applicables à tous les sujets qui ont la même maladie. C'est ainsi que les caractères génériques des plantes conviennent à chaque espèce particulière renfermée sous un genre. Celui qui aura, par exemple, exactement décrit la violette, quant à sa couleur, son goût, son odeur, sa figure et autres particularités semblables, trouvera que cette description conviendra presque en tout à quelque espèce de violette que ce soit.

XIII. La principale raison, à mon avis, pour laquelle nous n'avons pas eu jusqu'à présent une histoire plus exacte des maladies, c'est que la plupart des auteurs ne les ont regardées que comme des productions confuses et irrégulières d'une nature affaiblie et déconcertée; et qu'ainsi, on aurait cru perdre son temps et sa peine en travaillant à les décrire exactement (2).

---

leur augmentation à des heures marquées, comme il arrive dans certaines douleurs, dans certaines fièvres, et dans plusieurs autres maladies. Baglivi, *Opera*, p. 67.

(1) On ne peut rien faire de grand dans le pronostic, et spécialement dans la partie curative de la médecine, sans une histoire exacte et bien circonstanciée des maladies. Car, comment prédire ce qui arrivera dans une maladie, et procéder d'une façon convenable dans le traitement, si l'on ignore les symptômes essentiels et accidentels qui l'accompagnent, et son progrès général dès le commencement jusqu'à la fin, lorsqu'il ne survient rien qui interrompe son cours ordinaire, soit par une mauvaise conduite, soit par accident ou autrement?

(2) Une recherche soigneuse du commencement, du progrès et de la fin des maladies, montrera clairement le contraire, car la nature agit d'une manière très-constante et très-uniforme, en produisant, en entretenant et en terminant les maladies, pourvu qu'elle ne soit pas dérangée par quelque accident, ou par quelque mauvaise manœuvre; en sorte que si l'application et le jugement ne

XIV. Mais, pour revenir à notre sujet, je dis que les plus petites circonstances d'une maladie peuvent fournir aussi sûrement au médecin des indications curatives qu'elles lui fournissent un diagnostic (1). C'est pourquoi j'ai pensé plusieurs fois que si je connaissais parfaitement l'histoire de chaque maladie, je serais toujours en état de la guérir, parce que ces différents phénomènes me montreraient la véritable route que je devrais tenir, et qu'étant soigneusement comparés ensemble, ils me conduiraient comme par la main aux indications les plus véritables qui se tirent du fond de la nature, et non pas des erreurs de l'imagination.

XV. C'est par de tels moyens que l'incomparable Hippocrate est arrivé à un si haut point de réputation ; c'est ce qui lui a mérité le nom de *prince de la médecine*. Ce grand homme, après avoir établi, comme un solide fondement de son art, cet axiome incontestable, savoir, que *la nature guérit les maladies*, a exposé clairement les symptômes de chaque maladie sans le secours d'aucune hypothèse ni d'aucun système, comme on voit dans ses livres *des maladies*, *des affections*, etc. Il y a aussi donné des règles fondées sur la méthode que suit la nature dans la production et la guérison des maladies. C'est ce qu'on voit dans les Pronostics de Cos, les Aphorismes, et autres ouvrages semblables. — Voilà à peu près en quoi consiste la théorie du grand Hippocrate ; elle n'est pas le fruit d'une imagination déréglée et féconde en chimères, mais elle représente au juste les opérations que la nature exerce dans les maladies du genre humain. Une pareille théorie n'étant donc autre chose qu'une exacte description de la nature, il était raisonnable qu'Hippocrate cherchât uniquement dans sa pratique à aider cette nature par tous les moyens possibles. Aussi ne demande-t-il autre chose d'un médecin, sinon *de secourir la nature lorsqu'elle tombe ; de la retenir quand elle s'égare, et de la ramener dans le cercle qu'elle vient d'abandonner*; tout cela, en se servant des moyens qu'elle emploie elle-même pour guérir les maladies : car, cet

manquent pas, il n'est pas impossible de donner un détail juste et méthodique de tous les symptômes et phénomènes d'une maladie, sans omettre la plus petite particularité. Quant aux causes qui ont empêché jusqu'à présent d'avoir une histoire complète et détaillée des maladies, et aux règles qu'il faut observer en l'écrivant, nous ne pouvons mieux faire que de renvoyer le lecteur au second ou troisième chapitre du second livre de la *Pratique médicale* de l'industrieux et judicieux Baglivi, où il trouvera ces matières traitées avec beaucoup de netteté, d'exactitude et de jugement.

(1) Les indications curatives dans les maladies ne peuvent se tirer plus sûrement que des symptômes les plus considérables et les plus redoutables, qui manifestent mieux la nature et la violence d'une maladie. Si donc, faute de remarquer et d'examiner suffisamment toutes les circonstances, et spécialement de faire attention aux effets de tout ce qu'on donne, ou qu'on applique au malade, nous nous trompons dans les indications curatives, nous aurons nécessairement un mauvais succès. Comme il est donc de la dernière importance de former des indications justes, on doit employer tous les moyens qui peuvent y contribuer, en faisant attention à tout ce qui tombe sous les sens, aux routes qu'a tenues la nature depuis le commencement de la maladie jusqu'au temps où nous sommes appelés, aux forces du malade en ce temps-là, à la cause de la maladie, à la saison de l'année, aux maladies qui règnent alors, aux sexes, à l'âge, au tempérament du sujet, etc. Toutes ces particularités mûrement considérées et comparées ensemble conduiront certainement les médecins aux véritables indications curatives, et par conséquent leur donneront lieu de se promettre un heureux succès, ou du moins de mettre leur réputation à couvert, en faisant connaître le danger, et en annonçant les suites funestes de la maladie.

excellent génie avait bien vu que la nature seule *les termine, et peut opérer toutes choses.* Pour cet effet, elle n'a besoin que d'être aidée d'un petit nombre de remèdes très-simples, et quelquefois même elle n'a besoin d'aucuns (1).

(1) Quiconque se donnera la peine de lire avec attention les écrits d'Hippocrate trouvera qu'il mérite justement la haute réputation dont il jouit depuis tant de siècles, et dont il jouira vraisemblablement dans tous les âges. On voit clairement par ses écrits qu'il possédait dans un degré extraordinaire les deux qualités les plus essentielles à un médecin; savoir, une attention singulière à observer tous les divers phénomènes des maladies, et un jugement exquis pour appliquer, de la manière la plus convenable, cette connaissance à la pratique. Il remarque avec une exactitude surprenante tout ce qui précédait les maladies, les symptômes dont elles étaient accompagnées, et ce qui était utile ou nuisible en toute occasion. Aussi l'application constante qu'il donna à acquérir cette partie si utile de la médecine ne lui laissa ni le temps, ni le goût de s'appliquer à des recherches moins importantes, avec assez de soin pour y faire quelque progrès considérable. Il perfectionna beaucoup l'art de guérir, en se donnant la peine de recueillir quantité d'observations, afin de découvrir l'issue des maladies, par rapport à la vie ou à la mort, et de pouvoir prédire ce qui arriverait dans toutes les maladies qu'il conduisait; et il poussa si loin cette partie de l'art, que ses écrits contiennent les meilleurs pronostics que l'on puisse trouver dans aucun auteur jusqu'à présent. Je crains même qu'en examinant les choses de près, on ne trouve que la plupart des auteurs l'ont copié en ce point, et que peu ont ajouté quelque chose à ses découvertes. On convient universellement qu'il trouva la médecine fort imparfaite et dans une grande confusion, et qu'il la laissa beaucoup plus méthodique et plus sûre. C'est pourquoi il a toujours été regardé comme le restaurateur, et même le fondateur de cet art.

XVI. L'autre moyen que je crois propre à l'avancement de la médecine est d'avoir une méthode fixe, sûre et complète de traiter les maladies. J'entends une méthode fondée sur un assez grand nombre d'expériences, et avec laquelle on soit en état de les guérir : car il ne suffit pas, selon moi, de décrire les succès particuliers d'une méthode ou d'un remède, si cette méthode ou ce remède ne réussit pas universellement et dans tous les cas, du moins en supposant telles ou telles circonstances. Or, je prétends que nous devons être aussi sûrs de guérir une maladie en remplissant telle ou telle intention que nous sommes sûrs de pouvoir remplir telle ou telle intention par tel ou tel genre de remède : et quoique la chose ne réussisse pas toujours, elle réussit néanmoins le plus souvent. C'est ainsi, par exemple, qu'avec les feuilles de séné nous lâchons le ventre, et qu'avec le pavot nous faisons dormir. — Je ne nie pas qu'un médecin ne doive examiner soigneusement les effets particuliers de la méthode et des remèdes dont il s'est servi dans le traitement des maladies, et les marquer par écrit, tant pour soulager sa mémoire, que pour acquérir peu à peu une plus grande habileté, et se former enfin, après des expériences fréquemment réitérées, une méthode sûre dont il ne s'écarte en rien dans le traitement des maladies (2).

(2) Il serait fort à souhaiter que nous eussions une méthode curative aussi sûre et aussi universelle que notre auteur la décrit. On pourrait peut-être l'avoir si les médecins y travaillaient sérieusement et de concert. Pour qu'elle soit propre à notre nation, il faut connaître et marquer exactement la nature de notre climat, l'air que nous y respirons, les vents qui y règnent le plus fréquemment, notre manière de vivre, les maladies auxquelles nous sommes le plus sujets, les remèdes qui conviennent le mieux à notre tempérament, la situation, le terroir, les eaux des différents lieux, et autres choses semblables. Sur ces principes, on pourrait établir pour la

XVII. Mais je ne pense pas qu'il soit fort utile de publier des observations particulières ; car, si l'observateur se contente de nous apprendre que telle maladie a cédé une ou plusieurs fois à ce remède, de quoi cela me servirait-il, si, outre cette quantité presque immense de remèdes dont nous sommes accablés depuis long-temps, on en propose un nouveau dont je n'ai point encore entendu parler? Que si je rejette tous les autres pour m'attacher à celui-ci, ne faudra-t-il pas que j'éprouve sa vertu par une infinité d'expériences, et que j'examine une foule de circonstances, tant par rapport au malade que par rapport à la méthode même, avant que de pouvoir tirer quelque fruit d'une observation détachée? Si l'observateur a trouvé que son remède lui réussissait toujours, pourquoi s'amuse-t-il à rapporter des faits particuliers, si ce n'est parce qu'il se défie de lui-même, ou qu'il aime mieux tromper le public sur quelques points que sur tous en même temps (1)? — Le plus médiocre praticien n'ignore pas combien il est aisé d'écrire de gros volumes d'observations particulières, et combien, au contraire, il est difficile d'établir, pour quelque maladie que ce soit, une méthode sûre et immanquable de guérison. Si un seul médecin dans chaque siècle avait fait cela pour une seule maladie, il y aurait bien des années que l'art de guérir, qui est la vraie médecine, serait arrivé à sa plus haute perfection, du moins autant que le permet la faiblesse humaine. Mais tel est notre malheur que depuis long-temps nous avons abondonné les sages leçons d'Hippocrate et l'ancienne méthode de traiter les maladies, qui est fondée sur la connaissance des causes prochaines et manifestes. De là vient que la médecine, sur le pied qu'elle s'exerce aujourd'hui, est plutôt un art de discou-

plupart des maladies une méthode curative générale dont on ne serait obligé de s'écarter que par occasion, suivant que les circonstances particulières le demanderaient. En lisant dans cette vue les écrits des médecins d'une autre nation, il faut toujours se souvenir qu'ils sont étrangers, qu'ils décrivent les maladies de la manière qu'ils les voient, et qu'ils les traitent relativement au lieu où ils exercent ; en sorte que nous ne pouvons suivre avec sûreté les règles qu'ils donnent, sinon autant qu'elles se trouveront correspondre avec nos observations propres.

(1) Il semble que l'auteur en cet endroit n'a pas fait assez d'attention aux avantages que peuvent procurer des observations exactes et fidèles qui sont le principal fondement de la pathologie et de la thérapeutique. L'expérience, qui forme l'essentiel de l'art, n'est que le résultat de quantité de pareilles observations faites par soi-même ou par d'autres, et la médecine leur est beaucoup plus redevable de son avancement qu'à toutes les découvertes physiques, et à toutes les hypothèses ingénieusement inventées : car il arrive journellement dans le cours des maladies plusieurs choses qui, étant soigneusement observées, contribuent beaucoup à nous diriger en semblables cas, quoiqu'on ne puisse peut-être en rendre raison d'une manière satisfaisante. Mais, pour rendre ces observations vraiment utiles, j'avoue qu'elles doivent être écrites avec beaucoup plus d'exactitude qu'on ne le fait ordinairement, et qu'il ne faut pas omettre, depuis le commencement de la maladie jusqu'à la fin, aucune circonstance tant soit peu importante, soit par rapport au cours de la maladie, soit par rapport à la méthode curative qu'on a employée, ayant soin de spécifier les remèdes qu'on a donnés chaque jour, et les effets qu'ils ont eus, et d'exposer dans un grand détail le régime, etc. Entre les observations que nous ont laissées les anciens et les modernes, il y en a beaucoup qui sont si défectueuses qu'elles ne méritent pas le nom d'*observations*, mais qu'elles doivent plutôt être appelées des *fragments d'observations*, et qui ordinairement servent de peu ou de rien du tout pour guider le médecin praticien dans la véritable méthode curative.

rir que de guérir, n'étant appuyée que sur de vains systèmes.—Mais, pour qu'on ne s'imagine pas que cette accusation est sans fondement, qu'il me soit permis de faire une petite digression, afin de montrer que les causes éloignées dont la recherche fait l'unique occupation de ces hommes curieux qui, par de vaines spéculations, se flattent de pouvoir les découvrir, sont entièrement incompréhensibles et impénétrables ; et que les causes prochaines et conjointes ou immédiates étant les seules que nous pouvons connaître, sont aussi les seules qui peuvent nous fournir des indications curatives.

XVIII. Il faut donc observer qui si les humeurs se trouvent retenues dans le corps plus long-temps qu'il ne convient, la nature ne pouvant les atténuer, ni les évacuer; ou bien, si par telle ou telle constitution de l'air elles contractent un état morbide ; ou enfin, si elles viennent à être infectées de quelque virus contagieux qui les dénature, elles ne manquent pas alors de s'altérer essentiellement, d'acquérir une qualité qui se manifeste par des symptômes propres et particuliers (1) : et quoique ces symptômes, lorsqu'on n'y est pas bien attentif, semblent venir ou de la nature de la partie que l'humeur occupe, ou de la nature de l'humeur même avant qu'elle eût subi cette altération, ils sont néanmoins réellement les effets du vice essentiel que l'humeur a contracté depuis peu ; en sorte que toute maladie spécifique est une affection qui provient d'une exaltation ou altération spécifique de quelqu'une des liqueurs du corps animé. — On peut comprendre sous ce genre la plupart des maladies qui gardent un type constant et uniforme. En effet, la nature, en les produisant et en les terminant, ne suit pas moins une méthode fixe que lorsqu'elle produit des plantes ou des animaux ; et comme chaque plante et chaque animal a des qualités propres et particulières, il en est de même de chaque humeur qui a subi une altération essentielle. On voit tous les jours un exemple bien sensible de cette vérité dans différentes excroissances qui surviennent aux arbres et aux arbrisseaux sous la forme de mousse, de gui, de champignon, et d'autres choses semblables, soit par la corruption et la dépravation du suc nourricier, soit par d'autres causes. Or, toutes ces excroissances sont des plantes essentiellement différentes de celles qui les produisent.

XIX. Maintenant, quiconque examinera sérieusement, avec grande attention, les phénomènes qui accompagnent la fièvre quarte, par exemple, savoir, qu'elle attaque presque toujours à l'entrée de l'automne ; qu'elle garde immanquablement un ordre et un type certains ; que ses accès reviennent de quatre en quatre jours, avec autant de régularité qu'on en voit dans les mouvements d'une horloge ou d'une pendule, à moins que quelque cause extérieure ne trouble cet ordre ; qu'elle commence par un frisson assez considérable, suivi d'une chaleur proportionnée, laquelle se termine par une sueur abondante; qu'enfin, dans quelque sujet que se rencontre cette fièvre, on peut rarement la guérir avant l'équinoxe du printemps, quiconque, dis-je, examinera tout cela attentivement trouvera d'aussi fortes raisons pour croire que cette maladie est un être spécifique que pour croire qu'une plante est une substance qui naît, qui fleurit et qui périt toujours de la même manière, et qui, dans tout le reste, éprouve ce qui est conforme à sa nature.—Il n'est pas aisé de concevoir comment la fièvre quarte pourrait provenir d'une combinaison de principes ou qualités manifestes, tandis qu'une plante, de l'aveu de tout le monde, est une substance réellement distincte de tout autre. Je conviens

(1) Ou, pour parler plus clairement, les humeurs, par quelqu'une des causes susdites, subissent une altération qui produit une maladie accompagnée de symptômes particuliers, lesquels proviennent de cette altération, et sont conformes à la nature de la maladie qui en résulte.

néanmoins qu'au lieu que les espèces des animaux et des plantes subsistent chacune par elles-mêmes, à l'exception d'un très-petit nombre, les espèces des maladies dépendent au contraire des humeurs qui les produisent.

XX. Mais, quoiqu'il semble certain, par ce qui a été dit, que les causes de la plupart des maladies sont entièrement incompréhensibles et inexpliquables, il ne s'ensuit pas pour cela qu'on ne puisse guérir les maladies. Ce que nous disons de leurs causes regarde seulement les causes éloignées. En effet, il est aisé de voir que ces spéculatifs curieux qui s'amusent à rechercher de pareilles causes, et qui veulent, bon gré, malgré, et en dépit de la nature, les découvrir et les expliquer, tentent l'impossible, en même temps qu'ils méprisent les causes prochaines, conjointes et immédiates, les seules néanmoins qu'il soit nécessaire de connaître, et que l'on peut connaître, en effet, sans le secours de ces vaines spéculations, puisqu'elles se présentent clairement à l'esprit, ou qu'elles ont été découvertes il y a déjà long-temps, soit par le témoignage des sens, soit par des observations anatomiques. — Il est absolument impossible qu'un médecin connaisse les causes morbifiques qui n'ont aucun rapport avec les sens; mais aussi cela n'est pas nécessaire. Il lui suffit de savoir quelle est la cause immédiate de la maladie, quels en sont les effets et les symptômes, pour être en état de distinguer exactement cette maladie d'avec une autre qui lui ressemble. Dans la pleurésie, par exemple, on aurait beau se tourmenter pendant long-temps, on ne viendrait jamais à bout de découvrir en quoi consiste précisément cette altération vicieuse du sang, laquelle est la première source du mal. Mais celui qui connaîtra bien la cause immédiate qui le produit, et saura le distinguer exactement de toute autre maladie, réussira sûrement à le guérir, quand même il ne s'amusera pas à une vaine et inutile recherche des causes éloignées. Tout cela soit dit en passant.

XXI. Quelqu'un pourrait demander maintenant si, outre une bonne histoire des maladies, et une méthode sûre pour les traiter, deux choses qui manquent à la médecine, il n'en faut pas encore une troisième, qui est de trouver des remèdes spécifiques. Je réponds que je le pense ainsi; car, quoique la méthode me paraisse extrêmement convenable dans le traitement des maladies aiguës, parce que la nature employant toujours quelque évacuation pour les guérir, toute méthode qui aidera la nature dans une telle évacuation contribuera nécessairement à la guérison, néanmoins, il serait à souhaiter qu'on pût guérir plus promptement les malades au moyen des spécifiques, s'il est possible d'en trouver; et, ce qui est encore plus important, qu'on pût éviter les malheurs qui arrivent, lorsque la nature, nonobstant les puissants secours que lui donne un habile médecin, s'égare, malgré elle, en s'efforçant d'évacuer la cause de la maladie (1).

(1) Le défaut de spécifiques dans la médecine est un mal dont on se plaint depuis long-temps, sans qu'on ait pris assez de soin pour y remédier. Le peu de spécifiques que nous avons seraient beaucoup plus sûrs, si l'on avait eu soin d'observer et de marquer exactement leurs effets dans toutes les différentes circonstances où on les a employés. Par ce moyen, nous aurions des règles pour savoir quand et comment il faut les donner, et quelles précautions il faut prendre pour les rendre plus utiles. Souvent les meilleurs remèdes ne réussissent pas, et cela uniquement faute d'être administrés avec la sagesse nécessaire; car, supposé qu'ils n'aient souffert aucune altération pour avoir été gardés, ou pour avoir été mal préparés, il est évident qu'ils doivent toujours produire des effets semblables dans des circonstances qui sont à peu près les mêmes; s'il en arrive autrement, ce n'est pas la faute des remèdes, mais cela vient de ce qu'on les donne mal à propos, sans distinguer exactement les cas où ils conviennent.—

XXII. Pour ce qui regarde la guérison des maladies chroniques, quoique je ne doute nullement qu'on ne puisse par la méthode seule y mieux réussir qu'on ne s'imaginerait d'abord; cependant, il n'est que trop vrai que dans quelques-unes, même des plus considérables, la méthode est insuffisante. Ce qui vient principalement de ce que la nature n'a pas des moyens aussi efficaces dans les maladies chroniques que dans les aiguës, pour évacuer la matière morbifique, et pour que nous puissions, en l'aidant et en la dirigeant, venir à bout de la maladie. — Un vrai médecin est celui qui guérit radicalement une maladie chronique, en détruisant, par un remède particulier, l'espèce de la maladie; et non pas celui qui ne fait autre chose qu'introduire une nouvelle qualité en place de la première, ce qui peut s'exécuter sans détruire l'espèce. Par exemple, on peut échauffer ou rafraîchir un goutteux, sans que la goutte soit guérie, ni même diminuée. Une méthode qui introduit simplement des qualités différentes ne guérit pas plus immédiatement les maladies spécifiques que l'épée n'éteint le feu. En effet, qu'est-ce que la chaleur, le froid, l'humide ou le sec, ou quelque autre des secondes qualités qui dépendent de ces premières, peuvent faire pour la guérison d'une maladie dont l'essence ne consiste dans aucune de ces qualités?

XXIII. Si quelqu'un objecte que nous connaissons déjà depuis longtemps un assez grand nombre de remèdes spécifiques, je répondrai que, si on examine les choses avec attention, on sera persuadé du contraire, puisque nous n'avons de vrai spécifique que le quinquina: car, il y a une différence infinie entre les médicaments spécifiquement propres à remplir une indication curative, laquelle étant remplie, le mal se trouve guéri, et les médicaments qui guérissent spécifiquement et immédiatement telle ou telle maladie, sans avoir aucun égard à telle ou telle intention curative. — Par exemple, le mercure et la racine de salsepareille passent pour des spécifiques de la vérole. Cependant ils ne doivent pas être regardés comme de vrais et propres spécifiques, à moins qu'on ne prouve, par des exemples incontestables, que le mercure a guéri la vérole sans exciter de salivation, et la salsepareille sans exciter des sueurs (1).

Il est certain qu'un véritable spécifique est d'un si grand prix, que celui qui, par de soigneuses recherches, en découvrirait un seul dans toute sa vie, serait amplement récompensé de ses peines. Pour y procéder avec quelque espérance de succès, il serait bon, 1° d'avoir une idée nette de ce qu'on entend par un spécifique que l'on peut définir, « un remède qui, par une vertu singulière » dont il est doué, guérit ou soulage infailliblement une maladie particulière, » étant donné, autant qu'il est possible, » dans les mêmes circonstances; » 2° d'établir des règles pour diriger méthodiquement le médecin dans ses recherches, et dans la manière de faire des expériences convenables, sans risquer sa réputation, et nuire au malade. C'est dans cette vue qu'il faut étudier la philosophie naturelle et expérimentale, la mécanique, l'anatomie, la botanique, la chimie, etc. On peut tirer aussi de grands secours de l'anatomie et de la médecine comparées; 3° il faudrait marquer soigneusement et fidèlement le bon et le mauvais succès d'un spécifique dans les différents cas où on l'emploie, sans omettre la moindre particularité: en sorte qu'on puisse avoir une idée juste de l'efficacité ou de l'inefficacité de ce remède, et que par conséquent les médecins soient encouragés à y avoir recours dans les cas pareils, ou sachent qu'il doit être rejeté. (Une partie de cette note est prise de Baglivi. Voyez cet auteur, *Prax. med.*, p. 224, etc.)

(1) Cette idée me paraît outrée. Je ne vois pas de bonne raison pour exclure du nombre des remèdes spécifiques le mercure dans la vérole, le lait dans un certain degré de la phthisie, l'opium

— Il y a des maladies qui se guérissent par d'autres évacuations. Toutefois, les remèdes qu'on y emploie, et qui causent proprement ces évacuations, n'opèrent pas plus immédiatement la guérison de ces maladies que la lancette n'opère celle de la pleurésie. Or, je crois que personne ne dira que la lancette soit le spécifique de la pleurésie.

XXIV. La découverte des remèdes spécifiques, dans le sens que nous l'entendons, n'est pas le partage du premier venu ni des esprits paresseux. Je ne doute pas néanmoins que, dans cette abondance de biens et de richesses dont regorge la nature, le créateur, qui veille à la conservation de ses ouvrages, n'ait pourvu à la guérison des maladies les plus considérables qui affligent le genre humain, en formant des spécifiques qui soient à portée de chaque homme, et dans son pays natal. — En vérité, il est fâcheux que les vertus des plantes nous soient encore si peu connues; car je les regarde comme la plus excellente portion de toute la matière médicale; et c'est dans le règne végétal qu'il y a le plus d'espérance de pouvoir découvrir les remèdes spécifiques dont nous venons de parler. Les parties des animaux semblent avoir trop de convenance avec le corps humain; et les minéraux semblent en avoir trop peu. Aussi j'avoue volontiers que les minéraux remplissent plus puissamment les indications que ne font les plantes ou les remèdes tirés des animaux. Mais ils ne guérissent point par une seule vertu spécifique, que dans le sens et de la manière que nous avons dit. Pour moi, qui, depuis quelques années, ai cherché avec des peines et des soins infinis des remèdes spécifiques, je n'ai pas eu le bonheur de faire dans cette matière aucune découverte que je puisse proposer au public avec une juste confiance (1).

XXV. Quoique je préfère les plantes à tout le reste de la matière médicale, je

dans les douleurs, le savon dans certaines espèces de jaunisse et dans le calcul, les gommes fétides dans certains accès hystériques, le sel volatil de vipère dans la morsure de la vipère : car tous ces remèdes semblent être spécialement propres à guérir les maladies susdites, ou du moins à les diminuer. — D'ailleurs, avancer qu'une infinité d'hommes savants et infatigables n'ont pu venir à bout, par leurs travaux réunis, de découvrir un seul spécifique, c'est plus qu'il n'en faut pour détourner l'homme le plus hardi d'une recherche si peu propre, en apparence, à le dédommager de ses peines. En effet, si le quinquina est le seul spécifique qu'il y ait, cette découverte est le fruit du hasard, et non de l'étude et de l'expérience.

(1) Cette plainte n'est pas aussi bien fondée maintenant qu'elle pouvait être du temps de l'auteur, plusieurs habiles gens ayant beaucoup travaillé depuis ce temps-là pour découvrir et établir plus sûrement, soit par l'analyse, soit par l'expérience, les vertus des plantes. Néanmoins, si cette partie de la matière médicale était resserrée dans des bornes beaucoup plus étroites, et qu'on n'employât que des plantes dont les vertus fussent bien connues et autorisées, il y a apparence que la méthode curative se perfectionnerait extrêmement, parce que le médecin ne serait pas embarrassé à choisir dans un si petit nombre de plantes, et que, par les essais qu'il se trouverait obligé de faire de ce peu de plantes qu'on jugerait mériter d'être retenues, il serait pleinement instruit de ce qu'elles peuvent ou ne peuvent pas opérer. — On peut ajouter que les plantes et les remèdes simples ont de grands avantages sur les composés. Ils sont plus sûrs, et on est moins sujet à s'y tromper, parce qu'il n'est pas si aisé de les falsifier. D'ailleurs, on peut les donner en substance, ou du moins ils ne demandent que très-peu de préparations pour être employés; au lieu que les meilleurs remèdes composés sont souvent dénués de leurs vertus par de mauvaises préparations.

suis cependant bien éloigné de mépriser les excellents remèdes d'une autre classe, qui, dans notre siècle ou dans quelque autre, ont été découverts par des gens également habiles et laborieux, et qui remplissent très-bien les indications. Le principal de ces remèdes, ce sont les gouttes qui portent le nom du docteur Godard, et qui sont préparées par le docteur Goodall, très-savant homme et très-versé dans la pratique de la médecine et dans la connaissance des remèdes. Je préfère ces gouttes à tous les autres esprits volatils, parce qu'elles me semblent remplir mieux les vues que l'on a en les administrant (1).

XXVI. Enfin, comme j'ai promis dans cette préface de donner un échantillon de ce que j'ai fait pour l'avancement de la médecine, je vais tâcher d'accomplir ma promesse, en donnant l'histoire et la curation des maladies aiguës. Je vois bien que, en faisant cela, je vais livrer à des paresseux et à des ignorants tout le fruit d'un travail assidu de corps et d'esprit, que j'ai essuyé durant la meilleure partie de ma vie; et je connais assez la méchanceté de notre siècle, pour n'espérer d'autre récompense de mon travail que des reproches et des injures; je sens bien aussi que je me serais fait plus d'honneur en publiant quelque vaine et inutile spéculation. Mais tout cela m'est égal; et ce n'est pas ici-bas que j'attends ma récompense (2).

XXVII. On m'objectera peut-être que d'autres médecins aussi versés que moi dans la pratique ne pensent pas de même sur cette matière. Je réponds que, sans m'embarrasser des sentiments d'autrui, je cherche uniquement à établir la vérité de mes observations; et pour cela, je ne demande point au lecteur sa bienveillance, mais seulement sa patience : car il reconnaîtra bientôt si j'ai agi sincèrement et en homme d'honneur; ou si, à l'exemple d'un homme sans foi et sans probité, j'ai écrit d'une manière à être, même après ma mort, homicide du genre humain. Tout ce que j'aurai à me reprocher, c'est de n'avoir pas écrit avec toute l'exactitude que je m'étais proposée l'histoire et la curation des maladies. — Je ne prétends pas donner un ouvrage parfait, mais animer ceux qui ont plus de génie que moi, et qui entrepren-

(1) Ces gouttes sont un esprit alcali huileux très-volatil, qui se tire de la soie, et que l'on vante beaucoup pour les convulsions qui viennent d'acidité; mais on ne s'en sert guère aujourd'hui.

(2) Quoique notre auteur ait si bien mérité du genre humain, il paraît néanmoins avoir eu raison de craindre que ses louables efforts pour servir les hommes, au lieu de lui attirer leur estime et leur reconnaissance, ne l'exposassent au contraire à l'envie des ignorants, à la haine des méchants et au mépris des gens prévenus. Il n'attendait guère autre chose d'un monde ingrat que des reproches et des outrages pour récompense de ses nobles et généreux travaux; et peut-être ne s'est-il pas trompé. (Voyez *sect.* 3, *chap.* 2, *art.* 256.)—Mais ce que la malice, l'envie et la préoccupation de quelques-uns de ses contemporains lui ont refusé pendant sa vie lui a été abondamment restitué après sa mort : car, aucun médecin, depuis le grand Hippocrate, n'a eu une plus grande réputation que celle dont l'illustre Sydenham a joui et jouit encore aujourd'hui. Son jugement, sa probité, sa sincérité, sont généralement reconnus et applaudis. Les médecins anglais ont recours à ses écrits comme à un oracle, et les étrangers ne parlent jamais de lui qu'avec les plus grandes marques d'estime, jusque là même que plusieurs l'appellent l'*Hippocrate anglais*. Nous nous trouvons bien de marcher sur ses traces, et je puis avancer, sans être prophète, que nos successeurs s'en trouveront de même, et que, tant qu'il y aura des médecins habiles et de probité, on ne se souviendra de notre auteur qu'avec les plus grandes marques de reconnaissance et d'estime, et que sa méthode de pratiquer sera toujours suivie.

dront à l'avenir un pareil ouvrage, à faire quelque chose de mieux.

XXVIII. Une chose dont il me reste à avertir le lecteur, c'est que je n'ai pas voulu grossir ce livre d'une multitude d'observations particulières, pour appuyer la méthode que j'y enseigne. Il aurait été inutile et ennuyeux de répéter en détail ce que j'avais déjà dit en abrégé. Il m'a paru suffisant de joindre de temps en temps à chaque observation générale, du moins à celles des dernières années, une observation particulière qui contînt le précis de la méthode précédente. Au reste, je puis assurer que je ne propose aucune méthode générale qui n'ait été confirmée par des expériences réitérées.

XXIX. On ne doit pas s'attendre de trouver ici un tas de remèdes ou de formules; c'est au médecin à les employer prudemment suivant le besoin : il me suffit d'avoir marqué les indications qu'il est nécessaire de remplir, avec l'ordre et le temps dans lequel il faut les remplir. La médecine pratique consiste plutôt à connaître les véritables indications, qu'à imaginer des remèdes propres à les remplir; et ceux qui ont manqué d'attention à cet égard ont fourni aux empiriques les seuls moyens par lesquels ils puissent ressembler aux médecins.

XXX. Si dans certaines maladies, non-seulement je n'emploie pas des remèdes pompeux, mais si j'en propose même qui n'ont presque aucun rapport avec la matière médicale, j'espère que je ne serai désapprouvé en cela que par des esprits vulgaires. Les gens sages n'ignorent pas que tout ce qui est utile est nécessairement bon, et qu'Hippocrate, en proposant l'usage du soufflet pour guérir la colique, en ordonnant de ne rien faire absolument dans le cancer, et en recommandant plusieurs autres choses de cette nature, qu'on trouve presque à chaque page de ses écrits, n'a pas moins rendu des services à la médecine que s'il avait rempli tous ses ouvrages de vaines formules de remèdes.

XXXI. J'avais dessein de donner l'histoire des maladies chroniques, au moins de celles que j'ai traitées le plus souvent. Mais comme c'est une entreprise très-difficile, et que je suis bien aise de voir auparavant la manière dont le public recevra ce que je donne aujourd'hui, j'ai cru devoir remettre cette histoire à un autre temps (1).

(1) Il semble que l'auteur a exécuté ce dessein en abrégé dans ses *Processus integri*, ou sa *Méthode complète*, etc., qu'on trouvera, pag. 265 et suiv. du tome II, et où l'on verra, en la lisant, qu'il y a très-peu de maladies chroniques dont il n'ait parlé.

MÉDECINE PRATIQUE

DE SYDENHAM.

HISTOIRE ET CURATION DES MALADIES AIGUES.

SECTION PREMIÈRE.

CHAPITRE Ier. — DES MALADIES AIGUES EN GÉNÉRAL.

1. Quelque contraires que soient au corps humain les causes des maladies, il me semble néanmoins qu'à raisonner juste, la maladie n'est autre chose qu'un effort de la nature (1) qui, pour conserver le malade, travaille de toutes ses forces à évacuer la matière morbifique (2).

Le souverain maître de l'univers ayant voulu que les hommes fussent exposés à recevoir différentes impressions de la part des choses extérieures, ils se sont trouvés par cette raison nécessairement sujets à diverses maladies, lesquelles viennent en partie de certaines particules de l'air qui ne sont point analogues avec nos humeurs, et qui, s'insinuant dans le corps, et se mêlant avec le sang, l'infectent et le corrompent; et en partie de différentes fermentations, ou même de différentes pourritures d'humeurs qui séjournent trop long-temps dans le corps, parce qu'à raison de leur quantité excessive, ou de leur qualité

---

(1) Voyez le terme de nature, expliqué art. 210.

(2) Pour définir exactement la maladie en général, il faut connaître auparavant ce que c'est que la santé (parce que la première est relative à la seconde). Or, si l'on peut dire « que la santé consiste dans une circulation facile et régulière des fluides, dans un juste mélange et une juste proportion du sang et des humeurs, dans une tension et un mouvement convenable des solides, et une parfaite exécution des fonctions vitales et animales, on pourra aussi définir la maladie une altération considérable dans le mouvement, le mélange ou la quantité des fluides, une trop grande tension ou un trop grand relâchement, et par conséquent un mouvement trop prompt ou trop lent des fluides: ce qui affecte tout le corps, ou seulement quelques parties, et se trouve accompagné d'un dérangement considérable des sécrétions, des excrétions, des fonctions vitales et animales, et tend à la guérison ou à la mort, ou à la dépravation de quelque partie, lorsque la maladie se termine par une autre maladie. » — Cette définition comprend tout ce qu'on entend par une maladie en général; car non-seulement elle montre d'une manière claire en quoi consiste actuellement la maladie, savoir, dans une dépravation des fonctions vitales et animales, mais elle en désigne encore la cause immédiate, qui est une augmentation ou diminution de mouvement dans tout le corps ou dans quelques-unes de ses parties, et elle marque les effets qu'elle opère sur le corps.

particulière, il n'a pu les atténuer, ni les évacuer.

2. Dans de pareilles conjonctures, où toute l'industrie humaine se trouve insuffisante, la nature emploie une méthode et un enchaînement de symptômes pour expulser la matière maligne et nuisible, qui, sans cela, porterait bientôt un coup mortel à la machine. Il est vrai que la nature, en se servant de semblables moyens, arriverait beaucoup plus souvent au but qu'elle se propose, de rétablir la santé, si elle était détournée de sa route par des ignorants. Cependant, lorsque abandonnée à elle-même, elle laisse périr le malade, soit parce qu'elle succombe sous la violence de la maladie, soit parce qu'elle se manque à elle-même au besoin, elle ne fait alors qu'obéir à la triste et inévitable loi imposée à tous les mortels, et suivant laquelle rien de ce qui est engendré ne peut durer toujours (1).

3. Etablissons, par un ou deux exemples, la vérité de ce que nous avançons. Qu'est-ce que la peste, sinon une complication de symptômes dont la nature se sert pour chasser au-dehors à travers les émonctoires de la peau, et sous la forme d'abcès ou d'autres sortes d'éruptions, les particules contagieuses qui sont entrées avec l'air par la respiration? Qu'est-ce que la goutte, sinon un moyen qu'emploie la nature pour purifier le sang des vieillards, et les purger à fond, comme parle Hippocrate? On peut dire la même chose de la plupart des autres maladies lorsqu'elles sont entièrement déclarées (2).

4. Or la nature exécute tout cela, tantôt plus promptement, tantôt plus lentement, suivant la différente méthode qu'elle met en usage pour se débarrasser de la cause morbifique. Lorsqu'elle a besoin du secours de la fièvre pour séparer du sang les particules qui l'infectent, et pour les évacuer par les sueurs, le cours de ventre, les éruptions, ou par d'autres voies, comme tout cela s'opère dans la masse du sang, et par un mouvement considérable des parties, les pores étant d'ailleurs ouverts et les fibres relâchées, il arrive nécessairement de là que la nature sauve bientôt le malade, si elle produit une évacuation critique de la matière morbifique, ou qu'elle le tue bientôt, si elle ne peut produire une telle évacuation; et de plus, que tous les efforts qu'elle fait sont accompagnés de symptômes violents et dangereux. Telles sont les maladies que nous appelons *aiguës*, savoir celles qui arrivent à leur état rapidement et avec danger.—Il n'est pas moins vrai, dans un certain sens, qu'on peut mettre au nombre des maladies aiguës celles qui, quoique à l'égard des paroxysmes pris tous ensemble, vont plus lentement, ne laissent pas, à l'égard de chaque paroxysme particulier, d'arriver promptement à leur terme critique. Et telles sont toutes les fièvres intermittentes.

5. Mais quand la matière morbifique est de nature à ne pouvoir exciter la fièvre pour opérer la dépuration universelle du sang; ou lorsque cette matière est fixée sur une partie entièrement incapable de s'en délivrer, soit à raison de sa structure propre, comme lorsque la matière morbifique est engagée dans les nerfs paralytiques, et lorsqu'il y a du pus épanché dans la cavité de la poitrine; soit par le défaut de chaleur naturelle et d'esprits animaux, comme lorsque la pituite se jette sur des poumons affaiblis par la vieillesse ou la toux; soit enfin à cause d'un abord continuel de nouvelle matière qui corrompt le sang, lequel, faisant effort pour l'expulser, sur-

(1) *Constat æternâ positumque lege est, constet ut genitum nihil.* Boëce, page 70.

(2) Le corps est une machine animée, formée de telle sorte que plusieurs des maladies qui lui surviennent se guérissent d'elles-mêmes, et le rétablissent dans son état naturel; au lieu que d'autres se perpétuent et s'augmentent d'elles-mêmes, et enfin causent sa destruction. De là il s'ensuit évidemment que les médecins doivent découvrir par l'observation les différentes voies qui mènent à ces fins contraires dans les différentes maladies du corps, afin d'aider les premières, et de s'opposer aux secondes. Ainsi, par exemple, une matière âcre dans l'estomac et les intestins occasionne un vomissement et un cours de ventre qui suffisent quelquefois pour guérir la maladie, en évacuant ce qui est nuisible; quelquefois ne suffisent pas; et d'autres fois sont si violents qu'ils jettent dans l'épuisement et causent la mort. Suivant cela, le médecin doit donner en certains cas des émétiques ou des purgatifs, et en d'autres des narcotiques, selon que l'expérience et le raisonnement fondé sur l'expérience le dirigeront.

charge et accable cette partie (1) : dans tous ces cas, la matière morbifique ne parvient point du tout à la coction, ou n'y parvient que fort tard. — Les maladies qui naissent de cette matière incapable de coction sont appelées *chroniques*. — Voilà donc deux principes contraires, dont l'un produit les maladies aiguës, et l'autre les maladies chroniques.

6. Quant aux maladies *aiguës*, desquelles j'ai dessein de traiter présentement, les unes viennent d'une altération secrète et inexplicable de l'air, qui, alors, infecte le corps humain, et elles ne dépendent nullement d'une qualité particulière du sang et des humeurs, sinon en tant que la contagion de l'air a imprimé cette qualité au sang et aux humeurs. Ces sortes de maladies ne règnent que durant une telle constitution de l'air, et ne se font point sentir dans un autre temps. On les a nommées *épidémiques*.

7. Les autres sortes de maladies aiguës proviennent d'une indisposition particulière des divers sujets ; et comme elles n'ont point de causes plus générales, elles n'attaquent pas aussi beaucoup de gens à la fois. De plus, elles arrivent indifféremment dans toutes les années, et dans tous les temps de l'année, excepté dans ceux dont nous parlerons lorsque nous traiterons de ce genre de maladies aiguës. Je les appelle *intercurrentes* ou *sporadiques*, parce qu'elles se font sentir dans tous les temps que règnent les maladies épidémiques. Je vais commencer par ces dernières, dont je donnerai avant toutes choses l'histoire générale.

CHAP. II. — DES MALADIES ÉPIDÉMIQUES.

8. Si l'on examine toutes les branches de la médecine, rien ne paraîtra peut-être plus surprenant que l'extrême diversité qui se rencontre dans les maladies épidémiques, non pas tant à l'égard des différentes saisons d'une même année auxquelles elles sont conformes, qu'à l'égard des différentes constitutions des mêmes années dont elles dépendent.

9. Cette diversité des maladies épidémiques se manifeste assez par les symptômes qui sont propres à chacune, et par le traitement différent qu'elles demandent. Ainsi, quoique les maladies épidémiques paraissent à ceux qui n'y prennent pas assez garde se ressembler entre elles par leurs dehors, et par quelques symptômes qui leur sont communs à toutes, il est certain néanmoins que, si on fait bien attention, on les trouvera entièrement différentes les unes des autres, et de caractères fort opposés. Peut-être qu'un examen plus soigneux nous apprendrait si elles se succèdent toujours les unes aux autres d'une manière régulière, et par une espèce de révolution continuelle ; ou si elles arrivent indifféremment et sans garder aucun ordre, suivant la disposition secrète de l'air et les diverses constitutions des années. Mais la vie d'un homme semblerait à peine suffire pour un pareil examen.

10. Une chose au moins dont je suis sûr par quantité d'observations très-exactes, c'est que les espèces des maladies épidémiques, surtout les fièvres continues, diffèrent tellement l'une de l'autre, que la même méthode qui aura été salutaire une année sera peut-être funeste l'année suivante. Aussi, lorsque j'ai une fois découvert la véritable méthode de traiter telle ou telle espèce de fièvre, je guéris, grâce au ciel, presque tous ceux qui en sont attaqués ; bien entendu qu'en m'attachant inviolablement à cette méthode, j'ai toujours égard au tempérament, à l'âge et aux autres circonstances nécessaires. — Cette maladie ayant cessé et ayant fait place à une autre, me voilà dans un nouvel embarras, ne sachant par où je dois m'y prendre pour traiter la nouvelle maladie. Ainsi, à moins que je n'apporte une attention extraordinaire et une application infinie, il est impossible que les premiers malades qui font l'épreuve de mes remèdes ne risquent extrêmement, jusqu'à ce qu'ayant reconnu, après un examen constant, le caractère de la maladie, je puisse l'attaquer avec une entière confiance et être pleinement sûr de la victoire.

11. Quoique j'aie observé avec tout le soin possible les différentes constitutions des années, par rapport aux qualités manifestes de l'air, afin de pouvoir découvrir par ce moyen les causes de cette grande variété des maladies épidémiques, je ne vois pas que j'aie rien avancé jusqu'ici. Car j'ai remarqué que dans des années qui se ressemblent entièrement par rapport à la température manifeste de l'air, il règne des maladies très-différentes, et au contraire : voici comment les choses se passent.

(1) Par exemple dans la goutte.

12. Il y a diverses constitutions d'années qui ne viennent ni du chaud ni du froid, ni du sec ni de l'humide, mais plutôt d'une altération secrète et inexplicable, qui s'est faite dans les entrailles de la terre. Alors, l'air se trouve infecté de pernicieuses exhalaisons qui causent telle ou telle maladie, tant que la même constitution domine. Enfin, au bout de quelques années, cette constitution cesse et fait place à une autre. Chaque constitution générale produit une fièvre qui lui est propre, et qui hors de là ne paraît jamais. C'est pourquoi j'appelle ces sortes de fièvres *stationnaires* ou *fixes*.

13. De plus, il y a dans une même année certaines températures particulières ; et quoiqu'en ce temps-là les fièvres épidémiques qui suivent la constitution générale de ladite année règnent plus ou moins, ou commencent plutôt ou plus tard, à proportion des qualités manifestes de l'air, néanmoins, les fièvres qui arrivent indifféremment dans toutes sortes d'années, et que j'appelle à cause de cela *intercurrentes* ou *sporadiques*, doivent alors plus que toutes les autres, leur origine à une certaine température de l'air. Telles sont la pleurésie, l'esquinancie, et autres maladies semblables, qui attaquent le plus souvent lorsqu'une chaleur subite succède tout à coup à un froid long et violent. — Il se peut donc faire que les qualités sensibles de l'air contribuent à la production des fièvres qui se manifestent dans chaque constitution, et non pas à la production de celles qui sont propres et particulières à une certaine constitution. Toutefois, on doit avouer que les qualités sensibles de l'air disposent plus ou moins nos corps à telle ou telle maladie épidémique. On doit dire la même chose de toute erreur à l'égard des six choses non naturelles.

14. Il faut remarquer qu'entre les maladies épidémiques il y en a qui, dans certaines années sont régulières et vont toujours le même train, sont accompagnées des mêmes phénomènes et des mêmes symptômes dans presque tous les sujets, et se terminent de la même façon. Ce sont les plus parfaites dans leur genre ; et c'est par elles qu'on doit apprendre la véritable histoire des maladies épidémiques.

15. Mais il en est d'autres qui, quoiqu'elles soient nommées *épidémiques*, sont néanmoins très-irrégulières, ne gardent aucun type certain et sont réellement d'un mauvais caractère, tant par rapport à la variété et la différence extrême de leurs symptômes que par rapport à la manière dont elles se terminent. Cette grande irrégularité vient de ce que chaque constitution produit des maladies fort différentes de celles qui régnaient dans un autre temps. Ce qui a lieu non-seulement dans les fièvres, mais encore dans la plupart des autres maladies épidémiques.

16. Il y a encore une autre chose plus singulière, et qui est, pour ainsi dire, un jeu de la nature. C'est que la même maladie dans la même constitution de l'année se montre souvent sous des faces très-différentes, dans son commencement, dans sa force, et dans son déclin. Cette variété se trouve quelquefois d'une si grande importance qu'elle règle absolument ses indications curatives.

17. Au reste, les maladies épidémiques se divisent en deux classes, savoir : les maladies du *printemps* et celles de l'*automne* ; et quoiqu'elles puissent arriver en toute autre saison de l'année, il faut les ranger parmi celles de la saison dont elles approchent le plus, soit le printemps, soit l'automne ; car quelquefois la température de l'air a une si grande convenance avec une maladie épidémique qu'elle la fait naître avant son temps ordinaire. D'autres fois au contraire elle en a si peu que les corps, quoique déjà disposés à la maladie, n'en sont attaqués que quelque temps après. Ainsi, quand je parle de printemps et d'automne, je n'entends pas précisément les deux équinoxes.

18. Entre les maladies épidémiques du printemps, les unes paraissent de très-bonne heure, savoir : au mois de janvier, ensuite augmentant, peu à peu, elles arrivent à leur plus haut degré de violence vers l'équinoxe du printemps. Après quoi diminuant insensiblement, elles disparaissent vers le solstice d'été ; si ce n'est peut-être qu'elles attaquent encore quelques personnes, par-ci par-là. De ce nombre sont les rougeoles et les fièvres tierces de printemps, lesquelles, à la vérité, commencent un peu plus tard, savoir, au mois de février, mais finissent pareillement vers le solstice d'été. — Les autres maladies épidémiques du printemps ayant pris naissance en cette saison, et s'étant fortifiées de jour en jour, n'acquièrent leur plus haut degré de violence que vers l'équinoxe d'au-

tomne; ensuite de quoi elles s'affaiblissent peu à peu, et cessent enfin vers le solstice d'hiver. Telles sont la peste et la petite-vérole, dans les années que l'une ou l'autre de ces maladies domine sur les autres.

19. Le choléra-morbus, qui est de la famille des maladies épidémiques d'automne, commence au mois d'août, et ne dure que l'espace d'un mois. Mais il y a d'autres maladies épidémiques qui, ayant commencé dans la même saison, se prolongent jusques en hiver; par exemple, la dysenterie, les fièvres quartes et les fièvres tierces d'automne. Quoique toutes ces maladies affligent plus ou moins longtemps certains sujets, elles ne manquent guère de finir entièrement dans l'espace de deux mois.

20. Quant à ce qui regarde spécialement les fièvres, il faut observer que la plupart de celles qui sont *continues* n'ont eu jusqu'à présent aucun nom particulier, en tant qu'elles dépendent de la constitution générale, mais que les noms qui les distinguent sont pris d'une altération considérable du sang, ou de quelque symptôme plus évident. C'est ainsi qu'elles sont nommées *putrides*, *malignes*, *pourprées*, etc. Mais comme ordinairement chaque constitution, outre les fièvres qu'elle cause, tend à produire en même-temps quelqu'autre maladie plus épidémique et de plus grande conséquence, telles que la peste, la petite vérole, la dysenterie, etc., je ne vois pas pourquoi ces sortes de fièvres ne tireraient pas plutôt leurs noms de la constitution qui les fait éclore que d'une altération quelconque du sang ou d'un symptôme particulier qui peuvent se rencontrer également dans des fièvres d'une autre espèce.

31. Les *intermittentes* prennent leurs noms de l'intervalle qu'il y a entre chaque accès. Ce caractère les distingue suffisamment, si en même temps on a égard aux différentes saisons qui les amènent, savoir, le printemps et l'automne. Il y a cependant quelquefois de ces fièvres qui sont réellement de la nature des intermittentes sans avoir de caractère bien sensible qui les fasse connaître. Par exemple, celles qui, ayant commencé dès le mois de juillet, vont se joindre aux intermittentes d'automne, et deviennent alors plus violentes, ne prennent pas d'abord leur véritable type, tout au contraire des intermittentes du printemps; mais elles imitent si bien en tout les fièvres continues, qu'à moins d'y apporter le plus scrupuleux examen, il est impossible de les en distinguer. Ensuite, à mesure que la constitution régnante s'affaiblit, elles prennent un type régulier; et à la fin de l'automne elles se démasquent entièrement, et se montrent telles qu'elles étaient au commencement, soit quartes, soit tierces. Faute de les examiner avec attention, on se tromperait lourdement dans la manière de les traiter, et on mettrait les malades dans un grand danger, en prenant de véritables intermittentes pour des continues.

22. Il faut bien observer que, comme plusieurs de ces maladies règnent dans une même année, il y en a ordinairement une qui domine sur les autres, et qui les tient, pour ainsi dire, sous sa dépendance. Les autres, durant ce temps-là, sont moins violentes, en sorte qu'elles diminuent quand la maladie principale augmente, et qu'elles reprennent de nouvelles forces quand la maladie principale diminue. C'est ainsi que ces maladies se font sentir tour à tour, suivant que la constitution de l'année et la température sensible de l'air favorisent davantage l'une ou l'autre. — La maladie qui règne avec le plus de fureur vers l'équinoxe d'automne, et qui fait alors le plus de ravage, donne son nom à la constitution de toute l'année. En effet, on s'apercevra facilement que la maladie épidémique qui aura dominé sur les autres en automne, domine aussi sur toutes les autres de la même année et du même temps, lesquelles s'accommodent à son caractère autant que leur nature le permet.

23. Ainsi, par exemple, lorsqu'il y a quantité de petites-véroles en automne, la fièvre qui règne tout le long de l'année est accompagnée de la même inflammation qui produit la petite-vérole. Ces deux maladies se présentent à peu près de même, et leurs symptômes essentiels se ressemblent extrêmement, si on excepte l'éruption de la petite vérole et les autres symptômes qui dépendent de l'éruption. Les sueurs spontanées et le penchant à saliver, qui se rencontrent également dans ces deux maladies, prouvent assez la vérité de ce que nous avançons. — Pareillement, lorsqu'il y a eu en automne un grand nombre de dysenteries, la fièvre qui règne cette année-là approche beaucoup de leur caractère, à l'exception de ce que la dysenterie évacue par les selles la cause morbifique, et

de quelques autres symptômes dépendants de celui-ci. La manière toute semblable dont commencent les deux maladies, les aphtes et les autres symptômes qui leur sont communs, montrent la vérité de ma proposition. En effet, la dysenterie dont il s'agit n'est autre chose que cette fièvre même, avec cette seule différence qu'elle se porte en dedans, et va se jeter sur les instestins, par lesquels elle s'ouvre une voie critique.

24. La maladie épidémique principale qui, comme un torrent débordé, ravageait tout vers l'équinoxe d'automne, se renferme dans ses bornes dès que le froid de l'hiver commence à se faire sentir. Au contraire, les maladies épidémiques, moins considérables que la première, augmentent alors et prennent le dessus, jusqu'à ce que cette maladie dominante les affaiblisse de nouveau et les fasse disparaître.

25. Enfin, toutes les fois qu'une constitution produit diverses espèces de maladies épidémiques, elles sont toutes d'un genre différent de celles qui, ayant absolument le même nom, sont néanmoins produites par une autre constitution. Or, en quelque nombre que soient ces espèces particulières, qui attaquent sous une même constitution, elles ont toutes la même cause, savoir, une certaine disposition de l'air; et par conséquent, quelque différentes qu'elles soient entre elles par rapport à leur type et leur forme spécifique, la constitution qui est commune à toutes dispose de telle façon la matière de chacune que les principaux symptômes, qui ne regardent point la manière particulière de l'évacuation, sont semblables en toutes les espèces de ces fièvres. Elles ont encore cela de commun qu'elles augmentent ou diminuent leur violence toutes en même temps. Il faut remarquer de plus que dans les années où elles règnent en même temps, elles commencent toutes de même, et avec les mêmes symptômes.

26. On voit par-là combien la méthode que la nature emploie dans la production des maladies est subtile et variée. Je ne sache personne jusqu'à présent qui l'ait observée comme l'importance de la chose le mériterait. Le peu que nous avons dit sur cette matière prouve entièrement que puisque les différences spécifiques des maladies épidémiques, et particulièrement des fièvres, dépendent de la secrète constitution de l'air (1), il n'y a pas de raison de vouloir attribuer la production des diverses fièvres à une cause morbifique amassée dans le corps humain. Car c'est une chose évidente que tout homme, fût-il de la plus forte santé du monde, qui ira en des endroits où règne une fièvre épidémique en sera attaqué au bout de quelques jours. Or, il n'est presque pas croyable que l'air ait produit en si peu de temps une altération manifeste dans les humeurs de cet homme (2).

---

(1) Il semble que, par un nombre d'expériences exactes, on pourrait venir à bout de découvrir ce que c'est que les qualités secrètes de l'air dont parle si souvent notre auteur, et les rendre sensibles. Et si par ce moyen il était possible d'acquérir une connaissance passable des écoulements, des sels, et des autres matières hétérogènes dont l'air se trouve rempli en différents temps et en différents pays, cela pourrait donner une connaissance presque entière de la nature de toutes les maladies épidémiques qui peuvent arriver à l'avenir, pourvu qu'en même temps on fit une attention convenable à l'âge, au sexe, au tempérament, à la manière de vivre, etc., du malade; et toutes ces circonstances, étant soigneusement examinées et comparées ensemble, pourraient probablement conduire à des méthodes curatives rationnelles qui seraient fixes et sûres. — L'exécution d'un tel dessein par la voie des expériences, et non par des conjectures ou des hypothèses, est assurément digne de l'attention de tous ceux qui ont le loisir et l'habileté nécessaire pour l'entreprendre. Une histoire de cette sorte un peu complète serait très-avantageuse au genre humain. L'illustre Boyle a beaucoup avancé l'ouvrage, et a établi des méthodes que l'on pourrait suivre pour réussir. (Voyez l'*Abrégé de ses œuvres par le docteur* Shaw, en 3 vol. in-4°; Arbuthnot, *Des effets de l'air*; Hales, *Expériences statiques*; et Huxham, *De aere et morb. epid.*)

(2) Il n'est pas impossible que des personnes qui semblent jouir d'une parfaite santé, aient dans leurs humeurs des principes morbifiques actuellement existants, mais sans action et comme endormis. Dans ce cas là on ne saurait dire que la maladie est produite, mais seulement qu'elle est mise en action par la constitution secrète de l'air. Cela ne se vérifie-t-il pas dans beaucoup de gens qui sont attaqués de la petite-vérole, etc.;

27. Il n'est pas moins difficile d'établir, pour la guérison de ces sortes de fièvres, des règles générales et fixes, dont on ne puisse en aucune façon s'écarter. Ainsi, dans une si grande obscurité, la méthode que je suis, principalement lorsqu'il commence à paraître de nouvelles fièvres, est de temporiser d'abord, et d'aller bride en main, surtout quand il s'agit d'employer les grands remèdes. Pendant ce temps-là, j'examine soigneusement quels sont la nature et le caractère de ces maladies, quelles choses sont bonnes ou nuisibles aux malades, afin de rejeter les unes et d'employer les autres (1).

28. En un mot, comme c'est un ouvrage très-long et très-difficile de ranger par classes toutes les espèces des maladies épidémiques suivant leurs divers phénomènes, de développer les caractères propres de chacune, et de marquer le traitement qui convient à chacune en particulier; et comme d'ailleurs elles n'arrivent pas régulièrement au bout d'un certain nombre d'années, du moins que l'on connaisse, la vie d'un médecin ne suffit peut-être pas pour assembler sur cette matière une quantité raisonnable d'observations. Voilà un grand travail : c'est néanmoins ce qu'il faut faire avant qu'on puisse dire avoir fait quelque chose d'important pour la connaissance et la guérison de ces maladies.

29. Mais enfin quelle méthode suivrons-nous en décrivant les diverses épidémies, non-seulement celles qui arrivent fortuitement, du moins à ce qu'il nous semble, mais encore celles qui, durant l'espace d'une ou plusieurs années, sont d'un même genre, et dans une autre année sont d'un genre différent les unes des autres? La méthode qui m'a toujours paru la plus commode pour cela est de suivre l'ordre des années pendant lesquelles les maladies ont régné successivement. C'est ce que je vais tâcher d'exécuter de mon mieux, en donnant, sur les observations les plus exactes que j'ai pu faire, l'histoire et la curation des épidémies qui ont régné pendant quinze ans, savoir, depuis 1661 jusqu'en 1676. — Il me paraît absolument impossible de déterminer précisément leurs causes, soit qu'elles viennent des qualités manifestes de l'air ou d'une intempérie particulière du sang et des humeurs qu'aurait produite une secrète influence de l'air. Il n'est pas moins impossible de faire connaître les espèces des différentes maladies épidémiques qui viennent des altérations spécifiques de l'air, quoique la chose paraisse facile à ceux qui attachent les noms des fièvres à des idées qu'ils fondent mal à propos sur les altérations qui peuvent arriver au sang et aux humeurs par une dégénération des principes. — Ce n'est pas là suivre la nature, qui est toujours un si bon guide, c'est se livrer à la passion des conjectures; et dans ce cas, on fera autant de différentes espèces de maladies qu'il plaira d'en inventer. D'un autre côté, c'est se donner une liberté qu'on n'accorderait pas facilement à un botaniste, à qui on demande le témoignage des sens dans la description qu'il donne des plantes et non pas des raisonnements, quelque ingénieux et vraisemblables qu'ils puissent être.

30. Au reste, je ne me flatte pas, en publiant cet ouvrage sur les maladies épidémiques, de donner quelque chose d'achevé; encore moins voudrais-je garantir que les épidémies qui ont régné successivement durant les années que j'ai marquées ci-devant reviendront toujours à l'avenir dans le même ordre. Tout mon dessein est de raconter, d'après mes observations, comment les choses se sont passées dans ces quartiers-ci et dans cette ville, afin de contribuer de quelque chose à commencer un corps de maladies épidémiques, lequel, étant achevé par ceux qui viendront après moi, sera, à

---

et la chose étant ainsi, la matière morbifique amassée dans le corps, en quelque petite quantité que ce soit, peut quelquefois contribuer principalement à la production d'une maladie particulière qui en dépend, contre ce qu'avance notre auteur. Mais, soit que la maladie vienne de quelque matière hétérogène ou de quelque altération des humeurs, notre auteur juge que les indications curatives sont les mêmes dans les deux cas. C'est pourquoi cette matière ne paraît pas d'une assez grande conséquence pour mériter une dispute sérieuse.

(1) En faisant une attention convenable à la température manifeste de l'air qui régnait précédemment et qui règne alors, à la manière de vivre, au tempérament et au sexe du malade, et en même temps aux premiers symptômes d'une maladie épidémique, le médecin pourrait peut-être procéder dans la méthode curative avec plus de sûreté que ne le croit notre auteur.

mon avis, d'une très-grande utilité au genre humain (1).

CHAP. III. — CONSTITUTION ÉPIDÉMIQUE DES ANNÉES 1661, 62, 63, 64, A LONDRES.

31. L'an 1661, les fièvres intermittentes d'automne, qui avaient déjà régné auparavant depuis quelques années, reprirent de nouvelles forces au commencement du mois de juillet, surtout la fièvre tierce d'un mauvais caractère; elles allèrent ensuite chaque jour en augmentant, et se firent sentir avec le plus de violence au mois d'août. Dans plusieurs endroits elles attaquèrent des familles presqu'entières, et emportèrent une infinité de gens. Puis, elles diminuèrent insensiblement, et le froid de l'hiver étant survenu, elles cessèrent tout-à-fait, n'ayant même attaqué que très-peu de monde dans le mois d'octobre. Voici principalement en quoi les symptômes des fièvres tierces dont il s'agit étaient différents de ceux des tierces intermittentes des autres années. L'accès était plus violent, la langue plus noire et plus sèche, l'intermission moins marquée, la perte des forces et de l'appétit plus grande, et plus de pente à un double accès; enfin tous les accidents étaient plus cruels, et la maladie plus funeste que ne sont ordinairement les fièvres intermittentes. Quand elle attaquait des personnes avancées en âge, ou des cachectiques qui avaient été affaiblis par la saignée ou par quelqu'autre évacuation, elle durait deux ou trois mois.

32. Les fièvres quartes, quoique plus rares, accompagnaient celles que nous venons de décrire; mais les unes et les autres disparurent au commencement de l'hiver, et n'attaquèrent plus personne. — Elles furent suivies d'une fièvre continue, laquelle ne différait des intermittentes d'automne qu'en ce que ces dernières avaient des intermissions, et que la fièvre continue n'en avait point; car toutes deux commençaient de la même façon: les malades qui en étaient attaqués violemment avaient des envies de vomir, étaient altérés; les parties extérieures étaient sèches, la langue noire, et vers la fin de la maladie il se faisait en très-peu de temps, par les sueurs, une évacuation critique de la matière morbifique.

33. Ce qui faisait bien voir que cette fièvre continue était de la nature des intermittentes d'automne, c'est qu'elle paraissait très-rarement au commencement de l'année. Ainsi, elle était comme un racourci des fièvres intermittentes; et, au contraire, chaque accès des intermittentes me semblait être un racourci de cette continue. Par conséquent, la principale différence consistait en ce que les fièvres continues allaient toujours d'un pas égal, sans cesser, ni revenir périodiquement; au lieu que les intermittentes cessaient et revenaient à diverses fois.

(1) Ce second chapitre contient plusieurs choses qui semblent plutôt avancées en faveur d'une hypothèse que fondées sur l'expérience. Il est certain que plusieurs maladies aiguës sont épidémiques; et il ne l'est pas moins que plusieurs maladies épidémiques qui portent le même nom sont de différente nature. Mais on n'a pas encore prouvé que les qualités sensibles de l'air n'influent pas considérablement sur les maladies épidémiques, et cela faute d'observations suffisantes. Au contraire, les observations faites jusqu'ici favorisent beaucoup le sentiment opposé. En effet, si on considère les grandes altérations qui arrivent souvent à l'air à l'égard de sa pesanteur, de son élasticité, de sa chaleur, de sa froideur, de sa sécheresse et de son humidité, et la diversité infinie des matières qu'il contient, et qui varient continuellement, on conclura sans doute que les différentes maladies épidémiques qui surviennent en même temps doivent nécessairement être plus ou moins violentes et dangereuses, suivant que la constitution dominante de l'air est plus ou moins capable de les favoriser, et cela semble être pleinement confirmé par les dernières observations. Mais quelle que soit la cause d'une maladie épidémique, toujours est-il vrai que la meilleure manière de la traiter est de se régler sur les symptômes comparés avec l'âge, le tempérament, etc., du malade, et non pas qu'une maladie qui est entièrement la même, demande un traitement différent dans les différentes constitutions de l'air, comme notre auteur l'insinue; car, si la maladie n'est pas entièrement la même, il n'est pas étonnant qu'elle demande un traitement différent. (Voyez Witringham, *Commentarium nosologicum;* Huxham, *De aere et morb. epid.;* et les ouvrages de notre auteur de l'édition de Genève, in-4°, à laquelle sont ajoutés plusieurs traités sur différentes maladies épidémiques, et différentes constitutions de l'air, par divers auteurs.)

34. Je ne saurais dire combien de temps cette fièvre continue avait déjà régné, parce que je m'étais contenté jusqu'alors de faire attention aux symptômes généraux des fièvres, n'ayant pas encore pris garde qu'on pouvait les distinguer suivant les différentes constitutions des années, ou suivant les différentes saisons de la même année. Ce que je sais, au moins, c'est qu'il n'y eut qu'une seule espèce de fièvre continue jusqu'en l'année 1665, et que les intermittentes d'automne, qui étaient fréquentes jusqu'à cette année-là, furent ensuite très-rares.

35. La fièvre tierce qui, en 1661, avait fait des ravages infinis, se ralentit l'année d'après ; et dans les automnes suivantes, les fièvres quartes dominèrent sur les autres maladies épidémiques, la constitution de l'air étant toujours la même. Comme les fièvres quartes diminuaient toujours après l'automne, la fièvre continue, qui, durant toute cette saison, avait été rare, se déchaînait avec fureur jusqu'au printemps. Alors venaient les fièvres intermittentes du printemps, lesquelles cessaient au commencement du mois de mai. Ensuite, il y avait par-ci par-là des petites-véroles qui disparaissaient à l'arrivée des maladies épidémiques, c'est-à-dire de la fièvre continue et des fièvres quartes. Voilà l'ordre que gardaient les maladies épidémiques qui se succédèrent les unes aux autres durant toute cette constitution de l'air. Je vais parler de leurs différentes espèces, et nommément de la fièvre continue et des fièvres intermittentes, soit de printemps, soit d'automne, qui ont régné dans cette constitution plus que dans les autres.

36. Je commencerai par la fièvre continue ; elle me semble être la plus considérable de toutes les autres fièvres, d'autant que dans cette fièvre, plus que dans toutes les autres, la nature opère d'une manière égale et uniforme la coction de la matière morbifique, et l'évacue ensuite au bout d'un certain temps. De plus, comme les constitutions annuelles qui produisent les fièvres intermittentes d'automne ont coutume de revenir beaucoup plus souvent que celles qui produisent les autres maladies épidémiques, il s'ensuit nécessairement que la fièvre continue dont elles sont accompagnées est aussi plus fréquente.

37. Outre les symptômes qui accompagnaient les autres fièvres, cette continue avait encore les suivants : le malade était le plus souvent comme un homme qui va rendre l'âme, il se trouvait tout d'un coup sans forces, il avait des envies de vomir, sa langue était sèche et noire, et sa peau sèche. L'urine dans tous les malades était épaisse ou limpide, deux états qui marquaient également la crudité. Dans le déclin de la maladie, il survenait un flux de ventre, à moins que le médecin n'y eût mis obstacle dès le commencement, et la maladie n'en devenait que plus longue et plus opiniâtre. D'elle-même, elle ne durait guère au-delà de quatorze ou de vingt-un jours (1); et alors elle se terminait par une sueur ou plutôt par une douce moiteur. Les urines donnaient le plus souvent dans ce temps-là, et non auparavant, des signes de coction.

38. Il survenait d'autres symptômes lorsque la maladie n'était pas bien traitée. Mais on connaîtra mieux ces symptômes et toute la nature de la maladie par la méthode de la traiter dont je me suis servi autrefois, et dont je vais mettre ici ce qui a rapport à mon sujet, selon que je l'ai publié il y a déjà long-temps : car alors je ne savais point encore qu'il y eût dans la nature quelqu'autre espèce de fièvre.

CHAP. IV. — FIÈVRE CONTINUE DES ANNÉES 1661, 62, 63, 64.

39. Je remarque en premier lieu que le mouvement irrégulier du sang, qui est la cause de cette fièvre, ou qui l'accompagne, est excité par la nature, soit pour séparer du sang une matière hétérogène et nuisible qu'il renferme, soit pour donner au sang quelque nouvelle disposition.

40. Le terme général de *mouvement* me plaît davantage en cette matière que celui de *fermentation* ou d'*ébullition*, parce qu'il ôte toute occasion de chicaner sur les mots ; ce que les deux derniers ne feraient peut-être pas si bien : car quoiqu'on puisse leur donner un bon

(1) Est-ce une chose démontrée par l'expérience que toute fièvre qui n'arrive pas à la crise en quatorze jours dure volontiers jusqu'au vingt-un? Ou cette idée, comme quelques autres de même espèce, n'est-elle point prise des anciens? et ne l'ont-ils point eue, en conséquence d'une certaine harmonie qu'ils ont imaginée entre les nombres, et la durée des fièvres?

sens, il y a néanmoins des gens qui les trouvent durs et peu convenables. Le mouvement du sang dans les fièvres imite, à la vérité, tantôt la fermentation, tantôt l'ébullition des liqueurs végétales. Malgré cela, bien des gens croient qu'il en diffère en plusieurs manières. Prenons un ou deux exemples touchant la *fermentation*. Premièrement, les liqueurs qui fermentent acquièrent une nature vineuse, en sorte qu'on en retire par la distillation un esprit ardent, et qu'elles se changent aisément en vinaigre, qui est une liqueur très-acide, et qui donne par la distillation un esprit acide. Mais, suivant ceux dont nous parlons, on n'a jamais observé dans le sang de changement pareil.—Ensuite, ils font remarquer que dans les liqueurs vineuses la fermentation et la dépuration se font en même temps, et vont d'un pas égal, au lieu que la dépuration du sang dans les fièvres n'arrive qu'après son effervescence : ce qu'on voit clairement, disent-ils, dans un accès de fièvre qui se termine par les sueurs.

41. Quant à l'*ébullition*, ils trouvent que cette dénomination convient encore moins, et qu'elle est contraire à l'expérience dans plusieurs cas où l'effervescence du sang n'est pas assez considérable pour mériter le nom d'*ébullition*. — Quoi qu'il en soit, je ne veux point entrer dans de semblables disputes; et comme les termes de *fermentation* et d'*ébullition* sont fort en usage chez les médecins modernes, je ne ferai point difficulté de m'en servir quelquefois, pour expliquer plus clairement ce que j'ai à dire dans ce traité. — Toutes les fièvres qui sont accompagnées d'éruptions montrent que le mouvement fébrile n'est excité par la nature dans le sang que pour en séparer une matière hétérogène et nuisible. Car dans ces sortes de fièvres, il se jette sur la peau, au moyen de cette ébullition du sang, un récrément de mauvaise qualité qui y était retenu (1).

42. Il me paraît aussi que le mouvement fébrile du sang ne tend assez souvent à autre chose qu'à procurer à ce liquide un nouvel état et une nouvelle disposition, et qu'un homme dont le sang est pur et fort bon peut avoir la fièvre. En effet, on sait par de fréquentes observations qu'elle survient à des corps d'ailleurs fort sains, en qui il n'y a aucune disposition morbifique, soit du côté de la pléthore, soit du côté de la cacochymie, et en qui la fièvre ne saurait être occasionnée par aucun mauvais air. Ces gens-là néanmoins en sont quelquefois attaqués lorsqu'il est arrivé quelque changement considérable dans l'air, la nourriture et les autres choses non naturelles, parce qu'alors leur sang travaille à acquérir un nouvel état et une nouvelle disposition qui soient conformes au changement d'air ou de nourriture ; mais cette fièvre ne vient nullement d'une irritation causée par des particules vicieuses qu'on supposerait séjourner dans le sang (2). Je ne doute pas néanmoins que la matière qui a coutume de se séparer du sang, après le mouvement que la fièvre y a excité, ne soit vicieuse, quoiqu'auparavant le sang fût louable. Cela ne doit pas surprendre davantage que la corruption et la puanteur que contractent certaines portions des aliments après qu'elles ont subi une

(1) Dans les fièvres accompagnées d'éruptions, les désordres du pouls cessent entièrement ou diminuent beaucoup, lorsque l'éruption s'est faite aisément; et dans la petite-vérole, la matière que contiennent les pustules devient contagieuse au bout d'un certain temps. Ainsi, il y a lieu de croire que c'est originairement la matière morbifique qui, tandis qu'elle circulait avec le sang, y causait cette grande agitation, conformément à l'idée de notre auteur.

(2) On ne voit pas pourquoi le régime, l'air, etc., ne pourraient pas avoir déjà altéré le sang avant que la fièvre commence. Il y a en tout ceci trop de spéculation sur les causes, avec lesquelles, et sur-tout avec les finales, la pratique n'a presque rien de commun. La théorie qui, en se perfectionnant, nous développe les causes, nous découvrira apparemment aussi l'usage qu'on en doit faire, mais nous sommes encore bien loin de là. Le plus grand éloge qu'on puisse donner à celle de notre auteur, c'est qu'elle paraît avoir été formée sur sa pratique, et y tendre entièrement. Au reste, la théorie n'est le plus souvent qu'une manière probable de raisonner et d'amuser une imagination inquiète qui voudrait qu'on lui fît toucher au doigt la manière dont les causes produisent leurs effets. Beaucoup de gens exigent trop des médecins, en leur demandant des explications des choses; mais souvent aussi ils se contentent de trop peu. Une métaphore frappante, un ingénieux contraste de mots, c'en est assez pour les satisfaire.

altération considérable dans le corps, et qu'elles se sont séparées des autres (1)

43. En second lieu, je pense que la véritable indication qu'on doit remplir dans cette maladie, est de contenir le mouvement du sang dans des bornes proportionnées au dessein de la nature; de telle manière que d'un côté ce mouvement ne soit pas trop grand, ce qui produirait des symptômes dangereux; et que, d'un autre côté, il ne soit pas trop faible, ce qui empêcherait l'évacuation de la matière morbifique, et rendrait inutiles les efforts que fait le sang pour acquérir un nouvel état. Ainsi, soit que la fièvre ait pour cause une matière étrangère qui irrite les fibres ou le sang qui tend à quelque changement, l'indication est toujours la même. Ces principes étant établis, voici comment je traite la maladie (2).

44. Lorsque j'ai affaire à des sujets dont le sang est faible (3), comme il est ordinairement dans les enfants, ou n'a pas une suffisante quantité d'esprits (4) comme dans les vieillards (5), et même dans les jeunes gens qui ont été longtemps malades, je m'abstiens de la saignée : car, si je l'ordonnais en pareil cas, le sang qui est déjà trop faible, sans être diminué, ne pourrait absolument point se dépurer; d'où s'ensuivraient la corruption de toute la masse, et peut-être même la mort du malade : comme lorsque la fermentation du vin ou de la bière vient à être arrêtée mal à propos, ces liqueurs prennent ordinairement une mauvaise qualité. En effet, la nature ne peut plus supporter la présence des particules qu'elle a une fois commencé d'évacuer, et qui, quoiqu'elles fussent pures, tandis qu'elles étaient distribuées également dans la masse du sang, sont devenues capables de se pourrir et de corrompre les autres humeurs. — Je sais qu'il se trouve des malades qui, après avoir été épuisés par des saignées faites mal à propos, guérissent quelquefois par un usage convenable des cordiaux, et qu'on peut remettre le sang en état de se dépurer. Mais il valait mieux ne pas faire le mal que d'être obligé à le guérir.

45. Au contraire, lorsque j'ai à traiter des malades dont le sang est spiritueux, comme il est d'ordinaire dans les jeunes gens vigoureux et d'un tempérament sanguin, je commence par la saignée; car, excepté les cas dont je parlerai plus bas, on ne peut l'omettre ici sans danger; autrement, l'ébullition excessive du sang pourrait causer des frénésies, des pleurésies, et autres inflammations de cette sorte; et de plus, sa trop grande abondance se ferait obstacle à elle-même, et empêcherait entièrement la circulation (6).

(1) Tout cela a besoin d'être vérifié par l'expérience, indépendamment de l'analogie.

(2) La pratique, comme on voit ici, doit être réglée sur le degré de mouvement du sang; et le mouvement du sang, comme on verra bientôt, doit être réglé sur les symptômes. Mais pourquoi ne pas régler tout de suite la pratique sur les symptômes, sans s'amuser à une hypothèse si difficile à expliquer et à établir? Ceci doit être un bon avertissement à tous les médecins de se tenir sur leur garde, puisqu'un si grand praticien, et si ennemi de la spéculation, n'a pu s'empêcher de mêler dans sa pratique, une hypothèse qui est plutôt une description figurée qu'un détail réel des mouvements qu'il attribue à la nature, sans le prouver par aucune autorité solide et tirée des faits.

(3) Qu'est-ce que la faiblesse du sang? et par quel signe sensible la reconnaître? Est-ce par le peu de sédiment? Quoi qu'il en soit, il fallait exprimer nommément en quoi elle consiste, et en donner la raison, ou du moins en appeler à l'expérience.

(4) Voilà encore une chose qui, à ce que je crois, ne pourra jamais être rendue sensible.

(5) Les gens âgés soutiennent souvent mieux la saignée que les autres. Cependant, la doctrine pratique qu'enseigne ici notre auteur est fort bonne; mais il eût mieux fait de la fonder sur l'expérience, ou au moins sur les raisons sensibles qui en résultent immédiatement. Ainsi, dans les enfants et dans les personnes épuisées par une maladie précédente, la partie rouge du sang est en moindre quantité, à proportion de celle des autres fluides, que dans les gens robustes et d'un âge fait, et leur vaisseaux relâchés ne compriment pas si fortement les liqueurs, et ne les changent pas si promptement en la partie rouge du sang; c'est pourquoi ils ne supportent pas si bien la saignée.

(6) Il eût fallu certainement décrire d'abord la maladie qui doit être traitée, et cela en donnant un détail exact des symptômes. Il est vrai qu'une personne

46. Je fais tirer la quantité de sang que je juge nécessaire pour garantir le malade des accidents que j'ai dit pouvoir être causés par le mouvement immodéré de ce liquide (1); ensuite je gouverne et je modère son effervescence, en réitérant ou en omettant la saignée, en faisant usage ou en m'abstenant des cordiaux, enfin en lâchant ou en resserrant le ventre, suivant que je vois ce mouvement augmenter ou diminuer.

47. Après la saignée, quand elle me paraît nécessaire dans les cas mentionnés ci-devant, je m'informe soigneusement si le malade n'a point vomi, ou n'a point eu des envies de vomir, au commencement de la fièvre. Si je trouve qu'oui, je ne manque pas alors d'ordonner un émétique, à moins que le malade ne soit trop jeune ou trop faible pour cela. Il est tellement nécessaire de donner un émétique lorsqu'il y a eu d'abord des envies de vomir, que si on n'évacue pas l'humeur qui les cause, elle sera la source de mille accidents fâcheux, qui, durant tout le traitement, embarasseront extrêmement le médecin, et mettront le malade en grand danger.—Un des principaux et des plus ordinaires de ces accidents, c'est la diarrhée, qui survient après la fièvre, lorsqu'on a manqué de donner à temps les vomitifs ; car, dans le progrès de la fièvre, l'humeur âcre et nuisible qui séjourne dans l'estomac étant un peu digérée par la nature, et continuellement poussée dans les intestins, elle les ronge de telle sorte qu'il s'ensuit nécessairement un cours de ventre (2). J'ai observé néanmoins dans les fièvres inflammatoires, qu'on regarde ordinairement comme malignes, que lorsqu'on a manqué de donner un vomitif, quoiqu'il y eût au commencement des envies de vomir, la diarrhée ne survient pas toujours comme dans la fièvre dont il s'agit maintenant. Mais nous traiterons cet article plus au long dans la suite (3).

48. Le danger de cette diarrhée consiste en ce qu'elle augmente la faiblesse du malade déjà trop affaibli par la maladie ; et ce qui est encore pis, c'est qu'elle empêche entièrement la dépuration critique du sang, laquelle devait se faire dans le déclin du jour.

49. Or, pour s'assurer que l'humeur nuisible qui séjourne dans l'estomac produit cette diarrhée, quand on ne l'évacue pas par le vomissement, il n'y a qu'à examiner ce qui s'est passé, et on trouvera presque toujours que les malades en qui la diarrhée accompagne la fièvre, ont eu des envies de vomir au commencement de la maladie, et qu'on ne leur a point donné de vomitif (4). On trouvera aussi que, nonobstant que les envies de vomir soient passées depuis long-temps, la diarrhée cessera pour l'ordinaire dès qu'on aura donné un vomitif, pourvu que le malade puisse le soutenir. J'ai souvent observé que, quand le cours de ventre a une fois commencé, les astringents internes ou externes servent de peu ou de rien du tout pour l'arrêter (5).

50. Voici le vomitif dont je me servais ordinairement.

Prenez infusion de safran des métaux, six gros ;

Oxymel scillitique et sirop de scabieuse composé, de chacun demi-once.

Mêlez tout cela ensemble pour une potion émétique.

Je faisais prendre cette potion l'après-midi, deux heures après un dîner léger, et, pour aider l'effet du remède, je recommandais de tenir prêtes trois ou quatre pintes de petit lait (6) pour en donner à boire un coup au malade chaque fois qu'il vomirait ou qu'il irait au bas-

---

d'un tempérament vigoureux ne peut guère avoir la fièvre sans qu'il soit besoin de saignée; mais le dénombrement des symptômes précédents et actuels aurait éclairci et confirmé admirablement cette doctrine, comme on voit par le petit nombre des symptômes conséquents qui sont rapportés.

(1) Il aurait été nécessaire de spécifier en particulier en quoi consiste ce mouvement immodéré.

(2) C'est assurément une raison suffisante pour donner un vomitif mais elle est du moins aussi forte pour donner un purgatif.

(3) Voyez les articles 49, 88, 89.

(4) C'est ici un exemple d'un raisonnement pratique.

(5) Cela est confirmé par l'expérience.

(6) L'auteur dit du *posset*, qui est un certain breuvage dont on fait grand usage en Angleterre par rapport à la médecine. Ce n'est proprement que du petit-lait fait avec l'aile ou bière douce. En France, on se sert ordinairement d'eau tiède en pareil cas.

sin. C'est le moyen de prévenir les tranchées et les efforts inutiles, et de faciliter le vomissement (1); car ces sortes d'émétiques sont dangereux, si l'on manque d'y joindre une boison copieuse.

51. En examinant avec soin la matière que les malades avaient rendue par le vomissement, et voyant qu'elle n'était ni en fort grande quantité, ni de fort mauvaise qualité, j'ai souvent été surpris pourquoi les malades recevaient tant de soulagement de cette évacuation : en effet, dès qu'ils avaient vomi, on voyait diminuer et même cesser les symptômes cruels qui les tourmentaient, et qui épouvantaient les assistants, comme les nausées, les inquiétudes, les agitations, la difficulté de respirer, la noirceur de la langue, etc.; et le reste de la maladie se passait doucement (2).

52. Si l'état du malade exige qu'on emploie la saignée et l'émétique, il sera à propos de commencer par la saignée avant que de donner l'émétique; car lorsque les vaisseaux sanguins sont trop pleins, il est dangereux que par les violents efforts que le malade fera pour vomir, il ne se rompe quelques vaisseaux du poumon; ou que le sang, se portant avec impétuosité au cerveau, et venant à s'épancher dans ce viscère, ne cause par ce moyen une apoplexie mortelle. Je pourrais rapporter de tristes exemples de cette vérité; mais je me contenterai d'avertir qu'il faut user de beaucoup de précaution dans cette matière (3).

53. Si l'on demande en quel temps de la fièvre il faut donner le vomitif, je réponds que si j'étais le maître, je voudrais le donner au commencement; car par ce moyen on garantira le malade des symptômes affreux que cause l'amas des humeurs qui séjournent dans l'estomac et dans les endroits voisins; peut-être même qu'on coupera pied à une maladie qui autrement sera longue et dangereuse, étant entretenue par ces humeurs qui, pénétrant dans les veines lactées, se mêleront avec la masse du sang, ou qui, devenus plus nuisibles par leur séjour, communiqueront au sang une qualité pernicieuse. — C'est de quoi le choléra-morbus nous fournit un exemple bien sensible; car il arrive quelquefois dans cette maladie, qu'en arrêtant mal à propos le vomissement, soit par l'opium, soit par des astringents, on cause une foule d'accidents qui ne sont pas moins dangereux. Les humeurs âcres et corrompues qu'il fallait laisser sortir, étant repoussées au dedans par ce moyen, agissent sur le sang, et allument une fièvre qui est ordinairement d'un mauvais caractère, et accompagnée de fâcheux symptômes, et qu'on ne saurait presque guérir qu'en donnant un émétique, quoique le malade n'ait plus d'envies de vomir.

54. Si le médecin, étant appelé trop tard, comme il arrive souvent, ne peut donner l'émétique dès le commencement de la fièvre, je conseille de le donner en quelque temps de la maladie que ce soit, pourvu que le malade ait encore la force de le soutenir (4); moi-même, je n'ai pas

(1) On doit donner sans délai un vomitif. Une pinte d'eau de gruau, de petit-lait, ou de quelque autre boisson semblable, étant bue un peu avant que de prendre le vomitif, rendra, en quelque temps que ce soit, son opération plus douce que ne pourrait le faire un dîner léger.

(2) La difficulté que trouve ici notre auteur à rendre raison du soulagement que procurait un vomitif, paraît venir, ou de ce qu'il ne connaissait pas, ou de ce qu'il ne connaissait pas assez les bons effets que produit le vomissement au-delà des premières voies par l'ébranlement considérable qu'il donne à toutes les parties. Quant à la petite quantité de matières que faisait rendre le vomitif, cela arrive presque toujours lorsque l'estomac n'est pas surchargé auparavant d'aliments solides ou liquides. Peut-être que les maladies aiguës sont moins causées par la trop grande quantité des humeurs que par quelque qualité mauvaise que leur communique une portion infiniment petite de matière morbifique d'une certaine espèce, comme il est manifesté dans plusieurs maladies épidémiques. Aussi notre auteur assure, et une expérience journalière le confirme, que des gens qui paraissant être en bonne santé, se trouvent quelquefois attaqués de maladies, suivant que les qualités cachées ou sensibles de l'air sont capables de corrompre les fluides, et suivant que ceux-ci de leur côté sont disposés à recevoir l'infection. Voyez article 26 et 34.

(3) Cet avertissement est extrêmement utile, et paraît venir de l'observation, d'où tous les raisonnement en médecine doivent être tirés, pour être véritablement utiles.

(4) Supposé aussi que quelque symp-

fait difficulté de le donner le douzième jour de la fièvre lorsque le malade n'avait plus d'envie de vomir, et je m'en suis bien trouvé, car par ce moyen, j'ai arrêté le cours du ventre qui empêchait la dépuration du sang; et je ne ferais aucune difficulté de le donner encore plus tard, si les forces du malade le permettaient (1).

55. Après le vomissement, j'ai toujours soin le soir d'apaiser le tumulte que l'émétique a excité dans les humeurs, et de procurer du repos. Dans cette vue, j'ordonne pour le commencement de la nuit, ou l'heure du sommeil, une potion calmante. Par exemple :

Prenez eau de coquelicot, deux onces;

Eau admirable (2), deux gros;

Sirops de pavot blanc et de pavot rouge, de chacun demi-once.

Mêlez tout cela ensemble pour une potion (3).

56 Mais si à raison de la grande quantité de sang qu'on aura tirée au malade pendant le traitement, ou de la quantité de matière qu'il aura rendue par l'effet du vomitif, ou à raison des fréquentes agitations qu'il a souffertes, ou de sa faiblesse, ou de la cessation entière ou presque entière de la fièvre, il n'y a plus lieu de craindre que l'on mette le sang dans une trop grande effervescence, alors, au lieu de la potion marquée ci-devant, j'ordonne hardiment une dose assez considérable de diascordium, ou seul, ou joint à une eau cordiale. Le diascordium est un excellent remède, pourvu qu'on en donne une quantité suffisante (4).

57. Avant que de finir ce que j'avais à dire sur les vomitifs, j'avertirai que ceux qui sont préparés avec l'infusion de safran des métaux ne sont pas sans quelque danger pour les enfants et les jeunes gens au-dessous de quatorze ans, même à fort petite dose. Je souhaiterais qu'à la place de ces vomitifs antimoniaux, nous en eussions d'autres moins suspects, et en même temps assez efficaces pour évacuer radicalement l'humeur nuisible qui, dans le déclin de la fièvre, cause le plus souvent la diarrhée; ou du moins que nous fussions en état, par quelque remède convenable, de corriger l'acrimonie de cette matière corrosive, et de l'adoucir tellement qu'elle ne pût exciter de cours de ventre (5). — Étant appelé pour des enfants qui avaient la fièvre, j'ai souvent vu le cas d'employer l'infusion de safran des métaux, qui aurait pu les tirer d'affaire; néanmoins dans la crainte de quelque accident fâcheux, je n'ai osé la donner ; ce qui m'a fait bien de la peine (6). Mais dans les adultes, je n'ai jamais observé aucune mauvaise suite de ce remède lorsqu'on l'a donné avec les précautions que j'ai indiquées ci-dessus (7).

---

tôme particulier le demande, comme la suite le fait voir.

(1) Voyez art. 51.

(2) C'est une eau cordiale en usage en Angleterre. Voici celle de la Pharmacopée d'Edimbourg. Prenez petit cardamome, clous de girofle, cubèbes, galanga, macis, muscade et gingembre, de chacun un gros; écorce jaune de citron et cannelle, de chacun trois gros; feuilles de mélisse, trois onces. Pilez tout ensemble; mettez-le en digestion dans trois chopines d'eau-de-vie de France, et tirez la même quantité de liqueur par la distillation.

(3) Le calmant qui est ici ordonné est très-doux; mais les raisons que l'auteur allègue pour l'ordonner ne sont pas fort satisfaisantes, et l'expérience nous apprend que les narcotiques sont ordinairement pernicieux dans les fièvres. La plupart de ceux qui ont la fièvre dorment d'eux-mêmes après qu'ils ont été suffisamment évacuées par la saignée, le vomissement, la purgation ou les vésicatoires, et sans ces secours, les narcotiques sont souvent infructueux.

(4) On peut demander si les cas rapportés ici ne sont pas de ceux où la fièvre est entièrement domptée, et où par conséquent une bonne nourriture est suffisante, surtout en y ajoutant le moindre petit cordial. Si cela est, le diascordium est le plus mauvais remède dans ce cas-là, à cause de l'opium qu'il contient, et dans lequel néanmoins semble principalement consister sa vertu; car l'opium affaiblit l'estomac et épuise les forces. La plupart des gens tombent naturellement dans un profond sommeil lorsqu'ils n'ont plus de fièvre, et ce sommeil soulage beaucoup plus que celui qui est procuré par des narcotiques. Un bon vin pris modérément paraît être ici le meilleur narcotique.

(5) Il me paraît que les poudres absorbantes remplissent très-bien cette vue.

(6) L'auteur connaissait assurément la vertu innocente de l'oxymel scillitique, puisqu'il l'a ordonné en pareil cas; mais il ne connaissait pas l'ipécacuanha, et la bonne façon de donner le tartre émétique aux enfants.

(7) Voyez l'art. 50.

58. Le vomissement étant fini, j'examine si, nonobstant les évacuations précédentes, l'effervescence du sang est encore assez considérable pour avoir besoin d'être modérée; ou si elle s'est ralentie au point qu'il soit nécessaire de la ranimer; ou enfin si, étant réduite à de justes bornes, on peut l'abandonner à elle-même sans danger pour le malade. Disons quelque chose sur chacun de ces trois articles (1).

59. Si le sang est dans une si grande effervescence qu'il y ait lieu de craindre qu'elle ne produise la frénésie ou quelque autre fâcheux symptôme, j'ordonne le lendemain du vomitif, un lavement tel que celui-ci :

Prenez décoction émolliente, une livre;
Sirop violat et sucre, de chacun deux onces.
Mêlez tout cela pour un lavement.

Je fais réitérer ce lavement suivant le besoin; par-là je rafraîchis le sang et je modère son effervescence Quelquefois néanmoins il est nécessaire de saigner encore une ou deux fois, savoir, dans les jeunes gens d'un tempérament fort sanguin, et dans ceux qui, par un trop grand usage du vin, ont imprimé à leur sang une forte disposition inflammatoire. Mais le plus souvent, il n'est pas besoin de réitérer la saignée, qui est d'ailleurs un si excellent remède : c'est pourquoi, à l'exception des cas dont j'ai déjà parlé, les lavements suffiront pour calmer l'effervescence du sang. Lorsqu'elle est trop considérable, je fais donner un lavement tous les jours, ou de deux en deux jours, suivant le besoin, et cela jusqu'au dixième jour de la maladie ou environ (2).

60. Mais si on a tiré beaucoup de sang, ou si le malade est âgé, alors je n'ordonne point de lavements, quoique le sang soit fort agité, car dans ces cas-là on n'a pas sujet de craindre que cette ébullition s'augmente au point de menacer de quelque funeste symptôme (3); et d'un autre côté, il est certain que les lavements affaiblissent le sang, et relâchent pour ainsi dire le ressort de ses parties, jusque-là même qu'ils troublent et arrêtent, surtout dans les vieillards, l'opération de la nature; aussi ne réussissent-ils pas si bien dans les veillards que dans les jeunes gens. — Si on a saigné, mais non pas abondamment, alors, comme j'ai dit, je fais donner des lavements jusqu'au dixième jour plus ou moins, quelquefois même jusqu'au douzième (4), principalement à ceux que je n'ose pas saigner; car il se trouve des malades qui, après des fièvres intermittentes d'automne, soit tierces, soit quartes, sont attaqués de fièvres continues, pour n'avoir pas été purgés à la fin de la maladie précédente. Si l'on va saigner ces gens-là, il est dangereux que le sédiment que la fermentation précédente avait déposé ne rentre dans la masse du sang, et ne cause de nouveaux troubles. Dans ces circonstances, au lieu de la saignée, j'emploie les lavements jusqu'au douzième jour, lorsque le malade est jeune, et que la fermentation du sang est violente (5).

---

(1) Puisqu'on ne peut déterminer l'existence de ces cas-là que par les symptômes, pourquoi n'y avoir pas recours immédiatement? L'auteur a dit plus haut qu'il emploie les termes de *fermentation* et d'*effervescence* plutôt comme des termes d'un usage ordinaire, que comme ayant dans les fièvres une signification précise.

(2) Cette pratique de donner des lavements est assurément très-bonne; mais une purgation plus ou moins forte, suivant la violence et la nature particulière des symptômes, et les forces du malade, est de beaucoup préférable; car la chaleur de la fièvre rend les matières contenues dans les intestins très-fétides et très-âcres, trouble les sécrétions du foie, du pancréas et des autres viscères, soit dans leur quantité soit dans leur qualité, et rend la digestion très imparfaite. Toutes ces raisons demandent qu'on évacue au moins les matières contenues dans les intestins, et quoique la saignée soulage plus promptement que la purgation, celle-ci néanmoins le fait d'une manière plus durable, et dispose à un sommeil tranquille et naturel.

(3) Ceci est contredit par l'expérience; et la théorie de l'auteur l'a jeté ici dans l'erreur. Il y a dans les fièvres beaucoup de mauvais symptômes qui sont accompagnés d'un pouls faible.

(4) C'est l'état des symptômes, et non pas le nombre des jours qui doit déterminer à continuer les lavements; et il fallait marquer précisément les cas où cela convient.

(5) Il fallait encore ici nommer les symptômes. Les règles générales servent de peu, parce qu'il est aisé de les accommoder à différentes sortes de pratiques. D'ailleurs la conduite de l'auteur, en cette occasion, est fondée sur une théorie fausse et inintelligible.

61. Au contraire, si elle est trop faible, soit qu'on ait saigné ou non, et que par conséquent elle ait besoin d'être excitée de peur qu'elle ne soit hors d'état d'aider la nature, alors je crois qu'il faut bannir entièrement les lavements, même avant le dixième jour, et à plus forte raison ensuite; car pourquoi chercherait-on à arrêter une fermentation qui n'est déjà que trop languissante? Il serait aussi absurde d'employer alors les lavements, c'est-à-dire dans le déclin de la maladie, que de donner trop d'air à la bière lorsqu'elle est en fermentation; ce serait diminuer les forces de la nature, et l'empêcher de se débarrasser de la matière morbifique (1).

62. Ainsi, lorsque par des évacuations convenables on a mis le malade à couvert des symptômes que produit la trop grande ébullition du sang, ou lorsque la maladie est sur son déclin, plus on tient le ventre resserré, moins il y a à craindre, d'autant qu'alors la coction de la matière fébrile se fait doucement et sans peine : c'est pourquoi si les évacuations précédentes ont pour ainsi dire affaibli le sang, ou menacent de l'affaiblir, ou bien si la fièvre a quitté le malade avant le temps ordinaire, ou même si elle dure jusqu'à son dernier période, non seulement je défends tout usage des lavements, mais j'ai recours aux cordiaux, et je travaille aussitôt à resserrer le ventre (2).

63. Quant aux cordiaux, je sais par expérience que si on les donne de trop bonne heure, et avant que d'avoir saigné, ils nuisent considérablement; car il est à craindre que la matière morbifique, qui, alors, est encore crue, ne se jette sur les membranes du cerveau, etc., ou sur la plèvre; c'est pourquoi j'ai toujours soin de ne pas donner de cordiaux lorsqu'il n'y a eu que peu ou point de sang tiré, ou lorsqu'il n'y a eu aucune autre évacuation considérable, ou lorsque le malade est encore dans la vigueur de l'âge : en effet, que servirait-il de fournir de nouvelles forces à un sang qui n'en a déjà que trop? Elles lui seraient nuisibles. Le sang a assez de force, et n'a pas besoin d'être mis en mouvement, quand il n'a pas perdu sa chaleur naturelle par des évacuations considérables. Un tel sang est lui-même son propre cordial, et ceux qu'on emploie d'ailleurs sont nuisibles ou même pernicieux : aussi, en pareil cas, je n'en permets aucun, ou du moins je ne permets que les plus légers (3).

64. Mais si le malade est faible et languissant à cause des grandes évacuations qu'il a souffertes, ou s'il est avancé en âge, ma coutume est de donner les cordiaux dès le commencement de la fièvre. Le douzième jour de la maladie, qui est le temps où la sécrétion de la matière peccante est prête à se faire, je crois qu'il faut employer plus largement les remèdes chauds; on peut même les employer plus tôt, s'il n'y a pas à craindre que la matière fébriles se jette sur les parties nobles; car alors, plus on échauffera le malade, plus aussi on accélérera la coction (4).

65. Je ne comprends pas ce que veulent dire les médecins lorsqu'ils recommandent si fort les remèdes propres à aider la coction de la matière fébrile, remèdes qu'ils emploient souvent dès le commencement de la maladie, tandis qu'en ce temps-là même, ils en ordonnent d'autres pour modérer la fièvre. Certainement la fièvre n'est autre chose qu'un instrument dont se sert la nature pour séparer les parties impures du sang d'avec les parties pures : c'est ce qu'elle exécute d'une manière entièrement imperceptible dès le commencement, et même dans la force de la maladie, mais plus sensiblement et plus manifestement dans le déclin, comme on voit par les urines. En effet, la coction de la matière fébrile n'est autre chose que la séparation des particules morbifiques d'avec les particules saines.— Ainsi, pour avancer cette coction, il ne s'agit pas de remèdes tempérants, mais il faut laisser la fièvre dans toute sa force aussi long-temps qu'il

(1) La bonne pratique en pareil cas est de donner des lavements, s'il est nécessaire, et d'y joindre le secours des cordiaux et des vésicatoires. La théorie a aussi beaucoup de part à cette règle.

(2) Il est vrai que dans les cas d'une extrême faiblesse, une simple selle est dangereuse, et que, dans un moindre degré de faiblesse, la purgation ne convient pas, à moins qu'il n'y ait ait raison de juger que les matières contenues dans les intestins sont extraordinairement âcres et irritantes, c'est-à-dire, à moins que cela ne paraisse par les symptômes, desquels seuls on doit tirer toutes les indications.

(3) Cette règle est très-juste.

(4) La pratique est fort bonne, mais la théorie est un fruit de l'imagination,

n'y a point de danger; et lorsque la coction est sur sa fin, et que la sécrétion de la matière morbifique paraît manifestement, il faut alors employer les remèdes chauds, afin qu'elle se fasse plus promptement et plus sûrement. Voilà ce que c'est qu'aider la coction de la matière fébrile; au lieu que les évacuations et les remèdes rafraîchissants la retardent, et empêchent la guérison, qui était en bon train, comme je l'ai souvent observé. — Si la fermentation va comme il faut, la dépuration se fera vers le quatorzième jour; mais si on arrête la fermentation en donnant trop tard des rafraîchissants, il n'y a pas lieu de s'étonner que la fièvre dure jusqu'au vingt-unième jour, et même beaucoup au-delà dans les sujets extrêmement faibles, et qui n'ont pas été bien traités (1).

66. Une remarque importante à faire, c'est que par l'usage des lavements, ou d'autres purgatifs ordonnés mal à propos vers le déclin de la fièvre, le malade semble quelquefois être un peu soulagé, et même n'avoir plus du tout de fièvre; mais un où deux jours après, la première fièvre se ranime, ou plutôt, il s'en allume une nouvelle, c'est-à-dire qu'il survient un frisson, lequel est bientôt suivi de chaleur, et cette fièvre dure autant que la précédente, à moins qu'elle ne devienne intermittente. Il faut alors traiter le malade comme s'il n'avait pas eu la fièvre auparavant, et recommencer les mêmes remèdes; car le sang qui est entré de nouveau en effervescence ne se dépurera pareillement que dans l'espace de quatorze jours, quelque triste qu'il soit pour un malade déjà affaibli par la maladie précédente, d'attendre si longtemps sa guérison (2).

67. Les cordiaux que j'emploie sont ceux que j'indiquerai bientôt. Je me sers des plus doux au commencement de la maladie, lorsque le sang est dans sa plus grande effervescence (3); ensuite, j'en emploie peu à peu de plus forts, suivant le progrès de la maladie ou le degré d'ébullition du sang, me souvenant toujours que lorsqu'on a beaucoup saigné, ou que le malade est vieux, on peut donner des cordiaux plus forts que lorsqu'on n'a point saigné, ou que le malade est jeune (4).

68. Les cordiaux *doux*, dont j'ai parlé, se composent avec les eaux distillées, par

---

(1) Au commencement d'une fièvre, la circulation est irrégulière et trop forte; vers le milieu, elle est irrégulière et médiocrement forte, dans le déclin, elle est irrégulière et trop faible. Ainsi la saignée et les autres évacuations qui diminuent la force du sang, conviennent en général au commencement des fièvres, et ne conviennent pas dans le déclin. Les cordiaux et les vésicatoires qui augmentent la force du sang, ne conviennent pas au commencement, et conviennent dans le déclin. On peut regarder cela comme une règle générale assez juste; mais il s'en faut beaucoup qu'elle comprenne tous les cas différents; il est donc besoin de les détailler tous, et de donner des règles particulières pour chacun d'eux, et c'est en quoi notre auteur excelle en d'autres endroits de ses ouvrages. Les règles générales sont presque toujours diversement entendues par différentes personnes, et servent même quelquefois à autoriser les pratiques les plus opposées.

(2) La spéculation a peut-être plus de part à ce que dit ici l'auteur, que l'observation; du moins cela ne se montre pas souvent dans la pratique d'aujourd'hui; peut-être aussi que le fréquent usage des vésicatoires, établi depuis le temps de notre auteur, en est la cause: quoi qu'il en soit, c'est un point très-important à vérifier.

(3) Quel besoin d'en donner du tout? Nous sommes cependant très-obligés à l'auteur de ce qu'il a rejeté ensuite la plupart des cordiaux. La pratique moderne donne ici des rafraîchissants.

(4) Tout ce qui augmente la force du cœur et des vaisseaux peut passer pour cordial; et suivant ce principe, il y a deux sortes de cordiaux, savoir, 1° un bon régime qui en fortifiant le malade, le met en état de surmonter la maladie; 2° tous les remèdes qui agissent par une vertu stimulante, et par conséquent augmentent le mouvement des solides et des fluides; c'est pourquoi dans les fièvres il faut avoir grand soin de s'instruire s'il est besoin ou non de stimulants; et s'il n'en est pas besoin, comme il arrive ordinairement, la nourriture doit être fort légère. Ainsi l'eau est un cordial universel, lorsque les liqueurs sont trop épaisses, et l'abstinence et la saignée en sont d'excellents dans les cas de pléthore. Il n'est presque jamais nécessaire de procurer aux fluides un mouvement extraordinaire; voilà pourquoi les cordiaux proprement dits conviennent rarement: et c'est ce que notre auteur seul, paraît avoir bien considéré. *Boerhaave, Prax. Med., vol.* III, *p.* 104. 277.

exemple, de bourrache, de citron, de scordium, de fraises, l'eau thériacale, ajoutant les sirops de mélisse, d'œillet, de limon, etc. (1). — Les cordiaux *plus forts* se préparent avec la poudre de pattes d'écrevisses composée, le bézoard, la confection d'hyacinthe, la thériaque, etc. Les formules suivantes sont d'un fréquent usage.

Prenez eaux de bourrache, de citron, de scordium, et de cerises noires, de chacune deux onces;

Eau de cannelle orgée, une once; perles préparées, deux gros; sucre candi, ce qu'il en faut.

Mêlez tout cela ensemble pour une potion, dont le malade prendra quatre cuillerées plusieurs fois le jour, et surtout quand il se trouvera faible.

Prenez eaux de citron entier et de fraises, de chacune trois onces.

Eau thériacale, sirop de mélisse et de limon, de chacune demi-once.

Mêlez tout cela ensemble pour un julep, dont le malade prendra de temps en temps.

Prenez poudre de pattes d'écrevisses composée, de bézoard oriental et occidental, et de contrayerva, de chacun un scrupule, et une feuille d'or.

Mêlez tout cela ensemble pour en faire une poudre très-fine, dont le malade prendra douze grains dans le besoin, en les mêlant dans deux gros de sirop de limon, et autant de sirop d'œillet, et il boira par-dessus quelques cuillerées du julep précéent.

Prenez eau thériacale, quatre onces; semence de citron, deux gros.

Pilez cela ensemble, et faites une émulsion, ajoutant à la colature ce qu'il faut de sucre pour donner un goût agréable. Le malade prendra deux cuillerées de cette émulsion trois fois le jour.

Il serait inutile de proposer un plus grand nombre de formules, parce qu'on peut en composer une infinité, et qu'il faut les varier dans le cours de la maladie, suivant les différents temps et les différents symptômes.

69. Mais si la fermentation du sang n'est ni trop violente ni trop faible, je la laisse dans cet état, et je ne donne aucun remède, à moins que je ne sois obligé d'accorder quelque chose à l'importunité des malades et des assistants; encore, alors, je ne donne rien qui soit contraire aux vues que je me suis proposées (2).

70. Une chose que je ne veux pas passer ici sous silence, c'est que souvent étant appelé pour aller voir des gens du commun, dont les facultés ne leur permettaient pas de dépenser beaucoup en remèdes, je ne leur ai ordonné autre chose, après les avoir fait saigner et vomir, quand l'indication le demandait, sinon de demeurer au lit tout le temps de leur maladie, de se nourrir seulement de décoction d'avoine et d'orge, ou autres semblables, de boire modérément, et suivant leur soif, de la petite bière (3), la faisant tiédir auparavant, et de prendre chaque jour, ou de deux en deux jours, jusqu'au dixième ou onzième de la maladie, un lavement de lait avec du sucre. Vers la fin de la fièvre, lorsque la réparation de la matière morbifique était commencée, je leur permettais, pour l'aider, si elle se faisait trop lentement, d'user de temps en temps d'une boisson plus forte, au lieu de cordiaux. Tout ce que je faisais de plus, était de donner à la fin de la maladie un léger purgatif, et de cette manière je les guérissais (4).

(1) Le suc de citron ou de limon ne peut guère être regardé comme un cordial.

(2) La plupart des remèdes précédents sont à peu près de cette nature, et peuvent être regardés comme ne faisant ni grand bien ni grand mal.

(3) C'est la boisson ordinaire des malades en Angleterre, comme le petit cidre en quelques endroits de la France, et la tisane ailleurs. La petite bière qui est vieille et claire, sans amertume ni aigreur, convient très-bien aux malades qui n'ont ni nausée, ni maux d'estomac, ni disposition au cours de ventre. Lorsque les symptômes sont modérés, et que le sang n'est pas trop raréfié, ce serait une sévérité inutile et souvent nuisible de défendre cette petite bière prise avec modération, surtout lorsque le malade en a usé ordinairement. Néanmoins, dans les sujets qui ont le sang fort agité, la petite bière ne convient pas, parce que nonobstant sa légèreté, elle contient toujours une certaine portion d'esprit ardent propre à irriter les fibres et à leur causer des contractions plus fortes et plus fréquentes; et comme elle contient aussi de l'air très-élastique, elle est toujours prête à fermenter : ce qui ne manquerait pas d'agiter encore davantage le sang et de produire le délire, s'il n'y en avait déjà pas auparavant. Langrisch, *modern theory: and Practice of Physick*, p. 150 §. IV.

(4) Il paraît que l'auteur a suivi en

71. Si la méthode que j'ai décrite a été soigneusement observée, je vois ordinairement vers le quinzième jour, tant par le sédiment louable de l'urine que par la diminution manifeste de tous les symptômes, qu'il est alors temps de purger, afin d'évacuer les récréments que la fermentation précédente a déposés çà et là. Si l'on manque de les évacuer à temps, il est dangereux qu'ils ne rentrent dans la masse du sang, et ne rallument la fièvre; ou qu'en séjournant dans les parties où ils ont été déposés, ils ne deviennent ensuite une source de mille maux. Car, comme ce sont des humeurs grossières et impures, ils empêchent aisément le retour du sang, lorsqu'après en avoir été séparés ils viennent à y pénétrer de nouveau par les veines. De là différentes sortes d'obstructions et de mauvais levains (1).

72. Il faut néanmoins prendre garde que la purgation n'est pas d'une aussi grande nécessité après les fièvres du printemps qu'après celles d'automne, parce que le sédiment que laissent les premières, n'est ni en si grande quantité, ni si grossier, ni si nuisible que celui que laissent les secondes (2). Il en est de même des petites véroles (3) et de plusieurs autres maladies qui règnent au printemps, dans lesquelles, suivant que j'ai observé, il est moins dangereux de ne pas purger que dans celles d'automne. — On peut assurer avec assez de vérité que le défaut de purger après les maladies d'automne, produit un plus grand nombre de maladies que toute autre cause, quelle qu'elle soit.

73. Si le malade est très-faible, ou que la dépuration ne soit pas assez avancée pour oser purger le quinzième jour, j'attends jusqu'au dix-septième, et alors j'ordonne la potion suivante, ou une autre semblable, à proportion des forces du malade :

Prenez tamarins, demi-once; feuilles de séné, deux gros; rhubarbe, un gros et demi. Faites bouillir tout cela dans suffisante quantité d'eau; et dans quatre onces de ce que vous aurez coulé, faites dissoudre manne et sirop de roses, de chacun une once, pour une potion qui sera prise le matin à jeun.

74. Quand le malade a été purgé, je le fais lever, au lieu que jusqu'alors je l'avais tenu au lit, et je lui fais reprendre peu à peu sa manière ordinaire de vivre. Le régime que je lui ordonne avant la purgation est presque le même que celui dont j'ai parlé précédemment. Il consiste en des décoctions d'avoine et d'orge, des panades faites avec le pain et le jaune d'œuf, l'eau et le sucre; des bouillons de poulet, de la petite bière houblonnée, à laquelle on peut, dans l'ardeur de la fièvre, ajouter quelquefois du suc d'orange nouvellement exprimé et bouilli sur le feu autant qu'il est nécessaire pour ôter la crudité. Voilà ce que j'ordonne, et autres choses semblables; mais les décoctions d'avoine peuvent tenir lieu de tout le reste. Il n'est nullement nécessaire, et souvent même il est nuisible, de refuser au malade de la petite bière bue de temps en temps en médiocre quantité.

75. Il arrive quelquefois, surtout chez les gens âgés, que le malade, n'ayant plus de fièvre et étant suffisamment purgé, reste néanmoins très-faible et rend, soit par la toux, soit par les crachats, beaucoup de phlegme gluant et visqueux. Ce symptôme épouvante le malade, et a trompé quelquefois des médecins peu attentifs, en leur faisant croire que c'était un avant-coureur de la phthisie. Mais j'ai observé que ce symptôme n'est pas fort dangereux. Pour y remédier, je fais boire au malade du vieux vin d'Espagne ou du vin muscat, dans lequel on a trempé du pain rôti. Cette liqueur, donnant de la force au sang, qui est affaibli par la fermentation précédente, et qui, par conséquent, ne saurait changer le chyle en sa propre substance, dissipe en très-peu de jours le symptôme en question, comme je l'ai souvent éprouvé (4).

76. En suivant la méthode que nous avons proposée (5), on garantira le ma-

---

cette occasion sa méthode douce, naturelle, fondée sur l'observation, et par conséquent excellente.

(1) Tout ceci est bien imaginaire.

(2) La pratique peut être bonne, mais la théorie ne vaut pas grand chose.

(3) Cette règle de pratique est contraire à l'expérience. Il y a lieu de s'étonner qu'un si soigneux observateur ait pu avancer pareille chose; mais sa théorie a prévalu ici sur l'observation.

(4) Il semble que ce symptôme vient plutôt de la faiblesse de l'estomac que de celle des poumons, puisque les amers le dissipent.

(5) La méthode établie dans ce chapitre paraît supposer qu'une fièvre ne

lade de plusieurs autres symptômes que l'on a coutume d'attribuer à la malignité. Car rien n'est plus ordinaire aux médecins peu expérimentés, que d'avoir recours à cette cause, lorsque par des remèdes trop rafraîchissants et par des lavements donnés mal à propos, ils ont relâché le tissu du sang, et, en affaiblissant la nature qui travaillait à le dépurer, ont occasionné des défaillances et autres mauvais symptômes, effets naturels des remèdes qu'ils ont administrés. — Mais si la longueur de la maladie ne permet pas d'y faire intervenir de la malignité, alors ils mettent sur le compte du scorbut tout ce qui les embarrasse dans le traitement. Néanmoins les symptômes qui accompagnaient la maladie dans sa force, ne venaient réellement d'aucune malignité, et ceux qui l'accompagnaient dans son déclin ne sont point l'effet du scorbut; mais les uns et les autres doivent être attribués à la mauvaise méthode que l'on a suivie dans la curation, comme je l'ai souvent vu. — Je le sais, et c'est une chose qui ne saurait être ignorée de quiconque est tant soit peu instruit de l'histoire des maladies, qu'il y a des fièvres lesquelles, indépendamment de l'intempérie et de la pourriture des humeurs, sont véritablement malignes, et en ont des signes très-évidents. Je ne nie pas non plus que le scorbut et quantité de maladies ne puissent être compliquées avec la fièvre. Mais je dis seulement qu'on suppose souvent à tort ces maladies.

77. Si la fermentation du sang va comme il faut, la séparation de la matière morbifique se fera dans l'espace de temps que j'ai dit ci-devant. Mais si on a donné trop long-temps des remèdes rafraîchissants ou des lavements, la fièvre sera beaucoup plus longue, surtout dans les vieillards qui n'ont pas été bien traités. Il m'est arrivé quelquefois d'être appelé vers des malades de ce cette sorte qui avaient eu la fièvre durant plus de quarante jours. Alors, je n'oubliais rien pour produire la dépuration du sang; mais il se trouvait tellement affaibli, soit par l'âge, soit par les lavements et les remèdes rafraîchissants, que les cordiaux et les autres remèdes fortifiants étaient inutiles. La fièvre se soutenait avec la même vivacité, ou, si elle cessait, les malades restaient sans force et dans un abattement extrême (1).

78. Voyant que les autres remèdes n'avaient aucun succès, j'ai souvent été obligé de changer de batterie, et j'ai essayé de ranimer la chaleur des malades en faisant coucher des jeunes gens auprès d'eux, ce qui m'a très-bien réussi. Il n'est pas surprenant qu'un malade se trouve fortifié par un moyen si extraordinaire, et que cela aide la nature à se débarrasser des restes de la matière morbifique; puisqu'on comprend facilement qu'un corps sain et vigoureux transmet une grande quantité de corpuscules spiritueux dans le corps épuisé du malade. Aussi, n'ai-je pas trouvé qu'en appliquant à diverses reprises des linges chauds, j'aie jamais pu faire la même chose que par cette méthode, dans laquelle la chaleur est plus analogue au corps humain, et en même temps est douce, humide, égale et continuelle. — Cette manière de transmettre dans le corps d'un malade des particules spiritueuses et des vapeurs qui sont peut-être balsamiques, parut d'abord étrange; mais d'autres que moi la mirent en usage avec un heureux succès. Je n'ai pas honte de faire mention d'un tel remède, quoiqu'il doive peut-être m'exposer aux railleries de certains esprits fiers et hautains, qui regardent avec un souverain mépris toutes les choses communes. Pour moi, je préfère infiniment le bien et la santé du prochain à toutes leurs vaines imaginations.

79. Si l'on observe soigneusement et avec prudence la méthode que j'ai dé-

saurait être guérie qu'après avoir parcouru son période de quatorze jours : en effet, c'est ordinairement le temps où celles qui sont abandonnées à elles-mêmes, et qui guérissent, donnent les plus grands signes d'une heureuse crise; mais il est certain aussi que les évacuations qui se font par la saignée, le vomissement et la purgation, détruisent souvent une fièvre tout-à-fait en peu de jours, et que si elles ne réussissent pas, les vésicatoires en abrégent du moins le période. Il semble que l'auteur a découvert cela en d'autres fièvres, qu'il a peut-être regardées par cette raison comme étant d'une autre nature, parce qu'il les a guéries d'une autre manière. Mais il en est ici comme d'un problème que l'on peut résoudre par différentes voies, dont les unes sont plus courtes que les autres.

(1) Les vésicatoires sont le principal remède en pareil cas.

crite jusqu'à présent, on garantira les malades de la plupart des symptômes qui ont coutume d'accompagner et de suivre la fièvre dont nous parlons, et qui embarrassent et déconcertent souvent le médecin, enlèvent même les malades, quoique la maladie n'ait paru nullement mortelle. — Cependant, comme de tels accidents arrivent très-fréquemment, soit par la faute des malades, qui n'appellent pas assez tôt le médecin, soit par l'ignorance ou le peu d'attention du médecin même, j'expliquerai ici brièvement la manière dont il faut les traiter; mais je me bornerai uniquement à ceux qui, lorsqu'ils sont arrivés, demandent un traitement particulier, quoiqu'on eût pu les prévenir en suivant la méthode que nous avons marquée.

80. Je commence par la *frénésie*. Si donc le malade en est attaqué, soit pour avoir pris mal à propos des remèdes trop échauffants, soit à cause de son tempérament tout de feu, ou (ce qui approche beaucoup de la frénésie) si le malade ne dort point du tout, s'il pousse des cris fréquents, si ses paroles sont mal articulées, si la fureur est peinte sur son visage, s'il raisonne en furieux, s'il prend avidement les remèdes et la boisson qu'on lui présente, si enfin les urines sont supprimées, dans ce cas-là j'emploie plus largement que je n'ai permis ci-dessus la saignée, les lavements et les remèdes rafraîchissants, surtout dans la saison du printemps; car alors, quand même il n'y aurait point de frénésie, on peut, sans beaucoup de danger, traiter de la sorte les jeunes gens et les personnes d'un tempérament chaud (1).

81. Après avoir employé durant quelque temps ces remèdes, je viens assez facilement à bout de la fièvre et de la frénésie par un seul et même remède, savoir, en donnant une dose assez considérable de quelque narcotique. Il est vrai que les narcotiques ne réussissent point dans la vigueur de la fièvre; mais donnés à propos et dans le déclin, ils font merveille. La raison pourquoi ils manquent auparavant, c'est parce qu'ils ne peuvent apaiser la violence de la fermentation, quand même on les donnerait alors en très-grande dose; et aussi parce qu'ils fixent la matière peccante, qui, étant alors confondue dans toute la masse du sang, n'est pas encore disposée à s'en séparer, et qu'ainsi ils empêchent la dépuration du sang, qui est une opération si importante et si nécessaire.

82. Mais que ce soit là la raison de ce phénomène, ou qu'il dépende de quelqu'autre cause plus cachée, c'est ce que je laisse à juger à ceux qui ont le goût et le loisir de s'appliquer à de pareilles spéculations. Il me suffit d'avancer, comme une chose très-certaine et vérifiée par un grand nombre d'observations, que le laudanum ou tout autre narcotique, si on le donne au commencement, dans l'augmentation ou dans le fort de la fièvre dont il s'agit, n'arrête point la frénésie, et souvent même l'augmente; au lieu qu'étant donné dans le déclin de la maladie, et même en dose médiocre, il réussit très-bien. — Je l'ai donné une fois le douzième jour avec succès; mais je ne l'ai jamais vu réussir étant employé plus tôt. Si on ne le donne qu'au quatorzième jour, il fera encore mieux, d'autant que la séparation de la matière morbifique sera alors plus parfaite; et, quoiqu'un symptôme aussi terrible que la frénésie épouvante extrêmement les assistants, on peut, sans que le malade périsse, attendre jusqu'à ce jour-là à mettre en usage les narcotiques; car j'ai observé que ce symptôme en donne ordinairement le temps, du moins si l'on a le soin de ne pas enflammer davantage le sang par des cordiaux et d'autres remèdes chauds, faute de quoi les malades périssent bientôt. Les narcotiques dont j'ai coutume de me servir sont le laudanum de Londres,

(1) Il faut employer tous ses soins à découvrir qu'est-ce qui produit ce symptôme, lequel peut venir de plusieurs causes très-différentes, comme, par exemple, de l'activité des esprits, ou de leur faiblesse et de leur petite quantité, etc. S'il survient dans une fièvre aiguë, avec un pouls plein et vif, la saignée du pied est très-propre à diminuer la compression du cerveau et à détourner le sang vers les extrémités. On doit appliquer sur la plante des pieds des emplâtres stimulants, ou choses semblables. Les boissons nitrées sont d'une grande utilité, et généralement tout ce qui rafraîchit le sang diminue la tension des nerfs, atténue les humeurs, dissipe les embarras et calme l'irritation; mais si le mal est accompagné d'un pouls faible, lent et irrégulier, il faut des vésicatoires, des atténuants chauds et des remèdes nervins. Les narcotiques sont très-dangereux en cette occasion.

à la dose d'un grain et demi (1), ou bien la potion suivante :

Prenez fleurs de primevère, une poignée. Faites-les bouillir dans suffisante quantité d'eau de cerises noires, et mêlez dans trois onces de la colature une demi-once de sirop diacode et une demi-cuillerée de suc de limon ; ou bien,

Prenez eau de cerises noires, une once et demie; eau épidémique (2), deux gros; laudanum liquide, seize gouttes ; sirop d'œillets, un gros. Mêlez tout cela ensemble.

83. J'ajouterai ici une chose qu'il me paraît nécessaire de remarquer : c'est que si la frénésie et la fièvre durent assez long-temps pour qu'on ait la commodité de purger avant que de faire prendre le narcotique, il réussira mieux. Ma coutume, dans ces cas-là, est de donner, dix ou douze heures avant le narcotique, deux scrupules de pilules cochées majeures, dissoutes dans l'eau de bétoine. Il ne faut pas craindre le tumulte que peuvent causer ces pilules ; car la vertu du narcotique le calmera bientôt et procurera un doux et agréable repos. — Lorsque l'insomnie dure plus long-temps que la fièvre, sans qu'il reste d'autres symptômes, j'ai observé qu'un linge trempé dans l'eau rose, et appliqué froid sur le devant de la tête et sur les tempes, réussissait mieux que tous les narcotiques.

84. Il arrive souvent que le malade est tourmenté d'une fâcheuse *toux* pendant toute la maladie. En effet, le sang étant dans une agitation extraordinaire, et tout étant en trouble dans le corps, il se sépare de la masse du sang certaines humeurs qui, traversant les vaisseaux du poumon, se jettent sur la membrane interne de la trachée-artère, laquelle membrane est très-délicate et d'un sentiment exquis. De là vient la toux, qui d'abord est sèche, parce que la matière encore fort ténue ne saurait être expulsée. Mais ensuite cette matière s'épaissit et devient difficile à expectorer, parce que la chaleur de la fièvre la dessèche ; d'où il arrive que le malade appréhende d'être suffoqué, n'ayant pas la force d'évacuer par les crachats cette matière gluante et visqueuse. — Dans une pareille toux, je ne me sers guère d'autre chose que d'huile d'amandes douces fraîchement tirée, à moins que le malade n'ait horreur de l'huile, comme il arrive quelquefois ; car alors, je le soulage du mieux que je puis avec les remèdes pectoraux ordinaires. Cependant, lorsque j'ai la liberté d'employer l'huile d'amandes douces, je la préfère à tous les autres béchiques. La principale raison de cette préférence est que les autres béchiques ne pouvant être utiles s'ils ne sont donnés en fort grande quantité, ils surchargent l'estomac déjà trop affaibli et fatigué de nausées, et empêchent quelquefois l'usage des autres remèdes qu'il faudrait employer en même temps.

85. Je ne vois, ni par la raison, ni par l'expérience, pourquoi nous devons éviter l'huile d'amande douces dans les fièvres sous prétexte qu'elle est inflammable et capable par conséquent d'augmenter la fièvre. Je veux qu'elle soit chaude de sa nature, cette chaleur en tout cas est compensée abondamment d'un autre côté; car cette huile, plus que toute autre chose, est manifestement favorable à la poitrine ; elle ouvre les voies; elle est adoucissante; elle facilite l'expectoration. Par ce moyen, surtout si l'expectoration est abondante, le sang se débarrasse d'une humeur nuisisible qui sort aisément par les crachats,

(1) Il est bon d'avertir qu'en employant le laudanum, on doit commencer par une dose beaucoup moindre, et augmenter ensuite par degrés, suivant le besoin. Il faut dire la même chose du laudanum liquide, que l'auteur ordonne à la dose de seize gouttes. On ne saurait aller avec trop de précaution dans l'usage des narcotiques, qui sont, à la vérité, de grands remèdes entre les mains d'un habile et sage médecin; mais sont très-dangereux entre les mains de tout autre. Cette remarque faite ici au sujet des narcotiques servira pour tous les autres endroits où l'auteur semblerait les ordonner en trop grande dose, et on ne la répètera pas ailleurs. La dose des narcotiques, ainsi que de plusieurs autres remèdes, varie suivant les différentes circonstances; et celle qui serait trop forte pour une personne, et dans certain cas, sera trop faible pour une autre, et en d'autres cas. C'est au médecin à se régler là-dessus, et à manier prudemment des remèdes si délicats.

(2) C'est une eau fortifiante et carminative fort en usage en Angleterre. Les principales drogues qui y entrent sont les racines d'impératoire, de valériane sauvage, de serpentaire de Virginie et de zédoaire, les feuilles de mélisse, de rue et de scordium, les graines d'angélique et de livêche, les baies de genièvre et de laurier, tout cela infusé dans l'eau-de-vie, et ensuite distillé.

et se trouve même un peu rafraîchi. Ainsi, quand je vois la toux survenir à la fièvre, je ne m'en inquiète pas beaucoup, sachant que ce symptôme est fort avantageux au malade. — J'avertis seulement qu'il ne faut pas donner l'huile d'amandes douces à pleines cuillerées et plusieurs à la fois, parce qu'il est dangereux qu'elle ne cause le vomissement ou le cours de ventre. Mais il faut la donner à petites doses fréquemment réitérées jour et nuit. De cette façon, non seulement elle adoucira la toux en procurant l'expectoration ; mais encore elle servira d'aliment doux qui ranimera un peu les forces abattues du malade.

86. Il survient quelquefois un *saignement de nez*, soit parce qu'on a donné dès le commencement de la maladie des remèdes trop échauffants, soit parce qu'on n'a pas suffisamment réprimé l'effervescence du sang, qui vient de la jeunesse du malade ou de la saison. Les moyens qu'on emploie d'ordinaire pour arrêter le mouvement du sang, comme les saignées, les ligatures, les remèdes astringents et agglutinatifs, et ceux qui tempèrent l'acrimonie des humeurs, etc., sont peu utiles pour la guérison de cette hémorrhagie. Car, quoiqu'on puisse se servir de ces remèdes et d'autres semblables, suivant les conseils et la prudence du médecin, néanmoins le point essentiel est de remédier à l'ébullition du sang et d'arrêter sa trop grande impétuosité. Il est vrai qu'à considérer le saignement de nez en lui-même, les remèdes rapportés ci-dessus, et principalement la saignée, sont assez convenables, et moi-même je ne ferais pas difficulté de m'en servir. Mais comme, à l'exception de la saignée, ils ne vont pas suffisamment à la cause du mal, vouloir les employer pour le guérir, ce serait vouloir éteindre le feu avec une épée. — Connaissant donc leur inefficacité par ma propre expérience, je me sers d'un remède tel que celui-ci :

Prenez eaux de pourpier et de coquelicot, de chacune une once et demie ; sirop diacode, six gros ; sirop de primevère, demi-once. Mêlez tout cela pour une potion (1).

87. Je ne prétends pas néanmoins qu'on doive tenter d'arrêter sur-le-champ avec ce remède toutes sortes d'hémorrhagies : au contraire, il faut souvent la laisser aller, car elle pourra être fort avantageuse au malade, en ce qu'elle diminuera la trop grande effervescence du sang, et terminera quelquefois critiquement la maladie. Aussi, servira-t-il de peu de lui opposer le remède que nous proposons, si elle n'a pas déjà duré quelque temps, ou même si on n'a pas saigné auparavant. — Il est nécessaire d'observer avec soin que le saignement de nez, et toutes les autres hémorrhagies excessives ont cela de particulier, qu'elles reviennent aisément, si, après qu'elles ont été arrêtées de quelque manière que ce soit, on manque de purger avec un minoratif. Ainsi, il faudra purger. Mais s'il n'y a point d'hémorrhagie, on aura égard à la fièvre et on purgera plus tard.

88. Un autre symptôme, c'est le *hoquet*. Il arrive ordinairement aux vieillards après des évacuations abondantes par haut et par bas, et souvent il annonce une mort prochaine. J'avoue naturellement que mes recherches sur la cause du hoquet ne me satisfont point. Néanmoins, j'ai souvent observé qu'il venait de l'irritation que des remèdes trop violents ont excitée dans l'estomac et dans les parties voisines ; et comme la nature n'a pas eu la force de calmer cette irritation, le malade se trouve en grand danger. Ainsi, en pareil cas, j'ai cru devoir aider la nature à exécuter avec le secours de l'art ce qu'elle ne pouvait exécuter d'elle-

(1) Un si faible narcotique ne paraît guère capable d'arrêter un saignement de nez, où les remèdes mentionnés ci-dessus ont échoué. Si l'hémorrhagie est donc violente, il sera à propos de saigner à la jugulaire, d'appliquer les ventouses, de faire des lotions rafraîchissantes à la tête et aux parties voisines, de baigner les extrémités dans l'eau chaude, si elles sont froides, de souffler une poudre astringente dans une des narines, ou dans toutes deux, suivant qu'il sera nécessaire, ou d'y introduire une tente trempée dans quelque liqueur styptique. (Voyez l'article 585.) Les émulsions rafraîchissantes, les narcotiques, les remèdes nitreux et légèrement astringents, doivent être employés intérieurement, et il faut une nourriture délayante et en petite quantité. La situation droite, avec la tête un peu penchée en devant, est ici la meilleure. Si le sang est âcre, clair et séreux, il faut donner beaucoup d'agglutinants. En cas de grande faiblesse causée par l'hémorrhagie, il faut bannir entièrement les narcotiques, ordonner des cordiaux modérés, un régime restaurant, et le repos.

même. Pour cela, j'ai donné le diascordium en grande dose, savoir : à deux gros, et il m'a réussi ; au lieu que la semence d'aneth, et les autres remèdes qu'on vante comme spécifiques n'avaient eu aucun effet (1).

89. Si la *diarrhée* survient dans le cours de la fièvre continue, ce qui est ordinaire, comme nous l'avons déjà remarqué ci-dessus (2) lorsqu'on n'a pas donné le vomitif au commencement de la maladie, quoique l'indication le demandât, dans ce cas-là il faut le donner en quelque temps que ce soit de la maladie, si les forces du malade le permettent, nonobstant qu'il n'ait depuis long-temps aucune envie de vomir.—Mais, comme nous avons suffisamment traité cette matière ci-dessus, j'ajouterai seulement ici ce qu'il convient de faire, supposé que la diarrhée survienne, quoiqu'on ait donné l'émétique. Le cas est très-rare, excepté dans la fièvre inflammatoire, où le vomitif non-seulement n'empêche point la diarrhée, mais encore la produit quelquefois, ce qui est remarquable. Dans une pareille conjoncture, j'ai trouvé que le lavement suivant m'avait mieux réussi que tous les autres astringents. — Prenez écorce de grenades, demi-once ; roses rouges, deux pincées. Faites bouillir dans suffisante quantité de lait de vache ; et dans demi-livre de la colature, dissolvez une demi-once de diascordium pour un lavement. — Je ne conseille pas de donner ce lavement en plus grande quantité, car, quoiqu'il soit astringent de sa nature, on doit craindre qu'il ne fatigue les intestins par son poids ; et qu'ainsi il n'excite davantage le cours de ventre que l'on voulait arrêter (3).

90. Quelqu'un m'objectera peut-être qu'il semblerait plus à propos d'abandonner la diarrhée à elle-même, surtout si elle arrive dans le déclin de la maladie, que de l'arrêter, d'autant que cette évacuation est quelquefois critique, et termine la maladie. — Je réponds qu'à la vérité la fièvre se termine quelquefois par la diarrhée. Mais la chose arrive trop rarement pour oser entreprendre quelque chose sur cette espérance. D'ailleurs, la raison que nous avons alléguée, en parlant de la curation générale des fièvres, pour faire voir la nécessité qu'il y a d'arrêter ce flux de ventre, subsiste ici dans toute sa force. J'ajouterai une remarque qui me paraît importante, c'est que pour une entière dépuration du sang, il ne faut pas seulement qu'il se fasse une sécrétion de certaines parties grossières qui sortent par les selles ; mais il faut encore qu'il se fasse une sécrétion de parties subtiles, comme on voit tous les jours dans d'autres liqueurs spiritueuses et composées de parties hétérogènes. Si donc on laisse trop aller le cours de ventre, la dépuration si nécessaire ne se fera qu'à demi ; et peut-être ce qui

(1) Le hoquet est un mouvement convulsif du diaphragme et de quelques parties voisines. Lorsqu'il arrive dans le déclin d'une fièvre, c'est un symptôme dangereux. Dans ce cas là il se trouve ordinairement accompagné d'une faiblesse extrême ; c'est pourquoi les narcotiques qu'on y emploie doivent être chauds ou cordiaux, et donnés en petite dose, autrement ils augmenteraient encore la faiblesse, et causeraient un assoupissement mortel. Hoffmann préfère ici aux narcotiques les doux antispasmodiques et les anodins, tels que le succin, le castoreum, le cinabre, le safran, etc. Lorsque le saignement de nez est causé par une matière visqueuse et irritante, logée dans l'estomac ou les premières voies, le vomissement convient, si le malade est assez fort pour le soutenir. Lorsque le mal est produit par des évacuations immodérées, un régime restaurant, et un usage modéré du vin le guérissent. S'il vient d'une excoriation interne, ou d'une inflammation causée par quelque poison corrosif, ou autre chose semblable, il faut faire boire copieusement du lait un peu chaud, de l'huile d'amandes douces ou d'olive, et en donner beaucoup de lavements.

(2) Voyez l'art. 57.

(3) Il est très-difficile de fixer une méthode générale pour guérir les diarrhées symptomatiques, parce qu'elles peuvent venir d'un grand nombre de diverses causes, et qu'il faut les arrêter ou les entretenir suivant les occasions; néanmoins lorsqu'elles surviennent près de la crise, et qu'elles ne sont pas trop violentes, on ne doit nullement les arrêter, d'autant qu'elles peuvent terminer la maladie ; mais si on craint quelque danger à raison de la petitesse du pouls, de l'abattement du malade, etc., alors les vésicatoires, les diaphorétiques et les doux cordiaux, soit du genre pharmaceutique, soit du genre diététique, sont très-utiles pour arrêter la diarrhée : ce qu'ils opèrent en faisant révulsion, et en fortifiant le malade.

devrait sortir le dernier sortira le premier. J'avoue que la diarrhée n'est pas fort dangereuse si elle arrive après la séparation des parties subtiles, laquelle, pour le dire en passant, se fait insensiblement, et plutôt d'ordinaire par une transpiration abondante que par une sueur manifeste. Il faut toutefois prendre garde qu'une telle diarrhée vient uniquement de ce qu'on n'a pas purgé à temps; car les matières fécales acquérant par leur séjour un certain caractère de malignité, elles irritent les intestins, et les obligent de se décharger; et de plus la consistance des matières, qui est le plus souvent très-liquide, montre assez qu'on ne doit pas les regarder comme une crise qui termine la maladie (1).

91. On pourrait peut-être mettre au nombre des symptômes qui surviennent aux fièvres, la *passion iliaque*, parce qu'elle est quelquefois la suite des vomissements énormes qui arrivent dans le commencement des fièvres. — Ce mal horrible, et que presque tout le monde a regardé jusqu'à présent comme mortel, vient d'un renversement du mouvement péristaltique des intestins, dont les fibres, au lieu de se contracter de haut en bas, se contractent de bas en haut, et poussant les matières vers l'estomac, les font sortir par la bouche; en sorte que les lavements les plus âcres deviennent émétiques, et que les purgatifs pris par en haut sont aussitôt revomis. La douleur cruelle et insupportable qui accompagne cette maladie ne vient, selon moi, que du renversement du mouvement péristaltique des intestins, lorsque les plis que forment leurs différentes circonvolutions, et qui sont disposés de manière à faciliter la descente de la matière fécale, se trouvent obligés de céder à un mouvement contraire à la direction de leurs fibres. Cette douleur est fixe dans un endroit, et s'y fait sentir comme si on le perçait avec un instrument, quand la valvule du colon, qui empêche le retour des matières dans l'ileum, ou quelqu'autre membrane de cette cavité, soutient seule l'impression de ce mouvement déréglé. — On peut assigner deux causes de renversement qui produit la douleur, savoir, l'obstruction et l'irritation.

92. En premier lieu, tout ce qui bouche fortement le canal intestinal, et empêche que rien ne descende en bas, doit nécessairement causer le renversement du mouvement péristaltique : cela est clair. Or, les choses qui, selon les auteurs, peuvent boucher l'intestin, sont des matières durcies, des vents en grande quantité, lesquels nouent en quelque manière les boyaux, des hernies qui les resserrent, l'inflammation, et d'autres tumeurs considérables. — Il faut avouer néanmoins que le mouvement contraire qui est produit par ces causes, doit être plutôt regardé comme un mouvement des matières contenues dans les intestins, que des intestins mêmes; et que le renversement n'occupe pas tout le conduit intestinal, mais seulement les intestins qui sont au-dessus du siége de l'obstruction. C'est pourquoi je donne le nom de *fausse*, à la passion iliaque qui dépend de cette circonstance.

93. En second lieu, je crois que la cause la plus ordinaire du renversement du mouvement péristaltique des intestins est celle que je vais dire. Le sang étant en tumulte au commencement de la fièvre, il se dépose dans l'estomac et les intestins les plus proches, des humeurs âcres et malignes qui, irritant l'estomac, renversent d'abord son mouvement, et l'obligent de rejeter par la bouche avec violence la matière qui l'incommode. Les intestins grêles, qui sont continus à l'estomac, et déjà affaiblis, suivent le mouvement déréglé qu'il leur imprime, et enfin les gros intestins sont contraints de se mettre de la partie. Voilà ce que j'appelle passion iliaque *vraie*; et c'est celle dont il s'agit présentement. La méthode de la traiter a été presque inconnue jusqu'ici, malgré les éloges que quelques-uns donnent au mercure et aux balles de plomb; car ces remèdes sont peu utiles, et souvent même très-nuisibles. Pour moi, je me sers avec succès de la méthode suivante.

94. Lorsque les lavements rendus par la bouche et les autres signes font connaître évidemment qu'il y a une vrai passion iliaque, j'ai trois choses en vue : la première, d'arrêter le mouvement déréglé de l'estomac et des intestins; la seconde, de fortifier les intestins qui ont été affaiblis par l'âcreté des humeurs; la troisième, de débarrasser de ces humeurs nuisibles, l'estomac et les intestins. Pour remplir ces trois indications, voici comme je me comporte.

95. D'abord je fais prendre matin et soir un scrupule de sel d'absinthe dans

(1) Le raisonnement contenu dans cet article est bien spéculatif.

une cuillerée de suc de limons, et dans la journée, chaque demi-heure, quelques cuillerées d'eau de menthe distillée, sans y ajouter ni sucre, ni aucune autre chose. L'usage seul et réitéré de l'eau de menthe fera bientôt disparaître le vomissement et la douleur : pendant ce temps-là, je fais tenir continuellement sur le ventre à nu un petit chien en vie. Deux ou trois jours après que la douleur et le vomissement ont entièrement cessé, je donne un gros de pilules cochées dissoutes dans l'eau de menthe; et, pour empêcher d'une manière plus sûre le retour du vomissement, je fais prendre souvent de cette eau pendant tout le temps de la purgation. On n'ôte le petit chien que lorsque le malade commence l'usage des pilules.

96. J'ai observé qu'il est inutile de donner ces pilules, ou tout autre purgatif, jusqu'à ce qu'on ait fortifié l'estomac et rétabli le mouvement naturel de l'estomac et des intestins. Sans cela, tous les purgatifs pris intérieurement deviendront émétiques, et feront plus de mal que de bien. Voilà pourquoi je n'entreprends point d'ouvrir le ventre par les purgatifs, avant que d'avoir employé durant quelque temps tous les remèdes propres à l'estomac.

97. Je réduis le malade à une nourriture très-légère, ne lui permettant que quelques cueillerées de bouillon de poulet deux ou trois fois le jour. Je lui ordonne de garder le lit pendant toute la maladie, jusqu'à ce qu'il paraisse des signes d'une entière guérison, et même de continuer long-temps après la guérison l'usage de l'eau de menthe, et de se bien garantir le ventre du froid, en y tenant une étoffe de laine en double, afin de prévenir les rechutes, auxquelles cette maladie est plus sujette qu'aucune autre (1).

98. Voilà à quoi se réduit toute ma méthode de traiter la passion iliaque. J'espère qu'elle ne sera pas méprisée des personnes sages, sous prétexte qu'elle est simple, et n'est pas accompagnée de grands raisonnements ou d'un appareil pompeux de remèdes.

99. Tels sont les symptômes qui se rencontrent ordinairement dans la fièvre continue dont nous parlons. Il y en a encore d'autres dont nous ne dirons rien, parce qu'ils ne demandent aucun traitement particulier, et qu'ils cessent d'eux-mêmes lorsque la fièvre a été traitée comme il faut. — C'est là tout ce que nous avions à dire sur la fièvre continue de cette constitution et sur ses symptômes (2).

---

(1) Assurément la véritable passion iliaque cèdera rarement à des remèdes si faibles et en si petit nombre; c'est pourquoi nous ajouterons ici quelques avis sur le traitement de cette maladie. Lorsqu'elle a été précédée, ou est accompagnée de fièvre tous les remèdes chauds doivent être bannis, crainte de causer une inflammation des intestins, et d'attirer une gangrène mortelle. La saignée convient, et doit quelquefois être réitérée trois ou quatre fois. Il faut donner d'heure en heure, ou de deux heures en deux heures, un lavement émollient et laxatif. Boerhaave, de qui la plus grande partie de cette méthode est prise, dit que plusieurs ont péri parce qu'on ne leur avait pas donné assez souvent des lavements. On peut user pour boisson d'une infusion chaude de graine de lin, ou de racine de guimauve, ou d'une chose semblable, et y ajouter suffisante quantité de nitre, de suc de limon, d'esprit de nitre dulcifié, etc. Il est à propos de continuer ces remèdes, et de tenir le malade à un régime rafraîchissant, émollient et très-léger, pendant deux ou trois jours au moins après que la maladie a cessé, afin de prévenir la rechute. On peut donner les narcotiques avec les purgatifs. — Si le mal dépend d'un étranglement causé par une descente, il faut, avant que de donner aucun remède, tâcher de réduire l'intestin, en employant, sur la partie affectée, les fomentations émollientes et les cataplasmes de même nature; et tout cela étant inutile, recourir à l'opération chirurgicale requise en pareille occasion; mais si le cas n'est pas extrêmement pressant, il faut essayer toutes sortes de moyens raisonnables avant que d'en venir à l'opération, qui est toujours dangereuse, et demande dans celui qui la fait une habileté et une adresse extraordinaire. Le bain dans une décoction chaude de racine de guimauve, de graine de lin de fénugrec, de fleur de sureau et de camomille, de têtes de pavots, et d'autres semblables ingrédients, faite avec le lait et l'eau, est un remède admirable, surtout dans le dernier cas dont nous avons parlé. Dans les cas désespérés, le mercure prudemment administré a quelquefois réussi. La méthode est de commencer par une petite quantité et d'augmenter par degrés.

(2) Nous avons remarqué en passant

CHAP. V. — FIÈVRES INTERMITTENTES DES ANNÉES 1,661, 62, 63, 64.

100. Nous avons dit auparavant que la constitution de ces années-là produisit des fièvres intermittentes de toutes les sortes. Ainsi, je vais donner les observations que je fis alors avec soin sur ces fièvres; j'y ajouterai ce que j'ai observé sur un petit nombre d'intermittentes sporadiques qui ont paru depuis ce temps-là, afin de n'être pas obligé d'interrompre le fil de mon discours, lorsque je donnerai l'histoire des années suivantes.

101. Pour avoir au moins quelque idée de la nature et du caractère des fièvres intermittentes dont il s'agit ici, il faut considérer trois différents temps dans leurs accès : 1° le temps du frisson ; 2° le temps de l'ébullition ; 3° le temps que j'appelle de la *despumation*. Disons quelque chose de chacun de ces trois temps. — Le frisson vient, à mon avis, de ce que la matière fébrile, qui a été mal travaillée et mal assimilée avec le sang, étant devenue non seulement inutile, mais encore nuisible à la nature, elle la fatigue et l'irrite; d'où il arrive que celle-ci voulant en quelque façon se délivrer de ce qui l'incommode, excite dans le corps un frisson et un tremblement, comme pour marquer l'horreur dont elle est saisie : c'est ainsi qu'une potion purgative qu'aura pris une personne délicate, ou bien un poison avalé par mégarde, cause aussitôt le frisson, et d'autres symptômes de ce genre.

102. La nature étant donc irritée de la sorte, et cherchant à se débarrasser de son ennemi, elle a recours à la fermentation, qui est le moyen ordinaire dont elle se sert dans les fièvres et dans quelques autres maladies aiguës pour délivrer le sang de la matière peccante qu'il contient : car, au moyen de cette effervescence, les particules nuisibles qui étaient séparées les unes des autres, et mêlées également dans toute la masse du sang, commencent à se réunir en quelque manière ; par conséquent, elles peuvent plus aisément être atténuées, et devenir propres à la despumation. — Cette despumation est si importante que ceux qui meurent pendant l'accès des fièvres intermittentes meurent dans le temps du frisson ; car s'ils vont jusqu'au temps de l'effervescence, ils réchappent du moins pour cette fois. Or, durant ces deux premiers temps, les malades sont en danger. — Ensuite, vient la despumation, pendant laquelle tous les symptômes s'adoucissent d'abord, et enfin disparaissent entièrement. Par le terme de *despumation*, je n'entends autre chose que l'expulsion, ou la séparation de la matière fébrile atténuée et comme vaincue ; et dans cette action, il se sépare des parties subtiles et des parties grossières, de même que dans les autres liqueurs.

103. La fièvre ayant donc cessé, voyons comment l'accès revient ensuite. C'est que toute la matière fébrile n'ayant pas encore été expulsée, elle se manifeste de rechef au bout d'un certain temps, plus ou moins long, suivant la différence des types, et, irritant de nouveau la nature, cause les mêmes symptômes que nous avons expliqués auparavant.

104. Si l'on me demande maintenant pourquoi ce foyer, qui, ayant résisté à l'ébullition précédente, est demeuré dans les premières voies pour causer ensuite de nouveaux troubles, et par conséquent n'a pas été expulsé avec le reste de la matière peccante, ne garde pas les mêmes périodes dans toutes les fièvres intermittentes, et a besoin tantôt d'un, tantôt de deux, tantôt de trois jours pour se mûrir et pour exciter un nouvel accès ; si, dis-je, on me presse là-dessus, je répondrai que je n'en sais rien du tout, et je ne crois pas non plus que personne ait découvert la raison d'un tel phénomène. Je n'ambitionne pas le nom de *philosophe*, et quant à ceux qui se flattent de mériter ce titre, et qui me blâmeront peut-être de n'avoir pas essayé de pénétrer dans ces mystères, je les prie de vouloir bien, avant que de condamner les autres, m'expliquer certaines opérations de la nature qui sont communes et ordinaires. Par exemple, je leur demanderais volontiers d'où vient qu'un cheval arrive à sept ans à son plus grand accroissement, et un homme à vingt et un ans? d'où vient

---

les défauts de cette histoire du traitement d'une fièvre, qui nous a paru trop générale, trop hypothétique et trop incomplète ; il semble que notre auteur en a jugé de même, car il est beaucoup plus exact dans les traités suivants, où l'on trouvera d'ordinaire une juste et entière description de la maladie dont il s'agit, un détail circonstancié de ses symptômes ordinaires et extraordinaires, et des méthodes de pratique sûres et judicieusement adaptées aux divers changements qui lui arrivent.

qu'entre les plantes, les unes fleurissent au mois de mai, les autres au mois de juin, et d'autres en d'autres temps, pour ne rien dire d'une infinité d'autres choses (1). — Que si les plus savants hommes n'ont pas de honte d'avouer ouvertement leur ignorance dans ces sortes de choses, je ne vois pas qu'on doive me blâmer si je n'entrepends pas d'expliquer une chose qui n'est pas moins difficile, et qui est peut-être entièrement inexplicable, étant très-persuadé, comme je suis, que, dans la production des fièvres intermittentes, de même que partout ailleurs, la nature suit une méthode et un ordre certains. Car la matière de la fièvre quarte et de la fièvre tierce n'est pas moins soumise aux lois de la nature, et n'est pas moins gouvernée par elle que tous les autres corps.

105. Toutes les fièvres intermittentes commencent d'ordinaire avec un frisson et un tremblement auquel succède une chaleur qui est suivie d'une sueur. Dans le temps du froid et dans celui de la chaleur, le malade a des envies de vomir ; il se trouve fort mal, il est altéré, sa langue est sèche, etc. Tous ces symptômes disparaissent à mesure que la sueur augmente ; et quand elle sort abondamment, l'accès finit (2). Le malade se trouve ensuite assez bien, jusqu'à ce que l'accès revienne au temps ordinaire, savoir, toutes les vingt-quatre heures dans la fièvre quotidienne, de deux jours l'un dans la fièvre tierce, de trois jours l'un dans la quarte, en comptant depuis le commencement d'un accès jusqu'au commencement de l'accès suivant. — Ces deux derniers genres de fièvres ont assez souvent des accès doubles, en sorte que la tierce attaque tous les jours, et la quarte deux jours de suite, ne laissant que le troisième de bon. Quelquefois même elle revient trois jours de suite, et alors c'est une triple quarte, parce qu'elle tire son nom du type qu'elle a pris d'abord.

106. Cette multiplicité d'accès est produite quelquefois par une abondance et une activité excessive de la matière fébrile, et alors l'accès secondaire devance

(1) S'amuser à rechercher les causes efficientes ou matérielles des choses de la nature est certainement une occupation des plus inutiles, et on ne saurait plus mal employer les facultés de son entendement. Comme ces causes passent de bien loin la portée de nos sens, nous ne pouvons manquer de nous égarer dans cette recherche ; et quand nous viendrions à bout de les découvrir, il y a apparence qu'elles serviraient plutôt à contenter une vaine curiosité qu'à nous procurer quelque véritable utilité. Ne serait-il pas plus sage de nous en tenir à la volonté et au bon plaisir du Créateur, sans prétendre vouloir pénétrer des mystères qu'il a couverts d'un voile impénétrable, et de nous appliquer à remarquer les effets et l'action des causes pour en tirer des règles de pratique, lesquelles, étant appuyées sur un solide fondement, et d'ailleurs appliquées judicieusement, et variées suivant les circonstances particulières, pourraient servir à nous conduire d'une manière sûre dans la plupart des occasions. — Si la plupart des médecins, par exemple, qui ont mis inutilement leur esprit à la torture pour découvrir les causes éloignés et secrètes des effets simples et sensibles, n'avaient eu que ce but et cette vue dans leurs recherches, quel riche fond de connaissances utiles n'auraient-ils pas amassé pendant ce temps-là? C'est une chose étrange que, durant un si long espace de temps, ils n'aient pas compris qu'ils n'étaient nullement capables de recherches si sublimes, et que toutes les connaissances certaines et vraiment utiles qu'ils pouvaient jamais se flatter d'acquérir devaient être uniquement le fruit de l'observation et de l'expérience, tout le reste étant sujet à des disputes éternelles, comme n'existant que dans l'imagination.

(2) Comme la maladie est ici décrite très imparfaitement, nous donnerons un détail plus exact et plus circonstancié des symptômes, qui sont : pesanteur du corps, mal de tête, douleur dans les membres et dans les lombes, pâleur du visage, froid des extrémités, bâillement, extension, et souvent secousse violente, pouls petit et lent, soif, envie de vomir, et quelquefois vomissement de matière bilieuse. Dans le chaud de la fièvre, chaleur de tout le corps, rougeur et tension de la peau, pouls fort et fréquent, veille, respiration courte, et quelquefois rêverie, urine haute en couleur, sans sédiment. Ces symptômes diminuent peu à peu, et il vient une sueur universelle qui termine bientôt l'accès, lequel dure ordinairement dix ou onze heures, et quelquefois vingt, suivant la diversité des tempéraments, et la nature de la cause morbifique. Le malade est indisposé le jour suivant, se trouve froid, et frissonne aisément ; son pouls est petit et lent, son urine pâle et épaisse, avec un sédiment, ou un nuage suspendu dans la liqueur.

le principal. D'autres fois elle vient d'un épuisement causé par des remèdes trop rafraîchissants ou des évacuations trop copieuses, qui ont jeté le malade dans une extrême faiblesse, et ont trop diminué la violence de l'accès précédent. Dans ce cas-là, l'accès secondaire arrive plus tard que le principal ; il est moins violent, et dure plus long-temps. — Dans les premiers cas, l'orgasme de la matière fébrile n'attend pas le temps ordinaire du retour de l'accès, et par conséquent l'évacuation de cette matière s'opère plus tôt. Dans le second cas, le sang n'ayant plus assez de force pour se débarrasser de la matière fébrile dans un seul accès, il en produit un nouveau, afin d'expulser les restes de cette matière. C'est peut-être même par ces deux causes contraires que les accès des fièvres intermittentes ordinaires et régulières anticipent le temps accoutumé, ou arrivent plus tard ; et cela se voit souvent dans les fièvres dont les accès durent vingt-quatre heures entières.

107. Les fièvres intermittentes sont les unes de printemps et les autres d'automne, car, quoiqu'il en paraisse quelques-unes dans les autres saisons, néanmoins, comme elles sont moins fréquentes, et qu'elles peuvent se réduire à celles de printemps ou d'automne, dont elles sont les plus proches, je les comprendrai toutes à cause de cela sous les deux genres de *fièvres de printemps* et de *fièvres d'automne*. — Les temps où elles règnent principalement sont les mois de février et d'août ; cependant elles se font sentir quelquefois plus tôt et quelquefois plus tard, suivant qu'il y a dans l'air plus ou moins de disposition à les produire ; et de là vient aussi qu'elles sont plus ou moins épidémiques. C'est de quoi nous avons un exemple sensible dans les fièvres intermittentes d'automne de l'an 1661 : car je me souviens que cette année-là, une femme de mon voisinage eut un premier accès de fièvre quarte le propre jour de la Saint-Jean, Plusieurs autres personnes furent attaquées vers ce temps-là de fièvres intermittentes qui devinrent ensuite épidémiques. Et cela prouve bien qu'il y avait dans la température de l'air une grande disposition à produire ces maladies, lesquelles devenaient plus fréquentes à mesure que l'année avançait.

108. La distinction que je fais des fièvres intermittentes est si nécessaire que si on ne l'a continuellement devant les yeux dans la pratique, on ne pourra faire aucun pronostic certain sur leur durée, ni ordonner un régime salutaire conformément à la saison de l'année, et à la nature de la maladie. Il est vrai que les fièvres des deux saisons ont entre elles quelque ressemblance, soit à l'égard du premier accès qui commence d'abord par le frisson, produit ensuite la chaleur, et se termine par la sueur ; soit à l'égard de la différence des types, y ayant des fièvres tierces au printemps et en automne. Je ne doute pas néanmoins que ces deux sortes de fièvres ne soient essentiellement différentes.

109. Et pour parler d'abord des fièvres intermittentes du printemps, elles sont presque toutes ou quotidiennes ou tierces, et elles attaquent plus tôt ou plus tard, suivant la différente disposition de la saison. En hiver, les esprits, étant concentrés par le froid, se fortifient ; ensuite la chaleur du printemps les met en mouvement. Et comme ils se trouvent mêlés parmi des humeurs visqueuses que la nature, durant l'hiver, a accumulées dans la masse du sang, quoique ces humeurs soient encore moins visqueuses que celles qui ont été desséchées et épaissies par les chaleurs de l'été, et qui causent les fièvres d'automne, les esprits, dis-je, se trouvant embarrassés et comme emprisonnés dans des humeurs visqueuses, font effort pour s'en dégager, et, par cet effort, produisent l'ébullition qui arrive dans les fièvres du printemps. C'est ainsi que si on approche du feu des bouteilles pleines de bière, et qui ont été long-temps gardées dans le sable ou dans une cave froide, la liqueur bouillonne aussitôt, et cherche à s'échapper. — Le sang agité de la sorte travaille à se dépurer, et, par le secours des esprits, qui sont de nature volatile, il en vient assez promptement à bout, à moins qu'il ne soit surchargé de sucs visqueux qui retardent la fermentation commencée. Quoi qu'il en soit, il est rare que la fermentation du printemps soit continue, et aille d'un même train ; mais elle se partage d'ordinaire en divers accès : car, comme le sang se trouve alors abondamment fourni d'esprits vigoureux, la nature entreprend avec précipitation son ouvrage, et, par des accès particuliers, se débarrasse entièrement de certaines portions de la matière morbifique, avant que d'opérer une séparation générale. — Voilà, à mon avis, pourquoi au printemps, et surtout vers la fin de cette saison, il y a peu de fiè-

vres continues, à moins que la constitution ne soit épidémique. Car les fermentations qui se font alors s'arrêtent tout à coup, ou bien ont des interruptions, ou enfin les parties de la matière peccante qui sont plus disposées à se séparer de la masse du sang s'en séparent avant le temps, et se jettent avec violence sur d'autres endroits : d'où s'ensuivent bientôt des esquinancies, des péripneumonies, des pleurésies, et d'autres maladies dangereuses qui se montrent surtout à la fin du printemps.

110. J'ai remarqué que les fièvres intermittentes du printemps ont été fort rarement de longue durée, et ont toujours été salutaires : ce qui me fait croire que, même dans les vieillards et les personnes les plus délicates, elles ne sauraient presque être mortelles, quand même elles seraient traitées par le plus ignorant médecin, pourvu qu'il fût honnête homme ; j'ai cependant vu des fièvres tierces du printemps qui, parce qu'on avait saigné et purgé mal à propos, et que le régime qu'on employait ne convenait pas, ont duré jusqu'au commencement de celles d'automne : car, comme ce temps-là est fort contraire à la nature des fièvres tierces du printemps, il les fait cesser aussitôt. Cependant les malades sont tellement affaiblis par le grand nombre et la durée des accès qu'ils semblent ne pouvoir en revenir ; et néanmoins je n'ai pas observé jusqu'à présent qu'aucun en soit mort.

111. Je n'ai jamais vu non plus dans les convalescents ces fâcheux symptômes qui, comme nous dirons ci-après, viennent à la suite des fièvres intermittentes d'automne qui ont duré long-temps ; je veux dire l'inflammation mortelle des amygdales, la dureté du ventre, l'hydropisie, etc. ; mais j'ai vu plus d'une fois que des malades réduits à la dernière faiblesse par la longueur de la maladie, par le grand nombre des accès, et, pour comble de malheur, par des évacuations réitérées, ont été attaqués de manie, aussitôt qu'ils ont commencé à se mieux porter, et que la manie cessait à mesure que les forces revenaient.

112. Les fièvres intermittentes d'automne sont bien différentes de celles de printemps. D'abord, quant à la fièvre tierce, quoique dans les années où elle n'est pas épidémique et où elle attaque les personnes saines, elle dure quelquefois très-peu, et n'a pas d'autres symptômes que ceux de la tierce du printemps, néanmoins, lorsqu'elle est épidémique et qu'elle attaque des gens âgés, ou d'un mauvais tempérament, elle n'est pas sans danger ; elle dure même deux ou trois mois, et peut aller jusqu'au printemps suivant. — Mais les fièvres quartes sont bien plus dangereuses et bien plus opiniâtres que les tierces. Car, lorsqu'elles attaquent des gens âgés, elles les enlèvent quelquefois dans peu d'accès ; et alors les malades meurent le plus souvent dans le frisson, c'est-à-dire au commencement de l'accès. Si le malade est seulement à l'entrée de la vieillesse, il risquera moins d'être enlevé dans les premiers accès ; mais il ne guérira guères que l'année suivante, et vers le temps auquel il a commencé d'être attaqué. Quelquefois aussi la maladie demeure incurable, et jette dans une langueur qui ne finit que par la mort.

113. La fièvre quarte change de temps en temps de forme, et produit plusieurs symptômes funestes, tels que le scorbut, la dureté de ventre, l'hydropisie, etc. Les jeunes gens sont plus en état de soutenir cette maladie, et ils en sont quelquefois délivrés vers le solstice d'hiver ; mais plus souvent ils n'en sont quittes que vers l'équinoxe du printemps, ou même l'automne suivant, après qu'ils ont été saignés et purgés. J'ai souvent vu avec surprise de petits enfants au berceau qui ayant eu cette maladie pendant six mois entiers en sont heureusement réchappés.

114. Il est bon de remarquer ici que, de quelque âge ou de quelque tempérament que soit la personne attaquée de fièvre quarte, si elle vient à en être reprise dans quelque autre temps de la vie que ce soit, même dans un temps fort éloigné de celui auquel elle en a été attaquée la première fois, la maladie ne sera pas fort longue cette seconde fois, et se terminera d'elle-même après un assez petit nombre d'accès (1).

115. Pour ce qui est de la curation des fièvres intermittentes du printemps, j'ai toujours cru qu'il fallait les abandonner à elles-mêmes, et ne rien faire du tout, puisque jamais personne, que je sache, n'en est mort, et qu'au contraire, ceux qui ont voulu les faire passer, surtout par des remèdes évacuants, n'ont eu d'autres succès que de les rendre plus opiniâtres et plus rebelles (2). Toutefois,

(1) Cette observation est contredite par l'expérience.

(2) En général, les fièvres intermittentes

si le médecin est obligé de céder aux importunités et à l'impatience du malade, qui veut absolument des remèdes, il pourra traiter ces sortes de fièvres de différentes manières et avec succès, comme je l'ai appris par de fréquentes observations.

116. Un vomitif donné à propos, c'est-à-dire de façon qu'il puisse avoir opéré avant l'accès, a quelquefois parfaitement réussi, principalement si on fait prendre une dose médiocre de sirop diacode ou de quelque autre narcotique, après l'opération du vomitif, et immédiatement avant l'accès. — D'autres fois la maladie se guérit par les diaphorétiques, lesquels augmentent la sueur qui a commencé dans l'accès. Pour cela, il faut tenir le malade bien couvert dans son lit, et le faire suer autant et aussi long-temps que ses forces le permettent. Cette méthode a souvent réussi dans les fièvres intermittentes du printemps, surtout dans les quotidiennes. Car comme les humeurs ne sont pas fort épaisses dans cette saison, la crise, qui, sans cela, aurait été imparfaite, devient alors parfaite, ce qui n'arrive jamais en automne. — J'ai même quelquefois guéri des fièvres tierces en donnant un lavement dans les jours d'intermission durant trois ou quatre jours.

117. Néanmoins si, pour avoir trop saigné (1) (à quoi la saison porte aisément les médecins peu circonspects), ou si, à cause de la faiblesse antérieure du malade, les esprits qui devraient produire la dépuration sont appauvris et sans vigueur, il peut arriver que les fièvres intermittentes du printemps, quoiqu'on ait mis en usage toute sorte de remèdes, soient aussi longues que celles d'automne. Mais cela ne leur est pas ordinaire, car elles se terminent d'elles-mêmes, ou bien on les guérit facilement avec peu de remèdes.

118. Les fièvres intermittentes d'automne ne sont pas si traitables. Il faut en dire maintenant quelque chose. Si la constitution de l'automne est épidémique, elles ont coutume de commencer vers le milieu du mois de juin, sinon elles attendent le mois d'août et le commencement de septembre. Elles sont plus rares dans les mois suivants.—Lorsqu'il en survient un grand nombre tout à la fois, on pourra observer que leurs accès viennent le plus souvent à la même heure du jour, et qu'ils avancent ou retardent précisément de la même façon. Seulement il peut arriver que cet ordre soit dérangé dans certains sujets par des remèdes capables d'avancer ou de retarder les accès.

119. Il faut encore remarquer que dans les fièvres intermittentes, surtout les épidémiques d'automne, il n'est pas facile de bien distinguer leur type les premiers jours, parce qu'en commençant, elles sont accompagnées d'une fièvre continue. Il n'est pas facile non plus, durant un certain temps, à moins que d'y apporter une grande attention, d'apercevoir autre chose qu'une diminution de la fièvre, laquelle néanmoins, au bout de quelque temps, devient parfaitement intermittente, et prend un type conforme à la saison.

120. Quant au type, les fièvres intermittentes d'automne sont tierces ou quartes. On peut dire, avec raison, touchant les fièvres quartes, qu'elles sont un vrai produit d'automne. Cependant, les unes et les autres ont tant de rapport ensemble, que souvent on voit une tierce devenir quarte, et une quarte devenir tierce, au moins durant un certain temps, et reprendre ensuite son premier type. Mais les tierces du printemps ne devien-

---

du printemps ne sont pas dangereuses, et on peut les abandonner à elle-mêmes; cependant, il est quelquefois nécessaire d'y faire des remèdes, autrement elles durent long-temps dans certains tempéraments, et produisent d'autres maladies opiniâtres. Il est remarquable qu'elles se guérissent d'ordinaire par les évacuants, comme les vomitifs, les laxatifs, les sudorifiques, les vésicatoires, et quelquefois la saignée. Ainsi, il est étonnant que notre auteur condamne cette méthode, tandis que dans l'article suivant il la donne comme bonne et avantageuse.

(1) Souvent il n'est point nécessaire de saigner du tout; néanmoins, la saignée peut être utile quand la fièvre intermittente ressemble dans son commencement à une continue, et qu'elle est accompagnée de grande chaleur, de délire, et que le malade est jeune, d'un tempérament sanguin, et accoutumé à boire beaucoup de vin; mais lorsque l'estomac est chargé d'impuretés, que le malade n'est pas pléthorique, la saignée est nuisible, parce qu'elle empêche les évacuations salutaires qui se feraient par les pores; ce qui rend la maladie plus longue et plus opiniâtre, comme l'expérience le prouve.

nent jamais quartes, parce ces deux sortes de fièvres sont entièrement différentes les unes des autres. Au reste, je n'ai jamais vu de fièvre quotidienne en automne, à moins qu'on ne veuille donner improprement ce nom à une double tierce, ou à une triple quarte.

121. Voici en peu de mots quelle est, selon moi, l'origine des fièvres intermittentes d'automne. Au commencement de l'année, le sang vient à s'exalter, et à mesure que l'année avance, il s'exalte de plus en plus, jusqu'à ce qu'il soit arrivé au plus haut point de force et de vigueur, semblable en cela aux plantes qui augmentent et diminuent à proportion des divers temps de l'année. Or, comme dans les changements qu'il subit, il suit régulièrement la différence des saisons, il ne manque pas de s'affaiblir sur la fin de l'année, surtout lorsque des causes particulières, telles qu'une perte excessive de sang, du froid, des aliments grossiers, des indigestions, des bains pris mal à propos et plusieurs autres choses contribuent encore à produire ce mauvais effet.—Le sang, dans cet état de faiblesse, se trouve exposé aux impressions morbifiques que peut faire sur lui toute sorte de constitution de l'air, laquelle en ce temps-là est épidémique pour les fièvres intermittentes ; de là l'ébullition qui se fait bientôt après. Et comme le sang est quelquefois extrêmement altéré, la fièvre qui résulte de cette ébullition, est ordinairement d'un mauvais caractère, et est accompagnée de symptômes très-dangereux. Au moins se trouve-t-il que le sang dénué de la plupart de ses esprits, et brûlé par les chaleurs de l'été précédent, ne peut avoir qu'une ébullition très - faible, et demande un temps fort long pour se dépurer (1).

122. Maintenant, si l'on veut connaître la difficulté qu'il y a de guérir les fièvres intermittentes d'automne, il faut considérer ici que la différence entre les continues et les intermittentes de cette saison consiste principalement en ce que l'effervescence dans les continues se fait tout de suite et d'un même train, au lieu que dans les intermittentes, elle se fait en divers temps et à diverses reprises. Néanmoins, dans les unes et dans les autres, la nature opère la fermentation dans l'espace de trois cents trente-six heures ou environ : car ordinairement, il faut ce temps-là, ni plus ni moins, à la masse du sang pour se dépurer, lorsqu'on abandonne l'ouvrage à la nature ; de même que le vin, le cidre et la bière ont besoin chacun d'un certain temps pour leur dépuration.

123. Or, quoique dans les fièvres intermittentes, par exemple, dans la quarte, le sang travaille quelquefois pendant six mois à sa dépuration, et en vient enfin à bout, néanmoins, si l'on compte bien, il n'y emploie pas réellement plus de temps qu'il ne fait d'ordinaire dans les continues abandonnées à la nature : car, quatorze jours naturels font trois cent trente-six heures. Ainsi, en mettant cinq heures et demie pour chaque accès des fièvres quartes, vous aurez dans une quarte, la valeur de quatorze jours, c'est-à-dire de trois cents trente-six heures.—Si on objecte qu'une fièvre quarte, par exemple (ce qu'il faut entendre également des autres intermittentes), dure quelquefois au-delà de six mois, avant que d'achever son période, je réponds que la même chose arrive assez souvent aux fièvres continues de cette constitution, lesquelles durent quelquefois plus de quatorze jours. En effet, dans ces deux sortes de fièvres, si on a soin d'entretenir l'effervescence, autrement la fermentation dans le degré de force et l'ordre convenable, surtout vers la fin de la maladie, la dépuration se fera dans l'espace de temps que j'ai dit, c'est-à-dire en quatorze jours, ou en trois cent trente-six heures.—Mais si alors, je veux dire vers le déclin de la fièvre, on arrête mal à propos la fermentation par l'usage des remèdes rafraîchissants, ou des lavements, il n'est pas étonnant que les fièvres tournent en longueur, puisqu'on a troublé l'ordre de la nature : car, de cette manière, on affaiblit en quelque façon le ressort du sang, ensuite de quoi il ne saurait opérer la dépuration. Et même dans les corps faibles et épuisés, i

(1) Cette explication de la cause des fièvres intermittentes d'automne n'est ni claire ni satisfaisante. Il est étonnant que ce grand homme qui blâmait si hautement les hypothèses et les spéculations ait essayé néanmoins si souvent de raisonner sur des matières tellement au-dessus de la portée des esprits les plus subtils, qu'un peu d'attention doit convaincre de l'impossibilité d'arriver là-dessus à un certain degré de connaissance démonstrative. D'ailleurs n'est-ce pas se moquer de vouloir approfondir des causes qui, selon toute apparence, demeureront toujours cachées, tandisqu'on néglige les effets, qui, seuls, peuvent être de quelque utilité ?

est quelquefois de lui-même incapable de l'opérer, et a besoin pour cela du secours des cordiaux, afin de ranimer la nature languissante.

124. Mais je crois devoir remarquer ici que ce que j'ai dit plus haut touchant la durée et la continuité de la fermentation doit s'entendre seulement de ces fièvres qui ont acquis un caractère fixe. Car, il faut savoir, et je ne l'ignore pas, qu'il y en a certaines, soit continues, soit intermittentes, dont le caractère est variable, et qui, dans leurs fermentations, ne parviennent point au terme ordinaire. Telles sont les fièvres qui viennent quelquefois de l'abus des six choses non naturelles; savoir, les aliments, les boissons, l'air et autres semblables; car, ceux qui sont attaqués de ces sortes de fièvres guérissent souvent en très-peu de temps. La même chose arrive aussi quelquefois aux jeunes gens dont le sang est pur et fort spiritueux, d'autant que leurs fièvres étant causées par une matière spiritueuse, volatile et très-subtile, elles achèvent promptement leur fermentation, et disparaissent bientôt.

125. Il faut, pour la fermentation, que la matière qui doit fermenter, soit que ce soit du sang ou du vin, ou quelque autre liqueur, ait assez d'épaisseur et de viscosité pour embarrasser et retenir les esprits, afin qu'ils puissent se mouvoir et s'agiter dans la masse de la liqueur, de la même façon à peu près que des oiseaux pris dans de la glu, ou des mouches et des abeilles prises dans du miel, peuvent bien se remuer et se tourmenter, mais non pas s'envoler. Toutefois, pour le dire en passant, les liqueurs dont j'ai fait mention ne doivent pas être tellement épaisses, qu'elles accablent et étouffent les esprits, jusqu'au point d'empêcher tout-à-fait leur mouvement (1).

(1) Il n'est pas surprenant que nous ayons ici un détail si imparfait des choses qui sont nécessaires pour la fermentation, si l'on considère que notre auteur n'était peut-être pas fort habile en chimie, et que, de son temps, cet art si utile était encore bien éloigné de l'état florissant où nous le voyons aujourd'hui. Ceux qui souhaiteront avoir une explication exacte de la fermentation pourront consulter la chimie de Boerhaave, vol II, où ils trouveront cette matière traitée au long; ou bien les leçons chimiques du docteur Shaw, qui la traite avec beaucoup de netteté, d'ordre et de précision.

126. Je ne sais si les principes que j'établis paraîtront aux autres fondés en raison. Pour moi, ils me paraissent tels : ainsi, on n'aura pas sujet d'être étonné si en conséquence je ne propose d'autre méthode pour le traitement des fièvres intermittentes d'automne, que celle qui semble devoir être employée dans les continues, pour que la dépuration se fasse comme il faut. Car les premières ne diffèrent en rien des secondes, si on regarde le moyen dont se sert la nature pour l'évacuation de la matière fébrile, je veux dire la fermentation qui s'achève dans un certain espace de temps.—Je ne disconviens pas néanmoins que les intermittentes ne diffèrent beaucoup des continues, et les unes des autres, par rapport à leur espèce et à leur nature. Ainsi, en observant avec soin la méthode que la nature emploie d'ordinaire pour se débarrasser de la maladie, il faut se régler là-dessus, afin d'achever la fermentation commencée, et de rendre par ce moyen la santé au malade; ou bien en découvrant la cause spécifique des fièvres, il faudra les combattre par des remèdes efficaces et spécifiques. Voilà les deux points sur lesquels on doit prendre ses indications.

127. J'ai essayé quelquefois ces deux méthodes avec tout le soin et l'attention possible; mais je n'ai pas encore eu le bonheur de pouvoir, par une méthode sûre, guérir les fièvres intermittentes d'automne, avant qu'elles aient achevé leur fermentation ordinaire, quelque fâcheux que cela soit pour les malades, qui se voient obligés, bon gré malgré, d'attendre jusqu'à ce temps-là leur guérison. — Si donc il se trouve un homme qui, par une méthode sûre ou par un remède spécifique, sache non seulement arrêter le cours des fièvres intermittentes dont nous parlons, mais encore les déraciner entièrement, je crois cet homme obligé par toute sorte de raisons, de faire part au public d'un secret si important; et s'il manque à ce devoir, j'ose dire qu'il ne mérite le nom ni d'un bon citoyen, ni d'un homme prudent. Il ne convient pas à un bon citoyen de se réserver, par un motif d'intérêt, la connaissance d'une chose si avantageuse à tout le genre humain, et il n'est pas d'un homme prudent de se priver des bénédictions qu'il pourrait attendre de la bonté divine, en contribuant au bien public. D'ailleurs, un homme de bien fait beaucoup moins de cas de la gloire et des ri-

chesses que de la vertu et de la sagesse.

128. Quelque difficile qu'il soit de guérir sûrement les fièvres intermittentes d'automne, je vais néanmoins proposer ce qui m'a paru le meilleur pour cela. — De fréquentes observations m'ont appris, il y a long-temps, qu'il est extrêmement dangereux de tenter la guérison de ces fièvres par les purgatifs (à moins qu'on ne les emploie de la manière que nous dirons ensuite), et que la saignée y est encore plus dangereuse : car, lorsqu'on traite les fièvres tierces par cette dernière méthode, et principalement lorsque la constitution régnante est fort épidémique, si la saignée ne les emporte pas aussitôt, on ne pourra en venir à bout qu'après bien du temps, même chez les gens les plus vigoureux et du meilleur tempérament. Mais les personnes âgées, après avoir long-temps souffert, ne manquent pas d'en mourir à la fin ; l'inflammation des amygdales, de laquelle nous avons fait mention (1), annonce, assez souvent, que la mort est proche. De plus, la saignée attire d'avance les autres symptômes qui, comme nous avons dit, accompagnent les fièvres intermittentes dans leur déclin, ou viennent à leur suite. — Quant aux fièvres quartes, la saignée y convient si peu, que des jeunes gens qui, sans cela, auraient été guéris dans six mois, restent malades une fois plus long-temps, et que les vieillards qui auraient pu être guéris dans un an, si on ne les eût pas saignés, risquent de garder leur fièvre au-delà de ce terme, et d'y succomber à la fin. Ce que je dis de la saignée convient aussi à la purgation, avec cette différence, que la purgation n'est pas si pernicieuse à moins qu'elle ne soit souvent réitérée (2).

129. Voici la façon dont je traite les fièvres tierces d'automne : le malade étant dans son lit, et bien couvert, je le fais suer en lui donnant, 24 heures avant l'accès, du petit-lait dans lequel on a fait bouillir des feuilles de sauge ; dès que la sueur paraît, je lui fais prendre deux scrupules de pillules cochées majeures dans une once de mixture suivante :

Prenez eau-de-vie, une livre ; thériaque, trois onces ; safran, un gros : mêlez tout cela ensemble pour l'usage (3).

Le malade ayant pris cela, se tiendra continuellement en sueur, jusqu'à quelques heures au-delà du temps auquel l'accès devrait venir, ayant soin de ne pas laisser interrompre la sueur par les évacuations que produira le purgatif.

130. Ce remède m'a plus souvent réussi pour la guérison des fièvres tierces, que celui qui est communément en usage, et qui tend au même but, je veux dire la décoction de racines de gentiane, de sommités de petite centaurée, etc., avec un peu de séné et d'agaric : car, comme mon remède excite en même temps les sueurs et les selles, qui sont deux mouvements contraires, il produit le même effet que le remède ordinaire, qui est d'arrêter l'accès ; mais il l'arrête plus efficacement et avec aussi peu de danger. C'est par cette méthode que j'ai guéri beaucoup de fièvres tierces d'automne, et je n'en ai point trouvé de meilleure pendant les années dont il s'agit (4).

(1) Voyez l'article 111.

(2) La saignée est néanmoins quelquefois très-utile, comme lorsque l'on juge que la fièvre est occasionnée par des embarras dans les viscères du bas-ventre ; à quoi les hypocondriaques et ceux qui ont été auparavant affligés d'hémorroïdes sont fort sujets. Dans la grossesse des femmes, il est absolument nécessaire de saigner, afin de prévenir la fausse couche que pourrait causer l'agitation violente que la fièvre produit dans le sang. Une seule saignée faite à propos a quelquefois coupé pied à une fièvre quarte opiniâtre. Pour se bien conduire dans cette matière, il faut faire attention à la saison de l'année, au degré de la maladie, à la force du sujet, à l'état des fluides et des solides, et à d'autres circonstances importantes qui doivent être mûrement considérées et comparées.

(3) Il y a lieu de craindre plusieurs inconvénients de l'usage d'un remède si chaud, dans les jeunes gens d'un tempérament sanguin. Si l'on juge donc la sueur nécessaire, il vaudra mieux donner quelques doux sudorifiques, en faisant boire souvent de l'infusion de thé, de sauge, ou autre semblable.

(4) Cette méthode est impraticable, sinon dans des tempéraments vigoureux et phlegmatiques; car dans des tempéraments sanguins, faibles et délicats, il serait très-dangereux d'exciter ainsi deux mouvements directement contraires; et c'est peut-être à cause de cela que cette méthode n'a pas beaucoup été suivie jusqu'à présent, malgré la déférence extraordinaire que l'on a eue universellement au jugement de notre auteur. La manière dont on traite aujourd'hui les

131. Dans la double tierce qui a changé de type, parce que le malade a été affaibli par des évacuations, ou de quelque autre manière, il faut de même exciter la sueur quatre heures avant l'accès, se servant pour cela du remède précédent, mais dont on retranchera les pilules cochées, parce qu'elles augmenteraient encore la faiblesse du malade, que les purgatifs n'ont déjà que trop épuisé, et favoriseraient le retour de la fièvre que les purgatifs ont rendu double tierce. Ou bien on se servira de quelque autre diaphorétique plus puissant et plus efficace, que l'on pourra réitérer dans l'accès véritable, qui viendra immédiatement ensuite. — Lorsque les accès de la fièvre double tierce jettent les malades dans une extrême faiblesse, j'ordonne l'électuaire suivant :

Prenez conserve de fleurs de bourrache et de buglose, de chacune une once; conserve de romarin, demi-once; écorce de citron confite, noix muscade confite, et thériaque, de chacune trois gros; confection d'alkermès, deux gros : mêlez tout cela pour un électuaire, dont le malade prendra de la grosseur d'une noisette matin et soir, buvant par-dessus six cuillérées du julep suivant :

Prenez eau de reine des prés, et eau thériacale, de chacune trois onces; sirop d'œillets, une once : mêlez cela ensemble.

Ou bien, en place de ce julep, je donne quelque eau épidémique plus simple, et adoucie avec du sucre. Je défends les lavements, et je permets les bouillons de poulet, les décoctions d'avoine, etc.

132. Quant à la curation des fièvres quartes, je crois qu'il n'est personne médiocrement versé dans la médecine qui ignore combien tous les remèdes que l'on a découverts jusqu'ici pour la guérison de ces redoutables maladies ont peu réussi, à l'exception du quinquina, lequel néanmoins les suspend plus souvent qu'il ne les détruit : car, après qu'elles ont cessé deux ou trois semaines, et donné par ce moyen aux malades abattus le temps de respirer, elles recommencent avec autant de fureur que jamais; et toutes les fois qu'on revient à l'usage du quinquina, il faut d'ordinaire bien du temps pour les guérir. Je vais néanmoins rapporter ce qui m'est connu sur la manière d'employer ce remède.

133. La première attention qu'on doit avoir, c'est de ne pas le donner trop tôt, c'est-à-dire avant que la maladie se soit un peu affaiblie d'elle-même, à moins que la grande faiblesse du malade n'oblige d'y avoir recours plus tôt. Car, si on le donne de trop bonne heure, il sera peut-être inutile et même dangereux, parce qu'il arrêtera tout à coup le mouvement de fermentation par où le sang cherche à se dépurer (1). — La seconde attention est de ne point diminuer par la purgation, et encore moins par la saignée, la quantité de la matière fébrile, afin que le quinquina opère plus librement : car, comme ces deux évacuations dérangent à un certain point l'économie animale, les accès de fièvre reviendront plus promptement et plus sûrement, dès que l'action du quinquina aura cessé. Il me paraît aussi plus à propos de le donner peu à peu et assez loin des accès, que de vouloir couper pied tout d'un coup à l'accès qui va venir : car, de cette manière, le remède a plus de temps pour agir comme il faut, et on évite le danger qu'il y a de vouloir arrêter subitement et hors de saison un accès qui commence à se manifester. — La dernière attention est de serrer les prises du quinquina, afin que la vertu d'une

fièvres intermittentes est fort éloignée de la sienne; mais elle est beaucoup plus sûre et plus douce.

(1) Les mauvais effets du quinquina donné trop tôt ou dans le cas présent viennent apparemment de la qualité astringente dont il est manifestement doué, et qui empêche la matière fébrile de s'évacuer, et la fixe au dedans sur quelque partie noble; d'où il arrive que la fièvre intermittente se change en continue qui est ordinairement d'un mauvais caractère, ou qu'elle dégénère en quelque maladie chronique opiniâtre, comme l'hydropisie, la consomption, la dureté squirrheuse du foie, la jaunisse, la cachexie, etc. C'est pourquoi lorsqu'on veut donner le quinquina dans une fièvre intermittente, et qu'on ne peut pas évaquer auparavant selon le besoin, il est beaucoup plus sûr d'attendre, si la maladie le permet, que la violence de la fièvre soit diminuée par quelques accès, et qu'une portion de la matière morbifique soit évacuée; ce qui s'accorde en partie avec le sentiment de notre auteur sur cet article.

prise ne cesse pas tout-à-fait avant qu'on donne la suivante. Par ce moyen, on déracinera la fièvre, et le malade recouvrera une parfaite santé.

134. Voilà les raisons qui me font préférer aux autres méthodes de donner le quinquina, celle que je vais expliquer :

Prenez une once de quinquina en poudre ; mêlez-la avec deux onces de sirop de roses rouges ; et le malade, chaque jour qu'il n'y a point de véritable accès, prendra matin et soir la quantité d'une grosse noix muscade de cet opiat, jusqu'à ce qu'il n'en reste plus. On réitérera trois autres fois le même remède, ayant soin de mettre toujours entre chaque fois l'intervalle de quinze jours (1).

135. On pourra peut-être employer le quinquina aussi utilement dans les fièvres tierces, soit de printemps, soit d'automne, que dans les fièvres quartes. Mais, à parler vrai, et sans vouloir faire une vaine ostentation de l'art, si le malade qui est attaqué de l'une ou de l'autre de ces fièvres est un enfant ou un jeune homme, le meilleur, autant que j'ai pu voir jusqu'à présent, c'est de ne faire absolument aucun remède et de ne point faire changer d'air ni de régime ; car je n'ai jamais observé qu'elles aient eu aucune mauvaise suite, lorsqu'on les a entièrement abandonnées à la nature. C'est ce que j'ai souvent vu avec surprise, principalement dans des enfants ; car, après que le sang s'était dépuré, la fièvre s'évanouissait d'elle-même.—Au contraire, si on fait observer un régime trop sévère, ou si on purge de temps en temps, comme il est ordinaire, sous prétexte de dissiper les obstructions et d'évacuer les humeurs qui séjournent dans les premières voies ; ou bien si on saigne dans une constitution épidémique, ce qui est le plus nuisible, la maladie sera fort longue, et, durant ce temps-là, les malades seront exposés à mille symptômes très-dangereux.

136. Mais, si les gens qui ont les fièvres tierces d'automne, ou des fièvres quartes, sont fort âgés, ils risquent non-seulement d'être long-temps malades, mais ils sont encore en grand danger de mort. C'est pourquoi, si le médecin n'a pu dompter la fièvre, ni par le quinquina, ni par quelque autre méthode que ce soit, il faut au moins qu'il aide

---

(1) La simplicité de cet électuaire ne doit pas le faire rejeter, quoique la méthode de l'auteur ne soit peut-être pas sans défaut ; c'est pourquoi je joindrai ici quelques règles fondées sur l'expérience, et quelques précautions touchant la manière de donner le quinquina. — 1. La règle générale qui défend de le donner tant que l'urine demeure haute en couleur, et ne laisse pas tomber un sédiment briqueté, peut souffrir une exception. L'expérience a montré que si le corps n'est pas surchargé de sucs viciés, si les viscères sont en bon état, et ne présentent aucun signe d'inflammation interne, on peut donner le quinquina avec tout le succès et la sûreté possibles, même aux personnes âgées et affaiblies, et aux jeunes gens d'un tempérament vif et sanguin, pourvu qu'on ait fait précéder les évacuations convenables. — 2. Lorsque la chaleur et les autres symptômes qui en dépendent sont violents, on mêle utilement le nitre avec le quinquina. — 3. Si ce remède lâche le ventre, on pourra donner du laudanum liquide après chaque dose, ou le former en électuaire avec suffisante quantité de diascordium.—4. On peut le mêler avec différentes drogues, et l'adapter par ce moyen à toutes les complications des fièvres intermittentes.—5. On doit consulter le goût du malade par rapport au choix de la forme sous laquelle on veut le donner ; mais quand le malade peut le prendre en substance, il est ordinairement plus efficace qu'en décoction, en infusion, en teinture, ou en extrait. — 6. La dose doit être modérée, mais souvent réitérée. — 7. Il ne faut jamais le donner immédiatement avant l'accès, ni dans la violence ou le déclin. —8. Pendant l'usage du quinquina, un exercice modéré est très-utile ; mais il faut s'abstenir de tout remède qui peut agiter les fluides et déranger la circulation. Pour ce qui est des préparations efficaces et élégantes de ce remède, on peut consulter le docteur Shaw, *Pratice of Physick*, vol. 1, p. 140, 4e édit., et *Chemical lectures*, p. 251. — De Gorter dit qu'un homme prit un jour une once de quinquina à la fois, sans qu'il en arrivât aucun inconvénient ; et qu'au contraire il fut entièrement guéri d'une fièvre quarte. Le même auteur ajoute qu'il sait d'autres malades qui ont pris en une seule fois la quantité entière de ce remède qu'on leur avait ordonnée, sans que cette imprudence ait eu de fâcheuses suites ; d'où il a appris que c'est une chose inutile d'être si timide à déterminer la dose du quinquina. Voyez le *Med. compend.* du même auteur, tom. I, p. 274.

la nature, et lui fournisse les secours dont elle a besoin pour achever son ouvrage : car, dans les corps épuisés, si on n'entretient pas la fermentation par des cordiaux et par un régime fortifiant, comme par le vin d'absinthe et autres choses semblables, il arrivera immanquablement que les malades seront affaiblis par une suite d'accès vagues et inutiles : ainsi la maladie traînera en longueur, et lorsqu'il surviendra quelque accès plus violent, la nature, qui se trouvera languissante, ne pourra arriver au temps de l'ébullition, et par conséquent le malade mourra dans le frisson. C'est à quoi sont sujets les vieillards qui ont été affaiblis par une longue suite de purgatifs : on les a même vus quelquefois être enlevés dans le frisson des premiers accès, au lieu qu'on aurait pu les conserver, du moins encore quelque temps, en leur donnant un puissant cordial.

137. Lorsque le temps nécessaire pour la dépuration du sang est passé, ou même un peu auparavant, il faut que les malades qui sont d'un âge avancé, changent d'air, soit en allant dans un pays plus chaud, ce qui serait le mieux, soit au moins en quittant l'endroit où ils ont été attaqués la première fois de la fièvre. On ne saurait dire combien le changement d'air est utile pour la guérison parfaite de la maladie. Cependant il n'est pas nécessaire de changer d'air avant le temps que nous avons dit ; et même cela convient moins : car, quand on irait dans le pays le plus méridional et le plus chaud, toujours faut-il que le sang, lorsqu'il a une fois commencé à fermenter, achève de se dépurer. Or, on ne saurait attendre cet avantage d'un nouvel air, à moins que la fermentation ne soit déjà bien avancée, et par conséquent le malade en état de recouvrer la santé. — Le vrai temps de changer d'air est donc lorsque la fièvre est sur le point de finir. Par exemple, dans la fièvre quarte qui a commencé en automne, il ne faut changer d'air que vers le commencement de février (1).

138. Cependant, si le malade ne peut ou ne veut pas se transporter ailleurs, il faudra lui donner en ce temps-là même quelque remède efficace capable d'aider puissamment la dépuration languissante, et de l'achever, s'il se peut, tout d'un coup. Pour cela, je conseillerais de faire prendre, deux heures avant l'accès, un gros et demi d'électuaire d'œuf, ou de thériaque, dissous dans l'eau-de-vie commune. — J'ai employé ce remède avec succès dans le déclin de ces maladies. J'avoue néanmoins que, si on donne trop tôt ces sortes de remèdes échauffants, ils changent la fièvre en double tierce ou en double quarte, ou bien en continue, comme Galien l'a déjà remarqué. — On peut en agir de même à l'égard des jeunes gens malades, pourvu qu'on garde certaines précautions : mais à l'égard des enfants, cette méthode ne convient point du tout ; et même j'ai observé, il y a long-temps, qu'elle n'est pas sans danger (2).

139. Avant que de finir la matière présente, il est bon d'avertir que ce que nous avons dit sur la durée des fièvres intermittentes d'automne, et sur le temps nécessaire pour la dépuration du sang, doit s'entendre uniquement de ce que la nature a coutume d'opérer, lorsqu'elle est aidée par les remèdes ordinaires. Car je n'ai nullement prétendu que les savants et habiles médecins dussent perdre courage, et désespérer de trouver d'autres méthodes plus sûres, ou des remèdes plus excellents pour la guérison de ces maladies. Je suis si éloigné de penser de la sorte, que je ne désespère pas de découvrir moi-même un jour une telle méthode, ou un tel remède.

140. Quand il n'y a plus de fièvre, il faut purger soigneusement le malade. On ne saurait dire combien il survient de maladies après les fièvres d'automne, pour avoir négligé la purgation. Je suis

(1) La pratique d'aujourd'hui fournit quantité d'exemples de malades qui ont été guéris en prenant un air plus chaud, lorsque tous les remèdes avaient été inutiles ; mais je crois qu'il est inutile, et peut-être dangereux, d'attendre pour cela aussi tard que notre auteur le demande.

(2) On traiterait peut-être maintenant d'imprudent, de téméraire et d'empirique celui qui hasarderait un si violent sudorifique, sinon dans des cas extraordinaires ; car lorsque le ton des solides est déjà fort relâché, et les sucs fort appauvris, il y a lieu de craindre qu'un pareil remède ne produise de funestes effets ; mais aujourd'hui que la médecine est si perfectionnée, nous ne manquons pas heureusement de remèdes plus doux et plus efficaces en pareil cas, et les remèdes violents sont universellement condamnés et proscrits.

surpris que les médecins y fassent si peu d'attention, et n'en avertissent point; car toutes les fois que j'ai vu des gens un peu avancés en âge, qui ont été attaqués de quelqu'une de ces fièvres, sans avoir éte purgés ensuite, j'ai pu prédire sûrement qu'il leur arriverait quelque maladie dangereuse à laquelle ils ne s'attendraient pas le moins du monde, se croyant parfaitement guéris.

141. Il faut néanmoins prendre garde de ne purger que quand la maladie est entièrement finie; car, quoique les premières voies semblent en quelque façon être débarrassées par-là des impuretés que la fièvre y a amassées, il s'y en trouvera bientôt de nouvelles, et elles seront fournies par la fièvre, que l'action du purgatif et l'agitation des humeurs auront rallumée. Ainsi, tout ce qu'on gagnera par la purgation sera de rendre la maladie plus opiniâtre. — C'est ce que nous aprennent chaque jour les exemples des malades que l'on accable de purgatifs, suivant les principes de cette médecine qui croit devoir travailler uniquement à dissiper les obstructions, et à évacuer l'humeur mélancolique qu'on regarde ordinairement comme la première source du mal: car il m'est évident que ces purgatifs réitérés, quelque quantité d'humeur qu'ils puissent évacuer, rendent la fièvre plus enracinée et plus rebelle que si elle n'avait point été irritée.

142. Ainsi, pour purger, j'attends non-seulement qu'il n'y ait plus d'accès sensible, mais encore qu'il ne reste pas la moindre altération les jours que l'accès aurait dû venir, et outre cela qu'il se soit écoulé un mois. Alors, je donne une potion lénitive ordinaire, que je réitère une fois la semaine pendant les deux ou trois mois suivants; et chaque fois, lorsque l'action du purgatif est finie, je fais prendre à l'heure du sommeil un remède calmant, afin de couper pied à un nouvel accès qui, sans cela, reviendrait peut-être à l'occasion du trouble que les plus doux purgatifs excitent dans les humeurs (1).

143. La raison pour laquelle je mets l'intervalle d'une semaine entre chaque purgation, c'est afin de prévenir les rechutes qui arrivent aisément par l'agitation trop fréquente du sang et des humeurs (2). Mais lorsqu'il n'y a plus à craindre de rechute, on peut souvent mettre en usage l'apozème suivant.

Prenez rapontic, deux onces; racines d'asperge, de petit houx, de persil et de polypode de chêne, de chacune une once; écorces moyennes de frêne et de tamarisc, de chacune demi-once; feuilles d'aigremoine, de cétérac et de capillaire, de chacune une poignée; séné mondé et arrosé de trois onces de vin blanc, demi-once; épithyme, demi-once; trochisques d'agaric, deux gros; graines de fenouil, quatre scrupules. Faites bouillir tout cela dans suffisante quantité d'eau de fontaine, jusqu'à la réduction d'une livre et demie. Ajoutez sur la fin trois onces de suc d'orange. Coulez la liqueur, et dissolvez-y sirop de chicorée composé de rhubarbe, et sirop magistrale pour la mélancolie, de chacun une once et demie. Faites un apozème, dont le malade prendra demi-livre le matin pendant trois jours. On réitérera ce remède toutes les fois qu'il sera besoin.

---

(1) L'auteur avertit judicieusement de ne pas purger trop tôt, crainte de causer une rechute; mais il n'est pas toujours nécessaire, et quelquefois même il est nuisible de purger; et quoiqu'il puisse y avoir des cas de le faire utilement deux ou trois fois, il est rare néanmoins que des purgatifs long-temps continués ne soient pernicieux: ainsi, on ne doit pas regarder comme une règle générale ce que dit ici notre auteur.

(2) L'hydropisie est causée par la purgation fréquente, surtout dans la fièvre quarte, et les purgatifs ne font que l'augmenter. Cette sorte d'hydropisie entretient la fièvre intermittente, ou la change en continue d'un mauvais caractère; mais en fortifiant le corps par des astringents, par des remèdes chauds, des stomachiques et des antiscorbutiques, l'eau épanchée s'évacue d'elle-même.—Lorsque la fièvre intermittente est guérie, il ne reste rien à faire, sinon que le malade doit continuer de prendre chaque jour pendant un mois un demi-gros de quinquina, ou bien une once, dans l'espace de quinze jours après la cessation de la fièvre, et de cette manière il n'y aura point de rechute à craindre. Si l'on donne un vomitif ou un purgatif aussitôt après la guérison, la fièvre revient aisément; mais comme alors le malade a ordinairement grand appétit, il faut avoir soin de ne pas surcharger l'estomac. De Gorter, *Med. compend.*, tom. I, p. 152, 274.

144. Quant aux *symptômes* qui accompagnent quelquefois les fièvres intermittentes dans leur déclin, il faut observer que ceux des fièvres de printemps sont en très-petit nombre, en comparaison de ceux des fièvres d'automne. La raison de cela est que les fièvres de printemps ne sont pas si longues, et d'ailleurs ne sont pas causées par des humeurs si grossières, ni si malignes.

145. Le principal symptôme dont nous parlerons, c'est l'*hydropisie*, qui d'abord fait enfler les jambes, et ensuite le ventre. Elle vient de ce que le sang a perdu une grande quantité d'esprits animaux par les fermentations fréquentes que lui a causées la longueur de la maladie, surtout dans les personnes déjà avancées en âge. Cette disette d'esprits animaux fait que le sang ne peut plus assimiler les sucs que lui fournissent les aliments. Ces sucs, encore crus et indigestes, se déposent sur les jambes, et quand elles sont distendues et ne peuvent plus en recevoir, ils s'épanchent dans le ventre, ce qui forme une vraie hydropisie. Il est rare qu'elle attaque les jeunes gens, à moins qu'elle ne soit produite par des purgations souvent réitérées durant le cours de la fièvre.

146. L'hydropisie qui vient de la cause rapportée précédemment, se guérit aisément par les apéritifs et les purgatifs, lorsqu'elle est nouvelle. Je ne suis pas même fâché quand les malades en sont attaqués, parce que cela me donne espérance de leur guérison. En effet, j'en ai guéri parfaitement quelques-uns par l'usage de l'apozème précédent, sans y ajouter même aucun des remèdes qui sont plus appropriés à l'hydropisie.—J'ai observé néanmoins que l'hydropisie qui est venue d'une fièvre intermittente ne peut se guérir par des purgatifs, tandis que cette fièvre dure : car la fièvre ne fera par ce moyen que s'enraciner d'avantage, et l'hydropisie ne cessera point. Ainsi, il faut attendre qu'il n'y ait plus de fièvre, et alors on pourra attaquer avec succès l'hydropisie (1).

147. Mais si ce symptôme est d'une telle violence qu'on ne juge pas devoir attendre, pour le traiter, que la cessation de la fièvre permette l'usage des purgatifs, il faut alors attaquer la fièvre par les infusions *de racines de raifort sauvage, de sommités d'absinthe et de petite centaurée, de baies de genièvre, de cendres de genêt, etc., faites dans du vin*, lesquelles non seulement dissiperont l'hydropisie, en rétablissant les forces épuisées du sang, mais encore aideront fort à propos la nature à triompher de la maladie.

148. Les enfants deviennent quelquefois étiques après les fièvres d'automne, soit continues, soit intermittentes. Leur ventre s'enfle et se durcit; souvent la toux et les autres symptômes de la phthisie surviennent, et ressemblent entièrement au *rachitis*. Voici comment je conseille de traiter cette maladie. — On préparera la potion purgative que j'ai ordonnée pour être prise à la fin des fièvres continues (2). On en donnera à l'enfant une ou deux cuillerées, plus ou moins suivant l'âge, le matin, pendant neuf jours, laissant, s'il est besoin, un ou deux jours d'intervalle. Il faudra tellement régler la purgation, soit en augmentant, soit en diminuant la dose du remède, qu'il n'y ait pas plus de cinq ou six selles chaque jour. — Quand on aura achevé de purger, on lui oindra durant quelques jours tout le ventre avec un liniment apéritif. J'ai coutume de me servir du suivant :

Prenez huiles de lis et de tamarisc, de chacune deux onces ; sucs de racines de bryone et d'ache, de chacun une once. Faites bouillir jusqu'à ce que les sucs soient consumés. Ajoutez onguent de guimauve et beurre frais, de chacun une once ; gomme ammoniaque dissoute dans le vinaigre, demi-once ; cire jaune, ce qu'il en faut. Faites un liniment.

J'ai guéri par cette méthode quantité d'enfants qui avaient même un véritable rachitis. — Cependant il faut avoir grand soin, comme nous avons déjà averti (3), de ne pas purger avant que la fièvre ait entièrement cessé. Il est vrai que la purgation pourra évacuer quelque partie de l'humeur peccante qui s'est amassée dans les premières voies. Mais la fièvre en fournira bientôt de nouvelle, qui non seulement rendra la purgation inutile, mais prolongera encore la maladie, par les raisons que nous avons alléguées auparavant.

(1) Dans ce cas-là, l'eau s'est souvent évacuée d'elle-même en peu de temps par les conduits de l'urine, sans le secours d'aucun remède. De Gorter, *Med. compend.*, tom. I, p. 152.

(2) Voyez l'article 75.

(3) Voyez l'article 134.

149. Une chose qui mérite d'être remarquée, c'est que quand des enfants ont eu long-temps les fièvres d'automne, il n'y a aucune espérance de les en délivrer, jusqu'à ce que la région de l'abdomen, surtout vers la rate, ait commencé de se durcir et de se tuméfier : car à mesure que ce symptôme vient, la fièvre s'en va ; et il n'est peut-être pas de meilleure signe pour connaître qu'elle finira bientôt, que lorsqu'on le voit venir. Il en est de même des enflures des jambes qu'on voit quelquefois chez les adultes.

150. La tumeur du ventre, qui survient aux enfants après ces fièvres dans les années que la constitution de l'air produit des fièvres intermittentes épidémiques, se fait sentir aux doigts, comme si les viscères contenaient quelque matière squirrheuse ; au lieu que la tumeur du ventre qui arrive les autres années, quoique par la même cause, se fait sentir au toucher, comme si les hypocondres étaient simplement distendus par des vents. Voilà pourquoi les vrais rachitis sont rares, excepté dans les années où les fièvres intermittentes d'automne ont le dessus ; ce qui mérite attention.

151. La douleur et l'inflammation des amygdales, après les fièvres continues ou intermittentes, avec difficulté d'avaler au commencement, et ensuite enrouement, yeux creux, et face hippocratique, annoncent une mort certaine, et ne laissent pas la moindre espérance de guérison. J'ai observé que ce funeste symptôme était produit le plus souvent par des évacuations trop abondantes chez des sujets que la violence de la maladie a déjà presque épuisés, et par la longue durée de la fièvre.

152. Il y a beaucoup d'autres accidents qui arrivent à la suite des fièvres intermittentes, soit parce qu'on n'a point purgé du tout, soit parce qu'on n'a pas bien purgé. Je les passerai maintenant sous silence, d'autant que la manière de les traiter est presque la même, c'est-à-dire qu'il faut purger les récréments qu'a laissés la fermentation précédente, et qui occasionnent ces sortes d'accidents. Mais je ne saurais m'empêcher de parler ici d'un symptôme important, qui, bien loin de céder aux purgatifs et aux autres évacuants, pas même à la saignée, devient au contraire plus violent par ces remèdes. C'est une sorte de *manie* particulière, laquelle vient quelquefois après les fièvres intermittentes qui ont duré fort long-temps, et surtout après les fièvres quartes. Elle ne cède point à la méthode ordinaire, et après qu'on a mis en œuvre de fortes évacuations, on a le chagrin de la voir dégénérer en une folie qui ne se termine qu'avec la vie.

153. J'ai souvent été surpris de ce que les auteurs n'en disent rien du tout, quoique je l'aie vue arriver assez souvent. Les autres espèces de manies se guérissent ordinairement par des évacuations abondantes, par la saignée et la purgation ; au lieu que celle-ci résiste à tous ces remèdes ; et même, lorsque le malade est sur le point d'être guéri, si on lui donne seulement un lavement avec le lait et le sucre, le mal revient aussitôt. Si on s'obstine à le combatre par des purgatifs réitérés et par la saignée, on pourra bien diminuer sa violence, mais le malade tombera certainement dans une folie incurable.

Cela ne surprendra pas si l'on fait attention que l'autre espèce de manie est produite par un sang trop exalté et trop vif ; au lieu que celle dont il s'agit, vient de la faiblesse du sang, et pour ainsi dire de son évaporation, causée par la longue fermentation que la fièvre à excitée, en conséquence de laquelle évaporation, les esprits sont entièrement incapables des fonctions animales.

154. Voici comment je traite cette manie. Je donne au malade trois fois le jour une bonne dose de quelque puissant cordial, tel que la *thériaque* (1), l'*électuaire d'œuf*, la *poudre de la comtesse de Kent*, la *poudre de Gualteri-Raleigh*, ou quelqu'autre semblable dans l'*eau épidémique*, l'*eau thériacale*, ou quelqu'autre eau cordiale. On peut aussi donner des cordiaux sous quelqu'autre forme que ce soit. Durant ce temps-là il faut nourrir modérément le malade, mais la nourriture doit être succulente, et il doit boire de bon vin, ne point sortir de la maison, et demeurer long-temps au lit. En gardant ce régime, le ventre sera resserré, et cela pourrait faire craindre que l'usage des remèdes chauds ne produisît la fièvre ; mais cette crainte est sans fondement, parce que les esprits,

(1) La thériaque est à la vérité un électuaire chaud ; mais je doute que dans le cas dont il s'agit elle mérite le nom de cordial, parce que l'opium qu'elle contient doit plus relâcher et affaiblir que les autres ingrédients ne fortifient et ne raniment.

qui ont été presque épuisés par la maladie précédente, ne sauraient plus en causer une nouvelle. Au bout de quelques semaines le malade sera mieux : alors on peut omettre les cordiaux pendant quelques jours ; mais la nourriture doit toujours être propre à rétablir les forces, et après un court intervalle, il faut en revenir aux cordiaux, et les continuer jusqu'à parfaite guérison.

155. Cette méthode a quelquefois réussi pour guérir la manie qui n'est pas une suite des fièvres intermittentes, savoir, dans des sujets faibles et d'un tempérament froid. L'année dernière, je fus mandé à Salisbury, pour traiter, conjointement avec le docteur Thomas, savant et habile médecin, et mon intime ami, une femme de condition qui avait l'esprit fort dérangé. Nous employâmes les remèdes dont j'ai parlé, quoiqu'elle fût grosse en ce temps-là, et elle revint entièrement dans son bon sens.

156. Mais la manie ordinaire, qui arrive à des gens vigoureux sans qu'il y ait eu de fièvre auparavant, est d'une autre nature ; par conséquent elle doit être traitée d'une manière bien différente, et les évacuations y sont nécessaires : ce qui n'empèche pas qu'il ne faille y employer aussi les remèdes qui fortifient le cerveau et les esprits animaux. Or, quoique ce ne soit pas ici le lieu d'expliquer la curation de cette maladie, je veux bien néanmoins le faire en passant, afin d'empêcher que la ressemblance de ces deux espèces de manie ne jette dans l'erreur.

157. Chez les personnes jeunes et d'un tempérament sanguin, on tirera deux ou trois fois huit ou neuf onces de sang au bras, laissant trois jours d'intervalle entre chaque saignée ; puis on saignera une fois à la jugulaire. Un plus grand nombre de saignées rendraient plutôt le malade fou qu'elles ne le guériraient (1). Il faut ensuite lui donner des pillules de *duobus*, dont il prendra un demi-gros, ou deux scrupules, suivant qu'elles opéreront, et cela une fois la semaine et un jour réglé ; en sorte que s'il a commencé, par exemple, le lundi l'usage des pillules, il les prenne chaque semaine précisément le même jour, et non pas plus souvent, continuant ainsi pendant longtemps, jusqu'à ce qu'il soit parfaitement guéri. Par cette méthode, les humeurs qui avaient coutume de se porter au cerveau et de le troubler recevront une autre détermination, et s'évacueront insensiblement par en bas.

158. Les jours exempts de purgation, le malade usera pendant tout le traitement de l'électuaire suivant, ou de quelqu'autre remède qui ait la même vertu.

Prenez conserve d'absinthe romaine, conserve de romarin, et thériaque, de chacune une once, conserve d'écorce d'orange, angélique confite, et noix muscade confite, de chacune demi-once ; sirop d'œillets, ce qu'il en faut. Faites un électuaire, dont le malade prendra la grosseur d'une noix muscade deux fois le jour, buvant par-dessus un petit verre de vin de Canarie, où l'on aura fait infuser à froid des fleurs de primevère.

159. La fièvre continue et les fièvres intermittentes, que j'ai décrites ci-dessus, furent presque les seules maladies épidé-

(1) Cette règle pour la saignée est trop limitée. On doit saigner plus ou moins, suivant l'exigence des cas et les circonstances de la maladie. Le genre de manie qui est ici décrit se guérit rarement, surtout dans les personnes jeunes et sanguines, sans saigner beaucoup plus souvent et plus copieusement que ne l'ordonne notre auteur, en y joignant de puissants vomitifs, réitérés suivant le besoin, et le bain d'eau froide. L'auteur ne fait point mention de ces deux derniers secours. Le docteur Kinneir recommande le camphre en grande dose, savoir, jusqu'à un demi-gros dans les manies furieuses, et il dit l'avoir éprouvé avec succès. Voyez *Abridg. of the Phys. Transact.*, publié en 1734. On peut employer quelquefois utilement de puissants narcotiques après des évacuations convenables. — Hoffmann recommande le bain chaud dans la manie, dans les termes suivants. Ce n'est pas par le raisonnement, dit-il, mais par suite d'une longue expérience, que nous vantons l'excellence de ce remède dans ce cas-là ; car nous avons vu plusieurs mélancolies invétérées, et plusieurs manies heureusement guéries par ce moyen, après les saignées et l'usage des remèdes délayants et nitreux. J'ai recommandé cette méthode à plusieurs médecins étrangers qui, comme moi, s'en sont très-bien trouvés ; c'est pourquoi je me suis souvent étonné qu'elle fût si négligée de notre temps, quoique dès les premiers temps on l'ait employée pour la même maladie, en sorte que les anciens médecins y comptaient entièrement. Voyez *Nouvelles expériences, etc., sur les eaux minérales*, par Fréd. Hoffmann.

miques qui parurent durant la constitution des années 1661, 1662, 1663 et 1664. Je ne saurais dire pendant combien d'années auparavant elles avaient été les principales. Ce que je sais certainement, c'est que depuis l'an 1664 jusqu'en 1677, elles furent extrêmement rares à Londres.

160. J'aurais dû parler aussi des petites-véroles qui survenaient alors, et marquer leur nature par rapport à la constitution régnante : car, comme je l'ai déjà remarqué (1), elles sont très-différentes, suivant les diverses constitutions qui les produisent. Mais ne les ayant pas examinées en ce temps-là avec assez de soin, je les passe sous silence, me contentant de remarquer une chose qui leur était particulière, c'est que dans ces années-là elles étaient en très-grand nombre dès le commencement de mai, et qu'elles disparaissaient à l'arrivée des maladies épidémiques d'automne, savoir, de la fièvre continue et des fièvres intermittentes. On voyait le plus souvent des pustules comme de petites têtes d'épingles au sommet desquelles étaient des fossettes. Lorsque la petite-vérole était discrète, le plus grand danger était le huitième jour : alors la sueur ou la moiteur qui avait duré jusque là s'arrêtait tout d'un coup, et la peau devenait sèche, sans que les meilleurs cordiaux pussent rappeler la sueur. La phrénésie survenait avec beaucoup d'agitation, de douleur et d'inquiétude ; le malade urinait souvent, mais en petite quantité, et, après les plus belles apparences de guérison, il mourait dans peu d'heures.

SECTION II.

CHAP 1er — CONSTITUTION ÉPIDÉMIQUE DES ANNÉES 1665 ET 1666 A LONDRES.

161. Après un hiver très-froid et une gelée sèche, qui dura sans interruption jusqu'au printemps, le dégel étant venu tout d'un coup à la fin du mois de mars, c'est-à-dire au commencement de l'année 1665, suivant la manière de compter des Anglais, on vit aussitôt des péripneumonies, des pleurésies, des esquinancies, et d'autres maladies inflammatoires faire de grand ravages. Il parut aussi alors une fièvre continue épidémique, très-différente des fièvres continues qui avaient régné dans la constitution précédente, au lieu qu'on ne voit presque aucune de ces dernières dans le temps dont il s'agit maintenant. Cette fièvre continue épidémique était accompagnée d'une plus violente douleur de tête que les fièvres des années précédentes, et de plus grandes envies de vomir. — Chez la plupart des malades, la diarrhée, que nous avons dit auparavant pouvoir être prévenue par un vomitif, était ici produite par le même remède, et néanmoins les envies de vomir ne cessaient point. La peau était sèche, comme dans les fièvres de la constitution précédente. Cependant on pouvait exciter la sueur, et le meilleur moyen pour cela était la saignée. Dès que la sueur paraissait, les symptômes étaient moins violents. On pouvait faire suer dans tous les temps de la maladie; au lieu que dans la fièvre des années précédentes, il était dangereux de l'entreprendre avant le treizième et le quatorzième jour de la maladie ; encore avait-on bien de la peine à en venir à bout. Le sang était souvent de la même couleur que celui des pleurétiques et des gens attaqués de rhumatisme, excepté que la partie gélatineuse n'était pas si blanche. Voilà quels étaient d'abord les symptômes qui distinguaient cette maladie.

162. L'année avançant, la peste survint, avec un grand nombre de ses symptômes pathognomoniques, savoir, les charbons, les bubons, etc. Elle augmenta de jour en jour, et vers l'équinoxe d'automne elle se trouva dans sa plus grande force, car elle enleva alors dans une seule se-

(1) Voyez les articles 19-23.

maine environ huit mille âmes, quoique les deux tiers au moins des habitants se fussent retirés à la campagne pour éviter la contagion. Depuis ce temps-là elle diminua, et aux approches de l'hiver, elle disparut presqu'entièrement; car, durant toute cette saison jusqu'au commencement du printemps suivant, elle attaqua seulement quelques personnes par-ci, par-là ; et le primtemps étant venu, elle cessa tout-à-fait ; mais la fièvre subsista toute l'année suivante et même jusqu'au commencement du printemps de l'an 1667, quoiqu'elle ne fût pas si épidemique. Je vais traiter maintenant de ces deux maladies.

CHAP. II. — FIÈVRE PESTILENTIELLE ET PESTE DES ANNÉES 1665 ET 1666.

163. J'ai remarqué plus haut qu'il y a certaines fièvres que l'on met ordinairement au nombre des fièvres malignes (1), quoique la violence de leurs symptômes, qui donne lieu à cette idée, ne vienne d'aucune malignité, mais de la mauvaise manière dont elles ont été traitées : car quand on ne fait pas assez d'attention aux moyens dont se sert la nature dans le dessein qu'elle a de terminer la maladie, et qu'on emploie mal à propos une autre méthode, on trouble l'économie animale, on bouleverse tout, et on change entièrement la face de la maladie, qui, n'étant plus la même, devient beaucoup plus fâcheuse, et se trouve accompagnée d'un grand nombre de symptômes étrangers. — La fièvre maligne n'est pas une maladie commune (2), elle est tout-à-fait différente des autres espèces de fièvres qui, à raison de l'irrégularité de leurs symptômes, portent le nom de *malignes*. Mais elle est de la même espèce que la peste, et n'en diffère que parce que son dégré de violence est moindre. C'est pourquoi j'expliquerai dans le même chapitre l'origine et la curation de ces deux maladies.

164. Qu'il y ait dans l'air une certaine température ou disposition qui, en divers temps, produit différentes maladies, c'est de quoi on ne saurait douter, si l'on fait attention que la même maladie attaque en certain temps, une infinité de gens, et devient épidémique ; au lieu qu'en d'autres temps, elle n'en attaque qu'un fort petit nombre. La chose est évidente touchant la petite vérole, et surtout touchant la peste, qui fait la matière de ce chapitre.

165. Mais quelle est cette disposition morbifique de l'air, et quelle en est la nature? C'est ce que nous ignorons absolument, de même que plusieurs autres choses sur lesquelles de prétendus philosophes, également orgueilleux et insensés, débitent mille niaiseries (3). Cependant nous avons de grandes actions de

(1) Voyez l'article 20.

(2) Les ignorants se trompent souvent en imaginant une certaine malignité dans les maladies, et cela vient fort souvent faute d'avoir suffisamment examiné les causes antécédentes, et d'avoir fait attention aux symptômes, et à la totalité de la maladie ; d'où s'ensuivent de grandes bévues dans la pratique. On ne convient pas universellement de ce qu'on doit entendre par le terme de malignité; mais il est facile de s'en former une idée assez claire et assez juste pour en faire une application sûre à certaines fièvres, et pour autoriser la méthode curative qui est fondée là-dessus. Les fièvres qu'on appelle ordinairement malignes, étant examinées selon leurs symptômes, paraissent venir d'une coagulation, ou d'une dissolution des fluides, et par conséquent elles demandent un traitement différent, les remèdes volatils et atténuants étant propres dans les premières, et les acides modérés, les émulsions rafraichissantes, les agglutinants, comme la gelée de corne de cerf, etc., dans les secondes; et comme ces sortes de remèdes agissent par des qualités manifestes, on peut raisonnablement en conclure que les fièvres viennent aussi de causes manifestes, en sorte que l'idée d'une malignité prétendue tombe d'elle-même. Les fièvres qu'on estime véritablement malignes dépendent de quelques qualités particulières et contagieuses de l'air, lesquelles ne peuvent peut-être pas se connaître par les sens, ou bien d'aliments corrompus et pourris, de la morsure des animaux vénimeux, etc.; mais ces causes ne sont pas à beaucoup près si communes que l'on croit ordinairement.

(3) Il y a beaucoup de phénomènes qui surpassent la petitesse de notre intelligence, et qu'on ne doit pas cependant mépriser; mais quand on ne saurait connaître par le raisonnement la nature d'une cause, on doit toujours en remarquer soigneusement l'effet sensible, afin de tirer de là des règles sûres de pratique.

grâces à rendre, à la bonté et à la miséricorde divine, de ce qu'elle a voulu que les constitutions de l'air qui produisent la peste, c'est-à-dire la plus terrible et la plus pernicieuse de toutes les maladies, arrivassent beaucoup plus rarement que celles qui causent d'autres maladies moins funestes. De là vient qu'en Angleterre il n'y a guère plus souvent de peste que tous les trente ou quarante ans, du moins de peste qui soit furieuse, et qui fasse des ravages extraordinaires (1). — Les maladies contagieuses qu'on voit de côté et d'autre pendant quelques années après une peste considérable, et qui diminuent et disparaissent insensiblement, doivent être attribuées à une disposition pestilentielle de l'air, laquelle subsiste encore en partie, et n'a pas été entièrement changée en une disposition plus salutaire. Il faut les regarder comme des reliquats de la peste qui a précédé. De là vient aussi que les fièvres qui règnent un ou deux ans après une grande peste sont ordinairement pestilentielles ; et quoiqu'elles n'aient pas certaines marques d'une véritable peste, elles en ont néanmoins le plus souvent la nature et le caractère, et doivent être traitées de la même façon, comme nous le montrerons plus bas.

166. Mais, outre cette constitution de l'air, qui est en quelque manière une cause générale, il faut encore une cause particulière, c'est-à-dire un miasme ou virus, qui soit communiqué par quelque corps pestiféré, et qui soit reçu, ou immédiatement et par une communication personnelle, ou médiatement et par un foyer ; et si cela arrive pendant la constitution de l'air dont nous avons parlé (2), une petite étincelle produit bientôt un horrible incendie ; et la peste, en mettant une infinité de gens au tombeau, corrompt l'air dans tous les pays où elle règne, et le rend contagieux, tant par la respiration des malades que par les cadavres des morts : en sorte que pour la multiplication de cette affreuse maladie, il n'est plus besoin alors d'un foyer, ou d'une communication personnelle, mais que tout homme, quelque soin qu'il ait de se tenir éloigné des pestiférés, peut aisément prendre la peste par le moyen de l'air qu'il respire, pourvu que les humeurs de son corps se trouvent disposées à recevoir la vapeur contagieuse.

167. Quand cette maladie n'est que sporadique, elle attaque indifféremment en toute saison un petit nombre de gens auxquels elle se communique. Mais quand la constitution de l'air est outre cela épidémique, la maladie commence entre le printemps et l'été, qui est le temps de l'année le plus propre à produire une maladie dont l'essence consiste principalement dans l'inflammation des humeurs, comme nous le montrerons ensuite. Au reste, la peste a son accroissement et son déclin, de même que les autres choses naturelles. Elle commence dans le temps que nous avons dit ; elle se fortifie à mesure que l'année s'avance, et elle diminue vers le déclin de l'année, jusqu'à ce qu'enfin le froid de l'hiver cause à l'air une disposition qui est contraire à la maladie.

168. Si les vicissitudes des saisons n'influaient en rien sur la peste, et que le virus pestilentiel se transmît perpétuellement d'une personne à l'autre, sans pouvoir être détruit par aucun changement de l'air, il arriverait nécessairement, que quand ce virus aurait une fois pénétré dans une ville considérable, il enlèverait tous les habitants les uns après les autres, jusqu'à ce qu'il n'en restât aucun. Cependant on a vu le contraire, puisque le nombre de ceux qui moururent de la contagion dans une seule semaine du mois d'août montait à plusieurs milliers, et que sur la fin de novembre il mourait très-peu de monde. J'avoue néanmoins que la peste peut commencer en d'autres temps de l'année, suivant le témoignage de quelques auteurs, qui disent que cela est arrivé ; mais la chose se voit rarement, et alors la contagion n'est pas fort violente.

169. D'un autre côté, j'ai de grands soupçons que la disposition de l'air, quelque pestilentielle qu'elle soit, est incapable d'elle-même de causer la peste, et que cette maladie subsistant toujours en quelque endroit, ou par un foyer, ou par sa communication avec quelque pestiféré, elle est apportée des lieux infectés dans les autres, où elle ne devient épidémique qu'au moyen d'une certaine disposi-

(1) C'est une opinion commune et répandue par des auteurs d'un grand nom, que la peste vient d'ordinaire en Angleterre une fois dans trente ou quarante ans ; mais c'est une pure imagination qui n'est fondée ni sur la raison, ni sur l'expérience, et ne doit rien faire craindre de pareil. Voyez *un discours sur la contagion pestilentielle*, par le docteur Mead.

(2) Voyez l'article 165.

tion de l'air qui la favorise. Sans cela, je ne comprends pas comment il peut se faire que, dans un même pays, une ville est affligée de la peste, qui y fait de grands ravages, tandis qu'une autre ville peu éloignée de la première s'en garantit absolument en s'interdisant tout commerce avec la ville pestiférée. C'est ainsi que, par les soins et la prudence du grand-duc de Toscane, la peste qui ravageait, il y a peu d'années, presque toute l'Italie, ne pénétra point du tout dans la Toscane.

170. La maladie commence presque toujours par un frisson, de même que les accès des fièvres intermittentes ; ensuite des vomissements énormes, une douleur vers la région du cœur, comme si elle était serrée par un pressoir, une fièvre ardente accompagnée de ses symptômes ordinaires, tourmentent sans cesse les malades jusqu'à ce que la mort vienne terminer leurs souffrances, ou qu'un bubon ou une parotide, venant heureusement à paraître, les mette hors de danger, en attirant au-dehors la matière morbifique. — Il est rare que la peste attaque sans fièvre, et qu'elle tue tout à coup ; auquel cas il paraît, même lorsque les gens sont encore sur pied, des taches de pourpre qui annoncent une mort prochaine. Mais cela n'arrive guère que dans le commencement d'une peste extrêmement funeste, ce qui est digne de remarque ; et jamais on ne l'a observée dans le déclin de la contagion ou dans les années qu'elle n'est pas épidémique. — Quelquefois aussi les bubons ou les parotides se manifestent sans qu'il y ait auparavant ni fièvre, ni aucun fâcheux symptôme. Je crois cependant qu'il y a toujours eu un petit frisson, quoiqu'il n'ait pas été sensible : ceux à qui cela arrive peuvent aller librement partout et s'acquitter de toutes leurs fonctions ordinaires, comme les gens qui se portent bien, sans être obligés de garder aucun régime.

171. Au reste, je n'entreprends pas de déterminer précisément en quoi consiste essentiellement la peste (1). Les gens de bon sens trouveront peut-être qu'il serait aussi absurde à quelqu'un de me demander ce qui constitue formellement telle ou telle espèce de maladie, qu'il le serait à moi de faire la même question à cet homme, au sujet du cheval, par exemple, entre les animaux, ou au sujet de la bétoine entre les plantes. La nature produit toutes choses par des lois invariables, mais avec un art qui n'est connu que d'elle seule ; et elle couvre d'épaisses ténèbres les essences de ses productions et les formes qui constituent leurs différences. Aussi chaque espèce de maladie, de même que chaque espèce d'animal ou de plante, a des propriétés constantes qui ne conviennent qu'à elle-même seule, qui coulent de son essence, et qui en sont inséparables. Et qu'on ne me demande pas comment on pourra guérir les maladies tandis qu'on ignore leurs causes, car ce n'est pas par la connaissance des causes qu'on guérit les maladies, mais par la connaissance d'une méthode convenable et confirmée par l'expérience.

172. Mais, pour revenir à notre sujet, comme nous avons coutume de déduire l'origine de toutes les maladies similaires, du vice des premières ou des secondes qualités, qui est tout ce que nous pouvons faire dans une si grande obscurité, je suis à portée de croire que la peste est une fièvre d'un genre particulier (2),

(1) Il est absolument impossible de déterminer *à priori* la nature spécifique du miasme pestilentiel, en quoi consiste l'essence de la peste, d'autant que ce miasme ne tombe pas sous les sens : ainsi, toute la connaissance que nous en pouvons avoir, vient uniquement de ses effets, lesquels donnent lieu de croire qu'il est en partie d'une nature putride, sulfureuse et fermentative, et en partie d'une nature très-âcre et très-caustique, mais plus alcaline qu'acide.

« (2) La peste, ou la fièvre pestilentielle, est définie par Hoffmann, la » plus aiguë de toutes les fièvres, qui » vient d'un miasme ou virus contagieux, » apporté ordinairement des pays du Le« vant, et qui est mortelle, à moins que » le virus ne soit promptement poussé en » dehors par la force des mouvements » vitaux, au moyen des bubons ou des » charbons. » — Elle diffère des autres fièvres malignes, contagieuses et exanthématiques par les particularités suivantes: 1° Elle est la plus aiguë de toutes les fièvres, et quelquefois se trouve mortelle dès le premier ou le second jour. 2° Dans notre climat, elle n'est ni épidémique, ni sporadique, mais causée simplement par une contagion apportée des lieux infectés. 3° Elle ne se termine pas, comme d'autres fièvres putrides et malignes, par une sueur copieuse, un cours de venet qui vient d'une inflammation des particules les plus spiritueuses du sang, lesquelles, à raison de leur ténuité, semblent être fort proportionnées à la nature très-subtile de cette maladie. Si donc le virus pestilentiel se trouve au plus haut point de subtilité où il puisse être, comme on voit dans le commencement et dans la force d'une constitution épidémique, il dissipe tout à coup la chaleur naturelle et enlève promptement les malades, laissant leurs cadavres tout couverts de taches de pourpre, à raison de la fonte et de la dissolution entière qu'a causée au sang la violence du combat intérieur.

173. L'extrême subtilité du virus pestilentiel est cause qu'il produit tant de ravages sans exciter dans le sang aucune ébullition fébrile, et sans faire sentir auparavant aucune incommodité, tout au contraire de ce qui arrive ordinairement lorsque la cause morbifique est moins subtile, et qu'elle porte, pour ainsi dire, des coups plus faibles. Montrons cette différence par un exemple sensible : si on met sous un coussin une aiguille ou quelqu'autre chose pointue, et qu'on la pousse de force contre, elle ne soulèvera pas le coussin, comme ferait un instrument qui ne serait pas pointu, mais elle le percera (1).

174. Au reste, il est assez rare que la peste tue subitement, et cela n'arrive, comme nous avons dit plus haut, que dans le commencement et la force de la maladie (2). La peste, de même que les autres fièvres, attaque le plus souvent par un frisson qui est ensuite suivi de chaleur, et cette chaleur dure jusqu'à ce que, par un effet de la sage prévoyance de la nature, les particules enflammées du sang soient portées aux émonctoires, et y soient changées en pus, comme dans les phlegmons ordinaires. — Maintenant, si l'inflammation est encore moins violente, elle produit les fièvres qu'on nomme *pestilentielles*, comme il arrive souvent à la fin d'une constitution pestilentielle, et peut-être même un ou deux ans après, jusqu'à ce qu'enfin ces sortes de fièvres disparaissent entièrement.

175. Je trouve une grande ressemblance entre la peste et l'érysipèle. Cette dernière maladie, au jugement des plus habiles médecins, est une fièvre continue causée par la corruption et l'inflammation de la partie la plus fine du sang, dont la nature cherche à se délivrer, en la déchargeant sur quelque partie extérieure du corps, où elle forme une tumeur ou plutôt une grande tache rouge, appelée *rose*, d'autant que la tumeur n'est souvent pas fort apparente. Cette fièvre, après avoir duré un ou deux jours, se termine critiquement par la tumeur ; de là vient qu'on ressent une douleur dans les glandes de l'aisselle ou dans celles des aines, comme il arrive dans la peste.

176. L'érysipèle commence, de même que la peste, par un frisson, qui est suivi de chaleur ; tellement que les personnes qui en sont attaquées pour la première fois croient avoir la peste, jusqu'à ce qu'enfin la maladie se manifeste dans une jambe ou dans quelqu'autre endroit. D'ailleurs, quelques auteurs soupçonnent de la malignité dans cette maladie ; c'est pourquoi ils veulent qu'on la traite par les sudorifiques et les alexipharmaques (3). Quand elle a une fois excité l'ébullition fébrile, au moyen de laquelle les particules du sang, qui étaient, pour ainsi dire, brûlées et gangrénées, sont en peu

---

tre, etc., mais par des tumeurs critiques qui viennent à suppuration. 4° Le miasme, ou virus pestilentiel, s'attache facilement aux matières spongieuses et poreuses, et peut ainsi être porté à une grande distance, sans rien perdre de sa qualité pernicieuse. 5° La peste a cela de particulier, que le froid arrête son progrès : c'est pourquoi elle règne rarement dans une saison froide et dans les pays froids; au contraire, elle se fait sentir violemment et fréquemment dans une saison chaude et dans les climats chauds.

(1) Cette comparaison n'est ni juste, ni propre à éclaircir le raisonnement de l'auteur, et on en trouve plusieurs semblables dans ses écrits. Il faut avouer que les comparaisons, quand elles sont justes, jettent beaucoup de jour sur les matières, autrement rien n'est moins concluant et plus trompeur. Les fausses similitudes et les analogies mal fondées ne font qu'obscurcir les matières et embrouiller l'esprit. Quant aux comparaisons en particulier, on doit se souvenir que, pour être parfaitement concluantes, elles ne doivent se faire qu'entre des choses de même genre, comme entre des animaux et des animaux, entre des plantes et des plantes, des minéraux et des minéraux, et ainsi du reste.

(2) Voyez l'art. 170.

(3) Voyez *Sennert*, liv. II, chap. XVI, *de febr. symptom. contin.*

de temps chassées au-dehors, elle cesse d'elle-même, sans aucune suite fâcheuse (1).

177. Mais la vapeur de la peste est beaucoup plus puissante et plus active que celle de l'érysipèle : elle pénètre comme un éclair, par son extrême subtilité, les endroits du corps les plus reculés ; elle détruit tout à coup les esprits du sang, et cause quelquefois une entière dissolution de cette liqueur avant que la nature, accablée d'un mal imprévu, ait le temps d'exciter l'ébullition fébrile, qui est le moyen ordinaire dont elle se sert pour débarrasser le sang de ce qui lui est nuisible.

178. Si quelqu'un ne veut pas convenir que la peste vienne d'une inflammation, je le prie de considérer les raisons qui appuient ce sentiment, savoir, que la peste est accompagnée de fièvre, et que le sang qu'on tire aux pestiférés est de même couleur que celui qu'on tire dans la pleurésie et le rhumatisme; que les charbons paraissent brûlés comme si on y avait appliqué le cautère actuel ; que l'inflammation de la peste est suivie aussi souvent de bubons que les autres inflammations le sont d'autres tumeurs et surtout d'abcès. Il semble même que la saison où commence ordinairement la peste épidémique contribue encore à produire l'inflammation ; car c'est justement alors, savoir, entre le printemps et l'été, que surviennent les pleurésies, les esquinancies et les autres maladies épidémiques qui viennent d'un sang enflammé. Aussi ne les ai-je jamais vues plus fréquentes que durant quelques semaines avant la dernière peste de Londres. — Une chose remarquable, c'est que cette année-là même, qui vit périr tant de milliers d'hommes, fut d'ailleurs très-saine et exempte de toute autre maladie; que ceux qui n'eurent pas la peste se portèrent mieux que jamais, et que ceux qui en réchappèrent ne furent point ensuite sujets à la cachexie, ni aux autres indispositions qui sont les suites ordinaires des maladies précédentes. De plus, les abcès et les charbons, quelque grands qu'ils fussent, guérissaient aisément par les remèdes ordinaires de la chirurgie, dès qu'une fois la suppuration avait dépuré le sang.

179. Mais, dira peut-être quelqu'un, si la peste consiste dans une inflammation, d'où vient que les remèdes chauds, comme sont presque tous les alexipharmaques, sont si utiles, tant pour la guérir que pour la prévenir? Je réponds que si les remèdes chauds réussissent dans la peste, ce n'est que par accident, savoir, à cause de la transpiration qu'ils excitent, laquelle débarrasse le sang de ses parties enflammées. Mais s'ils ne font pas suer, comme cela arrive souvent, ils augmentent par leur chaleur l'inflammation du sang, en quoi ils sont manifestement pernicieux. — Quant à la vertu de préserver de la peste, qu'on leur attribue communément, rien n'est plus mal fondé. Bien loin de là, le vin et d'autres prétendus préservatifs encore plus forts, pris chaque jour à des heures réglées, ont causé la peste à quantité de gens qui vraisemblablement ne l'auraient point eue sans cela.

180. Pour ce qui est du traitement de la fièvre pestilentielle et de la peste, on m'accusera peut-être de présomption et de témérité, de ce qu'ayant demeuré loin de Londres pendant la plus grande partie du temps que la dernière peste a ravagé cette ville, et par conséquent ne pouvant avoir fait un assez grand nombre d'observations, j'ose néanmoins traiter cette matière. Mais comme les habiles médecins qui ont eu la hardiesse et le courage de braver la mort et d'exposer continuellement leur vie pendant toute la contagion, n'ont pas eu jusqu'à présent la volonté de publier ce qu'une longue expérience leur a appris sur la nature de cette horrible maladie, j'espère que les gens de bien ne trouveront pas mauvais si j'en dis ici mon sentiment, qui est fondé sur mes propres observations, quoiqu'elles soient en petit nombre.

181. Il faut parler d'abord des indications curatives. Elles consistent en géné-

(1) L'érysipèle et la peste se ressemblent, 1° dans leurs principaux symptômes, qui sont frisson soudain, abattement, douleur violente à la tête et au dos, vomissement, etc.; 2° dans l'expulsion de la matière morbifique sur la peau, entre le troisième et le quatrième jours, avec diminution des symptômes; 3° dans une enflure, une rougeur, et une douleur qui se fait d'abord sentir dans l'aine, ou près de là, et qui descend ensuite aux pieds; 4° en ce que ces deux maladies attaquent les parotides lorsque la tête est menacée, et les glandes de l'aisselle lorsque la poitrine est en danger; 5° en ce qu'elles enflamment les glandes de l'aisselle et la poitrine; 6° en ce qu'il y a du danger quand la matière morbifique rentre en dedans.

ral ou à aider la nature, en suivant exactement la conduite qu'elle tient pour détruire la maladie, ou, si l'on ne croit pas devoir se fier à la méthode que la nature emploie contre la maladie, à lui en substituer de notre invention une autre plus sûre. Quelqu'un dira peut-être que les remèdes alexitères contre la peste, dont on trouve un grand nombre chez les auteurs praticiens, réussissent assez heureusement dans cette maladie. Mais il y a un très-grand sujet de douter si les bons effets de ces remèdes ne doivent pas être attribués à leur faculté manifeste par laquelle, en excitant abondamment les sueurs, ils donnent issue à la matière morbifique, plutôt qu'à une vertu spécifique qu'ils aient reçue de la nature pour détruire le virus pestilentiel.

182. Il y a également lieu de douter, touchant les remèdes des autres maladies, s'ils les guérissent plutôt par une vertu spécifique qu'en procurant quelque évacuation. Car si on objecte par exemple que le mercure ou la salsepareille sont les remèdes spécifiques de la vérole, il faut que celui qui fait cette objection apporte des exemples de véroles guéries par le mercure sans salivation, ni cours de ventre, ou par la salsepareille sans sueurs : ce qui lui sera, je crois, fort difficile. Pour moi, je pense que le remède propre et spécifique de la peste est encore caché dans les secrets de la nature, et qu'on ne peut guérir cette maladie que par une voie mécanique.

183. Ainsi, pour examiner plus au long (1) la première vue, qui est d'aider convenablement la nature à chasser au dehors la matière morbifique, il faut observer que dans la véritable peste, lorsque la nature ne s'écarte point elle-même de son chemin, et qu'on ne la force point à se dérouter, elle donne issue à la matière morbifique au moyen d'un abcès qui se forme dans quelque émonctoire. Mais dans la fièvre pestilentielle, elle évacue la matière en excitant la sueur par tout le corps : d'où l'on peut conclure que, la nature prenant une différente route dans ces deux maladies, il faut aussi les traiter par une méthode différente. Vouloir évacuer par les sueurs la matière de la véritable peste, c'est s'écarter de la voie de la nature, qui emploie pour cela les abcès. Au contraire, vouloir évacuer autrement que par les sueurs la matière de la fièvre pestilentielle, c'est s'opposer également à la nature.

184. Au reste, dans la véritable peste, on ne connaît point encore de remède sûr pour aider l'évacuation naturelle de la matière morbifique, c'est-à-dire l'éruption des abcès ; à moins qu'on ne regarde un régime fortifiant et les cordiaux comme capables d'y contribuer. Cependant je doute fort qu'ils n'augmentent encore la chaleur du malade, qui n'est déjà que trop grande. Je sais du moins très-certainement que les sueurs sont inutiles en ce cas-là ; quoique je ne nie pas que la tumeur ne se manifeste, quand le malade, après avoir sué abondamment durant trois ou quatre heures, cesse de suer. Mais je ne crois nullement qu'elle vienne de la sueur, puisque, tandis que la sueur coule, elle ne donne aucun signe d'éruption, et que, quand la sueur est finie, elle paraît comme par accident, savoir, lorsque la sueur a déjà enlevé une certaine quantité de la matière qui surchargeait trop la nature, et que le corps est fortement échauffé par les cordiaux qui ont été donnés pour exciter la transpiration.—Mais ce qui prouve combien est trompeuse et infidèle la méthode de vouloir procurer par les sueurs l'éruption des abcès, afin d'évacuer la matière peccante, c'est ce qui est arrivé aux malades qui ont été traités de la sorte ; car de trois à peine en est-il échappé un, pour ne rien dire de plus. Au contraire, plusieurs dont les abcès étaient fort bien sortis, dans le temps même qu'ils vaquaient à leurs affaires ordinaires, et sans leur avoir causé aucune lésion des fonctions naturelles, vitales ou animales, ont recouvré en peu de temps la santé. Il faut en excepter ceux qui ont le malheur de tomber entre les mains de quelque médicastre, et qui, par ses avis, se sont tenus au lit pour suer ; car aussitôt ils ont commencé à se trouver plus mal, quoiqu'auparavant ils fussent en très-bon état ; et la maladie allant toujours en augmentant, ils ont payé aux dépens de leur vie la faute de leur imprudence.

185. D'un autre côté, rien de plus incertain et de plus douteux que l'événement des tumeurs critiques dans la peste. Une chose qui le montre clairement, c'est que quelquefois un bubon, qui était d'abord très-bien sorti, et qui avait fait diminuer les symptômes, disparaît ensuite tout à coup ; et, qu'au lieu du bubon, i vient des taches de pourpre qui annon cent une mort certaine. Il y a sujet d

(1) Voyez l'art. 182.

croire que les grandes sueurs par lesquelles on a dessein de procurer l'éruption du bubon sont justement ce qui le fait rentrer ; d'autant qu'elles détournent vers toute la superficie du corps et emportent au dehors une bonne partie de la matière qui devait servir à grossir et à entretenir la tumeur.

186. Quoi qu'il en soit, il est du moins très-constant que dans les autres maladies, la bonté divine fournit des moyens assurés pour éloigner la cause morbifique ; au lieu que dans la peste, dont Dieu se sert pour châtier les grands crimes, il ne fournit que des moyens très-incertains et très-équivoques ; et on pourrait peut-être attribuer avec autant de raison à cela qu'à la malignité de cette maladie les ravages étonnants qu'elle fait : car la goutte et d'autres maladies où l'on ne soupçonne guère de malignité, causent aussi sûrement la mort, lorsque la matière morbifique vient à rentrer dans le sang. — Il s'ensuit manifestement de tout cela que le médecin qui, dans le traitement des autres maladies, est obligé de suivre exactement la conduite et le penchant de la nature, doit y renoncer dans la peste. Comme très-peu de gens ont connu jusqu'à présent la vérité de cette maxime, cela a été cause que la peste a enlevé une bien plus grande quantité de monde.

187. Aussi, puisqu'il n'est nullement sûr de vouloir suivre les traces de la nature pour guérir cette maladie, il s'agit maintenant de remplir la seconde vue dont nous avons parlé, c'est-à-dire d'employer une meilleure méthode contre la peste que celle dont se sert la nature. Je crois qu'on peut y réussir de deux façons, savoir, par la saignée ou par les sueurs. Quant à la saignée, je n'ignore pas que la plupart des gens l'ont en horreur dans la peste. Mais sans nous arrêter aux préjugés du vulgaire, examinons avec toute l'équité et la bonne foi possibles les raisons de part et d'autre.

188. D'abord j'en appelle aux médecins qui restèrent à Londres pendant la dernière peste; et je leur demande si quelqu'un d'eux a observé que des saignées copieuses et en grand nombre, faites avant qu'il parût aucune tumeur, aient été funestes aux pestiférés. Il n'est pas étonnant qu'on se trouve toujours mal de saigner peu, ou de saigner quand la tumeur paraît déjà : car lorsqu'on ne tire qu'une médiocre quantité de sang, on arrête l'action de la nature, qui emploie toutes ses forces à produire la tumeur, et on ne lui fournit d'ailleurs aucun moyen suffisant pour évacuer la matière morbifique ; et si on saigne quand la tumeur paraît, comme la saignée attire de la circonférence au centre, elle cause un mouvement entièrement opposé à celui de la nature, lequel se fait du centre à la circonférence. Rien néanmoins de plus ordinaire aux défenseurs du sentiment contraire, que d'alléguer les mauvais effets de la saignée ainsi faite en petite quantité et hors de saison, comme un puissant argument contre la saignée en général dans la peste, comme on le voit dans Diemerbroeck, et dans les autres écrivains qui ont donné des observations. Pour moi, je ne saurais me rendre à leur raisonnement, jusqu'à ce que je sache ce qu'ils répondent à la question que j'ai proposée ci-dessus.

189. Grand nombre d'auteurs très-célèbres ont été d'avis, il y a déjà longtemps, que la saignée convenait dans la peste. Les principaux sont Louis Mercatus, Jean Costæus, Nicolas Massa, Louis Septalius, Trincavel, Forestus, Mercurialis, Altomarus, Paschalius, Andernach, Pereda, Zacutus Lusitanus, Fonseca, et d'autres. Mais Léonard Botal, fameux médecin du dernier siècle, est le seul, que je sache, qui ait fait consister tout le traitement de la peste dans des saignées copieuses, telles que nous les demandons : et afin qu'on ne croie pas que nous soyons les seuls de notre sentiment, nous mettrons ici les propres paroles de cet auteur.

190. « Je pense, dit-il (1), qu'il n'y » a aucune sorte de peste où la saignée » ne puisse être utile au-dessus de tous » les autres remèdes, pourvu qu'on la » fasse dans le temps convenable, et » qu'on tire une quantité suffisante de » sang. Si elle s'est trouvée quelquefois » inutile, c'est qu'elle a été faite trop » tard, ou en trop petite quantité, » ou qu'on a manqué en même temps » dans ces deux points. » — Il ajoute un peu après : « Mais quand on est si timide, et qu'on tire si peu de sang, » comment pouvoir juger de ce que la » saignée peut faire de bien ou de mal » dans la peste? Si une maladie où il » était nécessaire pour la guérir de tirer » quatre livres de sang, et où l'on n'en » tire qu'une, vient à tuer un homme,

(1) Cap. 7, *de curatione per venæ-sectionem.*

» elle ne le tue pas parce qu'on a saigné, » mais parce qu'on a trop peu saigné, et » peut-être aussi parce qu'on n'a pas » saigné à temps. Mais des gens de mau- » vaise volonté ne manquent jamais d'ac- » cuser un remède innocent, qu'ils veu- » lent injustement décréditer ; ou s'ils » n'agissent pas par malice, c'est au » moins par ignorance, deux choses qui » sont assurément pernicieuses, quoique » la première le soit encore davantage.»

Botal confirme tout cela par l'expérience, en ajoutant un peu plus bas : « Après cela, tout médecin raisonnable, » loin de blâmer la saignée dans la peste, » doit au contraire la louer et la recom- » mander comme un remède merveil- » leux, et l'employer avec confiance, » ainsi que je fais moi-même depuis » quinze ans. Aussi, dans les maladies » pestilentielles qui régnaient durant le » siége de la Rochelle, dans celles qui » régnaient à Mons en Hainaut il y a » quatre ans, dans celles qui ont régné » à Paris durant ces deux dernières an- » nées entières, et à Cambrai l'année » passée, je n'ai rien trouvé de plus utile » et de plus salutaire pour tous mes ma- » lades, dont le nombre était infini, que » de saigner copieusement et prompte- » ment (1). » — Ensuite, il cite des exemples de guérisons, que je ne rapporte pas crainte d'être trop long : mais je ne saurais m'empêcher de joindre ici une chose arrivée en Angleterre, il y a quelques années. L'histoire est très-singulière et convient à mon sujet.

191. Entre les autres misères et calamités qui affligèrent l'Angleterre pendant la guerre civile, il y eut une peste qui ravagea plusieurs endroits. Ayant pénétré dans le fort de Dunstar, qui est situé dans le comté de Sommerset, elle attaqua un grand nombre de soldats de la garnison, dont quelques-uns moururent tout à coup avec des taches de pourpre. Un certain chirurgien, qui, après avoir long-temps voyagé dans les pays étrangers, servait alors en qualité de soldat, pria instamment le commandant du fort de lui permettre de traiter à sa manière ses camarades pestiférés. Le commandant y consentit : le chirurgien les saigna tous dès le commencement de la maladie, avant qu'il parût aucune tumeur, et il leur tira une grande quantité de sang, c'est-à-dire jusqu'à ce qu'ils commençassent à chanceler sur leurs pieds ; car il les saignait debout et en plein air, n'ayant pas de vaisseaux pour mesurer la quantité de sang qui coulait à terre ; ensuite, il les envoya se coucher dans leurs logements, et ne leur fit aucun autre remède après la saignée. Cependant, chose merveilleuse ! d'un très-grand nombre qu'il traita de la sorte, il n'en mourut pas un seul (2). — Je tiens cette histoire de M. François Windham, colonel qui était alors commandant du fort de Dunstar. C'est un homme de très-grande distinc-

(1) La saignée paraît dangereuse au commencement de cette maladie, parce qu'elle ralentit toujours à un certain degré le cours du sang vers les parties extérieures, et par conséquent diminue la transpiration ; d'où il arrive que le virus est retenu au dedans ; d'ailleurs, la terreur et l'effroi dont les malades sont ordinairement saisis poussent le sang vers les parties internes ; et comme la saignée a un effet semblable, elle doit par cette raison être nuisible ; mais si la coutume, l'abondance du sang, ou l'usage de la bonne chère, la rendent nécessaire, on peut saigner le second ou le troisième jour, après avoir donné auparavant un doux sudorifique, car en diminuant le volume du sang, on facilite l'expulsion du virus dans les glandes, et cela réussit encore mieux si l'on donne ensuite de doux sudorifiques, afin d'aider le cours du sang vers les parties extérieures.

(2) Le succès dont fut suivie cette méthode singulière, n'engagera pas, suivant toute apparence un médecin prudent à l'essayer en pareille occasion, et ne mettra pas l'auteur à couvert des justes reproches que mérite une conduite si violente et si téméraire. Saigner d'une manière si outrée dans une maladie ordinairement accompagnée d'une extrême faiblesse est une pratique très-déraisonnable et très-dangereuse ; mais traiter de la sorte un grand nombre de personnes, sans aucun égard à la différence du tempérament, de la disposition, et des autres circonstances, c'est le comble de l'ignorance, de l'impéritie, et de l'extravagance, sans parler que certains sujets perdent beaucoup plus de sang que d'autres avant que de tomber en faiblesse ; ce qui néanmoins paraît avoir été la seule raison qui déterminait notre empirique à arrêter le sang, et que la quantité qui en coulait devait être fort différente dans les sujets, selon que l'ouverture était plus grande ou plus petite, et le sang plus ou moins épais ; par où l'on voit clairement que cet homme agissait plutôt par caprice que par raison.

tion, recommandable par sa probité et sa bonne foi, et d'ailleurs très-poli. Il est encore vivant, et peut confirmer la vérité du fait à tous ceux qui en douteraient. — Je rapporterai plus bas ce que j'ai observé moi-même de singulier et de remarquable sur cet article, lorsque je ferai part au lecteur de ce que l'usage et l'expérience m'ont appris durant la dernière peste de Londres.

192. Or, quoique je reconnaisse l'utilité de la saignée dans la peste, et que l'expérience m'en ait convaincu, il y a déjà long-temps, je trouve néanmoins que la méthode de dissiper par la transpiration le levain pestilentiel, est préférable par plusieurs raisons à celle de l'évacuer par la saignée, d'autant qu'elle n'épuise pas tant les forces du malade, et n'expose pas la réputation du médecin, mais elle ne laisse pas d'avoir ses inconvénients. — Car, en premier lieu, il y a beaucoup de personnes, et surtout des jeunes gens d'un tempérament chaud, qu'il est très-difficile de faire suer; et si on donne de forts sudorifiques à ces sortes de malades, et qu'on les couvre beaucoup, on risque de leur causer une phrénésie; ou, ce qui est encore plus fâcheux, au lieu des sueurs qu'on espérait, on verra paraître des taches pestilentielles.

193. Comme la peste attaque principalement les parties les plus spiritueuses du sang, il arrive de là que le mouvement des parties grossières de cette liqueur est ordinairement plus faible que dans les autres inflammations : mais ses parties plus fines recevant un surcroît d'agitation par la nouvelle chaleur que leur communiquent les sudorifiques, elles entrent comme en fureur, et faisant effort contre la partie fibreuse, la brisent et la divisent entièrement. C'est à cette dissolution des fibres du sang que je crois qu'on doit attribuer les taches de la peste, lesquelles, semblables à des vibices que laissent des coup violents sur une partie musculeuse, sont d'abord fort rouges, et peu de temps après deviennent noires ou livides.

194. En second lieu, si dans les corps qui suent aisément on arrête trop tôt la sueur, c'est-à-dire avant que toute la matière morbifique soit dissipée, les bubons, qui avaient commencé sur la fin de la sueur à sortir heureusement, prennent un mauvais train : car, comme une partie de la matière qui devait les grossir leur a été soustraite, ou ils rentrent facilement, ou du moins ils ne suppurent jamais parfaitement, ainsi qu'il arrive aussi dans la petite vérole, quand le malade a trop sué les premiers jours. Or, le mal étant rentré en dedans, il s'excite dans le sang une effervescence qui cause souvent des exanthèmes, de la manière que nous avons dit ci-dessus; et ces exanthèmes sont des signes d'une mort prochaine.

195. Mais pour mieux faire voir comment on peut obvier à ces inconvénients et à d'autres semblables, je vais rapporter fidèlement ce que j'ai fait et observé dans cette maladie depuis le commencement de la dernière peste.

196. Au commencement de mai de l'année 1665, je fus appelé auprès d'une dame de condition, âgée d'environ vingt et un ans, et d'un tempérament sanguin. Outre une fièvre ardente dont elle avait été prise peu de temps auparavant, elle était tourmentée de vomissements violents, et avait d'autres symptômes fébriles. Je commençai par la faire saigner. Le lendemain je prescrivis un vomitif, afin de prévenir la diarrhée, qui, comme nous avons dit au commencement de cette section, survient dans le déclin de la fièvre, parce qu'on a manqué au commencement de la maladie de donner un émétique, nonobstant qu'il y eût des envies de vomir (1). Le vomitif vida assez bien l'estomac. — Le lendemain matin, étant retourné voir la malade, je trouvai qu'elle avait le dévoiement; ce qui me parut extraordinaire et me donna beaucoup d'inquiétude. Je jugeai de là que la fièvre n'était pas d'un caractère ordinaire, ce qui fut confirmé par l'événement, et qu'ainsi il fallait la traiter d'une manière différente de celle que j'ai expliquée ci-dessus, et que j'avais toujours employée jusqu'alors avec succès. C'est pourquoi je crus devoir appeler avec moi un médecin plus ancien. Nous réitérâmes d'un avis commun la saignée, qui nous parut nécessaire à cause de l'âge et du tempérament de la malade, et de l'ébullition violente du sang. Nous fîmes donner les cordiaux médiocrement rafraîchissants et des lavements de deux en deux jours. Vers la fin de la maladie, comme il survint des symptômes extraordinaires, qu'on regarde ordinairement comme des signes d'une excessive malignité, nous ordonnâmes quelques puissants alexipharmaques.

(1) Voyez l'art. 47.

Mais tout fut inutile, et la malade mourut vers le quatorzième jour.

197. Le caractère extraordinaire de cette fièvre me tourmenta l'esprit durant quelques jours, et je ne savais qu'en penser. Enfin, me rappelant que, même après qu'on eut réitéré la saignée, la chaleur brûlante avait persévéré ; que la malade avait les joues rouges ; qu'un peu avant sa mort elle avait rendu quelques gouttes de sang par le nez ; que le sang qu'on lui avait tiré, étant refroidi dans les palettes, ressemblait à celui des pleurétiques ; qu'elle avait eu un peu de toux, et de légères douleurs de poitrine ; qu'on était alors vers la fin du printemps et au commencement de l'été, qui est un temps où il n'y a guère de fièvres continues, car alors elles cessent d'elles-mêmes, et deviennent intermittentes, ou tournent en pleurésie et en d'autres inflammations de ce genre; qu'enfin les pleurésies étaient alors très-épidémiques : toutes ces circonstances bien examinées, je fus d'avis que la fièvre dont il est question n'était que le symptôme d'une inflammation ou fluxion de poitrine, quoiqu'elle ne fût pas accompagnée des signes pathognomoniques de la pleurésie ou de la péripneumonie, et qu'il n'y eût ni douleur de côté, ni difficulté considérable de respirer. En un mot, je me persuadai que j'aurais dû traiter cette maladie entièrement de la même façon que j'avais souvent traité avec succès la pleurésie. Cette idée fut ensuite heureusement confirmée par l'expérience; car peu de temps après, ayant été appelé auprès d'un homme qui avait absolument la même maladie, je le traitai et le guéris par le remède qui convient dans la pleurésie, c'est-à-dire par des saignées réitérées. Vers la fin de mai et le commencement de juin de la même année, quantité de malades qui avaient la même fièvre, laquelle était déjà fort épidémique, eurent recours à moi, et je les guéris de même par des saignées. Ce fut alors que la peste commença à faire d'horribles ravages à Londres; et elle vint à un tel degré de violence, que dans cette seule ville elle enleva sept mille âmes en sept jours.

198. Je n'ose pas décider si on doit donner le nom de peste à la fièvre dont je parlais tout maintenant. Ce que je sais indubitablement, c'est que tous ceux de mon voisinage qui en ce temps-là et quelque temps après furent attaqués de la peste et de tous les symptômes qui lui sont particuliers eurent les mêmes accidents, soit au commencement, soit dans le cours de la maladie. — Au reste, voyant le danger qui me menaçait de près, je me déterminai enfin par le conseil de mes amis à fuir avec les autres, et je transportai ma famille à quelques lieues de Londres. Mais je revins dans cette ville avant mes voisins, et dans le temps où la contagion était encore assez violente, pour qu'on fût obligé d'avoir recours à moi, faute de meilleurs médecins. Peu de temps après, je vis un grand nombre de malades qui avaient la fièvre, et je fus extrêmement surpris de trouver que cette fièvre ressemblait à celle que j'avais traitée avec tant de succès avant mon départ. C'est pourquoi, fondé sur ma propre expérience, et la préférant à tous les préceptes qui ne sont appuyés que sur la théorie, je ne fis pas difficulté d'employer pareillement la saignée dans cette occasion.

199. Je continuai ainsi avec un succès merveilleux à traiter plusieurs malades par des saignées copieuses, en y joignant une tisane et une diète rafraîchissante ; mais il y en eut quelques-uns où je ne réussis pas, à cause de l'opiniâtreté des assistants, qui, se laissant aller aux préjugés vulgaires, ne me permirent pas de tirer la quantité nécessaire de sang. Les malades en furent la victime; car, en faisant tant que de les saigner, il eût fallu les saigner suffisamment, ou bien ne pas s'en mêler du tout. Me voyant donc ainsi traversé dans ma pratique, je crus qu'il serait avantageux de trouver un autre moyen que la saignée pour guérir cette maladie.

200. Mais avant que d'en parler, je rapporterai ici un exemple du mauvais succès que j'eus un fois, non pour avoir saigné, mais parce qu'on m'empêcha de saigner autant que je voulais, et par conséquent sans qu'il y eût de ma faute. — Ayant été appelé auprès d'un jeune homme d'un tempérament sanguin et robuste, qui, depuis deux jours, avait une fièvre violente, avec des douleurs de tête, des étourdissements, un vomissement énorme, et d'autres pareils symptômes, et ne trouvant aucun signe de tumeur, j'ordonnai qu'on lui fît sur-le-champ une saignée copieuse. Le sang, étant refroidi, se trouva couvert d'une couenne, comme celui qu'on tire aux pleurétiques. Je prescrivis aussi une tisane rafraîchissante, avec des bouillons et des juleps de même. Après midi, le malade fut saigné pour la seconde

fois, et on lui tira une pareille quantité de sang; ce qui fut encore réitéré de la même façon le grand matin du jour suivant. — Etant allé voir mon malade sur la fin de ce jour-là, je le trouvai beaucoup mieux. Mais ses amis ne voulaient pas absolument qu'on le saignât davantage. Je leur soutins au contraire que cela était nécessaire, ajoutant qu'il ne fallait plus qu'une saignée pour mettre le malade hors de danger; que si on ne le faisait pas, il eût mieux valu n'en point faire du tout, et s'y prendre par les sueurs; en un mot, que le malade mourrait très-sûrement si on ne le saignait pas. L'événement vérifia ma prédiction : car cette dispute ayant fait perdre l'occasion d'agir, il parut le lendemain des taches de pourpre, et le malade mourut au bout de quelques heures; d'autant que toute la masse du sang fut corrompue, et son tissu dissous par les restes de la matière peccante qui y séjournèrent, et qui auraient dû être évacués entièrement, puisque la saignée si souvent réitérée avait empêché la formation de l'abcès.

201. Comme je rencontrais fréquemment de pareils obstacles, et que cela me chagrinait, je me mis à examiner avec la plus sérieuse attention, si je ne pourrais pas découvrir, pour traiter cette maladie, une méthode qui fût aussi efficace que la saignée, et qui, cependant, révoltât moins les esprits. Après beaucoup de recherches et de méditations, je découvris enfin la méthode suivante, dont je me suis toujours bien trouvé, et qui m'a parfaitement réussi.

202. D'abord, si la tumeur ne paraissait pas encore, je faisais faire une saignée médiocre, et proportionnée aux forces et au tempérament du malade; ensuite de quoi la sueur venait aisément; au lieu que sans cela il était extrêmement difficile de l'exciter, et qu'on risquait même par là d'augmenter l'ardeur de la fièvre, et par conséquent de produire des taches de pourpre. Le dommage que la saignée, quelque petite qu'elle fût, aurait causé en d'autres occasions, se trouvait abondamment compensé par la sueur avantageuse qui suivait immédiatement. — Après la saignée, que je faisais faire dans le lit, lorsque toutes choses étaient déjà prêtes pour provoquer la sueur, j'ordonnais aussitôt qu'on couvrît bien le malade, et qu'on lui mît autour de la tête une bande de flanelle. Cette bande de flanelle aide plus à la sueur qu'on ne se l'imaginerait d'abord; ensuite, s'il n'y avait pas de vomissement, je donnais les sudorifiques que voici, ou d'autres semblables.

Prenez thériaque d'Andromaque, demi-gros; électuaire d'œuf, un scrupule; poudre de pattes d'écrevisses composée, douze grains; cochenille, huit grains; safran, quatre grains; suc de kermès, quantité suffisante. Faites un bol, que le malade prendra de six en six heures, buvant par-dessus six cuillerées du julep suivant.

Prenez eaux de chardon bénit et de scordium composées, de chacun trois onces; eau thériacale distillée, deux onces; sirop d'œillets, une once. Mêlez tout cela pour un julep.

203. Lorsque le vomissement empêchait l'usage des sudorifiques, comme il arrive très-souvent dans la peste et dans les fièvres pestilentielles, j'attendais pour les donner que le malade commençât à suer par le seul poids des couvertures, et en lui mettant de temps en temps un bout de drap sur le visage, pour retenir les vapeurs de la respiration. Car, comme le cours de ventre et le vomissement viennent de ce que les particules de la matière morbifique sont repoussées en dedans, et se déposent sur l'estomac et les instestins, ces deux accidents ne manquent pas de cesser d'eux-mêmes, dès que les particules de cette matière se portent vers la superficie du corps; et c'est une chose qui mérite infiniment d'être remarquée. Ainsi, quelque violent qu'ait été le vomissement avant que le malade ait commencé à suer, les remèdes que l'on donnera ensuite ne seront plus revomis, et ils contribueront à augmenter les sueurs.

204. Je me souviens, qu'ayant été une fois appelé par un apothicaire pour voir son frère, qui était fort mal d'une fièvre pestilentielle, et ayant proposé de donner au malade un sudorifique, l'apothicaire me répondit qu'il lui en avait déjà donné plusieurs, et des plus forts, mais inutilement, parce qu'il les avait tous revomis. Là-dessus, je dis à l'apothicaire d'apporter le plus disgracieux et le plus dégoûtant de tous ceux qu'il avait donnés à son frère, et que je ferais aisément en sorte qu'il ne le revomît pas. La chose arriva comme j'avais promis; car le malade ayant commencé à suer, sans autre secours que le poids des couvertures, il prit un gros bol de thériaque de Venise, et le garda. Ce remède lui procura une

sueur copieuse qui le tira d'affaire.

205. Quand la sueur avait une fois commencé, je l'entretenais en faisant avaler de temps en temps au malade un verre de petit-lait altéré par la sauge, ou de bière dans laquelle on avait fait bouillir un peu de macis; et je continuais à entretenir la sueur durant 24 heures, défendant d'essuyer en aucune façon le malade pendant ce temps-là : je ne lui permettais pas même de changer de chemise, quelque sale et trempée qu'elle fût, que 24 heures après que la sueur était finie : et c'est à quoi il faut avoir grande attention; car si la sueur cesse plutôt, les symptômes recommencent aussitôt avec violence; et la vie du malade, qu'une plus longue sueur aurait mise en sûreté, reste par-là en très-grand danger.

206. Aussi ne puis-je assez m'étonner de la conduite de Diemerbroek et de quelques autres médecins qui, sur un prétexte aussi léger que celui de ménager les forces du malade, interrompent la sueur : car quiconque est tant soit peu versé dans le traitement de la peste doit nécessairement avoir observé que lorsque le malade est trempé de sueur, il a plus de forces qu'auparavant. Je ne craindrai pas de rapporter ouvertement, et de soutenir ce que l'usage et l'expérience m'ont appris sur cette matiere. — Plusieurs malades que j'ai fait suer pendant l'espace de 24 heures, bien loin de se plaindre que cela les eût affaiblis, assuraient au contraire qu'ils étaient plus forts à proportion qu'ils suaient davantage. J'ai souvent vu avec étonnement, que quelques heures après la première sueur, qui était l'effet des remèdes, il en venait une autre plus naturelle, plus abondante, qui soulageait beaucoup plus, et qui semblait être véritablement critique, et emporter jusqu'à la racine de la maladie.—Au reste, je ne vois pas qu'il y ait aucun inconvénient de donner au malade dans le fort de la sueur, des bouillons propres à le fortifier. Ainsi, on a tort d'objecter qu'il n'est pas en état de supporter de longues sueurs. Que si l'on a lieu de craindre qu'il ne tombe en défaillance vers la fin de la sueur, je permets de lui donner un peu de bouillon de poulet, un œuf, ou quelque autre chose semblable. Tout cela, joint aux cordiaux et aux boissons que j'emploie pour entretenir la sueur, empêchera suffisamment que les forces ne s'épuisent. Mais il n'est pas besoin d'apporter un plus grand nombre de raisons en faveur d'une pratique dont l'utilité est manifeste; et ce qui le prouve démonstrativement, c'est ce qui arrive tandis que le malade est baigné de sueur; car alors il croit se bien porter, et les assistants jugent de même qu'il est hors de danger. Mais dès que le corps commence à se dessécher, et que la sueur est interrompue, tout va plus mal, et la maladie devient pire que jamais.

207. Durant vingt-quatre heures, depuis que la sueur est finie, il faut éviter soigneusement le froid, et laisser la chemise se sécher d'elle-même sur le corps; il faut que tout ce que l'on boit soit un peu chaud, et continuer encore alors l'usage du petit-lait altéré par la sauge. Le lendemain, je donne une médecine ordinaire, savoir, une infusion de tamarin de feuilles de séné et de rhubarbe, où l'on ajoute la manne, et le sirop de roses solutif (1). Ce fut par une telle méthode, que l'année qui suivit la peste, je guéris un grand nombre de gens qui avaient la fièvre pestilentielle; en sorte qu'il ne me mourut pas une seule personne de cette maladie, depuis que j'eus commencé à suivre cette méthode (2).

---

(1) Voyez l'art. 75.

(2) Les indications curatives dans la peste, dit le célèbre Hoffmann, sont, 1° d'aider la nature à évacuer le virus par les émonctoires propres, et surtout par ces tumeurs critiques qui sont le moyen ordinaire pour cela; 2° de soutenir les forces, et d'obvier aux symptômes urgents. Il conseille de ménager les remèdes, et observe que le moins qu'on en donne est le meilleur. Il avertit judicieusement d'éviter les remèdes chauds ou alexipharmaques, comme on les nomme d'ordinaire, parce qu'ils augmentent la chaleur et l'anxiété, aident la dissolution des fluides, font rentrer dans le sang le virus pestilentiel, et le poussent sur les parties nerveuses. De ce genre sont tous les esprits volatils urineux et huileux, et les sels volatils. Les mixtures avec des acides sont ici très-utiles et très-sûres. Les narcotiques sont généralement nuisibles; mais les cordiaux modérés sont utiles. Il faut donner un émétique dès qu'il y a des maux de cœur, après quoi un sudorifique donné tout de suite a quelquefois guéri la maladie dès le commencement. Le nitre est excellent dans les corps replets, dans les tempéraments bilieux et sanguins; et lorsque la chaleur est considérable, la fièvre violente est accompagnée de soif et de mal de tête.

208. Mais quand la tumeur a une fois paru, je n'ai jamais osé tirer de sang, même dans les sujets les moins disposés à suer, appréhendant que la nature morbifique, venant tout à coup à rentrer dans les vaisseaux désemplis, ne causât la mort sur-le-champ. Néanmoins, on pourrait peut-être saigner sans beaucoup de danger pourvu qu'on fît suer incontinent après la saignée, et que la sueur fût continuée aussi long-temps que nous avons dit ci-dessus, afin qu'elle pût dissiper insensiblement toute la tumeur. Cette méthode serait bien moins dangereuse que d'attendre trop long-temps la parfaite maturation de l'abcès, laquelle, dans une maladie aussi rapide que la peste, est extrêmement douteuse et incertaine.

209. Enfin, pour finir cette matière, si le lecteur trouve que je me sois trompé en quelque chose par rapport à la théorie, je le prie de m'excuser : mais pour ce qui est de la pratique, je déclare que je n'ai rien dit que de vrai, ni rien proposé qui ne me soit parfaitement connu. Aussi, quand le dernier jour de ma vie sera arrivé, ma conscience me rendra témoignage, non-seulement que j'ai travaillé avec toute la diligence et la bonne foi possible à la guérison de tous les malades, de quelque état et condition qu'ils fussent, qui se sont confiés à mes soins, n'y en ayant aucun que je n'aie traité comme je voudrais qu'on me traitât moi-même, si j'avais les mêmes maladies ; mais encore que j'ai employé toute l'application d'esprit dont j'ai été capable, afin de pouvoir laisser après ma mort une méthode plus sûre de guérir les maladies: car je crois que la moindre nouvelle découverte dans cet art, quand elle n'apprendrait autre chose qu'à guérir le mal de dent, ou les cors des pieds, est infini-

---

Il est toujours plus sûr de mêler le nitre avec le camphre, car le nitre corrige la qualité vaporeuse du camphre, et celui-ci corrige à son tour la froideur du nitre, et l'on a un remède qui est en même temps alexipharmaque et antiphlogistique. Les laxatifs sont très-nuisibles au commencement de la maladie, mais excellents dans le déclin. Les extrémités du chaud et du froid doivent être également évitées pendant le traitement.—Si les bubons sont lents à paraître, il faut les exciter par les topiques attractifs, par les ventouses, et même les vésicatoires. Quand ils paraissent, il faut aider la suppuration par des cataplasmes digestifs faits avec les figues, les ognons de lys, les ognons mis sous la cendre, la farine de graine de lin, le miel et le safran; ou par des emplâtres maturatifs, comme le diachylum avec les gommes, l'emplâtre de méliot, ou de mucilage. Lorsque la suppuration est formée, il faut ouvrir les bubons, et ensuite les panser avec le baume d'Arcæus, mêlé quelquefois avec le basilicum, donnant le temps à la matière de s'écouler, et ne se hâtant pas trop de cicatriser. —On traitera les charbons en frottant leurs bords avec un liniment digestif, et les couvrant ensuite d'un cataplasme fait avec l'ail rôti, la fiente de pigeons, la thériaque de Venise et l'huile de térébenthine; et quand l'eschare sera tombée, on frottera l'endroit avec l'onguent égyptiac, ou autres semblables: mais s'il y a une corruption gangréneuse, et qu'elle se répande, il faut scarifier la partie affectée, et y appliquer une liqueur capable d'arrêter l'inflammation et la corruption, telle que la suivante, dont j'ai souvent éprouvé les bons effets.

Prenez esprit de vin rectifié, quatre onces; camphre, deux gros; safran et nitre artificiel, de chacun un gros; mettez infuser ces drogues ensemble.

Le nitre artificiel est fait avec l'esprit de sel ammoniac et l'esprit de nitre, et se dissout parfaitement dans l'esprit de vin. — Si ces remèdes sont inutiles, il faut avoir recours au cautère actuel, et ensuite adoucir l'eschare en la frottant avec du beurre frais. — Les meilleurs moyens de se garantir de la peste sont, 1° d'abandonner les lieux infectés; 2° d'éviter tout ce qui affaiblit le corps, arrête la transpiration, et engendre des crudités dans les premières voies, comme le travail excessif, la trop grande application d'esprit, les longues veilles, le bain chaud, les trop grandes évacuations, le trop de nourriture, etc.; 3° si le corps est plein de mauvaises humeurs, d'en corriger le vice par le moyen de balsamiques tempérés, mêlés avec les acides, pris à une dose modérée, et non pas trop souvent; 4° de boire des liqueurs généreuses dans les temps convenables, et avec modération, particulièrement du vin du Rhin, qui, à raison de sa légère acidité, est estimé excellent contre la putréfaction; 5° enfin d'éviter les passions violentes, tâchant de conserver une constante fermeté d'âme, et éloignant de soi toute crainte et tout abattement de cœur.

ment plus estimable que toutes les spéculations subtiles et les hypothèses, qui ne servent peut-être pas davantage au médecin pour la guérison des maladies, qu'il servirait à un architecte d'être habile musicien pour construire des édifices.

210. Je joindrai ici une remarque, afin de faire entendre ma pensée, et d'empêcher qu'on ne la prenne dans un mauvais sens. On a vu qu'en parlant de la peste je me sers souvent du mot *nature*, et que j'attribue à cette nature divers effets, ni plus ni moins que si c'était une substance particulière, mais répandue par tout l'univers, et qui gouvernât tous les corps avec jugement et avec intelligence, comme quelques philosophes semblent l'avoir entendu quand ils parlent de l'*âme du monde*. — Pour moi, qui n'affecte la nouveauté, ni dans les choses, ni dans les paroles, je me suis servi du mot ancien, mais dans un bon sens, ce me semble, et dans le même sens que l'entendent et que l'emploient tous les gens sages : car, par la *nature*, j'entends toujours l'assemblage des causes naturelles qui, quoique brutes et entièrement destituées d'intelligence, sont néanmoins conduites avec une extrême sagesse dans leurs opérations et leurs effets, d'autant que le souverain être dont la puissance les a produites, et de la volonté duquel elles dépendent, les a tellement disposées par sa sagesse infinie, qu'elles suivent dans les opérations qui leur sont propres, un ordre fixe et une méthode constante ; et quoiqu'elles ne fassent rien au hasard, et qu'elles agissent toujours de la manière la plus avantageuse au bien commun de l'univers, et la plus convenable à leurs natures particulières, elles ne laissent pas d'être de purs automates, qui ne se meuvent point d'eux-mêmes, mais seulement par la volonté du Créateur (1).

(1) Le terme de *nature* n'étant pas expliqué par notre auteur d'une manière entièrement conforme au sens dans lequel il se prend d'ordinaire en médecine, nous joindrons ici une définition de ce terme plus claire et plus complète, tirée du même Hoffmann. « Nous n'entendons autre chose par *nature*, dit-il, » que le mouvement progressif et circulaire du sang et des autres liqueurs, » dépendant de la contraction et dilatation réciproque du cœur, des vaisseaux, » et des autres solides qui contiennent » les fluides, par lequel mouvement des » solides et des fluides il se fait une sécrétion continuelle des parties utiles ou » nutritives, qui doivent être retenues » pour le service du corps, et une excrétion des parties inutiles et excrémentitielles qui doivent être évacuées » par les émonctoires et couloires convenables. » — Dans un autre endroit, Hoffmann explique d'une manière plus concise le sens dans lequel il prend le terme de *nature*. « La nature, dit-il, est un » terme dont nous nous servons pour signifier la structure et le mécanisme du » corps, agissant avec certaines puissances, et selon certaines lois nécessaires » et mécaniques établies par le Créateur. » — Hippocrate appelle en peu de mots la nature « l'assemblage de toutes les choses qui concourent à une » santé parfaite », et fait entendre qu'elle doit être le fondement de tout raisonnement en médecine.

SECTION III.

CHAP. Ier. — CONSTITUTION ÉPIDÉMIQUE DES ANNÉES 1667, 1668, ET EN PARTIE DE 1669, A LONDRES.

211. L'an 1667, aux approches de l'équinoxe du printemps, les petites véroles qui, durant la constitution pestilentielle des deux années précédentes, n'avaient point paru du tout, ou n'avaient paru que très-rarement, commencèrent à se faire sentir; et augmentant de jour en jour, elles furent très-épidémiques en automne. Depuis ce temps-là, elles diminuèrent peu à peu, et à l'entrée de l'hiver elles étaient rares. Mais le printemps suivant elles se renouvelèrent avec violence, et persistèrent dans cet état jusqu'à l'hiver, qui les affaiblit comme l'année d'auparavant. Enfin, elles se renouvelèrent pour la troisième fois au commencement du printemps suivant, mais elles furent moins violentes et moins fréquentes qu'elles n'avaient été les deux années précédentes; et au mois d'août de 1669, elles cessèrent entièrement pour faire place à une dysenterie épidémique. — Sur la fin des deux années pendant lesquelles cette constitution régna il y eut à Londres un plus grand nombre de petites véroles que je ne me souviens d'en avoir jamais vu, ni avant, ni depuis ce temps-là; mais comme elles n'avaient rien d'extraordinaire, elles enlevèrent peu de gens, eu égard au grand nombre de ceux qui en furent attaqués.

212. Lorsque les petites véroles commencèrent, il parut une nouvelle sorte de fièvre, peu différente des petites véroles d'alors, si on excepte l'éruption des pustules et tout ce qui en dépend. Nous traiterons de cette fièvre en particulier dans la suite; elle attaqua beaucoup moins de gens que ne firent les petites véroles; mais elle dura aussi long-temps. Elle prit de nouvelles forces en hiver, dans le temps que les petites véroles diminuaient; et lorsque celles-ci se renouvelèrent au printemps, elle leur céda la place; en sorte qu'elles furent les principales maladies épidémiques de cette constitution. Mais la fièvre dont il s'agit ne cessa jamais entièrement pendant ce temps-là; et ce ne fut qu'au mois d'août de 1669 quelle disparut tout-à-fait avec la petite vérole.

213. Ces deux maladies épidémiques furent accompagnées d'une troisième, savoir, d'une diarrhée, surtout pendant le dernier été que dura cette constitution, et lorsqu'elle était déjà disposée à produire la dysenterie qui vint ensuite. Quoi qu'il en soit, il est du moins constant que cette diarrhée avait tant de rapport avec la fièvre qui régnait alors, quelle ne semblait autre chose que la fièvre même qui s'était jetée en dedans, et qui exerçait son action sur les intestins.

214. Je traiterai en particulier de ces trois maladies, qui étaient les seules véritablement épidémiques de cette constitution, et je commencerai par les petites véroles, sur lesquelles je m'étendrai davantage, parce que celles qui régnèrent pendant ces années-là me parurent les plus naturelles et les plus régulières qu'on puisse voir, d'autant qu'elles offraient les mêmes phénomènes et produisaient les mêmes symptômes dans tous ceux qui en étaient attaqués; et qu'ainsi, on doit se régler sur elles, comme sur les plus parfaites en leur genre, pour connaître la véritable histoire de la petite vérole, et la véritable manière de traiter cette maladie.

215. Car il faut remarquer que chaque constitution particulière cause non-seulement une fièvre qui lui est propre, mais encore un genre particulier de petites véroles, qui sont d'un même genre pendant les années de cette constitution, et d'un autre genre les années suivantes, quelque ressemblance qu'elles paraissent avoir, à raison de certains phénomènes qui sont communs à toutes les petites

véroles. Tel est le jeu de la nature dans la production des maladies épidémiques.

216. Je vais donc écrire, avant toutes choses, l'histoire des petites véroles des années dont il s'agit maintenant; et je les nommerai *régulières*, afin de les distinguer des petites véroles *irrégulières* qui régnèrent les années suivantes : ensuite j'ajouterai la méthode qui m'a le mieux réussi en les traitant.

CHAP. II. — PETITES VÉROLES RÉGULIÈRES DES ANNÉES 1667, 1668, ET D'UNE PARTIE DE 1669.

217. Lorsque les petites véroles sont épidémiques et en même temps régulières et bénignes, comme celles dont nous parlons, elles commencent vers l'équinoxe du printemps; lorsqu'elles sont non-seulement épidémiques, mais encore irrégulières et dangereuses, elles commencent quelquefois plus tôt, savoir, dès le mois de janvier (1); elles attaquent des familles entières, sans épargner personne, de quelqu'âge qu'il soit, à moins qu'on ait déjà eu cette maladie. Ceux mêmes qui ont eu des petites véroles bâtardes, lesquelles sont d'une nature bien différentes des autres (2), ne sont pas exempts de celles-ci.—Les petites véroles, soit régulières, soit irrégulières, sont de deux espèces ; savoir, *discrètes*, ou *confluentes :* et quoique ces deux espèces ne diffèrent pas essentiellement, on les distingue néanmoins sans peine l'une de l'autre par certains symptômes considérables qui accompagnent l'une, et non pas l'autre.

218. Les petites véroles *discrètes* commencent par un froid et un frisson, qui est suivi d'une grande chaleur, d'une douleur considérable à la tête et au dos, d'envies de vomir, d'une grande disposition à suer (ce qu'il faut entendre des adultes, car je n'ai jamais observé cette disposition dans les enfants, ni avant ni après l'éruption des pustules), d'une douleur vers la fossette du cœur quand on la presse ; d'un assoupissement, surtout chez les enfants, et quelquefois même d'accès épileptiques. Si les enfants qui sont attaqués de ces accès ont déjà toutes leurs dents, je soupçonne toujours que la petite vérole va paraître ; et en effet, elle paraît ordinairement quelques heures après, ce qui justifie mon pronostic. Par exemple, si l'enfant a un accès épileptique sur le soir, comme il est ordinaire, la petite vérole paraîtra le lendemain matin ; et j'ai très-souvent observé que les petites véroles qui arrivent aux enfants immédiatement après des accès épileptiques produisent de grosses pustules, sont bénignes, d'un bon caractère, et rarement confluentes. — Voilà à peu près les symptômes qui accompagnent la petite vérole dans son commencement, et qui, le plus souvent, précèdent l'éruption des pustules. Néanmoins, il arrive quelquefois dans les sujets dont le sang est d'un tissu fort lâche et fort susceptible d'altération que la séparation de la matière morbifique se fait insensiblement et par degrés, sans aucune incommodité considérable, jusqu'à l'éruption des pustules, qui n'est autre chose que l'expulsion de cette matière.

219. L'éruption des petites véroles discrètes se fait ordinairement le quatrième jour de la maladie, en comprenant dans ce nombre le premier jour ; quelquefois elle se fait un peu plus tôt, fort rarement plus tard. Alors, les symptômes diminuent extrêmement, ce qui est le plus ordinaire, ou même ils disparaisent tout-à-fait, et le malade est assez bien, si ce n'est que les adultes ont des sueurs, dont on ne saurait presque les garantir, quelque légèrement qu'on les couvre. Cette

---

(1) Boerhaave observe que si la petite vérole vient à se faire sentir dans un lieu où il n'y en ait pas eu depuis six ans, soit qu'elle commence vers la fin de janvier ou dans le mois de février, il régnera l'été suivant des petites véroles épidémiques très-dangereuses, mais que la maladie est facile à guérir dans le commencement; c'est pourquoi il faut avoir beaucoup d'attention à sa nature et au traitement qu'elle demande, etc., en sorte que l'été, quand elle sera extrêmement dangereuse, on soit prêt à lui opposer les remèdes les plus convenables, quoiqu'alors elle soit ordinairement mortelle; mais si la petite vérole ne paraît qu'au mois de mai, elle sera bénigne, et d'une bonne espèce. Voy. *Prax. med.*, vol. 5, p. 299.

(2) De mille personnes qui ont eu la petite vérole, à peine une seule l'a-t-elle une seconde fois, à moins qu'elle ne soit d'une espèce différente. Ainsi, une personne qui a eu une petite vérole discrète, peut en avoir une confluente; mais si elle en a eu une confluente, elle ne sera jamais plus attaquée de cette maladie. *Le même.*

disposition à suer ne cesse que quand les pustules parviennent à maturité, et alors elle cesse d'elle-même. — Voici la manière dont se fait l'éruption. On aperçoit d'abord au visage des pustules rougeâtres très-petites, puis au cou, à la poitrine, et enfin sur toutes les parties du corps. Les malades ont une douleur de gorge, et cette douleur augmente à mesure que les pustules croissent. Quand elles ont acquis une certaine grosseur, elles enflamment la peau et la chair voisine.

220. Environ le huitième jour depuis le commencement de la maladie (car c'est ainsi que je compte toujours), les intervalles qui auparavant étaient blanchâtres, commencent à devenir rouges, et à se tuméfier à proportion du nombre des pustules dont ils sont environnés : ils causent une douleur tensive et lancinante qui augmente toujours, et par conséquent ils s'enflamment. Les paupières sont quelquefois si chargées de pustules et si grossies, que le malade ne peut plus voir; et alors elles ressemblent assez bien à une vessie gonflée et transparente qu'on leur aurait mis dessus. Les malades perdent quelquefois la vue plus tôt; savoir, lorsqu'il sort une grande quantité de pustules dès la première éruption. Aussitôt après l'enflure du visage, vient celles des main, et même des doigts quand les pustules sont en grand nombre. — Jusqu'alors, c'est-à-dire jusqu'au huitième jour, les pustules du visage sont rouges et polies; mais ensuite elles deviennent blanchâtres et rudes, ce qui est le premier signe que la suppuration commence, et elles rendent une liqueur jaune de couleur de miel. Comme l'inflammation du visage et des mains est alors à son plus haut degré, les intervalles des pustules sont d'un rouge vif et fleuri; et plus les petites véroles sont bénignes et naturelles, plus aussi les pustules et la peau qui est dans leurs intervalles approchent de cette couleur. A mesure que les pustules du visage mûrissent, elles deviennent chaque jour plus rudes et plus jaunes. Au contraire, celles des mains et du reste du corps deviennent chaque jour moins rudes et plus blanches.

221. Le onzième jour l'enflure et l'inflammation du visage diminuent visiblement; et les pustules, tant du visage que du reste du corps, ayant alors acquis la maturité et la grosseur convenable (qui, dans les années dont nous parlons, égalait celle d'un poids médiocre), elles commencent à se dessécher et à tomber, et pour l'ordinaire elles disparaissent entièrement le quatorzième jour. Néanmoins, les pustules des mains sont ordinairement plus opiniâtres que celles des autres parties, et durent un ou deux jours davantage. Les pustules du visage et du reste du corps s'en vont par écailles, et celles des mains se crèvent. Les pustules du visage sont suivies d'écailles farineuses, qui laissent quelquefois des creux dans la peau. Ces creux ne s'aperçoivent point encore lorsque les pustules commencent à tomber; ils ne se font que lorsque les écailles se forment et se détachent successivement, et souvent ils persistent bien du temps après la maladie. Il est cependant très-rare que ceux qui ont eu une petite vérole discrète, en soient marqués, à moins qu'ils ne l'ayent eue dans les six derniers mois de l'année; car alors elles laissent des marques, au lieu que la petite vérole confluente en laisse toujours, comme nous le dirons ensuite. Durant toute la maladie, le malade ne va point à la selle, ou n'y va que très-rarement. Voilà ce que nous avons à dire sur les petites véroles discrètes.

222. Les symptômes des petites véroles *confluentes* sont les mêmes que ceux des discrètes, si ce n'est qu'ils sont plus violents. La fièvre, l'inquiétude, l'agitation, les envies de vomir, etc., sont plus grandes; et c'est par ces signes qu'un médecin habile reconnaît, même avant l'éruption, qu'une petite vérole sera confluente. Cependant le malade ne sue pas si facilement que dans les discrètes, où cette grande disposition à suer marque par avance ce qu'elles doivent être. De plus, la diarrhée précède quelquefois l'éruption, et dure un ou deux jours; ce que je n'ai pas encore vu dans les petites véroles discrètes.

223. L'éruption des confluentes se fait ordinairement le troisième jour, quelquefois avant, presque jamais après; au lieu que celle des discrètes arrive, ou le quatrième jour, en comptant dès le premier commencement de la maladie, ou ensuite, et très-rarement plus tôt. Plus l'éruption des confluentes précède le quatrième jour, plus aussi elle est abondante (1). Or,

(1) La plupart des praticiens remarquent que plus la petite vérole sort lentement, plus elle est bénigne, et mieux elle suppure; celle qui paraît dès le pre-

quoique ordinairement elle n'attende presque jamais le quatrième jour, il arrive néanmoins quelquefois, mais fort rarement, qu'à raison de quelque symptôme cruel, elle ne se fait que le quatrième ou même le cinquième jour; par exemple, lorsque auparavant le malade est tourmenté d'une douleur aiguë, tantôt aux lombes, comme dans la colique néphrétique, tantôt au côté, comme dans la pleurésie, tantôt dans les membres, comme dans le rhumatisme, tantôt enfin dans l'estomac avec de grands maux de cœur et un grand vomissement. Ces cruels symptômes sont rares, mais ils retardent par leur violence l'éruption des pustules; et comme ils paraissent des premiers, ils me font connaître assez clairement que la petite vérole qui doit les suivre sera confluente et dangereuse.

224. Nous avons dit que dans les petites véroles discrètes, les symptômes qui se font sentir dès le commencement de la maladie, cessent aussitôt après l'éruption. Mais dans les petites véroles confluentes les choses sont bien différentes; car la fièvre et les autres symptômes subsistent plusieurs jours après l'éruption.

225. Lorsque les petites véroles confluentes sortent, elles ressemblent quelquefois à l'érysipèle, et d'autres fois à la rougeole; et il n'y a qu'un médecin fort expérimenté qui puisse les en distinguer, du moins quant à leur apparence extérieure: car autrement la distinction est aisée, si l'on fait une attention sérieuse au temps de leur éruption, qui n'est pas la même, et autres circonstances qui sont bien différentes de ce qui arrive dans l'érysipèle et dans la rougeole. — Dans les progrès de la maladie, les pustules ne s'élèvent pas d'une manière sensible comme dans les petites véroles discrètes qui occupent principalement le visage; mais étant pressées les unes contre les autres, elles ressemblent d'abord à une vésicule rouge qui couvre tout le visage, et elles le tuméfient encore plus tôt que ne fait la petite vérole discrète; ensuite elles sont comme une pellicule blanche étendue sur la surface de la peau, et peu élevée au-dessus.

226. Après le huitième jour, la pellicule blanche devient de jour en jour plus rude, et prend une couleur plus brune, et non pas jaune, comme dans les petites véroles discrètes; enfin elle tombe par de grandes écailles; ce qui n'arrive en certains endroits du visage, qu'après le vingtième jour, lorsque la maladie a été violente. Plus la petite vérole est confluente, plus aussi les pustules deviennent brunes en mûrissant, et plus lentement elles s'en vont. Au contraire, moins la petite vérole est confluente, plus aussi les pustules jaunissent, et plus vite elles disparaissent. — Cette pellicule ou galle étant tombée ne laisse aucune inégalité sur le visage; mais elle est bientôt suivie d'écailles farineuses très-corrosives, qui non-seulement creusent beaucoup plus que la petite vérole discrète, mais défigurent encore le visage par de vilaines cicatrices. Quelquefois même, lorsque la maladie a été très-violente, l'épiderme des épaules et du dos s'en va, et laisse ainsi ces parties à découvert.

227. On juge de la grandeur de la maladie par la quantité des pustules du visage, et non par la quantité de celles qui occupent le reste du corps. Si le visage en est entièrement couvert quoiqu'elles soient en très-petit nombre et discrètes dans les autres parties, le danger est aussi grand que si tout le corps en était couvert comme le visage (1). Au contraire le danger est beaucoup moindre s'il y en a peu sur le visage, quelque quantité qu'il y en ait sur le tronc et sur les extrémités. Ce que nous disons du nombre des pustules peut se dire pareillement du caractère de la maladie. On voit clairement à l'inspection du visage si elle est maligne ou bénigne.

228. J'ai toujours observé dans les petites véroles confluentes, que les pustules des mains et des pieds étaient plus grosses que celles du reste du corps, et qu'en général les pustules devenaient toujours plus petites depuis le bout des extrémités jusqu'au tronc. Voilà ce que j'avais à dire sur les pustules.

mier jour de la maladie, est estimée la plus mauvaise; celle qui paraît le second, moins mauvaise, celle qui paraît le troisième, encore plus douce; et celle qui paraît le quatrième, la plus bénigne de toutes. Boerhaave, *Prax. med.*, vol. 5, p. 302.

(1) Boerhaave observe que le danger est toujours proportionné à la quantité des pustules qui occupent la tête; et il conseille de baigner les pieds avant l'éruption, afin d'attirer un plus grand nombre de pustules aux extrémités. *Prax. med.*, vol. 5, p. 316.

229. Mais il y a dans les petites véroles confluentes deux autres symptômes non moins importants que les pustules, ou l'enflure, ou aucun autre des symptômes dont nous avons parlé plus haut; je veux dire la salivation dans les adultes, et la diarrhée dans les enfants. La salivation est si ordinaire aux adultes, que, de tous ceux que j'ai vus attaqués de petites véroles confluentes, je n'en ai trouvé qu'un seul qui ne l'ait pas eue. Mais la diarrhée n'est pas si ordinaire aux enfants dans cette maladie. De savoir si la nature produit à dessein de telles évacuations, parce que dans les petites véroles confluentes les pustules étant petites et peu élevées, la matière morbifique ne saurait être entièrement expulsée, comme dans les petites véroles discrètes où les pustules sont grosses et plus élevées; c'est ce que je ne décide point, d'autant que j'écris simplement une histoire, et que je ne résous pas des problèmes. Ce que je sais certainement, c'est que les deux symptômes dont il s'agit accompagnent le plus souvent les petites véroles confluentes; et qu'outre cela l'évacuation qu'ils causent est d'une aussi grande nécessité que les pustules, ou l'enflure du visage et des mains.

230. La salivation vient quelquefois dès que l'éruption commence, et quelquefois un jour ou deux après. On rend d'abord une matière claire qui, durant quelque temps, sort avec facilité et une grande abondance. Cette salivation ne diffère pas beaucoup de celle que produit le mercure, excepté qu'elle n'a pas une si mauvaise odeur. Vers le onzième jour, la salive s'étant épaissie, le malade crache avec beaucoup de peine, il est altéré, il tousse de temps en temps en buvant, et la boisson revient par le nez. La salivation cesse le plus souvent dès ce jour-là. Quelquefois aussi, après avoir cessé entièrement pendant un jour ou deux, elle recommence ensuite; mais cela est rare. Le même jour, c'est-à-dire le onzième, le gonflement du visage diminue en même temps que la salivation; au lieu de quoi les mains se tuméfient, ou doivent se tuméfier.

231. La diarrhée ne survient pas sitôt aux enfants, que la salivation aux adultes: mais en quelque temps qu'elle survienne, elle dure pendant toute la maladie, à moins qu'on ne l'arrête par des remèdes.

232. Dans les petites véroles discrètes et dans les confluentes, la fièvre est violente depuis le commencement de la maladie jusqu'à l'éruption; ensuite elle est moindre, jusqu'au temps de la suppuration et de la maturation des pustules; après quoi elle cesse entièrement.

233. J'ai toujours observé que quand la maladie était violente, il y avait une espèce de redoublement le soir, et que les symptômes étaient aussi plus terribles en ce temps-là.

234. Voilà une histoire exacte des petites véroles régulières, avec leurs phénomènes véritables et naturels. Je vais parler maintenant des symptômes étrangers ou irréguliers qui leur arrivent, lorsqu'elles ne sont pas traitées comme il le faut.

235. Ces symptômes irréguliers qui surviennent le huitième jour dans les petites véroles discrètes, et le onzième dans les confluentes (en comptant toujours dès le premier commencement de la maladie), sont de la dernière importance, et méritent par conséquent une attention singulière; car il est certain que la plupart des malades qui meurent de l'une ou de l'autre de ces petites véroles, meurent le huitième ou le onzième jour.

236. Ceux qui ont une petite vérole discrète, voyant qu'ils suent facilement, comme nous avons dit que cela arrivait aux adultes, et se promettant une heureuse guérison, parce qu'ils espèrent de pouvoir ainsi évacuer le virus morbifique par les pores de la peau, insistent soigneusement sur les sueurs, tant par des cordiaux pris intérieurement, que par un régime chaud; et ils le font d'autant plus volontiers, que dans le commencement ils se trouvent bien de cette méthode, et qu'elle s'accorde mieux avec l'opinion mal fondée des assistants. Mais enfin la sueur ayant dissipé la matière qui devait servir à faire élever les pustules et gonfler le visage, il arrive au contraire que cette partie, qui aurait dû le huitième jour être tuméfiée, se trouve flasque, et que les intervalles de ses pustules, au lieu d'être enflammés et rouges, se trouvent blancs, nonobstant que les pustules soient rouges et élevées, même après la mort du malade. La sueur, qui jusqu'alors venait très-facilement, se supprime tout à coup d'elle-même, sans que les plus puissants cordiaux puissent la rappeler. Cependant la frénésie survient, le malade s'agite et se tourmente beaucoup, et il est très-mal; il urine souvent et peu à la fois; enfin il meurt au bout de quelques heures contre l'attente des assistants. — Il faut remarquer

néanmoins que si les pustules sont en petit nombre, si c'est en hiver, si le malade est avancé en âge, ou si on l'a saigné, le régime trop échauffant que nous condamnons ici n'empêche pas aussi sûrement le gonflement du visage, et par conséquent n'est pas aussi funeste que quand la petite vérole est confluente, que l'on est dans le printemps ou dans l'été, que le malade est jeune, et qu'on n'a pas saigné.

237. Mais dans les petites véroles confluentes le danger est extrême, et la plupart des malades meurent le onzième jour ; car comme la salivation, qui jusqu'alors mettait le malade en sûreté, cesse ordinairement d'elle-même vers ce temps-là, il faut, pour y suppléer, que le gonflement du visage subsiste encore quelque temps après, et que les mains commencent dès-lors à s'enfler considérablement ; sans quoi le malade ne saurait manquer de périr. Et de fait, les pustules étant aussi petites qu'elles sont dans ce genre de petites véroles, non-seulement la salivation, mais encore le gonflement du visage et des mains est absolument nécessaire pour évacuer, comme il faut, la matière morbifique ; et si l'une de ces deux choses manque ou cesse trop tôt, la mort est certaine.—Or, comme dans cette maladie où la chaleur n'est déjà que trop grande, le sang se trouve fort souvent dissous par le régime excessivement chaud qu'on y emploie, et qu'il se trouve tellement enflammé, qu'il n'est plus propre à chasser peu à peu au dehors le virus (sans rien dire ici des maux que l'on cause en faisant suer à contre-temps) ; il arrive de là, ou que le visage et les mains ne se tuméfient point du tout, ou que ce gonflement cesse avec la salivation. Il est vrai que l'enflure du visage doit un peu diminuer le jour même que finit la salivation, mais elle ne doit cesser entièrement qu'un ou deux jours après, et les mains doivent demeurer considérablement enflées. Il n'est presque point de signe de guérison plus certain que celui-là ; et au contraire, quand il manque, le danger est extrême.

238. Quoi qu'il en soit, la salive qui, jusqu'au onzième jour, était claire, et coulait facilement, devient épaisse et visqueuse, et menace de suffoquer le malade. La boisson qu'il prend tombe aisément dans le poumon ; ce qui fait qu'elle est rejetée par le nez avec une violente toux : la voix est rauque ; il survient un assoupissement profond ; enfin le malade succombe à tant de maux, et il meurt le jour que nous avons dit.

239. Il y a encore d'autres symptômes qui arrivent dans tous les temps de la maladie, tant dans les petites véroles discrètes, que dans les confluentes. La phrénésie, par exemple, survient quelquefois à cause de la trop grande effervescence du sang. Alors, le malade, devenu furieux, et ne pouvant souffrir la chaleur, résiste, avec une force terrible, aux efforts de ceux qui veulent l'arrêter et le tenir au lit. D'autres fois la même cause produit un effet tout contraire, savoir, une affection comateuse ; en sorte que le malade ne s'éveille presque jamais qu'à force d'être poussé continuellement.

240. Quelquefois aussi dans cette maladie, de même que dans la peste, l'inflammation ayant causé une dissolution du sang, il paraît entre les pustules des taches de pourpre qui sont presque toujours des présages de mort. Cela arrive principalement lorsque la maladie est épidémique, et que la constitution de l'air la favorise particulièrement. On voit quelquefois en différents endroits sur le sommet des pustules, de petites taches noires de la grandeur tout au plus d'une tête d'épingle, avec un enfoncement au milieu. Comme ces taches viennent de trop de chaleur, elles prennent ensuite une couleur brune quand on emploie un régime plus tempéré, et enfin une couleur jaunâtre, telle que doivent l'avoir naturellement les pustules des petites véroles régulières et légitimes ; et une preuve qu'elles doivent avoir cette couleur, c'est que plus elles en approchent, quand elles sont parvenues à maturité, plus aussi tous les symptômes sont modérés ; et c'est tout le contraire lorsque cela n'arrive point.

241. Dans les jeunes gens qui ont cette maladie, principalement s'ils ont fait des excès de vin ou de quelqu'autre liqueur spiritueuse, le sang est quelquefois si échauffé et si agité, qu'il force les artères, et s'ouvre un chemin dans la vessie, en sorte que le malade urine du sang (1) ;

(1) On a quelquefois pris la rougeur de l'urine pour une urine sanglante ; ainsi il est bon d'observer que si cette couleur vient d'un mélange de sang, ce sang, après que l'urine aura reposé, se coagulera et tombera au fond du vaisseau, et la partie supérieure de l'urine restera claire.—Ce

ce qui est presque le plus redoutable et le plus funeste symptôme qu'on puisse voir dans toute cette maladie.

242. La même cause produit quelquefois, mais plus rarement, une hémoptysie du poumon. Ces deux hémorrhagies arrivent le plus souvent dans le commencement de la maladie, avant l'éruption des pustules; ou si les pustules paraissent en quelque endroit, elles ne paraissent point encore dans la plupart des autres, et elles deviendraient très-confluentes, si l'hémorrhagie ne faisait périr d'avance le malade.

243. Quelquefois aussi il survient pour comble de malheur une suppression totale d'urine, surtout dans les jeunes gens, et cela chez la force, ou même dans le déclin de la petite vérole discrète.

244. Il y a encore d'autres symptômes qui viennent quelquefois de causes contraires aux précédentes : par exemple, si le malade a souffert du froid, ou si on lui a tiré mal à propos une grande quantité de sang, ou si on l'a trop purgé : car il arrive quelquefois de là que les pustules s'aplatissent et s'affaissent tout d'un coup, et qu'il survient une diarrhée, laquelle est extrêmement dangereuse, si le malade est un adulte, comme nous avons déjà remarqué ci-dessus; d'autant que la matière morbifique étant portée en dedans, la nature n'est pas en état de l'évacuer comme il faut par les pores de la peau. De plus, les mêmes causes empêchent le gonflement du visage et des mains, lequel est aussi avantageux aux malades que l'éruption des pustules, à moins qu'elles ne soient en très-petit nombre.

245. Les symptômes que produit le froid sont extrêmement rares en comparaison de ceux qui viennent d'un régime trop chaud, car cette maladie étant regardée, avec raison, comme une des plus chaudes, on pèche beaucoup moins du côté du régime froid, que du côté contraire.

246. Mais en quoi consiste essentiellement la petite vérole? J'avoue que je n'en sais absolument rien, et je ne crois pas que personne soit mieux instruit que moi sur cela. Il me semble néanmoins qu'en examinant avec soin les symptômes dont nous avons fait mention, on peut juger qu'elle consiste essentiellement dans une inflammation du sang et des autres humeurs (1), mais une inflammation d'une espèce différente des autres inflammations, et que la nature cherche à dissiper, en digérant et atténuant pendant les deux ou trois premiers jours, les particules enflammées ; ensuite en les poussant à la superficie du corps, pour y former une infinité de petits abcès, au moyen desquels elle s'en débarrasse entièrement. — Ainsi, pour établir sur un fondement solide le traitement de cette maladie, il faut remarquer qu'elle a deux temps : le premier que j'appelle celui de la *séparation*, et le second que j'appelle celui de l'*expulsion* de la matière morbifique.

247. La séparation se fait ordinairement dans le même espace de temps que l'ébullition fébrile, qui dure les trois ou quatre premiers jours, pendant lesquels la nature travaille à rassembler les particules enflammées qui corrompent le sang, et à les déposer à la superficie du corps sous la forme de pustules, ou de petits abcès ; ensuite de quoi elle reprend sa première tranquillité, le tumulte que cette opération avait excité dans le sang, se trouvant alors apaisé. — La séparation étant ainsi faite par le moyen de l'ébullition du sang, vient ensuite l'expulsion qui s'exécute pendant tout le reste de la maladie, au moyen des pustules que la nature a produites à la superficie du corps ; et comme ces pustules sont de véritables abcès, elles suppurent et se dessèchent de même que les autres abcès. Si tout cela se fait comme il faut, les choses vont bien, et la gué-

dangereux symptôme semble provenir de l'âcreté des liqueurs et de la dissolution du sang, le mélange et la cohésion de ses parties étant détruits par le degré considérable de putréfaction qui accompagne cette maladie. C'est de la même cause que viennent apparemment les selles sanglantes que l'on voit souvent dans cette maladie, et dont notre auteur ne dit pas un mot, comme aussi toute autre hémorrhagie.

(1) La matière virulente qui produit cette maladie semble être en effet d'une nature âcre et inflammatoire, d'où proviennent la douleur, la chaleur, la rougeur, l'enflure, l'érosion et l'ulcération, et aussi d'une nature caustique et putréfactive, en conséquence de quoi elle détruit par son mouvement intestin et subtil le tissu et l'union des parties, et les corrompt. C'est ce qui fait proprement la malignité de la maladie, et se manifeste particulièrement dans les petites véroles d'un mauvais caractère.

rison est certaine ; sinon on ne doit rien attendre que de funeste. L'expulsion demande beaucoup plus de temps que la séparation, parce que la première s'exécute dans un liquide qui est, pour ainsi dire, le foyer de la nature ; et que la seconde s'exécute dans une partie dense et solide, qui est éloignée de la source de la vie.

248. Cela supposé, il se trouve deux indications à remplir (1). La première est d'entretenir l'ébullition du sang dans un tel degré de modération, qu'elle ne soit ni trop violente, ni trop faible ; afin que la séparation ne se fasse ni trop promptement, ni trop lentement, ni imparfaitement. La seconde est d'entretenir soigneusement les pustules, afin que suppurant et se desséchant comme il faut, elles emportent entièrement la matière qu'elles contiennent.

249. Quant à la première indication, il faut surtout prendre garde, alors, que l'ébullition ne devienne trop violente, soit que cela arrive en couvrant trop le malade, ou en échauffant trop sa chambre, ou par l'usage des remèdes chauds et des cordiaux. Cette précaution est surtout nécessaire lorsque le malade est dans la fleur de l'âge, ou qu'il a le sang trop exalté par des boissons spiritueuses, ou lorsqu'on est au printemps ou au commencement de l'été. Autrement la séparation qui devait s'opérer lentement et par degrés, afin de procurer une entière dépuration de sang, se fera avec trop de rapidité ; et de cette façon la nature n'aura pas le temps de rassembler un assez grand nombre de particules morbifiques ; ou bien il s'en séparera, contre son intention, quelques-unes qui n'étaient point destinées à cela, et qui, se mêlant avec les autres qui y sont propres, empêcheront par-là leur séparation, et conséquemment leur expulsion.

250. Pour moi, je pense que la séparation se fait d'autant plus sûrement et plus parfaitement, que la nature y emploie un plus long espace de temps, pourvu toutefois que l'ébullition ne soit pas entièrement languissante. Aussi, est-ce d'une telle séparation que dépend principalement le succès des remèdes qu'on emploie ensuite. Mais tout est à craindre si la séparation est précipitée : c'est alors un fruit précoce dont on ne peut rien attendre de bon ; car les cordiaux et le régime échauffant que l'on met en usage pour la procurer, causent souvent au malade la frénésie, ou, ce qui est encore plus mauvais, des sueurs copieuses, au moyen desquelles il se sépare certaines particules qui ne sont point propres à se séparer ni à se changer en pus, quoique l'éruption de la petite vérole aboutisse naturellement à la suppuration ; ou bien le régime chaud, en faisant trop pousser la petite vérole, la rend confluente ; ce qui ne promet rien que de funeste.

251. Voilà quelques-uns des symptômes qui arrivent quand on force la nature. Mais je n'ai jamais remarqué aucun mauvais effet quand on la laisse agir; car alors n'étant point gênée, elle parvient toujours dans le temps à ses fins, en séparant et poussant au-dehors, dans l'ordre, et par la voie la plus convenable, la matière vérolique ; en sorte qu'elle n'a besoin (surtout pour les jeunes gens, et chez les tempéraments vigoureux), ni de notre secours, ni de nos remèdes, ni de notre industrie, étant d'elle-même très-forte, très-riche et très-habile. Aussi, je n'ai jamais vu ni entendu dire qu'aucun malade ait péri, parce que la petite vérole n'était pas sortie d'abord ; au lieu qu'il en est péri une infinité, parce que les pustules qui étaient d'abord sorties à merveille, et qui donnaient les plus belles espérances,

(1) Les indications curatives dans cette maladie, selon Hoffmann, sont d'aider la nature, par des secours convenables, à corriger, à expulser, et à changer en pus la matière morbifique ; pour cela il faut, 1° corriger l'âcreté et la causticité de cette maladie, ou, suivant la façon de parler des anciens, en produire la coction, et modérer les mouvements violents qu'éprouvent les vaisseaux et les nerfs au commencement de la maladie. 2° Il faut aider l'éruption en augmentant ou diminuant la fièvre selon le besoin, afin que toute la matière morbifique puisse être expulsée vers les parties extérieures ; mais il faut arrêter la fièvre secondaire qui suit la suppuration, et remédier aux symptômes violents. 3° Dans le déclin, lorsque les pustules se dessèchent et tombent par écailles, il faut purger, afin de délivrer le sang et les humeurs des impuretés qu'ils ont contractées dans le cours de la maladie, et par ce moyen on prévient à temps les accidents que causent les restes de la petite vérole.

sont ensuite rentrées contre la nature de la maladie (1).

252. S'il est imprudent et dangereux de trop animer l'ébullition du sang par un régime chaud ou par des cordiaux, il ne l'est pas moins de la diminuer par des saignées, des lavements, des vomitifs, des purgatifs, ou d'autres semblables remèdes ; puisqu'on met par ce moyen un très-grand obstacle à la séparation des parties morbifiques qui sont ordinairement propres à se séparer. Car, bien que le raisonnement ordinaire que l'on fait contre la saignée et les autres évacuations, savoir, qu'il ne faut pas déterminer les humeurs de la circonférence au centre, tandis que la nature semble vouloir le contraire dans cette maladie; quoique ce raisonnement, dis-je, ne prouve rien du tout, puisqu'il arrive très-souvent que les évacuations dont il s'agit produisent un effet tout opposé, savoir une prompte éruption de la petite vérole, il y a néanmoins des raisons importantes de s'abstenir entièrement, s'il est possible, de cette pratique. — Les principales de ces raisons sont, qu'en la mettant en usage, on diminue trop l'ébullition qui devait faire une séparation exacte des particules morbifiques; et outre cela, qu'on soustrait à la nature une partie de la matière de la séparation ; d'où il arrive souvent qu'une petite vérole qui d'abord était sortie heureusement, et peut-être d'autant plus heureusement qu'on avait fait précéder des évacuations, rentre peu à peu, et disparaît tout à coup. Donc la principale cause est, qu'il n'y a pas de matière pour entretenir et soutenir l'éruption commencée. — Malgré tout cela, si avant l'éruption on a le moindre soupçon que la petite vérole sera confluente, il sera très-utile de saigner au plutôt, et même de donner l'émétique, pour les raisons qui seront expliquées au long dans un autre endroit.

253. Quant à la seconde indication, qui regarde le temps de l'expulsion, c'est-à-dire celui auquel la matière morbique, après avoir été séparée, est chassée à la superficie du corps, sous la forme de petits abcès ou pustules, cette indication consiste à soutenir tellement les pustules dans leur louable éruption, qu'elles suppurent et se dessèchent dans le temps de l'ordre convenable.

254. Je crois avoir montré suffisamment ci-dessus, qu'il est très-dangereux de beaucoup échauffer le malade, lorsqu'il a de la fièvre et que les pustules commencent à paraître, c'est-à-dire dans le temps de la séparation. Mais il n'est pas moins dangereux de le beaucoup échauffer en quelque temps que ce soit de la maladie, et surtout vers le commencement de l'expulsion, lorsque les pustules sont encore enflammées. Car quoique le sang ne soit plus dans un si grand tumulte après que la suppuration est achevée, et que la matière morbifique a été portée à l'habitude du corps, il ne laisse pas dans ce nouvel état qu'il vient d'acquérir, d'être encore très-susceptible des impressions d'une trop grande chaleur, d'être très-facile à s'émouvoir, à s'enflammer, et à fermenter de nouveau. Cette nouvelle ébullition ne tend plus, comme la première, à produire la séparation, puisque nous la supposons déjà achevée : mais au lieu de cela, elle cause les symptômes dont nous avons parlé ci-dessus ; et de plus, elle trouble l'expulsion, qui était commencée par le moyen des pustules ; et en

---

(1) Cette observation n'est-elle pas contredite en plusieurs occasions par l'expérience? Les médecins ne sont-ils pas souvent obligés d'avoir recours à des remèdes chauds pour faire sortir la petite vérole qui est accumulée en grande quantité sous la peau, sans avancer plus loin, quoique le temps ordinaire de l'éruption soit passé? Et c'est ce qui arrive souvent, ou parce que la fièvre est trop faible, auquel cas des remèdes médiocrement chauds et actifs sont évidemment nécessaires, ou parce que les forces du malade sont abattues par la crainte qu'il a que la maladie ne soit mortelle; ce qui empêche l'éruption, et met en effet la vie en danger; car il est manifeste que les passions de l'âme causent de grandes et soudaines altérations dans la circulation du sang et des humeurs, et dans les fonctions des parties qui en dépendent. C'est ainsi que l'inquiétude et la crainte relâchent les parties solides et arrêtent la circulation; ce qui montre que les remèdes convenables en ce cas-là sont ceux qui peuvent rétablir le ressort des solides et augmenter le mouvement des fluides d'une manière proportionnée aux circonstances particulières, comme sont les cordiaux, et on doit, outre cela, encourager en toute occasion le malade, et le rendre gai et joyeux, ou détourner son attention du danger; car tant que l'esprit se laisse aller à l'inquiétude et au chagrin, tous les remèdes sont sans effet.

agitant la matière qu'elles contiennent, elle devient très-nuisible. —Ainsi, les particules qui sont déjà séparées et déposées dans l'habitude du corps, étant entraînées par le mouvement rapide de cette seconde ébullition, rentrent de nouveau dans le sang: ou bien les parties charnues étant échauffées au-delà de ce qu'il faut pour la suppuration, elle ne peut se faire comme il convient; ou enfin le sang se décompose, et les fibres charnues perdent tellement leur ressort, qu'elles ne peuvent plus dompter la matière morbifique déjà expulsée, ni la convertir en un pus louable (1).

255. Néanmoins, sous prétexte de prévenir une trop grande effervescence du sang, il ne faut pas empêcher l'éruption des pustules, en exposant le malade au froid. Pour que les pustules sortent bien, il faut un degré de chaleur égal à celui de la chaleur naturelle, et convenable à la nature des parties charnues. Une chaleur moindre ou plus grande que celle-là est également dangereuse.

256. Tout ce que nous avons dit fait assez voir combien la petite vérole est à craindre, et combien le traitement en est difficile. Aussi j'ose assurer que la réputation d'un médecin qui traite souvent cette maladie est fort exposée. Car si le malade meurt, non seulement le public impute volontiers cette mort au médecin, mais encore les confrères de celui-ci ne manquent pas de saisir avec empressement cette occasion pour le décréditer; en quoi ils n'ont pas de peine à réussir, ayant affaire à des juges injustes qui ne manquent pas de prononcer en leur faveur: leur dessein en cela est de se faire valoir, et d'établir leur réputation sur les ruines de celles d'autrui : conduite entièrement indigne de gens lettrés, et même des plus vils artisans qui ont tant soit peu de probité (2).— Après ce qui arrive aux médecins dans le traitement de la petite vérole, il n'est pas étonnant que les gardes, lesquelles ordinairement échauffent trop le malade, réussissent souvent si mal. Car il est difficile de déterminer le degré de chaleur qu'il convient dans cette maladie, et c'est une chose qui surpasse la capacité des femmes de cette espèce; d'autant qu'il faut considérer en même temps la saison, l'âge et la manière de vivre des malades, et d'autres circonstances nécessaires : ce qui demande, sans contredit, un médecin prudent et habile.

257. S'il arrive, pour avoir été saigné mal à propos, ou pour avoir pris froid, que les pustules rentrent, ou que le visage et les mains se désenflent, il faut avoir recours aux cordiaux (3); mais il faut prendre garde de ne pas excéder en ce point.

---

(1) Tous les remèdes chauds qu'on emploie pour faire sortir la petite vérole, sont généralement condamnables, car ils agitent violemment le sang et les humeurs, augmentent la chaleur, l'anxiété, les convulsions et le délire, lorsque ces symptômes se rencontrent, et rendent plus âcre et plus subtile la matière morbifique; d'où il arrive qu'une petite vérole bénigne devient aisément maligne. Ces remèdes, au lieu de procurer une éruption égale et soutenue, poussent trop tôt la matière avant qu'elle soit dûment préparée, en sorte qu'elle ne vient point en suppuration, mais rentre aussitôt après, avec grand danger pour le malade; d'ailleurs ils atténuent trop le sang, détruisent le suc nourricier, et épuisent les forces par les sueurs copieuses qu'ils excitent.

(2) Il fallait sans doute que notre auteur eût éprouvé un traitement si indigne, et en effet il s'en plaint ensuite amèrement; cela ne prouve que trop qu'il n'est point d'habileté, ni de probité, ni de travail soutenu avec plus de zèle pour le service du genre humain, qui puisse garantir un homme qui abandonne la route commune, des injustes censures des petits esprits, des envieux, et des gens prévenus qui se rencontrent parmi ceux de sa profession. Tout homme qui fait une nouvelle découverte, laquelle tend à renverser des idées et des règles établies, plus respectées pour leur ancienneté que pour leur justesse, et à établir une théorie plus raisonnable, et une méthode curative plus efficace, doit s'attendre à essuyer de grandes contradictions de la part des ignorants, des jaloux, et des gens préoccupés, et à être traité de novateur téméraire, d'homme entreprenant et intéressé, quelque habile, prudent et bienfaiteur qu'il puisse être. C'est ainsi que l'illustre moine Bacon et l'industrieux Harvey furent traités par un grand nombre de leurs contemporains. Qui peut donc espérer d'échapper à la censure, après que des gens d'un si éminent savoir ne l'ont pas évitée?

(3) Ces symptômes peuvent aussi être produits par la faiblesse, par de trop longues veilles, par la terreur, etc., et

Car, quoiqu'on ait saigné, il peut arriver qu'en donnant des cordiaux trop puissants, ou en les donnant trop fréquemment, dans la crainte que la saignée n'ait affaibli le malade, on excite tout à coup une nouvelle ébullition, et même plusieurs, parce que le sang est encore très-faible et très-susceptible des impressions des remèdes chauds. C'est à ces ébullitions souvent renouvelées qu'on doit attribuer la mort des malades, plutôt qu'à la saignée. Voilà ce que nous avions à dire en général touchant les moyens de remplir les principales indications.

258. Pour revenir maintenant sur mes pas, et entrer dans le détail de la curation; dès que j'aperçois des signes certains de la petite vérole, je défends au malade le grand air, le vin et la viande; je lui permets pour sa boisson ordinaire d'user de petite bière un peu échauffée par du pain rôti, et quelquefois d'en boire à sa volonté (1). Je lui ordonne pour sa nourriture des décoctions d'orge, d'avoine, des pommes cuites, et d'autres choses qui ne sont ni fort froides, ni fort chaudes, et qui se digèrent facilement. Je ne désapprouve pas autrement qu'il suive le régime des petites gens de campagne, c'est-à-dire qu'il se nourrisse de lait mêlé avec la pulpe de pomme cuite, pourvu qu'il n'en use que de temps en temps, et avec modération, et qu'outre cela on ait fait un peu chauffer le lait. — Mais j'interdis, dès le commencement de la maladie, le régime trop chaud, et tous les cordiaux dont quelques-uns se servent imprudemment pour faire sortir la petite vérole, avant le quatrième jour, qui est le temps propre et naturel de l'éruption. Car je tiens pour certain que la séparation de la matière morbifique est d'autant plus entière que l'éruption est plus tardive; et, dans ce cas-là, on doit être plus sûr que les pustules ne rentreront pas, et qu'elles suppureront bien : au lieu que, si on les fait sortir avant le temps, on précipite la matière qui est encore crue et indigeste, et qui, semblable à un fruit précoce, ne donne que des espérances trompeuses.

259. Ajoutez à cela, qu'en se pressant de la sorte hors de saison, surtout dans les personnes d'un tempérament chaud et vigoureux, dont les principes actifs suppléent de reste aux cordiaux, il est dangereux que la nature étant trop excitée et violentée, ne réduise, pour ainsi dire, toute la substance du corps en pustules, et ne rende confluentes les petites véroles qui auraient été discrètes, si on ne s'était pas trop pressé. — Il ne faut donc pas, aussitôt qu'on soupçonne une petite vérole, travailler à la faire sortir, sous prétexte que le malade est ordinairement fort mal, et souffre beaucoup avant l'éruption, puisqu'on ne saurait montrer qu'une seule personne, quelque malade qu'elle ait été, soit morte, précisément, parce que les pustules ne sont pas d'abord sorties, ou que la nature ait manqué de les faire sortir tôt ou tard, si ce n'est lorsqu'on a empêché son action par un régime trop échauffant, et par des cordiaux donnés de trop bonne heure (2). Car j'ai observé plus d'une fois dans les jeunes gens et dans les personnes d'un tempérament sanguin, qu'un pareil régime et des cordiaux donnés en vue d'accélérer l'éruption l'ont au contraire retardée. En effet, le sang étant trop échauffé et trop violemment agité pour que la séparation de la matière morbifique pût s'opérer comme il fallait, il n'a paru que des signes de petite vérole, les pustules demeurant opiniâtrement cachées sous la peau, et ne se montrant point, quelques cordiaux qu'on employât pour les faire sortir, jusqu'à ce qu'enfin ayant modéré la chaleur du sang, et l'ayant réduite à un juste degré, en faisant boire aux malades de la petite bière, et en leur ôtant une partie des couvertures qui les accablaient, j'ai facilité la sortie des pustules, et j'ai retiré, par la grâce de Dieu, les malades du danger où ils étaient.

260. Ceux qui, avant le quatrième jour, obligent de garder le lit, font aussi mal, selon moi, que ceux qui donnent trop tôt des cordiaux. Il suffit que le malade se tienne dans la chambre. Le pissement de sang, les taches de pourpre, et les autres symptômes mortels, dont

---

à moins qu'on n'y remédie sur-le-champ par des cordiaux convenables, la vie est en danger. Les vésicatoires sont extrêmement utiles en cette occasion.

(1) Il faut observer que s'il y a un cours de ventre, ou une disposition au cours de ventre, on doit s'abstenir de la petite bière qui ne ferait que l'augmenter : dans ce cas-là l'eau d'orge, la décoction de corne de cerf, la tisane de scorsonère, sont des boissons beaucoup plus convenables.

(2) Voyez l'art. 255.

nous avons parlé ci-dessus, viennent uniquement, surtout dans les jeunes gens, de ce qu'on fait garder le lit de trop bonne heure. Ma méthode est de le faire garder au quatrième; et alors, si l'éruption ne va pas bien, on peut l'aider en donnant, au moins une fois, quelque doux cordial. Entre les remèdes propres à cela, les calmants, tels que le laudanum liquide, le diascordium, etc., mêlés en petite quantité avec les eaux cordiales appropriées, tiennent le premier rang : car, comme ils modèrent l'agitation excessive du sang, ils mettent la nature plus en état d'expulser la matière morbifique (1). —Mais je ne conseillerais pas de donner de cordial avant le quatrième jour, quand même il y aurait une diarrhée qui semblerait l'indiquer. Cette diarrhée vient des vapeurs inflammatoires ou des humeurs déposées dans les intestins par le sang qui, durant les premiers jours de la maladie, est en effervescence; et quoiqu'elle précède quelquefois l'éruption de la petite vérole confluente, comme nous avons dit plus haut, la nature cependant ne se manquera pas à elle-même en cette occasion : car, comme elle chasse au-dehors les particules morbifiques qui, se jetant sur l'estomac au commencement de la maladie, causent le vomissement, elle ne manquera pas aussi dans la diarrhée, de pousser à la superficie du corps les particules morbifiques qui la produisent; après quoi ce symptôme cessera de lui-même.

261. Quand je suis appelé auprès d'un jeune homme vigoureux, et dont la maladie a été occasionnée pour avoir trop bu de vin, ou de quelqu'autre liqueur spiritueuse, je ne me contente pas, afin de modérer l'ébullition du sang, de bannir les cordiaux et de défendre au malade de garder le lit; je le fais de plus saigner du bras (2). Si l'on s'oppose à la saignée par le préjugé vulgaire, je demande au moins qu'on la fasse. Car l'ardeur que les liqueurs spiritueuses ont imprimée au sang, étant jointe à celle qui accompagne naturellement la petite vérole, le sang entre dans une telle furie, qu'il pénètre assez souvent dans la vessie par la voie des urines, ou produit les taches de pourpre, et d'autres symptômes funestes qui, durant toute la maladie, embarrassent extrêmement le médecin, et causent enfin la mort au malade. Voilà pour ce qu'on doit faire avant l'éruption des pustules.

262. Dès qu'elles sont sorties, j'examine attentivement si elles sont discrètes ou confluentes; parce que ces deux sortes de petites véroles sont très-différentes l'une de l'autre, nonobstant certains symptômes qui leur sont communs. Si donc la grandeur et le petit nombre des pustules, le retardement de l'éruption, l'état tranquille où est le malade, la cessation des symptômes redoutables qui, dans les petites véroles confluentes, per-

(1) Les narcotiques sont ici regardés comme des cordiaux, en ce qu'ils aident l'éruption; mais ils n'opèrent cela qu'en diminuant la tension des solides, et en modérant ainsi la circulation des fluides; ce qui facilite beaucoup la suppuration et l'expulsion de la matière morbifique, surtout lorsque la fièvre est violente, et que par conséquent le sang et les autres liquides sont mus avec une grande rapidité.

(2) Le pouls plein et fort, la rougeur du visage, la douleur et la pesanteur de tête, la douleur des lombes, le gonflement des veines, la jeunesse, la vivacité du tempérament, l'habitude de se faire saigner, la suppression d'une évacuation critique, indiquent la saignée dès le premier ou le second jour. De cette manière l'accablement et l'oppression de poitrine cessent bientôt, la peau paraît couverte d'une infinité de taches, et on n'a pas sujet de craindre d'aussi violents symptômes après l'éruption. On a souvent observé que la trop grande abondance de sang empêche la petite vérole de sortir en assez grande quantité, et la rend simplement discrète, tandis qu'une partie de la matière morbifique reste dans l'habitude du corps, et produit divers symptômes, savoir, des spasmes, des convulsions, le transport, la suffocation, et même l'apoplexie vers le déclin de la maladie. Mais lorsque le pouls est dur, petit et lent, les vaisseaux peu gonflés, les forces languissantes, le tempérament phlegmatique, que le malade est un enfant, ou est du moins fort jeune, qu'il est gros et gras, qu'il survient un vomissement, une toux, ou un cours de ventre au commencement de la maladie, que le malade est sujet à se trouver faible pendant la saignée, il ne faut pas ouvrir la veine, de peur qu'en tirant trop de sang, la matière morbifique ne soit retenue dans le corps, et l'éruption prolongée de plusieurs jours; ce qui serait dangereux. Hoffmann, *Med. ration. system.*, tom. 5, p. 154, 155.

sistent même après l'éruption, me font juger sûrement que celle que j'ai à traiter sera discrète ; alors je donne au malade de la petite bière, des décoctions d'orge, d'avoine, etc., de la manière que j'ai marquée ci-devant. — Si on est en été, qu'il fasse très-chaud, et que les pustules ne soient pas en fort grande quantité, je ne vois pas la nécessité de tenir continuellement le malade au lit et bien couvert. Il doit au contraire demeurer levé chaque jour pendant quelques heures, pourvu qu'il soit logé et vêtu de façon à n'avoir ni trop froid, ni trop chaud. Bien plus, c'est que quand le malade se tient quelquefois levé, la maladie est moins fâcheuse, et même dure moins long-temps que quand il garde toujours le lit : car, demeurer ainsi au lit, cela rend le mal plus ennuyeux, entretient la fièvre, et cause aux pustules qui sortent une inflammation douloureuse. — Mais, si le froid de la saison, ou l'abondance de l'éruption oblige de garder entièrement le lit, j'ai soin que le malade n'y soit pas plus couvert, et n'y ait pas plus chaud que lorsqu'il était en santé ; et ce n'est qu'à l'entrée de l'hiver que je fais faire dans la chambre, matin et soir, un feu médiocre. Je n'oblige pas le malade de demeurer couché dans la même situation. Mon dessein en cela est d'empêcher la sueur, laquelle est extrêmement dangereuse, je le dis hardiment, fondé sur les raisons que j'ai apportées ci-dessus, et sur ma propre expérience.

263. Dans le déclin de la maladie, comme les pustules, qui sont alors revêtues de leur croûte, et ont acquis une certaine dureté, empêchent la matière purulente de transpirer librement, il sera bon de donner cinq à six cuillerées de vin de Canarie, à demi-cuit, ou quelqu'autre cordial tempéré, afin d'empêcher le pus de rentrer dans le sang (1). C'est à cette époque de la maladie, que les cordiaux peuvent être mis en usage, et non pas plus tôt. On peut aussi accorder en même temps un régime un peu plus chaud ; par exemple, des bouillons faits avec le pain, la bière et le sucre, ou avec la farine d'avoine, la bière et le sucre, etc. Il n'est besoin d'aucune autre chose dans la petite vérole discrète et bénigne, si le malade veut se laisser traiter de la sorte ; à moins que les inquiétudes, les veilles, ou d'autres symptômes qui menacent de la phrénésie, n'obligent de recourir de temps en temps aux remèdes calmants.

264. Telle est, malgré le préjugé contraire, aussi mal fondé qu'il est universel, la vraie méthode de traiter la petite vérole discrète ; et je ne doute point que cette méthode ne s'établisse enfin après ma mort. Je ne nie pas que plusieurs malades ne guérissent par un régime entièrement opposé. Il faut avouer toutefois qu'il en meurt aussi un grand nombre ; ce qui est d'autant plus triste, que la petite vérole discrète est de sa nature absolument sans danger. Il en mourrait même encore bien davantage, si le froid de la saison où ils tombent malades, ou la saignée, quoique d'ailleurs inutile, ne leur sauvait la vie. C'est pourquoi, lorsque l'opiniâtreté des assistants, ou la défiance du malade ne m'a pas permis de mettre en usage le régime dont j'ai parlé, j'ai cru devoir y suppléer par la saignée : car, quoique la saignée soit d'elle-même nuisible dans la petite vérole discrète, en ce qu'elle trouble la séparation des particules morbifiques et enlève une partie de la matière qui devait servir à la formation des pustules, il ne laisse pas de compenser en quelque manière le régime trop échauffant qu'on emploie ensuite ; et ainsi elle rend moins dangereuse une méthode à laquelle je n'ai recours que malgré moi.

265. Il sera aisé, après tout ce qui a été dit, de répondre à une question que l'on fait ordinairement, savoir, pourquoi, dans le bas peuple, il meurt si peu de gens de la petite vérole, en comparaison de ceux qui en meurent parmi les riches. On ne saurait guère donner d'autre raison de cette différence, sinon que la manière de vivre pauvre et grossière des gens du bas peuple ne leur permet presque pas de se nuire à eux-mêmes par un régime plus recherché et plus délicat. Cependant, depuis qu'ils ont appris l'usage du mithridate, du diascordium, de la décoction de corne de cerf, etc., il est mort parmi eux un plus grand nombre

(1) Pour empêcher la matière des pustules qui sont en suppuration de rentrer dans le sang, Boerhaave observe aussi que rien n'est au-dessus du vin de Canarie pris modérément, par exemple, à la quantité d'une once trois ou quatre fois le jour. On peut donner un peu d'opium pour diminuer l'agitation violente du sang et des humeurs. Si cela est inutile, je ne vois pas, ajoute cet auteur, ce qui pourra soulager. *Prax. med.*, vol. 5, p. 319.

de gens, de cette maladie que dans les siècles précédents, moins savants à la vérité, mais plus sages. Cela vient de ce qu'il se trouve ordinairement dans chaque maison quelque femme également ignorante et présomptueuse qui, pour le malheur du genre humain, se mêle d'un métier qu'elle n'a pas appris. Voilà ce que nous avions à dire sur la curation des petites véroles discrètes.

266. Mais, si la petite vérole est confluente, le traitement devient alors une affaire bien délicate : car je pense que la petite vérole confluente diffère autant de la discrète, que la peste diffère de la petite vérole confluente ; quoique le commun des hommes qui prend les mots pour les choses, ne mette aucune différence dans le traitement de ces deux sortes de petite vérole. Comme celle dont il est maintenant question est le produit d'une inflammation plus considérable du sang, il faut avoir encore plus de soin que dans l'espèce précédente de ne pas échauffer le malade. — Or, quoique la petite vérole confluente demande de sa nature plus de rafraîchissements que la discrète, néanmoins, afin de procurer l'enflure du visage et des mains (sans laquelle point de guérison) comme aussi l'élévation et l'augmentation des pustules, et encore parce que les ulcérations douloureuses qui arrivent au malade le mettent hors d'état de sortir du lit, il faut qu'il y demeure et qu'il tienne ses mains cachées, pourvu qu'il soit médiocrement couvert, et qu'on lui permette de changer de place dans son lit, comme il voudra, ainsi que avons dit dans la curation de la petite vérole discrète (1). — Mais surtout dans le déclin de la maladie, qui est le temps de la maturation des pustules, non seulement on doit permettre au malade de changer de place dans son lit, mais il faut encore le lui ordonner, et même le retourner souvent de jour et de nuit, afin de tempérer la grande chaleur que cause la fièvre, et d'éviter les sueurs qui dissipent cette moiteur douce, dont les pustules ont besoin pour être détrempées et adoucies.

267. Nous avons dit (2) que la salivation accompagne toujours la petite vérole. Cette évacuation est une des principales qu'opère la nature, et elle la substitue à celle qui aurait dû se faire par les pustules, mais qui, à raison de leur peu d'élévation, ne saurait se faire aussi bien que dans la petite vérole discrète. Cela étant ainsi, on doit avoir un très-grand soin d'entretenir la salivation dans sa force ; en sorte qu'elle ne s'arrête point avant le jour convenable, soit par l'usage des remèdes chauds, soit en empêchant le malade de boire abondamment de la petite bière, ou de quelque autre semblable liqueur. Et comme la salivation, quand elle est telle qu'elle doit être, commence avec l'éruption, diminue le onzième jour, et ne cesse entièrement qu'un jour ou deux après, le danger est très-grand lorsqu'elle cesse entièrement avant le onzième jour. Car l'enflure du visage, par laquelle il s'évacue quelque chose de la matière morbifique, ne manquant jamais de disparaître ce jour-là, si la salivation cesse en même temps, la matière morbifique, qui commence alors à devenir putride, infecte le malade par sa vapeur empoisonnée ; et n'ayant plus d'issue pour s'évacuer, elle le met à deux doigts de la mort, à moins que l'enflure des mains, qui commence après celle du visage, et se dissipe aussi plus tard, ne vienne au secours, comme il arrive quelquefois, et ne soit assez considérable pour tirer le malade des bras de la mort. — Un moyen d'aider extrêmement la salivation qui est si importante et si nécessaire dans cette maladie, c'est de faire boire au malade beaucoup de petite bière, ou de quelque autre liqueur qui ne l'échauffe point et ne lui cause point de sueurs (3).

268. Outre cela, pour calmer l'ébullition du sang, qui est ici beaucoup plus violente que dans la petite vérole discrète, et entretenir en même temps la salivation, rien ne convient si bien que les narcotiques ; et, quoiqu'à raison de leur faculté incrassante, ils semblent d'abord être contraires à la salivation, ce n'est-là qu'un préjugé dont je me suis défait, il y a déjà long-temps, et j'ai toujours employé ces remèdes avec succès dans cette maladie, pourvu que le malade eût passé l'âge de puberté : car, pour ce qui est des enfants, comme leur sang fermente moins, puisque le plus souvent ils dorment assez bien durant tout le temps de la maladie, il n'a pas

(1) Voyez l'art. 263.
(2) Voyez l'art. 229.

(3) On peut se servir entre autres choses de l'eau laiteuse, qui est une décoction d'une partie de lait avec trois parties d'eau.

tant besoin du secours des narcotiques, lesquels d'ailleurs seraient nuisibles, en ce qu'ils arrêteraient la diarrhée, si utile aux enfants dans cette occasion.

269. Mais quant aux adultes, voici les avantages que leur procurent les narcotiques fréquemment employés : premièrement, au moyen du sommeil modéré qu'ils causent, ils répriment la trop grande violence de l'ébullition du sang, et par conséquent ils préviennent la frénésie : secondement, ils facilitent l'enflure du visage et des mains, qui est si importante dans cette maladie : comme l'enflure du visage cesse assez souvent trop tôt, et au grand malheur du malade, les narcotiques l'entretiennent et la font durer jusqu'au terme établi par la nature : car l'effervescence du sang étant une fois adoucie, les particules enflammées se portent aisément aux mains, au visage et à toute la superficie du corps, suivant le génie de la maladie. Enfin les narcotiques aident la salivation : et quoique, dans certains sujets, elle s'arrête durant quelques heures par la vertu incrassante de ces remèdes, néanmoins la nature fortifiée de ce nouveau secours, reprend bientôt le dessus, et achève heureusement l'ouvrage qu'elle a commencé. J'ai même observé plus d'une fois que la salivation qui ordinairement diminue vers le onzième jour, et quelquefois même plus tôt, avec un grand danger pour le malade, s'est rétablie de nouveau par l'usage des narcotiques, et n'a cessé qu'au quatorzième jour, et même plus tard dans quelques sujets.—Ma coutume est de donner quatorze gouttes ou environ de laudanum liquide, ou bien une once de sirop diacode dissous dans l'eau de fleurs de primevère, ou dans quelqu'autre semblable eau distillée. Ces remèdes étant donnés tous les soirs à des adultes, depuis que l'éruption est entièrement faite, jusqu'à la fin de la maladie, non seulement ne seront point nuisibles, mais seront au contraire d'une très-grande utilité, comme une fréquente expérience me l'a appris. — Je crois, au reste, qu'ils doivent être pris de meilleure heure que dans les autres maladies. Car il est aisé de remarquer dans les petites véroles malignes, que la chaleur qui est plus grande le soir, cause ordinairement au malade des inquiétudes, des agitations et d'autres symptômes, que l'on peut, en quelque façon, prévenir, en faisant prendre le narcotique à six ou sept heures du soir.

270. La petite vérole confluente est aussi sûrement accompagnée de la diarrhée chez les enfants, que la salivation chez les adultes ; la nature ne manquant point de produire l'une ou l'autre de ces deux évacuations, afin de se débarrasser de la matière morbifique. Ainsi, comme je n'arrête pas la salivation, je n'arrête pas non plus la diarrhée ; l'une serait aussi mal entendue que l'autre : et c'est en voulant arrêter mal à propos cette diarrhée, que des femmelettes ignorantes ont causé la mort à plusieurs milliers d'enfants, se persuadant, contre toute raison, que le cours de ventre est aussi dangereux dans la petite vérole confluente que dans la discrète, et ne sachant pas qu'il n'est nuisible que dans celle-ci, où l'évacuation de la matière morbifique se fait par le moyen des pustules ; au lieu que dans celle-là, il est l'ouvrage de la nature qui cherche par-là à se délivrer de la maladie (1). C'est pourquoi, abandonnant la diarrhée à elle-même pour suivre la nature, selon le précepte d'Hippocrate, je vais mon train dans la curation. J'ordonne de tenir les enfants, tantôt dans le berceau, et tantôt hors du berceau ; et s'ils sont sevrés, je leur accorde la même nourriture que j'ai accordée ci-dessus aux adultes.

271. Les derniers jours de la maladie,

(1) Le cours de ventre, même considérable, dit Hoffmann, n'est pas à craindre dans cette occasion ; car, bien loin qu'il empêche l'éruption ou la suppuration, et fasse rentrer la matière morbifique, je l'ai vu au contraire durer sans danger pendant toute la maladie ; et comme les fièvres malignes pourprées se terminent souvent d'une manière critique par un cours de ventre, l'expérience fait voir aussi la même chose dans la petite vérole. — Hoffmann dit ailleurs que dans un été sec, la petite vérole est particulièrement inflammatoire, et souvent accompagnée d'un cours de ventre qu'il ne faut pas arrêter, mais seulement modérer par des remèdes convenables, ayant soin d'éviter le régime échauffant et les remèdes chauds, et d'un autre côté, le régime rafraîchissant et les remèdes froids. Le cours de ventre, ajoute cet auteur, n'est point nuisible non plus lorsque la petite vérole, à cause de l'irrégularité des saisons, se trouve compliquée avec le pourpre ; mais c'est au contraire un remède salutaire qui purge admirablement les humeurs excrémentitielles ou malignes.

comme le visage est couvert de croûtes dures et sèches qui le raidissent, je le fais frotter souvent avec de l'huile d'amandes douces, tant pour adoucir la douleur que cause la distension de la peau, que pour faciliter la transpiration des particules trop échauffées. — Je ne fais rien du tout pour empêcher le visage d'être marqué. Les huiles et les liniments ne servent à autre chose qu'à faire durer plus longtemps les écailles farineuses (1) ; lesquelles se succédant les unes aux autres, lorsque le malade a quitté le lit et qu'il est convalescent, forment peu à peu les marques de la petite vérole. Mais il n'y a pas fort à craindre qu'il soit marqué, lorsque, par le régime tempéré qu'il a observé, la matière des pustules a été adoucie et n'est point devenue corrosive.

272. Si on emploie avec prudence et circonspection cette méthode, en la proportionnant aux circonstances particulières, on préviendra les symptômes redoutables dont nous avons parlé, et la maladie sera exempte de danger et très-bénigne. Si néanmoins ces symptômes surviennent par quelque cause que ce soit, avant que j'aie été appelé, je suis obligé, pour les combattre et les dissiper, de changer un peu de batterie, et de me comporter de la manière suivante.

273. D'abord, si dans la petite vérole discrète, à cause du régime trop chaud et des sueurs continuelles, le visage du malade ne s'enfle pas quoique les pustules sortent abondamment, et si au contraire il est flasque, et que les intervalles des pustules soient pâles, alors je travaille de tout mon pouvoir à modérer l'effervescence du sang. Pour cela, j'ai recours à un régime plus tempéré, et je fais prendre sur-le-champ un narcotique, lequel, en procurant un doux sommeil, à moins que le cerveau ne soit extrêmement échauffé, et en arrêtant par conséquent la trop grande impétuosité du sang, détermine ce liquide à se porter au visage, et à le gonfler, comme demande la nature de la maladie.

274. Si la sueur, après avoir été jusque-là fort abondante, vient à cesser d'elle-même, si le malade est pris d'un transport au cerveau, s'il souffre beaucoup, s'il urine souvent, et peu à la fois, alors, comme le danger est extrême, je crois qu'on ne peut secourir le malade qu'en lui donnant copieusement des narcotiques, ou en le saignant abondamment, et l'exposant à l'air. Cette méthode ne paraîtra ni absurde ni téméraire, si l'on fait attention à ceux qui ont échappé à la mort, par des hémorrhagies abondantes du nez survenues tout à coup. — Il faut encore considérer que, dans ce cas-là, les malades ne meurent pas parce que les pustules rentrent, puisqu'alors même elles sont élevées et fort rouges, mais parce que le visage n'enfle pas. Or, tout ce qui tempère le sang, comme la saignée et un rafraîchissant modéré, doit nécessairement être aussi avantageux que l'usage des narcotiques, pour procurer cette enflure, et par les mêmes raisons.

275. Ce n'est pas que je veuille conseiller la saignée dans tout transport qui survient dans la petite vérole (car il n'est point de symptômes plus fréquents dans cette maladie); je ne recommande la saignée que dans le transport qui vient de ce que le visage n'enfle pas; savoir, dans la petite vérole discrète, lorsque les pustules sont en assez grand nombre ; ou bien quand, par un régime extrêmement chaud, et par l'usage des cordiaux, le sang est devenu si bouillant et si fougueux, qu'il est absolument nécessaire de le tempérer par les narcotiques et les autres remèdes propres à modérer son impétuosité. — Dans un pareil cas, le médecin qui préfère son devoir à sa réputation, doit saigner, comme il a été dit auparavant, ou rafraîchir les malades en les exposant à un plus grand air. J'en ai retiré plusieurs de la mort, en les faisant sortir du lit pour un peu de temps, ce qui les a suffisamment rafraîchis. Outre les exemples que j'ai vus moi-même, il y a une infinité de malades qui ont été sauvés de la sorte. Quelques-uns de ces frénétiques trompant leurs gardes (car les frénétiques ont des ruses merveilleuses), se sont échappés de leur lit, et se sont exposés, même de nuit, à l'air froid ; d'autres ayant trouvé moyen d'avoir de l'eau froide, soit par finesse, soit par force, soit par prières, en ont bu à discrétion, et, par une heureuse erreur, se sont tirés d'affaire, lorsqu'ils étaient absolument désespérés.

276. Je rapporterai ici une histoire que je tiens de celui-là même à qui elle est arrivée. Etant allé à Bristol, lorsqu'il

(1) Les applications onctueuses et huileuses bouchent les pores, empêchent la transpiration, et rendent les marques ou fossettes beaucoup plus visibles.

était encore très-jeune et à la fleur de son âge, il fut attaqué de la petite vérole vers le milieu de l'été, et le délire survint bientôt après. La garde étant sortie pour aller en ville, laissa le soin de son malade à d'autres personnes, à qui elle dit qu'elle allait revenir; mais, comme elle tarda trop long-temps, le malade se trouva si mal, que les assistants crurent qu'il avait rendu l'âme. C'était un corps gros et gras, et cela, avec la chaleur de la saison, faisant craindre aux assistants qu'il ne sentît mauvais, ils l'ôtèrent de son lit, et le mirent sur une table avec un simple drap par-dessus. La garde revenant enfin, et apprenant cette triste nouvelle, entre dans la chambre où était le corps, ôte le drap, regarde le visage, et croit apercevoir quelques légers signes de vie. Aussitôt elle remet son malade au lit; et par je ne sais quel moyen, dont elle s'avise sur-le-champ, elle le fait revenir de sa défaillance; en sorte qu'au bout de quelques jours, il se porta très-bien.

277. Si dans la petite vérole confluente, la salive est tellement épaisse et visqueuse à cause de la chaleur précédente, que le malade soit sur le point d'être suffoqué, ce qui n'est pas extraordinaire le onzième jour, comme nous avons dit plus haut, alors il faut nécessairement employer un gargarisme, et ordonner qu'on ne manque pas d'en injecter souvent de jour et de nuit dans le gosier avec une seringue. Ce gargarisme sera composé de petite bière, ou d'eau d'orge avec le miel rosat; ou bien de la manière suivante.

Prenez écorce d'orme, six gros; racine de réglisse, demi-once; vingt grains de raisins secs dont on a ôté les pepins; roses rouges, deux pincées: faites bouillir tout cela dans suffisante quantité d'eau qui sera réduite à une demi-livre; passez la liqueur, et dissolvez-y oxymel simple, et miel rosat, de chacun deux onces, pour un gargarisme.

Si le malade a été traité comme il faut, la salivation, lors même qu'elle aura commencé à diminuer, continuera autant qu'il est nécessaire, sans qu'il soit besoin de gargarisme. Mais, si le malade est à tout moment en danger d'être suffoqué, s'il est assoupi, et ne saurait presque plus respirer, ce remède est peu sûr. Dans cette extrémité, j'ai quelquefois donné avec succès un émétique préparé avec une infusion de safran des métaux, mais à une dose plus considérable qu'à l'ordinaire, c'est-à dire jusqu'à une once et demie; car, à cause de l'assoupissement profond où est le malade, une moindre dose n'opérerait point, et ne ferait que mettre le malade dans un plus grand danger, en agitant les humeurs qu'elles ne pourront évacuer. Cependant un tel remède n'est point encore assez sûr. Le malheur est que nous n'en ayons pas un meilleur contre un si cruel symptôme qui seul fait périr presque tous ceux qui, ayant une petite vérole confluente, meurent le onzième jour.

278. Comme le régime tempéré prévient les autres symptômes qui arrivent dans cette maladie, il les dissipe aussi la plupart. C'est ainsi que le délire dont nous avons parlé, et qui vient de ce que le cerveau est trop échauffé, se guérit en rafraîchissant le sang de quelque manière que ce soit. On guérit de même le coma, symptôme entièrement contraire au précédent, et qui est causé par une obstruction de la substance corticale du cerveau, lorsque le sang étant atténué par l'usage d'un régime et des remèdes échauffants, envoie avec force dans cette partie un grand nombre de vapeurs enflammées.

279. J'ai vu aussi disparaître les taches de pourpre en rafraîchissant le sang; mais je n'ai pu encore, ni par cette méthode, ni par aucune autre, arrêter le pissement de sang, non plus que l'émoptysie violente du poumon; et ces deux hémorrhagies, autant que j'ai pu observer jusqu'à présent, annoncent une mort certaine.

280. Dans la suppression d'urine, qui attaque quelquefois les jeunes gens et les personnes robustes, et qui vient d'un grand trouble des esprits qui servent à cette excrétion, trouble causé par le trop de chaleur et de mouvement du sang et des humeurs, j'ai tenté tous les genres de diurétiques : mais rien ne m'a si bien réussi que de faire sortir le malade du lit; car peu de temps après qu'il a fait deux ou trois tours par la chambre, soutenu par quelques personnes, il urine assez abondamment, et se trouve fort soulagé. Je pourrais citer ici pour témoins de ce que j'avance, quelques médecins de mes amis, qui en pareil cas ont ordonné la même chose par mon conseil, et l'ont fait avec succès.

281. Quant aux symptômes qui arrivent lorsqu'un grand froid, ou des évacuations hors de saison font rentrer la petite vérole, il faut les combattre par l'usage des cordiaux, et par un régime conforme, lesquels on ne doit cependant

continuer qu'aussi long-temps que durent les symptômes. Les principaux de ces symptômes sont l'affaissement ou l'applatissement des pustules, et la diarrhée dans les petites véroles discrètes ; car dans les confluentes, l'affaissement des pustules n'est pas d'un mauvais augure, puisqu'il est de la nature de la maladie ; et la diarrhée chez les enfants est salutaire, loin d'être dangereuse.—Dans l'un et l'autre cas, il sera très à propos de donner une potion cordiale avec les eaux distillées, le diascordium, le laudanum liquide, etc., non seulement pour dissiper les symptômes dont il s'agit, mais encore en tout autre temps de la maladie, si le malade se plaint de faiblesse et de maux de cœur ; mais, à dire vrai, ces sortes de symptômes sont extrêmement rares en comparaison de ceux que cause le trop de chaleur, qui est plus nuisible que le trop de froid, quoique le préjugé vulgaire le croie moins nuisible. Pour moi, je pense que si on parle si souvent de pustules rentrées, c'est qu'on prend l'affaissement des pustules de la petite vérole confluente, pour des pustules rentrées par le froid, au lieu qu'il n'y a rien en cela que de naturel à cette maladie ; on commet la même faute dans la petite vérole discrète, parce qu'on attend de trop bonne heure l'éruption et l'augmentation des pustules, ne faisant pas attention que cela ne doit arriver qu'au bout d'un certain temps établi par la nature.

282. Lorsque les pustules sont tombées, que le malade est convalescent, et a déjà commencé depuis quelques jours à manger de la viande, c'est-à-dire vers le vingt-unième jour, il faut saigner du bras, si la maladie est violente ; car l'ardeur que la petite vérole a imprimée au sang, soit que le malade fût un adulte, ou un enfant, n'indique pas moins la saignée, que les mauvaises humeurs qui se sont amassées dans le sang indiquent la purgation. C'est ce que montre assez la couleur du sang que l'on tire après une petite vérole fort dangereuse ; car il est entièrement semblable à celui que l'on tire dans la pleurésie. C'est ce que montrent encore les ophthalmies dont cette maladie est suivie, et les autres mauvais effets d'un sang échauffé et altéré par la maladie. Aussi voit-on des gens qui auparavant jouissaient de la meilleure santé, être ensuite sujets tout le reste de leur vie à des humeurs chaudes et âcres qui se jettent sur les poumons, ou sur quelque autre partie. — Mais s'il y a peu de pustules, la saignée ne sera pas nécessaire. Après la saignée je purge trois ou quatre fois.

283. Long-temps après que le malade est guéri de la petite vérole confluente, et lorsqu'il sort déjà tous les jours du lit, il lui survient quelquefois une enflure considérable de jambes ; mais après la saignée et la purgation, cette enflure se dissipe d'elle-même, ou bien on la guérit aisément par l'usage des herbes émollientes et discussives, comme feuilles de mauve, de bouillon blanc, de sureau, de laurier, et fleurs de camomille et de mélilot, bouillies dans le lait. — Voilà ce que j'avais à dire sur l'histoire et la curation des petites véroles qui régnaient pendant les années 1667, 1668, et une partie de 1669, et que j'ai nommées *régulières* et légitimes, pour les distinguer de celles des années suivantes.

CHAP. III. — FIÈVRE CONTINUE DES ANNÉES 1667, 1668, ET D'UNE PARTIE DE 1669.

284. Pour parler maintenant de la fièvre qui dominait pendant cette constitution, et qui, ayant commencé avec les petites véroles, se soutint et finit avec elles : voici comme la chose se passa. Les malades avaient une douleur à la fossette du cœur, et ne pouvaient souffrir qu'on comprimât cet endroit. Je ne me souviens pas d'avoir observé ce symptôme dans aucune autre maladie, excepté dans cette fièvre, et dans la petite vérole régulière. Il y avait douleur de tête, chaleur de tout le corps, et on apercevait assez clairement des taches de pourpre. La soif n'était pas considérable. La langue paraissait assez souvent comme celle des gens qui se portent bien ; seulement elle était quelquefois blanchâtre, très-rarement sèche, et jamais noire. Il survenait dès le commencement de la maladie des sueurs spontanées très-abondantes, mais qui ne soulageaient point le malade ; et si on s'avisait de vouloir les exciter par des remèdes chauds et un régime de même nature, il était dangereux que le transport ne survînt bientôt après; d'ailleurs, elles augmentaient le nombre des taches de pourpre, et la violence de tous les autres symptômes. Les urines, qui même dès le commencement coulaient assez bien, et paraissaient assez louables, donnaient de belles espérances ; et cependant les malades ne s'en trouvaient pas mieux ensuite, que des sueurs dont nous avons parlé. — Quand cette maladie

n'était pas bien traitée, elle durait pour l'ordinaire très-long-temps, et ne se terminait pas simplement d'elle-même, ou par quelque crise, à la manière des autres fièvres, mais elle tourmentait le malade durant six, sept ou huit semaines par des symptômes violents, à moins que la mort n'y vînt mettre fin. Il survenait quelquefois vers le déclin de la maladie, une salivation assez abondante, savoir, lorsqu'il n'y avait eu auparavant aucune évacuation considérable, et qu'on avait fait prendre au malade des juleps rafraîchissants; et si on n'arrêtait point cette salivation, soit par des évacuations, soit par des remèdes chauds, la maladie se terminait contre toute espérance.

285. Comme cette fièvre dépendait de la constitution épidémique de l'air qui, en même temps, produisait les petites véroles, aussi paraissait-elle être presque de même nature et de même caractère en toutes choses que ces maladies, à l'exception seulement des symptômes qui étaient des suites ou des effets nécessaires de l'éruption; car ces deux maladies commençaient de même. La douleur à la fossette du cœur, quand on y portait la main, était la même, comme aussi la couleur de la langue, la consistance de l'urine, etc., mêmes sueurs spontanées et abondantes dès le commencement; même penchant que dans les petites véroles confluentes, à produire la salivation, lorsque la maladie était violente: et comme d'ailleurs cette fièvre régnait principalement lorsqu'il y avait à Londres une plus grande quantité de petites véroles que je n'en ai jamais vu, on ne saurait douter qu'elle ne fût entièrement de même genre. — Ce que je sais sûrement par des observations très-exactes que je fis dans le temps que je traitais ces deux sortes de maladies, c'est que toutes les indications curatives y paraissaient absolument les mêmes, à l'exception de celles qui regardaient l'éruption de la petite vérole et les suites de cette éruption, et qui ne pouvaient avoir lieu dans une maladie où il n'y avait point d'éruption. Ainsi, quoique je haïsse, autant que personne, les nouveaux noms, on me permettra, afin de distinguer cette fièvres des autres, de l'appeler *fièvre de petite vérole*, *febris variolosa* (1), à cause de la ressemblance qu'elle avait avec les petites véroles régulières.

(1) En 1729, au mois de juillet, il régnait à Plimouth en Angleterre beaucoup de petites véroles, et en même-temps une fièvre putride qui, ayant diminué vers la fin de ce mois, et cessé ensuite pendant quelque temps, recommença de nouveau, et devint fort épidémique; elle affectait principalement l'estomac et les lombes, comme lorsque la petite vérole est sur le point de venir, et était accompagnée d'oppression de poitrine, de sanglots, et d'une grande faiblesse. Cette maladie était peut-être ce que Sydenham appelle *fièvre de petite vérole*. Elle attaquait surtout les enfants, les femmes, les jeunes gens, et les personnes faibles. Le sang que l'on tirait était rarement visqueux. L'urine était ordinairement crue et claire, et donnait souvent un sédiment cendré, gluant et imparfait, ressemblant à de la fleur de farine, et qu'Hippocrate appelle *sédiment furfureux*. Plus le sédiment était parfait, plus il y avait espérance de guérison. La langue n'était pas sèche, mais paraissait couverte d'une espèce de mucosité visqueuse et brunâtre. Vers le déclin de la maladie, surtout si l'on avait manqué de faire vomir au commencement, il survenait une diarrhée, et quelquefois une dysenterie qui était très-violente, et même quelquefois mortelle. — La saignée était inutile, à moins qu'on ne la fît dans le commencement. Le vomissement était extrêmement nécessaire; et ensuite les vésicatoires appliqués fréquemment et par degrés, les doux cordiaux, le cinabre, le narcotiques, le petit-lait, les boissons délayantes et un peu acides bues copieusement, étaient très-utiles. Dès qu'il paraissait des signes de coction, et en particulier un sédiment dans l'urine, et une diminution de la fièvre, le quinquina faisait merveille. S'il survenait un coma, ou un transport dans la fièvre de la maladie, il était à propos d'appliquer les ventouses sur le cou et les épaules, de saigner et d'appliquer aussitôt après, les vésicatoires derrière chaque oreille et à la tête, et de donner tout de suite un lavement laxatif. Dans le déclin, les purgations laxatives, surtout avec la rhubarbe, emportaient heureusement les restes de pourriture de la maladie; mais les forts purgatifs, ou les aloétiques avaient des effets très-dangereux, car étant employés très-mal à propos, ils appauvrissaient le sang, et causaient des tranchées terribles. Après un purgatif, quoique très-doux, une potion calmante était absolument nécessaire. — Beaucoup de gens furent attaqués de cette maladie, mais peu en moururent. *Huxham, de aere et morb. epid.; p.* 33, 34.

286. Mais, nonobstant cette ressemblance, aucun homme de bon sens ne se persuadera que la fièvre en question doive se traiter par la même méthode que les petites véroles, puisque dans ces dernières, les particules enflammées se déposent à la superficie du corps, au moyen des pustules; et que dans notre fièvre, elles ne s'évacuent que par la salivation; car les sueurs copieuses qui arrivaient dans les commencements de la maladie, étaient symptomatiques, et non pas critiques, la nature ne paraissant avoir eu en vue d'autre évacuation que la salivation. — Cependant la nature elle-même la dérangeait souvent, ou par la diarrhée que causaient les particules inflammatoires (1) qui, se portant aux intestins par les artères mésentériques, les obligeaient à se décharger (ce qui arrive aussi dans la pleurésie et les autres fièvres inflammatoires, à cause de l'orgasme du sang et des particules enflammées qui cherchent à s'échapper et à se dissiper), ou bien par les sueurs immenses qui accompagnaient toujours naturellement la maladie, de même qu'on l'observait dans la petite vérole : et comme ces sueurs n'étaient que symptomatiques, elles détournaient ailleurs la salivation, qui, sans cela, aurait été critique; et si l'art n'y suppléait par quelque autre évacuation, la maladie durait plusieurs semaines, et il ne s'y faisait point de coction, comme dans les autres fièvres.

287. Mais, pour mieux connaître la nature de cette fièvre, et établir en même temps, d'une manière solide, les véritables indications curatives, il faut bien remarquer que, dans la fièvre qui régnait sous la constitution qui produisait les fièvres intermittentes épidémiques, la matière qui devait se séparer du sang était si épaisse, qu'elle ne pouvait le faire sans être auparavant atténuée et digérée pendant le temps déterminé pour cela; après quoi elle s'évacuait, ou par une transpiration abondante, ou par des déjections critiques; en sorte que toute l'affaire du médecin était de s'accommoder au génie de la maladie, et d'empêcher, d'un côté, que le sang venant à entrer dans une trop grande effervescence, ne produisît des symptômes dangereux; et, d'un autre côté, que son effervescence ne fût pas trop faible pour pouvoir chasser la matière morbifique, d'autant que la nature se servait de la fièvre comme d'un instrument pour opérer cette sécrétion.

288. Il y avait aussi dans la peste une matière qui devait se séparer du sang. Mais, comme elle était composée de parties très-subtiles et très-inflammables, qui quelquefois, lorsqu'elles étaient arrivées à leur plus haut degré d'atténuation, traversaient le sang comme un éclair et ne pouvaient y exciter l'ébullition; cette matière, dis-je, passant dans un instant à travers ce liquide, ne s'arrêtait que dans une glande, ou quelque partie extérieure, où étant engagée, elle enflammait d'abord les chairs voisines, puis y causait un abcès. Or l'abcès est un moyen dont se sert la nature pour débarrasser les chairs de ce qui leur est nuisible; de même qu'elle se sert de la fièvre pour dissiper ce qui nuit au sang. Dans un tel cas, le devoir du médecin est de bien conduire l'évacuation de la matière pestilentielle, que la nature entreprend au moyen de l'abcès, à moins qu'il ne croie plus à propos de substituer une autre évacuation dont il soit davantage le maître, et qu'il puisse mieux gouverner que l'évacuation naturelle. — La nature se comporte de la même façon pour expulser la matière de la petite vérole, quoique cette matière soit plus épaisse et plus grossière, puisqu'elle s'évacue par des pustules répandues sur tout le corps, et non par des charbons ou des bubons. Dans ce cas aussi, les indications curatives doivent tendre à bien conduire l'évacuation naturelle qui se fait par les pustules.

289. Or, comme dans la fièvre continue dont il s'agit présentement, il n'y a point de matière épaisse et grossière qui, pour être évacuée, ait besoin d'être atténuée auparavant, ainsi que dans la fièvre qui a été décrite ci-dessus, il n'est pas question d'entretenir l'ébullition du

(1) L'auteur les appelle des *rayons inflammatoires*, expression qui ne donne point une idée nette de la cause de la diarrhée, puisqu'on n'entend pas suffisamment ce que ces rayons signifient, et que leur existence dans le sang n'est pas clairement prouvée. Ils sont trop subtils pour irriter les intestins, et pour être la matière d'une évacuation. Ainsi la diarrhée semble plutôt être produite par des humeurs âcres que les artères mésentériques déposent dans les intestins, et qui, en les tirant, occasionnent des déjections fréquentes; par-là on rend aisément raison du cours de ventre.

sang : elle serait même fort dangereuse, en ce qu'elle pourrait augmenter la maladie qui consiste essentiellement dans une inflammation déjà trop violente. Ainsi, puisque la nature ne produit aucune éruption dans cette fièvre, tout au contraire de ce qu'on voit dans la peste et la petite vérole, et malgré la ressemblance qui est dans tout le reste entre cette dernière maladie et la fièvre dont nous parlons ; il s'ensuit nécessairement de là que tout consiste à apaiser l'inflammation par des évacuations et des remèdes tempérants. C'est là le but que je me suis proposé en traitant cette fièvre, et je l'ai guérie assez facilement par la méthode suivante.

290. Étant appelé auprès d'un malade, je le faisais d'abord saigner du bras, pourvu qu'il ne fût pas trop faible, et surtout pas trop âgé. Je réitérais la saignée deux autres fois de deux en deux jours, à moins que je ne visse des signes de guérison qui m'en empêchassent. Les jours que l'on ne saignait pas, je faisais donner un lavement avec le lait et le sucre, ou quelqu'autre semblable ; et j'ordonnais le julep suivant, ou un autre de même espèce, dont on devait user fréquemment durant toute la maladie.

Prenez eaux de pourprier, de laitue, de fleur de primevère, de chacune quatre onces ; sirop de limon, une once et demie ; sirop violat, une once : faites un julep dont le malade prendra trois onces, quatre à cinq fois le jour, ou à sa volonté.

J'accordais pour boisson ordinaire du petit-lait, de l'eau d'orge et autres choses semblables ; et pour nourriture, des décoctions d'orge ou d'avoine, des panades, des pommes cuites, etc., mais j'interdisais absolument les bouillons de viande, et même ceux de poulet.

291. J'ordonnais sur toutes choses que les malades ne gardassent pas toujours le lit, et que chaque jour ils demeurassent levés une bonne partie de la journée : car j'avais observé dans cette fièvre, de même que dans la pleurésie, le rhumatisme et toutes les autres maladies inflammatoires, pour la guérison desquelles la saignée et les rafraîchissants tiennent le premier rang, que les remèdes les plus rafraîchissants et la saignée très-souvent réitérée, ne servaient de rien du tout, tandis que le malade s'échauffait en gardant continuellement le lit, surtout en été. C'est pourquoi les grandes sueurs que les malades avaient de temps en temps, ne m'empêchaient pas de les rafraîchir, soit par des remèdes propres à cela, soit en leur défendant de toujours demeurer au lit. — Il est vrai qu'en prenant son indication de ce qui est le plus souvent utile, on aurait eu raison de se promettre de grands avantages de la part des sueurs ; mais l'expérience faisait toujours voir le contraire, et m'apprenait que les sueurs, au lieu d'apporter du soulagement, ne faisaient qu'augmenter la chaleur ; de sorte qu'assez souvent, elles étaient suivies du transport, de taches de pourpre et d'autres funestes symptômes, qui venaient moins de la malignité de la maladie, que du mauvais traitement.

292. Si l'on m'objecte que cette méthode de traiter la fièvre est entièrement contraire à la doctrine des auteurs, qui déclarent tous d'une voix, que les sueurs sont le meilleur moyen et le plus naturel pour la guérir : voici ce que j'ai à répondre pour me défendre, outre une expérience constante et très-certaine, dont le témoignage dépose partout en ma faveur dans le traitement de cette fièvre particulière. Je crois d'abord que les savants auteurs qui recommandent les sueurs pour la guérison de la fièvre, parlent de ces sueurs qui arrivent après la digestion et l'atténuation de quelque humeur qui séjournait dans le sang, humeur que la nature a travaillée pendant un certain temps déterminé, afin de la mettre en état d'être évacuée par les sueurs. — Mais la chose est bien différente ici ; car, dès le premier commencement de la maladie, il survient des sueurs très-abondantes qui seules en font une grande partie : et si on peut conclure quelque chose de tous les phénomènes de la maladie, elle semble être plutôt l'effet d'une simple chaleur et effervescence du sang, que d'une humeur qui y séjourne, et qui après une coction convenable, doive être évacuée par les sueurs : et quand nous accorderions qu'il y a dans cette fièvre, comme dans plusieurs autres, une semblable humeur ; à quoi bon vouloir, en excitant les sueurs par des cordiaux ou par un régime chaud, animer la nature qui ne l'est déjà que trop, et dont un médecin doit modérer les efforts déréglés ? L'axiome commun où il est dit : qu'*il faut évacuer les humeurs cuites, et non pas les humeurs crues* (1) ne regarde pas moins les sueurs que les déjections.

(1) *Cocta, non cruda, sunt medicanda.*

293. Durant cette constitution, je fus appelé pour voir le docteur Morrice, très-habile homme, qui pratiquait alors la médecine à Londres, et qui maintenant la pratique avec réputation à Petworth. Il était attaqué de la fièvre dont nous parlons; il suait très-abondamment, et avait quantité de taches de pourpre. Du consentement de quelques autres médecins de mes amis et de ceux du malade, il fut saigné, il se leva, il fut essuyé, il usa de remèdes rafraîchissants, et d'un régime de même nature. Aussitôt, il fut soulagé, plusieurs symptômes disparurent; et en continuant cette méthode, il guérit en peu de jours.

294. La diarrhée qui accompagnait très-souvent la fièvre, ne me faisait pas écarter le moins du monde de ma méthode: et, comme cette diarrhée provenait des particules enflammées qui, se séparant de la masse du sang, et étant portées aux intestins par les artères mésentériques, les irritaient, j'ai éprouvé que rien ne l'arrêtait si bien que la saigné et les rafraîchissants, comme l'eau d'orge, le petit-lait, et les autres choses rapportées ci-dessus.

295. Voilà la méthode qui m'a parfaitement réussi dans le traitement de cette maladie, et elle me paraît la meilleure de toutes. Ce n'est pas que je n'aie souvent vu des malades guérir par une méthode contraire, c'est-à-dire par l'usage des cordiaux et du régime chaud; mais aussi ils m'ont toujours paru avoir couru un grand danger, auquel on les exposait sans aucune nécessité. En effet, les taches de pourpre qui autrement étaient en fort petite quantité, devenaient très-nombreuses par le régime chaud; la soif qui ordinairement n'incommodait presque pas les malades, devenait plus violente; la langue qui avait coutume d'être humide, et n'était différente de celle des personnes saines, que par un peu de blancheur, se desséchait, et souvent même paraissait noire; enfin les secours que l'on voulait procurer au moyen des cordiaux, cessaient entièrement par ce moyen car le sang ayant perdu une trop grande quantité de sérosité qui devait le détremper, et qui était dissipée par les pores de la peau, ne pouvait plus en fournir: ainsi le corps se desséchait aussitôt, et la peau se resserrait contre nature, jusqu'à ce qu'enfin le sang venant à recouvrer de la sérosité, au moyen de ce qu'on faisait prendre au malade, s'en dépouillait de nouveau, tant par l'action des remèdes, que par la chaleur fébrile, et en même-temps se délivrait de la fièvre même. C'était là une crise forcée et dangereuse, et ce qui était encore pire, elle arrivait rarement.

296. La salivation, comme nous avons dit plus haut, terminait assez souvent la fièvre, de même que la petite vérole confluente, qu'on peut appeler avec raison sa sœur. Cette salivation était toujours salutaire; et quand elle venait abondamment, je voyais les taches de pourpre, et la fièvre même se dissiper. Dès qu'elle paraissait, il ne fallait aucune évacuation, ni par la saignée, ni par les lavements; on aurait risqué, en les employant, de détourner l'humeur d'un autre côté. Mais le petit-lait et les autres rafraîchissants étaient nécessaires pour aider la salivation. Au contraire, les cordiaux et tout ce qui échauffe l'empêchaient, en épaississant l'humeur.

297. Pendant que cette fièvre subsistait encore, et avant qu'elle eût entièrement cessé, surtout l'an 1668, il régna une diarrhée épidémique, sans aucun signe manifeste de fièvre: car la constitution de l'air tournait déjà vers la dysenterie qui se fit sentir l'année suivante, comme nous le dirons bientôt. Je jugeai que cette maladie était la même chose que la fièvre continue dont nous venons de parler, et qu'elle se montrait seulement sous une autre forme, et avec un autre symptôme. Car, comme elle était ordinairement précédée d'un frisson, de même que la fièvre, et produite par la même cause, il me parut vraisemblable qu'elle devait son origine à des particules inflammatoires qui, se détournant vers les intestins, les picottaient, et causaient cette évacuation; tandis que la masse du sang se trouvait par ce moyen exempte des mauvais effets qu'auraient produits les particules inflammatoires, et qu'il ne paraissait au-dehors aucun signe manifeste de fièvre. — De plus, les malades ne pouvaient souffrir qu'on leur pressât avec la main la fossette du cœur, symptôme qui se trouvait aussi dans les petites véroles et la fièvre de cette constitution, comme nous avons dit plus haut (1). La douleur et la sensibilité s'étendaient souvent de même sur la partie extérieure de l'épigastre; elles étaient quelquefois suivies d'une inflammation qui aboutissait à un abcès, et finissait par la mort. Tout cela faisait voir plus

(1) Voyez les articles 218-284.

clair que le jour, que cette diarrhée était entièrement de même nature que la fièvre qui dominait alors. — Ce qui confirmait encore mon sentiment, c'est l'heureux succès que la saignée et les rafraîchissants eurent toujours dans la diarrhée, de même que dans la fièvre. On guérissait promptement la diarrhée par cette méthode; mais quand on la traitait d'une autre manière, savoir, par la rhubarbe et les autres laxatifs, en vue d'évacuer les sucs mordicants qui irritaient les intestins et les obligeaient à se décharger, ou même par les astringents, la maladie qui, de sa nature était légère, devenait fort souvent mortelle, comme la liste des morts de cette année-là ne le prouve que trop. Voilà ce que j'avais à dire sur les maladies épidémiques qui dépendaient de cette constitution.

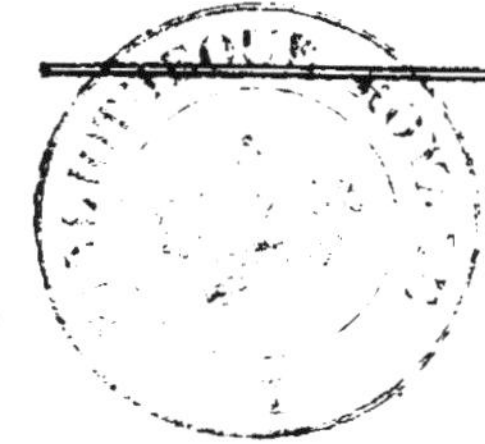

SECTION IV.

CHAP. Ier. — CONSTITUTION ÉPIDÉMIQUE D'UNE PARTIE DE L'ANNÉE 1669, ET DES ANNÉES ENTIÈRES 1670, 1671, 1672, A LONDRES.

298. Au commencement du mois d'août 1669, il parut un *choléra-morbus*, des *tranchées de ventre* horribles, sans aucunes déjections, et même une *dysenterie*. Cette maladie avait été rare depuis dix ans. Le choléra-morbus que je n'avais vu auparavant si épidémique, ne laissa pas, cette année-là comme dans toutes les autres, de se renfermer dans le mois d'août, et alla à peine jusqu'aux premières semaines de septembre. Les tranchées sans déjections durèrent jusqu'à la fin de l'automne, accompagnèrent les dysenteries, et furent encore plus communes. Mais à l'entrée de l'hiver, elles disparurent entièrement, et il n'y en eut plus les années suivantes que dura cette constitution, pendant laquelle les dysenteries ne laissèrent pas néanmoins d'être fort épidémiques. Ce qui venait, à mon avis, de ce que cette constitution n'était pas encore assez favorable à la dysenterie pour produire tous les symptômes de cette maladie dans chacun de ceux qui en étaient attaqués. En effet, l'automne d'ensuite, les tranchées ayant recommencé, la dysenterie se fit sentir avec tous ses symptômes pathognomoniques.

299. Parmi les tranchées sans déjections, et la dysenterie épidémique, il survint une nouvelle sorte de fièvre, qui accompagnait ces deux maladies, et qui attaquait non-seulement ceux qui les avaient déjà, mais aussi ceux qui ne les avaient pas encore eues jusqu'alors, et qui seulement avaient ressenti quelquefois, et encore rarement, des tranchées très-légères, le ventre étant tantôt lâche et tantôt resserré. Comme cette fièvre ressemblait à celle qui accompagnait souvent les deux maladies dont nous venons de parler, il faut la distinguer des autres fièvres sous le nom de *fièvre dysentérique* : car, comme nous le montrerons bientôt, elle était du caractère de la dysenterie, et elle n'en différait qu'en ce qu'elle n'avait ni les déjections, qui étaient continuelles dans la dysenterie, ni les autres suites nécessaires de cette évacuation.— Aux approches de l'hiver, la dysenterie disparut pour un temps, mais la fièvre dysentérique devint plus violente. Il y eut même en quelques endroits des petites véroles, mais qui étaient très-douces et très-bénignes.

300. Dès le commencement de l'année suivante, c'est-à-dire au mois de janvier, on vit des rougeoles qui s'étendirent de jour en jour, et dont presque aucune famille, ou du moins aucun enfant ne fut exempt. Elles augmentèrent peu à peu jusqu'à l'équinoxe du printemps; mais, depuis ce temps-là, elles diminuèrent par degrés, de la même manière qu'elles avaient augmenté; et ayant disparu au mois de juillet, elles ne se montrèrent plus durant toutes les années que cette constitution fut dominante; seulement l'année d'après, dans la même saison

qu'elles avaient commencé sous la constitution précédente, on en vit quelques-unes par-ci, par-là.

301. Ces rougeoles étaient les avant-coureurs d'une sorte de petite vérole que je ne connaissais pas encore, et que je nomme *petite vérole irrégulière de la constitution dysentérique*, afin de la distinguer des autres petites véroles, d'autant qu'elle était accompagnée de symptômes irréguliers et extraordinaires que je rapporterai, en donnant l'histoire de cette maladie, et qui étaient très-différents de ceux des petites véroles de la constitution précédente. Cette sorte de petite vérole, quoiqu'elle fût beaucoup moins fréquente que la rougeole, ne laissa pas d'attaquer un assez grand nombre de gens jusqu'au mois de juillet que les fièvres dysentériques prirent le dessus, et devinrent épidémiques. Mais, aux approches de l'automne, c'est-à-dire au mois d'août, les dysenteries revinrent, firent de grands ravages, et furent encore plus cruelles que l'année précédente. L'hiver étant venu, elles disparurent; et à leur place la fièvre dysentérique et la petite vérole durèrent tout l'hiver.

302. Vers le commencement de février de l'année suivante, il parut des fièvres tierces, et les deux maladies dont nous venons de parler, devinrent plus rares. Ces fièvres tierces n'étaient pas fort épidémiques : cependant, je ne me souviens pas d'en avoir jamais vu un si grand nombre, depuis la constitution que nous avons dit ci-dessus leur avoir été si favorable (1). A peine le solstice d'été fut-il passé, qu'elles disparurent entièrement, selon la coutume des fièvres intermittentes du printemps. Au commencement du mois de juillet, les fièvres dysentériques qui avaient régné les années précédentes, reparurent de nouveau. Et l'automne étant un peu avancé, la dysenterie revint pour la troisième fois, mais avec moins de violence que l'année précédente, où elle sembla être dans sa plus grande force. Elle disparut pour la troisième fois au commencement de l'hiver; et la fièvre dysentérique et la petite vérole régnèrent de nouveau pendant le reste de cette saison.

303. Nous avons vu qu'au commencement des deux années précédentes il y eut une maladie fort épidémique, savoir la rougeole au commencement de 1670, et la fièvre tierce au commencement de 1671. Ces deux maladies étant les dominantes, affaiblissaient les petites véroles, et les empêchaient de s'étendre beaucoup durant ce temps-là. Mais, au commencement de 1672, les petites véroles, n'ayant plus d'obstacle, et se trouvant les seules dominantes, devinrent très-épidémiques et régnèrent jusqu'au commencement de juillet, que les fièvres dysentériques revinrent. Celles-ci firent place aux dysenteries qui reparurent au mois d'août pour la quatrième fois. Les dysenteries étaient non-seulement en moindre quantité que les années d'auparavant, mais leurs symptômes étaient aussi plus doux. — Comme les petites véroles étaient en même temps répandues par-ci, par-là, il n'était pas aisé de décider quelle était la maladie dominante. Pour moi, je crois que la constitution de l'air ne se trouvant pas entièrement favorable à la dysenterie, donna moyen à la petite vérole de se faire sentir avec autant de force; au lieu que les années précédentes, il y avait au mois d'août un plus grand nombre de dysenteries, et qui étaient plus cruelles. L'hiver fit cesser, comme à l'ordinaire, les dysenteries, mais non pas la fièvre dysentérique, ni la petite vérole. Cette dernière, suivant sa coutume, prit le dessus après la cessation des dysenteries, et régna tout le reste de l'hiver. Elle se soutint même un peu au printemps suivant, et au commencement de l'été; mais beaucoup plus faible qu'elle n'est ordinairement.

304. Au reste, quand je dis que les maladies épidémiques se succèdent l'une à l'autre et se chassent mutuellement, comme un clou chasse l'autre, je ne prétends pas dire que la maladie qui cède la place à l'autre, disparaît entièrement, mais seulement qu'elle est plus rare. Car durant cette constitution, l'une ou l'autre des maladies dont il s'agit, se voyait même dans la saison qui ne lui était pas favorable. Par exemple, la dysenterie, qui est une maladie tout-à-fait propre à l'automne, ne laissait pas, quoique très-rarement, d'attaquer par-ci, par-là, quelques personnes au printemps.

305. Nous avons donc démontré d'une manière suffisante, que, durant toute cette constitution, les fièvres dysentériques régnaient au commencement de juillet, mois qui est la véritable époque des fièvres d'automne, comme le mois de février l'est des fièvres de printemps;

(1) Voyez les articles 31-32.

qu'aux approches de l'automne, les dysenteries qui, à parler exactement, sont de vraies maladies de cette saison, succédaient aux fièvres dysentériques : que les dysenteries cessaient l'hiver, et étaient suivies des fièvres dysentériques et des petites-véroles; enfin que ces petites-véroles ne duraient pas seulement tout l'hiver, mais subsistaient encore le printemps, et même l'été d'ensuite jusqu'au mois de juillet, qu'elles étaient obligées de céder la place aux fièvres dysentériques épidémiques. Telles étaient les vicissitudes des maladies qui régnèrent sous cette constitution.

306. Il faut encore observer, que comme comme chaque maladie épidémique a ses différents périodes dans les sujets particuliers qu'elle attaque, savoir, son augmentation, sa force et son déclin ; de même chaque constitution générale, qui produit telle ou telle maladie épidémique, a aussi ses périodes pendant le temps qu'elle domine : c'est-à-dire qu'elle devient de jour en jour plus épidémique, jusqu'à ce qu'elle ait acquis sa plus grande force ; après quoi elle diminue à peu près de la même manière qu'elle avait augmenté, et cesse enfin absolument, pour faire place à une autre constitution. Quant aux symptômes des maladies, ils sont tous plus violents dans le commencement de la constitution ; ensuite ils s'adoucissent peu à peu ; et à la fin de la constitution, ils sont aussi légers que peut le permettre la nature de la maladie dont ils dépendent. C'est ce que montrent suffisamment les dysenteries et les petites-véroles de la constitution dont il s'agit présentement, comme nous l'expliquerons bientôt plus au long; car nous allons traiter en particulier de cette constitution en suivant l'ordre que les maladies ont gardé.

CHAP. II. — CHOLÉRA-MORBUS DE L'AN 1669.

307. Cette maladie qui, comme j'ai observé auparavant, fut plus répandue en 1669 que je ne me souviens de l'avoir vue dans aucune autre année, arrive presqu'aussi constamment sur la fin de l'été et aux approches de l'automne, que les hirondelles au commencement du printemps, et le coucou vers le milieu de l'été. — Le choléra-morbus qui survient indifféremment dans tous les temps de l'année pour avoir trop mangé et trop bu, est d'un autre genre, quoiqu'il ait à peu près les mêmes symptômes et se traite de la même manière. Ce mal (1) se con-

(1) On définit le choléra-morbus « un » renversement contre nature du mou» vement péristaltique, ou une contrac» tion spasmodique de l'estomac et des » intestins, causée par une matière âcre » et caustique de différente sorte qui y est » contenue, et accompagnée d'une éva» cuation prodigieuse de matière bilieu» ses par haut et par bas. »

Le siége de cette maladie est dans l'estomac et dans toute l'étendue des intestins, mais surtout dans le duodénum et les conduits biliaires, comme on voit dans les vomissements et les selles, qui sont ordinairement mêlées de bile. Que le duodénum soit l'endroit principal où s'opère ce mélange, c'est ce qui se manifeste en partie par les circonvolutions de cet intestin, et en partie par la route de la bile et du suc pancréatique qu'y décharge le conduit cholédoque; c'est pourquoi le duodénum semble très-propre à conduire et à loger la matière âcre que l'on évacue dans le choléra-morbus. —Cette maladie diffère d'un cours de ventre bilieux, en ce qu'elle est toujours accompagnée de vomissements, et que le danger y est beaucoup plus grand. — Le choléra-morbus peut avoir pour cause 1° le poison ; 2° des émétiques ou des purgatifs violents; 3° des aliments faciles à fermenter et à se corrompre; 4° une violente colère. — Ordinairement il dure peu, il se termine le troisième et le quatrième jour, rarement il va jusqu'au septième, jamais au-delà, à moins qu'il ne se change en quelqu'autre maladie. — La plupart du temps il est mortel, n'y ayant aucune maladie, excepté la peste et les fièvres pestilentielles, qui tue en si peu de temps, surtout lorsqu'il attaque des enfants, des vieillards ou des gens affaiblis par une longue maladie. Plus la matière que l'on rend est corrosive, et la soif et la chaleur violentes, plus aussi le danger est grand, et si l'on rend une bile noire mêlée avec un sang noir, cela dénote une mort certaine, selon Hippocrate. (Voyez *Aphor.*, *Sect.* 3, *aphor* 22.) Une évacuation excessive par haut et par bas, les défaillances, le hoquet, les convulsions, le froid des extrémités, les sueurs froides, le pouls petit et intermittent, et la continuation des autres symptômes, après que le cours de ventre et les vomissements ont cessé, sont estimés des signes mortels; mais il y a espérance de guérison, si le vomissement s'arrête, si le sommeil succède et si le malade paraît soulagé, et encore si la maladie dure au-delà du septième jour.

naît aisément par des vomissements énormes et par une déjection d'humeurs corrompues, qui se fait par les selles avec beaucoup de peine et de difficulté : il est accompagné de violentes douleurs d'entrailles, d'un gonflement et d'une tension du ventre, de cardialgie, de soif, d'un pouls fréquent, avec chaleur et anxiété, et assez souvent d'un pouls petit et inégal, de cruelles nausées, et quelquefois de sueurs colliquatives, de contractions dans les bras et dans les jambes, de défaillance, de froid des extrémités, et d'autres semblables symptômes qui épouvantent extrêmement les assistants et tuent souvent le malade en vingt-quatre heures.— Il y a aussi un choléra-morbus sec (1), causé par des vents qui sortent par haut et par bas, sans vomissement ni selles. Je ne me souviens d'en avoir vu qu'un seul exemple, savoir au commencement de l'automne de cette année, lorsque l'autre sorte de choléra-morbus était très-fréquente.

308. L'expérience et la réflexion m'ont appris qu'il ne fallait pas évacuer par des purgatifs, les humeurs âcres qui causent la maladie, et que ce serait jeter de l'huile sur le feu, d'autant que l'action du plus doux purgatif augmenterait le trouble et le désordre; mais qu'aussi il ne fallait pas, dès le commencement de la maladie, arrêter l'impétuosité des humeurs et s'opposer à l'évacuation naturelle, en employant les narcotiques et les astringents ; parce que ce serait enfermer l'ennemi au dedans, et tuer immanquablement le malade. Voilà pourquoi j'ai cru devoir tenir un milieu entre ces deux extrémités, c'est-à-dire évacuer en partie l'humeur nuisible, et en partie la délayer. Ainsi j'ai eu recours à la méthode suivante, qui m'a toujours réussi depuis plusieurs années (2).

309. Je fais bouillir un jeune poulet dans environ douze pintes d'eau de fontaine ; en sorte que la liqueur n'ait presque pas le goût de viande. Le malade boit abondamment de cette décoction tiède, ou à son défaut du petit-lait. En

---

* (1) Cette maladie est une distension considérable de l'estomac et des intestins par des vents qui sortent en abondance par haut et par bas, avec une anxiété extrême. On en trouve un exemple remarquable dans les *Act. Méd. Berolin. Dec.* 11 *vol.* 3 *p.* 73.

(2) Les indications curatives générales dans cette maladie sont, 1° de corriger et d'adoucir la matière peccante, et de la rendre propre à être évacuée, s'il y a moyen de l'évacuer par l'art; 2° d'arrêter les mouvements violents; 3° de fortifier les parties nerveuses qui ont été affaiblies. —1° Lorsque le choléra-morbus est causé par un poison corrosif, on doit faire prendre en grande quantité par la bouche, en lavement, des huiles et des liqueurs mucilagineuses et onctueuses, comme l'huile d'olive, l'huile d'amandes douces, la décoction de rapure de corne de cerf, l'eau de gruau, l'eau d'orge, et le lait aussi qui devient plus efficace si on y mêle des poudres absorbantes.—2° Lorsqu'il est causé par de violents émétiques ou purgatifs, les narcotiques, tels que le mithridate, la thériaque, et autres semblables, les fomentations spiritueuses et fortifiantes faites sur l'estomac et le ventre, et ensuite les embrocations sur ces parties, avec des liniments d'huile de muscade par expression, d'onguent nervin, etc., le guérissent ordinairement.— 3° Lorsqu'il est produit par les aliments qui fermentent et se corrompent, il faut aider l'évacuation par de doux émétique et des laxatifs, par une boisson copieuse de petit-lait, d'eau de gruau légère, d'eau de poulet recommandée par notre auteur, et d'autres choses semblables, et ensuite il faut donner des remèdes fortifiants pour achever la guérison. — 4° Lorsqu'il est produit par une violente colère, il faut bannir entièrement les émétiques et les purgatifs, ne faire boire aussitôt après, ni eau froide, ni petite bière, ni chose semblable, crainte de causer une inflammation d'estomac; mais il faut corriger l'acrimonie et la chaleur de la bile par des absorbants convenables mêlés avec le nitre, par les boissons d'eau de gruau, d'eau d'orge, de décoction de rapure de corne de cerf, et semblables, après quoi on pourra évaquer la matière morbifique par de doux minoratifs, comme l'ipécacuanha, ou par des laxatifs, comme une infusion de rhubarbe dans laquelle on aura dissous de la manne. L'eau froide est estimée un excellent remède dans le choléra-morbus, et d'autant plus efficace, que le climat, la saison et le tempérament du malade sont plus chauds. Elle tempère et abat la chaleur violente que cause dans cette maladie le mouvement et le froissement intestinal des parties sulfureuses des fluides; elle détrempe et émousse l'acrimonie bilieuse des sucs contenus dans les premières voies, et enfin rétablit la force et le ressort des parties solides considérablement affaiblies par la violence du mal.

même temps, on lui donne plusieurs lavements avec la décoction. On continue de la sorte jusqu'à ce qu'il n'en reste plus, et que le malade l'ait rendue par haut et par bas. On pourra ajouter de temps en temps soit pour la boisson, soit pour les lavements, une once de sirops de laitue, de violette, de pourpier, de nénufar ou de l'un d'entre-eux; quoique la décoction seule puisse suffire. Cette grande quantité de liqueur prise par en haut et par en bas, évacuera les humeurs âcres, ou les adoucira.

310. Après ce grand lavage, qui dure trois ou quatre heures, on termine la cure par une potion calmante. Je me sers souvent de celle que voici.

Prenez eau de primevère, une once; eau admirable, deux gros; laudanum liquide, seize gouttes. Mêlez tout cela ensemble.

On pourra substituer à cette potion toute autre préparation narcotique.

311. La méthode que je propose, de détremper les humeurs, guérit beaucoup plus sûrement et plus promptement cette dangereuse maladie, que ne le font les purgatifs ou les astringents dont on se sert d'ordinaire; car les purgatifs augmentent le tumulte et bouleversent tout; au contraire les astringents empêchent l'évacuation de l'humeur et la fixent audedans. De plus, la maladie devient plus longue, et par-là même plus fâcheuse; et d'ailleurs les humeurs corrompues ayant le temps de pénétrer dans la masse du sang, il est dangereux qu'elles n'allument quelque fièvre d'un mauvais caractère.

312. Mais si, avant que le médecin arrive, le vomissement et les déjections qui auront continué durant plusieurs heures, par exemple pendant dix ou douze heures, se trouvent avoir tellement épuisé les forces du malade, que les extrémités soient froides; alors, sans s'amuser à aucun autre remède, il faut recourir incessamment au laudanum, comme à la dernière ressource, et le donner non-seulement pendant le vomissement et la diarrhée, mais encore quand ils ont cessé, et le continuer tous les jours matin et soir, jusqu'à ce que le malade ait repris ses forces, et qu'il soit guéri.

312. Quelque épidémique que soit le choléra-morbus, on voit très-rarement, comme nous avons déjà remarqué ci-dessus, qu'il passe le mois d'août, dans lequel il commence. Ce qui me donne occasion d'admirer la conduite merveilleuse et incompréhensible de la nature dans la production des maladies épidémiques; car, quoique les mêmes causes qui produisent le choléra-morbus au mois d'août subsistent vers la fin de septembre, je veux dire le trop grand usage des fruits d'automne, nous ne voyons pas néanmoins qu'il en résulte le même effet (1). Or, quiconque examinera soigneusement tous les phénomènes du choléra-morbus légitime, duquel seul il est maintenant question, sera obligé d'avouer que celui qui arrive dans tous les autres temps de l'année, quoiqu'il vienne de la même cause, et qu'il ait quelques-uns des mêmes symptômes, diffère entièrement du légitime; et cela porterait à croire que l'air du mois d'août a quelque qualité particulière et spécifique pour altérer le levain stomacal d'une manière qui convient à cette seule maladie.

CHAP. III. — DYSENTERIE D'UNE PARTIE DE L'ANNÉE 1669, ET DES ANNÉES ENTIÈRES 1670, 1671, 1672.

314. Les tranchées sans déjections commencèrent les premiers jours du mois d'août 1669, ainsi que nous avons dit plus haut; et à la fin de l'automne suivant, elles égalèrent, pour ne pas dire surpassèrent, le nombre des dysenteries qui avaient commencé avec elles. Tantôt elles étaient avec fièvre, et tantôt sans fièvre. Elles ressemblaient entièrement aux tranchées de la dysenterie qui régnait alors; car elles étaient très-cruelles, et se faisaient sentir par intervalles; mais elles n'étaient suivies d'aucunes déjections, ni stercoreuses, ni muqueuses. Elles marchèrent d'un pas égal avec les dysenteries pendant tout cet automne. Mais, comme nous l'avons déjà dit, il n'y en eut plus les années suivantes de cette constitution, au lieu que la dysenterie subsista. Comme ces tranchées du ventre sans déjections ne différaient pas beaucoup de la dysenterie, et que d'ailleurs on les guérissaient très-promptement par une méthode qui était à peu près la même, je passe tout de suite à la dysenterie.

(1) Pour le choléra-morbus qui arrive pour avoir mangé avec excès des fruits d'automne, Boerhaave vante beaucoup l'huile de soufre tirée par la cloche. Voyez *Prax. Med., vol. III, p.* 245.

315. J'ai déjà remarqué que cette maladie commence presque toujours à l'entrée de l'automne, et qu'elle disparaît d'ordinaire aux approches de l'hiver; mais, lorsque la constitution de l'air la favorise et la rend épidémique, elle peut attaquer quelques personnes dans tout autre temps, et même en attaquer un assez grand nombre vers le commencement du printemps, et peut-être encore plus tôt; savoir, lorsque le froid n'est pas long, et que la chaleur vient de bonne heure. Ainsi, quelque petit que soit le nombre de ceux qui sont attaqués de la dysenterie dans un autre temps que l'automne, cela me prouve toujours que la constitution qui règne alors favorise beaucoup cette maladie : et c'est ce qui arriva pendant les années dont nous parlons maintenant, et qui furent si fécondes en dysenteries; car il y en avait encore quelques-unes par-ci par-là, à l'entrée de l'hiver et du prinptemps (1).

316. La maladie commence quelquefois par un frisson qui est suivi d'une

(1) On définit la dysenterie « un mouvement convulsif des intestins, causé » par une humeur caustique et rongeante » logée dans leurs tuniques, et qui produit de fréquentes envies d'aller à la » selle, et de fréquentes déjections de » matières muqueuses et bilieuses, plus » ou moins teintes de sang, avec des » tranchées violentes, et de la fièvre. » Elle est ordinairement épidémique, rarement sporadique, et paraît avec différents degrés de malignité; elle n'épargne ni âge, ni sexe, attaque les femmes comme les hommes, les enfants, et les jeunes gens comme les adultes et les personnes âgées, et n'épargne même pas les enfants à la mamelle. Les gens pléthoriques, bilieux, et ceux qui ont l'estomac faible, y sont plus sujets; elle attaque violemment ceux qui n'ont point observé de règles dans le régime, qui mangent beaucoup, surtout des fruits verts, et faciles à fermenter. Elle diffère, 1° de la diarrhée, en ce qu'elle est accompagnée de tranchées plus violentes, et d'une déjection de matières sanguinolentes, purulentes, putrides et extrêmement fétides; au lieu que ce qu'on rend dans la diarrhée est séreux, visqueux, ou bilieux, mais jamais sanguinolent. 2° Elle diffère du choléra-morbus, en ce qu'elle dure plus long-temps, qu'il n'y a point de vomissement, si ce n'est au commencement ou dans l'état de maladie, lequel vomissement est causé quelquefois par une inflammation de l'estomac; qu'elle est épidémique, contagieuse, et accompagnée d'un ténesme plus douloureux. 3° Elle diffère du flux de sang hémorrhoïdal, où l'on rend du sang pur avec avantage pour la santé, en ce qu'elle règne dans un temps particulier de l'année, qu'elle est ordinairement accompagnée de fièvre, et d'une évacuation de sang qui est très-rarement pur mais ordinairement mêlé d'une matière purulente, écumeuse et fétide, d'où s'ensuivent des tranchées violentes, et un ténesme très-douloureux; que les évacuations ne soulagent point, au contraire elles affaiblissent et abattent extrêmement le malade. 4° Elle diffère du flux hépatique, où l'on rend sans douleur une matière liquide semblable à de l'eau dans laquelle on aurait lavé de la chair crue, en ce que les déjections sont bien différentes, qu'elles sont accompagnées de violentes tranchées, qu'il y a de la fièvre et d'autres fâcheux symptômes. 5° Elle diffère de ce cours de ventre d'abord muqueux, et ensuite teint de sang, qui est épidémique à Paris, et attaque presque tous les étrangers, en ce qu'elle est beaucoup plus maligne et plus contagieuse, étant accompagnée de fièvre, et épuisant beaucoup plus les forces. La dysenterie se divise en maligne et en bénigne : celle-ci dure plus long-temps, mais elle est plus douce et moins dangereuse. La première est, non-seulement contagieuse, mais encore accompagnée de symptômes mortels, comme d'une fièvre de mauvais caractère, d'une grande perte de forces, d'une extrême soif, etc. Elle se divise encore en rouge et en blanche. Dans la première, les selles sont teintes de sang, et dans la seconde, elles sont purulentes, mêlées de caroncules et de mucosités des intestins.—Notre auteur n'ayant point parlé du siége ni des causes de cette maladie, nous rapporterons là-dessus le sentiment d'Hoffmann, de qui nous avons tiré la plupart de ce que nous avons dit précédemment. On peut aisément déterminer le siége de la dysenterie, en faisant attention à la partie qui est principalement affligée. 1° Si l'on sent près du nombril une douleur violente, suivie de déjections qui viennent lentement, il est certain que les menus intestins sont affectés. 2° Lorsque les tranchées attaquent la région épigastrique où est situé le colon, ou bien la région hypogastrique et les hypocondres, et que les matières viennent aussitôt, il est manifeste que le siége de la maladie est dans les gros intestins. 3° Lorsqu'il

chaleur universelle, comme dans les fièvres ; à cette chaleur succèdent bientôt des tranchées du ventre, et ensuite des déjections. Souvent aussi, sans qu'aucune fièvre ait précédé, les tranchées viennent d'abord, et sont suivies de déjections ; mais les malades souffrent toujours de douleurs violentes et d'un serrement des intestins, chaque fois qu'ils vont à la selle ; et il leur semble que toutes leurs entrailles vont sortir du corps. Les déjections sont fréquentes et toujours muqueuses, si ce n'est qu'il vient quelquefois par intervalles une matière stercoreuse, ce qui se fait avec moins de douleur. Les mucosités que l'on rend par les selles sont mêlées de filets de sang ; mais quelquefois il ne s'y en trouve point du tout ; et néanmoins, si les déjections sont fréquentes, on a toujours lieu de dire que c'est la dysenterie (1). —Si le malade est jeune, ou échauffé par l'usage des cordiaux, il a de la fièvre, sa langue est couverte d'une mucosité épaisse et blanchâtre ; et s'il est fort échauffé, elle est noire et sèche. Il y a un grand épuisement de forces, une grande dissipation des esprits, et toutes les marques d'une mauvaise fièvre. Cette maladie est non seulement très-douloureuse et très-fâcheuse, elle est encore

---

y a des envies continuelles d'aller à la selle, ou que l'on rend une mucosité âcre et gluante, et en petite quantité, il est probable qu'il y a ulcère dans le rectum. Quant aux causes procatarctiques, ou qui produisent les humeurs nuisibles d'où provient la dysenterie, elles sont principalement de trois sortes ; car cette maladie peut être causée, 1° par la saison ; par exemple, lorsque l'été précédent a été extrêmement chaud et sec ; elle paraît vers la fin de l'été et le commencement de l'automne, c'est-à-dire dans les mois d'août et de septembre, surtout si la grande chaleur du jour est suivie de nuits froides avec un vent de nord, car la longue chaleur précédente et la sécheresse de l'air ayant atténué considérablement le sang, et causé des sueurs copieuses, les parties les plus balsamiques et les plus fluides des sucs se trouvent dissipées, et ce qui reste est âcre, sulfureux et impur, et le corps affaibli ; d'où il arrive que si les personnes dont les sucs sont ainsi dépravés et viciés, viennent à être exposées considérablement à l'air froid du soir, parce qu'elles seront trop peu vêtues, qu'elles se seront tenues long-temps assises à terre, ou y auront dormi, etc., cela bouche les pores, et arrête la transpiration des parties fines, sulfureuses et impures des liqueurs, lesquelles s'unissant avec la lymphe vapide, dégénèrent en une matière visqueuse et très-âcre qui, par le moyen du mouvement de la fièvre est portée aux intestins, le grand émonctoire de ces sortes de matières impures, et cause la dysenterie. C'est de cette manière qu'est produite la dysenterie dans les camps, où elle peut arriver sans le secours d'aucune vapeur maligne. 2° La dysenterie peut être causée par des vapeurs contagieuses, d'où s'ensuit une dysenterie épidémique plus ou moins maligne. Ces sortes de vapeurs s'engendrent dans l'air par le moyen de certaines exhalaisons malignes qui viennent de la terre, ou par certains vents, et elles entrent dans le corps par la respiration, ou bien avec les aliments, surtout les herbages et les fruits qui s'en trouvent couverts ; comme aussi des œufs pernicieux des insectes qui flottent alors en grande quantité dans l'air, et se mêlent ainsi avec le sang et les humeurs. Il est encore remarquable que dans une telle constitution de l'air, le virus qui est reçu dans le corps y demeure caché et sans action pendant un certain temps, et n'attend qu'une cause occasionnelle pour être mis en œuvre : de là vient que dans le temps dont nous parlons, on a souvent vu arriver une dysenterie par une légère irritation des intestins qu'aura causé un doux purgatif, ou autre chose. La contagion de la maladie peut venir aussi des vapeurs malignes qui s'exhalent des dysentériques, par la transpiration insensible, ou de leurs excréments, de leur lait, de leur sueur. Il règne ordinairement beaucoup de dysenteries d'un mauvais caractère lorsqu'il y a beaucoup de mouches, de chenilles, d'araignées et d'autres insectes. 3° Enfin la dysenterie peut venir pour avoir mangé trop de fruit, surtout s'il n'était pas bien mûr, ou pour avoir bu par-dessus ce fruit, des liqueurs capables de fermenter, comme du vin nouveau et semblables. Les fruits les plus malsains sont les cerises douces ou guignes, les pêches et les prunes surtout les grosses prunes jaunes.

(1) Il semble que cette dysenterie est celle qu'Hoffmann appelle *dysenterie blanche*, dans laquelle on rend des matières purulentes mêlées de caroncules et d'une mucosité qui est enlevée des tuniques des intestins. Voyez *Hoffmann, Med. System, tom. 4, part. 3, p.* 528.

des plus dangereuses, si on ne la traite pas comme il faut. Car, les forces et les esprits se trouvant épuisés avant que la matière morbifique puisse être séparée du sang, et le froid des extrémités survenant ensuite, le malade pourra bien mourir en peu de jours; et s'il en réchappe cette fois, il lui survient ensuite divers fâcheux symptômes. — Par exemple, au lieu des filets de sang qui, au commencement, se voyaient mêlés parmi les déjections, il arrive quelquefois dans le progrès de la maladie, qu'on rend le sang pur, en abondance et sans mélange d'aucune mucosité, toutes les fois que l'on va à la selle. Cet accident qui marque une corrosion des gros vaisseaux des intestins, est un signe mortel. Quelquefois aussi les intestins sont attaqués d'une gangrène incurable, causée par l'inflammation violente que produit la matière âcre et brûlante qui y aborde copieusement (1). Dans le déclin de la maladie, le dedans de la bouche et le gosier se trouvent souvent couverts d'aphtes, surtout quand le corps a été long-temps échauffé, et qu'on a resserré le ventre par les astringents, avant que d'avoir évacué par les purgatifs la matière peccante. Tous ces symptômes annoncent ordinairement la mort.

317. Que si le malade les surmonte, et que la maladie tire en longueur, les intestins sont affectés les uns après les autres, en tirant vers l'anus, jusqu'à ce qu'enfin tout le mal se jette sur le rectum, et aboutit à un ténesme (2). Alors, les déjections stercoreuses causent une très-violente douleur dans les intestins, parce que les matières, en descendant, frottent rudement ce conduit qui est encore très-sensible, au lieu que dans la dysenterie, ce ne sont que les déjections muqueuses qui causent le plus de douleur. — Cette maladie qui est assez souvent funeste aux adultes, surtout aux vieillards, est néanmoins très-peu fâcheuse pour les enfants, qui l'ont quelquefois pendant plusieurs mois sans aucune mauvaise suite, pourvu qu'elle soit abandonnée à la nature.

318. Comme je n'ai jamais vu la dysenterie qui est endémique parmi les Irlandais, je ne saurais dire quelle ressemblance elle a avec celle que je viens de décrire. Je ne sais pas même quel est le rapport de cette dernière avec celles qui ont régné en Angleterre en d'autres années. Car il se peut faire que, comme

---

(1) Si la douleur et la soif cessent tout à coup, si les excréments sortent involontairement, et ont une odeur fétide et cadavéreuse, si le pouls est petit, et s'il survient des convulsions, on juge que les intestins sont attaqués d'une gangrène incurable. Le délire, les aphtes, l'inflammation du gosier, la paralysie de l'œsophage, la froideur des extrémités, les grandes anxiétés, les convulsions et le hoquet sont regardés comme des signes mortels dans cette maladie. Elle est dangereuse dans les femmes en couche, et enlève plus souvent les personnes âgées et celles qui sont fort jeunes, que celles d'un âge moyen. Lorsqu'elle attaque des sujets cachectiques, scorbutiques, pulmoniques, ou d'un tempérament faible, ou qui ont eu pendant long-temps quelque dérangement d'esprit, elle est ordinairement mortelle. Lorsque le malade a des vers, elle est fort dangereuse. Lorsqu'elle est accompagnée d'un vomissement auquel succède le hoquet, il y a sujet de craindre une inflammation d'esmac. Lorsque les excréments sont verts ou noirs, ou très-fétides, et mêlés de caroncules, le danger est grand, parce que ces signes dénotent un ulcère des intestins. C'est encore un très-mauvais signe quand on rend les lavements aussitôt après qu'on les a pris, ou que l'anus est si étroitement fermé, qu'on n'y saurait rien introduire. Le premier dénote une paralysie des intestins, surtout du rectum, et le second une violente contraction sporadique de cet intestin. La dysenterie enlève quelquefois le malade en peu de temps, c'est-à-dire en sept ou huit jours, particulièrement s'il règne en ce temps-là une fièvre maligne, mais quelquefois elle dure jusqu'au quatrième jour et au-delà; et quand elle a ainsi duré long-temps, elle enlève à la fin le malade; ou si elle se termine, elle laisse après elle quelque autre fâcheuse maladie, comme l'hydropisie, la lienterie, la passion cœliaque, ou une étisie incurable.

(2) Le ténesme dont il s'agit ici, vient de l'extrême sensibilité que cause à la partie affligée l'irritation continuelle qu'elle souffre de la part des humeurs âcres qui y sont logées. Ces humeurs font sur elle des impressions d'autant plus sensibles, qu'elle a perdu pendant le cours de la maladie, une grande partie de cette mucosité douce qui sert à la garantir de l'irritation.

il y a différentes espèces de petites véroles et d'autres maladies épidémiques, il y ait aussi différentes espèces de dysenteries qui soient propres aux diverses constitutions, et qui par conséquent demandent d'être traitées d'une manière un peu différente. — Nous ne devons pas être surpris de ces jeux de la nature, puisque c'est une chose avouée de tout le monde, que plus on pénètre profondément dans ses ouvrages et dans ses opérations, plus on y reconnaît cette variété infinie et cet art divin qui sont si fort au-dessus de notre intelligence. Aussi serait-ce une entreprise également tétéméraire et chimérique, de vouloir comprendre et découvrir tout ce qu'opère la nature : et si quelqu'un vient à faire quelque découverte dans cette matière, même une découverte des plus utiles, il doit être persuadé, s'il connaît un peu les hommes, que toute la reconnaissance qu'ils lui en témoigneront, sera de le critiquer, par cette seule raison qu'il sera le premier auteur de cette découverte.

319. Il faut encore observer que toutes les maladies épidémiques semblent avoir, autant qu'on en peut juger par leurs phénomènes, un principe plus spiritueux et plus subtil, quand elles commencent, que quand elles sont déjà avancées; et que plus elles tendent à leur fin, plus ce principe devient grossier. Car, quelle que soit la nature des particules morbifiques qui, étant mêlées intimement avec l'air, forment une constitution épidémique; toujours ne peut-on s'empêcher de reconnaître qu'elles sont plus capables d'agir puissamment lorsqu'elles commencent à se faire sentir, que lorsque le temps les a affaiblies.— C'est ainsi que, pendant les premiers mois que régnait la peste, il n'y avait pas de jours que des gens n'en fussent attaqués tout d'un coup dans les rues, et n'en mourussent subitement, sans avoir auparavant senti aucun mal. Mais, quand la maladie eut duré plus long-temps, il ne mourait jamais personne sans que la fièvre et les autres symptômes eussent précédé; ce qui montre assez que la peste était plus violente dans son commencement qu'elle ne fut ensuite, quoique d'abord elle enlevât moins de monde.

320. De même dans la dysenterie dont nous parlons, tous les symptômes étaient plus cruels quand la maladie commença : quoique le nombre des malades augmentât chaque jour jusqu'à ce que la maladie fût dans sa plus grande force, où par conséquent il mourait plus de gens que quand elle commença; néanmoins, comme nous avons déjà dit, les symptômes étaient plus violents dans le commencement, que dans l'état de la maladie, et beaucoup plus encore que dans son déclin; et, à proportion du nombre des malades, il mourut plus de monde. — D'ailleurs, plus la dysenterie durait, plus elle semblait être humorale. Par exemple, le premier automne qu'elle se fit sentir, il y eut un très-grand nombre de malades qui n'avaient absolument aucunes déjections; mais les tranchées étaient beaucoup plus terribles, la fièvre beaucoup plus violente, les forces beaucoup plus abattues, et les autres symptômes beaucoup plus cruels que les années suivantes : et même les premières dysenteries, où il y eut des déjections, paraissaient avoir un principe plus spiritueux et plus subtil que celle d'après; car, dans les premières, l'irritation et les efforts pour aller à la selle étaient plus grands et plus fréquents, et les déjections, surtout les stercoreuses, étaient moindres et plus rares. A mesure que la maladie avançait, les tranchées diminuaient, et les déjections devenaient plus stercoreuses, jusqu'à ce qu'enfin la constitution épidémique venant à cesser, il n'y avait presque plus de tranchées, et les déjections étaient plus stercoreuses que muqueuses.

321. Pour venir maintenant aux indications curatives, après avoir soigneusement et mûrement réfléchi sur les divers symptômes de la dysenterie, j'ai trouvé que c'était une fièvre particulière qui agit sur les intestins; c'est-à-dire que les humeurs âcres et enflammées qui sont contenues dans la masse du sang, et qui l'agitent, sont déposées sur les intestins, à travers les artères mésentériques, et étant aidées par le mouvement impétueux des liqueurs qui se portent de ce côté-là, elles forcent les orifices des vaisseaux, et donnent moyen au sang de s'épancher par les selles. En même temps les intestins faisant tous leurs efforts pour se débarrasser des humeurs âcres qui les irritent continuellement, expriment la mucosité dont ils sont naturellement enduits, laquelle se décharge avec le sang, tantôt plus tantôt moins, chaque fois qu'on va à la selle. — Tout cela considéré, il me parut que les indications qui se présentaient naturellement dans

cette maladie, consistaient uniquement à faire, d'abord par la saignée, une révulsion des humeurs âcres, ensuite à adoucir toute la masse du sang, et à évacuer par la purgation ces humeurs nuisibles (1).

322. Voici donc la méthode que je suivis : dès le premier jour que j'étais appelé auprès d'un malade, je le faisais saigner du bras (2) ; le soir du même jour, je donnais un calmant ; et le lendemain matin la potion suivante, dont je me servais ordinairement.

Prenez tamarins, demi-once ; feuilles de séné, deux gros ; rhubarbe, un gros et demi : faites bouillir tout cela dans suffisante quantité d'eau ; et dans trois onces de ce que vous aurez coulé, dissolvez manne et sirop de rose solutif, de chacun une once, pour une potion qui sera prise de grand matin.

J'ai coutume de préférer cette potion à tous les électuaires où il entre un peu de rhubarbe. Car, quoique la rhubarbe soit destinée à purger la bile et toutes les humeurs âcres, elle ne fait pas néanmoins grand chose dans la dysenterie, si l'on manque d'y ajouter de la manne ou du sirop de roses, ou quelqu'autre purgatif semblable, de manière que, mêlés ensemble, la quantité soit suffisante pour purger assez abondamment : et comme on sait que les purgatifs les plus doux, tels que les simples minoratifs, augmentent les tranchées, dissipent les forces et dérangent le malade par le nouveau tumulte qu'ils excitent dans le sang et dans les humeurs pendant qu'ils opèrent, cela est cause que je donne toujours un calmant un peu plus tôt qu'on ne fait ordinairement après les purgatifs, c'est-à-dire à quelque heure que ce soit de l'après-midi, pourvu que le purgatif ait cessé d'agir. Ma vue en cela est d'apaiser le mouvement que j'ai excité par le purgatif. — Je fais prendre encore deux autres

(1) A peine y a-t-il une maladie qui demande plus d'habileté que la dysenterie pour être traitée méthodiquement. Les indications curatives en général sont 1° de corriger la matière peccante, et de l'évacuer par les émonctoires propres ; 2° d'apaiser les tranchées et les mouvements convulsifs des intestins ; 3° de cicatriser les intestins, s'ils sont ulcérés, ou de les fortifier s'ils sont simplement affaiblis. La première indication se remplit par l'usage des remèdes mucilagineux et huileux pris intérieurement, et donnés en lavement ; par les doux vomitifs réitérés selon le besoin, surtout avec la racine d'ipécacuanha, qui est estimée un spécifique dans le commencement de la maladie, et par les laxatifs mêlés avec les absorbants. Quand il y a malignité, il faut exciter une sueur modérée, et donner des cordiaux convenables. Par rapport à l'ipécacuanha, il faut observer qu'il réussit le mieux dans les tempéraments robustes et humides qui ont l'estomac et les intestins farcis de mauvaises humeurs, d'où s'ensuivent des nausées, des envies de vomir, des anxiétés, etc., ou qui ont gagné depuis peu, mais si on le donne après que la maladie a déjà duré quelque temps, et que le malade a déjà souvent rendu des matières muqueuses et sanguinolentes, il diminuera bien à la vérité ces évacuations, mais il augmentera les anxiétés, en sorte qu'on sera souvent obligé de rappeler l'écoulement par le moyen des lavements émollients. L'ipécacuanha est encore nuisible, si le foie est affecté, ou s'il y a inflammation, squirrhe ou cancer dans quelque viscère. Quant aux laxatifs, ceux qui sont d'un goût douceâtre et qui fermentent facilement, comme une décoction de pruneaux, une solution de manne, une infusion de séné, et tous les sirops laxatifs, ils ne conviennent pas. Les purgatifs violents et mercuriels augmentent les symptômes. La seconde indication se remplit par les narcotiques et les remèdes légèrement astringents, et par les fomentations anodines et les liniments anodins que l'on emploie sur le ventre et l'estomac. La troisième indication se remplit par des détersifs et des balsamiques, ou par des fortifiants, selon l'exigence des cas.

(2) Quantité d'expériences ont fait voir que la saignée est absolument nécessaire au commencement de la dysenterie, si le sujet est pléthorique, s'il est accoutumé à boire beaucoup de vin, ou si la maladie est accompagnée de fièvre continue ; car, c'est sans fondement que l'on appréhende que la saignée ne diminue les forces, puisque dans cette maladie, non seulement plusieurs meurent d'une inflammation des intestins, mais aussi que les gens pléthoriques, s'ils sont attaqués de fièvres continues, périssent uniquement par la surabondance du sang qui cause aisément des embarras, et même la mortification et la gangrène : d'où il s'ensuit que la saignée est le meilleur moyen de prévenir ces dangereux symptômes.

fois la même potion purgative; savoir, de deux en deux jours; et après chaque purgation, un calmant à l'heure que j'ai indiquée plus haut. De plus, les jours que je ne purge pas, je donne le calmant, matin et soir, afin de diminuer la violence des symptômes, et d'avoir le temps d'évacuer l'humeur peccante. Le calmant dont je me servais le plus, c'était le laudanum liquide, à la dose de 16 ou 18 gouttes pour une seule prise, dans quelque eau cordiale.

323. Après une saignée et une purgation, je faisais user pendant toute la maladie de quelque doux cordial, comme de l'eau épidémique, de l'eau de scordium composée, et autres semblables. Par exemple :

Prenez eaux de cerises noires et de fraises, de chacune trois onces; eau épidémique, eau de scordium composée, et eau de canelle orgée, de chacune une once; perles préparées, un gros et demi; sucre candi, quantité suffisante; eau rose, demi-once, pour donner un goût agréable : mêlez tout cela, et faites un julep dont le malade prendra quatre à cinq cuillerées dans ses faiblesses, ou à sa volonté.

J'employais principalement ce remède dans les vieillards et dans les tempéraments phlegmatiques, afin de rétablir un peu les forces que les grandes déjections avaient abattues, comme il est ordinaire dans cette maladie.—La boisson était du lait bouilli avec trois fois autant d'eau, ou bien ce qu'on nomme *décoction blanche* qui se prépare ainsi :

Prenez corne de cerf et mie de pain blanc, de chacune deux onces : faites-les bouillir dans trois livres d'eau de fontaine, que vous réduirez à deux : édulcorez ensuite la liqueur, en ajoutant suffisante quantité de sucre.

Je donnais aussi quelquefois pour boisson du petit-lait ; ou, si la faiblesse des malades le demandait, je faisais bouillir deux livres d'eau avec demi-livre de vin de Canarie, et cette boisson se prenait froide. — La nourriture était quelquefois de la panade, d'autres fois du bouillon fait avec la chair de mouton maigre (1). Je faisais davantage garder le lit aux gens âgés, et je leur faisais user du cordial en plus grande quantité qu'aux enfants et aux jeunes gens. Voilà de toutes les méthodes que je connais, celle qui m'a le mieux réussi dans la dysenterie, et il est arrivé très-rarement que cette maladie ait subsisté après la troisième purgation.

324. Si néanmoins elle résistait encore, je donnais matin et soir le calmant dont j'ai parlé, et je continuais de la sorte jusqu'à ce que le malade fût hors d'affaire : et même, pour venir plus sûrement à bout de la maladie, je n'ai pas fait de difficulté de donner mon calmant trois fois en vingt-quatre heures, à distances égales, et encore en plus grande dose que je n'ai dit ci-dessus, c'est-à-dire à la dose de vingt-cinq gouttes de laudanum liquide, si la première dose n'avait pas arrêté l'écoulement (2) : je faisais aussi donner tous les jours un lavement d'une demi-livre de lait de vache, avec une once et demie de thériaque; remède qui est excellent dans tous les cours de ventre. Les médecins qui n'ont pas d'expérience des narcotiques, s'imaginent que leur fréquent usage est très-dangereux : cependant je n'ai jamais vu arriver le moindre inconvénient du fréquent usage que j'ai fait du laudanum liquide dans la dysenterie, quoique je sache plusieurs malades qui en ont pris tous les jours pendant plusieurs semaines de suite. —Si le cours de ventre n'est qu'une diarrhée, il ne sera pas nécessaire de saigner ni de purger dans les formes, il suffira de donner tous les matins un demi-gros de rhubarbe en poudre (plus ou moins suivant les forces du malade), dont on fera un bol avec suffisante quantité de diascordium, ajoutant deux gouttes d'huile essentielle de canelle ; et le soir on don-

(1) Les bouillons de veau ou de poulet, le riz et les jaunes d'œuf conviennent pour le régime. Toutes les boissons doivent être prises un peu chaudes ; et à la fin de la maladie, un verre de vin pur, ou mêlé avec de l'eau, suivant que l'estomac pourra le supporter, est propre à ranimer les esprits, et à fortifier l'estomac et les intestins.

(2) Lorsque dans une dysenterie ou une diarrhée, les forces sont épuisées par les fréquentes déjections qui accompagnent cette maladie, que le malade est cachectique, ou attaqué de consomption qu'il survient une chaleur hectique, difficulté de respirer, et des douleurs vagues dans les membres, il faut arrêter l'évacuation, donner souvent des lavements fortifiants, appliquer sur l'estomac et le ventre des topiques fortifiants, et donner en même temps des remèdes internes convenables pour fortifier toutes les parties.

nera quatorze gouttes de laudanum liquide dans une d'eau de canelle orgée. Le régime sera le même que celui que j'ai recommandé pour la dysenterie, et, s'il est besoin, on donnera tous les jours le lavement que j'ai aussi recommandé dans cette maladie : mais ceci soit dit en passant.

325. Je ne rapporterai qu'un seul exemple pour faire voir la bonté de cette méthode ; car ce serait fatiguer inutilement le lecteur, que d'en rapporter un plus grand nombre. M. Thomas Belke, docteur en théologie, homme distingué par sa piété et sa science, et aumônier du comte de Saint-Alban, fut attaqué d'une très-violente dysenterie pendant cette constitution ; et, m'ayant fait appeler pour le traiter, je le guéris par ma méthode.

326. Les enfants qui avaient la dysenterie devaient être traités de même, excepté qu'il fallait leur tirer moins de sang, et diminuer la dose des purgatifs et du laudanum liquide à proportion de l'âge. Par exemple, deux gouttes de ce narcotique suffisaient pour un enfant d'un an.

327. Le laudanum liquide dont je me servais tous les jours, était préparé simplement de la manière suivante :

Prenez vin d'Espagne, une livre ; opium, deux onces ; safran, une once ; canelle et clous de girofle en poudre, de chacun un gros : faites digérer tout cela ensemble au bain-marie, pendant deux ou trois jours, jusqu'à ce que la liqueur ait une consistance requise : passez-la ensuite, et gardez-la pour l'usage.

Je ne crois pas, à la vérité, que cette préparation ait plus de vertu que l'opium en substance ; mais je la préfère à cause de la forme liquide qui est plus commode, et parce qu'on est plus sûr de la dose, d'autant qu'on peut la mêler dans du vin, dans une eau distillée, ou dans toute autre liqueur. — Et à cette occasion, je ne saurais m'empêcher de remarquer ici avec autant de reconnaissance que de satisfaction, qu'entre tous les remèdes dont le Dieu tout-puissant, qui est la source de tous les biens, a fait présent aux hommes pour adoucir leurs maux, il n'en est point de plus universel ni de plus efficace que l'opium, c'est-à-dire le suc d'une des espèces de pavot. Il se trouve, à la vérité, des gens qui voudraient faire entendre aux personnes crédules, que presque toute la vertu des narcotiques, et surtout de l'opium, dépend d'une certaine préparation qu'eux seuls ont l'art et le secret de lui donner. Mais tous ceux qui jugent des choses par l'expérience, et qui feront un usage fréquent, tant de l'opium simple, tel que la nature le présente, que de ses préparations, joignant à l'expérience de soigneuses observations, ne trouveront presque aucune différence dans les effets ; et ils seront persuadés que les merveilleux effets de l'opium doivent être attribués à la bonté et à l'excellence naturelle de la plante qui le produit, et non pas à l'adresse ingénieuse de l'ouvrier qui le prépare. Ce remède est d'ailleurs si nécessaire à la médecine, qu'elle ne saurait absolument s'en passer ; et un médecin qui saura le manier comme il faut, fera des choses surprenantes, et qu'on n'attendrait pas aisément d'un seul remède ; car se serait être peu instruit de la vertu de celui-ci, que de l'employer seulement pour procurer le sommeil, calmer les douleurs, et arrêter la diarrhée. L'opium peut servir dans plusieurs autres cas; c'est un excellent cordial, et presque l'unique qu'on ait découvert jusqu'à présent.

328. Telle était la méthode générale qui convenait dans les dysenteries; mais il faut observer que, comme celles de la première année avaient un principe plus subtil et plus spiritueux que celles des années suivantes; aussi ne se guérissaient-elles pas si vite par les purgatifs que par les délayants et les adoucissants. C'est pourquoi le premier automne que régnèrent les tranchées sans déjections, et les dysenteries, je les traitai toujours de la manière suivante, et j'eus toujours un heureux succès; mais l'hiver d'ensuite et le reste de la même année, ma méthode ne se trouva plus si efficace ; et les années suivantes, comme le principe de ces maladies devenait grossier de plus en plus, elle se trouva entièrement inutile.

329. Voici donc comment je m'y prenais : si le malade était jeune et avait de la fièvre, je le faisais saigner du bras ; une ou deux heures après, je lui faisais boire, en aussi grande quantité que dans le choléra-morbus, non pas du bouillon de poulet, mais du petit-lait froid ; et on lui donnait des lavements avec le petit-lait tiède, sans y ajouter ni sucre, ni autre chose. Les tranchées et les déjections mêlées de sang disparaissaient après que le malade avait rendu le quatrième lavement ; tout ce grand lavage

ne dure que deux ou trois heures, pourvu que le malade boive comme il faut. Aussitôt après, je le faisais mettre au lit ; et le petit-lait qui était entré dans le sang lui causait bientôt une abondante moiteur que je laissais continuer pendant vingt-quatre heures, sans l'exciter. Durant ce temps-là, je n'accordais rien au malade que du lait un peu tiède, et il ne prenait même que cela pendant trois ou quatre jours, depuis qu'il s'était levé. S'il retombait pour s'être levé trop tôt, ou pour avoir quitté trop tôt l'usage du lait, il fallait recommencer les mêmes remèdes. Si cette méthode est exactement suivie, je crois qu'aucun homme de bon sens ne la rejettera, sous prétexte qu'elle n'est pas accompagnée d'un appareil pompeux de remèdes.

330. La fièvre dysentérique, avec les symptômes que nous avons décrits ci-dessus, se rencontre dans les lieux où règne la dysenterie épidémique, et dans les mêmes temps ; et on doit la traiter entièrement par la même méthode : c'est ce que prouve le témoignage du docteur Butler, également homme de bien et habile homme, et qui accompagna le très-noble seigneur Henri Howard, lorqu'il fut envoyé en Afrique, en qualité d'ambassadeur de Sa Majesté Britannique auprès du roi de Maroc. — Ce docteur m'a raconté lui-même qu'il observa dans ce pays-là une dysenterie épidémique, laquelle était accompagnée d'une fièvre également semblable à celle que nous avons décrite. Il traita ces deux maladies, tant à Tanger qu'en d'autres endroits, par la méthode que nous avons recommandée, et il réussit toujours heureusement, soit qu'il eût affaire à des Anglais ou à des Maures. Il ne tenait point cette méthode de moi, comme je ne la tiens point de lui. Le même hazard nous y avait conduits tous deux, quoique nous fussions très-éloignés l'un de l'autre. Il m'assurait que dans le traitement de la dysenterie il s'était très-bien trouvé de noyer ses malades d'un déluge de liqueur. Pour moi, je pense que, dans un climat chaud, comme celui de l'Afrique, une telle méthode doit manquer beaucoup plus rarement de réussir qu'en Angleterre.

331. Durant le premier automne que régnait cette constitution, Daniel Coxe, docteur en médecine, homme de beaucoup d'esprit et de science, ayant été attaqué d'une très-violente dysenterie, me consulta ; et ayant suivi ma méthode, que je lui conseillai, il fut guéri promptement, sûrement et agréablement. Les tranchées et les déjections sanguinolentes cessèrent après le troisième ou le quatrième lavement, lorsque j'étais encore auprès de son lit ; il n'eut besoin ensuite pour se rétablir que de garder le lit pendant le temps que j'ai marqué, et de vivre de lait. Sur la fin du même automne, il guérit lui-même par cette méthode un très-grand nombre de dysentériques ; mais ayant voulu s'en servir aussi l'année suivante, il ne réussit pas.

332. J'ai déjà dit que quand la dysenterie dure long-temps elle attaque souvent tous les intestins les uns après les autres, en tirant vers l'anus, jusqu'à ce qu'enfin elle s'arrête sur le rectum, et cause des envies continuelles d'aller à la selle, sans qu'on rende autre chose qu'une mucosité mêlée de sang. Dans ce cas-là, on tenterait inutilement, selon moi, aucune des méthodes précédentes, soit les lavements détersifs, agglutinatifs et astringents que l'on a coutume d'employer suivant les divers temps de l'ulcère qu'on suppose être dans le rectum ; soit même les fomentations, les demi-bains, les fumigations et les suppositoires qui remplissent les mêmes vues. Car il est évident que le mal ne vient point d'un ulcère du rectum, mais plutôt de ce que les intestins, à mesure qu'ils ont recouvré leur élasticité, ont poussé dans le rectum les restes de la matière morbifique ; et cet intestin continuellement irrité se décharge à chaque selle d'une mucosité dont il est naturellement enduit. — Il s'agit donc de fortifier le rectum, afin qu'il puisse, comme les autres intestins, se débarrasser entièrement des faibles restes de la maladie. Or, rien n'y réussira que les remèdes propres à fortifier tous les corps en général. Un topique, quel qu'il soit, étant un corps étranger qui incommode par son contact, affaiblira plutôt la partie souffrante qu'il ne la fortifiera (1).

(1) Le ténesme est un symptôme très-incommode et très-douloureux ; mais on peut y apporter beaucoup de soulagement, en fomentant l'anus avec une décoction de fleurs de sureau et de camomille dans le lait, ou en y appliquant le mucilage d'herbe aux puces, ou la semence de coing, ou un mucilage d'huile d'amandes douces, de jaune d'œuf et de safran, ou bien en faisant recevoir les vapeurs chaudes d'une décoction émolliente de feuilles de guimauve, de fleurs

Ainsi, il faut que le malade prenne patience, jusqu'à ce que ses forces se rétablissent par les bons aliments, et par l'usage de quelque liqueur cordiale fort agréable au goût, dont il boira à sa volonté; et à mesure que les forces reviendront, le ténesme cessera.

333. Il arrive aussi quelquefois, quoique fort rarement, qu'une personne se ressentira durant plusieurs années d'une dysenterie qui n'aura pas été bien traitée dans le commencement. Toute la masse du sang ayant alors acquis, pour ainsi dire, une qualité dysentérique, envoie continuellement aux intestins des humeurs âcres et échauffées, et néanmoins le malade fait assez bien toutes ses fonctions. C'est de quoi j'ai vu, il n'y a pas long-temps, un exemple chez une femme de mon voisinage, laquelle fut continuellement tourmentée de ce mal pendant les trois dernières années de cette constitution. Elle avait fait quantité de remèdes avant que de s'adresser à moi. Je ne lui ordonnai autre chose que la saignée, laquelle je fis réitérer plusieurs fois, de loin en loin, y étant déterminé par la couleur du sang, qui ressemblait à celui des pleurétiques, et par le soulagement que la malade ressentait de plus en plus à chaque saignée. En effet, elle recouvra par ce moyen une santé parfaite.

334. Je remarquerai une chose avant de finir, c'est que les évacuations qui, dans les dysenteries épidémiques, étaient absolument nécessaires avant d'en venir à l'usage du laudanum, ne le sont point du tout lorsque la constitution de l'air ne favorise pas la maladie, et qu'alors on peut la guérir par une voie plus courte, c'est-à-dire par le seul usage du laudanum employé de la manière que nous avons indiquée : et voilà ce que nous avions à dire sur la dysenterie.

CHAP. IV. — FIÈVRE CONTINUE D'UNE PARTIE DE 1669, ET DES ANNÉES ENTIÈRES 1670, 71, 72.

335. En même temps que régnait la dysenterie, il parut une fièvre qui lui ressemblait extrêmement : elle attaquait non-seulement ceux qui avaient déjà la dysenterie, mais encore ceux qui en étaient exempts, si ce n'est qu'ils ressentaient quelquefois, et encore rarement, de légères tranchées, tantôt avec des déjections, et tantôt sans déjections. Cette fièvre avait toujours les mêmes causes sensibles et manifestes que la dysenterie, et les mêmes symptômes qui accompagnaient la fièvre des dysentériques : en sorte qu'à l'exception des évacuations par les selles, et des autres symptômes qui en dépendaient, elle paraissait être entièrement de la même nature que la dysenterie. Aussi, durant toute cette constitution, elle souffrit les mêmes altérations dans tous ses symptômes, que la dysenterie en général, et elle eut les mêmes différences par rapport à son augmentation, son état et son déclin. Voilà pourquoi je la nommai *fièvre dysentérique*.

336. Cette fièvre, ainsi que nous avons dit, commençait quelquefois avec de légères tranchées du ventre, surtout les premières années; d'autres fois, les tranchées venaient ensuite, et le plus souvent il n'y en avait point. Les sueurs qui, dans la fièvre de la constitution précédente, étaient très-abondantes, comme nous avons remarqué plus haut, étaient rares et peu considérables dans celle-ci; mais la douleur de tête y était plus violente que dans l'autre. La langue des malades était humide et blanche, comme dans l'espèce précédente; mais outre cela elle était couverte d'une pellicule épaisse. Cette fièvre se terminait rarement par la salivation, ce qui n'était pas rare dans l'autre. Vers la fin de la maladie, il survenait plus souvent des aphthes, que dans la fièvre précédente, ou dans aucune autre fièvre que j'aie jamais vue. Ces aphthes étaient produits par une matière âcre et hétérogène, que le sang déposait dans la bouche et dans le gosier, ce qui arrivait aussi dans la fièvre qui accompagnait la dysenterie; et ils venaient principalement à ceux qui avaient été plus long-temps malades, et qui étaient plus affaiblis par un régime trop chaud. — La même fièvre produisait aussi cette sorte d'aphthes qui étaient ordinaires aux dysenteries opiniâtres, accompagnées de fièvre; et cela arrivait surtout, lorsqu'outre un régime trop chaud, on avait arrêté par des astringents les déjections, avant que d'avoir évacué, par la saignée et les purgations, le foyer de la maladie.

337. Voilà quels étaient les vrais signes diagnostics de cette fièvre. Les autres symptômes variaient chaque année, suivant que les qualités manifestes de

de sureau, de semences de fenu-grec, etc., dans le lait.

l'air changeaient en certain temps, et suivant les progrès et les différents états de la dysenterie en général. Mais, pour mieux faire entendre ce que je veux dire, puisque c'est principalement par ce moyen que la nature produit les maladies épidémiques, je reprendrai les choses d'un peu plus haut. — Il faut donc remarquer que, quoique les qualités manifestes de l'air n'influent pas tellement sur chaque constitution qu'elles soient les vraies causes des maladies épidémiques qui se rapportent proprement à telle et telle constitution, puisque ces maladies dépendent d'une certaine disposition cachée et inexplicable qui se trouve dans la constitution, néanmoins elles ont, suivant les temps différents, une influence sur les maladies épidémiques, en vertu de laquelle celles-ci paraissent ou ne paraissent pas, selon que les qualités manifestes de l'air les favorisent ou leur sont contraires. Mais la constitution générale demeure entièrement la même, soit que ces qualités de l'air l'avancent, soit qu'elles la retardent.

338. De là vient qu'entre différentes maladies épidémiques qui règnent sous une même constitution, telle ou telle maladie particulière arrive principalement dans la saison à laquelle elle est déterminée par les qualités sensibles de l'air, et qu'elle cède la place à une autre maladie épidémique, lorsque les qualités de l'air viennent à changer dans la saison d'ensuite. C'est ce qu'on voit dans la fièvre *stationnaire* ou *fixe*, quelle qu'elle soit, qui est du nombre des maladies épidémiques de l'année courante ; car cette fièvre se fait sentir principalement au mois de juillet, et dès le commencement de ce mois elle attaque un grand nombre de personnes en même-temps; mais quand l'automne approche, elle s'affaiblit, et cède la place à la principale maladie épidémique de cette année-là. — La cause de cette vicissitude est la chaleur de l'été qui, mettant les humeurs en mouvement, donne lieu aux fièvres de la constitution générale de paraître dans cette saison ; au lieu que l'automne les fait disparaître, tandis que la maladie épidémique dominante reprend le dessus.

339. Or, comme ce sont les qualités sensibles de l'air qui produisent au mois de juillet les fièvres *stationnaires*, ce sont aussi les mêmes qualités de l'air propres à ce mois-là, qui produisent divers symptômes entièrement étrangers à ces fièvres, en tant qu'elles dépendent de la constitution générale. De là vient que dans les années où il y a beaucoup de ces fièvres au mois de juillet, et où elles sont accompagnées de plusieurs symptômes extraordinaires, outre ceux qui leur sont propres, en tant qu'elles sont l'effet de la constitution générale, elles ne laissent pas de demeurer les mêmes, quoiqu'à raison de la diversité de leurs symptômes, le public les regarde chaque année comme nouvelles. Leurs symptômes particuliers ne durent que quelques semaines; après quoi elles n'ont pendant le reste de l'année que leurs symptômes propres.

340. C'est ce qu'on voyait clairement dans les autres fièvres, et surtout dans les fièvres dysentériques du mois de juillet de 1671 et 1672. On remarquait toujours dans la première de ces deux dernières fièvres que les malades souffraient beaucoup, qu'ils rendaient une bile verte, et que sur la fin de la maladie, ils avaient une grande disposition à la diarrhée. Dans la seconde fièvre dysentérique, les malades ressentaient dans les muscles, et principalement dans les extrémités, des douleurs approchantes de celles du rhumatisme : le pharynx était enflammé, mais moins que dans l'esquinancie. Ces deux symptômes spécifiques se rencontraient dans la même fièvre, et se guérissaient par les mêmes remèdes. Ils ne différaient qu'à l'égard des qualités sensibles de l'air sous lesquelles ils arrivaient. — La régularité avec laquelle ces fièvres paraissaient tout d'un coup au commencement de juillet, et les symptômes particuliers dont elles étaient accompagnées durant un certain temps (lesquels néanmoins étaient de même espèce, et se guérissaient par la même méthode que la fièvre qui subsistait l'année entière), tout cela, dis-je, fait assez voir combien il est difficile de déterminer toujours par les symptômes quelle est l'espèce de fièvre qui règne ; mais on peut la distinguer assez bien en faisant une soigneuse attention aux autres maladies de cette année-là, et en observant exactement les symptômes fébriles qui ont rapport à telle ou telle évacuation. Un autre moyen de découvrir l'espèce de fièvre, c'est d'examiner par quelle méthode ou par quel remède elle se guérit le plus facilement.

341. Quant aux autres symptômes qui accompagnent les *stationnaires*, ils dépendent uniquement des divers temps de la constitution, et ils sont plus ou

moins violents suivant que les symptômes des autres maladies épidémiques auxquelles ils appartiennent, augmentent ou diminuent.

342. Mais, pour revenir à notre sujet, la fièvre qui, comme nous avons dit plus haut, commença avec les dysenteries, se soutint sur le même pied qu'elles, si ce n'est qu'elle diminuait un peu lorsque les autres maladies épidémiques de ces années la prenaient le dessus; mais elle persista durant toute la constitution avec plus ou moins de violence.

343. Pour ce qui regarde le traitement de cette fièvre, ayant observé, comme il a été dit auparavant, qu'elle avait absolument les mêmes symptômes que la fièvre de la dysenterie, je crus que je guérirais mes malades si j'imitais en quelque manière l'évacuation dont se sert ordinairement la nature pour chasser au dehors la matière âcre et corrosive qui est la cause prochaine de la dysenterie et de la fièvre de la dysenterie. — Ainsi, je mis en usage la même méthode que j'ai décrite au long ci-dessus, dans le traitement de la dysenterie, au moins quant à la saignée et aux purgations réitérées : car, je trouvai que les narcotiques employés entre les purgations, n'étaient pas utiles comme dans la dysenterie, et qu'au contraire, ils étaient nuisibles, en ce qu'ils fixaient la matière peccante, que les purgatifs auraient dû évacuer. — Les premiers jours de la maladie, je nourrissais mes malades de crème d'orge ou d'avoine, de panades, et d'autres choses semblables; et je leur donnais pour boisson, de la petite bière un peu chaude. Après deux purgations, il n'était nullement nécessaire de leur interdire la chair de poulet, ou d'autres semblables aliments aisés à digérer; car la méthode de traiter cette maladie par les purgatifs permettait d'accorder ce régime, au lieu qu'il n'aurait pas convenu si l'on avait suivi une autre méthode. — La maladie était le plus souvent guérie après trois purgations, entre chacune desquelles je mettais toujours un jour d'intervalle; quelquefois néanmoins il fallait encore d'autres purgations. Si après que la fièvre avait cessé, le malade se trouvait extrêmement faible, et qu'il fût long-temps à se rétablir (ce qui arrive très souvent aux femmes hystériques), je tâchais de rétablir les forces, et de réparer les esprits en donnant une petite dose de laudanum. Rarement je réitérais ce remède, et je ne l'ordonnais jamais que deux ou trois jours après la dernière purgation. Mais rien ne contribuait tant à rétablir les forces et à réparer les esprits que de prendre l'air dès que la fièvre avait cessé.

344. Ce qui me donna la première idée de suivre la méthode des évacuations fut la maladie d'une jeune fille de mon voisinage, vers laquelle je fus appelé dans les commencements de cette constitution, lorsque j'examinais en moi-même avec beaucoup de soin et d'attention la nature de cette nouvelle fièvre. La malade avait la fièvre avec une terrible douleur au-devant de la tête, et les autres symptômes de la fièvre dysentérique. Je lui demandai comment sa fièvre lui avait pris, et depuis combien de temps. Elle me répondit qu'elle avait eu la dysenterie, qui était alors épidémique, qu'elle en était quitte depuis quatorze jours, et que cette maladie, soit qu'elle eût cessé d'elle-même, ou par la vertu des remèdes, avait été aussitôt suivie de la fièvre et de la douleur de tête. Je crus que je viendrais très-bien à bout de remédier à ces accidents, si je substituais à la dysenterie une autre évacuation entièrement semblable à celle dont la cessation avait occasionné la fièvre. En effet, je guéris cette femme par la méthode que j'ai décrite ci-dessus. La même méthode emportait en très-peu de temps les fièvres de cette constitution. — Or, j'ai toujours été d'avis que, pour qu'une méthode de traiter les maladies aiguës soit bonne et recommandable, il ne suffit pas qu'elle réussisse heureusement, puisque cela arrive quelquefois à des femmes également ignorantes et téméraires, mais qu'il faut encore que la maladie se termine sans peine, et pour ainsi dire d'elle-même, autant qu'il est possible (1). C'est une réflexion que je fais en passant.

345. Au commencement de juin 1672, le comte de Salisbury, homme de la première noblesse et d'un rare génie, étant tombé malade, me fit appeler. Il avait la fièvre dysentérique avec les tranchées, mais sans cours de ventre. Il fut guéri par ma méthode : et je n'eus pas besoin d'en employer aucune autre, tant que dura la maladie.

(1) Le succès général obtenu par un médecin dans le traitement d'une maladie, est assurément la meilleure preuve de son jugement et de l'excellence de sa méthode; plus cette méthode est facile, plus aussi elle fait paraître l'habileté du médecin, et devient d'une utilité plus universelle.

346. Chez les jeunes gens, et même chez les personnes un peu avancées en âge, cette fièvre portait quelquefois à la tête, et causait un délire, non pas phrénétique, comme dans les autres fièvres, mais presque léthargique. Cela arrivait surtout à ceux qui au commencement de la maladie avaient employé mal à propos toutes sortes de moyens pour se faire suer. J'eus beau me tourner de tous les côtés, et mettre en usage tous les remèdes imaginables, je ne pus sauver aucun des malades qui avaient ce symptôme (1). Mais en voilà assez sur les fièvres de cette constitution

CHAP. V. — ROUGEOLES DE L'AN 1670.

347. Au commencement de janvier 1670, les rougeoles parurent à leur ordinaire. Elles augmentèrent de jour en jour jusqu'à l'équinoxe du printemps, qu'elles furent dans leur plus grande force. Ensuite elles diminuèrent par degrés jusqu'au mois de juillet suivant, qu'elles cessèrent entièrement. Comme ces rougeoles m'ont semblé les plus régulières de toutes celles que j'ai jamais vues, je vais en tracer exactement l'histoire, autant qu'il m'a été possible de les observer.

348. La rougeole commence et finit dans les mois que je viens d'indiquer. Elle attaque le plus souvent les enfants, sans qu'aucun de tous ceux d'une ville en soit exempt. Le premier jour, le froid et la chaleur se succèdent mutuellement. Le second jour, il y a une véritable fièvre ; la personne se trouve fort mal, elle est altérée, avec un dégoût de toute nourriture ; sa langue est blanche, sans être sèche ; elle a une petite toux, une pesanteur de la tête et des yeux, et une continuelle envie de dormir. Il distille le plus souvent du nez et des yeux une humeur séreuse, ce qui est un signe certain de la prochaine éruption de la rougeole. Un autre signe également certain, c'est qu'il paraît ordinairement des pustules au visage, tandis qu'à la poitrine on voit plutôt des taches larges et rouges qui ne s'élèvent pas au dessus de la peau. Le malade éternue comme s'il était enchifrené; ses paupières se gonflent un peu avant l'éruption, il vomit ; mais plus souvent il est attaqué d'une diarrhée qui fournit des déjections verdâtres. Cela arrive surtout aux enfants qui font des dents. Cette maladie rend les enfants de plus mauvaise humeur qu'à l'ordinaire. — Les symptômes augmentent le plus souvent jusqu'au quatrième jour. Ce jour-là, et quelquefois le cinquième, il paraît sur le front et sur le reste du visage, de petites taches rouges, semblables à des morsures de puces, qui, devenant ensuite plus grandes et plus nombreuses, se serrent en forme de grappes, et sont de différentes figures. Ces taches rouges sont composées de petites pustules de même couleur, situées les unes près des autres, qui s'élèvent tant soit peu sur la surface de la peau, et dont on sent plutôt l'élévation en les touchant légèrement avec le doigt qu'on ne les aperçoit à l'œil à quelque distance. Elles n'occupent d'abord que le visage ; ensuite elles s'étendent sur la poitrine et sur le ventre; puis sur les cuisses et sur les jambes. Mais elles ne forment que de simples rougeurs sur la peau du tronc et des extrémités, sans aucune éminence sensible.

349. Les symptômes de la rougeole ne s'adoucissent pas par l'éruption, comme ceux de la petite vérole. Toutefois, je n'ai jamais vu de vomissement après l'éruption. Mais la toux, la fièvre et la difficulté de respirer augmentent ; et le larmoiement, l'envie continuelle de dormir et le dégoût persistent comme auparavant. — Vers le sixième jour, la peau du visage devient rude à mesure que les

(1) Il serait à souhaiter que l'auteur eût spécifié la méthode et les remèdes qu'il employa inutilement contre ce symptôme, les fautes des grands hommes n'étant pas moins instructives en général que leurs succès, en ce qu'elles fournissent plusieurs idées utiles sur les moyens d'agir plus sûrement dans des cas semblables. Comme l'usage des vésicatoires n'était pas alors établi, et qu'il paraît par les formules de remèdes de notre auteur, qu'il donnait rarement des remèdes chauds et volatils, il y a grande apparence qu'il ne se servit pas de ces deux secours, ou qu'il s'en servit trop peu, eu égard à l'exigence du cas. Dans la pratique présente, on guérit souvent les stupeurs d'un mauvais caractère, en appliquant beaucoup de vésicatoires, et en faisant prendre souvent et en petite quantité des remèdes chauds et nervins, comme le sel volatil de corne de cerf et de succin, le castoréum, les espèces du diambra, le camphre, le safran, la racine de serpentaire de Virginie, l'esprit de lavande, le sel volatil huileux, etc.

pustules s'évanouissent et que l'épiderme se déchire; alors les taches du reste du corps sont très-grandes et très-rouges. Vers le huitième jour, il n'y a plus de taches au visage, et on n'en voit presque plus sur le reste du corps. Le neuvième jour, il n'y en a plus aucune nulle part, le visage, les extrémités, et quelquefois tout le corps se trouvant alors couvert d'une espèce de farine, parce que l'épiderme qui a été un peu soulevé, venant à se détacher et à se déchirer, tombe par petites écailles.

350. La rougeole disparaît donc ordinairement le huitième jour (1). Le peuple, se laissant tromper par la durée ordinaire de la petite vérole, dit alors que la rougeole rentre, quoique réellement elle ait fini son temps; et il croit que les symptômes qui arrivent à la fin de cette maladie, viennent de ce qu'elle est rentrée. En effet, la fièvre et la difficulté de respirer augmentent pour lors, et la toux devient plus fâcheuse; en sorte que les malades ne dorment presque ni jour ni nuit. Les enfants surtout à qui on a fait user d'un régime chaud, ou de remèdes chauds, afin d'aider l'éruption de la rougeole, sont sujets à cet accident, qui arrive sur la fin de la maladie, et qui leur cause une péripneumonie, dont il meurt un plus grand nombre d'enfants que de la petite vérole, ou d'aucun symptôme de cette maladie. Au reste, la rougeole est absolument sans danger quand elle est bien traitée. — Elle est suivie assez souvent d'une diarrhée, laquelle même dure quelquefois plusieurs semaines après la cessation de la maladie et de tous ses symptômes. Cette diarrhée met le malade en grand danger par l'épuisement qu'elle lui cause. Quelquefois aussi, après un régime fort chaud, les pustules deviennent livides, et ensuite noirâtres. Cela n'arrive qu'aux adultes; et leur sort est désespéré si, dès qu'on aperçoit cette noirceur, on manque de recourir aussitôt à la saignée, et à l'usage d'un régime tempéré et capable de rafraîchir le sang.

351. La rougeole ressemble beaucoup à la petite vérole, et doit être traitée à peu près de la même manière. Les remèdes et le régime qui échauffent sont très-dangereux, quoique des femmes ignorantes, qui se mêlent de traiter cette maladie, les emploient fréquemment, sous prétexte d'éloigner du cœur le virus morbifique. Voici la méthode qui m'a le mieux réussi. Je ne faisais garder le lit aux malades que pendant deux ou trois jours depuis l'éruption, afin que les particules enflammées qui pouvaient aisément se séparer du sang, dont elles corrompaient la nature, se dissipassent doucement par la transpiration : les malades n'étaient pas plus couverts dans leurs lits, et leurs chambres n'étaient pas plus échauffées que lorsqu'ils étaient en santé. Je leur interdisais entièrement la viande, et je les nourrissais de décoctions d'orge, d'avoine, et d'autres choses semblables, et quelquefois je leur accordais une pomme cuite. Leur boisson était de la petite bière, ou du lait mêlé de trois fois autant d'eau.—J'adoucissais la toux qui accompagne ordinairement la rougeole, en faisant user de temps en temps d'une décoction pectorale, ou d'un looch adoucissant. Mais, sur toutes choses, je donnais le sirop diacode tous les soirs dès le commencement de la maladie jusqu'à la fin. Par exemple:

Prenez décoction pectorale, une livre et demie; sirop violat et sirop de capillaire, de chacun une once et demie. Mêlez tout cela pour un apozème, dont le malade prendra trois ou quatre onces, trois ou quatre fois dans la journée.

Prenez huile d'amandes douces, deux onces; sirop violat et sirop de capillaire, de chacun une once; sucre candi, ce qu'il en faut. Mêlez tout cela ensemble pour un looch, dont le malade usera souvent, surtout quand il sera pressé de la toux.

Prenez eau de cerises noires, trois onces; sirop diacode, une once. Mêlez cela pour une potion, que le malade prendra tous les soirs.

(1) L'auteur dit ici : la rougeole disparaît ordinairement le huitième jour; et un peu auparavant il dit, que les taches disparaissent entièrement le neuvième : ce qui semble contradictoire; mais la vérité est que, dans la plupart des sujets, les taches se dissipent dans quatre, cinq ou six jours depuis qu'elles ont commencé à paraître, à moins que la maladie ne soit d'une espèce très-maligne. Ceux qui meurent de la rougeole périssent ordinairement le neuvième jour par la suffocation. Les symptômes dangereux dans cette maladie sont le grand abattement, le froid des extrémités, l'agitation, le vomissement violent, la toux continuelle, la diarrhée, la difficulté d'avaler, le délire, les convulsions, les sueurs abondantes, et surtout chez les personnes avancées en âge.

Si le malade était un enfant, il faudrait diminuer la dose des remèdes pectoraux et du narcotique, à proportion de l'âge (1).

352. Il est très-rare que les malades périssent quand on les traite de cette manière, et il ne leur arrive point d'autres accidents que les symptômes nécessaires et inévitables de la maladie. Ce qui fatigue le plus, c'est la toux. Néanmoins elle n'est dangereuse qu'après la fin de la maladie; et lorsqu'elle subsiste encore pendant une ou deux semaines ensuite, elle se guérit aisément par l'usage du grand air et des remèdes pectoraux. Bien plus, elle diminue peu à peu d'elle-même, et cesse enfin entièrement (2).

353. Mais si, après la rougeole, comme il arrive très-souvent, le malade, pour avoir usé des cordiaux ou d'un régime trop échauffant, est attaqué d'une fièvre violente, d'une difficulté de respirer, et d'autres symptômes de la péripneumonie, qui le mettent en danger de sa vie, la saignée du bras est alors nécessaire, et je m'en suis toujours bien trouvé, même dans les plus petits enfants, en tirant une quantité de sang proportionnée à leur âge et à leurs forces. — Quelquefois même dans un cas pressant je n'ai pas fait difficulté de réitérer la saignée. Je puis dire avoir sauvé par ce moyen un grand nombre d'enfants qui étaient prêts à étouffer. La péripneumonie qui arrive aux enfants après que la rougeole est passée, leur est extrêmement pernicieuse; elle en fait plus périr que la petite vérole même, et je n'ai encore vu personne qui ait pu la guérir autrement que par la saignée.—La diarrhée, que nous avons dit succéder à la rougeole, se guérit de même par la saignée (3); car, comme elle vient d'un sang enflammé, dont les parties les plus subtiles se jetant sur les intestins les obligent à se décharger (ce qui arrive aussi dans la pleurésie, la péripneumonie, et les autres maladies inflammatoires), il n'y a que la saignée qui soit utile en pareil cas, d'autant qu'elle fait une révulsion des humeurs âcres qui causent la diarrhée, et qu'elle tempère

(1) Nonobstant les égards que mérite la méthode de l'auteur, il sera peut-être bon de donner sur cette matière quelques nouvelles instructions tirées d'Hoffmann. Si les premières voies sont surchargées de matières indigestes, il est à propos de donner un doux émétique, Si les enfants ont des vers, il faut purger au commencement. La saignée est nécessaire dans les adultes, s'il y a pléthore. Les remèdes échauffants et le régime chaud augmentent la mauvaise qualité et la subtilité de la matière morbifique, la chaleur et l'anxiété, et épuisent les forces. Les remèdes nitreux et trop rafraîchissants, surtout dans les enfants, retardent l'éruption, et la matière morbifique, étant retenue dans l'habitude du corps, dispose à la morbification. Lorsque la rougeole attaque les femmes hystériques, ou survient dans le temps des règles, elle est souvent accompagnée d'une difficulté de respirer, d'une contraction de l'œsophage, d'une grande anxiété, etc., ce qui retarde l'éruption: dans ce cas-là, il ne faut pas l'aider par des remèdes chauds, mais plutôt avoir recours à des antispasmodiques, comme à des lavements faits avec les carminatifs et les anodins, à de doux diaphorétiques, mêlés avec une petite quantité de castor et de nitre, et quelquefois il faut employer la saignée. La toux, qui est le plus fâcheux symptôme, est très-bien adoucie par l'huile d'amandes douces fraîchement tirée, et mêlée avec du sirop de capillaire ou de guimauve, donnée fréquemment à la quantité d'une demi-cuillerée dans de l'eau de gruau. La diarrhée ne doit être ni beaucoup excitée ni promptement arrêtée, elle est souvent plus utile que nuisible, parce qu'elle termine la maladie, et emporte beaucoup d'impuretés. Les lavements émollients, pour adoucir les humeurs âcres logées dans les intestins, conviennent très-bien. Dans les hémorrhagies qui surviennent dans cette maladie, les astringents puissants et les narcotiques ne valent rien. La mixture suivante a été souvent employée avec succès. « Prenez » eau de cerises noires, six onces; eau » thériacale, trois gros; antimoine diaphorétique et diascordium, de chacun » demi-gros; esprit de vitriol, vingt » gouttes; sirop de pavot rouge, deux « gros; mêlez tout cela ensemble, et » donnez-en deux ou trois cuillerées de » trois en trois heures. »

(2) Il n'est pas ici parlé de purgation après la maladie; néanmoins le défaut de purgation a souvent causé des maladies très-dangereuses et très-opiniâtres, comme des abcès internes, des ulcères malins, des caries d'os, la consomption, l'hydropisie, l'aveuglement, etc. Ainsi, on doit se souvenir que la purgation est presque aussi nécessaire après cette maladie qu'après la petite vérole.

(3) Voyez l'article 350.

le sang au point qui est nécessaire (1).

354. On ne doit pas être surpris que je recommande la saignée pour les plus petits enfants. L'expérience m'a appris qu'on peut les saigner avec autant de sûreté que les adultes. La saignée leur est même si nécessaire qu'il est impossible sans cela de remédier comme il faut à la péripneumonie dont nous avons parlé, et à quelques autres symptômes qui leur arrivent.—Comment, par exemple, remédiera-t-on sans la saignée aux convulsions que souffrent les enfants à l'âge de neuf ou dix mois, lorsqu'ils font des dents; convulsions que causent les nerfs comprimés et irrités en conséquence de l'enflure et de la douleur des gencives? La saignée seule l'emporte de beaucoup dans cette maladie sur tous les spécifiques les plus vantés que l'on a connus jusqu'à présent. Quelques-uns même de ces prétendus spécifiques nuisent par leur chaleur, et, augmentant le mal au lieu de le guérir, causent la mort des enfants. Je ne dis rien ici de la grande utilité de la saignée dans la coqueluche des enfants, où ce remède surpasse infiniment tous les remèdes pectoraux.

355. Ce que nous avons dit touchant la curation des symptômes qui surviennent à la fin de la rougeole peut convenir quelquefois lorsque la rougeole étant dans sa force, les mêmes symptômes arrivent pour avoir trop échauffé le malade. — Cette année, 1770, je traitai une servante de Mme Anne Barington. Elle avait la rougeole avec fièvre, difficulté de respirer, des taches de pourpre sur tout le corps, et quantité d'autres symptômes très-dangereux. Comme j'attribuais tout cela au régime chaud, et aux remèdes chauds dont elle avait pris un assez grand nombre, je la fis saigner du bras, et lui ordonnai de boire fréquemment d'une tisane pectorale et rafraîchissante. Par ces remèdes, auxquels je joignis un régime tempéré, les taches et tous les autres symptômes disparurent peu à peu.

356. La rougeole, qui, comme nous avons dit (2), avait commencé au mois de janvier, alla en augmentant chaque jour jusqu'à l'équinoxe du printemps. Depuis ce temps-là elle diminua insensiblement, et au mois de juillet suivant elle cessa tout-à-fait. Elle ne revint point de toute cette constitution, si ce n'est qu'au printemps d'ensuite elle parut faiblement en quelques endroits. Mais en voilà assez sur la rougeole.

CHAP. VI. — PETITES VÉROLES IRRÉGULIÈRES DES ANNÉES 1670, 71, 72.

357. Les rougeoles dont nous venons de parler amenèrent des petites véroles d'une espèce différente de celles qui avaient régné sous la constitution précédente. Ces petites véroles commencèrent presque en même temps que les rougeoles, savoir, les premiers jours de janvier 1670. Et quoiqu'elles ne fussent pas si épidémiques, elles ne laissèrent pas de les accompagner tout le temps qu'elles subsistèrent; elles durèrent même après la cessation des rougeoles pendant le reste de cette constitution. Mais, en automne, elles furent moins violentes que les dysenteries qui régnaient en cette saison, laquelle leur est très-favorable; et en hiver, les dysenteries ayant cessé, les petites véroles dont nous parlons recommencèrent.—Tel est l'ordre qu'elles gardaient chaque année pendant cette constitution, si ce n'est que le dernier automne, c'est-à-dire l'an 1672, lorsque la constitution tendait à sa fin, et n'était plus si favorable aux dysenteries, ces petites véroles régnèrent contre l'ordinaire, et concoururent tellement avec les dysenteries qu'il n'était pas aisé de dire laquelle des deux maladies attaquait plus de monde. Cependant il me parut que les dysenteries avaient encore alors le dessus. Les petites véroles, de même que toutes les autres maladies épidémiques, étaient plus violentes dans le commencement, et devenaient chaque jour plus fréquentes, jusqu'à ce qu'elles fussent dans leur plus grande force. Ensuite de quoi, elles diminuaient peu à peu, tant par rapport à la violence des symptômes que par rapport au nombre des malades.

358. Pour venir maintenant aux symptômes particuliers de ces petites véroles, je voyais avec étonnement qu'elles en avaient un grand nombre qui ne se trou-

(1) Un doux purgatif avec la rhubarbe semble convenir ici, et étant joint avec un exercice modéré et le grand air, il guérira probablement cette diarrhée. La saignée peut convenir par occasion, mais on ne saurait dire qu'elle fait une révulsion des humeurs âcres, qui, dans ce cas, seront très-bien évacuées par la purgation.

(2) Voyez l'article 347.

vaient pas dans les petites véroles de la constitution précédente que j'avais observées avec soin. Je ne traiterai présentement que de ces derniers symptômes, sans rien dire de ceux qui se rencontraient aussi dans les petites véroles que nous avons décrites au long ci-dessus.

359. Voici donc quels étaient les symptômes qui distinguaient les petites véroles discrètes irrégulières, d'avec les petites véroles discrètes de la contitution précédente. Premièrement, l'éruption se faisait ordinairement le troisième jour dans celles dont nous parlons ; au lieu que dans les autres elle précédait rarement le quatrième jour. Secondement, les pustules ne devenaient pas si grosses que dans l'espèce précédente, mais elles étaient plus enflammées ; et les derniers jours, c'est-à-dire lorsqu'elles étaient parvenues à maturité, elles noircissaient plus souvent. Troisièmement, la salivation survenait quelquefois à des malades qui avaient même très-peu de pustules. Tout cela fait voir que les petites véroles discrètes de cette constitution approchaient davantage de la nature des confluentes, et étaient plus inflammatoires qu'il n'est ordinaire aux petites véroles discrètes.

360. Les petites véroles confluentes irrégulières différaient en beaucoup de choses des confluentes régulières que j'avais observées dans la constitution précédente. Elles paraissaient tantôt le second et tantôt le troisième jour, sous la forme d'une tumeur rougeâtre et uniforme qui couvrait tout le visage, et qui était plus élevée que l'érysipèle, sans qu'il y eût presqu'aucune distinction visible des pustules. Le reste du corps était chargé d'une infinité de pustules rouges, enflammées et réunies par plaques, entre lesquelles s'élevaient, principalement sur les cuisses, des vésicules assez remarquables, qui ressemblaient à des brûlures, et étaient pleines d'une sérosité limpide. Cette sérosité coulait abondamment lorsque la pellicule qui couvrait les vésicules venait à se déchirer, et alors la chair qui était au-dessous paraissait noire et sphacelée. Mais ce redoutable symptôme se rencontrait rarement, et on ne le vit que le premier mois de la maladie.

361. Dans ce temps là, c'est-à-dire au mois de janvier 1670, un brasseur, nommé M. Collins, de la paroisse de Saint-Gilles, me fit appeler pour voir son fils encore enfant, qui était fort mal. Il avait sur les cuisses des vésicules grosses comme des noix, et pleines d'une sérosité claire, lesquelles étant ouvertes, la chair au-dessous parut entièrement sphacelée, et peu après le malade mourut : ce qui arriva aussi à tous ceux que je vis attaqués de ce funeste symptôme.

362. Environ le onzième jour, la tumeur rougeâtre du visage se trouvait revêtue en différents endroits, et peu à peu dans tout le visage, d'une pellicule blanche et luisante. Bientôt après, il en sortait une matière épaisse et luisante qui n'était ni jaune, ni brune, deux couleurs qui se trouvent dans les autres espèces de petites véroles ; mais elle était d'un rouge foncé, semblable au rouge du sang caillé, et qui, chaque jour, à mesure que la tumeur mûrissait, approchait davantage de la couleur noire, jusqu'à ce qu'enfin tout le visage était noir comme de la suie. — Dans l'autre genre de petite vérole confluente, le onzième jour était le plus dangereux ; et la plupart de ceux que la maladie enlevait mouraient ce jour-là. Mais dans la petite vérole confluente dont nous parlons, les malades ne mouraient ordinairement que le quatorzième jour, et quelquefois même que le dix-septième, à moins qu'un régime excessivement chaud n'avançât la mort ; et quand ils passaient le dix-septième jour, ils étaient hors d'affaire. Toutefois, ceux à qui il survenait de ces funestes vésicules accompagnées de gangrène, lesquelles nous avons dit arriver à quelques-uns le premier mois de la maladie, mouraient peu de jours après l'éruption.

363. La fièvre et tous les autres symptômes qui précédaient ou accompagnaient cette petite vérole, étaient plus considérables que dans l'espèce précédente, et il y avait des signes manifestes d'une plus grande inflammation. Les malades étaient plus portés à saliver ; les pustules étaient plus enflammées et beaucoup plus petites ; en sorte que quand elles commençaient à paraître, il n'était pas aisé de les distinguer de l'érysipèle, ni même de la rougeole, quoiqu'on puisse connaître sûrement cette dernière maladie par le jour de l'éruption, et par les autres signes que nous avons rapportés ci-dessus en donnant l'histoire de la rougeole. Après que les pustules étaient tombées, les écailles farineuses restaient plus longtemps, et imprimaient sur la peau des marques plus profondes. — Il est important d'ajouter que, durant cette constitution, où les dysenteries étaient si épi-

démiques, les petites véroles que l'on traitait avec un régime trop chaud se terminaient quelquefois par la dysenterie, chose que je n'avais jamais vue une seule fois auparavant.

364. Il faut encore observer que ces petites véroles irrégulières n'eurent pas toujours des symptômes également fâcheux. Car, au bout de deux ans, c'est-à-dire en 1672, qui était la troisième année, elles commencèrent à s'adoucir; et de noires qu'elles étaient auparavant, elles devinrent peu à peu jaune, qui est la couleur naturelle des petites véroles légitimes, quand elles sont en suppuration; de telle manière que la dernière année de cette constitution, elles furent entièrement bénignes et d'un bon caractère, eu égard à leur nature. Nonobstant cela, on voyait assez, par la petitesse de leurs pustules, par la grande disposition que les malades avaient à saliver, et par les autres symptômes, qu'elles n'étaient pas du genre des petites véroles régulières.

365. Mais, quoique l'ignorance où nous sommes des causes qui produisent la différence spécifique de chaque chose, ne permît pas de comprendre pourquoi ces petites véroles étaient différentes de celles de la constitution précédente, j'étais néanmoins très-assuré par la nature des symptômes, que l'inflammation était beaucoup plus violente dans les premières que dans les secondes, et qu'ainsi tout le traitement consistait à modérer encore davantage la trop grande ébullition du sang. — Cette indication se remplissait principalement en donnant les narcotiques de la manière que nous avons dit plus haut, et, outre cela, par un régime tempéré, c'est-à-dire en faisant boire abondamment de quelque liqueur propre à tempérer l'ardeur brûlante dont les malades étaient tourmentés, surtout dans le temps de la suppuration, qui est plus grande dans la petite vérole que dans toute autre maladie. La décoction blanche qui se fait avec un peu de pain et de corne de cerf dans beaucoup d'eau et suffisante quantité de sucre était utile; mais l'eau laiteuse composée de trois parties d'eau et d'une partie de lait bouillies ensemble, était ordinairement plus agréable au goût des malades, et répondait mieux à l'intention qu'on avait de rafraîchir. — La grande quantité de liqueur que buvaient les malades ne servait pas seulement à modérer la chaleur extrême qui se faisait sentir, principalement durant la fièvre de suppuration, elle servait encore à aider la salivation et à l'entretenir plus long-temps qu'elle n'aurait duré si la chaleur eût été plus grande. Outre cela, j'ai souvent observé que la boisson copieuse des liqueurs dont nous avons parlé, avait produit de merveilleux effets, en sorte que les petites véroles qui, durant leur éruption, semblaient devoir être confluentes et des plus malignes devenaient discrètes dans le progrès de la maladie; que les pustules qui, en suppurant, auraient rendu une matière d'abord rouge et ensuite noire paraissaient très-jaunes, et qu'au lieu d'être petites et fort enflammées, elles étaient grosses et d'un bon caractère.

366. Le flux menstruel, qui arrive souvent aux femmes dans le temps qu'elles ont la petite vérole, ne doit en aucune façon les empêcher de boire abondamment de ces liqueurs. Au contraire, elles doivent en boire par cette raison-là même : car le danger où se trouvent alors les femmes vient uniquement de ce que le sang étant trop atténué par la chaleur excessive de la maladie, il s'échappe par les voies naturelles, surtout lorsque des femmes ignorantes ont imprudemment employé un régime trop chaud, et la décoction de corne de cerf avec les fleurs de souci, etc., ce qui est jeter de l'huile sur le feu. Or, tout ce qui délaie et tempère puissamment le sang, quoique non pas d'une manière immédiate, contribue nécessairement à entretenir la tumeur du visage et des mains, en arrêtant l'hémorrhagie. Au contraire, les remèdes chauds qui semblent plus propres à entretenir cette tumeur, la font diminuer, en ce qu'ils augmentent la perte du sang. Je ne doute pas même que cette mauvaise méthode n'ait été funeste à un grand nombre de femmes, car les assistants, craignant que l'hémorrhagie ne fît affaisser les pustules, tâchaient de prévenir ce malheur par l'usage des cordiaux et d'un régime encore plus échauffant qu'à l'ordinaire; mais, en agissant de la sorte, ils tuaient plus sûrement ces pauvres femmes, quelques peines qu'ils se donnassent pour arrêter l'hémorrhagie et pour entretenir les pustules et la tumeur dans une élévation convenable, en mêlant divers astringents avec les cordiaux.

367. Je traitai, il n'y a pas long-temps, une dame de grande distinction et de beaucoup de mérite, qui avait une petite

vérole noire et maligne. Je lui avais interdit, dès le commencement de sa maladie, tout ce qui pouvait agiter le sang. Néanmoins, comme elle était d'un tempérament très-sanguin, qu'elle était jeune et vigoureuse, et que d'ailleurs on était alors en été, elle fut attaquée le troisième jour de l'éruption, et hors du temps ordinaire de ses règles, d'une perte de sang si abondante que les femmes qui étaient présentes, crurent qu'elle s'était blessée. Ce symptôme dura trois jours, sans que je crusse devoir interrompre l'usage de l'eau laiteuse que j'avais ordonnée. Je pensai même qu'elle était alors encore plus nécessaire, et qu'il fallait en donner davantage; c'est ce que je fis en effet pendant toute la maladie, surtout vers le temps de la fièvre suppuratoire.—Alors on appela avec moi, pour traiter la maladie, M. Millington, très-habile médecin et très-honnête homme, mon intime ami, et qui avait été autrefois membre du même collège que moi. Comme il vit que toutes les choses allaient assez bien, eu égard à la nature de la maladie, il entra volontiers dans mon sentiment, savoir, que la malade continuât à boire copieusement de l'eau laiteuse; car elle disait souvent elle même que cette liqueur lui était très-agréable, qu'elle la rafraîchissait, la nourrissait et faisait couler la salive. Quand le visage eut commencé à se durcir et à se couvrir d'une croûte, comme nous appréhendions que les exhalaisons putrides de la matière purulente, qui, dans cette sorte de petite vérole, rendait une fort mauvaise odeur, ne rentrassent dans le sang, nous permîmes à la malade de prendre une fois le jour ou toutes les fois qu'elle sentirait des douleurs d'estomac, quelques cueillerées de vin de Canarie un peu bouillie; nous ajoutâmes à cela une potion calmante qui se prenait tous les jours à l'heure du sommeil; et avec ce peu de remèdes, la malade guérit, sans être attaquée d'aucun autre symptôme dangereux, excepté l'hémorrhagie. Le visage et les mains s'enflèrent raisonnablement; les pustules furent d'une bonne grandeur, eu égard au genre de la maladie, la salive coula abondamment et facilement jusqu'au bout. Enfin, quoique les pustules du visage semblassent disposées à noircir lorsqu'elles suppuraient, elles jaunissaient néanmoins dans la plupart des autres parties.

368. Les petites véroles de cette constitution étaient beaucoup plus inflammatoires que celles des autres constitutions. Cependant lorsqu'elles étaient discrètes, ou en petit nombre, l'expérience montrait qu'il n'était pas besoin de faire boire une si grande quantité des liqueurs dont nous avons parlé. Il suffisait que les malades bussent de la petite bierre à leur soif et à leur volonté; qu'ils vécussent de décoctions d'avoine, de panades, et de temps en temps de pommes cuites; et s'ils étaient hors l'âge de puberté, qu'ils prissent du sirop diacode, quand ils souffraient, ou qu'il survenait un délire occasionné par le défaut de sommeil. — Voilà tout ce que je faisais quand il n'y avoit pas beaucoup de pustules, sinon que je tenais les malades au lit. Mon fils, Guillaume Sydenham, qui, au mois de décembre 1670, eut une petite vérole discrète de cette nature, fut heureusement guéri par la seule méthode que je viens de recommander.

369. Je ne dirai rien davantage touchant les petites véroles de cette constitution, ayant déjà traité au long des petites véroles régulières, desquelles les premières ne différaient qu'en ce qu'elles étaient plus inflammatoires. C'est pourquoi il fallait travailler avec plus de soin à tempérer l'ardeur brûlante qui leur était naturelle, et qui était si dangereuse.

CHAP. VII. — COLIQUES BILIEUSES DES ANNÉES 1670, 71, 72.

370. Durant toutes les années de cette constitution, comme le sang avait beaucoup de penchant à déposer sur les viscères des humeurs bilieuses et échauffées, il y eut plus de coliques bilieuses qu'à l'ordinaire. Cette maladie doit être mise au rang des chroniques, et par conséquent elle n'est pas de mon sujet. Je ne laisserai pas néanmoins d'en traiter ici, parce qu'elle dépendait alors de la même altération du sang qui produisait la plupart des maladies épidémiques de ce temps-là; et d'ailleurs, parce qu'elle était précédée des mêmes symptômes fébriles que la dysenterie d'alors; que même quelquefois, comme j'ai remarqué plus haut, elle venait à la suite de la dysenterie, qui, après avoir long-temps tourmenté le malade, semblait avoir entièrement cessé, mais quand la colique bilieuse ne suivait pas une longue dysenterie, elle commençait ordinairement par une fièvre qui, après avoir duré seulement quelques heures, aboutissait à cette maladie.

371. La colique dont nous parlons at-

taque principalement les jeunes gens d'un tempérament chaud et bilieux, surtout en été. Une douleur des plus violentes et des plus insupportables se fait sentir dans les intestins, qui quelquefois semblent être serrés comme avec une bande, et d'autrefois la douleur se fixant dans un point, il semble qu'elle les perce comme on ferait avec une tarière. Cette douleur diminue de temps en temps, après quoi elle revient de plus belle. Le malade qui en prévoit le retour témoigne, par l'effroi qui paraît sur son visage et par ses cris lamentables, l'horreur qu'il en a.

Au commencement de la maladie, la douleur ne se fixe pas si sûrement dans un point que dans son progrès. Les envies de vomir ne sont pas si fréquentes, et le ventre ne résiste pas si opiniâtrement à l'action des purgatifs. Mais plus la douleur augmente et plus elle se fixe dans un point, plus aussi les envies de vomir sont fréquentes et le ventre resserré, jusqu'à ce qu'enfin la violence insurmontable des symptômes, cause un renversement total du mouvement péristaltique des intestins, et en conséquence la passion iliaque; à moins qu'on n'y remédie de bonne heure. Dans cette dernière maladie, tous les purgatifs deviennent aussitôt émétiques. Les lavements même remontent avec les matières fécales le long du canal intestinal, et sont rejetés par le vomissement. La matière que l'on rend de la sorte, lorsqu'elle est sans mélange, est tantôt verte, tantôt jaune, et tantôt de quelque autre couleur extraordinaire (1).

372. Tous les symptômes de la colique bilieuse montrent clairement qu'elle vient d'une humeur ou d'une vapeur âcre que le sang dépose sur les intestins. Ainsi, ma première indication est d'évacuer cette humeur, tant celle qui est encore dans la masse du sang que celle qui est déjà déposée dans les intestin. La seconde indication est d'arrêter par l'usage des narcotiques l'impétuosité des humeurs qui se portent de ce côté-là, et de calmer la violence de la douleur (2).

373. Pour remplir ces indications, je fais d'abord saigner du bras copieusement, supposé qu'on ne l'ait pas déjà fait; et trois ou quatre heures après je donne un narcotique. Le lendemain, je donne une purgation douce, que je réitère, en certaines occasions, jusqu'à trois fois, en gardant un jour d'intervalle, suivant qu'il me paraît rester plus ou moins de l'humeur morbifique. Si le mal est venu pour avoir mangé trop de fruits ou quelque autre chose indigeste, d'où il s'est formé de mauvais sucs qui ont passé dans le sang, et de-là dans les viscères; alors il faut avant toutes choses nettoyer l'estomac, en faisant boire abondamment du petit-lait que le malade revomit ensuite. Cela étant fait, on donnera une potion calmante; le lendemain, on fera une saignée du bras; et dans tout le reste, on agira de la même façon et dans le même

(1) La colique bilieuse vient, 1° d'une humeur bilieuse, âcre et corrompue, qui s'est amassée en grande quantité et séjourne dans les menus intestins, surtout dans le duodénum; 2° elle vient souvent d'une passion violente, surtout dans les jeunes gens d'un tempérament chaud et sec, et en été. J'ai connu une personne âgée sujette à cette maladie, et qui toutes les fois qu'elle se mettait en grande colère, ne manquait pas d'avoir une attaque de colique bilieuse, et à la fin elle en eut une dont elle mourut en peu d'heures. Cette maladie est produite aussi par un trop grand usage des liqueurs spiriteuses et chaudes. Ses principaux symptômes sont enrouement, cardialgie, dégoût continuel, vomissement de bile verte, hoquet, chaleur et fièvre, insomnie, grande altération, bouche amère; à quoi succède quelquefois de fréquentes évacuations de matières bilieuses par les selles. Lorsque la colique bilieuse attaque avec frisson, et que la douleur est extremement violente, le danger est grand, car cela dénote une inflammation, laquelle, si on n'y remédie pas, aboutit à la mortification.

(2) Il est bon d'observer ici que, dans cette sorte de colique, les remèdes doivent être donnés dans des véhicules tièdes plutôt que chauds, et que les infusions et décoctions chaudes, les sudorifiques et les bains chauds ne conviennent pas, tout cela n'étant propre qu'à irriter l'humeur bilieuse et à la faire pénétrer plus intimement dans les parties nerveuses. Aussi les observations pratiques nous apprennent que la seule boisson d'eau froide, dont Galien se servait dans cette maladie, y est extrêmement utile, et même la guérit. C'est une remarque qui mérite attention, surtout si la maladie est causée par un emportement violent. Mais il faut bien prendre garde que, dans tous les cas où il y a sujet de craindre l'inflammation, on doit bannir absolument l'eau froide qui pourrait avoir des suites funestes.

ordre que nous avons dit plus haut (1).

374. Mais, comme la violence de la douleur et le vomissement empêchent l'action des purgatifs, en renversant le mouvement péristaltique des intestins, il faut augmenter à proportion de la force des purgatifs ; sans cela, ils n'opèreront point, à moins que le malade ne soit facile à émouvoir, et c'est de quoi il est nécessaire de s'informer soigneusement. Or, quand les purgatifs ne peuvent opérer, ils ne font que nuire au malade, car, en l'agitant inutilement, ils augmentent le vomissement et la douleur. — L'infusion de tamarins, de séné et de rhubarbe, où l'on peut aussi dissoudre de la manne et du sirop de roses, est une potion laxative préférable aux autres purgatifs, parce qu'elle met moins les humeurs en mouvement. Mais, comme les malades ont beaucoup de peine à la garder, soit par aversion pour les médecines en liqueur, soit à cause des envies de vomir, on est obligé d'avoir recours aux pilules. Celles que j'ai toujours préférées aux autres sont les pilules cochées, lesquelles agissent efficacement

(1) Je ne vois pas, dit l'ingénieux Huxham, quelle utilité peut avoir ici la saignée, à moins que la surabondance, la vélocité ou la chaleur du sang ne la demandent avant tous les autres secours ; car, dans les sujets pléthoriques, il serait dangereux de donner, par exemple, un vomitif sans avoir fait précéder la saignée. Cet auteur continue ainsi : je me sers du vomitif suivant. « Prenez racine » d'ipécacuanha, un gros, ou un gros et » demi ; sel d'absinthe, demi-scrupule : » faites bouillir cela dans quatre onces » d'eau de fontaine, réduites à deux ; pas- » sez la liqueur, et ajoutez-y eau composée » et distillée de camomille et sirop de » nerprun, de chacun demi-once pour » une potion vomitive, et pour aider l'ac- » tion du remède, faites boire beaucoup » d'eau de poulet, ou d'infusion de » feuilles de sauge et de fleurs de camo- » mille ; ce que j'approuve davantage. » Ce vomitif est doux, il déterge suffisamment, il agit promptement, et ne cause pas de tranchées en séjournant long-temps dans l'estomac ; ce que fait souvent l'ipécacuanha pris en substance. Lorsque je veux le rendre plus fort, j'y ajoute deux ou trois grains de tartre émétique, ou bien une cueillerée ou deux d'infusion de safran des métaux. *Huxham, de morb. col. Damnoniorum, p.* 25, 27. Lorsque la colique est violente, il faut joindre les narcotiques aux purgatifs, afin d'adoucir la douleur, de relâcher les intestins, et de rendre constant et régulier le mouvement péristaltique. La douleur est une irritation, ou, pour mieux dire, l'irritation produit le sentiment de la douleur, en causant des contractions aux fibres, et même des spasmes, si elle est violente. Si donc la douleur de la colique est extrêmement vive, il y aura des contractions spasmodiques dans certains endroits des intestins, qui se trouveront comme liés étroitement ensemble ; en sorte que si on n'adoucit pas la douleur, ni les excréments ni les vents ne pourront sortir par en bas. De là vient que dans une violente colique, le ventre est ordinairement fort resserré. Dans ce cas-là, on mêle utilement les narcotiques avec les purgatifs, ce qui modère la douleur, relâche et lubrifie les intestins, et les sollicite doucement à se décharger de ce qu'ils contiennent. Mais si, nonobstant l'usage de ces remèdes, le ventre continue à être resserré, il faudra l'humecter avec une fomentation émolliente, surtout s'il est fort tendu et fort dur. La vapeur douce de la fomentation pénètre les tuniques de l'abdomen, ramollit les intestins, et relâche leurs fibres trop tendues et trop raides. On pourra par exemple se servir de la suivante. « Prenez racines de » guimauve, graine de lin, et graine de » fénu-grec, de chacune trois onces ; » fleurs de camomille, trois poignées ; » têtes de pavots blancs, quatre onces. » Faites bouillir cela dans parties égales » d'eau et de lait pour une fomentation. » Cette décoction sera encore plus utile si on l'emploie en forme de demi-bain. *Ibid., p.* 29, 30, 31. Hoffmann observe que le bain chaud guérit toutes les maladies qui viennent d'une contraction des parties du bas-ventre. Telles sont les douleurs d'intestins, les tranchées, les violentes coliques convulsives, les pesanteurs douloureuses, causées par une pierre dans les reins, et accompagnées de suppression d'urine, la constipation et autres maladies semblables, où le bain chaud est extrêmement utile. Il faut néanmoins observer que dans la colique qui provient d'une stagnation de sang, si le corps est pléthorique, le bain est dangereux, à moins qu'on n'ait saigné auparavant. Mais dans les coliques qui viennent de la dureté des excréments, un bain préparé avec des drogues émollientes est d'une merveilleuse utilité, en y joignant des laxatifs convenables, comme l'huile d'amandes douces, la manne, le sel d'Epsom, la crème de tartre, etc. Voyez *Nouv. expér. et observ. sur les eaux minérales.*

dans ce cas, et dans la plupart des autres. — Quand l'estomac est si faible et les envies de vomir si grandes que le malade ne saurait même garder les pilules, j'ordonne d'abord un narcotique, et au bout de quelques heures, un purgatif, en laissant assez d'intervalle entre ces deux remèdes pour que l'action du premier n'empêche pas entièrement celle du second, et que néanmoins le purgatif séjourne assez long-temps dans l'estomac pour produire son effet lorsque le narcotique cesse d'agir. Cependant, il sera très-bien, quand on le pourra, de donner le purgatif long-temps après le narcotique, puisque douze heures même après qu'on a pris celui-ci, le purgatif n'opère qu'avec peine.

375. Dans cette maladie, de même que dans la plupart des autres où les narcotiques sont indiqués, les purgatifs augmentent toujours la douleur, du moins quand leur opération est finie; car durant l'opération, cela n'arrive pas toujours. Voilà pourquoi ma méthode est de donner un narcotique dès que le purgatif a cessé d'agir. Je réitère ce narcotique matin et soir, les jours d'intervalle entre les purgations, afin de calmer plus sûrement la douleur, et je continue ainsi jusqu'à ce que le malade soit bien purgé.

376. Quand cela est fait, il ne reste qu'à arrêter l'effervescence des humeurs; et c'est à quoi je travaille en donnant continuellement matin et soir un narcotique. Il faut même quelquefois le donner plus souvent; et quand les douleurs étaient violentes, je n'ai jamais pu les calmer que par de grandes et de fréquentes doses de ce remède: car des doses qui seraient capables d'apaiser d'autres douleurs, échouent contre la violence de celles-ci. Or, c'est pendant qu'elles se font sentir qu'on peut réitérer, sans aucun danger, les narcotiques; mais il n'en est pas de même quand elles ont cessé. Ainsi les douleurs me guident, et je réitère le narcotique jusqu'à ce qu'elles aient cessé, ou qu'elles soient fort adoucies, mettant entre chaque dose assez d'intervalle pour juger de l'effet de la dose précédente, avant que d'en donner une autre. Il suffit ordinairement d'administrer le narcotique matin et soir, à moins que la douleur ne soit extrême. Celui dont j'ai coutume de me servir est le laudanum liquide qui a été décrit ci-dessus (1) : on le mêle dans une eau cordiale, à la dose de seize gouttes ou davantage, suivant la violence de la douleur.

377. Cette méthode très-simple d'évacuer d'abord par la saignée et la purgation la matière morbifique, ensuite de procurer du repos au moyen des narcotiques, m'a toujours beaucoup mieux réussi que toutes les autres méthodes que j'ai connues jusqu'ici. Les lavements carminatifs que l'on donne dans le but d'évacuer les humeurs âcres ne font qu'irriter le mal et le prolonger par l'agitation qu'ils causent aux humeurs. — Mais quoiqu'on doive ordinairement commencer le traitement de la colique bilieuse par la saignée et la purgation, il y a néanmoins des cas où il faut employer les narcotiques avant tout autre remède. Un de ces cas, par exemple, est lorsqu'à l'occasion de quelque maladie précédente, une personne aura été abondamment purgée, assez peu de temps avant que d'avoir la colique; car il n'est pas rare que des gens qui relèvent d'une maladie soient attaqués de la colique bilieuse, à cause de la faiblesse qui leur reste dans les intestins, surtout s'ils sont échauffés pour avoir trop bu de vin ou de liqueurs spiritueuses. Dans ce cas-là, je crois qu'il est non-seulement inutile, mais encore nuisible de purger de nouveau; parce que la purgation remettrait les humeurs en mouvement, et bouleverserait tout. D'ailleurs, ceux qui sont attaqués de la colique bilieuse, ont ordinairement pris plusieurs lavements avant que le médecin soit appelé : ainsi tant par cette raison, qu'à cause de la longueur de la maladie, il semble qu'on ne doive presque pas employer d'autres remèdes, que les narcotiques.

378. Au mois d'août 1671, le très-noble baron *Annesli* me fit appeler au château de *Belvoir*; il était attaqué d'une colique bilieuse avec des douleurs insupportables, et de fréquentes nausées. Il avait essayé toutes sortes de lavements, et plusieurs autres remèdes que lui avaient ordonnés les plus savants et les plus expérimentés médecins de ces quartiers-là. Pour moi, je lui conseillai, sans aucun détour, d'user des narcotiques à plusieurs reprises de la manière que j'ai enseigné ci-dessus : il le fit, et en peu de jours il fut guéri, tellement qu'il revint avec moi à Londres en bonne santé.

379. Mais comme cette douleur est sujette, plus que toute autre, à revenir, il est nécessaire de prévenir la rechute en donnant matin et soir un narcotique

(1) Voyez l'art. 327.

pendant quelques jours. Quelquefois la douleur revient dès qu'on interrompt le narcotique : dans ce cas-là, je ne trouve rien de si bon pour guérir entièrement la maladie, que de faire de longues routes à cheval, ou en carrosse, sans cesser durant ce temps-là de donner le narcotique matin et soir. Ces sortes d'exercices dissipent par la transpiration, la matière morbifique, et dépurent pour ainsi dire de nouveau le sang ; ils raniment la chaleur naturelle, et par-là ils fortifient les fibres intestinales (1). J'avouerai franchement que j'ai plus d'une fois guéri la colique bilieuse au moyen de ces exercices, après avoir inutilement employé tout autre remède ; cependant il ne faut y venir qu'après avoir suffisamment évacué le malade, et il faut les continuer durant plusieurs jours.

380. Un pauvre homme de mon voisinage, et qui est encore vivant, eut pendant cette constitution une colique bilieuse très-violente. Il avait pris des purgatifs, des lavements, il avait avalé des balles de plomb, le tout sans succès. J'eus recours à l'usage fréquent des narcotiques, et ils me réussirent, car le malade fut assez bien tant qu'il en usa ; mais comme ces remèdes palliaient seulement la maladie sans la détruire, elle revenait dès que leur action avait cessé. J'eus pitié de la triste situation de ce pauvre homme, et je lui prêtai un de mes chevaux, afin qu'il pût s'exercer dessus. Il n'eut pas continué cet exercice durant quelques jours, que ses intestins se fortifièrent, et il fut guéri radicalement sans le secours des narcotiques.

381. Et à dire vrai, j'ai toujours vu, non-seulement dans la colique bilieuse, mais encore dans plusieurs autres maladies chroniques, l'exercice à cheval être d'une utilité merveilleuse, pourvu qu'on le continuât avec assiduité. En effet, si l'on considère que le ventre est alors fortement secoué, et que les organes sécrétoires qu'il contient, souffrent dans un seul jour une infinité d'agitations, il sera aisé de comprendre qu'ils peuvent, au moyen de cet exercice, se débarrasser des sucs vicieux dont ils sont engorgés, et, ce qui est encore plus important, se fortifier par l'augmentation de la chaleur naturelle, jusqu'au point de s'acquitter de la fonction que leur a donnée la nature, et qui consiste à dépurer le sang.

382. Si le malade est jeune et d'un tempérament chaud, j'ordonne un régime tempérant et incrassant, comme des crêmes d'orge, des panades, etc., et de trois en trois jours, si le malade a faim, un poulet tendre ou un merlan. Je ne permets d'autre boisson, que la petite bière douce, ou de l'eau laiteuse. Voilà tout ce que j'accorde, à moins que ceux, qui pour se rétablir sont dans la nécessité de faire de l'exercice à cheval, n'aient besoin d'une nourriture plus abondante, et d'une liqueur plus généreuse, afin de réparer les esprits que cet exercice a épuisés (2).

(1) Rien ne fortifie plus les viscères et les intestins que d'aller à cheval. Cet exercice, en secouant doucement toutes les parties du bas-ventre, par l'agitation continuelle qu'il donne au corps, chasse les viscosités contenues dans les intestins et les vaisseaux sanguins, et facilite extrêmement la circulation, particulièrement dans les intestins et les vaisseaux mésentériques, et les ramifications de la veine porte où le sang circule très-lentement. De cette façon il atténue ce liquide, et par conséquent détruit les obstructions du foie, du pancréas, des glandes du mésentère et des intestins, et aide aussi beaucoup l'action de la rate, qui envoie le sang au foie. L'exercice à cheval augmente encore beaucoup la transpiration, l'expérience le démontre, et par-là il est utile non-seulement dans la colique bilieuse, mais encore dans la plupart des maladies chroniques, où il s'agit d'évacuer par les pores de la peau les humeurs nuisibles. En effet, cet exercice seul a guéri des maladies qui avaient résisté à tous les remèdes. Ainsi, lorsque le malade peut se tenir à cheval, il faut l'y faire aller chaque jour. Voyez *Huxham, de morb. colic. Damnon. p.* 38.

(2) Les martiaux et les stomachiques sont très-propres pour raccommoder le sang et fortifier les viscères. Je me sers de l'infusion suivante : « Prenez racines de gentiane et de galanga, de chacune une once ; calamus aromaticus, et écorce très-sèche d'orange, de chacun deux onces et demie ; cloux de girofle, deux gros ; mars préparé avec le tartre, trois onces. Versez sur tout cela trois chopines et demie de vin blanc, et une chopine et demie d'eau d'absynthe composée. Laissez en infusion pendant douze jours dans un vaisseau de verre que vous remuerez souvent. » Lorsque les viscères sont faibles, et le corps plein d'humeurs glaireuses, cette

383. Il est même arrivé quelquefois que des coliques bilieuses ayant duré fort long-temps pour avoir été mal traitées, et les viscères ayant perdu leur ressort, les malades étant épuisés et réduits à la dernière maigreur, il est arrivé, dis-je, quelquefois dans ce cas-là, qu'un grand usage de l'eau épidémique, de l'eau admirable ou de toute autre liqueur que les malades aimaient le plus quand ils étaient en santé, leur a été utile au-delà de tout ce qu'on pouvait espérer. C'est que ces liqueurs spiritueuses ranimaient le peu de chaleur naturelle qui restait alors, et qu'elles détruisaient le mauvais levain qui, séjournant dans les premières voies, produisait de temps en temps de nouveaux accès de colique.

384. Le régime peu nourrissant que nous avons recommandé durant la maladie, doit être continué encore quelque temps après la guérison : car, comme cette maladie est plus sujette qu'aucune autre aux rechutes, et que d'ailleurs elle a son siége dans les viscères qui sont les principaux instruments de la digestion, et dont elle affaiblit le ressort, la moindre faute en matière de régime, renouvellera aussitôt les douleurs. Voilà pourquoi, tant dans cette maladie que dans toutes les autres affections des viscères du bas-ventre, il faut éviter avec grand soin les aliments indigestes, et ne prendre même de ceux dont on peut user, qu'autant qu'il est nécessaire pour se soutenir.

385. Certaines femmes sont sujettes à une sorte de maladie hystérique qui ressemble entièrement à la colique bilieuse, tant par la violence, que par le siége de la douleur, et outre cela, par les humeurs jaunâtres et verdâtres que les malades vomissent : c'est pourquoi, je traiterai ici de cette maladie par occasion, de peur qu'on ne la confonde avec la colique bilieuse.

386. Les femmes d'un tempérament lâche et faible, celles qui ont déjà eu auparavant quelque affection hystérique, celles qui ont eu un accouchement laborieux et difficile, causé par la grosseur de l'enfant, et qui a épuisé leurs forces, sont les plus sujettes à la maladie dont nous parlons. Elle cause une douleur à la région de l'estomac, et quelquefois un peu plus bas. Cette douleur est aussi violente que celle de la colique ordinaire, ou de la passion iliaque; et elle est suivie de vomissements énormes d'une matière tantôt verdâtre, tantôt jaunâtre. Les malades, comme j'ai souvent observé, se laissent plus aller au désespoir, et ont de plus grands abattements d'esprit que dans toute autre maladie. Après un jour ou deux, la douleur se calme, et au bout de quelques semaines, elle revient avec autant de violence qu'auparavant. Il s'y joint quelquefois une jaunisse considérable qui se dissipe d'elle-même en peu de jours.—Tous les symptômes ayant cessé, et la personne se trouvant assez bien, la douleur se renouvelle à la moindre émotion de l'âme, soit qu'elle vienne de colère ou de chagrin, deux passions dont les femmes sont extrêmement susceptibles dans ces cas-là. La même chose arrive, lorsque les femmes se pressent trop de marcher, ou de faire quelque autre exercice. Toutes ces causes élèvent des vapeurs dans un corps faible, et dont les fibres sont lâches. Je dis des *vapeurs* avec le vulgaire, car il n'importe, pour l'explication des phénomènes de la maladie, que ce soit réellement des vapeurs ou bien des convulsions de certaines parties.

387. Quand donc ces vapeurs, ou ces convulsions, attaquent telle ou telle partie du corps, elles causent des symptômes proportionnés à cette partie. Ainsi, quoiqu'elles produisent toujours une seule et même maladie, cette maladie ne laisse pas de ressembler exactement à la plupart des autres. Par exemple, quand elle attaque les parties voisines du colon, elle ressemble tout-à-fait à la colique bilieuse. Quand elle attaque un des reins, elle y cause une douleur très-cruelle, qui est suivie d'un vomissement terrible; souvent même le mal gagne l'urétère, et produit les symptômes de la pierre. Les lavements et les remèdes lithontriptiques, et propres à chasser la pierre au-dehors, ne font que l'irriter et le prolonger, et quelquefois même ils le rendent mortel, quoique de sa nature il soit exempt de danger (1). Je lui ai vu aussi

infusion est très-bonne, étant d'ailleurs très-convenable à l'estomac *Huxham, Id.* p. 37.

(1) Une dame anglaise, attaquée de cette sorte de douleur, avait pris inutilement des laxatifs, des carminatifs, et des huileux, soit par la bouche, soit en lavements. Le médecin qui la traitait l'ayant interrogée, et apprenant qu'elle était fort sujette aux vapeurs hystériques, lui ordonna de prendre sur le champ la potion suivante, et de la réitérer de

causer des symptômes absolument semblables à ceux que cause la pierre de la vessie. — Il n'y a pas long-temps qu'on vint m'appeler de nuit, pour aller voir une comtesse de mon voisinage qui avait été attaquée tout à coup d'une douleur très-violente dans la région de la vessie, et d'une suppression d'urine. Comme je savais certainement que cette dame était sujette à différentes affections hystériques, et que je jugeais de là que sa maladie n'était pas ce qu'elle pensait, je ne souffris pas qu'on lui donnât les lavements que sa servante préparait déjà, et qui auraient augmenté le mal, ni les émollients, comme le sirop de guimauve, qu'apportait l'apothicaire; mais au lieu de tout cela, je donnai un narcotique, qui, aussitôt, arrêta tous les symptômes. — L'affection hystérique attaque toutes les parties du corps, non seulement les internes, mais encore les externes, comme le gosier, les côtes, les cuisses; elle y excite des douleurs insupportables qui, étant finies, laissent une sensibilité, comme si les chairs avaient été rouées de coups, et le malade ne peut souffrir qu'on y touche.

388. Après avoir donné par occasion quelque chose de l'histoire de la colique hystérique, pour empêcher qu'on ne la confonde avec la colique bilieuse, je dirai aussi quelque chose de la curation du symptôme qui l'accompagne, savoir, la douleur; car, ce n'est pas ici le lieu de traiter de la curation radicale, qui consiste à guérir cette maladie en détruisant sa cause.

389. La saignée et les purgations réitérées, qui sont visiblement indiquées dans le commencement de la colique bilieuse, ne conviennent point ici, excepté dans le cas dont je parlerai plus bas. L'expérience montre que ces remèdes, en agitant les humeurs, augmentent la douleur et tous les autres symptômes. J'ai même remarqué plusieurs fois que les lavements les plus doux étant réitérés, avaient excité une foule de symptômes qui se suivaient sans interruption. — D'ailleurs, la raison est ici d'accord avec l'expérience, car, si nous examinons les causes les plus ordinaires de cette maladie, nous trouverons qu'elle vient plutôt du trouble et du mouvement déréglé des esprits que de quelque vice des humeurs. Ces causes sont de grandes hémorrhagies, des passions violentes, des exercices de corps violents, et d'autres choses de ce genre; et toutes ces causes font voir qu'on doit bannir les remèdes capables d'augmenter le trouble des esprits, et qu'il faut s'en tenir aux calmants. — Il est vrai que la couleur verdâtre des matières que l'on rejette par le vomissement, semble indiquer le contraire; mais les conséquences que l'on peut tirer des couleurs sont trop incertaines pour autoriser des évacuations que l'expérience montre réellement être nuisibles; et je suis persuadé que la colique hystérique, laquelle n'est nullement dangereuse, malgré la douleur excessive qu'elle cause, devient souvent mortelle par des évacuations employées mal à propos; ajoutez à cela que si l'on s'avise de donner un émétique, et même un des plus puissants, sous prétexte d'évacuer le prétendu foyer de la maladie, la malade vomira le lendemain une matière aussi verte ou d'une aussi mauvaise couleur, que celle du jour précédent.

390. Quelquefois néanmoins le sang et les humeurs sont en si grande abondance et dans un si grand orgasme que les narcotiques, quoique très-souvent réitérés, ne font rien, à moins qu'on ne saigne, ou qu'on ne purge auparavant. C'est ce que j'ai remarqué chez les femmes d'un tempérament sanguin et vigoureux. Dans ce cas-là, il faut préparer les voies aux narcotiques, par la saignée ou par la purgation, et peut-être par l'une et l'autre ensemble : alors, un calmant qui, auparavant, ne faisait rien du tout, quoiqu'on le donnât en très-grande dose, produira, même à une dose médiocre, l'effet qu'on en attend. — Le cas dont je parle arrive rarement, et il ne faut alors réitérer la saignée ni la purgation : mais s'il est nécessaire de les mettre en usage, on donnera ensuite les narcotiques de la manière que nous avons dit en traitant de la colique bilieuse, et on les emploiera plus ou moins fréquemment, à propor-

six en six, ou de huit en huit heures, suivant la violence des symptômes. La douleur cessa au bout de vingt-quatre. Et cette dame ayant été de nouveau attaquée de la même douleur quelques mois après, eut recours au même remède avec un pareil succès. « Prenez eaux distillées » de pouliot et de rue, de chacune six « gros; eau de bryone composée, et eau » de camomille composée, de chacune » trois gros; teinture de castoréum, de » succin, et laudanum liquide, de cha- » cun quinze gouttes, sirop diacode, » deux gros. Mêlez tout cela ensemble. »

Sydenham.

tion que la douleur diminuera. — La méthode que je propose regarde seulement la douleur violente, qui est un symptôme de la maladie ; car je ne prétends pas traiter ici des moyens de guérir les causes.

391. La colique hystérique, tant dans les hommes hypocondriaques que dans les femmes hystériques (car il en est de même ici des deux sexes), aboutit fort souvent à l'ictère, et diminue à mesure que l'ictère augmente. Dans la cure de cette sorte d'ictère, il faut s'abstenir de tous les purgatifs, ou, en cas qu'ils soient nécessaires, n'employer que la rhubarbe seule, ou quelque autre remède fort doux ; car, il est à craindre que la purgation n'excite de nouveaux troubles, et ne renouvelle tous les symptômes. Ainsi, le meilleur est de ne faire aucun remède, parce que l'ictère dont nous parlons se dissipe ordinairement de lui-même en peu de temps ; mais s'il est long et opiniâtre, il faut recourir aux remèdes. Celui dont j'ai coutume de me servir est le suivant.

Prenez racines de garance et de curcuma, de chacune une once ; grande chélidoine entière, et sommités de petite centaurée, de chacune une poignée : faites bouillir tout cela dans parties égales de vin du Rhin et d'eau de fontaine, qui seront réduites à deux livres ; coulez la liqueur, et dissolvez-y deux onces de sirop des cinq racines, pour un apozème que le malade prendra matin et soir, à la dose d'une demi-livre, jusqu'à ce qu'il soit guéri (1).

392. Mais, quand l'ictère est venu de lui-même, sans avoir été précédé de la colique, il faut donner les cholagogues une ou deux fois avant l'apozème précédent, et ensuite une fois la semaine durant l'usage de l'apozème (2). Par exemple,

Prenez électuaire de suc de roses,

(1) Cet apozème serait aussi bon avec l'eau seule, puisque la longue ébullition dissipe entièrement la partie spiritueuse du vin, et ne laisse que de l'eau pure. — Le suivant est beaucoup meilleur, et plus propre à remplir les vues qu'on se propose. — « Prenez racines et feuilles » de grande chélidoine, racines de curcuma et de garance, de chacune une » once ; eau de fontaine, trois chopines. » Faites bouillir cela ensemble jusqu'à la » reduction d'une pinte. La liqueur étant » refroidie, ajoutez-y le suc de deux cents » cloportes, et deux onces de sirop des » cinq racines. Mêlez tout cela ensemble. »

(2) Notre auteur a donné ici fort superficiellement le traitement de la jaunisse, et n'a point fait mention des remèdes volatils, savonneux, atténuants, détersifs et martiaux qui, étant judicieusement employés, réussissent souvent dans des cas où la méthode simple de l'auteur serait inutile. Ainsi, pour suppléer en quelque sorte à ce qu'il n'a pas dit, nous joindrons ici en abrégé, la méthode générale de traiter les différentes espèces de cette maladie, et nous la tirerons principalement du docteur Huxham, dans son traité *de œre et morb. epid.*, *pag.* 143, *etc.* — La jaunisse est toujours dangereuse quand elle est accompagnée d'une hémorrhagie, car cela dénote que le sang est fort âcre et fort liquide ; et alors les atténuants, les aloétiques, les volatils et les martiaux sont extrêmement nuisibles. Au contraire, les acides, les délayants, les adoucissants, les eaux minérales, et semblables remèdes sont extrêmement utiles. — Si la jaunisse est accompagnée de fièvre, et d'un pouls fréquent, une décoction de chenevis dans du lait, ou une émulsion faite avec les amandes douces et la graine de pavot blanc est utile, après une médiocre saignée et une purgation convenable. — Il y a encore une autre espèce de jaunisse très-différente, qui vient d'une bile épaisse et gluante, et demande par conséquent une méthode entièrement différente. Dans cette maladie, le sang étant épais et visqueux produit une bile de même qualité, qui à la fin obstrue les conduits biliaires ; en sorte que l'obstruction du foie est plutôt l'effet que la cause de la maladie. Dans ce cas-là, il faut d'abord des vomitifs, ensuite des purgatifs aloétiques et mercuriaux, et après cela des apéritifs, des savonneux, des tartareux, et des volatils. Mais on doit prendre garde de ne pas donner trop tôt le mars, surtout avant que d'avoir atténué les humeurs ; autrement, loin de guérir le mal, il pourrait causer au foie un squirrhe incurable. Et à cette occasion je ne saurais m'empêcher de relever ici l'excellence du *tartre régénéré*, ou *terre foliée de tartre*, comme d'un admirable apéritif, non-seulement dans cette maladie, mais encore dans plusieurs autres ; car il atténue puissamment les humeurs épaisses et visqueuses, et par ce moyen détruit les obstructions. Et quoiqu'il possède de si grandes vertus, il n'a presque aucune âcreté, et ce qui est plus singu-

deux gros; rhubarbe en poudre subtile, demi-gros; crème de tartre, un scrupule; sirop de chicorée composé de rhubarbe, quantité suffisante : faites de tout cela un bol, que le malade avalera de grand matin, en buvant par-dessus un coup de vin du Rhin.

Si la maladie résiste à ces remèdes long-temps continués, il faudra que les malades aillent prendre des eaux ferrugineuses, comme, par exemple, celles de Tunbrige, et qu'ils les boivent à la source tous les matins jusqu'à ce qu'ils soient guéris (1). Voilà ce que j'avais à dire sur les maladies de cette constitution.

SECTION V.

CHAP. Ier — CONSTITUTION ÉPIDÉMIQUE D'UNE PARTIE DE L'AN 1673, ET DES ANNÉES ENTIÈRES 1674 ET 1675.

393. Vers le commencement du mois de juillet 1673, il parut une autre sorte de fièvre, mais qui ne fut pas fort épidémique, parce que la constitution de l'air ne la favorisait pas tellement qu'il ne restât aucune des maladies de la constitution précédente. La petite vérole qui avait commencé en 1670 durait encore; quoiqu'elle fût plus rare et accompagnée de symptômes plus doux. Ainsi, ces deux maladies marchaient presque d'un pas égal, sans qu'aucune des deux fût fort répandue; car la constitution précédente n'avait pas tellement cessé qu'elle ne produisît plus aucune des maladies qui lui étaient propres, puisqu'il restait encore quelque dysenteries; et la nouvelle constitution n'était pas encore assez établie pour produire des maladies qui fissent disparaître entièrement les autres.

394. La petite vérole et la fièvre dont nous parlons, marchèrent d'un pas égal pendant l'automne de cette année, et pendant tout l'hiver, sans être néanmoins répandues; et durant ce temps-là les dysenteries tendaient à leur fin. Au mois de novembre, un froid très-violent qui dura quelques jours, ayant été tout à coup suivi d'une telle chaleur que je ne me souviens pas d'en avoir jamais vu de si considérable en pareille saison, il y eut

---

lier, on peut le donner aussi sûrement dans la pleurésie que dans l'hydropisie. Des remèdes capables par leur poids et leur subtilité de diviser ainsi les humeurs épaisses et visqueuses ne sauraient manquer d'être fort utiles; mais on peut encore augmenter leur efficacité en y joignant quelque savon détersif propre à dissoudre et atténuer les humeurs onctueuses et tenaces. — Il faut se souvenir que le mars et les remèdes chauds sont très-pernicieux quand la jaunisse est inflammatoire; et que les vomitifs ne conviennent pas, si elle provient des concrétions calculeuses dans la vésicule du fiel, ce que l'on peut conjecturer lorsqu'elle revient fréquemment.

(1) L'auteur, en recommandant les eaux minérales, qui sont assurément très-efficaces dans une jaunisse opiniâtre, n'a pas marqué la saison propre à les prendre, qui est surtout le commencement de l'été; et n'a pas indiqué non plus qu'on peut les prendre utilement loin de la source quand on ne saurait s'y transporter. Quant à la manière de prendre les eaux quelles qu'elles soient, il n'est pas possible de la marquer en détail, parce qu'elle doit être appropriée à la nature de la maladie, au tempérament, à la façon de vivre, choses qui varient extrêmement dans les différents sujets. D'ailleurs, il faut quelquefois joindre à l'usage des eaux certains correctifs, y entremêler des remèdes, et toujours observer un régime très-exact par rapport aux aliments, à l'exercice, etc., si on veut en retirer une pleine utilité sans courir aucun risque. Tout cela montre clairement qu'il est très-difficile, et peut-être même impossible, de donner des règles qui puissent être appliquées à une si grande variété de circonstances.

quelques dysenteries en petit nombre un peu avant Noël, et aux environs de Noël; elles furent les dernières, et dès-lors cette maladie, ou du moins l'espèce dont il s'agit, cessa entièrement.

395. L'année suivante les rougeoles commencèrent de très-bonne heure, savoir, au mois de janvier, et ne furent pas moins épidémiques que celles qui, en 1670, avaient commencé à peu près dans le même temps. Presque aucune famille n'en fut exempte, et elles attaquaient surtout les enfants; elles n'étaient pas aussi régulières, et ne gardaient pas aussi exactement leur type que celle de 1670. Je parlerai plus au long de cette différence, quand je traiterai en particulier de ces rougeoles de 1674; elles augmentèrent de jour en jour jusqu'à l'équinoxe du printemps, après quoi elles allèrent en diminuant par degrés, et, peu de temps après le solstice d'été, elles disparurent entièrement.

396. Or, comme les rougeoles épidémiques de 1670 amenèrent de petites véroles noires que nous avons décrites parmi les maladies de cette année-là, de même les rougeoles de 1674, qui n'étaient pas moins épidémiques, en amenèrent aussi de semblables. Les petites véroles de la constitution précédente, ainsi que nous l'avons remarqué ci-dessus, produisaient des pustules qui, après les deux premières années, devenaient de jour en jour moins noires et plus grosses, tellement que sur la fin de 1673, ces petites véroles étaient d'un bon caractère, eu égard à leur espèce, mais ensuite elles reprirent leur première malignité, et furent accompagnées de très-fâcheux symptômes : elles se firent violemment sentir pendant l'automne de 1674, et même assez avant dans l'hiver, parce que la chaleur qui était alors plus grande qu'à l'ordinaire les favorisait; mais le froid étant venu, elles diminuèrent, et firent place à la fièvre qui commençait à se répandre.

397. Cette fièvre, après avoir duré un an entier, fit de grands ravages au commencement de juillet 1675 ; aux approches de l'automne, elle commença à se porter sur les intestins, avec des symptômes tantôt de la dysenterie, tantôt de la diarrhée; quelquefois néanmoins elle n'était accompagnée ni de dysenterie, ni de diarrhée, mais elle attaquait la tête, et causait une stupeur aux malades. Les petites véroles étaient alors devenues très-rares, et vers l'équinoxe d'automne elles disparurent entièrement, car la fièvre avait alors le dessus sur toutes les autres maladies épidémiques de cette année. — Il faut néanmoins observer que, comme cette fièvre déposait volontiers sur les intestins la matière morbifique, d'où s'ensuivait quelquefois la dysenterie, et plus souvent la diarrhée, cela donnait occasion d'attribuer communément aux tranchées du ventre, les désordres qu'on aurait dû attribuer à la fièvre. Mais les médecins qui traitèrent des malades pendant l'automne de cette année-là savent combien cette fièvre était violente ; et ils n'ignorent pas non plus que la dysenterie et la diarrhée étaient des suites et des symptômes de la fièvre, et non pas des maladies primordiales et idiopathiques.

398. Cette fièvre subsista ainsi durant l'automne jusqu'à la fin d'octobre, tantôt attaquant la tête, tantôt les intestins, et produisant des symptômes conformes à la nature de ces parties. Vers la fin d'octobre, le temps qui jusqu'alors avait été chaud et sec comme en été, devint tout à coup froid et humide (1), ce qui causa un si grand nombre de rhumes et de toux que je ne me souviens pas d'en avoir jamais tant vu. Ce qu'il y avait de plus considérable, c'est que la fièvre stationnaire de cette constitution survenait ordinairement à la toux, et qu'elle en était plus violente, et causait des symptômes particuliers. Car, au lieu que, peu de temps auparavant, elle attaquait le plus

(1) Un air froid et humide qui dure pendant quelque temps, ou qui succède tout à coup à un air chaud et sec, est extrêmement nuisible à la santé ; car il relâche les solides, et en conséquence les fluides circulant plus lentement, leur mouvement intestin diminue ainsi : ils deviennent épais et visqueux, et à cause de cela ne peuvent être poussés jusques dans les vaisseaux extrêmement fins de la transpiration, pour s'y débarrasser de leurs parties superflues et nuisibles. D'ailleurs, la froideur et l'humidité de l'air, bouchant les pores de la peau, empêchent aussi en partie cette transpiration. De là il s'amasse dans le corps beaucoup de recréments, et les sucs, perdant leur qualité douce et balsamique, deviennent âcres et irritants ; en sorte que, s'ils ne sont évacués à temps de quelque autre manière, soit naturellement, soit par le secours de l'art, il en résulte des enflures de gorge, des toux, des esquinancies, des fièvres catarrheuses, etc.

souvent les intestins, comme nous avons déjà dit, il se trouvait que, dans le temps dont nous parlons, elle attaquait principalement les poumons et la plèvre, et produisait des symptômes de péripneumonie et de pleurésie. C'était néanmoins tout-à fait la même fièvre qui, ayant commencé au mois de juillet 1673, avait subsisté jusqu'à la venue des rhumes, sans aucun changement dans ses symptômes.

399. Les rhumes et les toux durèrent jusqu'à la fin de novembre, après quoi ils diminuèrent tout d'un coup; mais la fièvre demeura la même qu'elle était avant les rhumes, quoiqu'elle ne fût ni tout-à-fait aussi épidémique, ni accompagnée des mêmes symptômes, parce que les rhumes en occasionnaient de particuliers, et augmentaient l'épidémicité. Lorsque les rhumes cessèrent, il parut de petites véroles de même genre que celles de l'année précédente; mais, comme elles avaient déjà duré près de deux ans, leurs symptômes n'étaient pas si violents que quand elles commencèrent. Je ne saurais dire combien durera encore cette constitution : tout ce que je sais, c'est qu'elle a été jusqu'à présent très-inégale et très-irrégulière, et que toutes les maladies qu'elle a causées ont été entièrement de même. — Je vais traiter maintenant de ces maladies épidémiques, dans le même ordre qu'elles se sont suivies l'une l'autre.

CHAP. II. — FIÈVRE CONTINUE DES ANNÉES 1673, 74, 75.

400. Cette fièvre, de même que les autres maladies épidémiques, avait, dès son commencement, certains symptômes par lesquels on voyait clairement que l'inflammation était alors plus grande qu'elle ne fut dans la suite de la maladie (1). Car, la première année que la fièvre régna, et le printemps suivant, les symptômes de la pleurésie survenaient, et le sang que l'on tirait ressemblait à celui des pleurétiques, du moins dans la première et la seconde saignée; mais, quand la maladie eut duré quelque temps, il n'y eut plus de signes d'une violente inflammation.

301. Voici quels étaient les symptômes particuliers de cette fièvre, outre ceux qui sont communs à toutes les fièvres en général. Les malades étaient ordinairement attaqués d'une douleur assez violente à la tête et au dos, d'un assoupissement, et d'une douleur tensive dans les articulations et les membres, et même dans tout le corps, mais un peu moins grande que dans le rhumatisme. Les premiers jours, la chaleur et le froid se succédaient alternativement, et quelquefois même il y avait de légères sueurs dès le commencement de la maladie. Quand la fièvre était abandonnée à elle-même, la langue n'était ni sèche, ni d'une couleur fort éloignée de la couleur naturelle; seulement elle était un peu blanche, et la soif était médiocre; mais si on augmentait la chaleur ordinaire de la fièvre, en donnant au malade des remèdes échauffants, alors la langue était très-sèche, et d'une couleur jaune-noirâtre; la soif augmentait, et l'urine, qui autrement conservait presque sa couleur naturelle, devenait fort rouge. — Quand la fièvre n'avait pas d'autres symptômes, et qu'elle était bien traitée, elle se terminait le quatorzième jour, et au plus tard le vingt-unième.

402. Le plus considérable de ses symptômes était une espèce de coma qui jetait le malade dans l'assoupissement et le délire : il dormait quelquefois durant plusieurs semaines, et ne se réveillait que par de grands cris et avec peine : alors il ouvrait simplement les yeux, et après avoir pris quelque remède, ou un verre de sa boisson ordinaire, il retombait aussitôt dans son assoupissement, lequel était quelquefois si profond qu'il aboutissait à une parfaite aphonie.

403. Les malades qui revenaient de cet état, commençaient à se mieux porter le vingt-huitième ou le trentième jour. Le premier signe de convalescence était l'envie démesurée qu'ils avaient de quelque nourriture ou de quelque boisson extraordinaire. La tête restait faible pendant quelques jours, et penchait tantôt d'un côté, tantôt d'un autre. Il y avait encore d'autres signes qui montraient que la tête avait beaucoup souffert. A mesure que les forces revenaient, cette faiblesse s'évanouissait.

(1) Il est probable que les matières contenues dans l'air, et qui causent une maladie épidémique, ont plus de virulence et d'activité lorsqu'elles commencent à communiquer leur impression morbifique qu'au bout d'un certain temps. C'est pourquoi, il peut se faire que la maladie qu'elles produisent soit beaucoup plus inflammatoire et plus répandue dans son commencement que dans son progrès et dans son déclin.

404. Quelquefois le malade avait plutôt un délire tranquille qu'un sommeil. Cependant, il parlait de temps en temps sans rime ni raison, comme un homme qui est en colère et hors de son bon sens; mais il ne devenait pas aussi furieux que ceux à qui la petite vérole ou d'autres fièvres causent la phrénésie. Une autre différence, c'est qu'il s'endormait tout à coup par intervalles, et ronflait plus profondément ; d'ailleurs, son délire, quoique moins violent que la phrénésie, durait plus long-temps. Le délire tranquille arrivait surtout aux enfants et aux jeunes gens au-dessous de l'âge de la puberté; le délire furieux survenait surtout aux adultes. Dans les uns ou les autres, si on donnait des remèdes trop chauds, et qu'on excitât les sueurs, le mal se portait facilement à la tête et causait les symptômes dont nous avons fait mention.

405. Quand il ne survenait point de délire léthargique, soit naturellement, soit par l'effet des remèdes, la maladie se terminait ordinairement le quatorzième jour ; je l'ai même vue quelquefois se terminer le treizième.

406. Pendant l'automne de 1675, cette fièvre, comme nous avons déjà remarqué ci-dessus, finissait par la dysenterie, et quelquefois aussi par la diarrhée. Cette dernière surtout arrivait souvent lorsque le malade était encore assoupi. Mais, autant que j'ai pu m'en assurer par de soigneuses observations, la dysenterie et la diarrhée n'étaient que des symptômes de la fièvre.

407. Quant à la curation de cette fièvre, ses divers phénomènes, très-différents de ceux qui accompagnaient la fièvre précédente, et d'ailleurs sa résistance aux purgatifs par le moyen desquels j'avais guéri très-heureusement toutes les fièvres de la précédente constitution, me firent connaître dès qu'elle commença, savoir, au mois de juillet 1673, elle était d'un tout autre genre. Mais j'eus besoin d'employer plus de temps que les autres fois à examiner sa nature, et par conséquent j'étais d'abord incertain et en suspens sur l'indication que je devais suivre dans le traitement. Car, lorsque cette fièvre commença, il n'y avait en même-temps aucune autre maladie épidémique dont la connaissance pût me fournir quelques idées vraisemblables sur sa nature, parce que les petites-véroles qui l'accompagnaient ressemblaient entièrement, comme j'ai déjà dit, à ces petites-véroles noires qui avaient commencé en 1670, et que d'ailleurs elles étaient alors très-bénignes, et sur le point de cesser tout-à-fait. Ainsi, il ne me restait d'autre moyen que d'examiner avec beaucoup d'attention la maladie en elle-même et indépendamment de toute autre, et de considérer avec toute l'application possible ce qui était utile et nuisible aux malades, afin de régler là-dessus mes indications.

408. La violente douleur de tête et de côté, et la ressemblance du sang avec celui des pleurétiques, m'apprirent bientôt que cette fièvre était accompagnée d'une inflammation considérable, et que néanmoins on ne pouvait pas saigner aussi copieusement qu'il est nécessaire dans la pleurésie. Car, après la première, ou tout au plus la seconde saignée, il ne paraissait plus de couënne sur le sang ; et quand on saignait davantage, le malade n'était point soulagé, à moins que la maladie ne se changeât en pleurésie, comme il arrivait quelquefois après un régime trop échauffant, surtout le premier printemps qu'elle régna, c'est-à-dire en 1674. Car, alors elle semblait approcher de la péripneumonie, à cause de la chaleur de la saison, et parce qu'étant encore dans son commencement, elle dépendait d'un principe qui était alors plus spiritueux qu'il ne fut ensuite. L'exemple des autres et mon expérience propre m'empêchant donc de réitérer la saignée, quoiqu'il me fût évident que cette fièvre, surtout quand elle commença, était fort inflammatoire, il ne me restait d'autres moyens pour en tempérer la chaleur que l'usage des lavements fréquemment réitérés et des remèdes rafraîchissants.—Non-seulement les signes manifestes d'inflammation, mais encore l'assoupissement dont cette fièvre était plus souvent accompagnée que toute autre, demandaient l'usage continuel des lavements, afin de détourner la matière fébrile qui se portait si rapidement à la tête. Les lavements tenaient lieu des fréquentes saignées, qui ne convenaient pas à la nature de la maladie, et ils suppléaient à leur défaut, en ce qu'ils modéraient peu à peu l'effervescence du sang, et évacuaient la matière morbifique.

409. Je crus aussi que des emplâtres vésicatoires assez grands, et appliqués sur la nuque du cou, seraient plus utiles dans cette fièvre que dans les autres où la matière fébrile ne portait pas de même à la tête. Car la douleur et la chaleur que ces sortes d'emplâtres causent à la

partie sur laquelle on les applique y font une dérivation de la matière, qui autrement se porterait à la tête. Avec ces remèdes et un régime rafraîchissant on venait sans peine à bout de la maladie. Mais, si on l'attaquait d'une autre manière, elle était très-rebelle, comme un grand nombre d'expériences ne me l'avaient que trop fait voir.

410. Voici donc la méthode que je suivis. Je faisais, avant toutes choses, saigner du bras, et la quantité de sang que l'on tirait, était proportionnée à l'âge et aux forces du malade, et aux autres circonstances. Aussitôt après, je faisais appliquer sur la nuque un grand emplâtre vésicatoire. Le lendemain, j'ordonnais un lavement laxatif, et je voulais qu'il fût pris d'assez bonne heure pour que le tumulte qu'il causerait pendant son opération fût apaisé avant la nuit, c'est-à-dire à deux ou trois heures après-midi. On réitérait chaque jour ce lavement, jusqu'à ce que la maladie diminuât. Alors, je faisais cesser les lavements, et même plus tôt, si la fièvre durait au-delà du quatorzième jour : car, dans ce cas-là, quoique les lavements précédents ne l'eussent pas emportée, je trouvais qu'il était inutile d'en donner de nouveaux, et qu'il valait mieux abandonner la maladie à la nature, et la laisser s'affaiblir insensiblement d'elle-même, puisque l'ébullition précédente avait déjà arrêté sa plus grande violence, et qu'il n'y avait plus à craindre de symptômes dangereux. Cette méthode m'a toujours mieux réussi que de tenter alors aucune évacuation. Durant ce temps-là, j'interdisais la viande au malade, et je lui permettais de la petite bière à discrétion.

411. Une autre chose qui m'a réussi un très-grand nombre de fois, et que je ne dois pas omettre en décrivant le régime qui convenait dans cette maladie, c'est que je faisais chaque jour sortir les malades au moins pendant quelques heures ; ou, si la faiblesse ne leur permettait pas de se lever, je les faisais habiller, et demeurer ainsi couchés sur leur lit, la tête un peu élevée. Car, en considérant la grande rapidité avec laquelle la fièvre portait à la tête, et en même temps la disposition inflammatoire du sang, il me vint en pensée qu'il serait avantageux pour les malades de ne pas toujours garder le lit, parce que la chaleur du lit, en augmentant l'impétuosité du sang qui se porte à la tête, échauffe davantage le cerveau, met les esprits animaux en mouvement, augmente les vibrations du cœur, et par conséquent la fièvre.

412. Mais, quoiqu'il soit très-bon dans toutes les fièvres où il y a une inflammation considérable, de ne pas toujours garder le lit, néanmoins si on demeure trop long-temps levé chaque fois, surtout dans le déclin de la maladie, il survient quelquefois des douleurs vagues, qui peuvent dégénérer en rhumatisme ; et d'autres fois il survient une jaunisse. — Dans ce cas-là, il faut que le malade se tienne au lit, afin que les pores de la peau étant ouverts, les particules qui causent l'une ou l'autre de ces deux maladies, s'évacuent par la transpiration ; mais il ne faut garder le lit qu'un jour ou deux, sans exciter la sueur. Ces accidents sont fort rares, et n'arrivent jamais que dans le déclin de la fièvre. Alors, il vaut beaucoup mieux permettre au malade de garder le lit, que dans le commencement ou dans la force de la maladie. De cette façon, la matière fébrile s'atténue mieux ; au lieu qu'elle s'effarouche et s'enflamme davantage quand on oblige trop tôt le malade de demeurer continuellement couché.

413. Si on objecte que cette méthode est assez bonne pour empêcher le sang de se porter à la tête, et pour soutenir les forces du malade, mais que d'ailleurs elle est mauvaise en ce qu'elle empêche les sueurs par lesquelles doit s'évacuer la matière fébrile après qu'elle a été digérée, je réponds que cette raison ne prouve rien, à moins qu'on ne montre auparavant que les sueurs sont nécessaires dans toute sorte de fièvre ; ce qu'on ne montrera pas facilement. — C'est l'expérience et non pas la raison qui apprend quelles sont les fièvres qui doivent se guérir par les sueurs et quelles sont celles qui doivent se guérir par les purgatifs, etc. Nous avons même sujet de croire qu'il y a certaines fièvres que la nature guérit par une méthode particulière, et sans aucune évacuation sensible, c'est-à-dire en corrigeant la matière morbifique, et en la rendant semblable au sang avec lequel elle ne pouvait auparavant s'assimiler. — C'est sur ce fondement que j'ai souvent guéri la fièvre dont nous parlons, et d'autres sortes de fièvres, pourvu qu'elles ne fussent pas intermittentes, et je les ai guéries dès qu'elles commençaient, et avant que toute la masse du sang fût infectée, sans employer pour cela d'autre remède que la petite bière, dont j'ordonnais aux ma-

lades de boire toutes les fois et en telle quantité qu'ils voudraient. Je leur défendais en même-temps les bouillons et toute autre nourriture, et je leur permettais de faire leurs exercices ordinaires, et de prendre l'air, sans que je misse en usage aucune évacuation, pas même une seule fois. Par cette méthode, continuée seulement pendant deux ou trois jours, j'ai guéri mes enfants et quelques-uns de mes amis. Mais elle ne convient que chez des personnes jeunes et d'un tempérament sanguin.

414. Quand on accorderait même que la nature ne peut vaincre la maladie que par les sueurs, il faudrait toujours convenir qu'il s'agit uniquement des sueurs qui arrivent dans le déclin de la maladie, et lorsque la matière morbifique est digérée, et non pas de celles qui surviennent les premiers jours de la maladie, et qui sont l'effet du trouble où est alors l'économie animale. Il ne faut point exciter ces dernières sueurs, mais plutôt calmer le tumulte qui les produit. Les premières se rencontrent dans plusieurs sortes de fièvres, quoique non pas dans toutes. Il y a certaines fièvres où elles sont critiques et nécessaires dans le déclin de la maladie. Telles sont les accès de fièvres intermittentes ; telle est une autre fièvre considérable et très-fréquente, je veux dire celle qui dépend de la constitution de l'air par laquelle sont produites les fièvres intermittentes épidémiques. Dans ce cas-là, on doit travailler en premier lieu à digérer la matière morbifique, ensuite, à l'évacuer par les sueurs. Si on suit une autre méthode la maladie ne fera qu'augmenter. —C'est pourquoi toutes sortes d'évacuations doivent être bannies, si ce n'est les premiers jours de la maladie, où il s'agit de modérer sa violence : hors de là, les évacuations pourraient être funestes. Et même la fièvre pestilentielle, dont la cause est d'une extrême subtilité, peut se guérir dès les premiers jours par les sueurs, comme l'expérience l'a toujours fait voir.

415. Mais dans les fièvres où nous ne voyons point que la nature abandonnée à elle-même, et selon le cours ordinaire des symptômes, évacue, au bout d'un certain temps, la matière morbifique déjà préparée, ne serait-ce pas une trop grande témérité de vouloir guérir la maladie, en excitant bon gré malgré les sueurs, puisque, selon Hippocrate (1), *tout est inutile quand la nature est contraire*? Or, je pense que c'est là justement le cas de la fièvre particulière dont nous traitons maintenant. Quantité d'expériences m'ont appris qu'elle peut se guérir sans sueurs, et même que, si l'on s'obstine à vouloir faire suer les malades, on les jette souvent à pure perte dans un danger évident, parce qu'alors la matière morbifique se porte à la tête. — Néanmoins, si dans cette fièvre, ou dans toute autre de celles qui n'ont pas coutume de se terminer par une sueur critique, il survient dans le déclin de la maladie et sans le secours de l'art une sueur de cette espèce, que la diminution de tous les symptômes fasse juger être l'effet d'une digestion convenable de la matière morbifique, aucun médecin prudent ne méprisera une pareille sueur. Mais, quand elle ne vient pas ainsi d'elle-même, pouvons-nous être assurés de ne pas tuer le malade si, pour le faire suer, nous employons un régime échauffant et des cordiaux? Un homme qui trouverait par hasard un trésor à terre serait simple de ne pas le prendre, mais ce serait être fou de risquer sa vie dans l'espérance de trouver un pareil trésor. Quoi qu'il en soit, je suis très-assuré que la chaleur de la fièvre toute seule suffit pour préparer la matière fébrile à la coction, et qu'il ne faut pas augmenter cette chaleur par un régime échauffant.

416. La méthode de traiter cette fièvre par la saignée et les lavements réussissait très-bien ; mais quand on y employait les sudorifiques, non-seulement il survenait des symptômes très-fâcheux, mais le succès était toujours fort incertain. Le principal de ces symptômes, et qui arrivait souvent, comme nous avons dit, était un délire où le malade ne parlait pas beaucoup, mais était plutôt attaqué d'un assoupissement qui ressemblait au coma. Ce symptôme venait quelquefois de lui-même, et le plus souvent de ce que des gardes ignorantes travaillaient mal à propos à exciter les sueurs ; car la matière morbifique qui, dans cette sorte de fièvre ne s'évacuait point par les sueurs, venant à être violemment agitée, elle se portait à la tête, et mettait les malades en grand danger.

(1) Τῆς φυσεως αντοπραττου σης κενεα παντα.

417. En traitant la fièvre d'une autre constitution, j'avais déjà pris garde que, durant les dernières années de cette fièvre, il survenait quelquefois un assoupissement, principalement aux enfants et aux jeunes gens qui étaient à peine sortis de l'âge de puberté. Mais cet assoupissement n'était ni aussi profond ni aussi épidémique que celui qui accompagnait la fièvre dont il s'agit maintenant. Je ne pus toutefois venir à bout de dissiper le premier, qui était le plus léger, et beaucoup moins pus-je dissiper le second dans le commencement de la maladie, quoique je n'oubliasse rien pour cela, et que j'employasse les saignées réitérées du bras, de la gorge et du pied, les emplâtres vésicatoires, les lavements, les diaphorétiques de toute espèce, etc.— Enfin, je pris le parti de saigner du bras, d'appliquer un emplâtre vésicatoire à la nuque, et de donner deux ou trois lavements avec le lait et le sucre, tout cela dans les premiers jours de la maladie; après quoi, je ne faisais rien du tout, si ce n'est que j'interdisais la viande et toute sorte de liqueurs spiritueuses. En même temps, j'étudiais la méthode de la nature, afin d'apprendre, en marchant sur ses traces, le moyen de dissiper cet assoupissement. Le succès fut heureux; la maladie diminuait peu à peu, et enfin disparaissait entièrement. Je crus donc devoir insister sur cette méthode dans toutes les fièvres que je traitai ensuite. La grandeur du symptôme que j'avais à combattre, et le bon succès que j'eus toujours, justifient suffisamment ma conduite.

418. Il m'est quelquefois venu en pensée que dans le traitement des maladies nous allons trop vite; qu'il faudrait, au contraire, aller plus lentement, et laisser plus agir la nature qu'on ne le fait aujourd'hui. C'est une erreur grossière de croire que la nature a toujours besoin du secours de l'art. Si cela était, elle n'aurait pas assez bien pourvu à la conservation du genre humain; car il n'y a pas la moindre proportion entre le grand nombre de maladies dont les hommes sont attaqués et les moyens qu'ils ont pour s'en délivrer; je parle même des siècles où la médecine a été le plus cultivée et le plus en honneur. J'ignore ce qu'a produit dans les autres maladies la méthode de laisser agir la nature. Ce que je sais certainement par des observations faites avec soin, c'est que dans la fièvre dont nous parlons, l'assoupissement léthargique se dissipait heureusement de lui-même après les évacuations générales, savoir, la saignée et les lavements.

419. Nous avons dit ci-dessus qu'on ne voyait le plus souvent des signes de convalescence que le trentième jour (savoir, dans le cas d'un assoupissement considérable), et qu'il survenait même quelquefois une aphonie; après quoi le malade demandait obstinément quelque nourriture ou quelque boisson mauvaise et absurde, parce que la longueur de la maladie avait extrêmement corrompu le levain de l'estomac. Dans ce cas-là, comme il était absolument nécessaire de réparer les forces épuisées, je permettais volontiers des choses moins convenables, pourvu qu'elles fussent agréables au goût des malades.

420. Au mois de septembre 1674, je traitai un enfant de neuf ans, fils d'un libraire de mes voisins, nommé M. *Not*. Il était attaqué de la fièvre et de l'assoupissement. L'ayant fait saigner du bras, et lui ayant fait donner des lavements pendant quelques jours de suite dans le commencement de la maladie, j'en demeurai-là, et je m'opposai aux importunités de sa mère, qui me pressait vivement d'aller plus vite en besogne, ce que je ne croyais pas expédient pour le salut de son fils. Tout ce que j'ordonnai de plus fut un julep ordinaire, et cela plutôt pour contenter la mère que pour autre chose. Le malade commença à se mieux porter vers le trentième jour. Il eut divers appétits bizarres, lesquels je jugeai à propos de satisfaire en partie, uniquement pour contenter son goût; et, enfin, il guérit parfaitement.

421. Quoique l'assoupissement léthargique arrivât plus souvent dans cette fièvre que les autres symptômes, la phrénésie ne laissait pas de survenir quelquefois. Les malades qui en étaient attaqués ne dormaient ni jour ni nuit; ils étaient hors de leur bon sens, et avaient d'autres symptômes semblables à ceux que produit la phrénésie qui est causée par d'autres fièvres ou par la petite vérole. Ce symptôme n'attendait pas, comme l'affection léthargique, que la matière peccante fût digérée; mais il enlevait le malade en peu de jours, à moins qu'on n'arrêtât l'inflammation. Rien ne fit si bien, dans cette occasion, que l'esprit de vitriol mêlé par gouttes dans de la petite bière, que je donnais ainsi pour boisson ordinaire, après une saignée et un ou deux

lavements. En peu de jours, il procurait du sommeil, dissipait les symptômes, et guérissait le malade. Aucune autre méthode ne me réussissait de même, à beaucoup près. Un grand nombre d'expériences me persuadèrent de la bonté de ce remède.

422. En automne 1675, la fièvre fut suivie de dysenteries et de diarrhées. Je reconnus d'abord qu'elles n'étaient que des symptômes de la fièvre, et non pas des maladies idiopathiques et primordiales, comme dans la constitution précédente. Néanmoins, parce que la cause morbifique était renfermée dans le sang, la saignée était indiquée. Ce remède, joint à deux prises de narcotiques que l'on donnait ensuite, suffisait pour dissiper le mal.

423. Au mois de septembre 1675, madame *Conysby*, qui demeurait près des écuries royales, me fit appeler. Elle avait eu la fièvre dont nous parlons, et tout-à-coup elle fut saisie de tranchées du ventre, qui furent suivies de déjections sanguinolentes et muqueuses. Quoique ses forces se trouvassent depuis quelques jours fort épuisées par la longueur de la maladie, et surtout par les fréquentes selles qui, la nuit précédente, l'avaient beaucoup fatiguée, je ne laissai pas de la faire saigner du bras sur-le-champ, et peu de temps après je lui fis donner un narcotique; la nuit d'ensuite, les déjections furent stercoreuses; le matin et le soir du jour suivant, je réitérai le narcotique, et j'ordonnai un cordial modéré pour ranimer ses forces. Par ces remèdes, la malade fut bientôt guérie.

424. Quant à la diarrhée, elle donnait encore moins de peine que la dysenterie. Il me parut qu'elle n'était ni utile, ni nuisible au malade, soit qu'il y eût assoupissement ou non. Ainsi, je ne pouvais en tirer aucune indication curative, lorsqu'elle n'était pas assez violente pour mettre le malade en danger : car, si elle le mettait en danger, elle demandait sans contredit les narcotiques. C'était-là le seul cas où ces remèdes convenaient durant toute cette fièvre; autrement, ils auraient augmenté la grande disposition qu'avaient les malades à tomber dans l'assoupissement, et, par conséquent, on ne devait jamais les employer que dans une nécessité absolue.

425. Il arrivait assez souvent à ceux qui se relevaient de cette fièvre, ou d'autres fièvres, surtout à ceux qui en avaient été long-temps malades, et n'en avaient été quittes qu'après de longues et de grandes évacuations, principalement s'ils étaient d'un tempérament faible, il leur arrivait, dis-je, de suer abondamment la nuit, lorsqu'ils étaient couchés. Cette sueur les affaiblissait extrêmement; ils étaient long-temps à reprendre leurs forces, et même quelques-uns devenaient étiques. Ce symptôme me paraissait venir uniquement de ce que le sang était si appauvri et si affaibli par la longueur de la maladie que, ne pouvant assimiler les nouveaux sucs qu'il recevait, il les évacuait par les sueurs. C'est pourquoi je conseillais toujours à ceux qui étaient dans cet état d'avaler tous les matins et tous les soirs, cinq ou six cuillerées de vin vieux de Malaga. Par ce moyen, les forces se rétablissaient et les sueurs cessaient (1). —Voilà ce que nous avions à dire touchant la fièvre de cette constitution, que nous avons jugé à propos de nommer *fièvre comateuse*, à cause du grand assoupissement dont elle était presque toujours accompagnée.

CHAP. III.— ROUGEOLES DE L'AN 1674.

426. Au commencement de l'an 1674, c'est-à-dire au mois de janvier, il parut des rougeoles d'une espèce différente de celles qui avaient paru dans le même mois en 1669 et en 1670. Les rougeoles de 1674 n'étaient cependant pas moins épidémiques que ces autres; mais elles n'étaient pas si régulières, et ne gardaient pas si constamment un type : car leur éruption se faisait tantôt plus tôt, et tantôt plus tard, au lieu que dans les autres, elle se faisait toujours le quatrième jour depuis le commencement de la maladie. De plus, les rougeoles dont nous parlons attaquaient d'abord les épaules et les autres parties du tronc, au lieu que les rougeoles précédentes attaquaient premièrement le visage, et se répandaient ensuite peu à peu sur le reste du corps. On ne voyait que très-rarement, dans les rougeoles de 1674, l'épiderme s'en aller par petites écailles farineuses à la fin de la maladie, au lieu que dans les

(1) Une nourriture restaurante, un exercice convenable, et l'usage d'une légère infusion de quinquina dans du vin rouge, manqueront rarement de produire dans cette occasion l'effet que l'on désire. L'élixir de vitriol est regardé aussi comme un excellent remède dans le même cas.

autres rougeoles cela était aussi ordinaire qu'à la fin de la fièvre rouge. Les rougeoles de 1674 enlevaient plus de gens, lorsqu'elles étaient mal traitées, que les précédentes; car la fièvre et la difficulté de respirer, qui arrivaient sur la fin de la maladie, étaient plus violentes, et approchaient davantage de la péripneumonie. Quelque irrégulières que fussent ces rougeoles, par rapport aux symptômes dont je viens de faire mention, elles s'accordaient néanmoins assez bien, quant aux principaux, avec l'histoire que j'ai donnée de la rougeole, en décrivant les maladies épidémiques de l'an 1670. Ainsi, je n'aurai pas besoin de répéter ici cette histoire. Les rougeoles de 1674 augmentèrent, de même que les précédentes, jusqu'à l'équinoxe du printemps, après quoi elles diminuèrent; et vers le solstice d'été, ou peu après, elles cessèrent entièrement.

427. Comme la curation ne diffère presqu'en rien de celle que j'ai exposée au long dans l'histoire de la rougeole, il faut y avoir recours. J'ajouterai seulement ici, selon ma coutume, un exemple de la méthode que je suivais en traitant les rougeoles dont il s'agit maintenant.

428. Au mois de février 1674, la comtesse de Salisbury, dame d'une vertu et d'un mérite extraordinaires, me fit appeler. Il n'y avait alors qu'un de ses enfants qui eût la rougeole; les autres, au nombre de cinq ou six, en furent bientôt attaqués. Je les traitai tous de la même façon. Je leur fis garder le lit pendant deux ou trois jours avant l'éruption, afin d'évacuer, par la transpiration, les particules morbifiques qui pouvaient aisément se séparer du sang. Je défendis qu'ils fussent plus couverts, et qu'on leur fît plus de feu que quand ils étaient en santé. Je leur ôtai les aliments gras, et je leur donnai des décoctions d'orge, d'avoine, et de temps en temps une pomme cuite. La boisson était de la petite bière ou du lait bouilli avec trois fois autant d'eau. Quant ils étaient tourmentés de la toux, comme il est ordinaire dans la rougeole, je leur faisais prendre fréquemment de la tisane pectorale. Par cette méthode, ils furent entièrement guéris au bout du peu de temps que la maladie a coutume de durer, et soit pendant la rougeole, ou sur la fin, ils n'eurent aucun symptôme extraordinaire à la maladie.

429. Les deux premiers mois que ces sortes de rougeoles régnèrent, il y eut une fièvre de même genre, et médiocrement répandue, dans laquelle il sortait des pustules sur le tronc, et principalement sur le derrière du cou et sur les épaules. Ces pustules ressemblaient à celles de la rougeole, et en différaient au moins en ce qu'elles n'occupaient pas tout le corps, et se bornaient aux parties que nous avons marquées. La fièvre, quoique entièrement de même genre, était plus violente, et durait jusqu'au quatorzième jour, et quelquefois même davantage. La saignée ni les lavements ne convenaient point, et ne faisaient que l'irriter. Mais elle cédait aisément à la méthode que j'employais pour la rougeole. Voilà ce que j'avais à dire sur cette dernière maladie.

CHAP. IV. — PETITES VÉROLES IRRÉGULIÈRES DES ANNÉES 1674 ET 1675.

430. Ainsi que les rougeoles épidémiques qui parurent au commencement de l'année 1670 amenèrent des petites véroles noires que j'ai décrites en traitant des maladies de cette année-là, de même les rougeoles qui se firent sentir au commencement de l'an 1674, et qui n'étaient pas moins épidémiques, amenèrent une sorte de petites véroles si semblables aux précédentes qu'elles paraissaient être les mêmes. Nous avons dit, en décrivant les petites véroles précédentes, qu'après les deux premières années les pustules devenaient de jour en jour moins noires et plus grosses, et qu'à la fin de l'année 1672 la maladie, eu égard à son genre, était douce et bénigne. Mais, en 1674, elle revint avec sa première violence, et avec plusieurs symptômes dangereux. Les pustules étaient noires comme de la suie, savoir, lorsqu'elles étaient confluentes, et que le malade ne mourait pas avant qu'elles fussent parvenues à maturité; car, quand elles n'étaient pas encore parvenues à maturité, elles étaient jaunes. Quand il y en avait beaucoup, elles étaient très-petites; et quand il y en avait peu, elles étaient aussi grosses que dans les autres genres de petites véroles, et très-rarement elles étaient noires. — Mais, quoique les petites véroles dont il s'agit maintenant ressemblassent si fort à celles de 1670, elles en différaient néanmoins en quelques particularités, qui montraient que la pourriture y était plus grande, et la matière morbifique plus grossière, et d'une coction plus difficile. Car, quand

les pustules étaient mûres, elles sentaient plus mauvais ; en sorte qu'on ne pouvait presque approcher des malades. De plus, elles parcouraient plus lentement leurs différents périodes, et duraient plus long-temps que dans aucune sorte de petites véroles que j'aie jamais vues.

431. Il est remarquable que plus la petite vérole est bénigne, plus tôt aussi les pustules parviennent à maturité, et plus tôt la maladie se termine. C'est ainsi que, dans les petites véroles confluentes régulières qui commencèrent en 1667, le onzième jour était le plus dangereux ; après quoi, il n'y avait ordinairement rien à craindre. Dans les petites véroles confluentes irrégulières qui vinrent ensuite, et qui commencèrent en 1670, le plus grand danger était le quatorzième jour, ou même le dix-septième. Si les malades allaient au-delà, ils étaient entièrement hors d'affaires, et je n'en ai vu aucun qui soit mort passé ce jour-là. — Mais, dans les petites véroles confluentes de 1674, il mourait des malades même après le vingtième jour. Quant à ceux qui en réchappaient, et qui étaient en petit nombre, non-seulement les jambes leur enflaient, ce qui est d'ordinaire dans toutes les petites véroles confluentes ; mais encore les bras, les épaules, les cuisses, et d'autres parties. Cette enflure commençait par une douleur insupportable, et qui ressemblait entièrement aux douleurs rhumatismales. Assez souvent, elle tournait en suppuration, et aboutissait à des abcès qui formaient de grands sinus dans les parties musculaires, et le malade était encore en danger durant plusieurs jours, après qu'il n'avait plus de petite vérole. — Je voyais donc clairement trois degrés de petites véroles épidémiques dans les trois différentes constitutions que j'ai décrites ; le dernier degré était toujours plus mauvais que le précédent, soit par rapport à la pourriture, qui était plus grande, soit par rapport à la matière morbifique dont la coction était plus difficile.

432. Les petites véroles dont je traite maintenant me paraissaient être comme un rejeton des précédentes, car, quoique ces dernières, en se rallentissant, fussent devenues bénignes, néanmoins la matière morbifique venant à fermenter de nouveau, et étant aidée de la constitution de l'air, qui se trouvait favorable aux petites véroles, elles se renouvelèrent avec beaucoup de fureur et de violence. Elles étaient d'autant plus irrégulières, et accompagnées d'une pourriture d'autant plus grande que la matière qui les produisait était plus grossière, et d'une coction plus difficile que celle qui avait produit les précédentes. — Et, pour mieux entendre ce que je dis, il faut supposer, comme une chose certaine, qu'il n'y a jamais dans l'air une telle disposition qui produise dans un endroit une maladie épidémique, et qui, en même-temps, en produise une autre fort différente dans un endroit peu éloigné. Si cela était ainsi, tous les vents qui souffleraient pourraient changer cette disposition de l'air. Il me paraît plus vraisemblable que telle ou telle étendue de l'air se remplit des vapeurs qui proviennent de quelque fermentation minérale. Ces vapeurs infectent l'air, et, selon les différents endroits de la terre d'où elles partent, elles causent diverses maladies qui sont funestes à telle ou telle espèce d'animaux, et qui durent jusqu'à ce que les vapeurs soient épuisées ; mais ce qui reste de la matière des vapeurs peut de nouveau fermenter, comme dans le cas dont j'ai fait mention.

433. Pour moi, qui ne cherche pas à pénétrer au-delà des causes sensibles et évidentes, il m'est fort indifférent qu'on suive cette hypothèse, ou une autre dans l'explication des phénomènes de la maladie. Ce que je sais, du moins certainement, c'est que les petites véroles de 1674 étaient très-semblables à celles de la constitution précédente, si ce n'est que la matière morbifique paraissait y être plus grossière, et la pourriture plus grande. De là vient que, quand elles étaient fort confluentes elles enlevaient plus de monde qu'aucune autre petite vérole que j'aie jamais vue, et je trouve qu'elles attaquaient un aussi grand nombre de gens que la peste même. Mais quand elles étaient discrètes, elles n'étaient pas plus dangereuses qu'aucune autre espèce, et la grosseur des pustules, la couleur et les autres circonstances, faisaient juger qu'elles étaient d'un bon caractère.

434. Quant à la curation, il y a déjà bien des années que je m'étonne des indications entièrement contraires que ma fournies cette maladie. D'un côté, il était manifeste que le régime trop chaud produisait en peu de temps les symptômes qui dépendent d'une trop grande inflammation, savoir, la fièvre, la phrénésie, les taches de pourpre, et autres accidents semblables, auxquels la petite vérole est

sujette plus que toute autre maladie. D'un autre côté, il n'était pas moins évident qu'un régime trop froid empêchait l'enflure du visage et des mains, qui est si nécessaire ici, et causait un affaissement des pustules. — Après avoir long-temps et mûrement réfléchi là-dessus, je compris enfin qu'on pouvait remédier en même temps à ces deux inconvénients : d'un côté, j'avais moyen de modérer l'effervescence du sang, en faisant boire abondamment de l'eau laiteuse, de la petite bière, ou quelqu'autre semblable liqueur; de l'autre côté, je pouvais aider l'élévation des pustules, et l'enflure du visage et des mains, en tenant continuellement le malade au lit, sans lui permettre de se découvrir seulement les bras. Cette méthode n'a rien qui se contredise; car, quand l'éruption est finie, le sang est censé avoir déposé à la superficie du corps les particules enflammées, et n'avoir plus besoin d'aiguillon pour séparer une plus grande quantité de matière morbifique. Ainsi, comme la suppuration est alors le point essentiel, il s'agit uniquement d'empêcher que les particules enflammées qui ont été poussés à la superficie du corps ne rentrent dans le sang, et de procurer la maturation des pustules, en entretenant les parties extérieures dans une chaleur douce.

435. Or, quoique la méthode dont je parle m'eût très-bien réussi dans les autres petites véroles confluentes, elle me manqua néanmoins dans celles de la constitution dont il s'agit maintenant; et la plupart de ceux qui étaient violemment attaqués mouraient, soit qu'on les traitât par cette méthode, ou qu'on employât un régime échauffant et des cordiaux. — Je vis donc bien qu'outre les remèdes propres à modérer l'effervescence du sang et à favoriser l'élévation des pustules et l'enflure du visage et des mains, il en fallait encore quelque autre qui fût capable de détruire la pourriture que je voyais plus grande dans ces petites véroles que dans toutes les précédentes. Je m'avisai enfin d'employer l'esprit de vitriol, et je crus qu'il serait en état de remplir les deux indications, qui consistaient à détruire la pourriture et à rabattre la violence de la chaleur. Je ne faisais rien aux malades jusqu'à ce que les douleurs et les envies de vomir qui ont coutume de précéder l'éruption eussent cessé, et que toutes les pustules fussent sorties. Le cinquième ou sixième jour de la maladie, je commençais à faire user de l'esprit de vitriol. On le mêlait dans la petite bière, jusqu'à une agréable acidité. Cette bière ainsi préparée était la boisson ordinaire du malade, jusqu'à ce qu'il fût parfaitement guéri, et je l'obligeais d'en boire abondamment, surtout lorsque la suppuration approchait.

436. L'esprit de vitriol était le vrai spécifique de cette maladie, et il arrêtait merveilleusement bien tous les symptômes. Le visage s'enflait de meilleure heure, et avec bien moins de difficulté. Les interstices des grains étaient plus rouges. Les plus petites pustules grossissaient, et autant que le permettait cette sorte de petites véroles. Les pustules, qui autrement auraient été noires, rendaient une matière jaune et de couleur de miel. Le visage, au lieu de noircir, était partout d'une couleur jaune foncée. La suppuration et tout le reste se faisait plus tôt. Mais tous ces avantages n'étaient que pour ceux qui buvaient abondamment de la petite bière ainsi préparée. C'est pourquoi, lorsque les malades refusaient d'en boire la quantité nécessaire, je suppléais à ce défaut, en donnant de temps en temps l'esprit de vitriol dans une cuillerée de quelque sirop, ou dans une eau distillée à laquelle j'ajoutais du sirop.

437. J'ai parlé des bons effets de ce remède. Quant aux inconvénients, je ne lui en ai jamais trouvé aucun (1). A la vérité, il arrête presque la salivation le dixième ou le onzième jour; mais ce défaut est suppléé par quelques selles qui arrivent alors, et qui sont moins dangereuses pour le malade que n'était la salivation. Car, comme nous l'avons dit plus d'une fois, ce qui met principalement en danger dans les petites véroles confluentes, c'est que, la salive étant devenue plus visqueuse le dixième ou le onzième jour, elle menace d'étouffer le malade. La diarrhée remédie alors à ce symptôme; ensuite elle cesse d'elle-même, ou du moins on l'arrête aisément par l'eau laiteuse et

(1) Il y a néanmoins sujet de craindre que le grand usage de cette liqueur acide ne coagule le sang, et ne nuise aux poumons et aux parties nerveuses : ainsi, il faut l'employer avec beaucoup de prudence. L'huile de soufre par la cloche, ou l'esprit de vin dulcifié, remplira la même vue, et peut être donnée beaucoup plus sûrement.

les narcotiques, dès qu'il n'y a plus de danger du côté de la petite vérole.

438. Durant ce temps-là, le malade gardait le lit, sans même découvrir ses bras; mais je ne souffrais pas qu'il fût plus couvert qu'à l'ordinaire. Je lui permettais même de changer de place, comme il voulait, dans son lit, afin d'empêcher les sueurs auxquelles il avait une très-grande disposition, malgré l'usage de l'esprit de vitriol. Sa nourriture était des décoctions d'avoine et d'orge, et quelquefois une pomme cuite. Les derniers jours, s'il se trouvait languissant, ou s'il avait des maux d'estomac, je lui accordais trois ou quatre cuillerées de vin de Canarie. Tous les soirs, dès le cinquième ou sixième jour, je faisais prendre de bonne heure un narcotique aux adultes; car les enfans n'en avaient pas besoin: ce narcotique était quatorze gouttes de laudanum liquide dans l'eau de fleur de primevère.

439. Le quatorzième jour, je permettais au malade de se lever; le vingt-et-unième, je le faisais saigner du bras (1); ensuite je le purgeais deux ou trois fois: après quoi son visage était meilleur et plus vermeil que ne l'avaient ordinairement ceux qui avaient été violemment attaqués de cette maladie. Ajoutez à cela qu'en usant de l'esprit de vitriol, on n'était presque jamais marqué de la petite vérole, dont les cicatrices sont causées par des humeurs âcres et échauffées qui rongent l'épiderme.

440. Le 26 juillet 1675, M. Elliot, gentilhomme de la chambre du roi, et mon ami, me chargea de soigner un de ses domestiques, attaqué de tous les symptômes qui annonçaient une petite-vérole confluente noire: c'était un jeune homme d'environ dix-huit ans, d'un tempérament très-sanguin, et qui était tombé dans cette maladie pour avoir trop bu. Les pustules sortirent en si grande quantité que je n'en ai jamais tant vu: et elles étaient si confluentes et si serrées les unes contre les autres, qu'on pouvait à peine les distinguer. Me confiant sur l'efficacité de l'esprit de vitriol, je ne fis point du tout saigner le malade, quoique j'en eusse le temps, et que j'eusse dû le faire, sachant que la maladie était causée par excès de vin.—Quand l'éruption fut achevée, c'est-à-dire le cinquième ou sixième jour, je fis mettre de l'esprit de vitriol dans des bouteilles qui étaient pleines de petite bière, et je permis au malade de boire de cette bière à discrétion. Le huitième jour, il lui prit une si violente hémorrhagie par le nez, que la garde épouvantée crut devoir m'envoyer quérir sur-le-champ. Etant arrivé, et voyant que ce symptôme venait d'une chaleur excessive, et d'un mouvement extraordinaire du sang, j'ordonnai au malade de boire encore une plus grande quantité de petite bière imprégnée d'esprit de vitriol, et en très-peu de temps l'hémorrhagie cessa.—Comme la salivation fut abondante, l'enflure du visage et des mains considérable, et les pustules d'une bonne grosseur, la maladie se termina assez heureusement, si ce n'est que les derniers jours il y eut des déjections muqueuses et sanguinolentes, lesquelles ne m'auraient peut-être point embarrassé si j'avais fait saigner le malade dès que je fus appelé. Cependant, je n'employai contre ce symptôme dysentérique d'autre remède que mon narcotique, lequel j'aurais été d'ailleurs obligé d'employer tous les soirs, quand même il n'y aurait point eu de déjections sanguinolentes. Le narcotique les arrêta, les pustules disparurent; ensuite, le malade ayant été saigné du bras assez copieusement, et ayant bu abondamment de l'eau laiteuse, il guérit en peu de temps.

441. Presque dans le même temps, un de mes voisins, nommé M. Clinch, me confia deux de ses enfants qui avaient la petite vérole: l'un était âgé de quatre ans; l'autre tétait encore, et n'avait pas six mois: tous deux avaient des pustules très-petites, extrêmement confluentes, qui sortaient à la manière de l'érysipèle, et qui étaient du genre des noires. Je fis mettre de l'esprit de vitriol dans tout ce que buvaient l'un et l'autre; et malgré leur bas âge, surtout du plus jeune, ils

(1) Peu d'auteurs ont recommandé généralement la saignée après la petite vérole, et la pratique moderne ne favorise nullement cette méthode. En effet, lorsque la maladie a été violente, la saignée doit être nuisible, parce que le sang a été nécessairement fort appauvri, et les forces considérablement épuisées. Cependant, il peut y avoir des cas où la saignée est nécessaire, mais il faut les spécifier et les marquer comme des exceptions à la règle générale. Quant à la purgation, elle convient toujours, et on ne doit jamais l'omettre.

le prirent sans aucune répugnance. Ils n'eurent même aucun symptôme considérable, et guérirent en peu de temps. Le docteur Mapletoft, mon intime ami, étant allé les voir avec moi, trouva l'aîné déjà guéri, et le plus jeune encore malade dans son berceau.

442. Comme les petites-véroles discrètes de cette constitution étaient assez bénignes, il n'était pas nécessaire d'y employer l'esprit de vitriol; il suffisait de les traiter suivant la méthode qui convient aux petites-véroles discrètes, et que j'ai expliquée ci-dessus.

443. Voilà, mon cher lecteur, tout ce que j'avais à dire sur la petite vérole. Il y aura peut-être des gens qui en feront peu de cas, car tel est le génie de notre siècle. Je sais néanmoins combien cela m'a coûté de peine, de soin et de travail durant plusieurs années de suite. Je ne l'aurais pas même publié, si la charité pour le prochain et le désir d'être utile aux autres, ne m'y avaient engagé; quoique je sente bien que la nouveauté des choses que j'avance, fera du tort à ma réputation. — Je ne vois pas cependant pourquoi l'on devrait condamner une méthode nouvelle de traiter une maladie, dont on ne trouve aucun vestige, ni dans Hippocrate, ni dans Galien, à moins que de donner la torture à quelque passage obscur et difficile. Certains modernes ne suivent-ils pas tous les jours des méthodes qui ne viennent pas de ces deux grands médecins? Et si les uns ont droit de vanter ces méthodes, les autres ne sont-ils pas également en droit de les rejeter.

444. On ne doit pas être surpris si je me suis un peu écarté de la route commune, dans le traitement des fièvres qui dépendent des constitutions qui produisent les petites-véroles épidémiques. Car, s'il n'y a point eu de petites-véroles dans les premiers siècles du monde, il s'ensuit qu'il n'y avait point non plus de ces fièvres qui en dépendent. Or, il est très-vraisemblable, pour ne rien dire de plus, que la petite vérole n'existait pas anciennement: car, si elle eût existé comme aujourd'hui, elle n'aurait pu être inconnue à un médecin aussi éclairé qu'Hippocrate. Ce grand homme, qui a mieux connu l'histoire des maladies, et qui les a décrites plus exactement qu'aucun de ceux qui sont venus après lui, n'aurait pas manqué de nous donner pareillement une description simple et fidèle de la petite vérole.

445. Ainsi, je pense que les maladies ont des périodes marquées, lesquelles dépendent des altérations secrètes et inconnues qui arrivent en divers temps dans les entrailles de la terre. Et, comme certaines maladies qui ont existé autrefois, ne se voient plus du tout aujourd'hui, ou du moins sont très-rares et très affaiblies par la longueur du temps, comme la lèpre et quelques autres, je crois de même que les maladies qui règnent maintenant, finiront un jour, pour faire place à de nouvelles dont nous ne pouvons avoir le moindre soupçon. La chose peut fort bien être ainsi, et le passé semble nous répondre de l'avenir.

CHAP. V. — TOUX ÉPIDÉMIQUES DE L'AN 1675, AVEC DES PLEURÉSIES ET DES PÉRIPNEUMONIES SYMPTOMATIQUES.

446. L'an 1675, l'automne, contre son ordinaire, fut si beau et si doux jusqu'aux derniers jours d'octobre qu'on aurait cru être en été; mais le temps ayant changé subitement, et étant devenu froid et humide, il y eut de tout côté un si grand nombre de toux que je ne me souviens pas d'en avoir jamais tant vu. Presque personne n'en était exempt, de quelque âge, et de quelque tempérament qu'il fût, et des familles entières s'en trouvaient attaquées en même-temps. Ces toux n'étaient pas seulement remarquables par leur nombre, puisqu'il n'est aucun hiver qui n'en produise beaucoup; elles l'étaient encore par le danger où elles jetaient les malades. La fièvre épidémique qui a été décrite ci-dessus régnait violemment alors depuis le commencement de l'automne; et comme il n'y avait point d'autre maladie épidémique qui pût affaiblir cette fièvre, la toux aidait à la produire, et en même-temps lui donnait moyen d'attaquer la plèvre et les poumons, de même qu'immédiatement avant la naissance des toux elle attaquait la tête.

447. Ce changement imprévu des symptômes donna occasion à quelques médecins, qui n'y avaient pas fait assez d'attention, de regarder cette fièvre comme une pleurésie et une péripneumonie essentielle, quoiqu'elle fût entièrement la même qu'elle avait été pendant toute la constitution. Car alors, de même qu'elle avait fait auparavant, elle commençait toujours avec une douleur à la tête, au dos et dans les membres, symptômes qui accompagnaient

toutes les fièvres de cette constitution. La seule différence qu'il y avait, c'est que la matière fébrile se portant en grande quantité à la plèvre et aux poumons, à la faveur de la toux, elle causait des symptômes qui sont propres à ces parties-là. Néanmoins la fièvre, autant que j'ai pu observer, était absolument la même que celle qui avait régné jusqu'au jour que les toux commencèrent; les remèdes qui la guérissaient très-promptement démontraient encore cette vérité. Et quoique la douleur piquante du côté, la difficulté de respirer, la couleur du sang que l'on tirait, et les autres signes ordinaires de la pleurésie, semblassent indiquer une pleurésie essentielle, toutefois la maladie ne demandait d'autre traitement que celui qui convenait à la fièvre de cette constitution, et la méthode de traiter la vraie pleurésie n'y convenait nullement, comme on verra ensuite. D'ailleurs, quand la pleurésie est une maladie primitive, elle règne ordinairement entre le printemps et l'été; au lieu que la pleurésie dont il s'agit ici régnait dans un temps bien différent. Ainsi, on ne doit la regarder que comme un symptôme de la fièvre de cette année, et comme un produit de la toux que le froid de la saison avait occasionnée.

448. Pour expliquer maintenant la méthode de traiter ces toux, et même celles qui arrivent en d'autres années, pourvu qu'elles viennent des mêmes causes, je parle ici de la méthode que l'expérience a montré être la meilleure ; il faut remarquer que lorsque le froid vient à resserrer tout à coup les pores de la peau, la matière qui a coutume de se séparer du sang par la transpiration insensible rentre alors en dedans, se dépose sur les poumons, les irrite, et excite la toux. Cette matière, qui est une vapeur chaude et récrémentitielle, étant ainsi retenue, et ne pouvant s'évacuer par les pores de la peau, la fièvre s'allume aisément, savoir, lorsque la vapeur morbifique est en si grande quantité que le poumon ne peut s'en débarrasser, ou lorsque, par des remèdes et un régime trop chaud, on augmente la chaleur du sang, qui n'était déjà que trop disposé à la fièvre.—Mais, quelle que soit la fièvre *stationnaire* qui domine alors, la nouvelle fièvre dont il s'agit en prend aussitôt le nom et le caractère, et en suit totalement le génie, nonobstant qu'elle conserve encore quelques symptômes dépendants de la toux qui l'a produite ; et, par conséquent, il est sûr que, dans toutes les toux qui viennent de pareille cause, il faut remédier, non-seulement à la toux, mais encore à la fièvre qui s'y joint facilement.

449. Sur ces principes, voici comment je traitais les malades qui avaient recours à moi. Si la toux n'avait pas encore produit la fièvre et les autres symptômes dont nous avons parlé, je jugeais que c'était assez d'interdire au malade, la viande et toute sorte de liqueurs spiritueuses, et de lui ordonner de faire un exercice modéré, de prendre l'air et de boire de la tisane pectorale. Cela suffisait pour apaiser la toux, et pour prévenir la fièvre et les symptômes qui avaient coutume de l'accompagner. — L'abstinence de viande et de liqueurs spiritueuses, et l'usage des rafraîchissants tempéraient tellement le sang qu'il n'était pas susceptible des impressions de la fièvre. L'exercice, en ouvrant les pores de la peau, rétablissait la transpiration arrêtée par le froid, et procurait l'évacuation de la matière qui causait la toux.

450. Il était dangereux de vouloir apaiser cette toux par les narcotiques et les anodins, comme aussi par des liqueurs spiritueuses et des remèdes chauds. Car, on ne faisait par-là qu'épaissir et rendre visqueuse la matière qui l'excitait, et cette matière qui aurait dû s'évacuer en vapeurs au moyen de la toux, étant ainsi retenue dans le sang, dont elle ne pouvait plus se séparer, allumait la fièvre. C'est un malheur qui arrivait souvent aux gens du peuple, lesquels, voulant arrêter la toux avec de l'esprit de vin brûlé, ou d'autres liqueurs chaudes, causaient des pleurésies et des péripneumonies ; et de cette façon, une maladie très-légère de sa nature, et très-aisée à guérir, devenait dangereuse, et souvent mortelle. Ceux qui employaient les sueurs ne réussissaient pas mieux, quoiqu'ils parussent agir plus raisonnablement. J'avoue que les sueurs qui viennent d'elles-mêmes sont assez souvent le meilleur remède contre la toux : mais, quand on les excite de force, il est certain qu'elles enflamment le sang, et qu'elles peuvent causer la mort.

451. Quand on ne traitait pas la maladie de la manière que nous avons décrite ci-devant, et même indépendamment de cela, il survenait quelquefois, principalement aux personnes délicates et aux petits enfants, tantôt dès le commencement et tantôt au bout d'un jour

ou deux, une alternative de chaud ou de froid, une douleur à la tête, au dos et dans les membres, et des sueurs spontanées, surtout la nuit. A tous ces symptômes, qui accompagnaient ordinairement la fièvre de cette constitution, se joignait souvent une douleur de côté, et quelquefois un resserrement de poitrine; ce qui rendait la respiration difficile, arrêtait la toux, et augmentait la fièvre.

452. Des observations exactes m'apprirent que la meilleure méthode de combattre cette fièvre et ses dangereux symptômes, était de saigner du bras, d'appliquer les vésicatoires sur la nuque du cou, et de donner tous les jours un lavement. Durant ce temps-là, je voulais que le malade demeurât levé chaque jour pendant quelques heures; je lui interdisais la viande, et je lui faisais boire, tantôt de la petite bière, tantôt de l'eau laiteuse, tantôt une tisane rafraîchissante et adoucissante. — Au bout de deux ou trois jours, si la douleur de côté était encore violente et ne diminuait pas, je réitérais la saignée et je continuais les lavements. Une remarque importante à faire au sujet des lavements, tant dans cette fièvre que dans les autres, c'est qu'il ne faut pas les continuer long-temps et sans interruption lorsque la maladie est sur son déclin, principalement chez les femmes hystériques, ou chez les hommes hypochondriaques; d'autant que dans ces sujets-là, le sang et les humeurs s'agitent et s'échauffent très-aisément; ce qui trouble l'économie animale et prolonge les symptômes de la fièvre au-delà de leur durée ordinaire.

453. En donnant ainsi à la matière morbifique qui s'était jetée sur la plèvre et sur les poumons le temps de se dissiper peu à peu, tous les symptômes disparaissaient insensiblement. Mais les médecins qui voulaient attaquer la maladie à force ouverte, et employer quantité de remèdes, causaient la mort aux malades, ou du moins se trouvaient contraints, pour les sauver, d'avoir recours à un grand nombre de saignées, qui ne convenaient point dans une pareille maladie, ou qui étaient même dangereuses. — Il est vrai que dans la pleurésie idiopathique, la saignée réitérée plusieurs fois suffit seule pour la guérison, pourvu qu'on n'y mette pas d'obstacle par des remèdes chauds et un régime de même nature. Mais, dans la pleurésie symptomatique dont il s'agit ici, il suffisait de saigner une fois, ou tout au plus deux, à condition que l'on permît au malade de se lever, et d'user d'une boisson rafraîchissante. Il n'était nullement nécessaire, autant que j'ai pu observer, de saigner davantage, sinon lorsque la violence du symptôme pleurétique se trouvait fort augmentée parce qu'on avait échauffé le malade; et alors même la saignée n'était pas tout-à-fait sans danger.

454. A cette occasion, je remarquerai ici une chose dont tous les médecins ont déjà parlé, savoir qu'en certaines années la pleurésie est si maligne, que la saignée n'y convient point; ou que du moins on ne peut y saigner autant de fois qu'il est ordinairement nécessaire dans cette maladie. J'avoue que la pleurésie vraie et essentielle, qui attaque indifféremment dans toutes sortes d'années et de constitutions, comme nous dirons ensuite, indique toujours la saignée réitérée. Mais il arrive quelquefois, qu'une fièvre épidémique dépose volontiers sur la plèvre et sur les poumons la matière morbifique, en conséquence d'une altération des qualités manifestes de l'air, et que néanmoins la fièvre demeure entièrement la même. — Dans ce cas-là, quoiqu'on puisse permettre la saignée pour obvier à ce symptôme, et lorsqu'il est fort violent, néanmoins, à parler en général, il ne faut pas tirer beaucoup plus de sang à raison du symptôme qu'on n'en aurait tiré à raison de la fièvre qui le produit. Car, si la fièvre est de telle nature que la saignée y convienne, on pourra réitérer la saignée dans la pleurésie qui est un symptôme de la fièvre. Mais, si la saignée ne convient pas dans la fièvre, elle ne conviendra pas non plus, et même sera nuisible dans la pleurésie qui en dépend. — Or, c'était justement le cas, du moins selon moi, de la pleurésie symptomatique, dont la fièvre qui régnait en ce pays-ci dans le temps que les toux survinrent, était accompagnée, savoir, cet hiver 1675; et j'ai cru devoir le remarquer, parce que je pense qu'on se trompe grossièrement dans le traitement des fièvres, si l'on n'a pas sans cesse devant les yeux la constitution de l'année, en tant qu'elle produit telle ou telle maladie épidémique, et qu'elle communique à toutes les autres maladies qui règnent en même temps la nature et le caractère de cette maladie épidémique.

455. Au mois de novembre de cette année 1675, je traitai le fils aîné du che-

valier *François Windham;* il était attaqué de la fièvre dont nous parlons. Il avait une douleur de côté, et les autres symptômes ordinaires de cette maladie. Je ne le fis saigner qu'une fois; je lui fis appliquer un emplâtre vésicatoire sur la nuque du cou, et je lui fis donner des lavements tous les jours. Je lui fis boire tantôt des tisanes et des émulsions rafraîchissantes, tantôt de la petite bière, tantôt de l'eau laiteuse: et je voulus qu'il demeurât chaque jour levé pendant quelques heures. Par cette méthode, il fut hors d'affaire en peu de jours, et ayant été purgé, il fut entièrement guéri.

456. Quoique les symptômes qui survenaient à la toux fassent particuliers à cet hiver, néanmoins, la toux arrivait encore plus souvent alors sans en être accompagnée. Il ne fallait pour la guérir ni saignées ni lavements, à moins qu'on n'eût excité par la fièvre un régime ou des remèdes chauds. Il suffisait de permettre au malade de sortir et de prendre l'air, et de lui interdire absolument la viande, le vin, et les autres liqueurs spiritueuses qui occasionnent la fièvre. J'ordonnais aux malades de mâcher souvent des tablettes suivantes. Ce sont les meilleures que je connaisse contre les toux qui viennent de froid (1).

Prenez sucre candi, deux livres et demie. Faites-le cuire dans suffisante quantité d'eau, jusqu'à ce qu'il s'attache aux doigts. Ajoutez alors poudre de réglisse, d'aunée, de semence d'anis et de semence d'angélique, de chacune demi-gros; poudre d'iris et fleurs de soufre, de chacune deux scrupules; huile d'anis, un scrupule. Faites des tablettes que le malade portera toujours sur soi, et il en prendra une de temps en temps.

457. Avant que de finir ce que j'avais à dire touchant les maladies épidémiques, je dois répondre par avance à une objection qu'on ne manquera pas de me faire, savoir, que ma méthode ne combat pas suffisamment la malignité qui se trouve dans plusieurs de ces maladies. Je ne prétends pas détruire l'opinion reçue par de très-savants hommes tant de notre siècle que des siècles précédents, sur la malignité de certaines maladies, et quand je le voudrais, je ne le pourrais pas, cette malignité n'étant que trop manifeste dans la plupart des maladies épidémiques (2). On me permettra seulement d'exposer ce que je pense de sa nature, afin de justifier par ce moyen ma pratique.

458. Je crois donc que toute la malignité des maladies épidémiques, quelle que puisse être d'ailleurs sa nature spécifique, consiste dans des particules très-chaudes et très-subtiles, plus ou moins contraires à la nature des humeurs du corps humain, parce qu'il n'y a que de semblables particules qui puissent altérer aussi promptement les humeurs, ainsi que nous voyons que cela arrive dans les fièvres malignes. Je crois encore que ces particules chaudes et spiritueuses agissent principalement en s'assimilant les humeurs : car, suivant

(1) Les tablettes que l'auteur décrit ici sont utiles dans les toux habituelles qui ne sont pas accompagnées de fièvres, et où la matière morbifique a besoin d'être atténuée pour la facilité de l'expectoration. Mais lorsque la matière est claire, âcre et irritante, les tablettes doivent être composées de choses glutineuses, adoucissantes, mucilagineuses, et légèrement astringentes. Dans l'un et l'autre cas, les vésicatoires sont très-utiles. Le looch suivant, qui est tiré de la pharmacopée d'Edimbourg, est un excellent remède pour apaiser la toux produite par une humeur claire et irritante. — « Prenez poudre de gomme » adragant composée, deux gros; blancs » d'œufs battus, une once; sirop dia- » code, deux onces. Mêlez cela ensemble » pour un looch, auquel on peut ajouter » un gros de cachou. » — La poudre de gomme adragant composée est faite avec gomme adragant, une once; gomme arabique, cinq gros; amidon, réglisse et graine de pavots blancs, de chacun deux gros; graines des quatre grandes semences froides dépouillées de leur peau, de chacune un gros.

(2) Voici les signes qui font connaître les maladies malignes. Elles commencent avec un froid et un frisson léger, qui est suivi aussitôt d'un grand abattement; en même temps le pouls est petit, fréquent et concentré. Le malade tombe aisément en défaillance s'il se tient le corps élevé; il est continuellement assoupi, sans pouvoir dormir; et s'il dort, il se trouve ensuite plus abattu et tombe en délire. Il ne se plaint pas de grandes douleurs, de soif, ou d'autres symptômes incommodes; cependant il est mal à son aise. A la fin, les extrémités deviennent froides, le pouls devient intermittent, on ne le sent presque plus, et la mort n'est pas éloignée.

les lois de la nature, tout principe actif tend à produire son semblable, et à changer en sa propre nature tout ce qui lui est opposé. C'est ainsi que le feu engendre le feu, et qu'un homme attaqué d'une maladie contagieuse en infecte un autre au moyen des vapeurs corrompues qui, se communiquant aux humeurs, se les assimilent, et les changent en leur propre nature.

459. Il semblerait de là, que le premier soin devrait être d'évacuer par la sueur ces particules morbifiques ; car, de cette façon, on guérirait radicalement la maladie en peu de temps. Mais l'expérience est contraire, et elle fait voir que cela ne saurait se faire dans toute sorte de malignité. Il est vrai que, dans la peste, les particules pestilentielles étant extrêmement subtiles, et étant jointes aux parties les plus spiritueuses du sang, elles peuvent se dissiper et s'évacuer par une sueur continuée. Mais, dans d'autres fièvres malignes dont les particules morbifiques ne sont pas si subtiles, et sont unies à des humeurs plus grossières, cette évacuation est absolument impossible, et souvent même les sudorifiques ne font qu'augmenter la malignité, car plus on met en mouvement ces particules chaudes et spiritueuses, par l'usage des remèdes échauffants, plus aussi on augmente la faculté qu'elles ont de s'assimiler les humeurs ; et plus les humeurs sur lesquelles elles agissent sont échauffées, plus aisément aussi elles cèdent à leur impression, et leur deviennent semblables. — La raison semble dicter que les remèdes qui sont d'une nature contraire aux particules morbifiques non-seulement répriment leur violence, mais encore épaississent et fortifient les humeurs, et les mettent en état de soutenir ou même de rendre inutiles les efforts de ces particules nuisibles : j'en appelle à l'expérience ; elle m'a appris que les taches des fièvres pourprées et la noirceur des pustules dans la petite vérole augmentent à mesure qu'on échauffe le malade ; et qu'elle diminue, quand on emploie un régime tempéré, qui est le seul convenable dans ce cas-là.

460. On me demandera peut-être comment il arrive que, la malignité consistant en des particules enflammées et spiritueuses, on voit néanmoins assez souvent, même dans les maladies les plus malignes, si peu de signes de fièvre. Je réponds que, dans la peste, qui est la principale des maladies malignes, les parties morbifiques sont si subtiles et si spiritueuses, surtout dans le commencement de la contagion, qu'elles pénètrent le sang comme un éclair, détruisent les esprits animaux, et ne causent pas même d'ébullition dans le sang : d'où il arrive que le malade meurt sans fièvre.

461. Mais, dans d'autres maladies épidémiques où le degré de malignité est moindre, la confusion que les particules morbifiques produisent dans le sang et dans les humeurs, et le trouble où elles jettent l'économie animale, sont quelquefois cause de ce qu'on voit si peu de signes de fièvre ; car, la nature étant alors comme accablée, ne saurait exciter les symptômes réguliers qui conviennent à la maladie, et elle n'en excite presque que d'irréguliers. Ainsi la fièvre qui devrait naturellement paraître, se trouve arrêtée. Cela vient aussi quelquefois d'une métastase de la matière morbifique qui, lorsqu'elle est en turgescence, se jette sur les nerfs ou sur quelques autres parties du corps, ou même sur les humeurs qui sont hors du courant de la circulation.

462. Quoi qu'il en soit, je ne vois pas qu'on doive employer contre la malignité d'autres remèdes que ceux qui conviennent à la maladie épidémique où elle se trouve. Si donc la maladie épidémique est du nombre de celles où la matière fébrile doit d'abord être digérée et ensuite évacuée par les sueurs, ou du nombre de celles qui se terminent par quelque éruption, ou du nombre de celles qui ont besoin de quelque évacuation produite par le secours de l'art, dans tous ces cas, la malignité qui accompagne la maladie aura les mêmes vicissitudes qu'elle, subsistera, diminuera et finira avec elle ; et par conséquent, toutes les évacuations qui sont nécessaires en général contre la fièvre, le sont aussi contre la malignité, quelque contraires qu'elles soient les unes aux autres. — Ainsi les sueurs, qui sont une suite et un effet de la coction de la matière morbifique, remédieront à la malignité des fièvres intermittentes d'automne et de la fièvre continue, qui est de même nature. La maturation convenable des pustules remédiera à la malignité de la petite vérole, et ainsi de toutes les autres maladies. La même méthode qui les guérit, détruit aussi la malignité qui les accompagne. Voilà, si je ne me trompe, ce que m'apprend la raison, et ce qui est toujours confirmé par l'expérience.

CHAP. VI. — RÉCAPITULATION.

463 Nous voyons que dans ce nombre d'années que comprennent les observations précédentes, il y a eu en tout cinq constitutions, c'est-à-dire cinq différentes dispositions de l'air qui ont produit un pareil nombre de maladies épidémiques différentes, et nommément de fièvres. La première de ces fièvres régnait pendant les années que les fièvres intermittentes étaient le plus épidémiques; et, autant que j'ai pu m'en assurer jusqu'ici par des observations exactes, elle est la seule où la nature disposait de telle manière tous les symptômes, que la matière fébrile, après avoir subi une coction et une préparation convenable, était ensuite évacuée par les sueurs ou par une transpiration abondante. C'est pourquoi je donne à cette fièvre le nom de *dépuratoire*.

464. Et de fait, je suis porté à croire qu'elle est la principale de toutes les fièvres, soit à cause de la régularité avec laquelle la nature prépare et digère la matière morbifique, soit parce que cette fièvre est la plus fréquente de toutes. Car, si nous en croyons les auteurs qui, dans les siècles passés, ont tant écrit sur les fièvres intermittentes, il est vraisemblable qu'elles sont plus souvent épidémiques qu'aucune autre maladie, quoique, par des causes qui nous sont inconnues elles aient été fort rares en ce pays-ci depuis la peste de Londres. La fièvre pestilentielle précédait toutes les fièvres inflammatoires qui suivirent la peste. — C'est à la première fièvre dont nous avons parlé au commencement de ce chapitre que conviennent, si je ne me trompe, les fameux axiomes ou aphorismes que nous ont laissés Hippocrate et les autres anciens médecins; axiomes que l'on doit suivre en traitant cette fièvre: en sorte que l'on prépare la matière fébrile, afin qu'il s'en fasse par les sueurs une évacuation critique. Mais, je ne vois pas que ces axiomes puissent convenir aux autres sortes de fièvres qui vinrent ensuite; car elles sont d'une nature très-différente, et demandent aussi une autre méthode. —Quoi qu'il en soit, il me paraît remarquable que la fièvre qui dépendait de la constitution où les fièvres intermittentes dominaient sur les autres, devenait aisément intermittente, si elle durait long-temps, ou si le malade avait trop été épuisé par des évacuations; au lieu que les fièvres des années suivantes devenaient très-rarement intermittentes, quand même elles avaient duré fort long-temps : preuve manifeste que la fièvre continue et les intermittentes dont il s'agit, étaient en quelque façon de même nature, ou du moins d'une nature peu différente.

465. Maintenant, si on me demande comment on peut reconnaître les espèces particulières des fièvres continues par les marques que nous avons données dans la description des fièvres, puisque la plupart des fièvres continues ont des symptômes qui appartiennent à toutes les fièvres en général, comme la chaleur, la soif, l'inquiétude, etc.; je réponds qu'à la vérité la chose est difficile, mais non pas absolument impossible, pourvu qu'on se donne la peine d'examiner scrupuleusement toutes les circonstances dont nous avons parlé dans l'histoire précédente, surtout si l'on est dans une ville ou dans quelque autre lieu où il y ait beaucoup de monde. — Supposons qu'un médecin soit appelé pour traiter une fièvre continue. Le premier moyen qu'il a pour juger sainement de la nature du mal, c'est de savoir, par ses propres observations ou par celles d'autrui, quelles autres maladies épidémiques règnent dans le même lieu outre cette fièvre, et de quel genre elles sont. Quand il connaîtra cela, ce qui n'est pas difficile, il ne pourra plus douter de quel genre est la fièvre qui accompagne la maladie épidémique régnante. Car, quoiqu'il puisse arriver que cette fièvre ne se montre que sous des symptômes communs à toutes les fièvres, principalement si la nature est troublée et dérangée par une mauvaise méthode, on ne laissera pas cependant d'y reconnaître des caractères propres et manifestes d'épidémicité.

466. Par exemple, un médecin qui examinera des petites véroles, et qui saura bien l'histoire de cette maladie, jugera facilement, soit par le jour que commence l'éruption, soit par la grosseur des pustules, la couleur, etc., de quel genre sont ces petites véroles; et quand il aura une fois cette connaissance, il saura aussi quel est le genre de la fièvre qui règne en même temps et dans les mêmes lieux. — Pour moi, si je connaissais parfaitement l'histoire des maladies, ce que je suis bien éloigné de m'attribuer, je pourrais, en voyant toutes sortes de maladies épidémiques, prononcer hardiment sur le genre de la fièvre qui régnerait alors, quand même je n'en aurais

pas vu une seule ; et de même, en voyant une fièvre quelle qu'elle fût, je saurais quelle maladie épidémique l'accompagnerait, si ce serait la petite vérole, ou la rougeole, ou la dysenterie, etc. ; car chaque constitution particulière est toujours accompagnée de quelqu'une de ces maladies et d'une fièvre particulière.

467. Mais, outre les moyens que nous fournit la considération des maladies épidémiques du même temps pour connaître la nature de chaque fièvre continue, les symptômes mêmes de la fièvre servent beaucoup à cela. Car, quoique toutes les fièvres, comme nous avons dit plus haut, aient certains symptômes qui leur sont communs, il ne laisse pas d'y avoir certaines marques distinctives que la nature a mises dans chaque espèce particulière ; et, comme ces marques sont délicates et peu sensibles, elles ne se laissent apercevoir que par des gens habiles et accoutumés à examiner avec une attention scrupuleuse les moindres circonstances d'une maladie. — Entre les signes distinctifs dont je parle, j'ai toujours regardé la sueur, ou le défaut de sueur, comme le principal et le plus certain, pourvu qu'on n'ait pas dérangé l'état naturel de la fièvre par une mauvaise manière de la traiter : et c'est une vérité dont j'ai été pleinement convaincu dans toutes les maladies épidémiques que comprennent mes observations précédentes.

468. Par exemple, dans la fièvre continue qui régnait avec force lorsque les fièvres intermittentes d'automne ne furent plus si dominantes, la peau des malades était sèche, et avant la coction de la matière fébrile, qui s'était faite ordinairement le quatorzième jour, on ne voyait pas la moindre marque de sueur. On ne pouvait même l'exciter sans mettre les malades en grand péril, et sans leur causer aussitôt la phrénésie et d'autres symptômes très-dangereux. — Dans la fièvre pestilentielle qui suit cette fièvre continue, et qui précéda toutes les fièvres inflammatoires qui vinrent depuis ce temps-là, il n'y avait point de sueurs spontanées, mais on pouvait les exciter par des sudorifiques, même dès le premier jour de la maladie ; et quand une fois elles étaient venues, tous les symptômes disparaissaient. — Dans la fièvre qui régna ensuite, et qui accompagna les petites véroles régulières, les malades, dès le commencement qu'ils étaient attaqués, avaient des sueurs si abondantes, qu'ils en étaient tout trempés. Mais quand on laissait aller ces sueurs, elles ne faisaient qu'augmenter tous les symptômes, loin de les diminuer. — Dans les deux fièvres qui accompagnèrent les deux sortes de petites véroles irrégulières et les dysenteries, il y eut aussi des sueurs irrégulières, mais le plus souvent ce n'était que les premiers jours, quoique la sueur de la première des deux fièvres fût un peu plus abondante que celle de la seconde. Dans l'une et dans l'autre elle n'était d'aucune utilité, parce qu'elle ne venait pas d'une coction qui eût précédé, mais d'un mouvement confus de la matière morbifique.

469. Ce qui me paraît surtout difficile, c'est de connaître, dans le commencement d'une constitution, l'espèce particulière d'une nouvelle fièvre, puisqu'alors on n'en a vu aucun exemple, et qu'on ne sait point encore quelles seront les maladies épidémiques qui viendront ensuite, et qui sont ordinairement précédées de la fièvre. Il serait ennuyeux de rappeler ici tout ce qui arrivait au commencement de chaque nouvelle constitution pendant les années dont nous avons parlé, pour montrer que la nature fournit des moyens assez sûrs de parvenir à cette connaissance, laquelle dépend nécessairement d'une observation très-soigneuse et très-exacte de toutes les circonstances.

470. Mais, quelque difficile qu'il soit de distinguer sûrement l'espèce d'une nouvelle fièvre qui ne fait que commencer, et quand même on supposerait cela entièrement impossible; du moins il nous reste toujours, par rapport au traitement, de prendre notre indication sur ce qui est utile et sur ce qui est nuisible ; et par ce moyen nous pouvons mettre le malade hors de danger, pourvu que nous allions en tâtonnant, et sans trop nous presser : car il n'est rien, selon moi, de plus pernicieux que cette précipitation, ni rien qui fasse périr un plus grand nombre de ceux qui sont malades de la fièvre. — Quant à moi, j'avouerai franchement qu'ayant à traiter des fièvres dans lesquelles je ne voyais pas clair, et ne connaissant pas encore la route que je devais suivre, j'ai pourvu plus d'une fois à la sûreté du malade et à ma propre réputation en ne faisant rien du tout : car, en veillant sur la maladie, afin de trouver l'occasion favorable d'entreprendre quelque chose d'avantageux, la fièvre se dissipait insensiblement d'elle

même, ou bien elle prenait un type qui me faisait connaître par quelles armes il fallait la combattre. Mais, une chose déplorable, c'est que la plupart des malades, ne sachant pas qu'il est également du devoir d'un habile médecin de ne rien faire en certaines occasions, et d'employer en d'autres les plus puissants remèdes, attribuent à sa négligence, ou à son ignorance, ce qu'ils devraient regarder comme un effet de sa probité et de sa bonne foi; puisque le plus extravagant empirique est aussi en état d'accumuler remèdes sur remèdes, et qu'il a coutume de le faire davantage que le plus sage médecin.

471. Voilà à peu près ce que j'ai observé, du moins ce que j'ai pu réduire en méthode, touchant les différentes espèces de maladies épidémiques, et suivant l'ordre qu'elles ont gardé depuis l'an 1661 jusqu'à la fin de l'an 1675, auquel temps les petites véroles et les fièvres continues qui les accompagnent sont devenues d'un meilleur caractère, et semblent prêtes à cesser, après avoir dominé depuis près de deux ans. Quant aux maladies qui viendront ensuite, elles ne sont connues que de celui à qui rien n'est caché.

CHAPITRE VII. — MALADIES ÉPIDÉMIQUES DEPUIS L'AN 1675 JUSQU'A L'AN 1680.

1° *Lettre de* Robert Brady, *docteur et professeur royal en médecine dans l'université de Cambridge*,

A THOMAS SYDENHAM.

Monsieur,

Nous n'avons eu jusqu'à présent aucun médecin qui ait examiné, comme il faut, l'action de l'influence de l'air sur le corps humain, et la part qu'il a dans la conservation de notre vie; aucun qui ait remarqué son pouvoir dans la fermentation et la circulation du sang, et dans l'exercice de tous nos mouvements. Quant à la nature de l'air, et aux différentes altérations et changements qui lui arrivent, et que vous appelez avec raison *constitutions*, les médecins et les auteurs de l'histoire naturelle, loin d'avoir fait sur cette matière les recherches nécessaires, n'en ont pas même touché la moindre chose.—Comme l'air s'insinue dans toutes les parties du corps, même les plus reculées, il est impossible qu'il ne communique pas au sang et aux humeurs les altérations et les changements que lui causent les matières dont il est imprégné. De là vient que tel ou tel vice de la constitution de l'air produit très-souvent tel ou tel vice dans le sang. Ainsi, c'est avec beaucoup de raison que vous avez fait des observations médicales sur l'histoire de la curation des maladies aiguës, selon les diverses constitutions des années et des saisons, puisque dans les choses que vous avez dites là-dessus, on voit très-bien quelle est l'action de l'air sur le sang, sur les humeurs, et principalement sur les esprits animaux, si toutefois l'air n'est pas lui-même la matière des esprits. Et je suis persuadé que d'observer la nature des fièvres par rapport à la température des années où elles règnent, c'est le meilleur et peut-être l'unique moyen de les traiter comme il faut. Continuez donc, Monsieur, votre travail; et s'il vous reste encore quelques observations sur les fièvres des dernières années qui viennent de s'écouler, faites-en part au public: vous rendrez en cela un très-grand service au genre humain. — Dans la première section de votre ouvrage, chapitre V, vous avez dit quelque chose de l'usage du quinquina et de la façon de le donner. Je sais des médecins célèbres qui le donnent en grandes doses, et réitérées fréquemment; d'autres qui en font des extraits, des infusions, et de ces infusions des juleps et des émulsions, et qui assurent qu'ils guérissent par-là, non seulement les fièvres intermittentes, mais encore certaines fièvres aiguës. Le quinquina est, sans contredit, un grand remède pour la guérison des fièvres intermittentes. Voici environ vingt ans que je le donne sous différentes formes, et différentes préparations, et toujours avec un très-grand succès. Si vous savez quelque chose de particulier sur l'usage de cette écorce, ou si l'expérience vous découvre quelque chose de mieux dans la suite, je vous prie de vouloir en faire part au public. — Dans le traitement du rhumatisme, vous avez proposé comme nécessaire la saignée fréquente et copieuse. Je demande donc si on ne pourrait pas trouver une méthode plus douce, et qui, en épargnant davantage le sang, fût en même temps aussi efficace. En donnant les éclaircissements que je vous demande, vous ne manquerez pas d'être attaqué par les traits malins de la satire et de l'envie, et votre réputation ne sera pas plus épargnée qu'autrefois. Mais ceux qui vous attaqueront seront toujours également l'objet de la haine et du mépris des honnêtes gens. — Quant à ceux qui ont un désir sincère de connaître l'histoire, la nature, les causes, les différences des fièvres, et la véritable manière de les traiter, il faut nécessairement qu'ils marchent sur vos traces, c'est le seul moyen qu'ils ont de s'instruire sur cette matière. Vous avez frayé le chemin, il s'agit de vous suivre. Ceux qui vous blâment n'ont qu'à donner quelque chose de mieux. Continuez donc, Monsieur, sans vous embarrasser des mauvais discours des faux savants; et soyez persuadé que vous obligerez tous les vrais médecins, et principalement celui qui est, avec tout l'attachement possible, etc.

A Cambridge, le 30 *décembre* 1679.

2° *Réponse de* Thomas Sydenham

A Robert Brady.

Monsieur,

472. Si j'ai acquis quelque connaissance dans le traitement des maladies, je crois être plus obligé que personne d'en faire volontiers part aux autres, moi qui, étant tourmenté de la goutte depuis environ trente ans, et de la gravelle depuis long-temps, serais charmé d'apprendre des autres quelque remède à mes maux. — Il n'est donné qu'à un très-petit nombre de génies heureux de pouvoir contribuer à la conservation publique, en découvrant une méthode sûre de guérir quelque maladie, ne fût-ce qu'une maladie des plus légères; et si j'y avais réussi, je serais plus content que si j'avais amassé les plus grands trésors.

473. Nous ne sommes pas nés seulement pour nous-mêmes, mais encore pour le prochain; et un homme sage et vertueux, comme dit si bien Cicéron, aussi grand philosophe que grand orateur (1), préférera toujours l'utilité commune à son intérêt particulier. C'est un devoir que la raison et la religion nous enseignent également. Mais ce n'est pas assez pour un médecin d'être utile aux hommes pendant sa vie, il doit tâcher, si cela se peut, de leur être encore utile après sa mort, en laissant des écrits qui perpétuent ses connaissances. Ceux qui disent qu'ils ne s'embarrassent pas que le monde périsse quand une fois ils seront morts, sont assurément des gens cruels et détestables.

474. Mais, laissant là maintenant ces réflexions morales, je ne saurais me dispenser de condescendre à ce que vous demandez de moi, quelque peu considérables que soient les éclaircissements que je puis vous donner au sujet des maladies sur lesquelles vous me faites l'honneur de me consulter. Je dois cela à la place que vous occupez et que vous remplissez si dignement; je le dois à votre vertu, à votre probité, à votre condition, et à toutes ces rares qualités qui vous attirent les plus grands éloges de la part de tous ceux qui ont l'avantage de vous connaître. — D'ailleurs, quelles obligations ne vous ai-je pas à cause de l'intérêt que vous prenez à ce qui me regarde? Car je sais combien vous êtes affligé des mauvais discours que certaines gens mal intentionnés tiennent contre moi, sans que j'aie rien fait qui ait pu m'attirer leur haine, n'ayant jamais offensé personne, ni de paroles, ni autrement. Aussi, comme je suis entièrement innocent de ce côté-là, et que j'espère de l'être toujours, je ne veux nullement me chagriner des fautes d'autrui, mais penser uniquement à remplir les devoirs d'un honnête homme et ceux d'un bon médecin, autant que j'en suis capable.

475. Je vais donc, Monsieur, vous communiquer les observations que j'ai faites sur la nature et le traitement des maladies sur lesquelles vous me demandez des détails. Je parlerai d'abord des fièvres intermittentes qui sont maintenant épidémiques parmi nous. Pour cet effet, je parcourrai brièvement par ordre les années qui ont suivi celle où j'ai terminé l'histoire des maladies aiguës, lesquelles avaient régné pendant les quinze années précédentes; et je toucherai en passant certaines choses que j'ai déjà remarquées dans le traitement de ces maladies. De cette manière, on verra mieux le progrès des fièvres d'aujourd'hui, et par quels degrés elles sont parvenues à l'état où elles se trouvent présentement.

476. L'année 1676 produisit les mêmes maladies qu'avait fait la constitution des années 1673, 1674 et 1675. Cette constitution avait commencé pendant l'automne de 1673, et quand elle

(1) *Cicero, de fin. bon. et mal.*

fut finie, les maladies qui parurent alors, c'est-à-dire en 1676, furent moins violentes et moins épidémiques qu'elles le sont ordinairement, quoique les qualités manifestes de l'air fussent très-différentes de celles des années précédentes: car, je ne me souviens presque pas qu'il y ait jamais eu un hiver, à beaucoup près, aussi froid, et un été, à beaucoup près, aussi chaud, qu'il y eut cette année-là. On vit cependant des maladies semblables à celles qui avaient régné les autres années: ce qui prouve bien que les maladies épidémiques ne viennent pas des qualités sensibles de l'air, mais d'une certaine température secrète de cet élément (1). Il est vrai que quelques-uns des symptômes des maladies épidémiques dépendent quelquefois de la disposition manifeste de l'air, comme on voit par les rougeoles et le choléra-morbus, qui régnèrent cette année, et dont je vais parler en peu de mots.

477. Les rougeoles qui parurent au commencement de l'an 1676 n'étaient pas fort épidémiques, mais elles avaient cela de particulier, qu'elles duraient beaucoup plus long-temps qu'à l'ordinaire. Les rougeoles ont coutume de commencer au mois de janvier; elles vont en augmentant jusqu'à l'équinoxe du printemps, ensuite elles diminuent peu à peu, et finissent vers le solstice d'été. Mais celles dont il s'agit maintenant durèrent jusque vers l'équinoxe d'automne. Apparemment que les grandes chaleurs de l'été de cette année-là furent cause d'une si longue durée. Quoi qu'il en soit, le traitement que demandaient ces rougeoles, était le même que celui des rougeoles ordinaires.

478. Dès la fin de l'été, le choléra-morbus était épidémique; et comme la chaleur extraordinaire de la saison augmentait sa violence, il se trouvait accompagné de convulsions si terribles, et qui duraient si long-temps, que je n'en avais jamais vu auparavant de semblables. Elles n'attaquaient pas seulement le ventre, comme il est ordinaire dans cette maladie, mais encore tous les muscles du corps, et principalement ceux des bras et des jambes, en sorte que le malade, pour s'en garantir, se jetait quelquefois hors du lit, et faisait tous les efforts imaginables.

479. Quoique le traitement de ce choléra-morbus ne demandât rien d'extraordinaire, cependant on était obligé d'employer des narcotiques en plus grande dose et plus souvent réitérée qu'à l'ordinaire. En voici un exemple. — Je fus appelé pour traiter un homme attaqué de cette maladie. J'étais accompagné du docteur *Charles Goodal*, mon intime ami, très-habile médecin, homme d'une candeur admirable, d'une probité à toute épreuve, et dont la mémoire me sera toujours infiniment chère. Le malade n'en pouvait plus, et était à l'extrémité. Il avait des convulsions horribles, un vomissement affreux, avec une sueur froide, et un pouls qui se faisait à peine sentir. — Je lui donnai vingt-cinq gouttes de mon laudanum liquide dans une cuillerée d'eau de canelle spiritueuse, craignant qu'une plus grande quantité de véhicule ne fît revomir le remède, comme il arrive très-souvent dans cette maladie. Ensuite je me tins l'espace d'environ une demi-heure auprès du malade; et voyant que mes vingt-cinq gouttes de laudanum liquide ne suffisaient pas encore pour arrêter le vomissement et apaiser les convulsions, je fus obligé de réitérer plusieurs fois le remède et d'en augmenter toujours la dose, ayant soin de laisser assez d'intervalle entre chaque prise, pour voir ce que je

(1) L'auteur donne peut-être trop ici et ailleurs à la température secrète de l'air, qui vraisemblablement a beaucoup de part dans la production des maladies contagieuses; mais on n'a pas encore jusqu'ici démontré clairement qu'il influe sur les autres. Au contraire, il est évident que les qualités manifestes ou sensibles de l'air, comme sa chaleur, sa froideur, sa sécheresse, son humidité, etc., influent beaucoup sur les maladies épidémiques, dont les symptômes semblent être produits, et souffrir de grandes variations, par cette disposition manifeste de l'air, soit celle qui a précédé, soit celle qui règne alors, soit toutes deux ensemble: aussi explique-t-on assez bien par ce moyen les symptômes de ces maladies. Les différentes saisons de l'année, la diversité des vents, la situation des lieux, la nature des eaux, et la manière de vivre des habitants, doivent être considérées, parce que toutes ces choses contribuent beaucoup à produire et à entretenir les maladies épidémiques. Pour preuve de cela, on peut consulter *Wintringham, commentarium. nosol. Huxham, de aëre et morb. epid. Hillary, of the principal variations of the air, etc. Ramazzini, const. epid. Mutinens. Hoffman, med. rat. syst., etc.*

pouvais espérer de la précédente avant que d'en donner une nouvelle.—Par ce moyen, je calmai enfin les cruels symptômes dont il s'agit : mais comme ils étaient prêts à revenir dès le moindre mouvement que faisait le malade, je lui ordonnai bien expressément de se tenir parfaitement en repos durant quelques jours. Je voulus qu'il prît de temps en temps du laudanum liquide, mais en moindre dose, et qu'il le continuât, même après qu'il serait guéri, afin de prévenir la rechute; et cela me réussit comme je le souhaitais.

480. On aurait tort de m'accuser de témérité pour avoir donné à ce malade une si grande quantité de laudanum liquide. L'expérience me justifiera, et fera voir clairement que dans les trois cas où les remèdes tirés de l'opium sont indiqués, savoir, dans les douleurs violentes, dans les vomissemens ou les déjections excessives, et dans les grands troubles des esprits animaux, il est absolument nécessaire de proportionner la quantité du narcotique et le nombre des doses à la grandeur du symptôme que l'on veut combattre. Une dose qui pourrait calmer un symptôme moins violent, ne fera rien contre un autre plus violent; et une dose qui, en certains cas, mettrait le malade dans un danger manifeste, le sauvera en d'autres cas.

481. Voilà les maladies qui régnaient en 1676, et qui sont les mêmes que celles des trois années précédentes, comme j'ai déjà dit. Quant aux maladies de l'année suivante 1677, je n'en saurais rien dire : car au commencement de cette année-là je fus attaqué d'une hématurie, qui me fatigua beaucoup, et qui revenait dès que je faisais le moindre mouvement. Peu de temps après j'eus la goutte, qui occupait encore plus les viscères que les extrémités, et me causait de très-cruelles douleurs. Outre cela, je perdis les forces et l'appétit; mes jambes enflèrent; et il me survint plusieurs autres symptômes aussi dangereux : enfin, j'étais dans un si triste état, que la vie m'était à charge.—Je fus donc obligé de demeurer trois mois sans sortir, et de passer ensuite à peu près autant de temps à la campagne pour me rétablir. Etant revenu à Londres, en automne, j'appris de mes amis qu'il régnait en cette ville des fièvres intermittentes, dont néanmoins la plupart avaient commencé à la campagne. Mais, comme l'état de ma santé ne me permettait pas de voir des malades, je ne saurais rien dire des maladies de cette année-là.

482. La constitution de l'année suivante 1678 fut entièrement différente; car les fièvres intermittentes, que l'on n'avait presque pas vues à Londres depuis l'an 1664, c'est-à-dire depuis treize ans, à l'exception de quelques-unes qui n'avaient été que sporadiques, ou que les malades avaient apportées de la campagne, devinrent fréquentes au point d'être épidémiques. Elles ne demeurent pas même à présent dans les bornes où elles se tenaient alors, et elles s'étendront encore davantage dans la suite, jusqu'à ce que la constitution de l'air, dont elles dépendent, soit arrivée à son plus haut degré.—Ces fièvres intermittentes attaquèrent seulement quelques personnes au printemps : mais, à la fin de l'été et au commencement de l'automne, elles se répandirent tellement, qu'elles effacèrent toute autre maladie épidémique. L'hiver suivant, elles diminuèrent un peu, et firent place aux petites véroles et à d'autres maladies épidémiques, lesquelles eurent le dessus, jusqu'à ce que la saison des fièvres intermittentes fût revenue.

483. Pour parler maintenant de ce que des observations exactes m'ont appris sur la nature et les causes de ces fièvres, je remarquerai d'abord que les fièvres quartes étaient les plus fréquentes avant l'an 1678, au lieu que cette année-là les plus communes étaient les tierces ou les quotidiennes (à moins qu'on aime mieux donner à ces dernières le nom de doubles tierces). De plus, avant l'an 1678, les accès des fièvres tierces et quotidiennes se terminaient de telle manière qu'il ne restait point du tout de fièvre, et ils revenaient au bout d'un certain temps. Mais, en 1678, il n'y avait plus d'intermission parfaite après le troisième ou le quatrième accès, surtout lorsqu'on obligeait les malades de garder le lit, et qu'on les échauffait par des cordiaux, ce qui était, comme on dit, jeter de l'huile sur le feu. La fièvre devenait chaque jour plus approchante de la continue, attaquait le cerveau, et enlevait un assez grand nombre de gens.

484. Quant au traitement, je sais depuis plusieurs années combien il est dangereux d'employer les sudorifiques pour la guérison des fièvres tierces et quotidiennes qui, étant nouvelles, et n'ayant pas de type certain, approchent des continues. Il est vrai que, comme la sueur

fait disparaître tous les symptômes, et qu'elle est suivie d'une entière cessation de fièvre, on doit l'aider un peu, ou du moins ne pas l'empêcher sur la fin de l'accès. Mais il est très-certain que, si on excite des sueurs trop abondantes, la fièvre qui était intermittente devient continue, et que les malades sont en danger, puisqu'en effet il en périt quelques-uns. —La raison de cela, si je ne me trompe, est que, la sueur étant trop copieuse à proportion de la quantité de matière fébrile qui se trouve en état d'être évacuée par un seul accès, elle enflamme le sang après avoir évacué cette portion de matière fébrile. — Ayant donc reconnu l'inefficacité de cette méthode, et les inconvénients des autres évacuations, par exemple, de la saignée et de la purgation, lesquelles, en affaiblissant le sang, prolongent la maladie, j'ai mis toute ma ressource dans le quinquina ; et je puis assurer, malgré le préjugé du vulgaire et de quelques habiles médecins, que je n'ai jamais vu ni pu soupçonner avec fondement que ce remède ait été nuisible aux malades. Tout ce qui arrive, c'est que les personnes qui en font usage pendant long-temps, sont quelquefois attaquées d'une sorte de rhumatisme scorbutique, comme je l'ai dit dans le chapitre où j'ai parlé du rhumatisme (1), encore cet accident survient-il fort rarement par l'usage du quinquina ; et quand il a lieu, il cède très-aisément aux remèdes que j'ai décrits dans ce chapitre.

485. Si j'étais aussi certain de la durée des bons effets du quinquina que je suis assuré que c'est un remède innocent, je le regarderais sans difficulté comme le premier de tous les remèdes ; car, loin d'être malfaisant, il est d'une efficacité merveilleuse, non-seulement dans les fièvres intermittentes, mais encore dans les maladies de la matrice et de l'estomac.

486. Mais voici principalement, si je ne me trompe, ce qui l'a mis en mauvaise réputation. Premièrement, on attribue au quinquina, dont le malade aura seulement pris une fois, tous les fâcheux symptômes qui accompagnent les fièvres intermittentes anciennes, quoiqu'ils subsistassent déjà avant l'usage de ce remède. Secondement, comme il guérit par une vertu occulte, et non par aucune évacuation sensible, la plupart des gens s'imaginent qu'étant astringent il renferme au-dedans la matière nuisible qui aurait dû être évacuée ; qu'ainsi le mal n'est que pallié, et que la fièvre ne manque pas de revenir. Ceux qui raisonnent de la sorte ne font pas assez d'attention que les sueurs par lesquelles finit un accès ont emporté toute la matière morbifique qui s'était amassée pendant l'intermission, qu'il reste seulement un levain fébrile caché dans le sang, et que le quinquina, donné immédiatement après l'accès, détruit ce levain, qui sans cela n'aurait pas manqué de se développer et de fournir matière à la fièvre. Ainsi, on a tort d'accuser le quinquina, comme on fait ordinairement, de causer des engorgements et des obstructions.

487. Mais le quinquina guérit-il les fièvres par sa qualité astringente ? Pour le prouver, il faudrait faire voir auparavant que les autres astringents ont une pareille vertu. J'ai employé les plus puissants, et néanmoins je n'ai pas encore trouvé qu'ils fussent fébrifuges. De plus, le quinquina guérit ceux même qui en sont purgés, comme il arrive quelquefois. Il est aussi difficile d'expliquer la manière dont ce remède agit que d'expliquer en quoi consiste la différence spécifique des choses naturelles. Aussi, tout le soin et toute l'application d'un médecin doivent être de bien connaître l'histoire des maladies, et d'employer les meilleurs remèdes que l'expérience ait découverts pour leur guérison, mais de les employer selon une méthode fondée sur la raison et le bon sens, et non pas sur des hypothèses et de vaines spéculations. Voici donc, en peu de mots, ce que l'usage m'a appris touchant la vraie manière de donner le quinquina.

488. Il y a environ vingt-cinq ans que ce remède commença à être célèbre à Londres pour la guérison des fièvres intermittentes, et surtout des fièvres quartes : il méritait assurément cette réputation, car, auparavant, quelque remède ou quelque méthode qu'on employât, on réussissait très-rarement à guérir ces sortes de fièvres ; c'est pourquoi on les appelait avec raison l'opprobre de la médecine. Mais, peu de temps après, le quinquina fut entièrement décrié, et on ne s'en servit plus ; de quoi il y eut deux raisons considérables. La première, c'est que, comme on le donnait alors peu d'heures avant l'accès, il causait quelquefois la mort au malade. Je me souviens que ce malheur arriva à un ci-

(1) Voyez sect. 6, chap. 5.

toyen et magistrat de Londres nommé *Underwood*, et à un apothicaire nommé *Potter*, qui logeait dans la rue des *Black Fryars*. Quoique le quinquina eût très-rarement un si funeste succès, néanmoins les médecins prudents ne crurent pas moins bien d'en abandonner l'usage. La seconde raison qui fit tomber la réputation de ce remède fut que les malades qui, après en avoir pris, n'avaient point eu leur accès ordinaire de fièvre, comme il arrivait le plus souvent, ne manquaient guère, lorsque la maladie était récente, et n'avait pas encore eu le temps de s'affaiblir d'elle-même, d'en éprouver une rechute dans l'intervalle de quatorze jours. Ces raisons furent cause que la plupart des gens perdirent la confiance qu'ils avaient dans le quinquina, ne croyant pas devoir mettre leur vie en danger pour l'avantage de retarder de quelques jours un accès de fièvre.

489. Quant à moi, faisant de sérieuses réflexions sur la vertu extraordinaire de ce remède, je me persuadai qu'il n'y en avait point d'aussi bon contre les fièvres intermittentes, pourvu qu'on l'employât avec les soins et les précautions convenables. Je cherchai donc pendant longtemps et avec toute l'application possible les moyens d'empêcher qu'il ne fût dangereux aux malades, et que la fièvre ne revint, deux inconvénients auxquels il fallait obvier pour que le remède réussît parfaitement.

490. En premier lieu, je crus que le danger du quinquina venait moins du quinquina même que de la mauvaise façon de le donner. Comme il s'amasse dans le corps une grande quantité de matière fébrile les jours d'intermission, si on donne le quinquina immédiatement avant l'accès, il fixe cette matière et empêche la nature de pouvoir l'évacuer par la chaleur de la fièvre : et voilà ce qui met le malade en danger. Je pensai donc que je remédierais à cet inconvénient, et qu'en même temps j'empêcherais la génération d'une nouvelle matière fébrile, si je faisais prendre le quinquina aussitôt après un accès, afin de couper pied à l'accès suivant, si je réitérais de temps en temps le remède les jours d'intermission, jusqu'à ce qu'il vînt un nouvel accès. De cette manière, je pouvais imprégner peu à peu et sans danger toute la masse du sang de la vertu salutaire du quinquina.

491. En second lieu, il me parut que la rechute qui arrivait le plus souvent dans l'espace de quatorze jours venait de ce qu'on n'avait pas donné une assez grande quantité de quinquina, lequel, nonobstant son efficacité, ne pouvait, d'une seule prise, détruire entièrement la maladie ; c'est pourquoi je crus que le meilleur moyen de prévenir la rechute était de réitérer le fébrifuge, même après la cessation de la fièvre ; en mettant un intervalle raisonnable entre chaque prise, c'est-à-dire en donnant une nouvelle prise avant que l'action de la précédente fût entièrement finie.

492. C'est sur ces principes que je fondai ma méthode, et voici en quoi elle consiste. Quand je suis appelé pour un malade attaqué de la fièvre quarte (supposons que ce soit un lundi), si l'accès doit venir ce jour-là, je demeure tranquille, et je me contente de faire espérer au malade qu'il n'aura point d'autre accès. Les deux jours d'intermission, savoir, le mardi et le mercredi suivants, je donne le quinquina de cette manière.

Prenez une once de quinquina réduit en poudre très-fine, et avec suffisante quantité de sirop d'œillets, ou de celui de roses sèches, formez un électuaire qu'il faudra partager en douze doses. Le malade en prendra une de quatre en quatre heures, commençant immédiatement après l'accès, et il boira par-dessus un petit verre de vin.

Si les pilules font plus de plaisir aux malades, il faut donner les suivantes.

Prenez quinquina subtilement pulvérisé, une once ; et avec suffisante quantité de sirop d'œillets, formez des pilules de médiocre grosseur, dont on avalera six de quatre en quatre heures.

Une autre manière moins embarrassante et aussi utile, c'est de mêler une once de quinquina pulvérisé dans deux livres de vin clairet, dont on donnera huit ou neuf cuillerées de quatre en quatre heures. Le jeudi, qui est le jour où l'on craint le retour de l'accès, je n'ordonne rien, parce que le plus souvent il ne revient point, les sueurs de l'accès précédent ayant séparé et emporté les restes de la matière fébrile, et l'usage réitéré du quinquina pendant les jours d'intermission ayant empêché qu'il ne s'en amassât de nouvelles.

493. Mais de peur que la fièvre ne revienne ensuite, ce qui était le second inconvénient auquel il fallait obvier, je ne manque jamais, précisément le huitième jour depuis la dernière prise de quinquina, d'en donner au malade la

même quantité qu'auparavant, c'est-à-dire une once divisée en douze parties, et qui se prend de la même façon. Cette méthode de réitérer ainsi une seconde fois le fébrifuge, suffit ordinairement pour guérir la maladie. Cependant, il y a toujours à craindre quelque rechute, à moins qu'on ne revienne jusqu'à trois ou quatre fois à l'usage du quinquina, après le même intervalle de temps, surtout lorsque le sang a été affaibli par quelque évacuation précédente, ou que le malade s'est exposé trop aisément à un air froid.

494. Le quinquina n'a aucune vertu purgative, cependant il y a souvent des personnes qui en sont purgées aussi fortement que si elles avaient pris un violent purgatif, ce qu'on ne peut attribuer qu'à la singularité de leur tempérament. Alors il est absolument nécessaire de joindre l'opium au quinquina, afin d'arrêter une évacuation, qui est entièrement contraire à la nature du remède, et qui empêcherait la guérison, puisque le fébrifuge serait évacué par les selles avant que d'avoir opéré. S'il arrive donc que le cours de ventre subsiste, je donne après chaque deuxième prise de quinquina dix gouttes de laudanum liquide dans du vin.

495. J'emploie la même méthode dans les autres fièvres intermittentes, soit tierces, soit quartes; c'est-à-dire qu'aussitôt après l'accès fini, je les attaque par le quinquina, que je réitère pendant l'intermission autant de fois que le permet la nature de la maladie, avec cette différence néanmoins qu'il faut presque toujours une once de quinquina pour venir à bout de la fièvre quarte; au lieu que six gros suffisent pour guérir les deux autres fièvres, ou du moins pour les arrêter durant quelque temps.

496. Mais, quoique les fièvres tierces et quotidiennes semblent avoir une parfaite intermission, après un ou deux accès, il arrive néanmoins assez souvent, comme je l'ai déjà remarqué auparavant, qu'elles deviennent ensuite presque continues: de sorte que les jours où il devrait y avoir une cessation de fièvre, il n'y a qu'une simple diminution, surtout lorsqu'on a tenu le malade au lit, et qu'on a employé un régime trop chaud, ou des sudorifiques. Dans ce cas-là, je profite des intervalles où il y a moins de fièvre, quelque petits que soient ces intervalles (car c'est tout ce que je puis faire); et, commençant l'usage du quinquina immédiatement après la fin de l'accès, autant qu'il m'est possible de le reconnaître, je donne ce remède de quatre en quatre heures, comme dans la fièvre quarte, sans avoir même égard à l'accès suivant, parce qu'autrement le fébrifuge n'aurait pas le temps d'opérer.

497. Or, comme les fièvres qui règnent présentement à Londres doivent être mises au rang des intermittentes, quoiqu'après le second ou le troisième accès elles tendent à devenir continues, je ne fais pas difficulté d'ordonner le quinquina dans les fièvres de cette espèce, même les plus continues. En effet, il emportera sûrement la fièvre, pourvu que le malade ne garde pas le lit et qu'il évite les cordiaux. Faute de cette précaution, j'ai plusieurs fois observé que le quinquina n'a rien fait du tout. On pourrait peut-être croire que le vin dans lequel on donne le quinquina contribue à entretenir la fièvre : c'est néanmoins ce que je n'ai jamais vu; et je puis assurer que nonobstant ce vin, la chaleur, la soif et les autres symptômes de la fièvre disparaîtront ordinairement lorsqu'on aura pris suffisamment de quinquina. Il faut remarquer aussi qu'il est nécessaire de donner une plus grande quantité de quinquina à proportion que la fièvre approche davantage de la continue, soit d'elle-même, soit parce qu'on a usé d'un régime trop échauffant : et j'ai vu quelquefois la maladie ne céder qu'à une once et demie ou même deux onces de ce fébrifuge.

498. Il y a des sujets qui ne peuvent soutenir le quinquina ni en poudre, ni sous la forme d'électuaire, ou de pilules. Alors je le donne en infusion de cette manière : je prends deux onces de quinquina réduit en poudre grossière, et les ayant laissé infuser à froid durant quelques jours dans deux livres de vin du Rhin, je passe plusieurs fois la liqueur par la manche d'Hippocrate : alors elle est claire et d'un goût qui ne déplaît pas aux personnes les plus délicates. Quatre onces de cette infusion équivalent à peu près à un gros de quinquina en poudre; et comme elle n'est point désagréable, et ne charge point l'estomac, on peut en donner une fois plus souvent que des autres préparations de quinquina, jusqu'à ce qu'il ne revienne plus d'accès.

499. Lorsque la fièvre n'est pas réglée, et n'a pas encore de type certain, il arrive quelquefois que le malade, ayant des envies de vomir continuelles, ne sau-

rait garder le quinquina, sous quelque forme qu'on le lui donne. Dans ce cas-là il faut, avant toute chose, arrêter le vomissement. Pour cela, je fais prendre sept ou huit fois dans l'espace de deux heures une cuillerée de suc de limon nouvellement exprimé, avec un scrupule de sel d'absinthe; ensuite seize gouttes de laudanum liquide, dans une cuillerée d'eau de canelle spiritueuse; et peu de temps après que le vomissement a cessé, je fais commencer l'usage du quinquina.

500. Pour ce qui est des enfants, dont l'âge tendre ne permet presque pas qu'on leur donne le quinquina autrement qu'en liqueur, du moins dans une quantité suffisante pour guérir la maladie, je me sers ordinairement du sirop qui suit (1).

Prenez eau de cerises noires, et vin du Rhin, de chacun deux onces; quinquina réduit en poudre très-fine, trois gros; syrop d'œillets, une once. Mêlez tout cela pour un julep, dont on donnera au malade une cuillerée ou deux, selon son âge, de quatre en quatre heures, jusqu'à ce que les accès aient cessé. S'il y a une diarrhée, on mettra alternativement dans les prises une ou deux gouttes de laudanum liquide.

501. Il faut encore observer que, comme les courts intervalles qui se trouvent entre les accès des fièvres tierces et quotidiennes intermittentes ne laissent pas assez de temps pour que le quinquina puisse communiquer pleinement au sang sa vertu fébrifuge, on ne saurait être sûr que l'accès prochain ne reviendra point; au lieu que dans la fièvre quarte, qui laisse un plus long intervalle, il ne revient pas ordinairement. Ainsi, dans la fièvre tierce et la quotidienne, il faut souvent continuer pendant deux jours l'usage du quinquina pour être assuré de la guérison.

502. Si, nonobstant toutes les précautions que nous avons recommandées ci-dessus, le malade vient à retomber, ce qui est plus rare dans la fièvre quarte que dans la tierce ou la quotidienne, un médecin prudent ne doit pas s'opiniâtrer à continuer l'usage du quinquina; mais il doit essayer d'autres remèdes, par exemple, la décoction amère, qui passe communément pour le meilleur de tous.

503. Quant à la nourriture et au reste du régime, on ne doit interdire au malade aucun aliment ni aucune boisson qui soit propre à fortifier l'estomac; mais il faut lui retrancher les fruits et les liqueurs froides, parce que ces sortes de choses contribuent beaucoup à affaiblir le sang et à faire revenir la fièvre. Ainsi, le malade vivra de viandes d'un bon suc, et faciles à digérer; et sa boisson ordinaire sera du vin en médiocre quantité. Par ce régime seul, et sans autre remède, j'ai quelquefois guéri des fièvres qui résistaient opiniâtrement au quinquina. Le malade doit aussi avoir soin de ne pas s'exposer à l'air froid jusqu'à ce que le sang ait repris ses forces ordinaires.

504. En parlant précédemment des fièvres intermittentes, j'ai averti qu'il fallait avoir grand soin de purger le malade après la guérison (2) : mais cela ne doit s'entendre que des fièvres qui se guérissent d'elles-mêmes, ou par quelque autre remède que le quinquina : car, dans celles que l'on traite avec le quinquina, la purgation, loin d'être nécessaire, est au contraire nuisible. Telle est la vertu de ce puissant fébrifuge, que non-seulement il guérit les accès des fièvres intermittentes sans le secours des purgatifs, mais qu'il remédie encore à la mauvaise disposition qu'il produit dans le corps. Il faut donc éviter soigneusement toute sorte d'évacuations quand on donne le quinquina, parce qu'alors le plus léger purgatif, et même un simple lavement de lait avec du sucre, peut faire revenir la fièvre.

505. Dans les premières années de cette constitution, les fièvres intermittentes étaient quelquefois accompagnées d'un accident très-singulier C'est que ces accès ne commençaient pas par un frisson suivi ensuite de chaleur comme à l'ordinaire; mais le malade avait absolument les mêmes symptômes que s'il eût été attaqué d'une véritable apoplexie. Néanmoins, ce n'était autre chose que la fièvre même qui portait à la tête,

(1) La méthode de traiter les fièvres intermittentes par des lavements, découverte qu'on attribue à Helvétius, n'était pas connue du temps de notre auteur. Mais, quoiqu'on ne doive pas y compter autant que sur celle où l'on prend les remèdes par la bouche, il se trouve néanmoins des cas où il est nécessaire d'y avoir recours, et souvent elle réussit. On a guéri par ce moyen des adultes aussi bien que des enfants.

(2) Voyez sect. 5, chap. 5.

comme on le voyait assez par la couleur de l'urine et par les autres signes. En effet, l'urine était d'un rouge foncé, mais un peu moins que dans la jaunisse, avec un sédiment briqueté ; et telle est ordinairement l'urine dans les fièvres intermittentes. — Quoique dans le cas dont je parle toutes sortes d'évacuations semblent être indiquées, afin de détourner du cerveau les humeurs qui s'y sont portées, comme l'on fait dans l'apoplexie véritable, il faut néanmoins s'en abstenir entièrement ; elles ne feraient qu'augmenter le mal, et causeraient même la mort, comme je sais qu'il est arrivé quelquefois. Il faut attendre que l'accès se soit terminé de lui-même ; aussitôt après on commence l'usage du quinquina, et l'on y reviendra dans les intervalles de pareils accès, jusqu'à ce que le malade soit entièrement guéri.

506. Il arrive quelquefois, quoique fort rarement, que les vieillards, qui ont eu long-temps les fièvres intermittentes, et qui ont été saignés et purgés mal à propos, sont attaqués du diabétès ou flux immodéré d'urine, lors même qu'il ne reste plus du tout de fièvre. Cela vient de ce que le sang, étant trop appauvri, ne saurait plus s'assimiler les sucs qu'il reçoit : d'où il arrive qu'ils sortent par les voies urinaires encore tous cruds et non digérés. La grande quantité d'urine que les malades rendent épuise insensiblement leurs forces, et anéantit, pour ainsi dire, toute leur substance. — Dans ce diabétès, et dans tous les autres, de quelque cause qu'ils proviennent, les indications curatives doivent tendre uniquement à donner de la force au sang, et à arrêter le flux immodéré d'urine. On peut se servir pour cela des remèdes suivants.

Prenez thériaque d'Andromaque, une once et demie ; conserve d'écorce d'orange, une once ; diascordium, demi-once ; gingembre confit, et noix muscade confite, de chacun trois drachmes ; poudre de pattes d'écrevisses composée, une drachme et demie ; écorce extérieure de grenade, racine d'angélique d'Espagne, corail rouge préparé, et trochisques de terre de Lemnos, de chacun une drachme ; bol d'Arménie, deux scrupules ; gomme arabique, demi-drachme ; sirop de roses sèches, ce qu'il en faut pour former un électuaire, dont le malade prendra la grosseur d'une bonne noix muscade, le matin, l'après-dîné sur les cinq heures, et le soir pendant un mois entier ; et par-dessus chaque prise il boira six cuillerées de l'infusion suivante.

Prenez racines d'aunée, d'impératoire, d'angélique et de gentiane, de chacune demi-once ; feuilles d'absinthe romaine, de marrube blanc, de petite centaurée et de calamenthe, de chacune une poignée ; baies de genièvre, une once. Coupez tout cela menu, et le faites infuser à froid dans cinq livres de vin de Canarie. L'infusion ne doit être coulée que lorsqu'on s'en servira (1).

Le malade usera d'aliments qui soient aisés à digérer, comme de chair de veau, de mouton, etc. Il s'abstiendra entièrement d'herbages et de fruits, et il boira du vin d'Espagne à tous ses repas.

507. Les fleurs blanches, maladie si longue et si opiniâtre, doivent être traitées à peu près de la même manière que les diabétès ; car, quoique ces deux maladies semblent être fort différentes, les indications curatives sont néanmoins les mêmes, si ce n'est que dans les fleurs blanches, il faut commencer par une saignée du bras, et purger ensuite trois fois avec deux scrupules de pilules cochées majeures, avant que d'en venir à

---

(1) Le diabétès dont il s'agit ici paraît venir d'un appauvrissement et d'une viscosité du sang et des humeurs, d'une faiblesse des viscères, et d'un relâchement des conduits urinaires : ainsi, les remèdes que prescrit l'auteur peuvent y convenir. Mais supposé qu'ils ne conviennent pas, et que le malade soit vigoureux, il faudra le faire vomir avec l'ipécacuanha, ensuite lui donner des remèdes propres à diviser et atténuer les humeurs : les principaux de ces remèdes sont les mercuriaux. Après qu'on les aura continués quelque temps, il sera à propos de donner les astringents joints aux désobstructifs, comme les amers, les aromatiques et les martiaux. *Harris*, dans un cas semblable, rapporté à la fin de son traité des maladies aiguës des enfants, recommande l'infusion suivante : Prenez rhubarbe, une demi-once ; santal blanc et santal citrin, de chacun un gros ; graine de petit cardamome, demi-gros. Versez là-dessus une chopine de vin de Canarie, et laissez infuser tout cela ensemble à une chaleur modérée, et dans un vaisseau bien bouché. Passez la liqueur, dont le malade prendra six cuillerées trois fois le jour. — Pendant le traitement, le malade doit user de très-peu de liquides, et éviter tout ce qui peut affaiblir les solides et engendrer des sucs visqueux.

l'usage des fortifiants, durant lequel il faut s'abstenir de toute évacuation, autrement on détruirait d'un côté ce que l'on ferait de l'autre (1). Mais que cela soit remarqué en passant.

508. Voilà ce que j'avais à dire touchant l'usage du quinquina dans les fièvres intermittentes. On voit que je ne cherche pas à faire un pompeux étalage de remèdes, puisque je n'ajoute rien au quinquina, si ce n'est le véhicule nécessaire pour le transmettre dans les premières voies. Je crois que ceux qui y ajoutent autre chose, sont ignorants ou gens de mauvaise foi, qui, pour un vil intérêt, trompent le public, et font tort à la société, chose tout-à-fait indigne d'un honnête homme. — Au reste, si on avait voulu faire attention à ce que j'ai enseigné il y a déjà quatorze ans, dans l'histoire des maladies aiguës, et ce que je n'ai pas apparemment enseigné sans en être instruit, je veux dire touchant la manière dont il faut donner le quinquina dans les intervalles des accès, et les réitérer ensuite après la guérison, plusieurs de ceux qui sont dans le tombeau seraient peut-être encore vivants : c'est ce que j'ose avancer malgré le peu de cas que l'on fait de mes travaux, dans lesquels néanmoins je n'ai d'autre vue que celle du bien public. — Mais, quoiqu'on ait méprisé mes conseils sur la manière d'administrer le quinquina, je ne laisserai pas de le répéter ici, parce qu'ils contiennent en abrégé ce que je viens d'enseigner plus au long (2). Voici donc en quoi ils consistent.

509. « La première attention qu'on » doit avoir, c'est de ne pas donner le » quinquina trop tôt, c'est-à-dire avant » que la maladie se soit un peu affaiblie » d'elle-même, à moins que la grande » faiblesse du malade n'oblige d'y avoir » recours plus tôt ; car, si on le donne de » trop bonne heure, il sera peut-être » inutile et même dangereux, parce qu'il » arrêtera tout à coup le mouvement de » la fermentation par où le sang cherche » à se dépurer. — La seconde attention » est de ne point diminuer par la purgation, et encore moins par la saignée, la quantité de la matière fébrile, » afin que le quinquina opère plus librement : car, comme ces deux évacuations dérangent à un certain point » l'économie animale, les accès de fièvre » reviendront plus promptement et plus » sûrement, dès que l'action du quinquina aura cessé. Il me paraît aussi » plus à propos de le donner peu à peu, » et assez loin des accès, que de vouloir couper pied tout d'un coup à l'accès qui va venir ; car, de cette manière, le remède a plus de temps pour » agir comme il faut, et on évite le » danger qu'il y a de vouloir arrêter subitement et hors de saison un accès » qui commence à se manifester. — La » dernière attention est de serrer les prises de quinquina, afin que la vertu » d'une prise ne cesse pas tout-à-fait, » avant qu'on donne la suivante. Par ce » moyen, on déracinera entièrement la » fièvre, et le malade recouvrera une » parfaite santé. — Voilà les raisons qui » me font préférer aux autres méthodes » de donner le quinquina celle que je » vais expliquer. On mêle une once de » cette écorce en poudre avec deux on-

(1) On saignera au commencement, si la maladie le demande ; ensuite, si l'estomac est chargé, on fera vomir doucement avec l'ipécacuanha ; après quoi on donnera les laxatifs. Un bain chaud fait avec une décoction de marjolaine, de thim, de calamenthe, de sauge, de romarin, de fleurs de camomille, de baies de laurier et de genièvre, etc., sera très-utile. — *Hoffman* recommande les eaux minérales. Les fleurs blanches invétérées, dit ce grand homme, viennent d'une humeur âcre, engendrée par un trop violent ou trop fréquent usage de l'acte vénérien, ou d'une humeur viciée introduite par communication, et qui, infectant ensuite les glandes du vagin, les oblige de se décharger abondamment de leur liqueur sur les parties voisines. Cette liqueur étant aussi infectée, ronge les fibres des parties où elle passe, et cause ainsi des douleurs aiguës et lancinantes, des excoriations et des ulcères, de là un flux virulent. Cette explication, qui est fondée sur les dissections, montre clairement que pour détremper et adoucir les humeurs viciées, dissiper les engorgements des glandes, fortifier les fibres relâchées, déterger et consolider les ulcères, les eaux minérales conviennent extrêmement. Il est vrai que l'écoulement augmente pendant leur usage ; mais quand on les a finis, la guérison en est plus assurée. Pour la faciliter, il faudra, tandis qu'on prend les eaux, user des remèdes balsamiques et de la décoction des bois sudorifiques. *Nouv. exp. et observ. sur les eaux minérales.*

(2) Voyez sect. 6, chap. 5.

» ces de sirop de roses rouges, et le ma-
» lade, chaque jour qu'il n'y a point de
» véritable accès, prend matin et soir la
» quantité d'une grosse noix muscade de
» cet opiat, jusqu'à ce qu'il n'en reste
» plus. On réitère trois autres fois le
» même remède, ayant soin de mettre
» toujours entre chaque fois l'intervalle
» de quinze jours. »

510. Quoique le quinquina l'emporte de beaucoup pour la guérison des fièvres intermittentes sur tous les autres remèdes que l'on a découverts jusqu'ici, on pourra néanmoins, dans les fièvres tierces du printemps, employer la méthode suivante, que j'ai vue très-bien réussir lorsque le malade était jeune et d'un tempérament sanguin. La voici. On saigne du bras le jour qu'il n'y a point d'accès, et quelques heures après on donne un vomitif avec l'infusion de safran des métaux, en se réglant de telle manière que l'opération du vomitif soit finie avant le commencement de l'accès suivant. Immédiatement après cet accès, on met le malade à l'usage des remèdes que voici.

Prenez des extraits de gentiane, d'absinthe et de petite centaurée, de chacun deux gros. Mêlez cela ensemble, et le partagez en neuf doses. Le malade en prendra une de quatre en quatre heures, et par-dessus chaque prise il boira deux onces de décoction amère, sans purgatif, et deux onces de vin blanc.

511. Voici une autre méthode de traiter les fièvres tierces du printemps. C'est pour les pauvres qui ne sont pas en état de dépenser beaucoup en remèdes.

Prenez serpentaire de Virginie réduite en poudre très-fine, un scrupule; vin blanc, trois onces : mêlez cela ensemble. Le malade avalera cette potion deux heures avant l'accès; et étant bien couvert il suera dans son lit l'espace de trois ou quatre heures. Il recommencera la même chose deux autres fois, s'il revient un accès.

512. L'année suivante, 1679, les mêmes fièvres reparurent de nouveau au commencement de juillet; elles augmentèrent chaque jour jusqu'au mois d'août, pendant lequel elles firent de terribles ravages. Mais, comme j'ai déjà traité au long de ces sortes de fièvres, je n'ajouterai rien de plus, sinon qu'elles disparurent entièrement vers le mois de novembre, et firent place à une nouvelle maladie épidémique, qui dépendait des qualités manifestes de l'air.

513. En effet, le mois de novembre amena une si grande quantité de toux, que je n'en avais jamais tant vu les autres années; car elles attaquaient presque tout le monde. Quelques-unes n'avaient pas fort besoin de remèdes, mais d'autres secouaient si violemment les poumons, qu'elles causaient le vomissement, lequel était suivi de vertiges, par les efforts terribles que le malade faisait pour vomir. — Les premiers jours la toux était presque sèche, et le malade crachait peu, ensuite il crachait davantage. Et, pour le dire en un mot, cette toux approchait beaucoup de la coqueluche ou toux convulsive des enfants, par la petite quantité de crachats, par les efforts violents du malade, et par la longueur des paroxysmes. Et si en un sens elle était moins fâcheuse que la toux convulsive des enfants, elle l'était davantage en ce que dès le commencement elle se trouvait accompagnée de la fièvre et de tous les symptômes fébriles; ce que je n'ai point encore vu dans la toux des enfants.

514. Quoiqu'il soit ordinaire de voir des toux à l'entrée de l'hiver, on était surpris néanmoins de la quantité extraordinaire qu'il y en avait cette année-là. Voici, ce me semble, la principale cause qui les produisit. Il y avait eu pendant le mois d'octobre des pluies très-fréquentes et presque continuelles, qui avaient rempli le sang de particules séreuses et crues. Or, le premier froid venant à boucher les pores de la peau, et empêchant ainsi la transpiration insensible, la nature, qui cherchait à se débarrasser de cet amas de sérosités nuisibles, les évacuait par les glandes de la trachée-artère, au moyen de la toux qu'elles excitaient.

515. Lorsque cette maladie avait besoin de remèdes, j'employais hardiment la saignée et la purgation; car le meilleur moyen pour décharger le sang des sérosités inutiles, c'est de désemplir ainsi les vaisseaux. — Quant aux remèdes pectoraux, ils font, à la vérité, plaisir aux malades, mais je ne vois pas qu'ils puissent ôter la cause de la toux; car toute leur action consiste à épaissir les humeurs lorsqu'elles sont trop claires pour être expectorées, ou à les atténuer lorsque leur viscosité rend l'expectoration trop difficile. Je suis du moins bien sûr de l'inutilité des pectoraux. Quelquefois même ils sont pernicieux; car les sérosités nuisibles étant retenues

dans le sang par l'usage de ces remèdes, elles l'affaiblissaient extrêmement, et la toux qu'elles excitent cause aux poumons une agitation violente et presque continuelle : ce qui mène assez souvent à la phthisie, que l'on aurait dû prévenir, en guérissant promptement la maladie.—Les sudorifiques ne sont pas beaucoup plus sûrs. Quelquefois ils produisent la fièvre, et d'autres fois même la pleurésie, comme il arriva à quantité de gens pendant les toux épidémiques dont nous parlons; ce qui les mit en grand danger.

516. J'avais donc recours à la saignée du bras, et je faisais tirer une quantité raisonnable de sang. On appliquait sur la nuque du cou un grand et puissant emplâtre vésicatoire, afin de détourner une partie de la matière peccante; ensuite, je purgeais doucement le malade avec une infusion de séné et de rhubarbe, jointe à la manne et au sirop de roses solutif, et je réitérais tous les jours cette médecine, jusqu'à ce que le malade fût entièrement guéri, ou que du moins les symptômes fussent beaucoup diminués. Si le malade n'aimait pas les potions, je lui faisais prendre tous les matins, à cinq heures, deux scrupules de pilules cochées majeures, et il dormait par-dessus.

517. La toux convulsive des enfants, autrement la coqueluche, maladie d'ailleurs si opiniâtre et si rebelle, se guérit par cette méthode, je veux dire par la saignée et par la purgation réitérée : et toute autre méthode y est inutile. Du moins c'est la seule qui m'ait réussi, quoique j'aie plusieurs fois employé des remèdes de presque toutes les espèces : mais il ne faut se servir ici que des purgatifs doux, et il faut même les donner par cuillerée, suivant l'âge du malade. — Voici comment je conçois que cette douce évacuation guérit la toux. Quoique, dans cette maladie, le poumon ne soit pas chargé de beaucoup de sérosité, il reçoit néanmoins de temps en temps de la part du sang des vapeurs subtiles et brûlantes, qui causent la toux violente qu'éprouvent les enfants. Or, il semble que le meilleur moyen de détourner du poumon ces vapeurs nuisibles, c'est de les entraîner par la voie des selles : de cette façon on remédiera à la toux, en ôtant la cause qui la produit (1).

518. Mais, dans les maladies épidémi-

(1) Comme cette maladie ne cède pas toujours à la méthode de l'auteur, nous joindrons ici celle du docteur *Huxham*, laquelle est toujours confirmée par une longue expérience. S'il y a pléthore, dit-il, ou si les crachats sont teints de sang, j'ordonne toujours la saignée, surtout si la fièvre le demande, comme il arrive souvent, ou si le visage devient noir à force de tousser; et quelquefois je la réitère, suivant la force et l'âge de l'enfant. Aussitôt après, je donne un doux vomitif, savoir, le sirop de fleurs de pêcher, ou l'oxymel scillitique, ou bien une infusion ou une décoction d'ipécacuanha; car la toux, comme observe Walschmid, vient en partie de l'estomac, et ne cesse guère avant que le malade ait vomi une pituite épaisse et âcre, dont il sort quelquefois une si grande quantité, qu'il est nécessaire de réitérer jusqu'à trois ou quatre fois le vomitif. — Il faut pareillement lâcher le ventre de temps en temps, mais seulement avec les plus doux purgatifs, comme la rhubarbe et l'aquila alba. Par ce moyen, on évacue les humeurs visqueuses, et on les empêche d'entrer dans le sang et de le corrompre; car la constipation est toujours nuisible, cause la fièvre, et augmente la difficulté de respirer. Il ne suffit pas d'évacuer, il faut encore atténuer la viscosité du sang, fortifier les nerfs et l'estomac; ce qui s'exécute admirablement par le mercure et le quinquina, joints à des stomachiques convenables. La difficulté de respirer et l'oppression de poitrine demandent qu'on use souvent d'une solution de gomme ammoniaque, ou d'une expression de cloportes, ou de quelqu'autre remède semblable; et pour modérer la violence de la toux, on peut donner le sirop diacode, qui est le meilleur et le plus sûr narcotique dans cette maladie. Mais, si l'humeur âcre tombe en grande abondance sur le larynx ou sur le poumon, il faut la détourner en appliquant un vésicatoire entre les épaules. — La coqueluche cède bientôt à ce remède, sinon elle est souvent très-opiniâtre, et ne peut se guérir que par le temps et le changement d'air. Les spécifiques vantés par les femmes ne sont que des bagatelles, autant que j'ai pu remarquer, sans en excepter même le *muscus pixioïdes;* et s'il est de quelque utilité, c'est uniquement à cause de sa vertu astringente, et par conséquent fortifiante, par où il ressemble un peu au quinquina : car, cette fameuse écorce n'agit pas seulement en atténuant les humeurs grossières, mais aussi en fortifiant tout le genre nerveux;

ques, de quelque genre qu'elles soient, il faut bien prendre garde, lorsque la personne est attaquée depuis peu, de ne pas purger avant que d'avoir saigné. Les maladies qui dépendent d'une constitution épidémique de l'air sont des fièvres, ou deviennent du moins très-aisément des fièvres. Or, comme le plus doux purgatif met le sang et les humeurs en mouvement, et par conséquent les échauffe, il produit aisément une fièvre, que la nature aurait eu soin elle-même de prévenir par les moyens ordinaires dont elle se sert pour évacuer la matière morbifique. C'est ainsi que la nature se sert de l'enchifrenement, de la toux, de la diarrhée, pour prévenir la fièvre. — On peut dire la même chose de toute autre constitution de l'air qui dispose le corps à une certaine sorte de fièvre, car cette fièvre ne se déclare pas toujours, d'autant que la nature la prévient heureusement par le moyen de quelque évacuation critique qui emporte le foyer de la maladie. Ainsi, je soutiens, malgré l'usage contraire, que dans le cas dont il s'agit, on ne doit point purger avant que de saigner, et encore moins se dispenser de saigner.

519. En vain objecterait-on que lorsque l'on saigne, avant que d'avoir purgé, on attire dans le sang les impuretés des premières voies; car il est certain que les avantages d'une évacuation que produit un purgatif donné avant la saignée ne peuvent en aucune façon compenser le mal qu'il fait par le tumulte qu'il cause dans le sang. On ne saurait nier que les purgatifs n'agissent bien plus doucement quand on a fait précéder la saignée, et qu'alors ils n'agissent et n'échauffent moins le sang (1). Je crois que l'ignorance ou la négligence de cette pratique a été cause de la mort d'un grand nombre de malades, surtout parmi les enfants.

520. Voilà ce qu'une longue expérience m'a appris. J'entends par expérience une pratique fondée sur la connaissance exacte des phénomènes des maladies, et sur l'observation des opérations de la nature : une pratique qui tire des symptômes mêmes des maladies ses indications curatives. C'est en cela que consiste la vraie médecine, et toute autre est pernicieuse. — En effet, que n'a-t-on pas à craindre d'un empirique, qui, ignorant entièrement l'histoire des maladies, et la méthode de les traiter, ne s'appuie que sur de vaines recettes et de prétendus secrets? Que n'a-t-on pas aussi à craindre d'un médecin à systèmes, qui, voulant éblouir le public par un vain étalage de science, ne se fonde que sur des spéculations chimériques et des principes arbitraires? Tous deux se jouent indignement de la vie des hommes, et

---

et c'est par ces deux propriétés qu'elle guérit les fièvres intermittentes. Le retour périodique de la coqueluche, qui est souvent aussi régulier que celui d'une fièvre intermittente, montre qu'elle ne diffère pas beaucoup de la nature de cette dernière maladie; et ce qui rend cela encore plus vraisemblable, c'est que ces deux maladies règnent ordinairement dans la même saison, viennent des mêmes causes, et se guérissent par les mêmes remèdes. (*Huxham, de Aere et Morb. epid.*) — Le docteur *Burton*, dans un essai sur cette maladie, lequel se trouve placé à la fin de son traité des six choses non naturelles, vante beaucoup le remède suivant, lorsque la coqueluche est produite par une pituite visqueuse, comme il arrive souvent. — Prenez extrait de quinquina, trois gros; cantharides et camphre, de chacun un scrupule. Mêlez cela ensemble, et donnez-en à l'enfant huit ou neuf grains, plus ou moins, suivant l'âge et la violence du mal, de trois en trois, ou de quatre en quatre heures, dans une cuillerée d'une solution d'un peu de baume de copahu, faite dans une eau simple distillée. La boisson ordinaire de l'enfant sera une émulsion faite avec les amandes douces et l'eau d'orge, et adoucie avec du sucre, ou quelque chose semblable.

(1) Cela est très-vrai; et pour le comprendre, il faut se souvenir que la lenteur ou la vélocité de la circulation du sang influe extrêmement sur toutes les excrétions. Par exemple, si la circulation est languissante à cause de la surabondance du sang, il est clair que ce fluide s'épaissira et produira des obstructions; ainsi, il ne pourra plus se porter en suffisante quantité aux émonctoires, lesquels, en conséquence, ne feront leurs fonctions que d'une manière irrégulière et imparfaite. Mais, les vaisseaux étant désemplis par la saignée, la circulation augmente nécessairement; par ce moyen le sang devient plus fluide, dissipe les obstructions des conduits excrétoires, et abordant en plus grande quantité aux émonctoires, les stimule et les met en état de se décharger des liqueurs qu'ils contiennent.

tous deux semblent être réunis pour le malheur du genre humain, et ils font plus de ravage que ne feraient les maladies mèmes destituées de pareils secours.

521. La seule médecine utile aux hommes, pour le dire encore une fois, est donc celle qui, se réglant sur la connaissance des véritables phénomènes des maladies, se trouve ensuite confirmée par l'expérience. C'est la route qu'a suivie le grand Hippocrate, et qui lui a justement acquis une si haute réputation. Plût à Dieu que l'on n'enseignât point d'autre médecine, elle serait infiniment plus utile, et ne serait pas moins estimée. — Il est vrai qu'elle demande beaucoup plus de génie, de lumières et de prudence, que celle qui s'exerce aujourd'hui; car, comme il est bien plus difficile d'apercevoir les opérations de la nature, que de forger les plus magnifiques hypothèses, l'art de guérir que prescrit la nature doit en conséquence être beaucoup plus au-dessus de la portée du vulgaire, que celui qui n'est fondé que sur des spéculations.

522. Les fièvres qui composent les deux tiers des maladies sur lesquelles s'exerce la médecine prouveront la vérité de ce que j'avance; et pour cela, je m'en rapporte à la décision de tout homme impartial, et qui raisonne tant soit peu. Si donc pour guérir les fièvres il ne s'agit que de remplir les deux indications ordinaires, qui consistent à évacuer par les sudorifiques la matière morbifique, et à calmer les symptômes qui suivent une telle évacuation, le plus misérable empirique ne pourra-t-il pas se flatter d'en venir à bout? Car, pour faire suer, ce qui est le but qu'il se propose toujours, principalement s'il entend parler de malignité dans la maladie, il n'aura qu'à donner intérieurement de la thériaque, de la poudre de pattes d'écrevisses, composée de l'eau épidémique, et autres choses semblables. — Quant aux symptômes, si le malade ne dort point, n'y a-t-il pas le sirop diacode pour procurer du sommeil? Si le ventre est resserré, n'y a-t-il pas des lavements? et ainsi du reste. — Cependant notre empirique n'est pas capable de connaître par lui-même, ni par les ordonnances des médecins, quelle est l'espèce de fièvre qu'il a à combattre; car, c'est une vérité incontestable qu'il y a différentes sortes de fièvres, chacune desquelles demande un traitement différent; et outre cela, que la même fièvre, de quelque genre qu'elle soit, doit être traitée d'une manière un peu différente dans son commencement et dans ses diverses périodes. Un homme qui ignore l'histoire d'une maladie, et par conséquent la véritable méthode de la traiter, pourra-t-il tirer des indications curatives d'un symptôme peu remarquable, puisqu'il ne saurait même juger si ce symptôme est l'effet des remèdes qu'il emploie, ou de la maladie même?

523. Je serais trop long si je voulais rapporter en détail toutes les légères circonstances auxquelles il est nécessaire de faire attention dans le traitement des fièvres, et des autres maladies. Ces circonstances qui paraissent si peu de chose, et qu'il est quelquefois si difficile de remarquer, sont néanmoins très-importantes pour la conservation de la vie des hommes : aussi nos descendants auront-ils toujours de nouvelles observations à faire sur la variété presque infinie des causes naturelles des maladies, et sur la manière de les traiter en conséquence. De pareilles observations, étant mises au jour, ne pourront qu'augmenter la gloire de la médecine; et comme elles la rendront en même temps plus difficile, cet art n'admettra dans ses mystères que des hommes d'un génie supérieur joint avec beaucoup de sagesse et de prudence. Mais, cela soit dit en passant.

524. Lorsque les toux dont nous avons parlé précédemment n'étaient pas bien traitées, il s'y joignait ordinairement une fièvre semblable à celle qui fut si épidémique pendant l'hiver de 1675, et dont j'ai donné l'histoire dans la section v, chapitre v du *Traité des maladies aiguës*. Comme cette fièvre n'était que le produit et l'effet de la toux épidémique, j'employais contre elle, et toujours avec un heureux succès, les mêmes remèdes que j'ai décrits dans le traitement de la toux, savoir, la saignée, l'emplâtre vésicatoire appliqué sur la nuque du cou, et ensuite la purgation réitérée trois fois. — Quand la toux était sans fièvre, il fallait purger jusqu'à ce que le malade fût entièrement guéri, ou du moins jusqu'à ce que les symptômes fussent beaucoup diminués, comme je l'ai remarqué ci-dessus. Mais, dans la fièvre qui dépendait de la toux, il suffisait, pour la faire cesser entièrement, de purger pendant trois jours; et c'est ce que j'ai souvent remarqué dans la constitution présente.

525. Lorsque cette fièvre commençait,

elle était accompagnée d'une abondance de sérosité qui, se jetant sur le poumon, incommodait extrêmement le malade ; mais au bout d'un mois ou deux, cette sérosité venant à se séparer peu à peu du sang, la fièvre ne laissait pas de subsister quelquefois sans qu'il y eût de toux, à cause de la mauvaise impression qui restait encore dans le sang ; c'est pourquoi elle devait être traitée de la même façon que la toux.

526. Cette fièvre subsista de la sorte jusqu'au commencement de l'an 1680, auquel temps les fièvres intermittentes dont j'ai parlé auparavant commencèrent aussi à paraître. Elles durèrent jusqu'au commencement de 1685, qui est le temps auquel je prépare une nouvelle édition de mes ouvrages. Il est vrai qu'à Londres elles ne sont présentement, ni si épidémiques, ni si violentes qu'elles étaient les quatre années dernières, mais dans les autres endroits elles sont toujours de même, car la constitution générale de l'air est encore maintenant si favorable aux fièvres intermittentes, que je puis assurer n'avoir jamais vu durant tout ce temps-là une seule fièvre véritablement continue, à moins qu'on ne l'eût rendue telle par un mauvais traitement, ou que ce ne fût une fièvre intercurrente, c'est-à-dire une de ces fièvres qui attaquent presque indifféremment dans toutes les années. — Il faut nécessairement que la constitution présente qui est si favorable aux fièvres intermittentes s'affaiblisse avant que la fièvre continue que j'ai nommée *dépuratoire* puisse régner épidémiquement. En effet, il semble que dans les fièvres intermittentes la nature se presse trop, et que par la violence avec laquelle elle agit, elle n'emploie pas assez de temps pour digérer la matière morbifique et ensuite l'évacuer. Il n'en est pas de même dans la fièvre dépuratoire ; ce n'est qu'après treize ou quatorze jours qu'on aperçoit dans celle-ci des signes de coction de la matière fébrile, qui est ensuite évacuée par les sueurs ou par une transpiration plus abondante.

527. Tout cela bien examiné, je suis persuadé que les fièvres dépuratoires qui régnèrent dans les années 1661, 62, 63, 64, n'étaient, pour ainsi dire, que des reliquats de certaines fièvres intermittentes qui avaient régné avant ce temps-là, pendant un certain nombre d'années, lequel ne m'est pas connu. Car, lorsque la constitution qui favorisait les fièvres intermittentes fut sur son déclin, les fièvres qu'elle produisit alors étaient plus humorales, c'est-à-dire dépendaient d'une matière plus grossière, d'où il arrivait que la dépuration du sang ne se faisait que lentement et peu à peu ; au lieu que dans les premières années de cette constitution, les fièvres dépendaient d'un levain plus subtil, et qu'étant de véritables intermittentes, elles parcouraient rapidement les temps de leurs périodes. — Si la chose est ainsi, il me paraît vraisemblable que la fièvre dépuratoire reviendra dès que la constitution présente se ralentira, et que cette fièvre subsistera pendant un certain nombre d'années avant que la peste prenne sa place. Durant toutes les années que règnera la fièvre dépuratoire, il y aura de temps en temps des fièvres intermittentes, et qui, peut-être, seront quelquefois épidémiques pour un peu de temps, savoir, lorsque les qualités manifestes de l'air contribueront à leur épidémicité.

528. Je ne saurais assurer si le quinquina guérira cette fièvre dépuratoire, comme il guérit maintenant les fièvres intermittentes ; mais dans la peste et dans les fièvres continues épidémiques qui ne manqueront pas de la suivre, on ne doit pas attendre d'autres effets de l'usage du quinquina que ceux que nous lui voyons produire aujourd'hui dans la pleurésie, la péripneumonie, l'esquinancie et autres semblables fièvres inflammatoires dans lesquelles, bien loin d'être utile, il est au contraire tout-à-fait pernicieux. Quoi qu'il en soit, si la nature garde à l'avenir le même ordre qu'elle a gardé pendant les vingt-quatre dernières années, les maladies épidémiques se succèderont les unes aux autres de la manière que nous avons dit.

529. Voila à peu près, Monsieur, tout ce que j'ai observé sur les maladies épidémiques des années précédentes. Quant au rhumatisme, sur lequel vous m'avez aussi consulté, je me suis souvent affligé avec vous de ce qu'on ne pouvait le guérir sans répandre beaucoup de sang ; d'où il arrive que non-seulement les forces du malade se trouvent épuisées durant un certain temps, mais encore que s'il est d'un tempérament un peu faible, il devient pendant quelques années sujet à d'autres maladies ; car, par exemple, s'il vient à avoir froid, l'humeur rhumatismale tombe aisément sur les poumons, et d'autres causes encore plus légères suffisent pour occasionner une maladie,

à raison de la mauvaise disposition du sang, qui a été appauvri par le grand nombre de saignées. — C'est ce qui m'a déterminé à chercher quelque autre méthode de guérir le rhumatisme sans avoir recours à tant de saignées. Considérant donc sérieusement que cette maladie est inflammatoire, comme je l'ai déjà dit dans l'histoire des maladies aiguës, et comme le prouvent les symptômes dont elle est accompagnée, et principalement la couleur du sang qui est absolument semblable à celui des pleurétiques, j'ai cru qu'on pourrait la guérir aussi sûrement par un régime simple, très-rafraîchissant, et médiocrement nourrissant, que par des saignées réitérées, et qu'on éviterait en même temps les inconvénients qu'il y a à beaucoup saigner dans cette maladie. J'ai donc substitué à la saignée l'usage du petit-lait pour la nourriture des malades, et cela m'a réussi.

530. L'été dernier, un apothicaire de mon voisinage nommé M. *Malthus*, homme de probité et d'esprit, me fit appeler. Il était cruellement tourmenté d'un rhumatisme dont voici les symptômes : le malade boita d'abord de la hanche pendant deux jours ; ensuite il ressentit à la poitrine une douleur gravative avec une difficulté de respirer. Cette douleur se dissipa au bout d'environ deux jours, mais elle fut suivie d'un violent mal de tête, puis elle se porta à la hanche qui avait souffert la première, ensuite elle parcourut alternativement presque toutes les articulations, tant des bras que des jambes, suivant l'ordinaire du rhumatisme. — Comme le malade était très-faible et d'un tempérament sec, je craignis de l'épuiser entièrement si je le faisais beaucoup saigner, d'autant plus que la saison étant avancée, il y avait toute apparence qu'il n'aurait pas le temps de reprendre ses forces avant l'hiver ; c'est pourquoi je lui ordonnai de ne vivre que de petit-lait pendant quatre jours, et au bout de ce temps-là je lui permis d'ajouter au petit-lait du pain blanc à dîner, c'est-à-dire une fois le jour, jusqu'à ce qu'il fût tout-à-fait guéri. — Il se contenta pendant dix-huit jours d'une nourriture si légère, si ce n'est que les derniers jours, je lui permis de manger du pain blanc pour son souper. Il buvait chaque jour le petit-lait de huit livres de lait, ce qui le nourrissait assez bien. Après ces dix-huit jours, comme il ne restait plus aucun symptôme, et que le malade commençait à prendre l'air, je lui permis de manger du poulet bouilli et d'autres choses aisées à digérer. Je voulus néanmoins que de trois jours l'un il ne vécût que de petit-lait, jusqu'à ce qu'il eût recouvré une santé parfaite. De cette manière, il évita les inconvénients dont j'ai parlé ci-dessus, et qu'il avait éprouvés à son grand malheur dix ans auparavant, lorsque je le traitai de la même maladie par des saignées réitérées.

531. Si quelqu'un méprise cette méthode comme trop simple et trop peu recherchée, je lui répondrai qu'il n'appartient qu'à de petits esprits de mépriser les choses, par la raison qu'elles sont simples et communes. D'ailleurs, je suis bien aise d'être utile au public, même aux dépens de ma réputation, et si les préjugés du vulgaire ne s'y opposaient pas, je ne ferais aucune difficulté d'appliquer cette méthode à d'autres maladies que je ne veux pas nommer présentement. Elle serait assurément plus utile aux malades que ce fatras de remèdes pompeux dont on accable mal à propos les mourants comme des victimes que l'on couronne pour les immoler bientôt après (1).

(1) Les vertus admirables du petit-lait ont paru à Hoffmann si dignes d'attention, qu'il a écrit exprès une dissertation sur ce sujet. Il observe que les anciens faisaient grand cas de cette liqueur, et l'employaient souvent dans les maladies qui proviennent d'une âcreté des sucs, comme les ulcères du poumon, de la vessie et des reins, la lèpre, différentes éruptions cutanées, ulcérations des parties charnues, et obstructions des viscères, etc. ; ils l'ordonnaient souvent en grande quantité, et le faisaient continuer un temps considérable ; mais avec cette différence et cette précaution, que quand il ne fallait que nettoyer les premières voies, ils en donnaient moins, et seulement pendant quelques jours ; au lieu qu'ils en donnaient davantage et plus long-temps dans les maladies invétérées et opiniâtres. — Le même *Hoffmann* recommande le petit-lait dans la superpurgation, soit qu'elle ait été causée par des purgatifs violents, ou par un poison, dans le scorbut, dans toutes les maladies qui viennent ou qui sont accompagnées d'une âcreté ou d'une impureté des humeurs, dans l'affection hypocondriaque et hystérique, et dans le commencement de la dysenterie. Il ajoute que c'est un excellent laxatif dans toutes sortes de fièvres, dans la petite

532. Les choses que l'on regarde comme les plus viles, et dont on ne fait aucun cas, peuvent opérer des guérisons merveilleuses entre les mains d'un médecin habile et prudent. Voici un exemple qui le prouve bien, et que je vais rapporter, quoiqu'il n'ait aucun rapport à la maladie dont il s'agit maintenant. Il y a deux mois qu'un homme de mon voisinage me fit appeler pour voir un de ses domestiques qui, dans un dépit amoureux, comme je l'appris ensuite, avait avalé une forte dose de sublimé corrosif. Il y avait environ une heure qu'il avait pris ce poison, lorsque j'arrivai auprès de lui. Déjà sa bouche et ses lèvres étaient fort enflées ; il ressentait dans l'estomac une violente douleur avec une ardeur brûlante, et il était extrêmement mal. Je lui ordonnai sur-le-champ de boire à différentes reprises, mais le plus promptement qu'il pourrait, douze pintes d'eau tiède, et que chaque fois qu'il vomirait, il recommençât à boire. J'ordonnai aussi que, dès qu'on s'apercevrait par les tranchées du ventre, que le poison prenait son cours par en bas, on donnât quantité de lavements avec de l'eau tiède, sans y rien ajouter. Le malade fit tout ce que je voulus, et il but encore un plus grand nombre de pintes d'eau que je n'avais ordonné. Les premières eaux qu'il revomit étaient extrêmement âcres, à cause de la quantité de sublimé corrosif dont elles étaient imprégnées ; celles qu'il rendit ensuite avaient toujours moins d'âcreté chaque fois, jusqu'à ce qu'enfin elles n'en eurent plus du tout. Les tranchées qui survinrent furent adoucies par les lavements d'eau tiède. Une méthode si simple me réussit tellement, qu'au bout de quelques heures le malade fut hors d'affaire. Il lui restait seulement une enflure des lèvres avec des excoriations dans la bouche, causées par l'âcreté du poison dont l'eau qu'il avait revomie était imprégnée ; mais, par l'usage du lait que je lui fis prendre pour toute nourriture pendant quatre jours, ces symptômes disparurent bientôt. Les ignorants donnent inutilement de l'huile en pareil cas. Pour moi, je préférai l'eau à l'huile et à toutes les autres liqueurs, parce que, pouvant être avalée en plus grande abondance, elle me sembla plus propre à se charger des particules du sublimé corrosif que toute autre liqueur plus grossière, ou déjà imprégnée des particules d'un autre corps.

533. Mais, pour revenir au rhumatisme, quoique l'usage du petit-lait pour nourriture convienne dans les jeunes gens et dans les personnes qui ont vécu sobrement, ce serait une imprudence de traiter de la sorte les gens âgés et ceux qui ont fait pendant long-temps des excès de vin et d'autres liqueurs spiritueuses : car le petit-lait leur ruinerait l'estomac, et, en rafraichissant trop le sang, il disposerait à l'hydropisie. On doit, dans ce cas-là, employer la méthode que j'ai enseignée dans le *Traité des maladies aiguës*, section VI, chapitre v. Néanmoins, depuis que j'ai écrit ce traité, l'expérience m'a appris qu'il valait encore mieux, après avoir saigné deux fois, ou tout au plus trois, réitérer fréquemment les purgatifs, jusqu'à ce que les symptômes aient entièrement cessé, que d'employer la saignée pour tout remède : car la purgation suppléera à la saignée, et on pourra alors mettre en usage les narcotiques, dont autrement il faudrait s'abstenir, quelque violente que fût la douleur, parce qu'ils fixent le mal, et empêchent qu'il ne cède si aisément à la saignée. Les purgatifs qu'on emploiera dans le rhumatisme ne doivent être que

---

vérole, la rougeole, et dans toutes les maladies accompagnées de fièvre, étant donné seul, ou avec la manne, le sirop de rhubarbe, la crème de tartre, le sel polychreste et autres choses semblables qu'on y fait dissoudre, suivant le besoin. Il règle la quantité suivant les circonstances ; savoir, une chopine à prendre le matin en plusieurs fois, pour les personnes d'un estomac faible, et une pinte pour les personnes vigoureuses. Il veut quelquefois qu'on en prenne l'après-diné, mais en moindre dose, et il règle la longueur du temps qu'on doit le prendre, suivant la durée et l'opiniâtreté de la maladie. — Il observe que si on laisse le lait jusqu'à ce qu'il s'aigrisse, ou si on le fait aigrir en y mêlant un acide, le petit-lait qui en vient perd beaucoup de sa bonté et de sa douceur, et contracte une acidité qui le rend nuisible. Ainsi, pour éviter ces inconvénients, le même auteur fait le petit-lait de la manière suivante : il fait évaporer sur un feu doux jusqu'à siccité une certaine quantité de lait frais, remuant toujours pour empêcher de brûler ; ensuite, versant sur le résidu autant d'eau qu'il s'est évaporé de lait, il fait bouillir cela ensemble pendant quelques minutes, et enfin il passe la liqueur pour l'usage. *Dissert. de Salub. ser. lact. virtut. spansim.*

des lénitifs comme tamarins, séné, rhubarbe, manne et sirop de roses solutif : il ne faut ni scammonée, ni jalap, parce qu'ils agitent trop le sang, et augmentent les douleurs; mais tous les soirs après l'opération du purgatif, on donnera une once de sirop diacode, un peu de meilleure heure qu'à l'ordinaire.

534. Pendant la constitution présente, j'ai observé une certaine maladie qui tantôt ressemblait au rhumatisme, et tantôt à la colique néphrétique par la douleur cruelle qu'elle causait dans les lombes. Comme cette maladie venait ordinairement à la suite des fièvres intermittentes, elle devait manifestement son origine à la matière fébrile qui se jetait sur les parties musculeuses du corps. Ainsi elle voulait être traitée de la même façon que la fièvre intermittente, dont elle dépendait. Les saignées réitérées, et toutes les autres évacuations ne faisaient que l'irriter et mettre le malade en danger. C'est ce que j'ai cru devoir remarquer, afin que personne ne s'y trompât.

535. Voilà, Monsieur, ce que des observations exactes m'ont appris touchant les maladies sur lesquelles vous m'avez fait l'honneur de me consulter. Je serai content si mon travail peut mériter votre approbation, et contribuer à l'utilité des autres; du moins, je me saurai bon gré d'avoir eu occasion de vous donner cette faible marque de la considération infinie avec laquelle je suis, etc.

CHAP. VIII. — NOUVELLE SORTE DE FIÈVRE QUI PARUT EN 1685.

536. Quoique mon grand âge et ma mauvaise santé ne me permettent guère d'écrire, je ne saurais néanmoins m'empêcher de le faire pour l'intérêt du public, et pour instruire mes concitoyens du changement qui est arrivé dans la constitution de l'air, et qui a produit une nouvelle sorte de fièvre très-différente de celles qui ont régné les années précédentes.

537. Il faut se souvenir que pendant l'automne de l'année 1677, il commença à paraître des fièvres intermittentes, qui ensuite augmentèrent chaque année, et devinrent de plus en plus épidémiques, jusqu'à ce qu'étant parvenues à leur plus haut degré, elles allèrent, après cela, en diminuant, et furent si rares pendant les dernières années de la même constitution, qu'on ne pouvait presque plus les regarder comme une maladie épidémique (1). Il faut encore remarquer que les deux dernières années de la même constitution il y eut un hiver très-rigoureux, surtout la pénultième année, savoir en 1683, où le froid fut le plus violent et le plus long qu'on eût jamais vu. La Tamise était tellement gelée, que les carrosses y passaient librement; on y tenait des marchés comme sur une place, et il y avait un grand concours de monde. L'hiver de l'année suivante 1684 ne fut guère moins froid et moins long que le précédent. Au mois de février 1685, un dégel étant venu, la constitution de l'air changea, et il parut une fièvre, qui est celle dont je veux parler maintenant, et que je regarde comme une nouvelle sorte de fièvre, entièrement différente de celle qui avait régné pendant les huit années précédentes.

538. Je ne saurais dire si ce changement de constitution doit être attribué à un changement des qualités manifestes de l'air, car je ne sais certainement que les diverses altérations qui sont arrivées en différentes années aux qualités sensibles de cet élément, n'ont pas produit différentes sortes de maladies épidémiques; et que, durant un certain nombre d'années, quoique très-différentes entre elles par rapport aux qualités manifestes de l'air, il n'a régné que la même espèce de fièvres stationnaires. Les réflexions sérieuses que j'ai faites là-dessus m'ont porté à croire, comme j'ai dit ailleurs, que les divers changements qui arrivent dans la constitution de l'air, viennent principalement de quelque altération secrète et cachée qui se fait dans les entrailles de la terre, dont les vapeurs se répandent dans l'atmosphère; ou bien de quelque influence des corps célestes. Il est bon néanmoins d'observer que lorsque la fièvre continue de l'an 1664 cessa, il y avait eu cette année-là, dès le commencement de l'hiver, une gelée très-forte et très-sèche, qui dura jusque vers le milieu du mois de mars. Alors, le dégel étant venu, la fièvre pestilentielle, et ensuite la peste, commencèrent à se faire sentir. Quoi qu'il en soit, la fièvre dont il s'agit maintenant, parut pour la première fois au mois de février de l'année dernière 1685, et elle a régné cette année-là, et l'année présente 1686, dans tous les quartiers de l'Angleterre. Mais elle a été beaucoup plus épidémique partout ailleurs qu'à Londres.

(1) Voyez pag. 155, art. 481—482.

539. Les premières fois que je fus appelé pour traiter cette fièvre, je crus qu'elle n'était nullement du genre des fièvres stationnaires, mais plutôt de celui des intercurrentes, qui reviennent indifféremment presque chaque année, c'est-à-dire que je la pris pour la fausse péripneumonie dont j'ai donné la description dans le traité des maladies aiguës (1) : j'y trouvais seulement cette différence, c'est que quelquefois elle n'avait pas les symptômes les plus essentiels et les plus ordinaires de la fausse péripneumonie, savoir, une toux violente, une très-cruelle douleur de tête qui se fait sentir en toussant, et où il semble que la tête va se fendre, des vertiges sitôt qu'on se remue tant soit peu et une grande difficulté de respirer. Mais, je sentis ensuite que je m'étais trompé dans ma conjecture, et que la source de mon erreur était la grande ressemblance qu'avait cette fièvre avec la fausse péripneumonie qui, tous les hivers, se fait sentir de temps en temps. En effet, comme la fièvre dont nous parlons continua pendant l'été, qui est la saison où la fausse péripneumonie a coutume de cesser, je reconnus bientôt mon erreur, et je fus persuadé que cette fièvre provenait d'une nouvelle constitution de l'air.

540. Voici les symptômes qu'elle eut dès le commencement, et qu'elle a encore aujourd'hui, autant que j'ai pu le remarquer. Le malade est attaqué alternativement de froid et de chaud ; il se plaint fréquemment d'une douleur à la tête et dans les membres : son pouls n'est pas fort différent de celui des personnes qui sont en santé. Le sang qu'on lui tire ressemble assez souvent à celui des pleurétiques. Il y a ordinairement une toux. Plus on est éloigné de l'hiver quand la maladie survient, plutôt cette toux cesse, de même que les autres symptômes qui accompagnent une péripneumonie douce et d'un bon caractère. Il y a quelquefois dans le commencement de la maladie une douleur au cou et au gosier, mais plus légère que dans l'esquinancie. La fièvre, quoique véritablement continue, ne laisse pas d'avoir sur le soir de très-fâcheux redoublements, de même que si c'était une fièvre double-tierce ou quotidienne. Il est très-dangereux pour le malade de toujours garder le lit, quelque légèrement qu'il soit couvert; car, alors, la fièvre, se portant à la tête, cause aisément le coma ou la phrénésie ; et même la phrénésie survient très-souvent d'elle-même dans cette maladie, quoiqu'on n'ait pas gardé le lit. A la vérité, ce n'est pas une phrénésie accompagnée de fureur comme celle qui arrive dans la petite vérole et dans d'autres fièvres ; c'est plutôt un délire tranquille, où le malade parle de temps en temps d'une manière extravagante. L'usage imprudent des cordiaux et un régime un peu trop échauffant causent souvent des taches de pourpre, surtout chez les jeunes gens d'un tempérament chaud. Ces taches de pourpre sont un signe certain d'une très-grande inflammation, non seulement dans cette maladie, mais encore dans toutes les autres maladies aiguës. Quelquefois il paraît sur la superficie du corps des éruptions milliaires qui ne sont pas fort différentes de la rougeole, si ce n'est qu'elles sont plus rouges, et que quand elles s'en vont, elles ne laissent pas des écailles farineuses comme fait la rougeole. Elles viennent quelquefois d'elles-mêmes ; mais le plus souvent elles sont l'effet de la chaleur du lit et des cordiaux. La langue du malade est humide ou sèche, suivant la nature du régime qu'on ordonne. Quand elle est sèche, le milieu se trouve de couleur brune ; il est environné de tout côté d'un bord blanchâtre. Quand la langue est humide, elle est entièrement blanche, et couverte d'une pellicule blanche et inégale. En un mot, si on emploie un régime trop échauffant, la langue est sèche et noirâtre, sinon elle est blanche et humide. Il en est de même de la sueur, elle varie suivant la diversité du régime ; car, si le régime est trop chaud, elle est visqueuse, surtout celle qui coule de la tête. Mais, quelque abondante que soit la sueur, elle soulage peu le malade ; ce qui fait voir qu'elle est seulement symptomatique, et nullement critique. Quand on l'excite par des remèdes, les premiers jours de la maladie, il arrive de là que la matière morbifique se porte ordinairement à la tête, ou du moins se jette sur les membres. Lorsqu'une fois la tête est prise, et que la phrénésie est survenue, il ne reste aucune marque de fièvre, sinon que le pouls bat tantôt plus vite et tantôt plus lentement. Mais, enfin, lorsque par une mauvaise manière de traiter le malade les esprits animaux sont entièrement mis en désordre, alors le pouls se dérègle, il survient des tres-

(1) Voyez section 6, chapitre 4.

saillements dans les membres, et le malade meurt bientôt après.

541. Pour ce qui est maintenant de la curation, comme cette fièvre, dès qu'elle commença, se trouva accompagnée des signes de la fausse péripneumonie, et qu'ainsi je crus qu'elle n'était autre chose que cette dernière maladie, je pris d'abord le parti de la traiter suivant la méthode que j'ai recommandée dans la fausse péripneumonie, et dans l'addition touchant la fièvre d'hiver. Cette méthode me réussit assez bien dans le petit nombre de malades que ma mauvaise santé me permit alors de traiter, et elle réussit de même à d'autres qui l'employèrent par mon conseil. Quoi qu'il en soit des raisons qui me portent à la mettre en usage, je suis bien assuré présentement, lorsque je considère les symptômes de la maladie, et la température de l'hiver où elle commença de paraître, hiver qui fut des plus doux et sans aucun froid considérable, je suis bien assuré, dis-je, que cette fièvre n'est autre chose qu'une simple inflammation du sang, et qu'ainsi les indications curatives doivent tendre uniquement à apaiser cette inflammation par les moyens convenables.

542. Sur ce pied-là, je fais tirer d'abord dix onces de sang du bras droit, et je m'en tiens ordinairement là. Car, quoique dans cette fièvre le sang que l'on tire ressemble, pour l'ordinaire, à celui des pleurétiques, les malades néanmoins ne soutiennent pas aisément plusieurs saignées. Toutefois, s'il y a une difficulté de respirer, une violente douleur de tête, qui se fait sentir en toussant, et d'autres symptômes de la fausse péripneumonie, alors, on doit réitérer la saignée et la purgation jusqu'à ce que tous les symptômes aient cessé, suivant que je l'ai enseigné en parlant de la fausse péripneumonie (1), et c'est ce qu'il faut bien remarquer.

543. Le soir du même jour que le malade a été saigné, je lui fais appliquer un vésicatoire sur la nuque du cou. Le lendemain matin je lui donne la potion purgative suivante :

Prenez tamarins, demi-once; feuilles de séné, deux gros; rhubarbe, un gros et demi. Faites bouillir tout cela dans suffisante quantité d'eau, qui sera réduite à trois onces. Coulez la liqueur, et dissolvez-y une once de manne, et autant de sirop de rose solutif, pour une potion qui sera prise de grand matin.

Je réitère ce purgatif de deux jours l'un jusqu'à trois fois. Le jour de chaque purgation, je donne le soir un narcotique, tel que le suivant.

Prenez eau de primevère, deux onces; sirop diacode, une once; suc de limon nouvellement exprimé, deux cuillerées. Mêlez tout cela ensemble pour un julep.

La vue que j'ai en donnant un narcotique est d'empêcher que l'agitation et le tumulte que les purgatifs excitent souvent dans le sang et les humeurs de ceux qui ont la fièvre, et le désordre où ils mettent les esprits animaux, ne jettent le malade dans une affection comateuse, accident que les narcotiques préviennent très-bien, quelque peu propres qu'ils paraissent à produire cet effet. C'est pourquoi, dans la fièvre comateuse qui régna en 1673, n'osant pas donner des purgatifs, je m'en tins au seul usage des lavements, parceque que je savais bien que les purgatifs employés dans cette maladie avaient aussitôt causé des affections comateuses; ce qui peut-être ne serait pas arrivé si après chaque purgation on eût donné une narcotique (2).

544. Mais, le jour qu'on ne purge pas, il ne faut point donner de narcotique le soir, de peur qu'il n'empêche ou du moins n'affaiblisse l'opération du purgatif que le malade doit prendre le lendemain, comme cela arrive ordinairement quelque tard qu'il prenne les narcotiques. Au reste, dans cette fièvre et dans toutes les autres fièvres épidémiques, ma méthode est de ne purger, ni dans le commencement, ni dans l'état de la maladie, qu'après avoir fait précéder la saignée. Le mépris ou l'inobservation de cette règle a coûté la vie à quantité de malades, et surtout d'enfants, comme je l'ai dit ailleurs (3).

545. Or, quoique en traitant la fièvre dont il s'agit on doive ordinairement purger jusqu'à trois fois, il arrive souvent néanmoins que le malade, surtout si c'est un jeune homme ou un enfant, se trouve guéri après une saignée ou une seule purgation. Alors, il ne faut pas le purger davantage, parce que ce serait le fatiguer inutilement. Quelquefois au

(1) Voyez section 6, chapitre 4.

(2) Voyez section 5, chapitre 11.

(3) Voyez pag. 161 et 162, art. 518 et 519.

contraire, il est besoin de purger plus de trois fois; et c'est lorsque la fièvre qui avait cessé par les purgations revient au bout de quelques jours; mais cela est rare, et alors la fièvre est ordinairement causée par des aphtes qui sont survenus vers la fin de la fièvre précédente, et qui, étant arrivées à leur plus haut degré d'inflammation, la raniment et la renouvellent. — Cette dernière fièvre n'est donc que symptomatique, et elle est souvent accompagnée d'un hoquet qui revient par intervalles, et qui subsiste même durant quelques jours après que la fièvre a cessé, mais qui se dissipe enfin de lui-même, à mesure que les forces du malade se rétablissent. La remarque est d'autant plus importante que ce hoquet n'est nullement dangereux, à moins qu'on ne l'irrite en employant un grand nombre de remèdes; car, alors, il est mortel. Néanmoins, si les aphtes et le hoquet ne se dissipent pas d'eux-mêmes, et qu'ils durent long-temps, il est aisé d'y remédier par l'usage du quinquina. Pour cela, on prend une once de quinquina en poudre, et avec suffisante quantité de sirop de coquelicot on forme un électuaire, ou des pilules qui se prennent de la manière que j'ai expliqué dans ma lettre au docteur Brady, sur les maladies épidémiques (1), et on boit par-dessus un verre de petit-lait. L'expérience m'a appris que ce remède était le plus efficace dans ce cas-là, et qu'il l'emportait même sur les autres remèdes les plus vantés, pourvu qu'on ne le rende pas inutile en faisant tenir continuellement le malade au lit, comme il se pratique d'ordinaire.

546. Les jours que je ne purge pas, j'ordonne quelquefois les remèdes suivants, ou d'autres semblables.

Prenez des conserves d'alleluia et de cynorrhodon, de chacune une once; conserve d'épine-vinette, demi-once; crême de tartre, un gros; sirop de limon, ce qu'il en faut pour un électuaire, dont le malade avalera trois fois le jour la grosseur d'une noix muscade, et par-dessus il boira six cuillerées du julep suivant.

Prenez des eaux de pourpier, de laitue, de primevère, de chacune trois onces; sirop de limon, une once et demie; sirop violat, une once. Mêlez tout cela ensemble :

Ou bien :

Prenez une livre d'eau de fontaine, eau rose, suc de limon, et sucre fin, de chacun quatre onces. Faites bouillir le tout ensemble à un feux doux, jusqu'à ce que la liqueur ait écumé. Le malade en prendra trois onces autant de fois qu'il voudra.

Dans tous ces remèdes j'évite toujours l'esprit de vitriol, quoiqu'il soit très-rafraîchissant. C'est qu'à raison de son extrême stipticité il ne convient pas dans les maladies qui se guérissent par la purgation.

547. Il arrive souvent dans la fièvre dont nous parlons, surtout quand elle tire à sa fin, que le malade, pendant qu'on le traite suivant la méthode des purgatifs, a de temps en temps la nuit des sueurs abondantes et spontanées. Ces sortes de sueurs diminuent extrêmement tous les symptômes. Il ne faut pas néanmoins s'y fier, ni interrompre aucunement la méthode susdite, parce que si le malade sue trop long-temps, la fièvre que les purgations précédentes avaient en quelque façon emportée, se ranimera de nouveau. En effet, si les sueurs continuent au-delà du temps qui est nécessaire pour dissiper entièrement la matière fébrile, après qu'elle a été préparée par une coction suffisante, elles ne servent alors qu'à enflammer de nouveau le sang. Il est vrai qu'elles peuvent être critiques, en ce qu'elles évacuent la matière fébrile qui est préparée; mais, après cela, elles sont purement symptomatiques, et par conséquent plus nuisibles qu'utiles. — En un mot, la chaleur du lit contribue beaucoup à produire ces sueurs nocturnes et spontanées; c'est pourquoi on ne doit pas couvrir davantage le malade que lorsqu'il était en santé, ni lui donner aucun remède capable de l'échauffer. Il faut seulement que la matinée d'après la sueur, il demeure un peu plus long-temps au lit qu'à l'ordinaire, et ensuite on continuera de le traiter comme nous avons dit.

548. Sa nourriture sera du gruau d'avoine, ou d'orge, et de temps en temps une pomme cuite au feu. Après la seconde purgation, il pourra user du bouillon de poulet Sa boisson ordinaire sera de la petite bière, ou de la décoction blanche, qui se fait avec une once de corne de cerf bouillie dans trois livres d'eau commune, que l'on édulcore ensuite avec suffisante quantité de sucre.

549. Après que le malade a été purgé deux fois, rien n'oblige de lui interdire

(1) Voyez pag. 155, art. 492.

la chair de poulet et d'autres semblables aliments faciles à digérer, car, quand on traite cette fièvre par les purgatifs, on peut permettre ce qui ne serait pas permis si l'on suivait une autre méthode. Après la dernière purgation, pourvu que la fièvre se soit ralentie, et n'ait pas tout-à-fait pris le caractère d'intermittente, on donnera au malade pendant quelques jours trois ou quatre cuillerées de vin de Canarie, matin et soir, et même après le dîner, afin de rétablir les forces, et de prévenir les accès de fièvre.

550. De toutes les fièvres que j'ai vues, il n'en est aucune qui porte si facilement à la tête que celle-ci; et quand une fois la tête est prise, il est très-difficile de la débarrasser, et on ne saurait en venir à bout sans mettre le malade en grand danger. Voilà pourquoi je recommande soigneusement à ceux que je traite, de ne garder le lit que pendant la nuit; et s'ils sont trop faibles pour se tenir assis pendant le jour, je leur permets de demeurer couchés sur leur lit, ou sur un lit de repos, pourvu qu'ils soient vêtus, et qu'ils aient la tête un peu élevée. Je ne veux pas aussi qu'il y ait plus de feu dans leur chambre que lorsqu'ils étaient en santé.

551. Ce régime doit être mis en usage dès le commencement de la maladie pour toutes les personnes qui en sont attaquées, excepté pour les femmes nouvellement accouchées; mais il devient absolument nécessaire, lorsque par un régime trop échauffant il est survenu une phrénésie, ou des taches de pourpre, ou d'autres marques d'une inflammation violente. Dans ce cas-là, on aura beau saigner copieusement le malade, le couvrir légèrement, et lui donner toute sorte de liqueurs rafraîchissantes, la fièvre ne cessera pas, à moins que le malade ne se tienne levé pendant le jour; car, quand on est couché, la chaleur du lit agite trop le sang, et la situation horizontale du corps contribue beaucoup à produire le transport au cerveau. Quand une fois la phrénésie est survenue, parce qu'on a trop échauffé le malade, il n'est pas possible de la dissiper tout à-coup, et il serait même dangereux de l'entreprendre en réitérant la saignée ou la purgation au-delà des bornes que nous avons marquées. Elle se dissipera peu à peu d'elle-même, au moyen du régime dont nous avons parlé; mais rien n'est si bon contre ce fâcheux symptôme que de faire raser la tête du malade. Aussi, j'ordonne toujours cela en pareil cas; je ne fais appliquer aucun emplâtre, et je veux seulement que le malade ait sur la tête un bonnet médiocrement chaud, afin de se garantir du froid extérieur. Par ce moyen le cerveau se trouve rafraîchi, et la phrénésie s'apaise.

552. Ce que je dis ici de la phrénésie doit s'appliquer à l'affection comateuse qui se joint aussi à cette fièvre, et qui, de même que la phrénésie, est causée par la matière fébrile qui se porte au cerveau, d'où il arrive qu'excepté la blancheur de la langue, on ne voit aucun signe de fièvre, et le malade semble n'en avoir point du tout. Dans ce dernier cas, de même que dans le précédent, les purgatifs, les sudorifiques, les vésicatoires et les autres évacuants sont très-dangereux, et même souvent mortels. C'est pourquoi, après les évacuations générales par la saignée et par la purgation, il faut entièrement abandonner au temps et à la nature la guérison de ce symptôme, quelque frayeur qu'il cause aux assistants. En effet, il ne manquera pas de se dissiper de lui-même au bout d'un certain temps, pourvu que le malade ne garde pas toujours le lit, et qu'il demeure levé pendant le jour, ou du moins qu'il se tienne couché tout vêtu sur son lit ordinaire, ou sur un lit de repos. Il faut aussi avoir soin de lui raser la tête dès le commencement de l'affection comateuse; et sur la fin, on lui donnera deux fois le jour trois ou quatre cuillerées de vin de Canarie. Mais j'ai traité plus au long cette matière dans la section v, chapitre II du livre des maladies aiguës, où j'ai parlé d'un coma considérable qui accompagnait la fièvre de la constitution de ce temps-là.

553. Pour revenir maintenant à la fièvre même, s'il arrive que le médecin, en tâtant le pouls du malade, sente un tressaillement des membres, ou un mouvement convulsif, cela ne doit pas l'empêcher de pratiquer les évacuations que nous avons recommandées, car, dans certaines affections du genre nerveux, il est absolument nécessaire de réitérer plusieurs fois la saignée et la purgation; c'est ce que j'ai éprouvé moi-même, et j'en citerai, pour exemple, cette sorte de maladie convulsive appelée communément *danse de Saint-Guy*. J'ai traité cinq personnes qui en étaient attaquées, et je les ai guéries par des saignées et des purgations réitérées de temps en

temps. Comme cela confirme admirablement la doctrine que j'enseigne, et vient fort à propos à mon sujet, le lecteur me permettra de dire ici quelque chose de cette maladie singulière.

554. La danse de Saint-Guy, en latin *chorea Sancti Viti*, est une sorte de convulsion qui arrive principalement aux enfants de l'un et l'autre sexe, depuis l'âge de dix ans jusqu'à l'âge de puberté. Elle commence d'abord par une espèce de boitement, ou plutôt de faiblesse d'une jambe, que le malade traîne, comme font les insensés. Ensuite, elle attaque le bras du même côté. Ce bras étant appliqué sur la poitrine ou ailleurs, le malade ne saurait le retenir un moment dans la même situation, et quelque effort qu'il fasse pour en venir à bout, la distorsion convulsive de cette partie la fait continuellement changer de place. Avant que le malade puisse porter à sa bouche un verre plein de liqueur, il fait mille gestes et mille contours. Ne pouvant l'y porter en droite ligne, parce que sa main est écartée par la convulsion, il le tourne de côté et d'autre, jusqu'à ce que ses lèvres, se trouvant à la portée du verre, il sable promptement sa boisson, et l'avale tout d'un trait. On dirait qu'il ne cherche qu'à faire rire les assistants. — Comme cette maladie m'a paru venir d'une humeur qui, s'étant engagée dans les nerfs, les irrite, et cause par ce moyen les mouvements convulsifs dont il s'agit, j'ai cru que les indications curatives devaient tendre en premier lieu à évacuer cette humeur par la saignée et la purgation, et ensuite à fortifier le genre nerveux. Voici la manière dont je remplis ces deux indications. Je commence d'abord par faire tirer du bras environ huit onces de sang, plus ou moins, suivant l'âge du malade. Le lendemain, je donne la moitié, ou un peu plus, de la potion purgative ordinaire que j'ai décrite ci-dessus (1), et qui est composée avec les tamarins, le séné, etc. Je dis la moitié, ou un peu plus, parce qu'il faut proportionner la dose à l'âge du malade, et au plus ou moins de disposition qu'il a à être purgé. Le soir, je donne la potion calmante que voici :

Prenez de l'eau de cerises noires, trois onces ; de l'eau épileptique de Langius, une once ; thériaque, un scrupule ; laudanum liquide, huit gouttes : mêlez tout cela ensemble.

555. Je réitère la purgation jusqu'à trois fois, de deux jours en deux jours ; et le soir du jour que j'ai purgé, je donne la potion calmante. Après cela, je fais saigner de nouveau, et ensuite purger comme auparavant ; et ainsi alternativement, jusqu'à ce que le malade ait été saigné trois ou quatre fois, et qu'après chaque saignée il ait été purgé autant de fois que ses forces le permettent. J'ai soin de mettre entre les saignées et les purgations assez d'intervalle pour que le malade ne coure aucun risque. Les jours que je ne purge pas, j'ordonne les remèdes suivants :

Prenez des conserves d'absinthe romaine et d'écorce de citron, de chacune une once ; conserve de romarin, demi-once ; thériaque vieille et muscade confite, de chacune trois drachmes ; gingembre confit, une drachme ; sirop de limon, ce qu'il en faut pour former un électuaire dont le malade prendra la grosseur d'une noix muscade le matin et à cinq heures du soir, buvant par-dessus cinq cuillerées du vin qui suit :

Prenez des racines de pivoine, d'aunée, d'impératoire et d'angélique, de chacune une once ; des feuilles de rue, de sauge, de bétoine, de germandrée, de marrube blanc, et des sommités de petite centaurée, de chacune une poignée, des baies de genièvre, six gros ; et les écorces de deux oranges : coupez menu tout cela, et le faites infuser à froid dans trois pintes de vin de Canaries. On ne coulera la liqueur que lorsqu'on voudra s'en servir.

Prenez eau de rue, quatre onces ; eau épileptique de Langius, et eau de bryone composée, de chacune une once ; sirop de pivoine, six gros : mêlez tout cela pour un julep dont le malade prendra quatre cuillerées tous les soirs avant de se coucher, et l'on y versera huit gouttes d'esprit volatil de corne de cerf.

On appliquera sur la plante des pieds, un emplâtre de gomme caragne.

556. A mesure que le malade guérit, il traîne moins le pied, il retient plus long-temps le bras dans la même situation, et il porte plus aisément le verre à sa bouche. Je ne conseille pas de faire ordinairement plus de trois ou quatre saignées ; mais il est nécessaire de mettre en usage les purgatifs et les altérants, jusqu'à ce que le malade soit entièrement guéri ; et comme ceux qui ont été attaqués de cette maladie, y retombent aisément, il sera bon l'année suivante de

(1) Voyez sect. 1, chap. 4, art. 73.

les saigner, et ensuite de les purger plusieurs fois, dans le temps où ils ont commencé d'être attaqués, ou un peu auparavant. Je serais porté à croire qu'on pourrait guérir par la même méthode l'épilepsie qui arrive aux adultes, en proportionnant à leur âge les remèdes que j'ai prescrits pour la danse de Saint-Guy. Néanmoins, comme je n'ai eu que très-rarement occasion de traiter cette sorte d'épilepsie, il ne m'a pas encore été possible de faire là-dessus les expériences nécessaires (1) ; mais cela soit dit en passant.

557. Dans les femmes sujettes aux vapeurs hystériques, il arrive quelquefois, quand on traite la fièvre en question par la saignée et les purgations réitérées, que la fièvre ne laisse pas de subsister après toutes ces évacuations. Alors, elle est entretenue par le trouble que les évacuations ont excité dans les esprits ; et, par conséquent, pourvu qu'il n'y ait aucun signe de péripneumonie ou d'inflammation de poitrine, on doit travailler uniquement à calmer et à tranquilliser les esprits. — Pour cet effet, on donnera tous les soirs un narcotique capable de procurer le sommeil, et on donnera, deux ou trois fois par jour, des remèdes hystériques proprement dits, tels que sont les pilules de galbanum, d'assafœtida, de castoréum, et d'autres semblables drogues, auxquelles on joindra aussi les juleps hystériques que nous avons décrits dans la Dissertation sur l'affection hystérique. De plus, pour rétablir les forces de la malade et dissiper ses vapeurs, on lui permettra, par rapport au boire et au manger, tout ce qui lui fera le plus de plaisir.

558. Nous avons déjà dit que l'année dernière, et principalement cette année-ci, la fièvre dont nous parlons avait tous les soirs un redoublement semblable à un accès de fièvre intermittente. Les médecins avaient éprouvé, depuis l'an 1677 jusqu'au commencement de 1685, que toutes les fièvres où il y avait tant soit peu d'intermittence, et souvent même celles où il n'y en avait aucune, étaient immanquablement guéries par le quinquina : c'est pourquoi ils employèrent aussi ce remède contre la fièvre qui règne présentement. Rien ne paraissait plus raisonnable ; cependant ils ne réussirent pas, comme les années précédentes, même lorsqu'ils donnaient le quinquina en grande dose ; et si quelques malades étaient guéris par ce moyen, la chose arrivait si rarement que je crus devoir plutôt l'attribuer à quelque heureux hasard, qu'à la vertu du remède.—Ainsi, le quinquina qui faisait des merveilles dans la constitution précédente, ne fait rien dans la fièvre d'aujourd'hui, laquelle tient un peu du caractère de la quotidienne. Mais, lorsqu'on rencontre une fièvre tierce, le quinquina réussit aussi bien maintenant qu'il faisait autrefois.— L'inutilité de ce remède dans la fièvre présente, et les mauvais effets qu'y produisent le vin, les cordiaux et les autres remèdes chauds, montrent clairement qu'elle est entièrement différente de celles qui ont régné dans la constitution précédente, pour la guérison desquelles toutes ces choses réussissaient assez bien.

559. Durant tout l'été de l'année dernière, et surtout durant celui de cette année, il est arrivé très-souvent que la nouvelle sorte de fièvre a été plutôt accompagnée de tranchées, tantôt sans déjections et tantôt avec déjections, que de chaleur, d'inquiétude et des autres signes essentiels de la fièvre. Alors, les vapeurs inflammatoires du sang ne se portaient pas, comme à l'ordinaire, à l'habitude extérieure du corps, mais se jetaient intérieurement sur les intestins par le canal des artères mésentériques, et quelquefois même sur l'estomac par les rameaux de l'artère cœliaque. Quand elles se jettent de la sorte sur l'estomac, elles causent des vomissements, surtout dès qu'on a bu ou mangé quelque chose. — La fièvre, ainsi masquée et revêtue de symptômes étrangers, ne laisse pas de conserver sa nature essentielle ; et par conséquent, on doit la traiter suivant la méthode que nous avons enseignée ci-dessus, c'est-à-dire par la saignée, et les purgations réitérées, tout de même que si elle était accompagnée de ses symptômes naturels. Il faut seulement observer que lorsque le malade a de si fréquentes envies de vomir qu'il ne saurait garder une médecine liquide, on peut y substituer

(1) Peu d'écrivains ont parlé de cette maladie, et elle n'est pas commune. Il paraît qu'après les remèdes généraux, ceux qui y conviennent le mieux sont les antispasmodiques joints aux toniques et aux apéritifs, de même que dans l'épilepsie : par exemple, un électuaire fait avec la poudre antispasmodique, le quinquina, la racine de serpentaire de Virginie, et suffisante quantité de sirop de pivoine.

les pilules cochées majeures, qui, étant données à la dose de deux scrupules, ne manquent jamais d'opérer ; mais il faut que le malade les prenne à quatre heures du matin, afin de pouvoir dormir par-dessus. — On doit aussi lui donner, le soir de ce jour-là, un narcotique en assez grande dose ; par exemple, un grain et demi de laudanum avec pareille quantité de mastic, dont on formera deux pilules ; ou bien dix-huit ou vingt gouttes de laudanum liquide dans une once d'eau de cannelle orgée, ou dans quelque autre véhicule spiritueux qui, fortifiant l'estomac, et étant en trop petite quantité pour pouvoir l'irriter, l'empêche de rejeter le remède. Mais si le malade peut absolument garder la potion purgative et le sirop diacode, il faudra les préférer aux pilules et au laudanum, parce que ces derniers échauffent davantage.

560. A propos des tranchées dont j'ai fait mention, je dois avertir ici que les eaux minérales sont, comme je l'ai souvent observé, très-dangereuses dans toutes sortes de tranchées, dans la diarrhée, dans le vomissement et dans toutes les affections que l'on peut soupçonner avec raison provenir de la fièvre ; car ces eaux ne font que troubler le sang et les humeurs qui, dans un pareil cas, ne sont déjà que trop en mouvement ; de telle façon qu'au lieu des symptômes naturels et ordinaires de la fièvre, elles en produisent de tout-à-fait extraordinaires, sans néanmoins contribuer en rien à la guérison de la fièvre.

561. Il y a une autre remarque à faire, et qui est très-importante pour le salut d'un grand nombre de malades. C'est que, dans les tranchées qui sont accompagnées de déjections glaireuses et sanguinolentes, c'est-à-dire lorsqu'il y a une véritable dysenterie, il est extrêmement dangereux de suivre la longueur de la méthode ordinaire, qui consiste à purger d'abord, et ensuite à employer différentes sortes de remèdes adoucissants et astringents. L'expérience m'a appris que le moyen le plus prompt et le plus sûr pour guérir cette dysenterie, c'est de recourir incontinent au laudanum ; car si, au lieu de cela, on s'amuse à purger, la maladie ne fera qu'augmenter, et deviendra peut-être mortelle.

562. Voici donc comment je m'y prends lorsque je suis appelé auprès d'un malade attaqué de cette dysenterie. D'abord je lui donne environ vingt gouttes de laudanum liquide dans de l'eau épidémique, ou dans de l'eau admfrabl ou dans quelque autre pareille, et réitère la même dose une seconde fo dans l'espace de vingt-quatre heures, même plus souvent a des heures réglée supposé que deux doses par jour, do nées l'une le matin, l'autre le soir, n'aie pu arrêter les tranchées du ventre et l déjections sanglantes. — Quand les m tières sont un peu épaissies et ont acqu de la consistance (ce qui est le premi signe de guérison), et que les sympt mes sont dissipés, je crois que le pl sûr est de continuer matin et soir l'usa du laudanum liquide, en diminuant ch que jour la dose de quelques goutte jusqu'à ce qu'il n'en faille plus du tou — J'oblige mes malades de demeur couchés assez long-temps après chaq prise de narcotique, sans quoi ce remè trouble aisément le cerveau.

563. Pour ce qui est du régime, si l malade avait coutume auparavant boire du vin, je lui permets de boire celui de Canarie, mais bien trempé av de l'eau où l'on a fait bouillir une croû de pain ; et pour cela on garde dans u bouteille cette eau toute prête, afin la mêler avec le vin, quand le malad veut boire. — La décoction blanche pr parée avec la corne de cerf et l'eau fontaine, et bue abondamment, est en core très-utile dans cette maladie. L bouillons de poulet, les décoctions d' voine, les œufs frais cuits dans l'eau, autres choses faciles à digérer, suffiro pour la nourriture du malade les premie jours. Ensuite on donnera peu à peu d boissons plus fortes et des aliments sol des et en plus grande quantité, de pe qu'une trop longue abstinence ne pro duise les symptômes qu'elle a coutume d produire, ou même ne renouvelle la m ladie. — Il faut remarquer néanmoi que, quoique le laudanum tout seul gu risse la dysenterie dans la constituti présente, cela n'empêche pas que, da les années où il règne des dysenteri épidémiques, et où elles dominent su les autres maladies, il ne soit à pro pos de mettre d'abord en usage les év cuations dont nous avons parlé dans Traité des Maladies aiguës, au chapit de la dysenterie (1).

564. Comme le traitement qui co vient pour la fièvre régnante, ne convie pas pour la dysenterie qui en dépend,

(1) Voyez sect. 4, chap. 3, p. 105.

ne convient pas davantage dans le cas suivant qui dépend aussi de cette fièvre. Par exemple, lorsqu'un malade est saisi d'un frisson, et qu'il a alternativement chaud et froid, ce qui est un signe manifeste d'une fièvre commençante, il arrive quelquefois que la matière fébrile se jette tout-à-coup sur les entrailles, et y cause de très cruelles douleurs. Le malade, au lieu de se faire saigner et purger de la manière que nous avons expliquée ci-dessus, se tourne du côté des remèdes chauds, tant intérieurs qu'extérieurs, afin de dissiper de prétendus vents qu'il croit être la source de son mal. — Mais ces sortes de remèdes, loin de diminuer les douleurs, ne font que les augmenter et les fixer de plus en plus, ce qui occasionne un renversement du mouvement péristaltique des intestins, c'est-à-dire que toutes les matières contenues dans le canal intestinal, au lieu de se porter en bas, comme elles devraient, se portent vers le haut, d'où s'ensuivent des vomissements, et enfin la passion iliaque. Alors, le médecin est obligé de s'y prendre d'une autre façon que pour la fièvre qui a été la cause antécédente de ce terrible symptôme, excepté qu'il faut saigner une fois du bras. Mais tous les purgatifs, quels qu'ils soient, doivent être bannis; car ils ne passeraient point, et deviendraient aussitôt émétiques.

565. Je crois donc que le meilleur parti, dans ce cas-là, est de faire d'abord une saignée du bras, et de donner ensuite, au bout d'une heure ou deux, un puissant lavement purgatif. Je n'en connais point d'aussi efficace que celui de fumée de tabac, que l'on fait entrer fortement par le moyen d'une vessie, au bout de laquelle est un tuyau. On peut donner un autre lavement semblable quelque temps après, supposé que le premier ne lâche pas le ventre; mais, si le symptôme ne cède pas à ce remède, il est absolument nécessaire, quelque resserré que soit le ventre, de donner par la bouche un fort purgatif, comme, par exemple, le suivant :

Prenez pilules de duobus, vingt cinq grains ; mercure doux, un scrupule; baume du Pérou, suffisante quantité : faites de tout cela quatre pilules, que le malade avalera dans une cuillerée de sirop violat.

Il ne boira rien par-dessus, de peur de les vomir. Si néanmoins il les vomit, on lui donnera aussitôt vingt-cinq gouttes de laudanum liquide dans une demi-once d'eau de cannelle spititueuse; et, au bout de quelques heures, on réitèrera le même narcotique. — Lorsque les envies de vomir et les douleurs de ventre auront diminué par ces remèdes, on reviendra aux pilules purgatives que nous avons recommandées ci-devant. La vertu du laudanum empêchera alors que le malade ne le rejette, et elles produiront leur effet ; mais, si elles ne font rien, et que les envies de vomir et les douleurs recommencent après que l'opération des narcotiques aura cessé, alors, comme il n'y a aucune espérance que le ventre se lâche, il faudra réitérer le même narcotique, et le donner de quatre en quatre heures, ou de six en six heures, jusqu'à ce que tout soit apaisé, et qu'ainsi le mouvement péristaltique des intestins se soit rétabli dans un état naturel. Pour lors, le purgatif qui avait demeuré sans rien faire, à cause du renversement de ce mouvement péristaltique, agira par les selles, quoique les narcotiques, tant de fois réitérés, semblent devoir l'en empêcher entièrement. — C'est ce que je viens d'éprouver tout nouvellement dans la personne d'un homme illustre qui était attaqué d'une passion iliaque des plus cruelles. Il est vrai qu'il lui survint ensuite des aphtes causés par le séjour de l'humeur morbifique, et par l'âcreté des purgatifs qui avaient long-temps demeuré dans son corps. Mais ils cédèrent assez facilement à l'usage du quinquina employé de la manière que nous avons décrite ci-dessus, et à l'usage fréquent du gargarisme qui suit.

Prenez suc de pommes sauvages, demi-livre; sirop de framboise, une once : mêlez cela ensemble.

566. Quand une fois le ventre s'est débouché, il est bon de demeurer quelques jours sans purger le malade, et d'attendre que tout soit parfaitement tranquille. On pourra employer utilement cet intervalle à délayer les humeurs et à tempérer leur acrimonie. Après quoi, s'il reste le moindre vestige de fièvre, on reviendra à purger de deux en deux jours, comme nous avons dit plus haut; mais en voilà assez sur cette matière.

567. Si un enfant est attaqué de la fièvre qui règne présentement, on lui fera user du gargarisme décrit ci-devant, et on lui appliquera des sangsues derrière les oreilles, une de chaque côté; ensuite on lui appliquera un emplâtre vésicatoire sur la nuque du cou, et on le purgera avec une infusion de rhubarbe

dans de la bière. — Si, après la purgation, la fièvre paraît être intermittente, on donnera le julep avec le quinquina, que nous avons recommandé pour les enfants, lorsque nous avons traité des fièvres intermittentes, dans la lettre sur les *maladies épidémiques* (1).

568. Les enfants sont autant sujets à cette fièvre que les adultes, et par conséquent ils doivent être traités de même, excepté qu'il faut proportionner la saignée et la purgation à la faiblesse de leur âge. Souvent même la première ou du moins la seconde purgation emporte la maladie. — Cependant, il faut examiner soigneusement si la fièvre que l'on traite est véritablement une fièvre de la constitution présente, ou si elle est d'un autre genre; et cette attention est nécessaire dans toutes les fievres des enfants, de quelque constitution qu'elles soient : car on sait que les douleurs de la dentition causent souvent aux enfants des fièvres particulières qu'il n'est pas aisé de distinguer de celles d'un autre genre. — J'ai cherché long-temps le remède de ces sortes de fièvres qui viennent de la dentition, et je n'en ai point trouvé d'aussi bon que l'esprit de corne de cerf, dont on donne de quatre en quatre heures jusqu'à cinq où six fois, deux, trois ou même quatre gouttes, à proportion de l'âge, dans une cuillerée ou deux de cerises noires ou d'un julep approprié (2).

569. Les enfants sont sujets à une autre maladie très-différente des fièvres qui viennent des diverses constitutions de l'air, et très-différente aussi de la fièvre que produit la dentition. C'est une sorte de fièvre lente qui dure long-temps, et qui, sans être accompagnée de beaucoup de chaleur, jette les enfants dans la langueur, leur ôte l'appétit, et leur cause un amaigrissement universel. La méthode dont je me sers en cette occasion est très-simple : la voici. — On prend deux gros de bonne rhubarbe coupée par tranches; on les met dans une bouteille de verre qui tienne une pinte; et, après avoir rempli cette bouteille avec deux livres de petite bière, ou de quelque autre liqueur dont l'enfant a coutume d'user pour boisson ordinaire, on la bouche exactement. L'enfant ne boit que de cette infusion, soit le jour, soit la nuit, soit à ses repas, soit hors de ses repas. Lorsqu'il en a bu deux livres, on en verse deux autres sur la même rhubarbe, et quand elles sont bues, on en verse encore deux nouvelles : après quoi, la rhubarbe n'a plus de force, et l'enfant se trouve ordinairement guéri. Néanmoins, de peur que les deux premières livres de liqueur ne soient trop fortement imprégnées de la vertu de la rhubarbe, et par conséquent ne soient trop purgatives, il sera encore mieux, dès que l'enfant aura bu la quantité d'une livre de liqueur, d'en verser aussitôt une autre livre sur la rhubarbe; ce qui étant fait, il ne sera plus nécessaire d'ajouter de nouvelle liqueur que quand il n'en restera plus dans la bouteille (3).

---

(1) Voyez *Rép. de Th. Sydenham à Robert Brady*, p. 157, *art.* 500.

(2) Les symptômes qui accompagnent la dentition viennent sans doute de la tension, de la piqûre et du déchirement que souffrent les tuniques nerveuses des gencives, puisque dès qu'on fait une incision sur ces tuniques avec un instrument pour ouvrir le passage aux dents, ils cessent aussitôt. Beaucoup d'enfants meurent de cette maladie. — L'esprit de corne de cerf, quoiqu'un bon remède dans les convulsions qui viennent de la dentition, ne réussit pas toujours, parce qu'elles peuvent avoir différentes causes, et demander par conséquent des remèdes différents, et, par la même raison, il n'emporte pas toujours la fièvre; car les évacuations sont nécessaires, s'il y a plénitude; les laxatifs, si le ventre est resserré, ce qui occasionne souvent des convulsions; et s'il y a une diarrhée, il faut des astringents pris par la bouche, et en lavement, après avoir purgé auparavant avec la rhubarbe, à laquelle on joint une ou deux gouttes de quelque huile carminative. Les poudres absorbantes conviennent aussi dans le cas présent. — Il ne faut pas durant ce temps-là négliger les gencives; mais si elles sont enflammées, minces et blanchâtres à la partie supérieure, on les fomentera fréquemment avec une liqueur émolliente, et on les frottera avec un liniment fait avec le blanc de baleine, le sirop diacode, l'huile d'amandes douces, et un peu de safran et de nitre; si cela ne soulage pas, on fera une incision à la gencive, afin de donner passage aux dents. Tout ce qui échauffe est alors nuisible.

(3) Il paraît convenable dans cette maladie de tirer un peu de sang et de donner des poudres absorbantes, en y joignant le sel d'absinthe et le nitre en petite dose. Les aliments doivent être

570. Mais, pour revenir à notre sujet, c'est-à-dire la fièvre de la constitution présente, il faut bien observer que, dans cette sorte de fièvre, de même que dans le rhumatisme et dans un grand nombre d'autres fièvres qui ne se guérissent que par des évacuations, si l'on s'obstine à vouloir continuer ces évacuations jusqu'à ce que tous les symptômes aient entièrement disparu, il arrivera souvent qu'ils ne cesseront que par la mort. — Ce n'est pas une chose rare de voir des symptômes légers subsister après la maladie, dont ils sont, pour ainsi dire, les reliquats. Ils ne menacent d'aucune rechute, et ils se dissiperont à mesure que le malade reprendra ses forces. D'ailleurs, ils ne sont assez souvent produits que par les évacuations réitérées que l'on a mises en usage dans le traitement de la maladie, ou par la grande abstinence que l'on a fait observer aux malades. Ces deux causes, agissant sur des corps déjà affaiblis et presque épuisés par la fièvre, donnent lieu à des vapeurs semblables à celles des femmes, et qui viennent pareillement d'une faiblesse et d'un abattement des esprits animaux. — C'est pourquoi un médecin sage et prudent, après avoir fait les évacuations suffisantes pour la guérison de la maladie, doit en demeurer là, et attendre de la nature, qui est le meilleur médecin, la cessation de ces symptômes légers. On pourra néanmoins y employer un narcotique qui, étant donné le soir pendant deux ou trois jours de suite, les dissipera entièrement, comme je l'ai souvent observé.

571. De toutes les méthodes que j'ai essayées en traitant la fièvre présente, voilà, sans contredit, la meilleure. Si quelquefois elle ne guérit pas absolument la fièvre, elle la rend du moins intermittente; et alors on peut recourir au quinquina, qui triomphe toujours en cette occasion. — Quelques personnes trouveront peut-être que les purgations que j'ordonne pour cette fièvre doivent échauffer le malade, et par conséquent augmenter la fièvre; mais c'est tout le contraire, et j'ose assurer que rien ne rafraîchit autant le malade que la purgation précédée de la saignée, comme on doit toujours la faire précéder. — Il est vrai que les purgatifs, le jour même qu'on les prend, et durant leur opération, augmentent l'agitation du sang et des autres humeurs, et par conséquent la fièvre; mais cet inconvénient n'est rien en comparaison de l'avantage qu'ils procurent ensuite. En effet, l'expérience montre que de tous les remèdes il n'en est aucun qui guérisse la fièvre aussi heureusement et aussi sûrement que fait la purgation, pourvu qu'on ait eu soin de saigner auparavant. Ce remède évacue les humeurs nuisibles qui sont la cause antécédente de la fièvre, qui, sans avoir acquis avant ce temps-là de mauvaises qualités, ont été échauffées et épaissies par l'ardeur de la fièvre, et par ce moyen contribuent beaucoup à l'entretenir. D'ailleurs, la purgation prépare les voies aux narcotiques, et alors ceux-ci agissent beaucoup mieux que si on n'avait pas évacué les humeurs peccantes, qui sans cela ne manqueraient pas d'affaiblir l'action de ces remèdes.

572. La méthode des sudorifiques est beaucoup moins sûre; elle est, outre cela, plus incommode et plus longue, puisqu'elle fait souvent durer la maladie pendant plusieurs semaines. Elle est même très-dangereuse, et c'est beaucoup si le malade se tire d'affaire. On emploie un régime et des remèdes très-chauds pour une maladie où il est surtout besoin de rafraîchir; et en s'assujettissant, contre un témoignage des sens et de la raison, à je ne sais quelle règle d'un art mal entendu, on fait d'une maladie qui est courte et légère de sa nature une maladie longue et dangereuse : de sorte qu'on est obligé de mettre en usage une infinité de remèdes pour dissiper les fâcheux symptômes qu'a produits le mauvais traitement. On fait, à cette occasion, la même chose que ferait un pilote qui, pouvant conduire son vaisseau dans une mer exempte d'écueils, l'engagerait parmi des rochers et des bancs de sable. A la vérité, il montrerait son habileté en retirant son vaisseau d'un si grand danger; mais il serait, avec raison, taxé d'imprudence pour l'y avoir engagé.

573. Je suis donc bien fondé lorsque j'avance que la méthode de la saignée et de la purgation est la meilleure de toutes,

---

adoucissants, faciles à digérer, et un peu rafraîchissants. Il sera bon d'aller à cheval, si le temps le permet, et cet exercice, comme aussi le bain chaud pris de temps en temps, facilitera la guérison. Cependant, l'infusion de rhubarbe est un remède qui n'est pas à mépriser, mais il peut se faire qu'il ne suffise pas, et rien n'empêche de l'employer durant le cours des autres remèdes que nous proposons ici.

dans le plus grand nombre de fièvres. Il est vrai que la méthode des sueurs est la plus naturelle, et qu'elle est aussi la plus convenable, lorsque la nature, après avoir préparé et digéré comme il faut la matière morbifique, l'évacue ensuite doucement par les pores de la peau. Les praticiens ayant souvent remarqué cette manière heureuse dont les fièvres se terminaient d'elles-mêmes, les médecins spéculatifs prirent de là occasion d'établir comme une règle *que toutes sortes de fièvres pouvaient et devaient être guéries uniquement par les sueurs.*

574. Mais, quand la nature serait capable de les guérir par ce moyen, l'art, quelque soin qu'il ait d'imiter la nature, ne saurait prétendre à un semblable privilége. — En premier lieu, l'art ne sait point comment il faut préparer la matière morbifique pour la rendre propre à être évacuée par les sueurs; et quand il le saurait, il n'a point de signes certains pour connaître quand cette préparation est achevée : ainsi, il ignore quel est le temps le plus convenable pour exciter les sueurs. — On ne saurait nier qu'il soit extrêmement dangereux de les exciter avant que la matière peccante ait subi une coction légitime; car alors cette matière crue, se portant au cerveau, ne ferait qu'augmenter la maladie. Aussi, le célèbre aphorisme d'Hippocrate où il est dit *qu'on doit évacuer les humeurs lorsqu'elles ont subi une coction convenable, et non pas lorsqu'elles sont encore crues*, semble encore plus regarder les sueurs excitées par l'art que la purgation, comme je l'ai remarqué ailleurs. — Cependant, il ne faut être que médiocrement versé dans la pratique pour savoir quel déplorable abus font tous les jours des sudorifiques quantité de bonnes femmes et d'hommes ignorants qui se donnent pour médecins. La coutume de ces gens-là, dès que quelqu'un se plaint d'un frisson ou d'une douleur de tête, qui sont ordinairement des signes d'un accès de fièvre prochain, c'est de les obliger aussitôt de garder le lit, et d'employer toutes sortes de moyens pour les faire suer. Mais à quoi aboutissent ces sueurs hors de saison? Le voici: c'est que la fièvre qui aurait pu se dissiper d'elle-même, ou en tirant quelques onces de sang, devient alors plus violente, et forme une maladie considérable. — On sait que les sueurs qui viennent d'elles-mêmes au commencement de la fièvre sont purement symptomatiques, et nullement critiques. Celles qui sont produites par les sudorifiques, les premiers jours de la fièvre, ne servent pas ordinairement davantage pour la guérir, c'est-à-dire, ne servent à rien du tout.

575. En second lieu, comme l'art ignore le vrai temps où il faut exciter les sueurs, il ne sait pas mieux combien on doit les faire durer : car, si elles durent au-delà du temps qui est si nécessaire pour l'entière évacuation de la matière morbifique, elles privent le sang de la sérosité qui sert à le délayer et à le détremper; et par là elles ne font qu'entretenir et augmenter la fièvre. — On voit, par tout ce que nous venons de dire, quel est le danger des sudorifiques. La méthode de la saignée et de la purgation n'est pas sujette aux mêmes inconvénients, et le médecin est maître de la gouverner comme il veut. D'ailleurs, s'il arrive qu'elle ne guérisse pas la maladie, du moins elle ne met pas le malade en danger, comme font les sudorifiques. Car, sans parler ici des cordiaux que l'on ne manque jamais d'employer dans cette dernière méthode, la seule chaleur du lit, que l'on fait garder au malade plus long-temps qu'à l'ordinaire, trouble l'économie animale, produit des mouvements convulsifs dans les membres, et cause d'autres symptômes tout-à-fait irréguliers. C'est pourquoi, il est impossible de les décrire, d'autant qu'ils n'entrent pas essentiellement dans l'histoire de la maladie, et qu'ils sont uniquement l'effet de la mauvaise méthode que l'on emploie dans le traitement. Il en est de même de la plupart des symptômes de toutes les autres maladies : aussi, attribue-t-on communément ces symptômes irréguliers à une prétendue malignité.

576. Cette idée de malignité a été beaucoup plus pernicieuse au genre humain que l'invention de la poudre à canon. On appelle fièvres malignes celles où l'inflammation est portée à un degré extraordinaire de violence. Là-dessus, les médecins se sont figuré qu'il y avait dans ces fièvres je ne sais quel venin qui doit être évacué par les pores de la peau; et en conséquence, ils ont eu recours à des cordiaux, à de prétendus alexipharmaques, et à un régime très-chaud dans des maladies qui demandaient les plus grands rafraîchissants. C'est ainsi qu'ils se sont comportés dans la petite vérole, qui est une des maladies les plus inflammatoires, et dans un grand nom-

bre d'autres fièvres. — La cause de cette erreur a été apparemment les taches de pourpre et les autres exanthèmes de cette nature qu'ils ont aperçus, et qui cependant ne venaient dans la plupart des sujets que de ce que le sang, déjà trop enflammé par la fièvre, l'avait été encore davantage par le mauvais traitement. — Il est rare que des taches de pourpre paraissent d'elles-mêmes, et sans qu'on y ait donné occasion, excepté au commencement de la peste, et au commencement d'une petite vérole confluente extrêmement inflammatoire. Dans cette dernière maladie, l'éruption des pustules est accompagnée de taches livides que l'on aperçoit en différents endroits du corps, et en même temps, le malade rend du sang par les conduits urinaires, ou par la trachée artère en toussant; car, le sang est si enflammé et si agité, qu'il rompt ses vaisseaux et s'extravase. — Il est vrai que, dans la fièvre qui règne présentement, les taches de pourpre que l'on aperçoit quelquefois ne viennent pas d'une inflammation du sang aussi violente que celle qui produit des hémorrhagies, mais toujours viennent-elles d'une inflammation de ce liquide; et, pourvu qu'il ne s'y joigne pas une hémorrhagie, qui est l'unique symptôme de la petite vérole dont la médecine n'ait pu encore venir à bout, elles cèdent sans peine au régime rafraîchissant.

577. Si les médecins concluent qu'il y a de la malignité, non-seulement lorsqu'ils voient des taches de pourpre, mais encore lorsqu'ils observent que les symptômes de la fièvre sont très-légers, eu égard à sa nature, et que cependant le malade meurt beaucoup plus tôt qu'on ne devait naturellement s'y attendre. — Je réponds que tout cela vient de ce que la nature étant, pour ainsi dire, accablée et vaincue dès le commencement de la maladie, elle ne saurait produire des symptômes réguliers et proportionnés à la grandeur du mal : d'où il arrive qu'elle n'en produit que d'irréguliers; car, dans cet état, la fièvre ne peut se développer ni se manifester, comme elle ferait sans cela.—Je me souviens d'avoir vu, il y a déjà plusieurs années, un exemple bien remarquable de cette vérité, dans la personne d'un jeune homme pour qui je fus appelé. On aurait cru d'abord qu'il allait rendre l'âme, tant on lui sentait peu de chaleur en le touchant; et quand j'assurai qu'il avait la fièvre, mais que l'abondance du sang dont la nature était accablée, et pour ainsi dire étouffée, empêchait cette fièvre de se développer et de se manifester, les assistants n'en voulaient rien croire. J'ajoutai qu'il fallait saigner le malade, et qu'on verrait aussitôt une fièvre assez violente. On fit une bonne saignée. La fièvre se déclara au point que je n'en ai jamais vu de plus violente. Aussi, ne céda-t-elle qu'à la troisième ou à la quatrième saignée. Mais en voilà assez sur cette matière.

578. Si les raisons que j'ai alléguées en faveur de mon sentiment ne paraissent pas convaincantes et sans réplique, il me suffit d'avoir pour moi l'expérience, qui m'apprend que la fièvre régnante ne cède pas volontiers aux sueurs. Car, enfin, l'expérience seule, et non aucun raisonnement, peut nous faire connaître quelles sont les fièvres qui se guérissent par d'autres évacuations. Et de fait, il n'est aucune personne sage, pour peu qu'elle connaisse les hommes et la nature des choses, qui, dans les matières de pure spéculation, et qui ne sauraient être démontrées par des expériences certaines, voulût embrasser aveuglément l'opinion d'un autre homme, quelque habile qu'il pût être. Une personne de ce caractère ne manquerait pas de réfléchir que les raisonnements des hommes sont fort différents et fort incertains : en sorte que, l'un ayant proposé une théorie qui entraîne les suffrages de tous les assistants, tant elle paraît fondée sur des raisons solides, un autre, peut-être plus habile, viendra ensuite, qui renversera une hypothèse si bien appuyée en apparence, et démontrera par des raisons plus frappantes qu'elle n'est autre chose qu'une chimère dont il n'y a pas la moindre trace dans la nature. Mais, à la place de cette hypothèse, il en substituera une nouvelle qui semblera encore plus vraisemblable et plus ingénieuse, et qui néanmoins aura le même sort que la précédente, dès qu'elle sera combattue par un troisième homme autant supérieur par son esprit au second, que celui-ci l'était au premier; et la dispute recommencera toujours jusqu'à ce qu'on rencontre enfin l'homme du plus grand génie. Or, l'extrême difficulté de découvrir cet homme, et de le distinguer des autres, paraîtra d'abord à quiconque ne sera pas assez vain et assez extravagant pour se croire lui-même tel; et comme, d'un côté, on peut supposer

vraisemblablement qu'il y a dans les vastes orbes placés en différents endroits du firmament un nombre presque infini d'êtres, qui ont beaucoup plus d'intelligence et de pénétration que nous autres faibles mortels; d'un autre côté, nous ne savons pas certainement si le Créateur n'a pas formé de telle manière le cerveau des hommes, qu'ils sont moins en état de découvrir ce qui est absolument vrai que ce qui est le plus conforme à leur nature. Je dis cela pour ces médecins qui, dans la pratique de l'art, se conduisent plutôt par de vaines spéculations que par une expérience appuyée sur le solide témoignage des sens (1).

579. On m'objectera peut-être que la fièvre dont il est question se guérit souvent par une méthode entièrement contraire à celle que je recommande ici. Je réponds qu'il y a une très grande différence entre une méthode qui n'est appuyée que sur quelques guérisons dont la nature seule a été la cause, et une méthode qui, outre le grand nombre de guérisons qu'elle opère, se trouve encore convenir aux symptômes naturels de la maladie.

Par exemple, dans la petite vérole, plusieurs de ceux que l'on traite par des cordiaux et un régime échauffant ne laissent pas de guérir, et ceux que l'on traite par une méthode entièrement contraire guérissent aussi. Quel est donc le moyen de déterminer sûrement laquelle des deux méthodes doit être préférée? Le voici. Je trouve que, plus j'échauffe le malade, plus j'augmente la fièvre, l'inquiétude, le délire et les autres symptômes. Au contraire, lorsque je le rafraîchis modérément, je diminue la fièvre et les autres symptômes; les pustules sont plus grosses, et la suppuration plus heureuse. Cela étant, on voit clairement laquelle des deux méthodes mérite la préférence.

580. De même, dans la fièvre qui règne présentement, si je trouve que, plus j'échauffe un malade, plus il est sujet au délire, aux taches de pourpre, et à toutes sortes de symptômes irréguliers; et si j'observe, au contraire, qu'un autre malade que l'on traite par les rafraîchissants se trouve tout-à-fait exempt de pareils symptômes, le bon sens m'oblige de croire que cette dernière méthode vaut beaucoup mieux que la première, quoique les deux malades qui ont été traités d'une manière si différente ne laissent peut-être pas de guérir l'un et l'autre. Mais, s'il en guérit réellement davantage par la dernière méthode que par la première, il est encore plus facile de décider la difficulté. Or, je laisse aux personnes désintéressées à juger ce qui en est.

581. Voilà tout ce que j'avais à dire sur la fièvre dont il s'agit. Je ne saurais deviner combien elle durera encore. Peut-être même n'est-elle que le commencement, et, pour ainsi dire, l'ébauche d'une fièvre dépuratoire semblable à celle qui fut suivie de la grande peste de Londres. Ce qui me porterait à le croire, c'est que non-seulement il reste de véritables fièvres intermittentes répandues par-ci, par-là, et surtout des fièvres quartes; mais encore que les continues se changent quelquefois en intermittentes, surtout dans la saison présente, qui est la fin de l'été. D'ailleurs, les redoublements qui arrivent dans la fièvre régnante ressemblent en quelque chose aux accès des fièvres intermittentes, et les malades ont assez de disposition à vomir.

Cependant, je ne veux rien décider là-dessus, d'autant que je ne me souviens pas maintenant de quelle façon commença la fièvre dépuratoire, ainsi que je l'ai déclaré dans le Traité des maladies aiguës, section 1, chapitre 3, en ces termes : « Je ne saurais » dire combien de temps cette fièvre con- » tinue avait déjà régné, parce que je » m'étais contenté jusqu'alors de faire

---

(1) Comme la vérité et la nature sont toujours les mêmes, pour se convaincre de la vanité des systèmes, il n'y a qu'à considérer le grand nombre de ceux qui ont été inventés, et les révolutions qu'ils ont souffertes. Ceux qui règnent présentement n'étaient pas encore inventés il y a cinquante ans, ou du moins étaient peu ou point du tout suivis en ce temps-là, quoique la nature fût assurément la même qu'aujourd'hui; et ils auront sans doute le même sort que ceux qui les ont précédés. Tout bien examiné, on trouvera que la plupart de nos connaissances de la nature sont uniquement le résultat de l'observation et de l'expérience; mais, quant à la manière d'expliquer les opérations de la nature, cela a changé selon les temps, et changera toujours de même. Ainsi, on doit peu compter sur ces sortes d'explications, lorsqu'elles ne sont pas appuyées sur des faits et sur le témoignage des sens.

» attention aux symptômes généraux des » fièvres, n'ayant point encore pris garde » qu'on pouvait les distinguer suivant » les diverses températures des années, » ou suivant les divers temps qu'il fait » dans une même année. »

SECTION VI.

CHAP. Ier. — DES FIÈVRES INTERCURRENTES.

582. Mes observations des années précédentes font assez voir qu'entre les diverses sortes de fièvres, il y en a qu'on peut appeler avec raison *stationnaires* : j'entends celles qui, dépendant d'une constitution particulière de telle ou telle année, règnent chacune à leur tour, se répandent extrêmement, et dominent, pour ainsi dire, sur les autres, tant que dure la constitution. De savoir maintenant s'il y a d'autres sortes de fièvres *stationnaires*, outre celles dont j'ai parlé ; et si, au bout d'un certain nombre d'années, elles reviennent et se suivent les unes les autres avec un ordre constant et invariable, ou si la chose est autrement, c'est ce que je n'ai pas encore pu découvrir. — Mais, il y a d'autres fièvres continues qui, quoiqu'elles règnent, tantôt plus violemment, tantôt moins violemment, ne laissent pas dans la même année de se mêler indifféremment avec toutes sortes de fièvres *stationnaires*, et les unes avec les autres. Je crois devoir, par cette raison, les appeler *intercurrentes*. J'exposerai, dans les chapitres suivants ce que l'observation m'a appris jusqu'à présent, tant de leur nature, que de la manière dont il faut les traiter. Ces fièvres sont la fièvre rouge, la pleurésie, la fausse péripneumonie, le rhumatisme, la fièvre érysipélateuse, l'esquinancie, et peut-être quelques autres.

583. Or, comme la fièvre accompagne toutes ces maladies, du moins pendant un certain temps, jusqu'à ce que la matière fébrile se soit déchargée sur telles ou telles parties, suivant la nature de la maladie, je ne doute point qu'on ne doive regarder la fièvre comme la maladie primitive ; et qu'on ne doive regarder les autres accidents, desquels ces maladies tirent le plus souvent leur nom, comme des symptômes qui sont critiques, ou qui dépendent principalement de la partie sur laquelle se jette le mal. Mais, pourvu qu'on convienne de la chose, je ne disputerai pas sur les noms, bien entendu que j'aurai aussi la liberté de désigner une maladie par tel ou tel nom qu'il me plaira.

584. Comme les fièvres *stationnaires*, ainsi que nous avons dit, sont plus ou moins épidémiques, suivant qu'elles sont favorisées par la constitution de l'année, c'est-à-dire par la température secrète et inexplicable de l'air ; de même les fièvres *intercurrentes* sont aussi quelquefois épidémiques, mais moins souvent que les autres : quoiqu'elles viennent ordinairement d'un vice particulier du sang et des humeurs, elles viennent aussi quelquefois d'une cause générale qui est dans l'air ; et cette cause produit dans le sang et les humeurs telle ou telle intempérie qui est la cause immédiate de ces fièvres. — Par exemple, lorsqu'après un froid qui a été long, et qui a duré jusque bien avant dans le printemps, il vient tout-à-coup des chaleurs, on voit ordinairement des pleurésies, des esquinancies et d'autres maladies semblables, quelle que soit la constitution générale de l'année. Et parce que ces maladies sont quelquefois épidémiques de même que les autres, et que néanmoins elles attaquent indifféremment dans toutes sortes d'années, je les nomme *intercurrentes*, afin de les distinguer de celles qui sont renfermées dans un certain nombre d'années continues.

585. Or, quoique ces deux sortes de fièvres diffèrent extrêmement l'une de l'autre, par rapport aux causes qui dépendent de l'air, elles se ressemblent souvent par rapport aux autres causes extérieures et antécédentes. Car, sans parler de la contagion qui produit quelquefois des fièvres stationnaires et de la crapule qui est la mère des unes et des autres, une cause extérieure et évidente de quantité de fièvres, c'est lorsqu'on quitte de trop

bonne heure ses habits d'hiver, ou lorsqu'on s'expose imprudemment au froid dans le temps qu'on est échauffé par l'exercice. Alors, les pores de la peau étant tout-à-coup bouchés, et la respiration interceptée, il survient telle ou telle espèce de fièvre suivant que la constitution générale qui règne alors, ou le vice particulier des humeurs détermine l'une plutôt que l'autre. Pour moi, je pense qu'il périt un plus grand nombre de gens par des fièvres de cette nature que par la guerre, la peste et la famine prises ensemble. En effet, si un médecin se donne la peine d'interroger en détail un malade qui est attaqué de quelqu'une des maladies aiguës dont nous parlons sur ce qui a premièrement occasionné sa maladie, il trouvera presque toujours qu'elle est venue ou de ce que le malade a quitté trop tôt quelque habit qu'il portait depuis longtemps, ou de ce qu'il a eu froid tout-à-coup lorsqu'il était échauffé. C'est pourquoi j'ai toujours soin d'avertir mes amis de ne quitter aucun de leurs habits ordinaires, si ce n'est un mois avant le solstice d'été : et je les avertis de même d'éviter soigneusement le froid lorsqu'ils se sont échauffés par quelque exercice.

586. Mais, il faut remarquer ici avec soin que, quoique les maladies dont j'ai à parler sous le nom d'*intercurrentes* soient presque toutes des maladies essentielles, il se joint néanmoins souvent aux fièvres stationnaires des accidents qui ressemblent aux maladies intercurrentes qui portent le même nom, et qui ne sont toutefois que des symptômes des fièvres stationnaires. Dans ce cas-là, il ne faut pas employer la méthode qui convient à ces maladies lorsqu'elles sont essentielles, mais celles que demande la fièvre de laquelle elles sont des symptômes ; et, pour les traiter, il faut seulement changer quelque petite chose à la méthode de cette fièvre. — En général, on doit faire grande attention à la fièvre de l'année, et examiner par quel moyen on peut le plus facilement la guérir, si c'est par la saignée, par les sueurs, ou par quelque autre méthode. Faute de cette attention, on prendra très-souvent le change, et on mettra les malades en grand danger. Si quelqu'un objecte que les accidents que j'appelle *maladies essentielles*, et dont il s'agit maintenant, ne sont réellement que des symptômes : je réponds qu'ils peuvent être quelquefois des symptômes des fièvres qui les produisent nécessairement. Par exemple, dans la pleurésie essentielle, la fièvre est de telle nature qu'elle dépose toujours sur la plèvre la matière morbifique. Dans l'esquinancie essentielle, elle dépose toujours la matière morbifique sur le gosier, et ainsi des autres fièvres intercurrentes ; au lieu que dans les fièvres stationnaires, cela n'arrive que par accident, et non pas nécessairement, en quoi ces maladies sont très-différentes les unes des autres.

587. Or, pour bien distinguer les maladies que j'appelle *essentielles*, d'avec celles qui sont purement symptomatiques, il faut savoir que les symptômes qui accompagnent le commencement de la pleurésie ou de l'angine, lorsque ces maladies sont de simples accidents d'une fièvre stationnaire, sont entièrement les mêmes que ceux qui accompagnent cette fièvre quand elle commence. C'est ce qu'on voyait dans la pleurésie symptomatique dont nous avons parlé, et qui, en 1675, se joignit à la fièvre épidémique. Tous ceux qui étaient attaqués de cette pleurésie ressentaient dans le commencement une douleur à la tête, au dos et dans les membres. C'étaient-là les symptômes les plus constants et les plus ordinaires de la fièvre épidémique ; car ils survenaient avant qu'il y eût des pleurésies, et ils subsistaient après qu'elles eurent cessé. — Mais quand les maladies intercurrentes sont essentielles et primitives, elles arrivent indifféremment dans toutes sortes d'années, et n'ont rien de commun avec la fièvre stationnaire qui règne alors. D'ailleurs, tous leurs symptômes se manifestent davantage, n'étant point mêlés et confondus avec des symptômes d'une autre nature, et qui appartiennent à une autre fièvre. Outre cela, le temps auquel la plupart des maladies intercurrentes essentielles ont coutume de régner, marque assez souvent à quelle classe il faut les rapporter. — Au reste, le meilleur moyen de distinguer sûrement ces maladies, et toutes les autres, c'est d'être si bien instruit de tous leurs symptômes par des observations exactes et fidèles, qu'à la première inspection, on ne puisse se méprendre dans le diagnostic, quoiqu'il y ait peut-être d'autres différences caractéristiques si subtiles et si délicates, qu'il soit impossible de les faire entendre par des paroles.

588. Comme les diverses fièvres intercurrentes doivent leur origine à une inflammation particulière du sang, et pro-

pre à chaque maladie (du moins autant que j'ai pu m'en assurer, en examinant soigneusement les symptômes de ces maladies et ce qui arrive dans le traitement), je fais consister l'essentiel de la curation à tempérer et à rafraîchir le sang ; et en même temps je travaille à évacuer la matière morbifique, en variant ma méthode, suivant la nature de chaque maladie, et suivant ce que l'expérience m'a fait voir être le plus propre à la guérir. Et certes, le meilleur moyen de réussir dans le traitement de toutes sortes de fièvres, c'est de bien connaître de quelle manière il faut évacuer la matière fébrile, si c'est par la saignée, par les sueurs, par les selles, ou de quelque autre façon.

CHAP. II. — DE LA FIÈVRE D'HIVER.

589. Le lecteur me permettra d'ajouter ici quelque chose qui est d'une grande importance pour la distinction et le traitement des fièvres, et que j'aurais dû dire plus tôt si cela ne m'avait échappé. J'ai observé que tous les ans, depuis le commencement de l'hiver jusque vers le milieu du printemps, il règne une certaine fièvre entièrement différente de la fièvre stationnaire ou épidémique de la constitution générale d'alors, et qui demande aussi un traitement tout-à-fait différent. Cette fièvre doit être mise au nombre de celles que je nomme *intercurrentes*.

590. Il paraît qu'elle vient d'un air froid, épais et humide, qui, bouchant les pores de la peau et empêchant la transpiration, surcharge le sang d'une abondance de sérosité, laquelle, s'y corrompant par le long séjour, cause aisément la fièvre, dès que la personne prend froid, ou à la moindre autre occasion.

591. Si l'humeur morbifique est en grande quantité, elle produit la fièvre que j'ai décrite dans le Traité des Maladies aiguës, section 6, chapitre 4, sous le titre de *fausse péripneumonie*. Mais si cette humeur est moins abondante, elle produit seulement les symptômes que je vais décrire. Un jour ou deux après que la fièvre a commencé, le malade a tantôt chaud, tantôt froid ; il se plaint d'une douleur à la tête et dans les membres, et d'un certain malaise par tout le corps, la langue est blanche, le pouls n'est pas fort différent de celui des personnes en santé ; l'urine est trouble et fort rouge ; le sang que l'on tire ressemble à celui des pleurétiques. Il y a ordinairement de la toux ; mais cette toux n'est pas accompagnée d'une difficulté de respirer, d'une oppression de poitrine, et d'une douleur de tête violente pendant que l'on tousse, comme il arrive dans la fausse péripneumonie. Ainsi, cette fièvre n'ayant pas les principaux symptômes de la fausse péripneumonie, quoiqu'elle n'en diffère que du plus au moins, je la nomme *fièvre d'hiver*.

592. C'est une maladie qui, d'elle-même, est peu considérable, n'ayant d'autres symptômes que ceux qui arrivent lorsqu'on a eu froid. Cependant si on la traite mal, elle est suivie d'un grand nombre d'accidents qui sont quelquefois mortels : car si on oblige le malade de garder le lit, et si outre cela on l'échauffe par des cordiaux, sous prétexte de le faire suer, il arrive très-souvent qu'au lieu de dissiper la fièvre, on attire le délire, ou la léthargie ; le pouls se dérange et devient languissant, la langue se sèche, la peau se couvre de taches rouges, et quelquefois même un peu livides.—Ces symptômes, et d'autres semblables, que quelques-uns attribuent à une prétendue malignité, car c'est là leur terme favori, ne sont que l'effet de la mauvaise manière dont on a traité la maladie. Le sang, dans cette fièvre, n'étant déjà que trop disposé à s'enflammer, si on l'échauffe encore en donnant des cordiaux, et en obligeant le malade de garder le lit, s'enflamme aisément : d'où il arrive que les esprits animaux se mettent en désordre, et que la matière morbifique se portant au cerveau jette le malade dans un danger manifeste.

593. Le but que je me propose dans le traitement est d'évacuer, par la saignée et par des purgations réitérées, la grande quantité de pituite que le froid de l'hiver a accumulée dans le sang. Pour cela, dès que je suis appelé je fais tirer du bras droit neuf ou dix onces de sang : le lendemain, je donne au malade la potion purgative suivante, dont j'ai coutume de me servir dans ma pratique:

Prenez tamarins, demi-once ; séné, deux gros ; rhubarbe, un gros et demi. Faites bouillir le tout dans suffisante quantité d'eau que vous réduirez à trois onces. Coulez la liqueur, et y dissolvez manne et sirop de roses solutif, de chacun une once, pour une potion qui sera prise de grand matin.

Je réitère cette potion deux autres fois, laissant un jour d'intervalle entre chaque purgation, à moins que tous les symptômes n'aient disparu plus tôt. Le soir de la purgation, je donne un calmant, savoir, une once de sirop diacode. Les jours que le malade ne prend pas médecine, il use d'une décoction pectorale et d'un looch fait avec l'huile d'amandes douces, le sirop de capillaire et le sirop violat, supposé qu'il tousse. Si la fièvre est violente et le sang fort échauffé, j'ordonne une émulsion avec les semences froides, ou bien le julep suivant :

Prenez des eaux de nénufar, de pourpier et de laitue, de chacune quatre onces; du sirop de limon, une once et demie; du sirop violat, une once. Mêlez tout cela pour un julep, dont le malade boira à sa volonté.

594. Durant ce temps-là, je veux que le malade se tienne levé pendant le jour, et je lui interdis l'usage de la viande. Mais, après la première ou la seconde purgation, je lui permets de prendre de temps en temps un peu de bouillon de poulet.

595. S'il survient des symptômes fâcheux, comme une difficulté de respirer, une douleur de tête lancinante qui se fait sentir en toussant, c'est signe que la maladie tourne vers la fausse péripneumonie. Alors il faut réitérer la saignée et la purgation dans des intervalles raisonnables, jusqu'à ce que tous les symptômes aient disparu, et le malade doit être traité de la même manière que nous avons dit au chapitre de la fausse péripneumonie. Mais il est très-rare que la fièvre dont nous parlons devienne assez violente pour avoir besoin de plus d'une saignée et de trois purgations. En voilà assez sur cette matière, que j'ai cru ne pas devoir passer sous silence, afin d'empêcher que l'on ne se trompe, en confondant mal à propos cette fièvre d'hiver avec la fièvre stationnaire ou épidémique d'une constitution générale quelle qu'elle soit. La distinction de ces deux maladies est très-importante, et je sais certainement que, pour ne l'avoir pas faite, il en a coûté la vie à beaucoup de gens.

CHAP. III. — DE LA FIÈVRE ROUGE.

596. La fièvre *rouge*, autrement fièvre *écarlate*, arrive dans toutes les saisons, mais le plus souvent à la fin de l'été. Elle attaque des familles entières, mais principalement les enfants. Les malades ont d'abord un frisson et un tremblement, comme dans les autres fièvres, et ne sont pourtant pas extrêmement mal. Après cela, toute la peau se trouve couverte de petites taches rouges qui sont en plus grand nombre, d'un rouge plus vif, plus larges et moins uniformes que celles de la rougeole. Ces taches durent deux ou trois jours; après quoi elles se dissipent, et laissent sur la peau des espèces d'écailles farineuses qui reviennent et disparaissent deux ou trois fois.

597. Comme cette maladie me semble n'être autre chose qu'une médiocre effervescence du sang, produite par la chaleur de l'été, ou par quelque autre cause, je n'y fais rien du tout, et j'abandonne à la nature le soin de dépurer le sang, et d'évacuer la matière morbifique par les pores de la peau. C'est pourquoi je n'emploie ni saignée, ni lavements; car je crois que ces remèdes, en faisant une révulsion, mêlent davantage avec le sang les particules nuisibles, et empêchent leur séparation : d'un autre côté, je ne donne point de cordiaux, parce qu'ils échaufferaient et agiteraient trop le sang, qui n'a besoin que d'un mouvement doux pour être en état de séparer la matière; d'ailleurs les cordiaux pourraient augmenter la fièvre. Il me suffit donc que le malade s'abstienne entièrement de viande et de toutes sortes de liqueurs spiritueuses, qu'il ne sorte point, et ne garde pas le lit continuellement. Quand toutes les écailles de la peau sont tombées et que les symptômes ont cessé, je purge doucement le malade suivant son âge et ses forces. Par cette méthode simple et naturelle, cette maladie, qui n'en mérite guère que le nom, se passe sans peine et sans danger. Au contraire, si on fatigue trop le malade, soit en l'obligeant de ne pas sortir du lit, soit en l'accablant de cordiaux et d'autres remèdes hors de saison, la maladie ne manque pas d'augmenter; et le malade périt assez souvent par la faute du médecin qui a voulu faire trop de remèdes.

598. Il faut remarquer néanmoins que, s'il survient des convulsions épileptiques, ou une affection comateuse dans le commencement de l'éruption, ce qui arrive quelquefois aux enfants et aux jeunes gens qui sont attaqués de la fièvre rouge, on doit appliquer aussitôt un grand et puissant emplâtre vésicatoire à la nuque du cou, et donner tous les soirs un calmant; savoir, le sirop diacode, jusqu'à la fin de la maladie, ordonnant au malade de s'abstenir de viande, et de faire sa boisson ordinaire de lait bouilli avec trois fois autant d'eau.

CHAP. IV. — DE LA PLEURÉSIE.

599. Cette maladie, qui est des plus fréquentes, attaque en toute saison, mais surtout entre le printemps et l'été ; car, alors le sang, étant échauffé par la chaleur de la nouvelle saison, bouillonne d'une manière extraordinaire, et se dérègle dans son mouvement. Les gens d'un tempérament sanguin sont plus sujets que les autres à la pleurésie, comme aussi les paysans et ceux qui supportent de rudes travaux. La maladie commence par un frisson et un tremblement qui sont suivis de chaleur, de soif et des autres symptômes de la fièvre. Quelques heures après, et quelquefois beaucoup plus tard, le malade est atteint d'un côté ou de l'autre, à l'endroit des côtes, d'une douleur vive et piquante, qui tantôt s'étend vers les omoplates, tantôt vers l'épine du dos, et d'autres fois vers le devant de la poitrine. Il est en même temps affligé d'une toux fréquente qui l'incommode extrêmement, parce qu'elle met en jeu des parties enflammées, ce qui oblige le malade de retenir de temps en temps sa respiration, pour s'empêcher de tousser La matière qu'il rend par les crachats est d'abord claire, en petite quantité, et souvent mêlée de particules de sang ; ensuite, elle est plus épaisse, plus abondante, et mêlée aussi de sang. La fièvre augmente à proportion des symptômes, et elle diminue aussi bien que la toux, le crachement de sang, la douleur piquante, etc., à mesure que l'expectoration devient plus facile (1).

600. La matière morbifique n'acquiert pas toujours le degré de coction nécessaire pour l'expectoration ; et alors ce qu'on rend par les crachats est toujours clair et en petite quantité : d'où il arrive que la fièvre et les autres symptômes ne diminuent en aucune façon, et que le malade périt. Le ventre est quelquefois trop resserré, et d'autres fois trop libre, les selles étant fréquentes et les matières trop liquides. Quand la pleurésie est violente, et qu'on a négligé de saigner le malade, il arrive quelquefois qu'il ne peut tousser, qu'il a une très-grande difficulté de respirer, et qu'il est prêt à suffoquer, parce que l'inflammation est si grande, que la poitrine ne saurait se dilater autant qu'il est nécessaire pour la respiration, sans causer une très-vive douleur (2) ; d'autres fois, après une

(1) *Arétée* décrit excellemment la pleurésie en ces termes : « Elle est accompagnée d'une douleur aiguë, qui s'étend jusqu'au gosier, et dans quelques-uns jusqu'au dos et aux épaules. Cette douleur est suivie de difficulté de respirer, de veilles, de nausées, de rougeur des joues, et d'une toux sèche. Les crachats viennent difficilement, et ils sont pituiteux, fort sanguinolents, ou jaunâtres. Le mal est plus grand, si les crachats ne sont pas sanguinolents, ou s'il survient un délire ou un coma. » Cet auteur dit aussi que les pleurétiques guérissent ou périssent dans sept jours ou dans quatorze jours, selon la violence des symptômes ; ou si la maladie dure jusqu'au vingtième, il leur vient un empyème. Voyez *Arétée, liv. 1, chap. 10.*

(2) Les causes de ce symptôme ayant été très-exactement et très-clairement expliquées par le docteur *Hoadley*, nous rapporterons ici son sentiment là-dessus. Différents obstacles, dit-il, peuvent empêcher le poumon de se dilater et de se contracter librement et facilement. Les uns sont extérieurs, les autres intérieurs. Les obstacles extérieurs sont, premièrement, une adhérence à la plèvre ; secondement, une quantité de liquide extravasé qui occupe une partie de la cavité de la poitrine, et ne laisse pas au poumon l'espace nécessaire pour ses mouvements. — Quant à l'adhérence du poumon à la plèvre, c'est un cas si commun, que le nombre de ceux que l'on trouve par l'ouverture avoir des adhérences, surpasse de beaucoup le nombre de ceux à qui on n'en trouve point ; mais ces adhérences sont peu étendues, sinon en des sujets qui ont été fort malades. — Tandis que l'adhérence est ainsi peu étendue, et que la personne jouit d'une santé passable, le poumon peut se dilater et se contracter avec assez de liberté, et la respiration n'est pas beaucoup gênée. Mais, lorsque l'adhérence est fort étendue, et que le poumon et la plèvre sont enflammés, non seulement cela gêne beaucoup la respiration, mais encore augmente la maladie. — Alors, le symptôme qui fait juger le plus sûrement qu'il y a une adhérence, c'est lorsque le malade ne peut se coucher que sur un des côtés sans douleur, et avec une facilité passable de respirer. L'adhérence est toujours du côté sur lequel le malade se couche aisément. — Car, premièrement, lorsque le malade est couché sur le côté opposé, le poids du lobe qui est adhérent tend à le séparer de la plèvre ; au lieu que, quand le malade est couché sur le côté où est l'adhérence,

violente inflammation, et faute d'avoir saigné dans le commencement (1), le mal prend par la voie de la suppuration, et forme un empyème; alors, quoique la fièvre primordiale cesse entièrement, ou du moins diminue beaucoup, le malade n'est pas hors d'affaire, mais il tombe dans la fièvre lente, et périt enfin par la phthisie.

601. Or, quoique la pleurésie, quand elle est une maladie essentielle, doive sa naissance à une inflammation particulière et spécifique du sang, elle ne laisse pas de survenir quelquefois par accident à d'autres fièvres, de quelque genre qu'elles soient : savoir, lorsque la matière fébrile se jette sur la plèvre, ou sur les muscles intercostaux (2). Cela arrive pour l'ordinaire dans le commencement de la fièvre, la matière morbifique étant encore crue, et n'ayant pas eu le temps de subir la coction et la préparation nécessaire pour être évacuée par les endroits convenables. — La cause la plus commune de cet accident, c'est l'usage que l'on fait mal à propos des remèdes chauds : en quoi pèchent certaines femmes de condi-

---

cela n'arrive pas. — Secondement, lorsqu'il y a adhérence, et que les parties sont enflammées, le mouvement de la respiration doit se faire avec plus d'étendue au côté opposé, afin de soulager les parties souffrantes. Mais lorsque le malade est couché sur le côté opposé, cette situation non seulement empêche ce côté de soulager l'autre, les côtes sur lesquelles le malade est couché ne pouvant se mouvoir librement; mais elle oblige aussi le côté souffrant d'exécuter la plus grande partie du mouvement de la respiration, ce qui doit nécessairement augmenter la douleur et la difficulté de respirer. — Il y a quelquefois des adhérences des deux côtés de la poitrine, lesquelles par les mêmes raisons ne gênent que peu ou point du tout la respiration avant qu'il survienne quelque autre maladie du poumon ou de la plèvre. Et lorsque cette maladie cause une inflammation ou une suppuration, un des côtés est ordinairement plus affecté que l'autre, et par conséquent il y a à peu près les mêmes symptômes que quand l'adhérence n'est que d'un côté seulement. — Dans les poumons qui ont long-temps souffert, l'adhérence s'étend peu à peu, et quelquefois devient universelle. C'est ce que j'ai vu moi-même plus d'une fois, et qui mérite attention. (Voyez *l'auteur, Leçons sur les organes de la respiration, p.* 76, 77.)

(1) Le traitement de cette maladie consiste principalement dans la saignée, qui est extrêmement utile, non-seulement chez les jeunes gens, mais encore chez les personnes âgées, parce qu'ordinairement celles-ci ont plus de sang, et que leur sang est plus épais, plus visqueux, et produit des inflammations plus violentes : c'est pourquoi on doit réitérer la saignée suivant leurs forces. Il faut avoir grand soin de proportionner la saignée aux forces, et de régler tellement la quantité de sang qu'on n'en tire ni trop, ni trop peu. Le trop, non-seulement arrête l'expectoration, mais augmente l'engorgement que l'on voulait dissiper, ou le fait tourner en gangrène. Le trop peu, ne servant qu'à faciliter le cours du sang vers la partie affectée, augmente par ce moyen l'engorgement et l'inflammation. (Voyez *Hoffmann, Med. rat. systemat. tom. IV, part.* 1, *p.* 435). — Nous joindrons ici une excellente remarque du docteur *Huxham*, au sujet de la saignée dans les maladies du poumon : « La saignée, dit-il, bien loin d'être utile dans les maladies du poumon, lorsque l'expectoration se fait bien, l'arrête au contraire entièrement : ainsi, elle n'est indiquée en aucune façon, à moins qu'il n'y ait une pléthore manifeste, ou une douleur aiguë, ou une difficulté de respirer, ou que le malade ne crache du sang tout pur en assez grande abondance pour que la saignée soit nécessaire ». (Voyez *Huxham, de Aëre et morb. epid., p.* 52.)

(2) La surface interne des côtes, les muscles intercostaux, le diaphragme et toute la surface externe du poumon et du péricarde sont très-exactement recouverts de la plèvre, membrane forte et unie qui tapisse toute la cavité de la poitrine, et forme par ses duplicatures le médiastin qui partage cette cavité en deux. — Dans l'état de parfaite santé, la plèvre est souple et flexible partout, afin de pouvoir se prêter au mouvement continuel des parties qu'elle couvre : mais comme elle a beaucoup d'artères, de veines et de nerfs, elle est nécessairement susceptible d'engorgement, d'inflammation de douleur et de suppuration, de même que les autres parties du corps. Ainsi, lorsqu'elle est attaquée quelque part de l'un de ces accidents, cela doit troubler beaucoup l'action des parties sur lesquelles elle s'étend; et, selon que l'endroit affecté est appliqué aux côtes, ou au diaphragme, les côtes ou le diaphragme seront gênés dans leur mouvement. (*Idem, p.* 71, 72.)

tion qui, ayant de la charité pour les pauvres, feraient beaucoup mieux de leur donner des aliments que de se mêler de les médicamenter. Il est vrai que leur vue, si toutefois elles en ont aucune, est d'exciter la sueur dès le commencement de la fièvre ; mais elles ne voient pas les funestes suites de cette manœuvre téméraire qui, en troublant la nature, l'oblige à se débarrasser, par où elle peut, des humeurs encore crues; car alors la matière fébrile ne manque pas de se jeter tantôt sur les membranes du cerveau où elle produit la phrénésie, tantôt sur la plèvre où elle cause la pleurésie, surtout lorsque l'âge et le tempérament des malades y contribuent, et que d'ailleurs on est entre le printemps et l'été, qui est la saison où les fièvres tournent plus aisément en pleurésie.

602. Le sang que l'on tire dans cette maladie semble montrer qu'elle vient réellement du transport de la matière fébrile sur la plèvre ou sur les muscles intercostaux. Ce sang, lorsqu'il est refroidi, du moins celui que l'on tire après la première saignée, ressemble par sa superficie à du suif fondu ou à du pus ; c'est quelque chose néanmoins de bien différent du pus, et qui n'est point liquide comme le pus, car quand on sépare cette partie d'avec le reste du sang, on trouve que c'est une pellicule tenace ou une couenne assez épaisse composée de fibres comme le reste du sang, et peut-être n'est-ce autre chose que des fibres du sang qui, ayant perdu leur enveloppe rouge et naturelle en se déposant sur la partie enflammée, se sont jointes ensemble et ont formé la pellicule blanche dont il s'agit. — Mais il est bon de remarquer, pour le dire en passant, que si le sang, quand il sort de la veine, ne darde pas horizontalement, mais tombe perpendiculairement après avoir coulé le long du bras, souvent il ne forme pas de pellicule blanche, quoiqu'il sorte avec impétuosité : phénomène dont j'avoue que je ne sais pas la raison. Une saignée où le sang coule de la sorte, soit parce que l'ouverture est trop petite, soit par quelque autre raison, ne soulage pas autant le malade que lorsque le sang darde horizontalement ; et d'ailleurs, quand le sang coule ainsi le long du bras, il ne se trouve point dans les palettes de la couleur de celui des pleurétiques. J'ai encore observé que, de quelque manière que soit venu le sang, si on le remue avec le doigt aussitôt après la saignée, sa superficie sera rouge et vermeille comme dans les autres maladies. — Mais quelle que soit la couleur du sang dans la pleurésie, et quelque dangereuse que soit cette maladie, il est aisé de la guérir si on la traite comme il faut, et on peut en venir à bout aussi sûrement que l'on vient à bout de quantité d'autres maladies.

603. Après avoir examiné soigneusement les différents symptômes de la pleurésie, je crois qu'elle n'est autre chose qu'une fièvre provenant d'une inflammation particulière du sang, et par laquelle la nature dépose la matière morbifique sur la plèvre (1) et quelquefois

(1) La vraie pleurésie est une inflammation du sang causée par le séjour de ce liquide dans les petits vaisseaux des bronches, découverts par le célèbre Ruisch, et qui servent uniquement à la nutrition des membranes, des vésicules et des vaisseaux du poumon. C'est pourquoi le poumon est principalement affecté dans cette maladie, mais seulement à sa surface extérieure. La vraie pleurésie est accompagnée d'une plus grande difficulté de respirer que la fausse ; il y a un crachement de sang, et la maladie se termine par l'expectoration. La fièvre y est plus aiguë, mais la douleur n'est pas si piquante, ni la partie affligée si sensible que dans la fausse pleurésie. *Hoffmann, Med. rat. system., t. 4, part. 1, p. 427.* — Dans la fausse pleurésie, la douleur de côté est très-aiguë et très-piquante, et elle augmente lorsqu'on touche la partie affectée. Le malade ne saurait se tenir couché sur le côté souffrant ; il a une toux sèche, sans crachats pituiteux ou sanglants; néanmoins, si la toux est violente, elle augmente la douleur. Cette maladie est pareillement accompagnée de fièvre, et d'un pouls dur, fréquent et concentré. Elle ne demande pas la saignée à moins qu'il n'y ait pléthore ; et pour l'ordinaire, elle se termine heureusement et promptement, vers le septième jour, par une sueur douce et une transpiration plus abondante, et elle n'est point dangereuse.—Boerhaave observe qu'il y a deux sortes de pleurésies, l'une sèche, et l'autre humide. La dernière se guérit aisément; mais la première est ordinairement dangereuse : ainsi, il est nécessaire de les distinguer. La pleurésie humide est accompagnée d'un crachat symptomatique, d'une matière gluante et jaunâtre, teinte de sang, laquelle vient de la partie enflammée du poumon avec de grands efforts. Mais, dans la pleurésie sèche, les crachats sont

sur les poumons; dans ce dernier cas, c'est une péripneumonie (1), maladie qui, selon moi, ne diffère de la pleurésie qu'en ce que l'inflammation est plus grande et plus étendue.

604. Le but que je me propose dans le traitement de la pleurésie (2), c'est d'apaiser l'inflammation du sang, et de détourner par des évacuations convenables les particules enflammées qui se sont jetées sur la plèvre et ont causé tout le désordre. — Pour remplir ces indications, ma plus grande espérance est dans la saignée. Ainsi, dès que je suis appelé auprès du malade, je lui fais tirer sur-le-champ environ dix onces de sang au bras du côté de la douleur (3), et aussitôt après la saignée je lui fais donner la potion suivante :

Prenez eau de coquelicot, quatre onces ; sel de prunelle, un gros ; sirop violat, une once ; mêlez tout cela pour une potion.

---

clairs et viennent du gosier : ce qui montre que la matière inflammatoire ne s'expectorera pas. (Voyez *Prax. Med. prat.* 4, *p.* 164.)

(1) La douleur qui accompagne la péripneumonie est tensive, obtuse et pesante, plutôt qu'aiguë, et s'étend jusqu'au dos et aux épaules. Mais la difficulté de respirer est plus grande que dans la pleurésie, et elle est accompagnée d'anxiété et de crachats de différentes couleurs qui viennent difficilement. Car, dans cette maladie, les vaisseaux du poumon qui portent le sang d'un ventricule du cœur à l'autre sont affectés, étant engorgés d'un sang fort épais, qui tend à la coagulation. C'est pourquoi la péripneumonie est plus dangereuse, et cause aisément la mort, surtout si le malade est âgé, et si on a manqué de rafraîchir à propos le sang. *Hoffmann, Med. rat. system., t.* 4, *part.* 1, *p.* 428.

(2) Comme la stagnation du sang qui dérange la circulation est la seule cause prochaine de cette maladie, tout le traitement consiste à dissiper l'engorgement et à rétablir la circulation : et pour cela, il faut remplir les indications suivantes. 1° Empêcher que l'inflammation et la stagnation du sang n'augmentent ; 2° délayer et atténuer le sang épaissi ; 3° ramollir et relâcher la partie affligée, où le spasme, la douleur et l'abondance du sang qui s'y est porté ont produit une tension, et faire en sorte que le sang qui y séjourne en puisse être chassé et remis en mouvement, par le moyen du sang artériel qui y abordera ; 4° enfin, aider l'expectoration de la matière visqueuse, sanguinolente ou purulente qui est logée dans les bronches, et empêcher qu'il ne se forme un abcès, ou un empyème. — Il faut saigner plus ou moins copieusement et plus ou moins fréquemment, selon les forces du sujet, la violence de la maladie, etc. L'ouverture de la saignée doit être grande, afin de dissiper plus aisément l'inflammation, et plus tôt l'on saigne, plus la saignée est utile. Les délayants et les discussifs servent admirablement à détruire la viscosité du sang ; à quoi l'eau de gruau ou l'eau d'orge adoucie avec le miel, comme aussi le petit-lait, réussissent très-bien, étant bus chauds. On peut beaucoup diminuer la douleur et la tension de la partie affligée, en y appliquant et y tenant une vessie remplie d'une décoction chaude, de drogues émollientes, faite dans le lait, comme les fleurs de sureau, de mélilot, de camomille, l'ognon de lys, les racines de guimauve, les têtes de pavot, la graine de lin et celle de fénugrec, etc. Le looch suivant aidera beaucoup l'expectoration :— Prenez huile fraîche d'amandes douces, demi-once ; blanc de baleine, deux gros ; safran en poudre, dix grains ; sirop violat et sucre fin, de chacun une once et demie. Faites un looch dont le malade prendra souvent une cuillerée, ou seule, ou délayée dans un petit verre d'eau de gruau chaude, ou de petit-lait chaud. — Il faut tenir le ventre libre par des lavements émollients, éviter également l'extrémité du froid et du chaud, et ne rien boire de froid. Tous les remèdes qui agissent fortement par les urines, par les sueurs ou par les selles, doivent être soigneusement bannis. Les narcotiques sont nuisibles aux gens âgés, et lorsque les humeurs sont épaisses et l'inflammation considérable. Il ne faut pas donner dès le commencement de la maladie les expectorants, mais attendre que la matière soit cuite, visqueuse, et en état d'être évacuée par les crachats ; autrement on attirerait sur les poumons une grande abondance d'humeurs. (Voyez *Hoffmann, Med. rat. syst., t.* 4, *part.* 1 *de feb. pneum. sparsim.*)

(3) La pratique la plus ordinaire et la plus autorisée est de saigner du côté opposé à la douleur, afin d'opérer plus sûrement la révulsion, c'est-à-dire de détourner plus aisément le sang, et d'empêcher qu'il n'aborde en si grande quantité sur la partie affligée, ce qui est nécessaire pour que l'inflammation puisse se résoudre.

En même temps j'ordonne l'émulsion suivante :

Prenez sept amandes douces pelées ; semences de melon et de concombre, de chacune demi-once ; graines de pavot blanc, deux gros ; broyez tout cela ensemble dans un mortier de marbre, en versant peu à peu par dessus eau d'orge, une livre et demie ; eau rose, deux gros ; ajoutez sucre candi, demi-once ; faites une émulsion dont le malade prendra quatre onces de quatre en quatre heures.

J'ordonne aussi l'usage fréquent des remèdes pectoraux. Par exemple :

Prenez décoction pectorale, deux livres ; sirops violat et de capillaire, de chacun une once et demie. Mêlez cela pour un apozème, dont le malade prendra demi-livre trois fois dans la journée. Prenez huile d'amandes douces, deux onces ; sirops violat et de capillaire, de chacun une once ; sucre candi, demi-gros. Mêlez tout cela pour un looch que le malade sucera souvent dans la journée.

On peut donner avec beaucoup d'utilité pour la même fin l'huile d'amandes douces ou l'huile de lin seules, quand elles sont nouvelles.

605. Pour ce qui est du régime, j'interdis absolument la viande et même les bouillons de viande les plus légers. J'ordonne à la place les décoctions d'orge et d'avoine et les panades, et pour boisson ordinaire la tisane faite avec l'orge, les racines d'oseille, de réglisse, etc., et quelquefois la petite bière. J'ordonne aussi le liniment suivant :

Prenez huile d'amandes douces, deux onces ; onguent rosat et onguent d'althéa, de chacun une once. Mêlez tout cela pour un liniment dont on frottera matin et soir le côté douloureux, et on appliquera par dessus une feuille de choux.

Je continue ces remèdes pendant toute la maladie.

606. Si la douleur est violente, je réitère la saignée dès le premier jour que je suis appelé, et je fais tirer une pareille quantité de sang que la première fois. J'en fais de même le second, le troisième et le quatrième jour si la douleur et les autres symptômes continuent avec violence. Mais si la maladie et le danger diminuent, ou si le malade est trop faible pour soutenir des saignées si proches les unes des autres, je me contente d'en faire d'abord deux de suite, et je mets entre les autres un jour ou deux d'intervalle. Ma règle en cela est d'avoir égard aux contr'indiquants, savoir, d'un côté à la violence de la maladie, et de l'autre à la faiblesse du malade. — Et quoique dans la pratique de la médecine je saigne plus ou moins suivant l'exigence du cas, toutefois j'ai rarement vu de pleurésie confirmée qui ait été guérie sans avoir tiré environ quarante onces de sang. Il est vrai que dans les enfants une ou deux saignées suffisent d'ordinaire. La diarrhée qui survient quelquefois ne doit pas empêcher le nombre des saignées que nous avons dit, et elles l'arrêteront bientôt, quand même on n'emploiera aucun astringent.

607. Je ne fais pas donner de lavements, ou si j'en fais donner, c'est le plus loin des saignées qu'il est possible, et ils sont composés très-simplement, savoir, avec le lait où l'on a dissous du sucre.

608. Pour que le malade ne s'échauffe pas trop, je lui permets de se tenir levé tous les jours pendant quelques heures à proportion de ses forces. Cela est d'une telle conséquence dans cette maladie, que si on oblige le malade de garder continuellement le lit, ni les saignées réitérées, ni les autres remèdes, quelque rafraîchissants qu'ils soient, ne serviront quelquefois de rien du tout contre les symptômes de la maladie.

609. Aussitôt après la dernière saignée, et peut-être même plus tôt, tous les symptômes diminueront, et le malade ne sera pas long-temps ensuite à reprendre ses forces, quoiqu'il faille encore durant quelques jours lui retrancher absolument toute liqueur spiritueuse et tout aliment solide. Quand il aura repris ses forces, il sera à propos de le purger doucement.

610. Si quelqu'un est étonné de ce que je ne parle pas même de l'*expectoration*, bien loin de me tourmenter à chercher les moyens de l'exciter pendant les divers temps de la maladie, il saura que j'ai gardé exprès le silence sur cet article, parce que j'ai toujours cru qu'il était extrêmement dangereux de compter sur une pareille évacuation pour la guérison de la pleurésie. Car, sans parler de la longueur ennuyeuse de cette méthode, il arrive assez souvent qu'une certaine quantité de la matière morbifique ayant subi une coction convenable, et peut-être même ayant été évacuée par les crachats, le reste demeure cru malgré l'usage des meilleurs maturatifs et expectorants, en sorte que les crachats tantôt vont assez bien, et tantôt se suppriment entièrement : alternative infiniment dangereuse pour le ma-

lade, qui ne peut échapper de la mort que par l'expectoration, de laquelle néanmoins le médecin n'est nullement maître. — Au contraire, par le moyen de la saignée, je suis le maître d'évacuer la matière morbifique, et l'ouverture de la veine me tient lieu pour cela de la trachée artère (1). J'ose même assurer hardiment que la pleurésie, qui est regardée avec raison comme une maladie des plus meurtrières, quand on la traite suivant la méthode que je condamne, se guérit aussi sûrement qu'une autre maladie si on la traite par la saignée réitérée, sans parler qu'on la guérit ainsi en très-peu de temps. D'ailleurs je n'ai pas encore trouvé que ce grand nombre de saignées ait nui le moins du monde à aucun malade, comme pourraient croire les ignorants (2).

611. Il est vrai qu'en traitant la pleu-

---

(1) Il est absurde de vouloir exciter l'expectoration dans une simple pleurésie. Rien n'est si utile dans ce cas-là que la saignée copieuse et fréquente, et faite de bonne heure, avec les boissons délayantes et adoucissantes prises chaudes; car, en même temps que ces boissons humectent le sang, elles relâchent les fibres trop tendues, et atténuent peu à peu les humeurs épaissies, surtout si l'on emploie d'une manière convenable le nitre et le camphre, avec lesquels on peut mêler de temps en temps l'opium, pour diminuer la violence de la douleur. Comme l'opium relâche puissamment, il convient, par cette raison, dans toutes les maladies où il y a une trop grande tension; car il modère la trop grande rapidité de la circulation, et facilite merveilleusement la coction de la matière morbifique : de là vient qu'on voit souvent dans l'urine un sédiment copieux après l'usage de l'opium. — La vraie pleurésie ne demande pas plus de remèdes pectoraux, des loochs, que n'en demande une inflammation de la jambe, ou la goutte même. Les fomentations y sont beaucoup plus utiles; souvent elles soulagent la douleur, et procurent la guérison. Les ventouses sont aussi d'un très-grand secours dans une douleur vive et opiniâtre, lorsque tout le reste est inutile. Quand la maladie est fort violente, on emploie quelquefois les vésicatoires. (*Voyez Huxham, de Aëre et morb. épid. p. 64, 65.*)

(2) La méthode générale de traiter les fièvres qui attaquent les organes de la respiration est si judicieusement exposée en peu de mots par le docteur *Hoadley*, que je joindrai ici tout ce qu'il dit sur cette matière, tant pour suppléer à ce qui manque à notre auteur, que pour faire connaître davantage les excellentes règles que donne ce docteur, et en rendre par ce moyen l'utilité plus universelle. — « Lorsqu'un médecin, dit-il, trouve un malade attaqué d'une fièvre, avec chaleur, soif et insomnie, et en même temps d'une violente douleur de côté, de toux, de difficulté de respirer, ou d'autres symptômes qui montrent que les organes de la respiration sont lésés, il doit s'informer soigneusement du commencement de la maladie, et examiner avec attention tous les symptômes, afin de juger si les accidents qui blessent la respiration sont l'effet ou la cause de la fièvre. — S'il paraît évidemment que ces accidents viennent de la fièvre, le médecin doit reconnaître ensuite la nature et le caractère de cette fièvre indépendamment des symptômes qui regardent la respiration; car, quoiqu'il faille avoir égard à la violence de la douleur et à la grande difficulté de respirer, et y apporter soulagement, néanmoins la guérison du malade dépend essentiellement de la cessation de la fièvre. — Et comme on sait par expérience qu'il y a une grande variété dans les fièvres; que les unes, au lieu de diminuer, s'augmentent plutôt par la saignée, tandis que les autres ne cèdent presque à aucune méthode, sans y joindre plusieurs saignées; que les unes empirent par un régime chaud, et cèdent bientôt à un régime rafraîchissant, tandis que d'autres sont accompagnées de tant de faiblesse, qu'elles demandent l'usage continué des cordiaux les plus chauds; que quelques-unes ne peuvent soutenir le plus doux laxatif, sans qu'il survienne ensuite une dangereuse diarrhée, tandis que d'autres augmentent visiblement si on manque de tenir le ventre ouvert, en donnant chaque jour des lavements, ou de petites doses de rhubarbe; que quelques-unes cèdent tout-à-coup, comme par enchantement, à l'usage des vésicatoires, tandis que d'autres, bien loin d'y céder, augmentent au contraire par la douleur et l'incommodité qu'ils causent, etc.; comme il y a, dis-je, une si grande variété dans la nature des fièvres, et par conséquent dans la manière de les traiter; et comme les maladies aiguës qui attaquent les organes de la respiration accompagnent souvent chacune de ces sortes de fièvres, et en dépendent, il est impossible d'établir une méthode générale pour les traiter; mais tout dépend nécessairement du jugement du médecin, jugement qui est

résie, j'ai souvent cherché à pouvoir la guérir sans être obligé de répandre tant

formé sur l'état de chaque malade particulier. — C'est pourquoi je tâcherai de marquer les moyens de juger dans les cas particuliers quelle méthode on doit suivre préférablement aux autres dans le traitement de ces maladies; s'il est plus à propos d'employer les saignées réitérées, ou les rafraîchissants, ou les échauffants, ou les vésicatoires. — Je sens bien que j'entreprends ici une chose très-difficile, et qu'il n'est peut-être pas possible d'établir aucune règle sûre pour juger tout d'un coup de la nature d'une fièvre, et de la méthode particulière qu'il faut suivre en la traitant. Mais, je ne doute pas qu'on ne puisse au moins reconnaître, par quelques signes évidents, quand il faut abandonner quelqu'une de ces méthodes, et ne pas la suivre obstinément. — Quoique l'on convienne de la difficulté qu'il y a de déterminer le genre de fièvre qui accompagne la pleurésie, par exemple, aussi promptement que la violence de la douleur et le danger de la maladie le demandent; néanmoins si l'on sait que des fièvres différentes exigent nécessairement des traitements différents, on pourra aussi être assuré que celles qui demandent la même méthode, c'est-à-dire, par exemple, que celles où il faut saigner, auront besoin d'un nombre de saignées plus ou moins grand. D'un autre côté, si une ou deux saignées n'apportent que peu ou point de soulagement, et si au contraire le pouls baisse et que les forces diminuent, tandis que la douleur latérale et la difficulté de respirer subsistent aussi violemment que jamais, ou à peu près, on pourra être assuré que cette méthode ne convient point à la fièvre, et qu'il serait dangereux de réitérer la saignée. Voilà donc la véritable marque à quoi on connaitra quand il faudra abandonner la saignée. — J'ai pris pour exemple la saignée, parce que l'on convient généralement que c'est le premier pas que l'on doit faire dans le traitement de la pleurésie, et qu'en effet la violence de la douleur et la difficulté de respirer la demandent absolument; et aussi parce que la saignée fournit les moyens d'examiner les altérations qu'a souffertes le sang dans cette fièvre : ce qui, joint à la connaissance de l'état du pouls et de la force du malade avant et après la saignée, sert beaucoup à déterminer s'il faut l'échauffer ou le rafraîchir. — Si le malade est vigoureux et pléthorique, et qu'il ait de gros vaisseaux, si son pouls est élevé, et que les forces se soutiennent avant et après la saignée, si le sang est vermeil, avec peu ou point de sérosité, ou s'il est fort visqueux, il est évident qu'on doit réitérer la saignée, et cela autant de fois que les symptômes le demanderont, et qu'on doit s'attacher à la méthode des rafraîchissants et des adoucissants. Vers le déclin de l'inflammation on pourra, si la douleur continue, appliquer les vésicatoires, qui ne manqueront guère de réussir. — Mais, si le malade est d'un tempérament faible et délicat, si les forces lui manquent, et que son pouls s'affaisse par la saignée, si en même temps la douleur et la difficulté de respirer continuent, il y a sujet de croire qu'il serait trop dangereux de saigner davantage, que le cerveau pourrait être attaqué, qu'il pourrait survenir des syncopes et d'autres accidents fâcheux : ainsi on doit s'abstenir de saigner, comme il a été dit auparavant. Le sang est alors ou fort visqueux, ou fort coulant, et comme dissous, ayant toutes ses parties mêlées ensemble, et le peu d'épais qui s'y trouve se brise dès qu'on le touche tant soit peu, et se mêle avec le reste. — Dans le premier cas, c'est-à-dire lorsque le sang est fort visqueux, le sel volatil ou l'esprit volatil de corne de cerf, le sel volatil de succin, et semblables, donnés en dose convenable de trois en trois, de quatre en quatre, ou de six en six heures, suivant le besoin, en y joignant un régime chaud, sont très-utiles, et soulagent quelquefois sur-le-champ. On peut appliquer aussi les vésicatoires dès qu'on voit que le pouls baisse et que les forces diminuent, car ils produisent le même effet que les sels volatils. C'est apparemment dans des cas semblables que le sang de bouquetin et la fiente de cheval ont réussi, à cause de leurs sels ou esprits volatils, ce qui les a mis en réputation pour la cure de la pleurésie. — Dans le second cas, c'est-à-dire lorsque le sang est dissous, les vésicatoires et les sels volatils ne conviennent pas, mais les acides en grandes doses, en y joignant quelques cordiaux, comme la thériaque, etc. — Je ne propose tout cela que comme des vues qui peuvent conduire à la véritable méthode curative, c'est-à-dire, à la méthode la plus convenable à la fièvre qui accompagne les maladies aiguës qui attaquent la respiration. Cependant, je ne prétends pas qu'on suive obstinément aucune de ces méthodes, lorsque la douleur ou la fièvre y résiste; il faut au contraire les varier, selon que les symptômes le de-

de sang, savoir, en procurant la résolution ou l'expectoration de l'humeur mor-

---

mandent. » — L'auteur, pour appuyer ce qu'il dit des différentes manières de traiter ces sortes de fièvres, cite un endroit de Sydenham, tiré de la sect. V, chap. V, art. 454, et ensuite un autre tiré des *Exercitationes Medicæ*, du docteur Tabor. Le voici. — « Tout cela est encore confirmé par une fièvre d'un certain genre » qui, ces dernières années, a été très-fatale au peuple de ce pays-ci, et qui ré» gnait tantôt dans une saison de l'année, » et tantôt dans une autre. C'était une » fièvre pleurétique. Elle commençait » par un frisson et un tremblement con» sidérables, qui annonçaient une issue » de la maladie d'autant plus funeste » qu'ils duraient plus long-temps. Dès » qu'ils cessaient, il survenait une dou» leur aiguë et souvent spasmodique au » côté droit, un abattement considérable, » une difficulté de respirer, une grande » oppression et pesanteur de poitrine. » La chaleur n'était pas ordinairement » fort violente, le pouls était fréquent » ou dur, la toux fréquente, la soif con» sidérable, le ventre lâche ou resserré. » L'urine ne donnait aucun sédiment, et » était de couleur de paille. Une insom» nie opiniâtre continuait pendant toute » la maladie; mais il n'y avait point de » délire. D'abord la toux était sèche; mais » au bout d'environ vingt-quatre heu» res les malades crachaient une matière » claire et teinte de sang, et cette expec» toration était fréquente; ensuite la toux » augmentait, et devenait presque conti» nuelle, la matière des crachats étant » plus abondante et plus épaisse. La ma» ladie se terminait par une expectora» tion très-copieuse, ou bien le malade » était suffoqué par une pituite extrême» ment visqueuse qui restait dans le » poumon, ce qui arrivait ordinairement » le neuvième jour, rarement plus tard, » et souvent plus tôt, surtout si l'on avait » mal à propos réitéré la saignée. — Peu » de malades, à moins qu'ils ne fussent » jeunes, robustes et pléthoriques, pou» vaient soutenir la saignée sans incon» vénient. Dans ceux-là, deux et quel» quefois trois saignées faites les pre» miers jours de la maladie, étaient » utiles; dans les autres, il fallait s'en » abstenir entièrement, ou ne saigner » pas plus tard que quelques heures après » la première attaque, encore une pa» reille saignée était extrêmement dan» gereuse, à moins qu'on ne donnât aus» sitôt un émétique, et ensuite continuel» lement des expectorants, car la mala» die était de telle nature, qu'excepté » dans les pléthoriques, la guérison s'o» pérait entièrement par le moyen d'une » abondante expectoration d'une pituite » visqueuse qui sortait plus facilement » et plus copieusement quand on ne sai» gnait pas que quand on saignait. Dans » les sujets qui n'étaient pas pléthori» ques, la saignée arrêtait d'ordinaire » l'expectoration, et produisait une gran» de difficulté de respirer, et un râle» ment, et plus on réitérait, plus les » symptômes augmentaient, et plus tôt les » malades mouraient ». — L'auteur continue. — « Il ne faut pas douter que les médecins qui ont beaucoup de pratique, et qui voient continuellement des fièvres, n'acquièrent une connaissance qu'ils ne sauraient communiquer aux autres, et par le moyen de laquelle ils peuvent juger plus promptement et plus facilement de la nature d'une fièvre, et par conséquent de la méthode curative qui y convient, que les autres qui n'ont pas les mêmes occasions : mais cela n'empêche pas que les autres ne doivent être sur leurs gardes, et tâcher de se former des règles et des maximes de pratique, soit pour acquérir avec le temps cette sagacité, soit pour éviter les fautes où ils pourraient tomber. — Quoique les vues que j'ai proposées paraissent peut-être trop générales, on ne doit pas néanmoins les mépriser ou les négliger entièrement, parce qu'elles peuvent servir dans le traitement de toutes les fièvres en général, comme dans celles en particulier qui sont accompagnées de maladies qui attaquent les organes de la respiration, et parce que le médecin est toujours maître de les suivre ou non, suivant que les différentes combinaisons des symptômes paraîtront l'exiger. — Aussi, ne les ai-je proposées que pour obéir à une coutume trop ordinaire, qui est de traiter toujours de la même façon les mêmes symptômes, sans considérer par combien de différentes causes ils peuvent être produits : coutume qui vient de ce qu'on a donné des noms généraux, non-seulement à ces symptômes ordinaires, comme s'ils accompagnaient seulement une maladie, mais aussi aux remèdes favoris d'un médecin qui sera en réputation pour cette maladie : d'où il arrive que ceux qui ne sont habiles qu'en recettes ordonnent aisément pour le nom de la maladie, et non pas pour la maladie même; et que l'idée qu'un nouveau praticien se sera formée de l'habileté d'un médecin de qui il emprunte sa recette peut se conduire dans une méthode curative que ce médecin bifique. Mais je n'ai jamais pu trouver de méthode qui égale celle de la saignée, laquelle j'emploie avec un succès merveilleux sans attendre l'expectoration, et malgré le funeste pronostic qu'Hippocrate fait de la pleurésie sèche.

612. Le traitement de la pleurésie consistant donc presque entièrement dans l'usage de la saignée réitérée, il arrive très-souvent dans les endroits éloignés des villes considérables que d'ignorants chirurgiens ou des médecins de village piquent le tendon, ce qui met le malade en grand danger de perdre le bras et même la vie. C'est pourquoi j'ai cru qu'il serait à propos de joindre ici la manière de remédier à un si fâcheux accident.

613. Ceux à qui on pique le tendon ne sentent pas aussitôt de la douleur, mais seulement douze heures après; et ils ne la sentent pas tant à l'ouverture de la veine que vers l'aisselle. C'est là que la douleur se fixe, et elle se fait principalement sentir quand on étend le bras. Cependant, la tumeur qui se forme à l'endroit blessé n'est pas fort considérable, et surpasse à peine la grosseur d'une noisette; mais il sort continuellement de l'ouverture une humeur aqueuse ou sérosité, qu'on doit regarder comme le signe le plus certain de la piqûre du tendon. Voici la manière de traiter cette piqûre, ainsi que je l'ai vu de mes propres yeux (1).

Prenez racines d'ognons de lis, quatre onces. Faites-les cuire dans deux livres de lait de vache, jusqu'à ce qu'elles soient bien ramollies, et coulez le lait. Prenez ensuite farines de lin et d'avoine, de chacune trois gros. Faites-les cuire en consistance de cataplasme dans suffisante quantité du lait que vous avez coulé, et mêlez-les avec les ognons de lis que vous broierez auparavant. Vous aurez un cataplasme qu'on appliquera chaudement matin et soir sur la partie malade.

---

n'aurait pas suivie dans telle occasion particulière. (Voyez *Hoadley, Leç. sur les organes de la respiration, p.* 105 *jusqu'à la fin.*

(1) Comme la piqûre du tendon ne se guérit pas toujours par cette simple application, et qu'elle est accompagnée d'autres symptômes que ceux dont notre auteur fait mention, nous les rapporterons ici, avec les meilleurs moyens de remédier à cet accident, selon Heister. — Les blessures des nerfs ou des tendons se manifestent principalement par les signes suivants. 1° Le malade, au moment qu'il est piqué, sent une si vive douleur, qu'il ne saurait presque s'empêcher de crier, surtout si elle continue. 2° Cette douleur est incontinent suivie d'une enflure, d'une inflammation, d'un spasme, et d'une raideur de la partie. 3° Ces accidents, si l'on n'y remédie pas promptement, sont suivis de convulsions extrêmement dangereuses, ensuite de gangrène, et enfin de la mort en très-peu de temps.—La meilleure manière de traiter la piqûre du tendon paraît être celle dont Ambroise Paré dit qu'il se servit avec succès pour le roi de France Charles IX. Ce prince ayant témoigné par un cri la douleur qu'il ressentit au moment qu'il fut blessé par la lancette, Paré soupçonna avec raison qu'il y avait quelque nerf blessé, parce que le bras commença aussitôt à enfler avec une très-violente douleur, et qu'il devint entièrement raide. C'est pourquoi les médecins de sa majesté, conjointement avec Paré, ordonnèrent aussitôt les remèdes convenables. D'abord on fit couler dans la plaie de l'huile de térébenthine chaude mêlée avec de l'esprit de vin rectifié, ensuite on couvrit tout le bras d'un emplâtre diachalcitéos, ramolli avec le vinaigre et l'huile rosat, sur lequel on appliqua un bandage expulsif; enfin, pour achever la guérison, on mit sur le bras le cataplasme suivant jusqu'à ce que la douleur eût entièrement cessé. — Prenez farine d'orge et d'ers, de chacune deux onces; fleurs de camomille et de mélilot, de chacune deux poignées; beurre frais, une once et demie: faites bouillir tout cela dans la mousse de savon jusqu'à consistance de cataplasme. — Le bras demeura près de trois mois sans pouvoir faire ses mouvements naturels; mais enfin il reprit peu à peu sa force ordinaire. — La méthode suivante est aussi très-bonne. Au lieu d'un mélange d'huile de térébenthine et d'esprit de vin, on fera couler dans la plaie plusieurs fois le jour du baume du Pérou liquide, ou de l'eau de la reine de Hongrie qu'on aura fait chauffer, et on continuera ainsi jusqu'à ce que la douleur diminue. On peut substituer à l'emplâtre diachalcitéos le diachylum simple, ou l'emplâtre de minium; mais il faut toujours avoir le plus grand soin de ne pas laisser la plaie découverte pendant qu'on prépare ce qui est nécessaire au pansement. Ainsi, on appliquera aussitôt un emplâtre, quel qu'il soit, et on enveloppera tout le bras de compresses de linges trempées dans l'oxycrat: par ce moyen, non-seulement on préviendra, ou l'on adoucira l'inflammation, mais on

CHAP. V. — DE LA FAUSSE PÉRIPNEUMONIE.

614. Tous les ans, au commencement de l'hiver, mais plus souvent à la fin de cette saison, et au commencement du printemps, il paraît une fièvre qui est accompagnée de plusieurs symptômes de la péripneumonie. Elle attaque principalement les gens gras et replets, ceux qui sont d'un âge moyen, et encore plus souvent les vieillards, ceux qui boivent trop de liqueurs spiritueuses, et surtout d'eau-de-vie. Le sang de ces gens-là étant chargé d'humeurs pituiteuses qui se sont amassées pendant l'hiver, et étant mis en mouvement par la chaleur du printemps, la toux qui survient ensuite pousse sur les poumons ces humeurs pituiteuses. Alors, si le malade ne veut garder aucun régime, et continue à boire des liqueurs spiritueuses, la matière qui excitait la toux s'épaissit, et, ne pouvant s'évacuer par les crachats, cause la fièvre (1).

615. Dès que la fièvre commence, le malade a tantôt chaud, tantôt froid. Il a des vertiges. Il ressent un grand mal de tête. Lorsque la toux est violente, il revomit tous les liquides, tantôt en toussant, et tantôt sans tousser. Les urines sont troubles et fort rouges. Le sang que l'on tire est semblable à celui des pleurétiques. La respiration est fréquente et difficile. Quand le malade veut tousser, il sent un mal de tète comme si la tête allait se fendre; car c'est ainsi qu'il s'exprime d'ordinaire. Toute la poitrine est douloureuse, et la toux est accompagnée d'un certain bruit rauque, parce que le poumon étant engorgé et ne pouvant se dilater suffisamment, le passage de l'air est, pour ainsi dire, fermé. De là vient que la circulation est tellement gênée, qu'il n'y a presqu'aucuns signes de fièvre, surtout chez les gens replets; quoique cela puisse aussi venir de la grande quantité de matière pituiteuse dont le sang des malades est surchargé, et qui l'empêche de fermenter suffisamment.

616. Dans la cure de la fausse péripneumonie, il s'agit de détourner par la saignée le sang qui accable la poitrine, de dissiper par des remèdes pectoraux l'engorgement des poumons, et de tempérer par un régime rafraîchissant la chaleur de tout le corps. La grande quantité d'humeur pituiteuse contenue dans le sang, et qui fournit matière à l'inflammation du poumon, semblerait demander beaucoup de saignées. Mais comme j'ai observé dans cette maladie que les fréquentes saignées réussissaient très-mal aux gens replets, surtout quand ils n'étaient plus à la fleur de l'âge, j'ai pris le parti d'y substituer de fréquentes purgations : ce qui réussit assez bien dans les sujets qui ont de la répugnance pour les saignées copieuses et en grand nombre (2).

617. Voici donc la manière dont je procède. Je fais d'abord une saignée du bras, le malade étant au lit, et je ne permets pas qu'il se lève de deux ou trois heures. De cette façon il soutient mieux

---

défendra encore la plaie de l'air extérieur ou d'autres matières pernicieuses. Dans les sujets pléthoriques, il est nécessaire, pour prévenir l'inflammation, et autres accidents fâcheux, de saigner copieusement du bras opposé, et cela sur-le-champ. Scultet, dans son Observation 47, recommande extrêmement pour les piqûres des nerfs un certain onguent dont il donne la description; et il dit au même endroit qu'il a coupé avec succès des nerfs blessés de la sorte. (Voyez *Heister, Instit. chirurg.*, p. 11, *sect.* 1, *chap.* 11.)

(1) Peu d'auteurs ont écrit sur la fausse péripneumonie, et peu même, outre notre auteur, l'ont connue distinctement; d'autres en ont parlé sous le nom de *catarrhe* ou de rhume de poitrine. — En hiver, le corps est chargé de graisse et de pituite; mais, aux approches de la chaleur du printemps et de l'été, il survient une fonte subite aux humeurs, au moyen de quoi elles se mêlent avec le sang des veines, et sont portées au ventricule droit du cœur, et de là au poumon; d'où il arrive que ce viscère est alors surchargé d'un sang froid et pituiteux, mais non pas inflammatoire; c'est pourquoi la péripneumonie vient toujours après un temps très-froid au printemps. —La chaleur dissout la graisse qui, étant ensuite mêlée avec le sang, et portée au poumon, s'arrête et s'embarrasse dans les ramifications de l'artère pulmonaire. Ainsi la péripneumonie est causée par des humeurs qui, s'étant amassées dans le corps pendant l'hiver, se mêlent ensuite avec le sang. (Voyez *Boerhaave, Prax. Med. vol.* 4, *de Peripn. nothâ.*)

(2) Boerhaave conseille seulement une saignée; mais il recommande fort des lavements laxatifs, le bain et les vésicatoires. *Ibid.*

la saignée, et il sera moins abattu si on lui tire dix onces de sang étant couché, que si on lui en tire seulement six ou sept étant levé. Le lendemain matin, je donne la potion suivante :

Prenez, casse mondée, une once ; réglisse, deux gros ; quatre figues grasses; feuilles de séné, deux gros et demi ; trochisques d'agaric, un gros. Faites bouillir le tout dans suffisante quantité d'eau ; et, dans quatre onces de ce que vous aurez coulé, dissolvez une once de manne, et une demi-once de sirop de rose solutif.

618. Le jour suivant je fais saigner une seconde fois, et, après un jour d'intervalle, je donne la même potion purgative, que je réitère ensuite de deux en deux jours jusqu'à la fin de la maladie. Les jours que je ne purge pas, je fais user d'une décoction pectorale d'huile d'amandes douces, et d'autres choses semblables.—Durant ce temps-là, j'interdis au malade la viande et les bouillons de viande, et principalement toute sorte de liqueurs spiritueuses. Je donne pour boisson ordinaire de la tisane d'orge et de réglisse, ou de la petite bière à ceux qui en souhaitent.

619. Voilà la manière de traiter la fausse péripneumonie, qui est causée par une abondance d'humeur pituiteuse que le froid de l'hiver a amassée dans le sang, et qui s'est ensuite jetée sur les poumons. Dans cette maladie, la saignée réitérée et la purgation sont indiquées; au lieu que dans la vraie péripneumonie la saignée seule est utile. Du reste, je crois que la vraie péripneumonie est absolument de même nature que la pleurésie, et qu'elle en diffère seulement en ce qu'elle affecte plus universellement les poumons. Ainsi ces deux maladies demandent entièrement les mêmes remèdes, et principalement la saignée et les rafraîchissants.

620. Quoique la fausse péripneumonie ressemble à l'asthme sec par la difficulté de respirer et par quelques autres symptômes; elle en diffère néanmoins sensiblement en ce que l'asthme sec n'est jamais accompagné de fièvre, au lieu que, dans le mal dont il s'agit, la fièvre et les signes d'inflammation sont manifestes, quoiqu'ils soient beaucoup moins violents et plus obscurs que dans la vraie péripneumonie.

621. Il faut remarquer soigneusement que si les malades attaqués de la fausse péripneumonie ont été auparavant dans l'habitude de boire de l'eau-de-vie ou d'autres liqueurs spiritueuses, il serait dangereux de les leur ôter tout d'un coup; mais il faut le faire peu à peu, crainte qu'un changement subit ne donne lieu à l'hydropisie; et c'est ce qu'on doit aussi observer dans toutes les maladies qui viennent d'une pareille cause.—Or, à propos de l'eau-de-vie, je dirai une chose en passant : c'est qu'il serait à souhaiter qu'on bannît absolument l'usage de cette liqueur, ou du moins qu'on l'employât seulement pour réparer les forces, et non pas pour les épuiser. Encore peut-être vaudrait-il mieux ne s'en point servir du tout intérieurement, et ne l'employer que pour les usages de la chirurgie, savoir en la mêlant dans les fomentations digestives pour les ulcères, ou en l'appliquant extérieurement sur les brûlures. Dans ce dernier cas, l'eau-de-vie est le meilleur remède qu'on ait trouvé jusqu'ici; car elle empêche bien merveilleusement la pourriture de la peau, et par ce moyen elle guérit en très peu de temps le mal, prévenant ainsi la suppuration et toutes les suites qui durent fort longtemps.—Que la brûlure ait donc été causée par l'eau bouillante, ou par la poudre à canon, ou de quelque autre manière, il faudra appliquer aussitôt des linges trempés dans de l'eau-de-vie, et réitérer de temps en temps l'application de ces linges ainsi imbibés, jusqu'à ce que la douleur soit entièrement apaisée ; ensuite on se contentera de les renouveler deux fois le jour (1).

CHAP. VI.—DU RHUMATISME.

622. Cette maladie arrive dans toutes les saisons, mais particulièrement en automne, et elle attaque principalement les personnes qui sont dans la vigueur de l'âge. Elle vient d'ordinaire pour avoir eu froid tout-à-coup lorsqu'on s'était échauffé par un violent exercice, ou

(1) Cela ne doit s'entendre que des brûlures légères, où l'huile de térébenthine est un bon remède, comme aussi une décoction d'oxycrat et de sel appliquée chaude sur la partie, et souvent renouvelée. Il est encore fort utile d'approcher du feu la partie, et de la tenir de cette sorte aussi long-temps que l'on peut: cela résout le sang coagulé, et empêche qu'il ne survienne des ampoules et d'autres fâcheux symptômes. (Voyez *Heister, Instit. chirurg.*, *part.* 1, *lib.* 4, *chap.* 15, *p.* 331.)

de quelque autre manière. Elle commence par un frisson, qui est suivi de chaleur, d'inquiétude, de soif, et des autres symptômes de la fièvre. Après un deux jours, et quelquefois plus tôt, il survient une douleur cruelle, tantôt dans un membre, tantôt dans un autre, aux épaules, aux poignets, et principalement aux genoux. Cette douleur passe alternativement d'un endroit à un autre, et laisse de la rougeur et de la tumeur, dans celui qu'elle occupe le dernier. — La fièvre et les autres symptômes mentionnés ci-dessus subsistent quelquefois avec la douleur les premiers jours de la maladie ; ensuite la fièvre s'évanouit insensiblement, sans que la douleur cesse. Quelquefois même elle devient encore plus cruelle, parce que la matière fébrile s'est alors jetée sur les membres ; et c'est ce que marquent assez les fréquents retours de fièvre qui arrivent lorsque la matière morbifique se trouve repercutée par des remèdes extérieurs employés mal à propos.

623. Quand le rhumatisme n'est pas accompagné de fièvre, il passe souvent sous le nom de *goutte*, quoiqu'il en diffère essentiellement, comme le savent très-bien ceux qui connaissent à fond ces deux maladies ; et c'est peut-être parce qu'on les a confondues ensemble, que les auteurs ont traité si légèrement la matière du rhumatisme. Peut-être aussi est-il une maladie nouvelle qui est venue se joindre à toutes les autres (1). — Quoi qu'il en soit, elle n'est que trop commune présentement ; et quoiqu'elle soit très-rarement mortelle quand une fois il n'y a plus de fièvre, cependant la violence et la longue durée des douleurs qu'elle fait sentir ne permettent pas de la négliger ; car, si on la traite mal, elle persiste assez souvent durant plusieurs mois, et même durant plusieurs années, quelquefois même toute la vie, non pas, à la vérité, sans intervalles, mais par des accès qui reviennent de temps en temps, comme ceux de la goutte. — Il arrive aussi quelquefois que des douleurs rhumatismales, après avoir duré long-temps et s'être fait sentir cruellement, cessent enfin d'elles-mêmes. Mais alors les parties affectées demeurent entièrement privées de mouvement pendant tout le reste de la vie. Les articulations des doigts sont, pour ainsi dire, renversées, et il y a, comme dans la goutte, des nodosités, surtout au côté interne des doigts. Du reste, l'appétit est bon, et le malade se porte bien d'ailleurs.

624. Il y a une autre sorte de rhumatisme, qui est ordinairement regardé comme une maladie d'un autre genre, et qu'on peut très-bien nommer *rhumatisme des lombes*. On ressent à la région lombaire une douleur fixe et très-violente qui s'étend quelquefois jusqu'à l'os sacrum, et ressemble à la colique néphrétique, si ce n'est que le malade ne vomit pas : car, outre la douleur cruelle et presque insupportable que l'on souffre aux environs des reins, on en ressent quelquefois une tout le long des urétères jusqu'à la vessie. Il est vrai que cette dernière douleur est moins violente que l'autre. Cependant, j'ai été trompé autrefois, croyant qu'elle venait de quelque gravier arrêté dans les urétères, au lieu qu'elle est réellement causée par la matière enflammée du rhumatisme qui, abandonnant le reste du corps, se jete sur ces endroits-là, et y produit une ardeur brûlante. — Si on ne traite pas cette seconde sorte de rhumatisme de la même façon que la première, elle dure aussi long-temps, et n'est pas moins cruelle. Les malades ne peuvent demeurer couchés ; ils sont obligés de se lever ou de se tenir assis dans leur lit, et cela avec une agitation continuelle, se pen-

(1) Dans le rhumatisme, la douleur attaque les muscles conjointement avec la membrane commune et leurs tendons ; mais, dans la goutte, elle attaque les ligaments. Dans la goutte commençante, le siége de la douleur est principalement à la surface des ligaments ; et dans la goutte ancienne, l'humeur morbifique qui cause la douleur est située plus profondément, et occupe plus d'espace entre les os. Il y a encore cette différence entre la goutte et le rhumatisme : la goutte revient plus souvent, cause plus de douleur, dure plus long-temps, et se guérit plus difficilement ; le rhumatisme n'attaque quelquefois une personne qu'une ou deux fois dans sa vie, ne dure pas si long-temps, et se guérit plus aisément. La douleur diffère aussi dans les deux maladies : dans le rhumatisme, elle est tensive, gravative, accompagnée de froideur, et sans aucune enflure ou rougeur remarquable ; dans la goutte, elle est perçante, déchirante, et menace pour ainsi dire de faire crever la partie affectée qui se trouve très-enflée et très-rouge.

chant tantôt en devant, tantôt en arrière.

625. Les symptômes de ces deux sortes de rhumatismes font assez voir qu'ils viennent d'une inflammation ; et on n'en doutera pas si on examine la couleur du sang que l'on tire aux malades, car il est parfaitement semblable à celui des pleurétiques. Les choses étant ainsi, je crois que le traitement du rhumatisme consiste d'un côté à diminuer par la saignée le volume du sang ; et de l'autre à tempérer son ardeur par des remèdes rafraîchissants et incrassants, et par un régime convenable (1). — Sitôt donc que je suis appelé auprès d'un malade, je lui fais tirer dix onces de sang au bras affecté, et je lui ordonne un julep rafraîchissant et incrassant, à peu près de la manière suivante.

Prenez des eaux de nénuphar, de pourpier et de laitue, de chacune quatre onces ; sirop de limon, une once et demie ; sirop violat, une once. Mêlez pour un julep, dont le malade boira à volonté.

Ou bien j'ordonne l'émulsion qui a été décrite dans le traitement de la pleurésie. Pour calmer la douleur, je fais appliquer sur la partie affectée un cataplasme de mie de pain blanc et de lait avec safran, ou bien une feuille de choux, et j'ai soin qu'on renouvelle souvent cette application (1).

626. Quant au régime je défends entièrement la viande et même les bouillons de viande les plus légers. J'y substitue des décoctions d'orge ou d'avoine, des panades, et autres choses semblables. Je ne donne pour boisson que de la petite bière, ou, ce qui vaut encore mieux, de la tisane d'orge avec la racine d'oseille, la réglisse, etc., bouillies dans l'eau de fontaine. Je veux que le malade se tienne levé tous les jours pendant quelques heures, parce que la chaleur du lit, quand on le garde continuellement, ne sert qu'à augmenter la maladie.

627. Le lendemain je fais tirer la même quantité de sang que la première fois et après un ou deux jours d'intervalle, suivant les forces du malade ; ensuite, laissant un intervalle de trois ou de quatre jours, à proportion des forces, de l'âge, du tempérament du malade, et des autres circonstances, je réitère la saignée pour la quatrième et ordinairement la dernière fois. Il est rare que j'aille au-delà, à moins que le malade n'ait usé d'un régime trop chaud, ou qu'on ne lui ait donné mal à propos des remèdes échauffants. — Si on employait les narcotiques, il faudrait saigner davantage. C'est pourquoi, quelque violentes que soient les douleurs, je m'abstiens scrupuleusement d'employer ces sortes de remèdes pendant toute la maladie lorsque j'ai dessein de la guérir par la saignée : car les narcotiques ne font que fixer le mal, et rendre la saignée moins efficace ; et quand on les a donnés, on est obligé de la réitérer plus souvent qu'il n'aurait été besoin sans cela. Dans la force même de la maladie, les narcotiques sont incapables de calmer les douleurs.

628. Les jours qu'on ne saigne pas, je fais donner un lavement avec le lait et le sucre. On continue les remèdes et le

---

(1) Pour traiter cette maladie, il faut examiner si elle est nouvelle et provient d'une abondance de sang, ou si elle est ancienne, et provient d'un amas de sérosité vicieuse ; et il faut régler les indications suivant ces différences. — Dans le premier cas, la saignée, dès le commencement, est le plus prompt remède ; mais, dans le second cas, on doit l'éviter soigneusement, surtout dans les tempéraments délicats et froids, et chez les gens âgés. — Les doux diaphorétiques, mêlés avec le nitre, et donnés souvent et à petites doses, réussissent très-bien dans les deux cas. Les laxatifs conviennent encore extrêmement, et aussi le bain chaud dans le déclin de la maladie. Dans le rhumatisme froid rien n'est au-dessus des vésicatoires. Les narcotiques sont nécessaires lorsque la douleur est fort violente.

(2) Voici un très-bon liniment qui est tiré d'Hoffmann. — Prenez eau de la reine de Hongrie, deux onces ; baume du Pérou, deux gros ; thériaque vieille, un gros : faites infuser cela ensemble pendant quelque temps, et passez ensuite la liqueur à laquelle vous ajouterez des teintures de safran et de castoréum, de chacune deux gros ; huile de noix muscade, un scrupule ; camphre, un gros, pour un liniment dont vous frotterez souvent les parties affligées. — S'il reste dans la partie une raideur et un engourdissement causés par la longue douleur, on pourra user du liniment suivant qui a souvent produit les meilleurs effets. — Prenez graisse humaine, deux onces ; baume du Pérou et huile de girofle, de chacun deux gros : mêlez ensemble pour s'en servir comme du liniment précédent.

régime ordonnés ci-devant au moins pendant huit jours depuis la dernière saignée, et je suis exact là-dessus. Au bout de ces huit jours, je fais prendre le matin une potion purgative douce, et le soir du même jour une assez forte dose de sirop diacode dans l'eau de primevère, afin d'arrêter entièrement l'orgasme du sang, qui pourrait causer une rechute. Tout cela étant fini, je permets au malade de reprendre peu à peu sa manière de vivre ordinaire, par rapport à ses aliments, ses exercices et son exposition à l'air; si ce n'est que je lui interdis encore pour long-temps le vin et toutes sortes de liqueurs spiritueuses, les aliments salés ou épicés, et toutes les choses indigestes.

629. Après qu'on aura fait le nombre de saignées que je recommande, les douleurs diminueront beaucoup, quoiqu'elles ne cesseront pas entièrement; mais, quand le malade aura repris les forces qu'il avait perdues par les saignées, surtout s'il se trouve dans un temps de l'année plus favorable que celui où sa maladie a commencé, tous les symptômes disparaîtront, et il se portera ensuite à merveille.

630. On vient ordinairement à bout de guérir le rhumatisme par la méthode que nous avons expliquée, ou par quelque autre semblable, pourvu qu'on l'emploie de bonne heure et dès le commencement de la maladie; mais il arrive assez souvent que, quand on a suivi une méthode contraire, le malade demeure toute sa vie sujet à des douleurs vagues, tantôt plus violentes, et tantôt moins violentes. Ces douleurs en imposent facilement à ceux qui ne sont pas bien attentifs, et on les prend ordinairement pour des symptômes du scorbut. — A la vérité, je ne doute point que le scorbut ne se rencontre véritablement dans nos pays septentrionaux. Mais aussi je suis persuadé qu'il n'y est pas si fréquent qu'on le croit d'ordinaire; et que plusieurs affections que nous jugeons à propos de traiter de scorbutiques sont uniquement des maladies commençantes et qui n'ont point encore de type certain, ou de malheureux restes de quelque maladie qui n'a pas été guérie parfaitement, et qui altère le sang et les autres humeurs. — Par exemple, lorsqu'il s'est formé depuis peu dans le corps quelque matière propre à causer la goutte, et que cependant elle ne s'est pas encore jetée sur les extrémités, il paraîtra divers symptômes qui feront soupçonner le scorbut, jusqu'à ce que la goutte, étant formée et se faisant actuellement sentir, ne laisse plus aucun lieu de douter de la nature de la maladie.

631. Je n'ignore pas aussi que, quand l'attaque de la goutte est passée, il survient au malade plusieurs symptômes qui ressemblent à ceux du scorbut. La raison de cela est que la nature, soit qu'elle ait été troublée par des évacuants employés mal à propos, ou par quelque autre cause, soit que le grand âge du malade la rende trop faible, n'a pu déposer sur les extrémités la matière goutteuse. Cette matière, ainsi retenue dans le sang et ne pouvant s'assimiler avec ce liquide, en change toute la masse, et produit une infinité de symptômes très-fâcheux. — Ce que je dis ici de la goutte doit s'entendre pareillement de l'hydropisie commençante. Et, quoiqu'on dise ordinairement que l'hydropisie commence où finit le scorbut, cette règle ne signifie très-souvent autre chose, sinon que, lorsque l'hydropisie commence à se déclarer par des signes évidents, l'idée qu'on s'était formée d'un prétendu scorbut se dissipe aussitôt. On peut avancer la même chose de quantité d'autres maladies chroniques, ou des maladies qui commencent et n'ont pas encore de type certain, ou même de quelques maladies qui ont été guéries, mais ne l'ont pas été parfaitement. — Et certes, si l'on ne convient pas de cette vérité, le nom de *scorbut*, de la manière que les choses vont aujourd'hui, deviendra un nom général qui comprendra presque toutes les maladies. Mais, si l'on s'applique sérieusement à découvrir le caractère essentiel de chaque maladie à travers le voile des symptômes irréguliers qui la couvrent, on la reconnaîtra bientôt telle qu'elle est réellement, et il sera facile de lui assigner la classe qui lui convient. Alors il faudra se régler pour le traitement, non sur les symptômes irréguliers dont elle est accompagnée, mais sur la maladie elle-même, actuellement existante et entièrement déclarée.

632. Lorsque le rhumatisme a déjà duré plusieurs années, et a jeté par conséquent de profondes racines, on ne doit pas faire des saignées si rapprochées les unes des autres que dans le commencement de la maladie; mais il faut mettre un intervalle de quelques semaines entre chaque saignée. On évacuera entièrement par ce moyen la matière morbifique; ou

du moins on sera en état, après les saignées, de détruire les restes de cette matière, en ouvrant un cautère à l'une des jambes, ou en donnant matin et soir quelques gouttes d'un esprit volatil dans du vin de Canarie.

633. Cependant, quelque différence qu'il y ait entre le vrai rhumatisme et le scorbut, comme nous avons dit ci-devant, on doit avouer qu'il y a une sorte de rhumatisme qui approche beaucoup du scorbut, puisqu'il en imite les principaux symptômes, et qu'il demande presque les mêmes remèdes : c'est pourquoi je le nomme *rhumatisme scorbutique* (1). La douleur attaque tantôt une partie du corps, et tantôt une autre ; mais elle n'y cause pas souvent de tumeur, comme dans le rhumatisme ordinaire, et elle n'est pas accompagnée de fièvre ; d'ailleurs, elle n'est pas aussi fixe, mais plus vague et plus inconstante, parce qu'elle est accompagnée de symptômes irréguliers. Quelquefois elle n'occupe que les parties externes, et d'autres fois elle se jette sur les parties internes, qu'elle abandonne ensuite pour revenir sur les externes. Elle tourmente ainsi le malade par cette alternative, et dure aussi longtemps qu'aucune maladie chronique. — Les femmes sont le plus sujettes au rhumatisme scorbutique, de même que les hommes d'un tempérament faible. Cela me porterait à croire que cette maladie doit être mise au nombre des affections hystériques si quantité d'expériences ne m'avaient montré qu'elle ne cède nullement aux remèdes hystériques. Les personnes qui ont usé pendant longtemps du quinquina sont encore sujettes à cette maladie ; et c'est-là, pour le dire en passant, le seul mauvais effet que j'aie jamais vu produire au quinquina.

634. Mais, soit que le rhumatisme scorbutique vienne de là, ou de quelque autre cause, on le guérit très-facilement par l'usage des remèdes suivants ; et si je n'avais pas préféré l'utilité publique à mon intérêt particulier, j'aurais dû les passer sous silence ; car, par leur moyen et sans faire autre chose j'ai guéri du rhumatisme dont il s'agit, quantité de gens auxquels ni les saignées souvent réitérées, ni les purgatifs, ni la diète lactée, ni les poudres absorbantes, etc., n'avaient absolument servi de rien. Voici quels sont ces remèdes.

Prenez conserve récente de cochlearia des jardins, deux onces ; conserve d'alleluia, une once ; poudre d'arum composée (2), six gros ; et, avec suffisante quantité de sirop d'orange, faites un électuaire dont on donnera au malade deux gros trois fois le jour pendant un mois entier ; et par-dessus il avalera trois onces de l'eau suivante.

Prenez cochlearia des jardins, huit poignées ; beccabunga, cresson de fontaine, sauge et menthe, de chacun quatre poignées ; les écorces de six oranges ; et demi-gros de noix muscade concassée ; faites infuser tout cela dans douze livres de bière de Brunswik : distillez ensuite à la manière ordinaire, et retirez seulement six livres de liqueur.

Il faudra s'en tenir exactement à la dose de poudre d'arum que j'ai marquée pour l'électuaire, ou du moins ne pas la diminuer.

CHAP. VII. — DE L'ÉRYSIPÈLE.

635. Cette maladie attaque toutes les parties du corps, mais surtout le visage. Elle arrive dans tous les temps de l'année, mais principalement à la fin de l'été ; elle prend souvent tandis que l'on est à l'air (3). Le visage se tuméfie tout

(1) Hoffmann observe aussi qu'il y a un rhumatisme scorbutique, dans lequel toute la lymphe et la sérosité du sang sont viciées et remplies de parties impures, excrémentitielles, sulfureuses, salines et âcres qui se manifestent dans l'occasion par différentes sortes d'éruptions. Cette maladie est causée par des aliments mal sains, salés, et de digestion difficile, par une vie oisive et sédentaire, par un air grossier et stagnant, et par de longs déplaisirs : de là vient que les habitants des côtes de la mer y sont plus sujets que les autres. — Les remèdes délayants et adoucissants, long-temps continués, sont les plus convenables dans cette maladie. Les eaux minérales bues avec le lait, en y joignant un régime convenable, sont aussi très-efficaces.

(2) Cette poudre se fait avec la racine d'arum fraîchement séchée, deux onces ; les racines de calamus aromaticus et de pimprenelle saxifrage, de chacune une once ; les yeux d'écrevisse, demi-once ; la canelle, trois gros ; le sel d'absinthe, deux gros : le tout mêlé ensemble.

(3) Heister observe que l'érysipèle est une inflammation superficielle de la peau et de la partie du corps graisseux qui est

d'un coup, il devient très-rouge et très-douloureux, et se trouve parsemé d'un grand nombre de petites pustules fort proches les unes des autres, lesquelles, à mesure que l'inflammation augmente, se convertissent quelquefois en de petites vessies. Le mal s'étend de là sur le front et sur toute la tête, et l'enflure devient si grande qu'elle cache presque les yeux. Les symptômes de ce mal ressemblent beaucoup à ceux que causent les piqûres des abeilles et des guêpes. Voilà la description de l'espèce d'érysipèle la plus connue et la plus ordinaire.

636. Quelque endroit du corps que l'érysipèle occupe, et en quelque temps de l'année qu'il arrive, il est ordinairement accompagné de frisson et de tremblement, de soif, d'inquiétude, et des autres symptômes de la fièvre. Quelquefois le frisson et le tremblement se font sentir un jour ou deux avant que l'érysipèle se déclare. A mesure que la maladie avance, la rougeur, l'enflure, la fièvre et les autres symptômes augmentent, et quelquefois même ils se terminent par la gangrène, à moins qu'on ne prévienne ce malheur par des remèdes convenables.

637. Il y a une autre sorte d'érysipèle qui est plus rare et qui attaque indifféremment dans tous les temps de l'année. Elle est ordinairement causée par des excès de vins capiteux, ou de liqueurs spiritueuses. Elle commence par une petite fièvre qui est suivie d'une éruption presque générale de pustules qui ressemblent à des piqûres d'orties, s'élèvent quelquefois en forme de petites vessies qui disparaissent bientôt après, se cachent sous la peau, excitent une démangeaison insupportable, et se montrent de nouveau dès qu'on les gratte tant soit peu (1).

la plus voisine, laquelle s'étend quelquefois très-considérablement, avec rougeur, chaleur et douleur. Dès qu'on presse avec le doigt la partie affligée, elle blanchit d'une manière remarquable; et dès qu'on ôte le doigt, elle devient rouge comme auparavant. L'érysipèle attaque le plus souvent les bras et les jambes, quelquefois aussi le cou, la tête, les épaules, le visage; quelquefois le nez, et d'autres parties. Il commence ordinairement avec un frisson qui est aussitôt suivi d'une chaleur semblable à celle des fièvres ardentes : c'est pourquoi les anciens ont appelé cette maladie *feu sacré*, et *feu de saint Antoine*. — L'érysipèle vient des mêmes causes que les autres inflammations, mais surtout d'un froid subit qui succède à une grande chaleur ou à une sueur; d'une transpiration arrêtée; de l'usage des liqueurs spiritueuses et de trop de nourriture, enfin d'un sang fort échauffé et fort âcre, toutes ces choses étant de nature à épaissir aisément le sang, et à le faire séjourner. *Heister, Institut. chirurg., part.* 1, *lib.* 4, *chap.* VII.

(1) Les praticiens divisent ordinairement l'érysipèle en deux espèces; savoir, le *vrai* ou *simple*, et le *faux* ou *scorbutique*. —Le premier cède aisément aux remèdes convenables internes et externes, et il a son siége à la surface de la peau. Le second dure plus long-temps, et à cause du vice des liqueurs, il est situé plus profondément, est plus difficile à guérir, et dégénère facilement en ulcère malin; c'est pourquoi on le sous-divise encore en érysipèle avec ulcération, et en érysipèle sans ulcération. L'érysipèle avec ulcération est le plus dangereux, est souvent de longue durée, et se cicatrise difficilement. —La fièvre érysipélateuse est quelquefois idiopathique, ou maladie primitive; quelquefois sympathique, ou maladie secondaire. L'érysipèle symptomatique succède souvent à l'anasarque, à l'ascite, à un ictère invétéré, jaune ou noir, et emporte bientôt le malade; souvent aussi il se joint aux blessures des parties nerveuses, surtout du crâne et de ses membranes, et aux fractures des os; et dans ce cas-là, il est dangereux. *Hoffmann, Med. rat. syst., t.* 4, *part.* 1, *p.* 304 *et* 305. — Cet auteur observe, par rapport au pronostic, que l'érysipèle n'est pas dangereux quand il vient tout à coup, et sans causer beaucoup de trouble, que c'est dans un bon tempérament, qu'il n'attaque point une partie principale, ni les parties nerveuses; et qu'au moyen d'une transpiration plus abondante et des remèdes convenables, l'enflure se dissipe successivement dans un jour ou deux, la chaleur et la douleur cessent, la couleur rouge se change en jaune, l'épiderme se déchire et s'en va par écaille, et la maladie se termine heureusement. — L'érysipèle est même quelquefois un signe de santé; car on a vu d'autres maladies, particulièrement l'asthme convulsif et la colique convulsive, cesser par un érysipèle qui leur succédait. Mais lorsque l'érysipèle est grand, qu'il est situé profondément, qu'il survient dans un corps cacochyme, qu'il attaque une partie douée d'un sentiment exquis, il n'est pas sans danger; alors la rougeur devient livide et noire, et aboutit

638. Pour guérir cette maladie, je trouve qu'il y a trois indications à remplir, qui sont d'évacuer d'une manière convenable la matière dépravée qui est mêlée de sang, d'apaiser par des remèdes rafraîchissants l'effervescence de ce liquide, de résoudre la matière qui, étant fixée dans la peau, cause la tumeur (1). — Voici comment je remplis

---

bientôt à une mortification funeste; ou bien l'inflammation, ne pouvant se résoudre, tourne en suppuration, et produit des ulcères malins, des fistules et la gangrène. — Dans les corps cacochymes, et dans les tempéraments en partie sanguins et en partie phlegmatiques, l'érysipèle laisse une enflure considérable au pied, en sorte que la cheville paraît trois fois plus grosse qu'elle n'est naturellement, et cette enflure s'en va très-difficilement. Ceux qui meurent de cette maladie périssent d'ordinaire par une fièvre qui, le plus souvent, est accompagnée d'une difficulté de respirer, quelquefois d'un délire, quelquefois d'un assoupissement, et les malades ne vont guère au-delà du septième jour. — L'érysipèle devient extrêmement dangereux, et souvent mortel, quand il n'est pas bien traité. On l'a vu rentrer après que le malade avait pris un vomitif et un fort purgatif, d'où s'ensuivit une inflammation d'estomac, et enfin la mort. La saignée l'a fait aussi quelquefois rentrer, et l'a rendu vague et ambulant, ce qui était très-incommode. Une autre fois ayant été répercuté à la jambe par un topique composé de camphre, de minium et de bol, il fut suivi d'une violente fièvre, d'une insupportable douleur d'estomac, d'une grande difficulté de respirer, d'un vomissement bilieux, d'une perte de forces et d'appétit; symptômes qui ne cessèrent point jusqu'à ce qu'on eût rappelé l'érysipèle à l'endroit qu'il occupait d'abord, et cela par le moyen d'un vésicatoire, et par des antispasmodiques et de doux sudorifiques donnés intérieurement. — Un érysipèle à la tête ayant été traité par des répercussifs, des rafraîchissants, des astringents, des applications trop spiritueuses, et des liniments avec le camphre, causa un vertige, une léthargie, une esquinancie, un délire, et une paralysie de la langue: accidents qui ont souvent été funestes aux gens âgés et aux sujets scorbutiques. Les applications rafraîchissantes et huileuses, comme celles où entre le plomb, les liniments spiritueux, et ceux qui contiennent beaucoup de camphre, sont également nuisibles dans l'érysipèle, et le font dégénérer en des ulcères d'un mauvais caractère, comme on voit par *Hildanus, Cent. 1, Observ. 82. Moinichen, Observ. 11. pag. 245. Pimæus à Guldenklee, lib. 6, cap. 23.*

(1) Les indications curatives, selon Hoffmann, sont, 1° d'entretenir la fièvre dans un état de modération, c'est-à-dire de la diminuer si elle est trop violente, et de l'augmenter si elle est trop faible; 2° d'adoucir l'humeur subtile et caustique qui est logée dans les parties nerveuses; 3° de résoudre l'inflammation, et d'évacuer parfaitement la matière morbifique. — C'est une règle certaine dans la pratique, suivant l'observation du même auteur, que dans les fièvres aiguës et accompagnées d'éruption, il faut toujours entretenir une douce moiteur, de façon que le sang se porte par un mouvement continu et uniforme à la surface du corps, et que la matière excrémentitielle qu'il entraîne soit évacuée par les pores de la peau. Ainsi, on doit faire la même chose pour l'érysipèle, tant à l'égard de tout le corps qu'à l'égard de la partie affligée; par ce moyen, on adoucira la douleur, et on aidera beaucoup à la résolution. — L'usage des topiques demande une extrême attention, de peur qu'ils ne nuisent, soit en répercutant l'érysipèle, soit en le changeant en ulcère. D'ailleurs, comme beaucoup de personnes ont une idiosyncrasie, c'est-à-dire une sensibilité particulière et individuelle, surtout à la peau, à raison de ce qu'elle est une partie nerveuse, il faut à cause de cela une circonspection encore plus grande dans l'application des topiques dans des maladies de la peau, chaque personne ne pouvant pas supporter toutes sortes de topiques. J'ai souvent observé dans des érysipèles de la poitrine, continue le même auteur, que l'application d'un emplâtre innocent qui avait cent fois réussi en d'autres sujets avoir augmenté en peu de temps l'inflammation et la douleur, lesquelles diminuaient au contraire dès qu'on avait ôté cet emplâtre. Ainsi, le plus sûr est de n'appliquer que des choses adoucissantes, comme les fleurs de camomille, de sureau, de mélilot, de fève, etc., en forme de sachet, ou en poudre. — Mais si, nonobstant l'usage des discussifs les plus efficaces, internes et externes, l'enflure subsiste, si la rougeur commence à se dissiper, et qu'il lui succède une couleur bleue, si la douleur est située plus profondément, si elle semble s'étendre au périoste, et que l'érysipèle tende à la suppuration, alors il faut avoir recours à des suppuratifs, mais qui en même temps puissent empêcher la putréfaction. Le

ces différentes indications. Dès la première fois que je suis appelé, j'ordonne une bonne saignée du bras, et le sang qu'on en tire est presque toujours semblable à celui des pleurétiques. Le lendemain, je fais prendre une potion purgative douce, dont je me sers ordinairement dans ma pratique, et si le malade a été purgé un peu copieusement, je donne, à l'heure du sommeil, un remède calmant: par exemple, le sirop de diacode dans de l'eau de fleur de primevère, ou quelque autre narcotique semblable. Après la purgation, je fais fomenter la partie malade avec la décoction suivante.

Prenez racines de guimauve et de lis, de chacune deux onces; feuilles de mauve, de sureau et de bouillon blanc, de chacune deux poignées; fleurs de mélilot, sommités de millepertuis et de petite centaurée, de chacune une poignée; graines de lin et de fenugrec, de chacune demi-once: faites bouillir tout cela dans suffisante quantité d'eau que vous réduirez à trois livres; coulez la liqueur, et ajoutez sur chaque livre trois onces d'eau-de-vie.

On trempera dans cette liqueur un morceau de flanelle, et l'ayant exprimé, on l'appliquera chaudement deux fois le jour sur la partie malade. Après avoir ainsi fomenté cette partie, on se servira de la mixture suivante.

Prenez eau-de-vie, une demi-livre; thériaque, deux onces; poivre-long et clous de girofle, tous deux en poudre bien fine, de chacun deux gros: mêlez tout cela; et, après y avoir trempé un papier brouillard, couvrez-en la partie malade (1).

---

diachylon simple où l'on ajoute suffisante quantité de camphre et de safran, et l'emplâtre de plomb de Barbette avec le savon, couvrant cela d'épithèmes balsamiques qui empêchent la corruption, sont des topiques fort utiles en pareil cas. Lorsque le pus est situé profondément, et occupe peu de place, il faut ouvrir la tumeur avec une lancette, et faire sortir la matière à diverses reprises, et non pas tout d'une fois: mais de peur que l'abcès, surtout dans les endroits glanduleux, ne dégénère en ulcère fistuleux et malin, après l'évacuation du pus, il faut y injecter une liqueur balsamique faite avec la teinture de fleurs de millepertuis, l'essence de baume du Pérou et de myrrhe, et quelques gouttes d'huile de térébenthine. — Lorsque l'érysipèle est fort étendu et situé profondément, et qu'il menace de la gangrène, ce que l'on connait par sa couleur, qui tire sur le rouge brun, et par la continuation des symptômes après l'éruption, alors, outre les remèdes internes qui arrêtent l'inflammation et la pourriture, comme le nitre, avec une petite quantité de camphre, il sera nécessaire d'appliquer fréquemment sur la partie affligée des linges en plusieurs doubles trempés dans des liqueurs spiritueuses et fortifiantes, composées avec l'eau de chaux, l'eau-de-vie camphrée, le vinaigre avec la litharge, et où l'on mêlera aussi l'essence de scordium et la myrrhe. — La saignée est quelquefois nuisible dans l'érysipèle, et quelquefois utile. Si une fièvre érysipélateuse attaque des sujets pléthoriques, ou des gens accoutumés à boire des liqueurs spiritueuses, la saignée du bras convient dans le commencement de la maladie, parce qu'elle rend la circulation plus libre, et facilite l'éruption de la matière morbifique. Elle est beaucoup plus utile si l'érysipèle attaque la tête, parce qu'elle prévient des symptômes dangereux. Quelquefois, au lieu de saigner, il est à propos d'appliquer des ventouses entre les épaules; mais après la saignée il faut toujours avoir soin d'entretenir une libre et égale transpiration. — Dans l'érysipèle scorbutique qui a duré long-temps, il faut employer des remèdes propres à purifier le sang, des laxatifs et des sudorifiques, purgeant d'abord pendant quelques jours, et ensuite donnant des sudorifiques et des diurétiques pendant quelque temps, et réitérant ces remèdes alternativement plusieurs fois. La boisson ordinaire du malade doit être une décoction adoucissante faite de racines et de bois mucilagineux, avec des amers, comme la racine de chicorée et de dent de lion, et les raisins. — Pour empêcher le retour dangereux de cette maladie, le meilleur moyen est, après avoir préparé le corps par la saignée ou la purgation, ou par tous les deux, selon le besoin, de faire prendre des eaux minérales, avec un régime convenable; mais si cela est impossible, on pourra y substituer commodément la saignée, surtout au printemps et en automne, la purgation, et les remèdes qui purifient le sang, avec un régime convenable quant aux aliments, l'exercice, etc.

(1) La pratique d'aujourd'hui ne s'accommode pas en pareil cas d'un remède si chaud et si violent, qui est plus propre à augmenter l'inflammation et la douleur qu'à l'adoucir, du moins dans un érysipèle simple. Heister recommande

639. Je n'accorde au malade pour sa nourriture que des décoctions d'orge ou d'avoine avec des pommes cuites; sa boisson est de la bière très-légère, et je veux que tous les jours il soit levé pendant quelques heures. Par cette méthode, la fièvre et les autres symptômes cessent d'ordinaire en très peu de temps; mais s'ils ne cessent pas, je fais une seconde saignée : on est quelquefois obligé d'en venir à une troisième, savoir, lorsque le sang est mauvais et la fièvre violente; mais il faut toujours mettre entre chaque saignée un jour d'intervalle. — Les jours qu'on ne saigne pas le malade, on lui donne un lavement avec le lait et le sirop violat, et on lui fait prendre à chaque heure du jour des juleps rafraichissants, dont j'ai parlé dans la curation du rhumatisme, et qui sont préparés avec l'eau de nénuphar, etc. Mais le plus souvent une seule saignée faite de bonne heure, et ensuite une purgation, suffisent pour guérir la maladie. — L'érysipèle qui ressemble à des piqûres d'orties, et qui est accompagné de démangeaison, doit être traité de même, si ce n'est qu'on n'est pas obligé d'y employer tant de topiques.

640. Quoique l'érysipèle, et même la plupart des maladies qui attaquent la peau, et qui sont accompagnées de quelque éruption, pourvu qu'elles ne soient pas des maladies chroniques, cèdent aisément à cette méthode, savoir, à la saignée et la purgation réitérées; il y en a cependant quelques-unes qui demandent un traitement tout-à fait différent, et où ni les saignées, ni les purgations réitérées, ni les poudres absorbantes, destinées à adoucir le sang, ne sont d'aucune utilité, à cause de certaines matières récrémentielles d'un mauvais caractère, qui sont engagées intimement dans le tissu de la peau, et qui ne peuvent en aucune façon en être délogées, sinon par des remèdes propres à donner de la force et de la vigueur au sang, et capables par conséquent d'ouvrir les pores de la peau. Aussi, dans les démangeaisons violentes, et dans d'autres maladies cutanées de ce genre et invétérées, j'ai employé avec beaucoup de succès les remèdes suivants.

Prenez thériaque d'Andromaque, demi-gros; électuaire d'œuf, un scrupule; racine de serpentaire de Virginie réduite en poudre très-fine, quinze grains; bezoard oriental, cinq grains; sirop d'écorce de citron, quantité suffisante : formez de tout cela un bol qui sera donné le matin à jeun, et le soir à l'heure du sommeil pendant vingt-un jours; et le

---

une poudre digestive faite avec les fleurs de sureau, la racine de réglisse, la craie préparée, la céruse et la myrrhe, mêlées ensemble, en quantité égale, et auxquelles on ajoute un peu de camphre. On enferme cette poudre dans du papier brouillard, ou dans un linge, et on l'applique chaude sur la partie malade. Il recommande aussi la poudre de Mynsicht contre l'érysipèle, et en vante l'efficacité. — Entre les remèdes liquides, il observe que l'eau-de-vie camphrée, seule ou mêlée avec la thériaque et le safran, et appliquée chaude par le moyen d'un papier brouillard ou d'une compresse de linge trempée dedans, fait merveille dans le cas présent; et il dit, d'après sa propre expérience, que l'eau de chaux et l'eau-de-vie camphrée, mêlées ensemble et appliquées de la même manière, sont un excellent remède. *Heister, Inst. chirurg., part. 1, lib. 4, cap.* VI. — Voici un exemple d'un érysipèle des plus violents et des plus étendus qu'on ait peut-être jamais vus. Une personne d'un moyen âge, d'un tempérament chaud et bilieux, et un peu replette, ayant perdu pendant quelque temps l'usage d'un de ses bras, je ne me souviens pas pourquoi, on lui conseilla de le fomenter avec une liqueur chaude et stimulante, et d'y appliquer un liniment chaud et nervin pour lui rendre le mouvement; mais dès qu'elle eut commencé l'usage de ces remèdes, qui toutefois ne la soulagèrent point, il survint au bras malade un érysipèle, qui, de là, gagna l'épaule et un côté du visage, et s'étendit ensuite sur tout un côté du cou et du tronc, tant devant que derrière. Les parties affligées étaient si sensibles et si douloureuses, qu'elles ne pouvaient souffrir la moindre fomentation, quelque émolliente et quelque anodine qu'elle fût, et la maladie était accompagnée d'une violente fièvre, de beaucoup de soif et d'agitation; néanmoins elle céda plus tôt qu'on ne l'espérait aux saignées réitérées, aux doux purgatifs délayants bus copieusement, aux remèdes nitreux, aux cataplasmes émollients souvent renouvelés, et composés principalement avec l'écorce de sureau bouillie dans le lait, où l'on ajoutait un peu d'onguent de sureau. — On espérait qu'une inflammation si considérable ranimerait la chaleur naturelle du bras, et lui rendrait en quelque manière son mouvement; mais cela n'arriva point, et le bras demeura aussi immobile qu'auparavant.

malade boira par-dessus six cuillerées du julep suivant.

Prenez eau de chardon béni, six onces; eau épidémique, et eau thériacale distillée, de chacune deux onces: sirop d'œillets, une once : mêlez cela pour un julep.

641. Tous les matins, après avoir pris ce remède, il faudra que le malade sue dans son lit pendant une heure ou deux, ou plutôt qu'on le tienne durant ce temps-là dans une légère moiteur, en le couvrant plus qu'à l'ordinaire. Après, si les pustules ne s'évanouissent pas, on frottera les parties malades avec le liniment suivant.

Prenez onguent de racine de patience sauvage, deux onces; onguent de pommes (*unguentum pomatum*), une once; fleur de soufre, trois gros; huile de bois de Rhodes, un demi-scrupule : mêlez tout cela pour un liniment.

Mais il ne faut user de ces derniers remèdes qu'après avoir saigné et purgé le malade : et si la saignée et la purgation ne suffisent pas seules pour la guérison entière, du moins elles garantiront de la fievre que l'usage des remèdes échauffants qu'on emploie ensuite ne manquerait pas de causer.

642. Il y a une autre espèce d'éruption moins fréquente, et qui ne demande absolument aucune sorte d'evacuation. Elle paraît quelquefois sur les autres parties du corps, mais le plus souvent sur la poitrine, et elle se fixe dans un endroit par une tache fort large qui s'élève à peine au-dessus de la peau, qui est furfureuse, et qui fournit des écailles jaunâtres. Tant que cette tache subsiste, le malade se porte assez bien, mais quand elle s'évanouit, comme cela arrive souvent, il est légèrement indisposé; son urine devient troubie, et d'un rouge qui tire sur le jaune. — Ce mal se guérit par les mêmes remèdes que l'on emploie dans la démangeaison violente et opiniâtre, si ce n'est qu'il n'y faut point d'évacuations; mais il est absolument nécessaire d'accorder au malade l'usage du vin et des viandes faciles à digérer, et tous les rafraîchissants y sont plus nuisibles qu'utiles. Cependant on ne saurait quelquefois venir à bout de cette éruption qu'en faisant boire long-temps des eaux ferrugineuses (1).

CHAP. VIII. — DE L'ESQUINANCIE.

643. Cette maladie arrive dans tous les temps de l'année, et surtout entre le printemps et l'été. Elle attaque particulièrement les jeunes gens, et ceux d'un tempérament sanguin, mais surtout les rousseaux, comme je l'ai plusieurs fois observé (2). Le mal commence par un

(1) Entre les espèces particulières d'érysipèle, il y en a un que peu de modernes ont connu, et dont les anciens n'ont pas beaucoup parlé; Pline le nomme *zoster*, et nous *zona*, c'est-à-dire *ceinture*. En effet, il environne le corps comme une ceinture immédiatement au-dessus du nombril, et de la largeur ordinairement de plusieurs travers de doigt. Il est accompagné d'une chaleur violente et d'une éruption de pustules pointues qui sont brûlantes comme du feu. C'est un mal dangereux et quelquefois mortel. Mais le plus redoutable de tous les érysipèles est celui qui vient au-dessous de la poitrine, et aux parties voisines du cœur, ou aux mains, et à d'autres parties fort sensibles, ou à des gens âgés et cacochymes, et qui ont perdu leurs forces, ou dans les fièvres malignes et pestilentielles : alors il devient bientôt livide, ensuite noir, et le malade ne tarde guère à périr. — Plater décrit cette sorte d'érysipèle au second volume de ses œuvres, page 23, sous le non de *tache large*. Lang, dans son épître 110, montre par deux exemples combien il est dangereux. Tulp., *Observationes medicinales, liv.* 3, *chap.* 45, décrit, sous le nom de *Herpes exedens præcordia*, une maladie qui semble être la même que celle-ci. Elle a été une fois guérie en quinze jours par l'usage des doux diaphorétiques pris intérieurement, et de l'huile d'œuf appliquée extérieurement.

(2) Hoffmann définit l'esquinancie « une inflammation du gosier, accompagnée d'une douleur brûlante, d'une enflure, d'une rougeur, d'une difficulté de respirer et d'avaler, avec une fièvre provenant d'une stagnation du sang, ou d'une sérosité âcre et visqueuse qui séjourne dans les vaisseaux sanguins ou lymphatiques, laquelle fièvre est très-dangereuse ». — Pour avoir une juste idée de cette maladie, il faut remarquer principalement son siége qui est dans le gosier, surtout dans les parties qui forment le pharynx et le larynx, et qui sont en grand nombre, d'un grand usage et très-sensibles, comme par exemple la racine de la langue, avec l'os hyoïde, les conduits des narines qui s'ouvrent dans la bouche, la partie supérieure de l'œsophage, les muscles internes et externes du pharynx et du larynx, qui sont au

frisson qui est suivi de fièvre, à laquelle succède bientôt la douleur, l'inflamma-

---

nombre de treize, les glandes des amygdales, les muscles qui font mouvoir les mâchoires, les petits rameaux des vaisseaux sanguins et lymphatiques, et les nerfs. — Suivant donc que l'inflammation attaque les unes ou les autres de ces parties, elle est plus ou moins violente, et prend aussi différents noms. La plus ancienne et la plus générale division de l'esquinancie est en interne et externe, ou en occulte et manifeste. L'esquinancie interne a son siége dans les téguments internes nerveux et musculaires du gosier : c'est pourquoi on n'aperçoit extérieurement ni enflure, ni inflammation, soit au cou, soit dans la bouche ; mais il y a une chaleur interne et une fièvre aiguë ; et lorsque la maladie est violente, il y a une difficulté de respirer et d'avaler, et le danger est grand. L'esquinancie externe s'étend vers les yeux, et occupe principalement les parties externes, soit musculaires, soit glanduleuses, les amygdales, la racine de la langue, la luette, et elle se guérit aussi plus aisément. — La plus violente et la plus dangereuse espèce d'esquinancie, si on la considère par rapport aux parties affectées, est celle qui a son siége dans les muscles internes du larynx, et dans laquelle il ne paraît point de rougeur extérieurement, soit à la partie antérieure, soit à la partie postérieure du cou ; mais il y a intérieurement une douleur brûlante : non-seulement la parole se perd à cause de la contraction du larynx, mais il y a aussi difficulté de respirer, et quelquefois même la respiration devient tout-à-fait impossible, et cela en si peu de temps, que le malade périt en vingt-quatre heures, ou le troisième jour. Cette espèce d'esquinancie est appelée par les Grecs *cynanché*. Celle qu'ils nomment *synanché* occupe les muscles internes du pharynx, et il n'y a pareillement aucun signe extérieur d'enflure ni de rougeur, mais il y a une plus grande difficulté d'avaler que de respirer, et souvent les liquides sont rejetés avec violence par les narines. L'inflammation qui attaque les muscles internes du pharynx est appelée par les anciens *parasynanché* ; celle qui attaque ceux du larynx, *paracynanché*. — Les praticiens divisent l'esquinancie en vraie et en fausse. L'esquinancie vraie provient d'une stagnation du sang, et la fausse d'une collection inflammatoire de sérosité dans le gosier et les parties internes du cou. La première est une maladie aiguë, et elle est toujours accompagnée de frisson et de fièvre. La seconde est accompagnée d'une fièvre lymphatique et catarrhale, plutôt que d'une fièvre aiguë. Dans l'esquinancie vraie il y a non-seulement une douleur brûlante et pongitive, qui se fait sentir dans les parties internes du gosier, mais encore la langue paraît gonflée de sang, et d'un rouge obscur ; le visage est pareillement rouge, les artères temporales battent fortement, et quelquefois il survient des défaillances ; et si la maladie est fort violente, il y a une grande difficulté de respirer, une anxiété et une agitation extrêmes, et une froideur des extrémités ; ainsi, elle est très-dangereuse, et demande un prompt secours. L'esquinancie fausse n'a pas des symptômes si violents, elle est moins dangereuse, pourvu qu'on la traite comme il faut. — On peut encore diviser l'esquinancie en sèche et brûlante, et en humide ou pituiteuse. La première est produite par le sang, et se trouve accompagnée d'une fièvre très-aiguë, comme nous avons remarqué de l'esquinancie vraie. La seconde est plutôt chronique, et accompagne les fièvres catarrhales. Elle est très-commune dans les sujets cachectiques et scorbutiques ; elle tapisse la langue et le gosier d'une mucosité épaisse et gluante, et elle est accompagnée d'une haleine puante. — Toutes ces espèces d'esquinancies doivent être distinguées des autres maladies du gosier. L'esquinancie vraie et sèche ne doit pas être prise pour cette inflammation pituiteuse de la bouche et de l'œsophage qu'on nomme en latin *prunnella alba* ; car, dans celle-ci, la langue et toutes les parties du gosier sont tapissées d'une mucosité blanche, la langue est couverte de fentes douloureuses, avec une grande chaleur qui s'étend jusque dans la poitrine. Cet accident arrive souvent dans les fièvres malignes, et il est ordinairement d'un mauvais augure, parce qu'il indique une inflammation actuelle de l'estomac et de l'œsophage. Toute inflammation du gosier n'est pas non plus une esquinancie, mais seulement celle qui est accompagnée de fièvre et d'une difficulté de respirer et d'avaler. Souvent aussi l'esquinancie est symptomatique ; car elle peut survenir dans une diarrhée et une dysenterie, surtout si on a arrêté mal à propos l'évacuation, ou dans le cas d'un érysipèle rentré, ou dans une goutte répercutée par des remèdes externes, ou dans la petite vérole, ou dans les fièvres malignes et pestilentielles, et toujours avec un grand danger. — Elle est quelquefois épidémique, ce qu'on doit attribuer à

tion et l'enflure du pharynx, de la luette, des amygdales et du larynx; en sorte que le malade ne peut ni avaler, ni respirer, et qu'il est prêt à suffoquer. — L'esquinancie est extrêmement dangereuse, car elle enlève quelquefois le malade en peu d'heures; savoir, lorsqu'il se jette sur les parties que nous avons nommées une grande quantité de matière fébrile, et qu'on n'emploie pas de bonne heure les remèdes capables de prévenir l'orage.

644. Pour traiter cette maladie, je saigne d'abord copieusement du bras, et ensuite sous la langue. Je fais toucher de temps en temps les parties enflammées avec le miel rosat et l'esprit de soufre mêlés ensemble jusqu'à une forte acidité; et j'ordonne le gargarisme suivant, dont on se servira, non pas à la manière ordinaire, en l'agitant dans la bouche, mais en le retenant long-temps, jusqu'à ce qu'il s'échauffe; pour lors on le rejettera et on réitérera de temps en temps la même chose.

Prenez des eaux de plantain, de roses rouges et de frai de grenouilles, de chacune quatre onces; trois blancs d'œufs battus; sucre candi, trois gros. Mêlez tout cela pour un gargarisme.

Je fais user chaque jour de l'émulsion rafraîchissante, décrite dans le traitement de la pleurésie, ou de quelque autre semblable.

645. Le lendemain matin, en cas que la fièvre et la difficulté d'avaler ne soient pas diminuées, je réitère la saignée du bras, remettant la purgation au jour suivant. Mais si la fièvre et la difficulté d'avaler sont diminuées, je donne aussitôt un doux purgatif, l'expérience m'ayant appris qu'il n'est rien de si utile et de si nécessaire après la saignée que de purger. — Si la fièvre et les autres symptômes persévèrent après la purgation, ce qui est très-rare, il faut encore réitérer la saignée du bras, et appliquer sur la nuque du cou un grand et puissant emplâtre vésicatoire. Pendant toute la maladie, on donne tous les matins, excepté les jours de purgation, un lavement rafraîchissant et émollient.

646. La viande et les bouillons à la viande seront absolument interdits au malade. On le nourrira de décoctions d'orge ou d'avoine et de pommes cuites, et d'autres choses semblables; il boira de la tisane d'orge ou de la petite bière, et il demeurera chaque jour hors du lit pendant quelques heures; car la chaleur du lit ne fait qu'augmenter la fièvre et les autres symptômes que je cherche à combattre par ma méthode. — Mais il est important d'observer que l'esquinancie, qui est simplement un symptôme de la fièvre stationnaire, doit être traitée par la même méthode que la fièvre primordiale dont elle dépend, c'est-à-dire par les diaphorétiques, ou par toute autre méthode qui convient à cette fièvre primordiale (1).

---

une mauvaise disposition de l'air, et alors elle est ordinairement accompagnée de malignité. Elle survient ainsi après une longue durée d'un temps humide ou pluvieux, au printemps ou en automne. — Quant au pronostic, l'esquinancie est fort dangereuse, tant parce qu'elle est souvent jointe à une fièvre aiguë, que parce qu'elle menace de suffoquer le malade. Ce dernier accident est surtout à craindre lorsque le muscle thyroarythénoïdien, qui sert à fermer le larynx, est attaqué. C'est un mauvais signe quand l'enflure des parties externes s'évanouit tout-à-coup, et qu'en même temps les symptômes augmentent au lieu de diminuer; car la maladie se jette alors sur quelque partie nerveuse, attaque le cerveau, et cause le délire et des convulsions, ou se jette sur les poumons, et cause une péripneumonie mortelle, comme témoigne Hippocrate dans ses Aphorismes, section V, aph. X. Mais lorsque la difficulté de respirer diminue, que la douleur et la rougeur sont plus extérieures, et se dissipent peu à peu, cela signifie que la maladie se terminera heureusement; sinon, elle aboutit à un abcès, ou menace de la mort. Si elle aboutit à un abcès, et que le pus tombe dans les bronches et le poumon, l'événement est fort incertain, comme l'annonce Forestus, liv. 14, observ. 24. Si elle menace de la mort, cela est annoncé par une écume à la bouche, une enflure considérable, une rougeur obscure de la langue, une froideur des extrémités, un serrement de poitrine, une anxiété, un pouls dur, convulsif et intermittent. — L'esquinancie symptomatique est dangereuse, et très-difficile à guérir, à cause de la faiblesse du malade et de la virulence de la matière morbifique. (Voyez *Hoffmann, méd. rat. system., t. 4, part. 1, p. 389 jusqu'à 395.*)

(1) Hoffmann observe que le traitement de cette redoutable maladie diffère selon ses différentes espèces, et selon les différentes causes qui la produisent : ainsi, lorsqu'il y a des signes manifestes d'une stagnation considérable du sang dans la

647. Il y a d'autres fièvres qui doivent être mises au nombre des *intercur-*

tête, ce qui augmente l'inflammation et produit des symptômes funestes, le premier et le principal soin du médecin doit être d'en détourner le sang, qui s'y porte avec impétuosité, ce qui se fait très-bien en ouvrant la veine la plus proche. La saignée à la jugulaire soulage très-promptement. Mais si on ne peut la faire, il faut d'abord saigner du bras, et ensuite sous la langue. Si la maladie vient du séjour d'une humeur âcre dans les nerfs du gosier et les tuniques du larynx, sans qu'il y ait de pléthore manifeste, les scarifications au cou et au menton, ou l'application des sangsues sont plutôt indiquées. Et lorsque dans les sujets cacochymes et pituiteux, il y a aux parties extérieures du cou une enflure causée par une abondance de sérosité visqueuse, et que la douleur et l'inflammation sont légères, les scarifications au cou et aux épaules doivent être préférées à la saignée. — Enfin, il faut évacuer les humeurs par en bas. Les doux laxatifs en forme liquide sont ici les meilleurs : par exemple, une décoction de deux onces de manne et d'un gros et demi de nitre antimonié, dans dix onces de petit-lait. Cette décoction, non-seulement purge les humeurs, mais encore adoucit leur âcreté et leur salure. Mais, si le malade ne peut rien prendre par la bouche, il faut donner un lavement fait avec le lait, le miel, l'huile d'amandes douces, le sel commun et le nitre. — Le trop de sang étant ainsi diminué, et les mauvaises humeurs évacuées, il faut avoir soin de résoudre, par des remèdes internes et externes convenables, le sang ou la sérosité qui séjourne dans les vaisseaux, et en même temps de tempérer la chaleur de la fièvre. A cela servent les mixtures diaphorétiques et légèrement anodines données fréquemment, et les délayants bus en grande quantité. — Quant aux remèdes externes, quelques-uns doivent être employés en forme de gargarisme, et d'autres appliqués sur le gosier et le cou, afin de diminuer la douleur et la chaleur inflammatoire, d'adoucir l'âcreté des humeurs, et de résoudre les fluides qui séjournent. Lorsqu'il y a beaucoup de chaleur et de douleur, je ne conseille pas d'injecter des gargarismes avec une seringue, il suffit de laver de temps en temps la bouche avec une liqueur convenable et chaude. Le rob ou le sirop de mûres, le sirop de pavots rouges, ou de violettes, le mucilage de semence de coing, la crème d'orge, le nitre, le sel de prunelle, l'esprit de nitre dulcifié, sont utiles pour cet effet. On peut varier ces remèdes suivant les circonstances, et les mêler avec du lait, ou avec une décoction de réglisse et de figues, ou avec de l'eau de gruau. Une quantité convenable d'une mixture d'huile fraiche d'amandes douces, de blanc de baleine, de safran, et de sirop de violettes, donnée dans de l'eau de gruau, et tenue quelque temps dans la bouche, est aussi fort utile en ce cas-là. — Les remèdes qu'on applique le plus souvent sur le gosier et sur le cou sont des cataplasmes préparés avec des drogues anodines et résolutives, telles que les fleurs de sureau, de mélilot, de camomille, et de bouillon blanc; les ognons de lis, les figues, le safran, les graines d'anis et de fenouil, la farine de graine de lin, auxquelles on ajoute quelquefois du nid d'hirondelle, et de l'album græcum, comme spécifiques. Les emplâtres adoucissants et émollients sont bons aussi pour cela, comme le diachylon simple, l'emplâtre de mélilot ramolli avec l'huile d'amandes douces, ou rendu plus efficace en y mêlant le blanc de baleine, le safran et le camphre. —Dans l'usage des remèdes externes, il faut avoir égard aux différentes sortes d'inflammation du gosier, et y approprier les remèdes : ainsi, dans les inflammations douloureuses et brûlantes de cette partie, le julep de roses avec le nitre et un peu de camphre est très-utile. La gelée de corne de cerf y est encore excellente. Si le gosier est sec et brûlant, la langue enflée, la respiration et la déglutition difficiles, le looch suivant est convenable. — Prenez blancs d'œuf battus, deux onces; eau rose, une once; sirop de grenades et de mûres, de chacun demi-once; sel de prunelle, douze grains. Mêlez tout cela ensemble. — On frottera le cou et le gosier avec le liniment suivant. — Prenez huile d'amandes douces, une once; huile de pavots blancs, deux gros; camphre, un demi-gros. Mêlez tout cela ensemble selon l'art. — Dans une esquinancie occulte, interne, et accompagnée de grande chaleur, il faut se laver souvent la bouche avec du lait seul, ou de la crème, ou bien en y ajoutant du sel de prunelle et du sirop de pavot rouge, et boire fréquemment du petit-lait. — Dans l'inflammation de l'œsophage qui arrive souvent dans les fièvres malignes, il est bon de donner intérieurement la poudre suivante avec une émulsion d'amandes douces, et d'en tenir un peu dans la bouche. — Prenez sucre, une once; nitre, un gros; camphre, trois grains. Faites de tout cela une poudre. — La

rentes, et que pour l'ordinaire on ne regarde pas comme des fièvres, parce qu'elles ont une manière particulière de se terminer, et qu'elles aboutissent à tel ou tel symptôme ; cependant elles sont originairement de véritables fièvres, et les maladies dont elles tirent leur nom ne sont proprement que des symptômes qui les terminent. Je ne parlerai maintenant que de deux de ces maladies, savoir de l'hémorrhagie du nez, et de l'hémoptysie, ou crachement de sang.

CHAP. IX. — DE L'HÉMORRHAGIE DU NEZ OU SAIGNEMENT DU NEZ.

648. Cette *hémorrhagie*, ou ce *saignement de nez*, arrive en toute saison ; il attaque principalement les personnes qui ont un sang bouillant, mais qui sont d'un tempérament faible, et plutôt dans le déclin de l'âge que dans la première jeunesse. Il commence le plus souvent avec des signes de fièvre, mais qui disparaissent dès que le sang coule par les narines, et il reste seulement de la douleur et de la chaleur à la partie antérieure de la tête. Le sang coule d'abord pendant quelque temps, puis il s'arrête ; ensuite il recommence à couler, et cela à diverses reprises, jusqu'à ce qu'enfin il s'arrête entièrement, ou de lui-même, à cause de la quantité que le malade en a perdue, ou par la force des remèdes ; en sorte néanmoins que le malade est toujours en danger de retomber s'il vient à s'échauffer par l'usage des liqueurs spiritueuses, ou de quelqu'autre manière.

649. Le but que je me propose, dans le traitement de cette hémorrhagie, est d'apaiser par tous les moyens possibles la trop grande chaleur et l'ébullition du sang, qui sont cause de l'extravasion de cette liqueur, et de produire en même temps une révulsion. — Pour cela, je fais plusieurs copieuses saignées du bras, et le sang que l'on tire est toujours de même couleur que celui des pleurétiques ; j'ordonne un régime rafraîchissant et incrassant. La boisson du malade est de l'eau laiteuse, c'est-à-dire, trois parties d'eau et une partie de lait bouillies ensemble, et cela se boit froid. La nourriture consiste en des pommes cuites, des décoctions d'orge et autres choses semblables ; mais j'interdis la viande et les bouillons à la viande. J'ordonne aussi des juleps rafraîchissants et incrassants, et les émulsions qui ont été décrites ci-dessus en parlant des maladies inflammatoires. — Je veux que le malade demeure chaque jour levé pendant quelque temps, sans jamais y manquer ; et tous les soirs, à l'heure du sommeil, je lui fais prendre une dose de sirop diacode, afin d'arrêter l'impétuosité du sang. — Mais comme les hémorrhagies du nez sont souvent accompagnées d'une lymphe âcre qui, étant mêlée avec le sang, en augmente l'agitation, ma coutume, outre l'usage de la saignée révulsive et des remèdes rafraîchissants, est de donner un doux purgatif, même dans le fort de la maladie. Quand l'opération du purgatif est finie, je donne un narcotique en plus grande dose qu'à l'ordinaire ; et lorsque l'hémorrhagie a cessé entièrement, je purge une seconde fois.

650. Pour ce qui est des applications extérieures, ce sont des compresses trempées dans de l'eau froide où l'on a dissous du cristal minéral, lesquelles étant légèrement exprimées s'appliquent sur la nuque et tout autour du cou plusieurs fois le jour. — De plus, après les évacuations générales, on peut appliquer la liqueur suivante (1).

Prenez vitriol de Hongrie et alun, de chacun une once ; phlegme de vitriol, demi-livre. Faites bouillir le tout jusqu'à parfaite dissolution. Quand la liqueur sera refroidie, filtrez-la et la séparez des cristaux qui s'y seront formés. Ajoutez-y ensuite une douzième partie d'huile de vitriol. Trempez bien dans cette liqueur une tente de vieux linge ; introduisez-la dans la narine d'où sort le sang, et laissez l'y deux jours.

On peut aussi, en appliquant des linges trempés dans cette liqueur, arrêter toutes sortes d'hémorrhagies qui viennent des parties extérieures.

---

douleur inflammatoire qui vient d'une sérosité âcre et saline qui séjourne dans les parties glanduleuses du gosier, et qui est accompagnée de rougeur, et d'une évacuation abondante de salive, mais sans fièvre, se dissipe très-bien au commencement, en se gargarisant la bouche et le gosier avec du vin du Rhin. — Lorsqu'il tombe une grande quantité d'humeur pituiteuse et viciée sur les glandes du palais et du gosier, les doux purgatifs et les gargarismes détersifs doivent être souvent mis en usage.

(1) Voyez l'article 86.

CHAP. X. — DE L'HÉMOPTYSIE.

651. L'hémoptysie arrive entre le printemps et l'été, et aux personnes d'un tempérament chaud, mais qui sont peu robustes et qui ont des poumons faibles, et plutôt aux jeunes gens qu'aux vieillards. Cette maladie est à peu près de même nature que l'hémorrhagie du nez; car elle est pareillement une fièvre qui se termine par une évacuation critique. Toute la différence est que, dans l'hémorrhagie du nez, le sang trop agité s'ouvre un passage par les vaisseaux du nez, et que dans l'hémoptysie il sort par ceux du poumon. Et comme dans celle-là, tandis que l'écoulement dure, on sent une douleur et une chaleur à la partie antérieure de la tête; de même, dans celle-ci on ressent une douleur et une chaleur à la poitrine, avec une certaine faiblesse. — Le traitement de l'hémoptysie est aussi à peu près le même que celui de l'hémorrhagie du nez, si ce n'est qu'il ne faut pas tant purger; car les purgations fréquentes jetteraient aisément le malade dans la phthisie. Mais les saignées fréquentes, les lavements qu'on donne tous les jours, le sirop diacode pris à l'heure du sommeil, le régime rafraîchissant et incrassant, et les remèdes de même nature, auront tout le succès qu'on peut attendre.

652. Voilà toutes les observations que j'ai faites jusqu'à présent sur les différentes espèces de fièvres et sur leurs symptômes. Voilà leur histoire, que j'ai écrite avec toute la bonne foi et la sincérité possible, sans m'attacher à aucune hypothèse. Ce ne sont pas mes idées et mes imaginations que je propose au public, mais les phénomènes naturels des fièvres. J'y ai joint avec la même fidélité la manière de les traiter. — Que si le désir extrême de découvrir et d'établir une méthode plus sûre de guérir les maladies m'a engagé dans des routes nouvelles et inconnues auparavant, j'espère que les habiles gens ne m'accuseront pas pour cela de témérité, et ne me feront pas un crime si je suis plutôt mon propre jugement que les sentiments des autres. Les heureux succès que j'ai eus dans ma nouvelle méthode justifient mon entreprise; et les expériences de ceux qui viendront après moi feront assez voir que je n'ai rien avancé que de vrai.

653. On ne saurait assurément s'appliquer avec trop de soin à combattre des maladies aussi redoutables que les fièvres, lesquelles font une guerre continuelle au genre humain, n'épargnent ni vieux ni jeunes, ni forts ni faibles, et enlèvent au moins les deux tiers des hommes, sans parler de ceux qui périssent chaque année de mort violente; et toutes les méthodes proposées avec tant de confiance, et avec de si magnifiques promesses, dans les livres des médecins spéculatifs, toutes ces méthodes, dis-je, qui ne sont que des fruits de l'imagination, et de savantes chimères, ne servent pas davantage pour la guérison des maladies dont il s'agit que si on n'y faisait rien du tout, et qu'on les abandonnât entièrement à la nature. — Si donc j'ai contribué de quelque chose à faciliter la guérison des fièvres, comme je crois pouvoir m'en flatter sans qu'on m'accuse de présomption, j'aurai obtenu la fin que je me proposais, et je me trouverai bien récompensé des peines et des travaux que j'ai essuyés pour le bien de l'humanité. — Voilà à peu près les principales choses que j'ai découvertes, ou du moins que j'ai pu réduire en méthode, touchant les fièvres et leurs symptômes, jusqu'au jour où je termine ces remarques (décembre 1675).

DISSERTATION EN FORME DE LETTRE

SUR

DE NOUVELLES OBSERVATIONS QUI REGARDENT LE TRAITEMENT DE LA PETITE VÉROLE CONFLUENTE, ET SUR L'AFFECTION HYSTÉRIQUE.

GUILLAUME COLE.

A Thomas SYDENHAM.

654. Vous serez peut-être surpris, Monsieur, de ce que, sans avoir l'honneur d'être connu de vous, je viens vous importuner et interrompre vos occupations; j'espère néanmoins que vous voudrez bien m'excuser, lorsque vous saurez que mon dessein, dans cette lettre, est principalement de vous témoigner ma reconnaissance au sujet des avantages singuliers que j'ai retirés de votre savant *Traité sur les maladies aiguës*; car vous y avez décrit si exactement les différentes constitutions des années et de l'air; vous avez trouvé des indications si simples et si naturelles pour la cure des maladies qui ont régné pendant ces années, et vous avez traité tout cela avec tant de netteté et de sagacité, que les malades et les médecins vous auront une obligation éternelle. — Mais quoique tout votre ouvrage mérite de grandes louanges à cause de l'exactitude avec laquelle vous traitez chaque chose, je ne saurais néanmoins m'empêcher de louer particulièrement la méthode curative dont vous vous servez dans la petite vérole. Je suis persuadé que cette maladie, qui a été regardée jusqu'à présent comme si redoutable, serait des plus faciles à guérir (à moins qu'il n'y ait de la malignité, ou qu'il ne survienne quelque accident extraordinaire) si on n'y employait pas un régime et des remèdes chauds, lesquels sont ordinairement pernicieux, et causent la mort d'une infinité de malades. Ainsi le public vous est extrêmement obligé, Monsieur, de lui avoir appris la véritable méthode de traiter avec succès la petite vérole. — Pour moi, quelque défiance que j'eusse de mes lumières, j'avais toujours cru que l'éruption de la petite vérole, n'étant qu'une crise de la fièvre, elle devait être traitée comme les autres crises, c'est-à-dire qu'elle devait être abandonnée à la nature lorsqu'elle se faisait bien : or, le plus souvent elle se fait bien, à moins qu'on n'ait mis le sang dans un trop grand mouvement. La lecture de votre excellent ouvrage ayant dissipé toutes les craintes qui, pendant long-temps m'avaient empêché de suivre mes idées, je me suis mis à traiter la petite vérole selon votre méthode, nonobstant les oppositions que j'ai quelquefois rencontrées de la part du public, et même des médecins; et je m'en suis très-bien trouvé lorsque les malades ont voulu être dociles. — Quand j'ai été appelé pour des petites véroles confluentes, ce qui néanmoins ne m'est pas arrivé fort souvent, je n'ai pas fait difficulté d'employer, à votre exemple, les narcotiques, quoique les malades semblassent prêts à rendre l'ame; et ces remèdes ont eu des succès étonnants. — Vous avez écrit si amplement sur la petite vérole confluente, que je ne croirais pas qu'on pût rien y ajouter, si je n'avais appris depuis peu de M. *Kendric*, l'un de mes amis, très-habile homme, et qui se loue beaucoup de vos manières gracieuses, que vous aviez fait de nouvelles observations sur ce sujet. Comme je ne doute nullement qu'elles ne soient très-utiles pour la pratique de la médecine, par cela même qu'elles sont de vous, je vous prie de vouloir bien les publier, sans quoi vous feriez tort à votre réputation, et surtout au genre humain.

655. J'ai appris aussi de la même per-

sonne que vous aviez des observations rares sur les affections hystériques. — Ces maladies, qui ont de tout temps été inexplicables aux plus savants médecins, et qui ne résistent que trop souvent aux remèdes qu'ils nous ont enseignés pour les guérir, font bien voir qu'en physique nous ne devons compter que sur les choses dont la certitude nous est attestée par le témoignage des sens. Vous rendrez, Monsieur, un grand service au public et à la postérité, si vous voulez bien lui faire part de vos observations sur des maladies si fâcheuses; c'est la grâce que vous demande celui qui est, pour son propre intérêt et pour le bien public, avec tout le dévouement et la considération possible, etc.

A Vigorne, 17 novembre 1681.

Thomas SYDENHAM à Guillaume COLE.

Monsieur,

656. Si j'avais assez d'amour-propre pour m'attribuer des louanges que je ne mérite point, j'aurais certainement bien de la peine à me défendre de quelque vanité, en me voyant loué par un homme aussi illustre que vous, et dont les doctes écrits sont si connus du monde savant; quoique je n'aie pas l'avantage de le connaître lui-même. Mais je regarde l'honneur que vous me faites comme un pur effet de votre politesse; c'est le caractère des grands hommes, non-seulement d'excuser aisément les fautes qu'ils remarquent dans les ouvrages des autres, mais encore de louer volontiers les choses médiocres. Vous me donnez un bel exemple de cette généreuse disposition, par la manière dont vous relevez mes faibles travaux, et j'en ai toute la reconnaissance possible. — Quant à ce que vous demandez de moi touchant la petite vérole et la passion hystérique, je vais tâcher de vous satisfaire le plus brièvement qu'il me sera possible, dans l'espérance que mes observations seront de quelque utilité au public, surtout celles qui regardent la passion hystérique, que je crois être la plus fréquente de toutes les maladies après la fièvre.

1° *De la petite vérole.*

657. Les fièvres intermittentes qui, comme j'ai dit ailleurs (1), commencèrent en 1677, et qui règnent encore en 1681, n'ont jamais manqué de se faire sentir avec le plus de violence pendant les saisons qui les favorisaient davantage, en quoi elles imitaient parfaitement le caractère des maladies épidémiques; et quand la saison ne leur était plus favorable, on les voyait aussitôt céder la place à d'autres maladies épidémiques, qui s'accommodaient mieux de cette saison. — Par exemple, au commencement de l'hiver, elles cédaient toujours à la toux et aux fièvres péripneumoniques qui en dépendaient, comme aussi à la petite vérole; mais au retour du printemps elles ne manquaient pas de revenir. C'est ainsi qu'en 1680, après avoir fait de terribles ravages pendant l'automne, elles cessèrent à l'entrée de l'hiver, et furent suivies d'une très-grande quantité de petites véroles. Au printemps de cette année 1681, les fièvres intermittentes ont recommencé; mais elles ont été moins épidémiques et moins violentes qu'auparavant: aussi ont-elles été accompagnées de quelques petites véroles. Ces dernières ont augmenté chaque jour dès le commencement de l'été, sont devenues très-épidémiques et ont fait de très-grands ravages.

658. Cette année, 1681, a achevé de me convaincre qu'il ne faut point obliger le malade de garder continuellement le lit avant que toutes les pustules de la petite vérole soient sorties; car le printemps et l'été s'étant trouvés les plus secs qu'on se souvienne d'avoir vus, en sorte qu'il ne restait presque plus d'herbe verte en aucun endroit, le sang était extrêmement desséché, ce qui produisait dans la petite vérole une inflammation beaucoup plus grande qu'elle n'est dans cette maladie, et augmentait beaucoup la violence des symptômes (2). Cette inflammation fai-

(1) Voyez la lettre au docteur Brady, tom. 1er, p. 309.

(2) Comme le printemps et l'automne furent très-secs cette année-là, il y a apparence qu'ils furent aussi très-chauds, et par là on peut aisément rendre raison de la violence extraordinaire de la petite vérole qui régnait alors; car une longue chaleur et une longue sécheresse dessèchent et raidissent les fibres du corps, dissipent les parties balsamiques et aqueuses des fluides, et ne laissent que des

sait souvent paraître des taches de pourpre avant que l'éruption des pustules fût achevée ; et, dénaturant le sang, causait la mort des malades avant l'entière expulsion de la matière morbifique. — Une chose qui contribuait le plus à rendre la maladie mortelle, c'est que les pustules devenaient très-aisément confluentes par l'intempérie seule de l'air, sans qu'on eût employé dans le commencement aucun remède chaud, ainsi que font ordinairement, et très-mal à propos, les mauvais médecins et les ignorants : car il faut bien remarquer, et c'est une chose constatée par les meilleures observations, que moins il y a de pustules dans la petite vérole, moins elle est dangereuse, et que plus il y en a, plus aussi elle est dangereuse. Ainsi le petit nombre, ou le grand nombre des pustules décide de la vie ou de la mort des malades. Cependant les taches de pourpre et l'urine sanglante, qui sont des signes si funestes, et qui accompagnent ordinairement la petite vérole confluente, arrivent quelquefois avant qu'il paraisse presqu'aucune marque de pustules, ou lorsqu'il en sort encore très-peu ; et alors le malade périt avant que l'éruption se soit faite entièrement comme nous avons déjà marqué ailleurs (1).

659. Il est aisé, ce me semble, d'expliquer pourquoi dans la petite vérole les malades sont plus ou moins en danger, suivant qu'il y a plus ou moins de pustules. Comme chacune d'elles est d'abord un petit phlegmon qui devient bientôt un abcès, il arrive nécessairement que la fièvre secondaire, qui produit la suppuration, est plus ou moins violente, à proportion de la quantité de pus qui se forme : cette fièvre secondaire, dans les petites véroles confluentes les plus douces, arrive ordinairement le onzième jour, en comptant du commencement de la maladie; dans les médiocres, le quatorzième jour : et dans les plus mauvaises, le dix-septième; et comme les petites véroles confluentes sont beaucoup plus dangereuses que les discrètes, de même les trois sortes de confluentes dont nous venons de parler sont plus dangereuses les unes que les autres. Outre cela, l'âge et le sexe font encore une différence: car on sait qu'un jeune homme à la fleur de son âge est beaucoup plus en danger par cette maladie qu'un enfant ou une femme. Mais cela soit dit en passant.

660. On ne sera pas surpris que le grand nombre des pustules mette si fort le malade en danger, lorsqu'on fera réflexion à ce qui arrive en conséquence d'un phlegmon, dans quelque partie du corps qu'il se rencontre; car cette tumeur, venant à suppurer, ne manque pas d'exciter la fièvre, au moyen des parcelles de pus qui, étant repompées par les veines selon les lois de la circulation, causent un mouvement dans le sang. Ainsi, lorsque, dans les premiers jours d'une petite vérole, un médecin examinant le visage du malade le verra tout couvert comme d'une poussière de limaille d'acier, il pourra prédire que le malade mourra un des jours marqués ci-dessus, et qu'il mourra de la fièvre secondaire, laquelle sera nécessairement très-violente, à cause de la grande quantité de pus qui rentrera dans le sang, et que fournira la multitude infinie de pustules dont la peau sera couverte. Un si funeste pronostic ne sera pas difficile à faire, nonobstant que le malade se croie assez bien, et que les assistants en jugent de même,

661. Supposé donc que le danger vienne uniquement du grand nombre des pustules, sans qu'il y ait ni taches de pourpre, ni urine sanglante, il s'agit d'examiner maintenant quelles sont les causes de cette abondante éruption, et ensuite quels sont les moyens de l'empêcher, supposé qu'il soit possible de le faire sans péril. Il est certain que le principal secours qu'on peut donner à un malade qui se trouve attaqué d'une petite vérole confluente, consiste à empêcher que les pustules ne sortent en trop grand nombre ; car, lorsqu'une fois l'éruption est achevée, il serait extrêmement dangereux d'entreprendre la moindre chose : et si le malade vient à réchapper, il doit moins son salut aux remèdes de l'art qu'à quelque hémorrhagie considérable du nez, ou à quelque heureux changement arrivé dans la maladie. — Cette abondante éruption des pustules me paraît venir de ce que la matière morbifique s'assimile trop promptement, soit parce que le malade est d'un tempérament chaud et vigoureux, soit parce qu'il s'est échauffé excessivement en gardant trop tôt le lit, ou par l'usage des cordiaux ou

---

parties épaisses et âcres qui en conséquence circulent difficilement, et sont très-propres à causer des obstructions et des inflammations.

(1) Voyez tom. 1er, sect. 3, chap. 2, art. 240, 241 et 242.

des liqueurs spiritueuses. Tout cela dispose le sang à recevoir une grande quantité de matières varioliques, et par conséquent à produire une infinité de pustules.

662. Mais rien n'y contribue davantage que de garder trop tôt le lit, c'est-à-dire avant le sixième jour, depuis le commencement de la maladie, ou avant le quatrième jour inclusivement depuis l'éruption, qui est le temps où toutes les pustules sont sorties, et où il n'en faut plus attendre de nouvelles. — Il est vrai que de garder le lit, même après les jours dont j'ai parlé, et sans se trop couvrir, cela ne laisse pas de contribuer à produire le transport, l'insomnie et d'autres symptômes; mais ce sont des symptômes dont on peut venir à bout par des remèdes ordonnés à propos; au lieu que la médecine ne peut absolument rien contre le grand danger où les malades se trouvent le onzième jour par la multitude infinie des pustules. — Pour obvier à ce terrible inconvénient, le malade doit donc se tenir levé pendant la journée, et ne point garder le lit avant le le soir du sixième jour; de cette manière, il sentira un grand soulagement, et les pustules ne seront pas en si grand nombre (1). Mais, depuis le soir du sixième jour, il ne pourra guère se dispenser de garder le lit, supposé qu'il y ait quantité de pustules; parce qu'elles l'incommoderaient beaucoup, et que, s'il se tenait levé, il tomberait aisément en défaillance. La nature montre donc elle-même, par la faiblesse du malade, que c'est alors le temps où il faut l'obliger de garder continuellement le lit.

663. Toutefois, afin que l'on voie combien ce que je propose est important pour diminuer le danger de la petite vérole, et afin que l'on sache exactement la manière dont cette maladie doit être traitée depuis le commencement jusqu'à la fin, je crois qu'il ne sera pas hors de propos d'en tracer ici le tableau, et d'en examiner la nature et le caractère, non en s'appuyant sur des opinions incertaines et de belles imaginations, mais sur des observations exactes et fidèles.

(1) Un très-bon praticien dit n'avoir jamais trouvé que le malade pût être si long-temps sans garder le lit, à moins que la petite vérole ne fût très-douce, et les pustules en petit nombre. *Hillary, de la petite vérole; 2e édit., p. 79.*

664. L'essence de la petite vérole, autant que nous pouvons l'approfondir, me paraît consister dans une inflammation particulière du sang. Dans les premiers jours de la maladie, la nature est occupée à préparer et à travailler les particules enflammées, afin de les pousser plus facilement à la superficie du corps; la fièvre s'allume alors nécessairement en conséquence du trouble et de l'agitation qui arrive dans le sang. D'ailleurs, les particules enflammées qui circulent rapidement avec le liquide, et qui excitent ce tumulte, causent des envies de vomir, des douleurs de tête lancinantes, et les autres symptômes qui précèdent l'éruption, suivant qu'elles se portent sur telles ou telles parties. — Quand la nature est venue à bout de pousser à la superficie du corps les particules enflammées, elle n'agit plus sur le sang comme auparavant, mais sur le tissu des chairs; et comme c'est toujours en excitant la fièvre qu'elle débarrasse le sang de toutes les matières nuisibles, de même c'est en produisant des abcès qu'elle délivre le tissu des chairs de tout ce qui le blesse et l'incommode. Par exemple, si une épine, ou quelque chose de semblable, est entrée dans les chairs, il se formera un abcès tout autour, à moins qu'on n'ait soin d'ôter incessamment ce corps étranger. — Les particules enflammées de la petite vérole ayant donc été déposées dans le tissu des chairs, elles y produisent d'abord de petits phlegmons qui, ensuite, par la violence de l'inflammation, suppurent et deviennent autant d'abcès; alors rien n'empêche qu'une certaine quantité de pus ne soit absorbée par les veines et transmise à la masse du sang, suivant les lois de la circulation. Et si cette quantité de pus qui entre dans le sang est fort considérable, non-seulement elle cause une fièvre que le malade n'est pas en état de soutenir, mais encore elle infecte toute la masse du sang, et porte avec elle le germe de sa décomposition. Le pire de tout, c'est que la violence de la fièvre, causée par la matière purulente, arrête bientôt la salivation qui accompagne toujours la petite vérole confluente. S'il n'entre dans le sang qu'une petite quantité de pus, la nature dompte aisément la fièvre secondaire, les petits abcès se dessèchent de jour en jour, et le malade est bientôt hors d'affaire.

665. Si cette histoire de la petite vérole est exacte et véritable, il faudrait être incapable de réflexion pour ne pas

voir que le bon ou le mauvais succès du traitement dépend entièrement de la manière dont on se comporte les premiers jours de la maladie ; car, si on met en usage les remèdes échauffants, et surtout si on oblige le malade de garder continuellement le lit, on augmente l'inflammation des particules morbifiques, et par conséquent on facilite leur assimilation. — D'ailleurs le sang et les autres humeurs étant échauffés de la sorte, cèdent plus vite à l'impression des particules morbifiques. De-là vient qu'il se forme un trop grand nombre de pustules, et que le malade est dans un péril manifeste. Au contraire, un régime tempéré et un peu rafraîchissant, avec l'introduction de l'air, tempère l'ardeur et la violence des particules morbifiques, épaissit et fortifie les humeurs et les met, par ce moyen, en état de résister à l'action des particules morbifiques et d'en soutenir l'impétuosité, d'où il arrive que l'éruption n'est pas plus abondante qu'il ne faut.

666. La trop grande quantité de pustules n'est pas le seul accident qui arrive à ceux que l'on oblige trop tôt de garder le lit; ils sont encore très-souvent attaqués d'un pissement de sang et de taches de pourpre, surtout en été et dans la jeunesse. Ces deux symptômes viennent, si je ne me trompe, de l'ardeur et de l'agitation externe que causent au sang les particules morbifiques. Le sang, ainsi agité, s'atténue considérablement, ce qui le met à même de forcer les vaisseaux qui le renferment, tantôt ceux des reins, d'où s'ensuit une urine sanglante, tantôt les extrémités des artères de la peau, d'où proviennent des taches de pourpre, lesquelles sont comme autant de sphacèles produites par un sang extravasé et coagulé (1). — Ces deux symptômes commencent ordinairement les deux premiers jours de la maladie, et alors il est facile d'y remédier par un régime rafraîchissant; mais, quand ils sont une fois déclarés, on n'y remédiera pas en tenant le malade au lit et en donnant des cordiaux : ce serait jeter de l'huile sur le feu.

667. Je dirai plus, quand même les médecins spéculatifs et les ignorants devraient s'en offenser : non-seulement il est dangereux de faire garder continuellement le lit les premiers jours de la petite vérole, mais il y a même des cas où il faut absolument exposer les malades au grand air, savoir, lorsqu'on est en été, lorsque la personne est dans la fleur de son âge, ou lorsqu'elle a fait un usage ordinaire des liqueurs spiritueuses, surtout si la maladie est venue de l'excès de ces liqueurs. — Dans ce cas-là, il ne suffit pas, selon moi, pour empêcher que l'éruption ne soit trop prompte et trop abondante, de faire tenir le malade hors du lit, et de s'abstenir des cordiaux. Car, malgré ces précautions, la grande quantité de matière morbifique et enflammée qui se trouve dans le sang ne manquera pas d'y exciter une fermentation violente, qui sera suivie d'une très-abondante éruption. Et quand la suppuration aura lieu, il rentrera dans le sang une telle quantité de pus que le malade, ne pouvant y résister, périra nécessairement.

668. Assez souvent néanmoins le levain de la petite vérole s'exalte tellement, et il s'amasse une si grande quantité de matière morbifique, que la personne meurt dès le commencement de la maladie, cette matière ne pouvant se débarrasser, ni se jeter au-dehors, à cause de sa trop grande abondance, et du mouvement confus et déréglé qu'elle produit dans la masse du sang. Mais, au lieu de pustules, il survient des urines sanglantes et des taches de pourpre (2). La même chose arrive aussi quelquefois dans la rougeole et dans la fièvre rouge, lorsqu'on entreprend mal à propos d'exciter fortement l'éruption.

669. Je ne trouve pas que la saignée, quoique faite de bonne heure, empêche aussi efficacement la trop prompte assi-

(1) Il paraît que ces redoutables symptômes viennent d'une âcreté, d'une pourriture et d'une dissolution du sang; et si quelque chose peut y remédier, ce doit être la saignée et l'usage des acides et des astringents, ce qui est conforme à l'opinion de notre auteur; mais malheureusement la médecine, imparfaite comme elle est, donne peu à espérer dans de si tristes circonstances, et la maladie se termine le plus souvent par la mort du malade.

(2) Lorsque le mouvement du sang est trop rapide, les sécrétions ne peuvent se faire régulièrement, et une grande partie de ce qui devrait être évacué demeure dans la masse du sang; ce qui le rend nécessairement plus âcre, et en conséquence augmente la fièvre et produit des symptômes fâcheux.

milation de la matière variolique, que lorsqu'on tempère l'ardeur du sang en laissant entrer l'air dans la chambre du malade. La saignée réussit encore moins si aussitôt après on fait garder le lit au malade, et si on l'accable de cordiaux : car, de cette manière, le sang devient encore plus susceptible des impressions de cette nouvelle chaleur, qu'il n'était avant la saignée. — La plus terrible petite vérole confluente que j'aie presque jamais vue est celle qui arriva à une jeune femme, aussitôt après qu'elle eut été guérie d'un rhumatisme par la méthode ordinaire des saignées copieuses et réitérées (1). La malade mourut l'onzième jour de sa petite vérole. Cela me fit connaître que la saignée n'était pas aussi utile que je l'avais cru jusqu'alors, pour prévenir le trop grand nombre des pustules ; mais j'ai observé très-souvent que la purgation, réitérée et mise en usage dès le commencement de la maladie, avait procuré une petite vérole louable et discrète (2).

670. Je sais que l'on peut objecter plusieurs choses contre ma méthode de faire tenir le malade levé pendant le jour, et que de telles objections sont d'un grand poids auprès du vulgaire, et auprès des gens peu instruits de cette matière. C'est même à leur jugement, que les médecins du commun en appellent d'ordinaire, afin d'étayer de leur autorité leurs raisonnements mal fondés ; de tels raisonnements se trouvant en effet plus proportionnés à la capacité de ces gens-là, que ceux qui sont le résultat des réflexions profondes des génies plus pénétrants. De là, il arrive que, comme la plupart des hommes ne voient que la superficie des choses, et que très-peu sont capables d'en pénétrer le fond, et de découvrir le vrai, ces médecins vulgaires et prétendus savants, étant soutenus du suffrage de la multitude, l'emportent aisément sur ceux qui sont plus habiles, et qui se trouvent souvent exposés à la calomnie, mais qui, ayant la vérité de leur côté, et se contentant de l'approbation d'un petit nombre de gens sensés, ne s'embarrassent nullement des jugements et des discours d'une multitude ignorante.

671. On objectera donc contre ma méthode de faire tenir le malade hors du lit les premiers jours de la petite vérole que cela empêche la sortie des pustules, et entretient par conséquent le mal de cœur et les autres symptômes qui pro-

---

(1) La mort de cette malade, que l'auteur semble attribuer à des saignées réitérées faites précédemment, ne doit-elle point plutôt l'être à la disposition inflammatoire et à la viscosité du sang qui reste toujours après le rhumatisme?

(2) Le docteur Hillary donne une méthode preservative pour la petite vérole. Elle consiste à prendre plusieurs fois, à des intervalles convenables, un purgatif antiphlogistique, s'abstenant les jours entre les purgations, et ensuite pendant quelque temps, de tout aliment chaud et de haut goût, et de liqueurs échauffantes et spiritueuses, usant d'un régime rafraîchissant et délayant, de boissons légères, rafraîchissantes, et d'une agréable acidité, et étant fort régulier par rapport aux choses non naturelles. Si la personne est d'un tempérament fort sanguin, il faudra saigner, ou si l'estomac est chargé d'impuretés, il faudra donner un vomitif avant que de commencer les purgations. —Par ce moyen, dit le même auteur, les crudités du corps seront évacuées, les fluides rafraîchis et moins disposés à l'inflammation ou à la putréfaction, et par conséquent la petite vérole, qui viendra ensuite, sera plus bénigne. — J'ai toujours observé, ajoute-t-il, que plus on a continué long-temps cette méthode avant que le malade fût attaqué de la petite vérole, plus aussi la maladie a été douce et bénigne, les symptômes plus modérés, et les pustules en plus petit nombre. Je n'ai jamais vu que l'usage de cette méthode ait été suivi d'une petite vérole confluente, même dans les personnes qui avaient été infectées par des gens attaqués de cette sorte de petite vérole, et dans des familles auxquelles cette maladie avait souvent été funeste. Le seul, ou du moins le principal avantage qu'a l'inoculation au-dessus de la manière ordinaire dont se communique la petite vérole, c'est que par notre méthode, ou par quelque autre semblable, le corps est préparé aux attaques de la maladie ; mais ceux qui n'approuvent pas l'inoculation, peuvent, autant qu'il m'a paru par l'expérience, jouir de tous les avantages de l'inoculation ; et si une personne ainsi préparée n'est pas attaquée de la petite vérole, les doux purgatifs dont elle aura usé, et le régime tempéré qu'elle aura continué quelque temps, lorsque la petite vérole régnait dans son voisinage, ne feront aucun tort à son tempérament. *Hillary, Essai pratique sur la petite vérole, p. 59, etc.*

viennent de ce que l'éruption est empêchée. Je conviens du fait, et l'expérience le confirme presque tous les jours. Mais il s'agit de savoir lequel est le plus dangereux, ou de diminuer un peu la quantité de la matière morbifique, et d'entretenir par conséquent les symptômes qui dépendent du défaut d'éruption ; ou bien de trop animer le levain variolique, et de produire une si grande quantité de matière hétérogène, que la fièvre secondaire réduise le malade à l'extrémité le onzième jour de sa petite vérole. — Si nous examinons les choses comme il faut, nous trouverons, ce me semble, qu'il meurt très peu de gens de cette maladie, faute que l'éruption se fasse tôt ou tard, et que ce malheur n'arrive que dans les sujets dont le sang trop échauffé et trop agité, ne laisse pas à la matière morbifique le temps de se séparer, et de se porter à la superficie du corps ; mais cela même fait en ma faveur : car quoique, durant les premiers jours de la maladie, la matière morbifique encore contenue dans le sang cause des vomissements terribles, des douleurs en différentes parties du corps et d'autres violents symptômes, suivant les divers endroits qu'elle occupe d'abord ; néanmoins, si nous demeurons tranquilles, et que nous laissions entièrement agir la nature, elle ne manquera pas d'être victorieuse, et de pousser au-dehors la matière variolique : d'autant plus que le ventre qui, jusqu'alors, se trouve le plus souvent resserré, annonce une éruption certaine, quand même elle serait tardive.

672. Au contraire, lorsqu'on veut forcer la nature, et presser trop vivement la sortie des pustules, combien d'accidents funestes ne s'ensuivent pas de cette mauvaise manœuvre? Il serait trop long de les rapporter en détail : les principaux pouvant etre réduits, 1° à un trop grand nombre de pustules, et en conséquence à une fièvre secondaire très-violente ; 2° à des urines sanglantes et à des taches de pourpre, dont la cause est un sang trop atténué, trop échauffé et trop bouillant, qui force les vaisseaux et s'extravase ; 3° à la suppression totale de l'éruption, par les efforts que l'on fait mal à propos pour la hâter, et qui ne réussissent pas davantage que si, voulant faire sortir d'une maison spacieuse une grande troupe de gens qui y seraient renfermés, on les obligeait, en leur causant quelque frayeur terrible, de courir tous à la fois du côté de la porte ; car alors la presse serait si grande qu'ils s'embarrasseraient les uns les autres, et se fermeraient mutuellement le passage.

673. Si l'on me demande maintenant pourquoi la séparation de la matière de la petite vérole ne pourrait pas se faire également les premiers jours de la maladie, en se tenant au lit dans une chaleur modérée, qu'en demeurant levé, je demanderai, à mon tour, s'il n'est pas vrai qu'une personne qui, en hiver, se tient au lit, étant médiocrement couverte et sans feu dans la chambre, n'a pas plus chaud que, si étant bien habillée, elle demeurait levée dans la même chambre. Si l'on avoue que cela est conforme à l'expérience, je demanderai en conséquence, laquelle de ces deux méthodes est la plus propre à calmer l'agitation excessive du levain morbifique ; car, c'est-là, à mon avis, la principale intention que doit avoir le médecin dans le commencement de la petite vérole ; et suivant qu'il la remplira plus ou moins exactement, le malade se trouvera bien ou mal (1).

---

(1) On doit avouer qu'il est plus souvent nécessaire de modérer la fièvre au commencement de la petite vérole par la saignée, les vomitifs, les laxatifs, les rafraichissants et les narcotiques, que de l'animer, et par cette méthode on aidera plutôt l'éruption qu'on ne l'empêchera; car si le sang circule avec trop de rapidité, la matière morbifique n'aura pas le temps de s'en séparer comme il faut. (*Voyez ci-devant, art.* 671, *vers la fin.*) Mais avant que de tenter aucune évacuation, on doit bien examiner l'état du malade, parce qu'il est quelquefois nécessaire, et même absolument nécessaire d'animer le sang. (*Voyez sect.* 3, *ch.* 2, *note de l'art.* 260.) — Un des meilleurs écrivains sur cette maladie observe que, comme l'éruption régulière et complète, et la suppuration, peuvent être retardées, ou par un mouvement trop violent du sang, ou par un mouvement trop faible et trop languissant, et qu'une erreur d'un côté ou d'un autre peut devenir funeste, il faut, pendant toute la maladie, avoir grande attention au pouls, à la fièvre, à la force du malade, au nombre des pustules, et aux autres symptômes, afin que toutes ces choses soient dans le degré convenable de modération; et quand cela n'est pas, il faut aider la nature suivant l'exigence des cas, soit par l'usage des antiphlogistiques et des évacuants, etc.,

674. Ce qui en a imposé dans cette matière aux médecins peu attentifs, c'est qu'ils ont vu que les malades qui gardaient le lit suaient continuellement, et que cela diminuait beaucoup la violence de la fièvre; au lieu que ceux qui ne suaient pas, avaient beaucoup plus de fièvre; mais il s'agit d'abord d'examiner, s'il est à propos de se donner tant de peine pour apaiser la fièvre, puisqu'elle est comme l'instrument principal dont la nature se sert pour préparer, et ensuite évacuer toutes sortes de matières morbifiques contenues dans le sang. — Or, qui ne voit qu'en cherchant avec tant de soin à exciter les sueurs, dans la vue de modérer la fièvre, on ne fait que procurer la sortie d'une humeur crue et indigeste qui ressemble à un fruit précoce, et que les sueurs mêmes occasionnent ensuite une fièvre plus violente? La raison de cela est que le sang se trouve ainsi desséché, et que les particules morbifiques n'étant plus détrempées et étendues dans la sérosité, elles se rapprochent et deviennent plus enflammées et plus actives. En un mot, la méthode de diminuer la fièvre et les autres symptômes, en excitant les sueurs et en procurant trop tôt la sortie des pustules, a été funeste à quantité de malades, lesquels sont morts en conséquence le onzième jour.

675. Quand je défends au malade de garder le lit les premiers jours de la petite vérole, c'est toujours en supposant qu'elle sera confluente. Car, dans la petite vérole discrète, lorsqu'on peut la prévoir sûrement, il est assez indifférent de garder le lit ou de ne pas le garder; d'autant que, soit qu'on le garde ou non, le petit nombre de pustules met toujours le malade hors de danger.

676. Je ne prétends pas néanmoins qu'on m'en croie ici sur ma parole et sur mon autorité. Les opinions de quelque homme que ce soit m'ont toujours paru mériter si peu de créance, que je tiens même les miennes pour suspectes, toutes les fois qu'elles sont contraires à celles d'autrui. J'en ferais de même dans l'occasion présente, si l'expérience ne confirmait pas mon sentiment : car, sans l'expérience, ce que d'autres ou moi pourraient regarder comme vrai, ne serait peut-être qu'une pure imagination. — Le commerce des hommes m'apprend chaque jour combien les plus grands génies sont sujets à se tromper dans les recherches qu'ils font sur les sciences et sur les arts, à moins qu'ils ne consultent l'expérience. Un médecin qui en fait la règle de sa conduite marche en sûreté; et s'il lui arrive quelquefois de s'égarer, elle le redresse bientôt, et ne manque pas de rectifier ses idées. Elle est la pierre de touche des opinions et des systèmes. — Qu'il me soit donc permis, dans la maladie dont il s'agit maintenant, d'observer quel est le régime qui produit une petite vérole bénigne, quel est celui qui en produit une maligne, et d'embrasser ensuite un sentiment conforme à l'évidence. Si ceux qui me blâment avaient fait la même chose, je n'aurais rien à dire; mais, comme ils n'ont pas éprouvé une seule fois dans toute leur vie si la méthode de tenir les malades hors du lit pendant le jour, est utile ou nuisible, ils sont très-injustes de me condamner et de me calomnier. — Si l'on avait agi de la sorte autrefois avec ceux qui ont eu des sentiments extraordinaires, quoique vrais, personne n'aurait tenté des découvertes avantageuses au genre humain. Je ne m'exposerais pas non plus moi-même à tant de contradictions, si une infinité d'expériences ne parlaient en ma faveur. Ce n'est pas mon intérêt de combattre une opinion reçue, et qui a pour elle la pluralité des suffrages. D'un autre côté, on ne me croira pas assez méchant pour vouloir de sang-froid, tendre des piéges à la vie des hommes, et leur nuire, même après ma mort (1).

---

soit par les doux cordiaux, les alexipharmaques, etc.; mais les derniers ne sont presque jamais nécessaires dans le premier état de la maladie, et ne le sont pas à beaucoup près si souvent dans le second état que les antiphlogistiques. — D'ailleurs, comme l'observe Sydenham, les femmes qui se mêlent de maladies ne laissent guère le temps d'employer les doux cordiaux, parce qu'en donnant leurs liqueurs échauffantes, elles tuent souvent les malades, ou du moins rendent la guérison fort difficile. Je suis néanmoins assuré que certains malades ont péri également par le trop grand usage des rafraîchissants, lorsque la petitesse de la fièvre et l'accablement où était la nature demandaient un régime plus chaud. *Hillary, Essai pratique sur la petite vérole, p.* 79, 80.

(1) La candeur et la bonne foi de notre auteur sont si universellement reconnues

677. Quoi qu'il en soit, c'est par la méthode que je propose ici, que j'ai guéri de la petite vérole mes propres enfants, mes plus proches parents, et tous ceux qui ont bien voulu s'abandonner entièrement à ma conduite. Si j'ai quelque chose à me reprocher, c'est d'avoir cédé quelquefois à l'opiniâtreté de ceux qui se raidissaient contre mon sentiment; et sur cela, j'en appelle à la bonne foi des personnes avec qui j'ai vécu familièrement. — Mais, le plus fâcheux pour moi, c'est que, dans certaines occasions où l'on n'avait rien fait de ce que je disais, on n'a pas laissé de mettre sur mon compte la mort des varioleux, quoique leurs amis et les garde-malades les eussent tués à force de les échauffer, et que je me fusse opposé de tout mon pouvoir à cette manière de les traiter (1). Cela joint à la prévention insurmontable que j'ai vue dans la plupart des gens en faveur du régime chaud, m'a dégoûté entièrement de voir des petites véroles, et je serais charmé qu'on ne m'appelât jamais pour de semblables maladies.

678. J'avoue que, de quelque manière qu'on les traite, l'éruption ne laissera pas d'être quelquefois très-confluente; ce qui fait qu'elles sont toujours dangereuses, nonobstant toutes les mesures que l'on peut prendre. Mais je soutiens, après une infinité d'expériences, que le danger est beaucoup moindre, lorsque, dès le premier commencement de la petite vérole, le malade est levé pendant le jour, s'est abstenu entièrement de viande, et s'est contenté d'une boisson légère, que lorsqu'il a gardé le lit, et qu'on lui a donné, outre cela, des cordiaux. — Cette première méthode, comme nous avons dit ci-dessus (2), empêchera ordinairement qu'il n'y ait trop de pustules, et par conséquent que la fièvre secondaire ne soit trop violente. Car cette fièvre n'est pas seulement capable de tuer le malade par elle-même; elle menace encore de le suffoquer en ce qu'elle arrête la salivation, dont nous avons parlé au long dans l'histoire de la petite vérole. — D'ailleurs, la méthode que je recommande prévient le pissement de sang et les taches de pourpre, deux symptômes qui arrivent les premiers jours de la maladie, et souvent même avant qu'il y ait aucun signe manifeste d'éruption. Ils arrivent aussi dans la rougeole, dans la fièvre rouge, et en d'autres maladies aiguës qui viennent d'une inflammation violente. Je ne dis rien du soulagement infini que le malade ressent dans tout son corps lorsqu'on le lève et qu'on lui donne de l'air. Tous ceux que j'ai eu la liberté de traiter de la sorte en ont fait une heureuse expérience, et ils me remerciaient comme si je leur eusse rendu la vie, en leur donnant de l'air (3).

679. Cela m'a fait faire réflexion, que la raison nous trompe beaucoup plus souvent que les sens, et que dans le traitement des maladies, il faut avoir plus d'égard aux désirs violents du malade, pourvu qu'ils ne soient pas tout-à-fait absurdes et pernicieux, qu'aux règles douteuses et incertaines de la médecine. — Par exemple, un homme qui est attaqué d'une fièvre ardente demandera instamment qu'on lui permette de boire copieusement d'une tisane rafraîchissante. Un médecin, dont le système et l'hypothèse ne s'accordent pas avec l'usage d'une telle boisson, la défendra, et ordonnera au contraire une boisson échauffante. Le même malade a en horreur toutes sortes d'aliments, et ne veut qu'une boisson légère. Certains médecins, et surtout les femmes qui sont autour de lui, et les assistants, ne manqueront pas de soutenir qu'il faut absolument lui donner à manger. — Un autre malade qui se trouvera fort languissant, après une fièvre aiguë, demandera avec instance une chose absurde, et qui semblera peut-être nuisible. Le médecin la refusera impitoyablement, assurant

---

qu'on le nomme souvent le *franc et sincère Sydenham*, et quiconque lira avec attention ses ouvrages, conviendra aisément qu'il mérite ce nom, et qu'il était par conséquent bien éloigné de vouloir rien faire d'indigne d'un honnête homme.

(1) Ce n'est là que trop souvent le triste sort des plus habiles et des plus honnêtes médecins, lesquels ne sont presque jamais les maitres de faire ce qui conviendrait, à cause de l'opiniâtreté du malade ou des préventions des personnes qui le soignent. Mais quoi de plus injuste et de plus indigne que de les charger des fautes des autres, et de leur imputer des malheurs qui viennent uniquement de ce qu'on a méprisé leurs salutaires avis?

(2) Voyez ci-dessus l'art. 662.

(3) Cela demande beaucoup de précautions dans les sujets sensibles et délicats, autrement il pourrait y avoir des suites funestes.

qu'elle causera la mort au malade, à moins que le médecin soit bien persuadé de la vérité de cet aphorisme du sage Hippocrate : *qu'un aliment et une boisson moins salutaires, mais plus agréables au malade, doivent être préférés à un aliment et à une boisson plus salutaires, mais moins agréables* (1).

680. Un médecin un peu versé dans la pratique, et un peu attentif, avouera certainement, s'il est de bonne foi que, dans tous ces cas-là, plusieurs malades se sont bien trouvés d'avoir plutôt suivi leur inclination, que les ordonnances de leur médecin.—On ne s'étonnera pas de cela, si l'on fait réflexion qu'un très-grand nombre de maladies aiguës se terminent naturellement d'elles-mêmes, et que les envies dont elles sont accompagnées servent à garantir les malades des entreprises pernicieuses d'un art mal entendu. C'est un bonheur pour les hommes que la chose soit ainsi : autrement que seraient-ils devenus anciennement, lorsque l'art de la médecine étaient renfermé dans les bornes étroites de la Grèce? Et que deviendraient encore aujourd'hui tant de peuples qui se passent entièrement de médecins, comme presque tous les habitans de l'Asie, de l'Afrique et de l'Amérique, et une partie considérable de ceux de l'Europe (2)? — Cependant on peut dire des médecins ce qu'un ancien poète comique disait des hommes, lorsque faisant la différence des gens raisonnables et vertueux, d'avec ceux qui déshonorent la nature humaine en menant une vie semblable à celle des bêtes, il s'écriait : *L'aimable chose qu'un homme qui est véritablement homme* (*). De même, un médecin qui est véritablement médecin, et non pas seulement de nom, est une chose d'autant plus excellente que la vie est au-dessus de tous les autres biens naturels (3).

681. Mais pour revenir à mon sujet, quelque avantageux qu'il soit dans la petite vérole confluente de ne pas garder le lit pendant les premiers jours de la maladie, il y a néanmoins des cas où il faut absolument le garder, même avant l'éruption. Par exemple, un enfant qui n'a plus rien à craindre du côté des symptômes de la dentition, est tout à coup attaqué de convulsions: Alors on doit penser que cette convulsion vient peut-être des efforts que fait la nature en voulant pousser à la superficie du corps la petite vérole, la rougeole, ou la fièvre rouge, quoique la matière de l'éruption soit encore cachée sous la peau.—Ainsi, pour obvier

---

(1) La plupart des médecins peuvent confirmer par leur propre expérience la vérité de cet aphorisme. On a vu plusieurs personnes guérir de maladies terribles et tout-à-fait désespérées, après avoir suivi, soit à l'insu, soit par l'indulgence du médecin, leurs appétits particuliers, quelque absurdes qu'ils parussent : en effet, quelque nuisible que semble être la chose que désire le malade, elle ne pourra guère lui nuire que par la grande quantité qu'il en prendra. Pour ce qui est d'expliquer d'une manière raisonnable et satisfaisante pourquoi il est si avantageux aux malades que l'on condescende à leurs appétits déréglés, nonobstant les plus fortes présomptions contraires, c'est une chose que je n'entreprendrai pas, et j'en laisse volontiers le soin à ceux qui aiment ces sortes de spéculations curieuses et subtiles. Notre auteur, dans l'article suivant, semble regarder ces appétits absurdes comme une espèce d'instinct que la Providence a donné aux hommes pour leur conservation ; en quoi on doit louer sa religion, à laquelle il fait servir partout sa philosophie.

(2) Cela ne paraît pas exactement vrai, ou du moins doit être entendu avec certaine restriction. Quoique la médecine, considérée comme un art particulier, ait été long-temps renfermée dans des bornes étroites, on a cependant toujours cherché des remèdes, et on en a découvert plusieurs aussitôt après que les hommes ont été sujets aux maladies, rien n'étant plus naturel que de chercher du soulagement. Ainsi, l'origine de la médecine est le désir de sa propre conservation ; et, dans ce sens, on peut assurer que les nations les plus barbares n'ont pas été sans quelque connaissance de la médecine, puisqu'elles ont toujours possédé plusieurs remèdes éprouvés pour la guérison de leurs maladies.

(*) Ὧς χαρίεν ἐστ' ἄνθρωπος ἂν ἄνθρωπος ᾖ.

(3) Quelles louanges ne mérite pas l'art de la médecine qui est si utile au genre humain? Néanmoins, il n'est que trop souvent l'objet des railleries et du mépris des demi-savants, qui ne laissent pas d'y avoir recours à la moindre occasion, et qui montrent ainsi, par leur conduite, combien on doit faire peu de cas de leurs railleries et de leurs invectives; mais ce n'est pas ici le lieu de s'étendre sur cette matière.

à un si dangereux symptôme, on doit appliquer promptement un emplâtre vésicatoire sur la nuque du cou, et mettre au plus tôt le malade au lit. On lui donnera aussi un cordial, où l'on mêlera un peu de narcotique, afin de pousser plus puissamment au-dehors la matière morbifique, et d'apaiser le tumulte qui occasionne les convulsions. Par exemple, il faudra donner à un enfant de trois ans cinq gouttes de laudanum liquide dans une cuillerée d'eau épidémique, ou bien quelque chose d'équivalent. — Je crois, ou plutôt je suis sûr, qu'il est péri une infinité d'enfants, et même quelques adultes, parce que les médecins n'ont pas pris garde, que les convulsions dont il s'agit, n'étaient que les avant-coureurs de la petite vérole, de la rougeole, ou de la fièvre rouge. Les médecins peu attentifs prenant pour des accidents essentiels ces sortes de convulsions, qui ne sont que symptomatiques, ils y emploient des lavements réitérés, et d'autres évacuations. Par-là ils empêchent l'éruption, et rendent plus durables les accidents qu'ils veulent combattre, et qui, sans tous ces remèdes, auraient certainement disparu d'eux-mêmes, dès le commencement de l'éruption. — Une chose consolante, et que nous avons déjà remarquée ailleurs (1), c'est que les petites véroles qui surviennent aux enfants avec des convulsions, sont rarement fort confluentes. C'est pourquoi il est beaucoup moins dangereux alors de faire garder le lit au malade dès les premiers jours.

682. Mais lorsque la petite vérole est précédée d'une affection comateuse, je l'ai toujours vue très-confluente; et dans ce cas-là, j'aime mieux employer l'emplâtre vésicatoire, et le narcotique décrit ci-dessus, que de permettre au malade de garder le lit avant l'éruption. — J'ai aussi observé quelquefois des convulsions qui précédaient les accès des fièvres intermittentes. Il est vrai que cela est très-rare, mais j'ai souvent vu des affections comateuses survenir en même temps que les accès de ces fièvres, et ne se terminer qu'avec eux, tant dans les enfants que dans les adultes. On doit alors s'appliquer uniquement à combattre la fièvre, qui est la maladie primitive et essentielle, sans se mettre aucunement en peine de l'affection comateuse. Car, si on s'attachait principalement à celle-ci, et que pour la dissiper on mît en usage la saignée, la purgation, et les lavements réitérés, on augmenterait la fièvre, et par conséquent on rendrait l'assoupissement mortel; au lieu que si on emploie toutes ses forces contre la fièvre, tous les symptômes qui en dépendent, s'évanouiront en même temps qu'elle, et disparaîtront d'eux-mêmes. C'est ce qu'il faut bien remarquer, parce qu'on s'y trompe souvent, et que cette erreur est funeste aux malades. Mais j'ai déjà traité ailleurs cette matière plus au long.

683. Il y a encore d'autres cas où l'on ne saurait s'empêcher de faire garder le lit dès le commencement de la petite vérole. C'est lorsqu'elle est accompagnée d'une fièvre violente, d'un abattement extrême, d'un vomissement énorme, de vertiges, de douleurs rhumatismales dans les membres, et d'autres semblables symptômes qui marquent une grande quantité de matière morbifique lorsqu'ils sont violents, et surtout lorsqu'ils se rencontrent dans des personnes jeunes et d'un tempérament sanguin. Aussi annoncent-ils une petite vérole très-confluente, et par conséquent très-dangereuse. — Il s'agit donc ici d'affaiblir, autant qu'on le peut le levain morbifique. Mais comme, d'un côté, la chaleur continuelle du lit augmenterait sa violence, et que, d'un autre côté, le malade est trop faible pour ne pas garder le lit, à moins qu'on ne lui redonne des forces, il est absolument nécessaire en pareilles circonstances de saigner du bras, et quelques heures après de faire vomir avec un remède antimonié : ce qui, non-seulement dissipera les maux du cœur, mais fortifiera encore tellement le malade, qu'il sera en état de se tenir levé. — La saignée et le vomissement ne suffisent pas pour affaiblir le levain de la petite vérole. Il est nécessaire outre cela d'employer l'acide vitriolique, dont on mettra une assez bonne dose dans la boisson du malade, jusqu'à ce que toutes les pustules soient sorties. Mais, nonobstant la saignée, il faudra encore, de plus, que le malade demeure levé pendant le jour. Car, comme il respirera par ce moyen un nouvel air qui rafraîchira le sang, cela contribuera peut-être plus que tout le reste à empêcher la trop prompte assimilation de la matière morbifique, et soulagera merveilleusement les malades, comme je l'ai expérimenté plusieurs fois. — Il est vrai que cette méthode n'est né-

(1) Voyez section 3, chap. 2, art. 218.

cessaire que dans les jeunes gens, dont le sang est échauffé par le vin ou le commerce avec les femmes, et dans les personnes qui ont des petites véroles accompagnées des symptômes violents dont j'ai parlé; car dans les enfants elle ne convient point. Lorsque le sang n'est pas fort enflammé, et que les symptômes ne sont pas fort violents, il y a bien moins à craindre que l'assimilation de la matière morbifique ne se fasse trop vite; et par conséquent on peut omettre la saignée, le vomitif, et l'acide vitriolique.

684. Je me suis étendu sur cet article, parce que je sais que le bon ou le mauvais succès de la curation dépend presque entièrement de la manière dont on s'y prend dès les premiers jours de la maladie. Quand toutes les pustules sont sorties, ce qui arrive, comme nous avons déjà dit, le sixième jour depuis la première attaque, ou le quatrième jour en comptant depuis l'éruption; alors, et non pas plus tôt, le malade doit garder entièrement le lit pendant tout le reste de la maladie. Son état le demande ainsi, pourvu que ce soit une petite vérole confluente: car c'est de celle-là que j'ai entendu parler jusqu'à présent. — Dans la petite vérole discrète, il importe peu que l'on garde le lit, ou non, pourvu seulement que celui qui la traite soit médiocrement habile. Néanmoins, quelque exempte de danger que soit par elle-même la petite vérole discrète, elle n'a pas laissé d'être funeste à un grand nombre de malades, lorsqu'ils ont eu le malheur de tomber entre les mains de gens ignorants qui, ne s'occupant qu'à les chauffer, les ont tués sans le vouloir.

685. Dès que l'éruption est achevée, les pustules commencent à augmenter et à échauffer toute la superficie du corps, et principalement la tête; d'où naissent des insomnies et des inquiétudes, à moins que le malade ne soit un enfant. Tout cela mérite une grande attention: car, suivant que le sang sera plus tranquille, les pustules deviendront plus grosses. Et, au contraire, si le sang est dans une trop grande agitation, elles s'affaisseront, au lieu de s'élever et de grossir; d'où il arrivera que la matière morbifique ne se séparera pas du sang comme il faut; et les pustules, au lieu d'une liqueur jaune et purulente, ne rendront qu'une sérosité ou bien une humeur noirâtre et éloignée de la nature des petites véroles. — Voilà pourquoi les narcotiques me paraissent aussi bien indiqués dans la petite vérole confluente qu'aucun autre remède dans quelque maladie que ce soit, et ils y sont, pour ainsi dire, aussi spécifiques que le quinquina dans les fièvres intermittentes: ce n'est pas qu'ils agissent par une vertu proprement spécifique; ils ne font autre chose que remplir l'indication qui consiste à calmer le trop grand mouvement du sang et des esprits. — Ce mouvement déréglé qui, dans les adultes, accompagne toujours la petite vérole confluente, demande principalement l'usage des narcotiques; et on se tromperait de croire que ces remèdes ne doivent être employés que pour procurer le sommeil. Car, comme il arrive quelquefois qu'un malade qui ne dort pas, ne laisse pas d'être tranquille, surtout après avoir pris du laudanum, il arrive aussi que la trop grande agitation des esprits empêche l'éruption louable des pustules, même lorsque le malade dort beaucoup: circonstance qui mérite d'être remarquée.

686. Je vais dire maintenant quelque chose des différentes sortes de narcotiques. Quoique depuis plusieurs années j'aie employé avec assez de succès le laudanum liquide dans toutes les occasions où il s'agissait d'apaiser le trop grand mouvement du sang et des esprits, je crois néanmoins lui devoir préférer le sirop diacode. Il est vrai que tous deux tendent au même but, mais il me semble que le laudanum échauffe un peu plus que le diacode. — Quant à la dose de ce dernier, elle doit être proportionnée non-seulement à l'âge des personnes, mais encore à la violence des symptômes, car une dose qui serait trop forte pour un malade dont le sang n'est pas fort agité suffira à peine pour un autre où l'agitation est plus grande. Supposons, par exemple, que six gros de sirop conviennent en général à la plupart des malades, il n'en faudra guère moins d'une once dans la petite vérole pour produire quelque effet, et il sera nécessaire d'en ordonner chaque fois cette quantité pendant le cours de la maladie. Nous entendons parler ici des adultes: car si on donne le diacode à des enfants, il faudra en diminuer la dose suivant l'âge. — Il est certain que les narcotiques ne sont pas autant indiqués dans les enfants qui ont la petite vérole que dans les adultes, parce que les enfants ont plus de pente au sommeil dans tout le cours de la maladie. Néanmoins, lorsqu'ils sont en

grand danger, je me ferais un scrupule de ne pas leur donner les narcotiques. Mais ce que je voulais dire, c'est qu'il est très-difficile de déterminer au juste la dose de ces remèdes dans les cas même où ils conviennent. — Car dans le mouvement déréglé des esprits, dans les vomissements énormes et les flux de ventre, et dans les douleurs violentes qui sont les trois principaux cas où j'ai dit ailleurs que les narcotiques sont indiqués, il faut les donner de telle manière que, si la première dose ne calme pas, on aille toujours en augmentant jusqu'à ce qu'on obtienne ce que l'on souhaite, ayant moins d'égard à la quantité du remède qu'à l'effet qu'il produira, et mettant toujours entre chaque prise un intervalle raisonnable, afin de savoir ce qu'aura fait la première, avant que d'en donner un autre. Quand le narcotique aura produit l'effet qu'on en attend, alors on diminuera la dose suivant le besoin, continuant ainsi pendant le reste de la maladie.

687. Je pourrais alléguer beaucoup d'exemples pour confirmer cette doctrine, mais je me contenterai présentement d'un seul. Le 13 avril de l'an 1681, *Crosse*, femme de mon voisinage, vint me trouver en pleurant et me pria instamment d'aller voir son fils, âgé de dix ans, qui était mal depuis quatre jours et qu'elle croyait attaqué de la petite vérole. Ne pouvant y aller moi-même parce que j'avais alors la goutte aux pieds, je priai l'apothicaire dont je me sers ordinairement d'y aller en ma place, et de me rendre compte de l'état du malade. — Il me dit à son retour que la mère de cet enfant, par le conseil de quelque femme, avait fait prendre à son fils de la poudre de la Comtesse-de-Kent et d'autres remèdes chauds; qu'elle le tenait au lit où on l'accablait sous le poids des couvertures afin de le faire suer, comme c'est la manie ordinaire des femmes; de plus, qu'elle lui avait donné à boire beaucoup de petit-lait chaud dans lequel avaient bouilli des fleurs de souci et de la corne de cerf. — Tout cela avait tellement augmenté la fièvre et mis le sang dans une si grande agitation, que le malade était dans un transport terrible, les assistants ne pouvant presque venir à bout de le retenir au lit. Cependant les pustules ne paraissaient point encore, ou du moins paraissaient très-obscurément, la chaleur excessive du régime qu'on employait les empêchant de sortir. — J'ordonnai qu'on ôtât sur-le-champ le malade du lit, qu'avant le sixième jour il n'y demeurât que la nuit, et que tout de suite on lui donnât une demi-once de sirop diacode. Cela ne produisant rien, je fis réitérer la même dose au bout d'une heure et avec aussi peu de succès. On continua néanmoins l'usage du sirop par demi-onces, mettant un intervalle entre chaque prise, afin de pouvoir juger de l'effet de la précédente, et il en fallut jusqu'à deux onces et demie pour apaiser l'orgasme du sang, tant il était violent. Après quoi j'ordonnai qu'on s'en tiendrait à une demi-once de sirop tous les soirs jusqu'à la fin de la maladie, cette seule dose suffisant pour entretenir le calme que les fréquentes doses avaient produit. La chose réussit comme je l'espérais, et le malade guérit.

688. Il faut observer que lorsque l'agitation du sang et des esprits est extrême, on ne viendra presque pas à bout de la calmer les premiers jours de la maladie, quelque grandes et quelque fréquemment réitérées que soient les doses du sirop diacode, à moins que le malade ne se lève. Car, comme la chaleur du lit augmente encore la violence de la fièvre, il faudrait dans ce cas-là donner une si grande quantité de remède, que la nature ne serait peut-être pas en état de la supporter. — La même chose arrive, quoiqu'avec moins de danger, dans les fièvres intermittentes, lorsque le malade garde le lit durant l'usage du quinquina. Cette mauvaise méthode a été quelquefois cause, si je ne me trompe, qu'une fièvre intermittente qui aurait dû être bientôt guérie, a subsisté fort long-temps, et qu'une fièvre qui n'était pas parfaitement intermittente a eu des redoublements si violents que les malades en sont morts.

689. Mais sans parler ici des cas extraordinaires où le sirop diacode peut se trouver indiqué dans tous les temps de la maladie, je conseille de commencer à le donner dès le premier soir que le malade doit garder entièrement le lit, c'est-à-dire dès le soir du sixième jour depuis la première attaque, et de continuer ainsi tous les soirs jusqu'au dix-septième jour, ou du moins jusqu'à ce que le malade soit hors de danger, car dès le sixième jour sa chair devient comme enflammée, et les humeurs étant échauffées, troublent la tête et causent le transport.

690. Mais il faut avoir grand soin de donner ici le narcotique de meilleure heure que dans les autres maladies, parce que dans la petite vérole la chaleur et

l'inquiétude augmentent toujours sur le soir, et quelquefois vers les derniers jours de la maladie. Si on n'a pas donné de bonne heure ce remède, il survient tout à coup une espèce de stupeur qui est bientôt suivie de chaleur, après quoi le malade se plaint de se trouver mal, et peu après il meurt, au grand étonnement de ses amis, qui peu de temps auparavant avaient conçu les plus belles espérances de sa guérison. On aurait peut-être prévenu ce malheur en donnant sur-le-champ le narcotique. — Voilà pourquoi, durant les jours dont j'ai parlé et surtout le onzième jour, je fais donner ce remède à cinq ou six heures du soir, et je veux qu'on le tienne tout prêt en cas que le malade se trouve mal. Je suis même très-persuadé que certaines gens de ma connaissance sont morts faute de ce calmant qui aurait pu les sauver. C'est ici principalement que les moments sont précieux et qu'il faut saisir promptement l'occasion.

691. Puisqu'il est donc extrêmement dangereux de ne pas donner assez tôt le narcotique ou de le donner de si bonne heure qu'il ne lui reste plus rien de sa vertu calmante dans le temps qu'elle serait le plus nécessaire, le meilleur parti que l'on puisse prendre, c'est de donner ce remède matin et soir à des heures réglées, pendant les derniers jours de la maladie qui sont les plus dangereux. — Une once de sirop diacode ne suffit pas toujours alors, et elle ne fait pas davantage dans l'inflammation violente où est le sang, et dans le désordre extrême où sont les esprits animaux, que ferait une demi-once dans un état plus tranquille. J'ai même appris par une longue expérience que dans les jeunes gens et dans les tempéraments sanguins, pour calmer la violence des symptômes qui surviennent alors et que l'on cherche à réprimer de tout son pouvoir, il ne faut pas moins qu'une once et demie de sirop chaque fois, et qu'on peut non-seulement sans danger, mais encore avec beaucoup d'utilité pour les sujets dont nous parlons, leur en donner cette quantité matin et soir jusqu'à ce qu'ils soient hors d'affaire.

692. J'avouerai naturellement que dans des petites véroles extrêmement confluentes, je me suis quelquefois vu obligé, les derniers jours de la maladie, de donner le narcotique trois fois dans vingt-quatre heures, c'est-à-dire de huit en huit heures, à cause de l'agitation ou du désordre extrême des esprits, lequel ne me permettait pas d'attendre plus longtemps. — Il arrive souvent les derniers jours de la maladie que le sirop diacode si fréquemment réitéré cause des nausées au malade. Dans ce cas-là, il faut y substituer le laudanum liquide, dont seize gouttes équivalent à une once de sirop, pourvu qu'il soit préparé de la manière que j'ai décrite dans le Traité des maladies aiguës, au chapitre de la dysenterie (1).

693. Ceux qui ne sont pas de mon sentiment ne manqueront pas d'objecter qu'un narcotique donné si souvent et en si grande dose fixera la matière nuisible et arrêtera la salivation. J'avoue qu'il diminuera celle-ci, mais il ne l'arrêtera jamais entièrement, et elle se rétablira un peu lorsque l'action de chaque dose de narcotique aura cessé. — Je trouve d'ailleurs trois avantages dans cette diminution : 1° le malade conservera plus de forces et sera plus en état de cracher ; 2° la salive qu'il rendra sera plus cuite que s'il n'avait point pris de narcotique ; 3° ce qui manquera du côté de la salivation sera compensé abondamment par l'enflure du visage et des mains, car l'usage du narcotique fera enfler plus sûrement et plus considérablement ces parties, savoir, le visage, depuis le huitième jour jusqu'au onzième, qui est le temps auquel son enflure commence ordinairement à diminuer, et les mains, depuis l'onzième jour jusqu'à ce que les pustules dont elles sont chargées aient acquis leur maturité. — J'avancerai hardiment une chose sur laquelle je ne crains pas qu'aucun médecin accoutumé à traiter des petites véroles confluentes puisse me démentir : c'est que quand le visage et les mains manquent de s'enfler dans le temps convenable, cela est d'un plus mauvais augure que lorsque la salivation s'arrête. Pour moi, je pense qu'il vaut beaucoup mieux risquer de l'arrêter que de ne point donner le narcotique, car c'est un remède tellement nécessaire dans cette maladie, qu'il faut être peu expérimenté et peu attentif pour priver les malades d'un si grand secours.

694. Ce que je dis sur l'usage quotidien et la dose du sirop diacode dans la petite vérole confluente ne doit pas s'entendre des enfants qui ont cette maladie, à moins que le danger ne soit extrême, et cela par deux raisons : la pre-

(1) Voyez sect. 4, chap. 3, art. 327.

mière, c'est que les enfants ne sont pas si échauffés que les adultes; la seconde, c'est qu'à cause de leur âge tendre et de leur faiblesse ils ne sont pas si en état de soutenir l'action des narcotiques réitérés chaque jour; d'ailleurs les enfants dorment d'eux-mêmes pendant presque toute la maladie. — Néanmoins, lorsqu'ils sont attaqués du transport ou lorsque les pustules sont d'un mauvais caractère, deux accidents qui marquent de reste un mouvement désordonné du sang et des esprits, on ne peut se dispenser de recourir aux narcotiques (1).

695. Les deux points sur lesquels nous nous sommes si fort étendus, dont l'un regarde la méthode d'empêcher la prompte assimilation de la matière morbifique les premiers jours de la petite vérole, et l'autre regarde les moyens de prévenir les désordres des esprits que cause l'inflammation des parties intérieures, sont comme les deux pivots sur lesquels roule tout le traitement de la maladie. Ce sont les principales indications qu'il s'agit de remplir si l'on veut éviter les funestes symptômes qui rendent la petite vérole mortelle, et s'acquitter des devoirs d'un vrai médecin dont la science ne consiste pas à prescrire des formules, mais à combattre directement les maladies en suivant les indications naturelles qu'elles présentent.

696. S'il est besoin d'un emplâtre vésicatoire, il faudra l'appliquer sur la nuque du cou, et qu'il soit large et actif; mais on ne l'appliquera pas de si bonne heure qu'il ait cessé d'agir avant le onzième jour, qui est le plus critique de la maladie; et on n'attendra pas non plus jusqu'à ce jour-là, parce qu'il serait trop tard, et que l'emplâtre pourrait même alors être nuisible en échauffant le sang qui n'est déjà que trop échauffé par la fièvre secondaire. — Le véritable temps qu'il faut choisir pour appliquer à propos le vésicatoire, c'est justement le soir d'avant le onzième jour, immédiatement après la prise du sirop diacode, qu'on ne doit pas manquer de donner alors. De cette façon, la douleur que cause le vésicatoire cessera avant ce jour décisif, et la matière morbifique aura une issue précisément dans le temps où cela est plus nécessaire pour prévenir les terribles accidents dont on est alors menacé (2); car c'est ce jour-là, comme j'ai dit dans

(1) Les enfants sont quelquefois si inquiets et de si mauvaise humeur dans cette maladie, que les narcotiques leur sont aussi nécessaires qu'aux adultes, et ne leur sont pas moins utiles. Il y en a plusieurs exemples.

(2) Quant à l'usage des vésicatoires dans la petite vérole, nous ne pouvons rien faire de mieux que de rapporter ici quelques règles très-utiles, tirées de l'ouvrage d'un très-habile et très-heureux praticien. — Autant que nous pouvons connaître la nature de cette maladie, dit le docteur Hillary, et les effets des vésicatoires, nous devons nécessairement conclure, si le raisonnement est de quelque poids en médecine, que ces remèdes ne conviennent presque jamais dans le premier période de la maladie, qu'ils sont rarement utiles dans le second, et pas toujours dans le troisième, sinon comme révulsifs. — Les seuls cas où ils peuvent, selon moi, être raisonnablement ordonnés dans la petite vérole, sont les suivants, savoir, lorsque le malade est d'un tempérament lâche et faible, que le pouls est petit, faible et concentré, la fièvre insuffisante pour la sortie des pustules et la suppuration, et cela uniquement à cause de la faiblesse des solides et de la viscosité des fluides; ou lorsque les extrémités sont froides, et que cela empêche l'éruption; ou lorsque les pustules sont rentrées dans le second période de la maladie; ou bien lorsque l'enflure du visage, des mains ou des pieds, dans le troisième période, ne se fait pas au temps convenable, ou diminue trop subitement, la nature succombant sous le poids; ou lorsque la salivation s'arrête tout à coup avant que d'avoir duré le temps ordinaire; ou lorsqu'il survient une affection comateuse par la viscosité des fluides ou par leur abord au cerveau; ou lorsque la fièvre est trop faible; dans tous ces cas-là, dis-je, les vésicatoires sont utiles, et ils le sont par les mêmes raisons qui les rendent nécessairement nuisibles dans tous les périodes d'une petite vérole très-inflammatoire, à moins qu'on ne les emploie en qualité de révulsifs, comme nous avons remarqué auparavant; car il est évident que les stranguries, les chaleurs fébriles, les inquiétudes, et la soif continuelle, qui accompagnent presque toujours l'opération des vésicatoires, que les sels actifs et corrosifs des cantharides étant mêlés avec le sang dans le cours de la circulation, augmentent sa vélocité, et rendent l'inflammation plus violente. *Hillary, Essai pratique sur la petite vérole*, p. 94 et 95.

l'histoire de la petite vérole, que le visage commence à désenfler et la salivation à diminuer, parce que, la pituite s'épaississant, l'expectoration devient difficile. — Outre que l'emplâtre vésicatoire supplée en quelque sorte à la diminution de la salivation et de l'enflure du visage, il contribue encore à modérer la fièvre secondaire, qui est alors dans sa force, à cause de l'abondance du pus dont le sang est alors comme inondé, et qui, y étant porté de chaque pustule au moyen des vaisseaux absorbants, l'infecte et le corrompt. Aussi ai-je observé dans presque toutes les petites véroles confluentes que j'aie jamais traitées, que le pouls était à peine sensible ce jour-là, au lieu que le jour d'auparavant et le lendemain il se faisait sentir très-distinctement.

697. Mais, entre les remèdes extérieurs qui sont propres à détourner les humeurs de la tête, rien ne me paraît si efficace que l'ail appliqué sur la plante des pieds. Les vésicules qu'il excite et la douleur qu'il cause, lors même qu'il n'excite pas de vésicules, prouvent assez qu'il attire les humeurs sur les parties où on le met. Cette douleur est quelquefois si violente, que, pour l'apaiser, je me suis vu obligé d'employer un cataplasme de mie de pain bouillie dans du lait. Ainsi, chez les adultes qui ont une petite vérole confluente, je me sers de l'ail. On le coupe menu, et l'ayant renfermé dans un linge, on l'applique sur la plante des pieds, depuis le huitième jour, qui est celui où commence l'enflure du visage, et on renouvelle cette application chaque jour, jusqu'à ce qu'il n'y ait plus absolument de danger.

698. Il faut entièrement interdire pendant la maladie l'usage de la viande, et n'accorder pour nourriture que des décoctions d'orge ou d'avoine, et des pommes cuites. La boisson sera de la bière très-légère. Dans le temps de la maturation des pustules, lorsque la masse du sang se trouve infectée par le pus qui y regorge, il sera bon de donner tous les matins et tous les soirs quelques cuillerées de vin. Le malade ne doit être ni plus ni moins couvert dans son lit que lorsqu'il est en santé. Il doit avoir la liberté de changer de place toutes les fois qu'il le voudra, afin d'empêcher les sueurs symptomatiques, lesquelles ne manqueraient pas de lui être nuisibles, comme je crois l'avoir montré suffisamment. On préviendra, par ce même moyen, la trop grande inflammation des pustules, qui vient de ce que le malade s'échauffe excessivement dans son lit lorsqu'il demeure toujours dans la même place sans en bouger; mais j'ai traité ailleurs cette matière plus au long (1).

699. Pour donner un exemple de toute cette pratique, je joindrai ici un cas arrivé depuis peu. Une femme de condition, nommée madame *Dacres*, me fit appeler cet hiver pour traiter M. *Thomas Cheut*, son petit-fils. C'était un jeune homme d'un tempérament fort sanguin. Sa maladie avait commencé la veille par une fièvre violente; il avait vomi beaucoup de bile et souffert de grandes douleurs au dos. Dans l'espérance de trouver du soulagement, il s'était mis au lit, et avait fait son possible durant toute la journée pour se faire suer, soit en se couvrant extrêmement, soit en prenant des liqueurs chaudes, mais tout cela inutilement. Une grande disposition au vomissement et un médiocre cours de ventre avaient empêché entièrement l'effet des sudorifiques, qui d'ailleurs avaient beaucoup augmenté la fièvre. Ayant vu le malade, je soupçonnai que la petite vérole paraîtrait bientôt, et qu'elle serait des plus confluentes, tant à raison de la jeunesse du sujet que parce qu'il s'était beaucoup échauffé le sang en voulant se faire suer, ce qui n'aurait pas manqué de produire une urine sanglante et des taches de pourpre si la maladie était venue en été. Mais ce qui me fit le plus soupçonner une petite vérole très confluente, c'est que j'ai observé qu'elle est toujours telle dans les jeunes gens qui vomissent beaucoup, qui ont un grand abattement, et qui souffrent des douleurs violentes. Croyant donc qu'il était de mon devoir de ne rien oublier pour empêcher la trop prompte assimilation de la matière morbifique, j'ordonnai au malade de se tenir levé tout le jour, comme à l'ordinaire. Le lendemain, qui était le troisième jour de la maladie, voyant que la petite vérole ne paraissait pas encore, je fis tirer le matin huit onces de sang du bras droit. Le sang était vermeil et très-bon, n'étant alors imprégné que d'un levain spiritueux, et n'ayant point encore été infecté par la pourriture que lui cause la longueur de la maladie, et qui est ordinaire dans ceux qui relèvent depuis peu. A

(1) Voyez sect. 3, chap. 2, art. 263 et 266.

cinq heures après midi du même jour, je donnai au malade une once d'infusion de safran des métaux. Il vomit assez bien ; cela le soulagea, et il se trouva beaucoup mieux, en sorte qu'il demeura volontiers levé, ce qu'il ne faisait auparavant qu'avec une peine infinie, à cause de l'abattement extrême où il était, et des vertiges qui lui survenaient. Le matin du quatrième jour, étant allé voir mon malade, je trouvai que les pustules sortaient en grande quantité, nonobstant toutes les mesures que j'avais prises pour diminuer l'éruption, et elles me parurent devoir être si confluentes, qu'il y avait à craindre pour la vie du malade. Je recommandai soigneusement qu'on ne lui laissât point garder le lit pendant le jour, et j'ordonnai qu'on mêlât de l'esprit de vitriol dans la petite bière qui faisait sa boisson. Il continua de la sorte jusqu'au sixième jour ; et quoique durant ce temps-là il ne fût pas fort abattu, et que l'air que je lui laissais prendre lui fît grand bien, il ne laissa pas d'avoir de temps en temps un peu de cours de ventre. Sur le midi du sixième jour, il ne put plus rester levé, et il fut obligé de se mettre au lit, où il demeura de mon consentement jusqu'à la fin de la maladie ; car toutes les pustules étaient alors sorties, et, malgré tous mes efforts, elles étaient extrêmement confluentes. Il est vrai qu'il y en avait moins que je n'en ai vu quelquefois dans ceux qui sont morts de cette maladie, mais toujours y en avait-il davantage que dans la plupart de ceux qui guérissent. Le soir du sixième jour, je commençai à donner au malade une once de sirop diacode dans l'eau de fleurs de primevère ; j'ordonnai qu'il prît la même dose tous les soirs, et de plus qu'il continuât à n'être pas plus couvert que lorsqu'il était en santé, à vivre de décoctions d'avoine ou d'orge, et quelquefois de pommes cuites, et à boire de la petite bière. Le huitième jour, je lui fis appliquer sur la plante des pieds de l'ail coupé menu et enfermé dans un linge ; et j'ordonnai qu'on renouvelât cette application chaque jour, jusqu'a ce qu'il n'y eût plus de danger. Après cela, tout alla assez bien, à proportion de l'augmentation des pustules, jusqu'au matin du dixième jour, que j'aperçus quelques signes avant-coureurs de la fièvre secondaire, avec un peu d'agitation. Craignant donc l'orage dont j'étais menacé, je fis prendre aussitôt au malade le narcotique marqué ci-devant, lequel tranquillisa tout. Le soir du même jour, j'ordonnai une once et demie de sirop diacode. Le lendemain matin, qui était l'onzième jour, trouvant le malade agité de nouveau, après que l'action du narcotique du soir fut finie, je fis réitérer sur-le-champ la même dose, et encore le soir, ordonnant au malade de continuer de même chaque jour matin et soir jusqu'à ce qu'il fût guéri. Il obéit, et depuis ce temps-là, nous n'eûmes plus aucun symptôme redoutable, sinon que l'urine se supprima quelquefois, accident qui est ordinaire aux jeunes gens dans cette maladie ; néanmoins il urinait en s'agenouillant dans son lit. Quant à la salivation, il est vrai que les narcotiques donnés si fréquemment et en si grande dose l'arrêtaient un peu, mais elle se rétablissait au bout d'un certain temps après chaque prise de diacode, et la coction de la matière était légitime : le visage et les mains s'enflèrent dans le temps convenable, et l'enflure fut telle qu'on la désirait. Le dix-huitième jour, le malade se leva ; je lui permis alors, pour la première fois, du bouillon de poulet, ensuite de quoi il revint peu à peu à sa nourriture ordinaire. Le vingtième jour, il fut saigné du bras droit, et on lui tira huit onces de sang, qui ressemblait à celui des pleurétiques. Enfin, il fut purgé quatre fois à différentes reprises.

700. J'avertis ici que, quand j'ai nommé dans cette dissertation le sixième jour, par exemple, l'onzième, etc., depuis le commencement de la maladie, je ne prétends pas qu'on l'entende comme si l'éruption arrivait toujours le troisième jour : car je sais qu'elle se fait quelquefois plus tard, même dans les petites véroles les plus confluentes ; mais, pour l'ordinaire, elle se fait le troisième. Par exemple, si une personne a été attaquée le lundi d'une petite vérole confluente, les pustules commenceront ordinairement à paraître le mercredi suivant ; et le second jeudi, depuis le lundi où la maladie a commencé, sera l'onzième jour, c'est-à-dire le plus dangereux, à moins que le médecin n'y mette ordre.

701. Je déclare de nouveau que toute cette méthode regarde uniquement les petites véroles confluentes, et nullement les petites véroles discrètes, dans lesquelles elle n'est point du tout nécessaire ; et ceux qui se croient fort habiles, lorsqu'ils ont guéri ces dernières sortes de petites véroles, se trompent eux-mêmes et le public. S'ils veulent mon-

trer leur habileté, qu'ils entreprennent des petites véroles confluentes, surtout de celles qui arrivent à des jeunes gens, et à ceux qui se sont échauffés par des excès de vin; de peur qu'en ne traitant que des petites véroles légères, ils ne s'imaginent ridiculement avoir sauvé les malades qu'ils n'auront pas tués.

702. Je ne finirai point cette courte dissertation sans y joindre ce que m'a raconté, pendant que je la composais, M. Charles Goodall, membre, et présentement censeur du collége des médecins de Londres, et mon intime ami. Mon dessein en cela est de confirmer encore davantage ce que j'ai dit ici et ailleurs touchant le pissement de sang et les taches de pourpre, savoir, que ces deux symptômes, lorsqu'ils se joignent aux maladies aiguës, sont uniquement l'effet d'une très-grande inflammation du sang, et qu'ainsi ils demandent des remèdes rafraîchissants. Voici le cas.

703. Un jeune homme d'environ vingt-sept ans, maigre et d'un tempérament chaud, fut attaqué, au mois de juin de l'an 1681, d'une violente fièvre continue. Il avait la langue sèche et raboteuse, avec une grande altération, le pouls très-fréquent, une douleur au voisinage de la fossette du cœur, et une surtout au dos, qui était continuelle: il rendait de temps en temps du sang par les urines; le cou, la poitrine et les poignets étaient couverts de quantité de taches de pourpre de couleur brune. Le médecin ayant été appelé le sixième jour, et voyant le malade en danger, à cause de la quantité de sang qu'il rendait par les urines, crut devoir s'appliquer uniquement à rafraîchir et épaissir le sang, et à resserrer les vaisseaux des reins, dont les orifices étaient trop ouverts.

704. Pour cela, il fit d'abord saigner le malade, lui fit prendre un bol lénitif, et lui ordonna de se tenir levé le plus qu'il pourrait, ne doutant point que la chaleur continuelle du lit ne contribuât au pissement de sang; il recommanda de plus au malade de dormir sur un matelas couvert de cuir, de ne se tenir que très-peu couché sur le dos, de boire de l'eau laiteuse, de vivre de panades, de riz au lait, de pommes cuites simplement au feu, ou dans de l'eau, et adoucies avec du sucre. Les remèdes qu'il ordonna furent les suivants.

Prenez fleurs de roses rouges, six gros; écorce intérieure du chêne, demi-once; graine de plantain grossièrement pilée, trois gros; eau de fontaine, deux livres; esprit de vitriol, jusqu'à une agréable acidité. Faites infuser tout cela ensemble dans un vaisseau fermé, et à une douce chaleur pendant cinq ou six heures; coulez la liqueur et ajoutez-y eau de cannelle orgée, trois onces; sucre, ce qu'il en faut pour rendre l'infusion agréable. Le malade en usera par intervalles pendant le jour, même pendant la nuit.

A deux heures après midi, on lui donnera un lavement avec le lait et le sirop violat, et à l'heure du sommeil la potion suivante.

Prenez des eaux de primevère, de plantain et de cannelle orgée, de chacune, demi-once; vinaigre distillé, deux gros; sirop diacode, six gros; mêlez.

705. Le septième jour, comme les symptômes ne diminuaient presque point, on réitéra le lavement, auquel on revint chaque jour. Le médecin ordonna aussi l'émulsion et la potion qui suivent.

Prenez des graines de chicorée, laitue et pourpier, de chacune, deux gros et demi; quatre amandes douces pelées. Broyez tout cela ensemble dans un mortier de marbre, versant peu à peu par-dessus une livre et demie d'eau d'orge: coulez la liqueur et y dissolvez suffisante quantité de sucre pour une émulsion dont le malade boira douze cuillerées de quatre en quatre heures.

Prenez des eaux de primevère, de nénufar, de plantain et de bourgeons de chêne, de chacune, demi-once; vinaigre distillé, et eau de cannelle orgée, de chacun, trois gros; confection d'hyacinthe, demi-gros; sirop diacode, une once. Faites une potion que le malade prendra à l'heure du sommeil.

706. Le huitième jour, comme la fièvre continuait, qu'il sortait beaucoup de sang avec les urines, et qu'il paraissait un grand nombre de taches de pourpre dans les endroits dont on a fait mention, le médecin, jugeant que ces symptômes provenaient d'un sang âcre trop aqueux et trop échauffé, fit saigner le malade pour la seconde fois, et lui permit de boire abondamment de la petite bière où l'on mettait de l'esprit de vitriol jusqu'à une agréable acidité. Le malade se dégoûtant de cette boisson, on lui donna du petit-lait fait avec le suc de limon et quelques tranches de citron saupoudrées de sucre, sans préjudice des remèdes suivants.

Prenez des conserves d'alléluia et de cynnorhodon, de chacune, demi-once; confection d'hyacinthe, trois gros; diascordium, un gros et demi; corail rouge préparé, sans dragon et bol d'Arménie, de chacun, un scrupule; sirops de grande consoude et de piloselle, ce qu'il en faut pour former un électuaire, dont le malade prendra de six en six heures la grosseur d'une noisette, buvant par-dessus une tasse de petit-lait fait avec le suc de limon, et adouci avec du sucre, ou bien une tasse de décoction vulnéraire où l'on aura mis de l'esprit de vitriol jusqu'à une agréable acidité. La potion du soir précédent fut réitérée en y mettant dix gros de sirop diacode.

707. Le neuvième jour, les taches de pourpre commencèrent à disparaître peu à peu, et les urines à être moins sanglantes : le sang qui y était s'en séparait plus aisément et tombait plus volontiers au fond du vaisseau. Les remèdes furent continués, et après quelques jours, on les modifia de cette manière :

Prenez conserve de roses rouges passée par le tamis et arrosée d'esprit de vitriol, quatre onces; baume de leucatel, deux gros; bol d'Arménie, sans dragon, et espèces de l'électuaire diacorailium, de chacun, un gros; sirop de corail, ce qu'il en faut pour un électuaire, dont le malade prendra deux fois par jour la grosseur d'une noix muscade, buvant par-dessus un verre de l'émulsion suivante.

Prenez des graines de laitue et de pourpier, de chacune, trois gros; de la graine de coing, un gros et demi; de celle de pavot blanc, demi-once, et cinq amandes douces pelées. Broyez tout cela ensemble dans un mortier de marbre, en versant peu à peu par-dessus deux livres d'eau de plantain; coulez la liqueur, et ajoutez-y deux onces d'eau de cannelle orgée, et suffisante quantité de sucre. — Par le moyen de ces remèdes la fièvre et les symptômes terribles dont elle était accompagnée cessèrent au bout de trois semaines, les taches de pourpre disparurent entièrement, les urines reprirent leur couleur et leur consistance naturelles; et enfin le malade se rétablit peu à peu et revint en parfaite santé.

708. Il serait inutile d'objecter ici que la maladie dans laquelle se rencontrèrent lés taches de pourpre et le pissement de sang était une fièvre continue et non pas une petite vérole confluente : car dans laquelle des deux maladies que se trouvent ces symptômes, ils proviennent toujours d'une violente inflammation, et d'un sang trop atténué, qui se fait jour à travers les embouchures des vaisseaux. Ainsi, les causes étant absolument les mêmes, je suis persuadé qu'il faut employer aussi la même méthode, autant qu'elle peut convenir à la nature de ces deux maladies; c'est pourquoi j'ai prié M. Goodall de me permettre de joindre ici la description du traitement que l'on vient de voir. Quand mon plus grand ennemi aurait traité cette maladie de la manière que l'a traitée M. Goodall, je ne pourrais m'empêcher de lui rendre justice, et je reconnaîtrais volontiers qu'il ne se peut rien de mieux, sachant depuis long-temps combien les urines sanglantes sont funestes dans la fièvre. Maintenant donc que cet habile médecin se trouve mon intime ami, et d'ailleurs un très honnête homme, quel plaisir et quelle satisfaction ne ressens-je pas de pouvoir rendre hommage à la vérité, et donner en même temps à un ami les éloges qui lui sont dus! M. Goodall a bien montré qu'il m'aimait véritablement, lorsqu'il s'est déclaré avec tant de zèle contre ceux qui attaquaient ma réputation. Cependant, malgré les obligations que je lui ai pour un si important service, je serais bien fâché de lui donner des louanges qu'il ne mériterait pas : c'est presque aussi mal fait de louer des personnes indignes que de blâmer des innocents, puisqu'on s'écarte également de la vérité. Je ne m'en écarterai nullement moi-même en assurant que M. Goodall est un des plus honnêtes hommes et un des plus habiles médecins que j'aie jamais connus, car, outre qu'il est parfaitement versé dans les écrits des médecins anciens et modernes, il possède au plus haut point tout ce que la pratique a de plus fin et de plus recherché : aussi réussit-il merveilleusement dans la cure des maladies.

709. Voilà quelles sont mes idées sur la petite verole confluente : elles ne sont pas le produit d'une imagination exaltée, mais le fruit d'une expérience attentive. Un médecin qui règle sa théorie sur l'expérience ne peut guère se tromper, au lieu que celui qui passe son temps à forger des systèmes, sans consulter les faits, ne saurait manquer de s'égarer lui même, et de jeter les autres dans l'erreur. — Que penserait-on d'un pilote qui, au lieu d'être attentif à reconnaître et à éviter les écueils cachés

sous l'eau, s'amuserait à examiner les causes du flux et reflux de la mer? Cette occupation serait à la vérité digne d'un philosophe, mais ne convient nullement à celui qui est uniquement chargé de conduire heureusement un vaisseau. De même un médecin, malgré tout l'esprit et tous les talents qu'il peut avoir d'ailleurs, est uniquement chargé de guérir les maladies ; et c'est à quoi il ne réussira pas, lorsqu'au lieu de s'appliquer soigneusement à étudier la manière dont la nature les produit et les entretient, comme aussi la véritable méthode de les traiter, il se livre à des spéculations agréables et curieuses, à la vérité, mais inutiles au but que se propose la médecine, qui est la guérison des maladies. Cette conduite des médecins spéculatifs, qu'on peut appeler une prévarication, n'a pas seulement privé la société des grands avantages qu'elle aurait pu retirer de leurs talents et de leurs lumières ; elle a encore été cause que la médecine est tombée dans le mépris, et qu'elle est plutôt devenue un art de discourir qu'un art de guérir : en sorte que la vie ou la mort des malades dépend des conjectures heureuses ou malheureuses des médecins philosophes, dont la pratique, par conséquent, n'a aucun fondement solide, n'étant appuyée que sur de vains systèmes opposés les uns aux autres et également incertains, quoique soutenus avec opiniâtreté par les auteurs et leurs partisans, lesquels pour de semblables chimères, se font une guerre impitoyable. Nous pouvons bien, par une application sérieuse et constante, découvrir ce que fait la nature, et quels sont les organes dont elle se sert dans ses opérations ; mais je crois que nous ne connaîtrons jamais la manière dont elle agit. Cela n'est pas surprenant : nos lumières sont trop bornées, et les ouvrages du créateur sont fabriqués avec un artifice qui surpasse infiniment toute intelligence humaine. — Il est certain, par exemple, que le cerveau est la source du sentiment et du mouvement, le siége de l'imagination et de la mémoire. Cependant, on aura beau le considérer et l'examiner avec toute l'attention possible, jamais on ne viendra à bout de comprendre comment une substance si grossière, et dont la structure ne semble pas fort recherchée, peut suffire à des fonctions si nobles et si excellentes ; encore moins sera-t-on en état de marquer le rapport nécessaire qui se trouve entre la structure des différentes parties de ce viscère et l'exercice de telle ou telle faculté.

710 Je finis ici ma dissertation sur la petite vérole confluente. Si on y ajoute ce que j'en ai dit dans le Traité des maladies aiguës (et ce que j'ai à publier sur la fièvre putride ou secondaire qui arrive dans cette affection exanthématique), on aura tout ce que j'ai pu connaître jusqu'à présent de plus certain et de plus exact sur cette maladie.

DISSERTATION

SUR

LA FIÈVRE PUTRIDE OU SECONDAIRE

QUI ARRIVE DANS LA PETITE VÉROLE CONFLUENTE.

711. Comme mon grand âge et les maladies dont je suis depuis long-temps affligé ne me laisseront peut-être pas le moyen de publier quelques nouvelles observations que j'ai faites (quoique trop tard dans ma vie) sur la fièvre secondaire qui arrive dans la petite vérole confluente, j'espère que le lecteur voudra bien me permettre de les joindre ici, malgré le peu de rapport qu'elles ont avec la maladie dont je viens de parler.

712. Je me suis déjà expliqué sur la grande différence qui se trouve entre la petite vérole discrète et la confluente ; et j'ai dit il y a long-temps que la première, n'ayant presque pas besoin du

secours de la médecine, se guérit d'elle-même par les seules forces de la nature, à moins que le malade n'ait gardé le lit dès le commencement et ne se soit procuré des secours continuels, ainsi qu'il se pratique d'ordinaire. En effet le malade se voyant beaucoup de disposition à suer, et s'imaginant que les sueurs lui sont excellentes, n'oublie rien pour les exciter, soit par l'usage des cordiaux, soit par un régime étouffant; et il le fait d'autant plus volontiers que d'abord il croit se trouver mieux de cette méthode, et qu'elle est approuvée par les assistants. Mais la fin de la maladie ne répond pas au commencement. La sueur ayant dissipé les particules qui doivent servir à grossir les pustules et à faire enfler le visage, les pustules ne grossissent point, et le visage ne s'enfle point: au contraire, il se trouve flasque le huitième jour, et les intervalles des pustules sont blanchâtres au lieu d'être rouges et enflammés. La sueur, qui jusqu'alors avait coulé sans peine, se supprime tout-à-coup, sans qu'il soit possible de la rappeler, même en donnant les plus puissants cordiaux. Cependant le transport survient. Le malade est fort agité et se trouve très-mal: il urine souvent et peu à la fois; et enfin il meurt, contre l'attente de presque tout le monde; au lieu que s'il se fût abandonné à la nature, sans s'astreindre à un régime particulier, il aurait guéri, et n'aurait même couru aucun risque (1).

713. Les choses sont bien différentes dans la petite vérole confluente. Cette maladie, les premiers jours, n'épouvante pas beaucoup les assistants et ne met pas même le malade en danger, à moins qu'il ne rende le sang par la trachée-artère ou par les urines. Mais sur la fin de la maladie, il se fait un changement subit, et le malade tombe dans un état où l'on a tout à craindre. Le onzième jour, en comptant depuis le commencement de la maladie, est le plus redoutable dans les petites véroles confluentes les plus ordinaires, et où la matière morbifique est dans le moindre degré de crudité. Le quatorzième jour est le plus redoutable dans les confluentes où il y a une plus grande crudité; le dix-septième dans celles où la crudité est au plus haut degré.

714. Quelquefois néanmoins le malade ne meurt pas avant le vingt-unième jour; mais cela est rare; et auparavant les pustules sont tellement durcies et desséchées et comme enfoncées dans les chairs, surtout sur celles du visage, qu'il n'y a aucun moyen de les faire élever (2). Mais le onzième jour est ordinairement le premier ou il y a du danger; car alors il survient une violente fièvre, avec des agitations et d'autres symptômes funestes qui le plus souvent emportent le malade, à moins qu'il ne soit puissamment secouru; et s'il ne succombe pas le onzième jour, il a encore à craindre le quatorzième jour et le dix-septième, qui ne sont pas moins redoutables. Dans l'intervalle qui est entre le onzième jour et le dix-septième, qui ne sont pas moins redoutables, il a tous les soirs un redoublement qui le met à deux doigts de la mort.

715. J'ai fait voir ailleurs que le grand danger de la petite vérole confluente, les jours dont j'ai parlé, vient de l'abondance extraordinaire du pus et des vapeurs putrides qui fournissent alors une infinité de pustules, devenues par la suppuration autant de petits abcès dont tout le corps est chargé. Ce pus et ces vapeurs putrides, rentrant dans le sang, l'infectent et le corrompent, allument la fièvre et accablent la nature (3); au lieu que dans la petite vérole discrète, les pustules étant en petit nombre, il rentre peu de pus dans le sang, la nature s'en débarrasse aisément, et l'on n'a pas à craindre une fièvre violente.

716. Ainsi, puisque le salut du malade dépend du petit nombre des pustules, et que le danger, au contraire, dépend de leur grand nombre, la raison et le bon sens nous dictent qu'un médecin prudent ne doit pas, dès le commencement de la maladie, travailler par des cordiaux et un régime échauffant à mettre en mouvement la matière morbifique, dont il se formerait par ce moyen une trop grande quantité; mais qu'il doit, au contraire, ne rien oublier pour apaiser l'extrême inflammation du sang et des humeurs. — Et, pour cet effet, si la jeunesse du malade, ou l'usage immodéré qu'il a fait des liqueurs spiritueuses, ou les douleurs violentes qu'il a ressenties dans quelques parties du corps, ou enfin des vomissements énormes donnent lieu de soupçon-

(1) Voyez tom. 1er, sect. 3, chap. 2, art. 256.

(2) Voyez ci-dessus l'art. 658.

(3) Voyez ci-dessus l'art. 659.

ner que la petite vérole sera confluente, dans ce cas-là le médecin doit d'abord faire saigner du bras, et ensuite donner un vomitif. Mais comme rien n'échauffe tant le malade, et par conséquent ne produit une si grande abondance de matière morbifique, que de faire garder continuellement le lit, j'ai toujours soin que le malade se tienne levé pendant la journée jusqu'au sixième jour, en comptant depuis le commencement de la maladie, ou jusqu'au quatrième, si l'on compte depuis le commencement de l'éruption; car alors toutes les pustules sont sorties (1). Depuis ce temps-là je fais garder le lit jusqu'à la fin de la maladie; mais je ne veux pas que le malade soit plus couvert ni qu'il y ait plus de feu dans sa chambre que lorsqu'il se porte bien. Je lui permets de boire abondamment de la petite bière, ou de quelque liqueur rafraîchissante qui soit de son goût.

717. Et comme, nonobstant le régime plus tempéré, le malade ne laissera pas d'avoir souvent le délire avec des bouffées de chaleur et des inquiétudes fâcheuses, j'ordonne tous les soirs un narcotique; mais je le fais prendre un peu de meilleure heure qu'à l'ordinaire, à cause d'une espèce de redoublement, c'est-à-dire d'une augmentation de chaleur et d'inquiétude que le malade ne manque guère d'éprouver chaque jour sur le soir. —La méthode que j'enseigne ici est très-propre à empêcher la trop grande quantité de pustules, qui est extrêmement dangereuse pour le malade, comme j'ai montré ci-devant, et à procurer aux pustules, quand elles sont sorties, une juste grosseur et une suppuration convenable (2).

718. Malgré tout cela néanmoins, et malgré tout ce qu'on peut faire d'ailleurs, il survient très-souvent, le onzième jour ou le quatorzième, ou le dix-septième, que j'ai dit être les plus dangereux dans la petite vérole confluente, et surtout le onzième, il survient, dis-je, une fièvre violente, avec une oppression et une agitation extraordinaires; le malade étouffe, et il meurt tout d'un coup, au grand étonnement des assistants, qui jusqu'alors avaient bien auguré de sa maladie. Dans un cas si délicat, le médecin doit redoubler ses efforts. Pour cela, il doit bien faire attention que la nouvelle fièvre qui survient l'onzième jour de la petite vérole confluente est une maladie entièrement différente de la petite vérole même, de la fièvre qui précède l'éruption, ou de celle qui produit quelquefois l'inflammation des pustules.

719. Cette nouvelle fièvre n'est autre qu'une fièvre putride proprement dite. Elle doit son origine aux particules de pus que fournissent les pustules alors en suppuration, et qui, étant repompées dans le sang, l'infectent par leur qualité virulente et nuisible (3). Cette fièvre est extrêmement dangereuse: ainsi on doit travailler uniquement à la dompter. Or, de tous les remèdes qui conviennent pour cela, il n'en est point de plus efficace que la saignée copieuse, car elle évacue aussitôt une partie de la matière purulente qui a pénétré dans le sang et qui cause tout le mal. L'état de suppuration où est alors la petite vérole ne doit nullement empêcher de saigner; car comme les pustules sont alors revêtues d'une croûte dure, il n'y a pas à craindre qu'elles rentrent ou qu'elles s'affaissent; et quand le malade viendrait à mourir en ce temps-là, et qu'on exposerait son corps dans un lieu froid, elles ne rentreraient pas pour cela, et ne diminueraient pas le moins du monde de leur volume. — Ainsi nous n'avons plus affaire à la petite vérole, mais à une maladie entièrement différente, savoir, à une fièvre putride. C'est pourquoi, depuis les dernières observations que j'ai publiées sur la petite vérole, j'ai employé avec succès, dans le cas présent, la méthode que je vais exposer, et qui me paraît la meilleure et la plus sûre.

720. Quand donc l'onzième, ou le quatorzième ou le dix-septième jour d'une petit vérole confluente, on trouve le malade attaqué des redoutables symptômes dont nous avons fait mention, et qui le réduisent à la dernière extrémité, il faut tirer aussitôt dix ou douze onces de sang de l'un des bras, savoir, de celui où il y aura moins de pustules, et où l'on pourra saigner plus aisément. La situation des choses est bien différente alors de ce qu'elle était les premiers jours de

(1) Voyez ci-dessus les articles 675, 681 et 685.

(2) Voyez ci-dessus l'article 688.

(3) Les causes de cette fièvre sont clairement et savamment expliquées par le docteur Hillary, Anglais, au huitième chapitre de son excellent *Essai sur la petite vérole*, auquel nous renvoyons le lecteur qui voudra être instruit à fond sur cette matière.

la maladie. Alors, par le moyen des narcotiques et en faisant tenir le malade levé pendant le jour, on peut, sans qu'il soit besoin d'en venir à la saignée, dissiper le redoublement qui arrive ordinairement sur le soir. Mais dans le cas présent la saignée copieuse est le seul remède sur lequel on doive compter et qui puisse apaiser la violence de la fièvre. — On continuera cependant le narcotique, et on le donnera, comme auparavant, en grande dose, matin et soir, et quelquefois même plus souvent ; car, dans certains sujets, l'orgasme est d'une si grande violence, qu'une forte dose de narcotique n'est pas capable de l'apaiser l'espace de douze heures ; et alors il est absolument nécessaire de réitérer de huit en huit heures la même dose de ce remède.

721. Il arrive souvent, vers les derniers jours de la maladie, que le ventre est extrêmement resserré, tant par la nature de la maladie même qu'à raison d'un grand usage qu'on a été obligé de faire des narcotiques. En conséquence de ce resserrement du ventre, le malade se sent presque étouffer, et la fièvre augmente à un point que tout semble presque désespéré. Le remède qui convient alors est un doux purgatif, et il est bien moins dangereux qu'une fièvre si violente.—J'ai donné avec assez de succès, en pareil cas, une once et demie de lénitif dissous dans quatre onces d'eau de chicorée ou de quelque autre semblable. Il est vrai que cette potion ne lâchera pas aussitôt le ventre, qui est si fortement resserré ; néanmoins, si on la prend le matin, elle produit ordinairement quelques selles avant la nuit.—Mais si elle n'opère point, et que le danger continue, il faudra donner un narcotique le soir, et même plus tôt, parce qu'en attendant l'effet du purgatif le malade pourrait bien mourir. D'ailleurs, quand le purgatif ne ferait rien, il est si doux qu'il ne nuira en aucune façon au malade. Supposé donc qu'il n'agisse point le premier jour, on le réitérera le jour suivant, et alors il manquera très-rarement de produire son effet. Mais si dès le premier jour il évacue une quantité suffisante de matière, et que le malade se trouve mieux, on pourra attendre quelque temps avant que d'y revenir (1). C'est ainsi qu'on réitérera par intervalles la saignée et la purgation, jusqu'à ce que le malade soit hors de danger.

722. Toutefois, de peur qu'on abuse de ce que je dis, et qu'on ne nuise au malade au lieu de lui être utile, j'avertis expressément qu'il ne faut purger que sur la fin de la maladie, par exemple, le treizième jour, ou même plus tard, et seulement après avoir saigné depuis que la fièvre secondaire est survenue (2).

723. Mais pour ne rien oublier, autant qu'il m'est possible, de tout ce qui regarde le traitement de la petite vérole confluente, j'ajouterai ici quelque chose touchant l'hémoptysie et le pissement de sang qui arrivent quelquefois dans cette maladie. Ces deux accidents, comme j'ai déjà remarqué ailleurs, paraissent dès le commencement, c'est-à-dire avant l'éruption des pustules, ou du moins avant que la plupart soient sorties, et dans de petites véroles extrêmement confluentes : ils sont accompagnés de taches de pourpre répandues çà et là sur la peau, et qui n'annoncent rien que de funeste. On peut, à la vérité, dissiper ces taches en tempérant, comme il faut, la grande ardeur du sang. Mais l'urine sanglante et l'hémoptysie sont toujours des signes mortels. Il y a cependant moyen d'y remédier, et de mettre la vie du malade en sûreté. Comme ces symptômes viennent d'une inflammation et d'une

(1) Le docteur Huxham assure que rien ne lui a mieux réussi contre la fièvre secondaire que les purgatifs réitérés, en y ajoutant dans le besoin le calomélas, et donnant de temps en temps des narcotiques. Il dit avoir éprouvé cette méthode sur ses propres enfants et sur plusieurs autres malades, et qu'elle est presque la seule qui réussisse. (Voyez son Traité *de Aëre et Morb. Epid.*, *p.* 37. *Transact. Philos.*, *num.* 390, *et Freind*, *Epistol. de Purgant.*, *etc.* Voyez aussi *le docteur Hillary, Essai sur la petite vérole*, *p.* 105, *etc.*

(2) L'expérience de plusieurs grands médecins apprend que, lorsque la fièvre secondaire de la petite vérole confluente est accompagnée des redoutables symptômes qui la rendent si dangereuse, ce qui arrive d'ordinaire environ le quatorzième jour de la maladie, c'est-à-dire à peu près le onzième depuis l'éruption, rien n'est si utile que de purger. (Voyez là-dessus Freind, *Epistol. de Purgant.*, etc. Voyez aussi dans le Mercure Suisse, décembre 1742, une lettre de M. Normand, médecin, dans laquelle il prouve que la purgation est alors la seule ressource.)

ténuité extrême du sang, les remèdes rafraîchissants, incrassants et astringents sont d'un très-grand secours en pareil cas.—Voici donc comment il faut se conduire. On fera d'abord une saignée copieuse, et ensuite on donnera un narcotique tel que le suivant.

Prenez eau de coquelicot, deux onces; laudanum liquide, quatorze gouttes; vinaigre distillé, trois gros; sirop diacode, demi-once. Mêlez tout cela pour une potion.

On ordonnera ensuite les remèdes suivants, ou d'autres semblables, jusqu'à ce que l'hémorrhagie cesse entièrement.

Prenez trochisques de terre de Lemnos et de bol d'Arménie, de chacun, un gros; terre sigillée, pierre hématite, sang dragon et corail rouge, de chacun demi-gros; mastic et gomme arabique, de chacun, un scrupule. Mêlez tout cela, et le réduisez en poudre très-fine, dont le malade prendra un demi-gros de trois heures en trois heures dans une cuillerée de sirop de grande consoude, et il boira par-dessus quatre ou cinq cuillerées du julep suivant.

Prenez eaux de plantain et de bourgeons de chêne, de chacune trois onces; eau de canelle orgée, deux onces; sirop de roses sèches, une once; esprit de vitriol, autant qu'il en faut pour donner une légère acidité.

Pendant ce temps-là on donnera tous les soirs le narcotique prescrit plus haut. Les émulsions avec les quatre semences froides majeures et la graine de pavot blanc sont aussi très-utiles (1). Quand l'hémorrhagie aura cessé, on se conduira pour tout le reste suivant la méthode qui est expliquée dans le Traité des maladies aiguës, au chapitre de la petite vérole (2).

724. Avant que de finir cette matière, j'avertirai ici que, quand j'ordonne le laudanum liquide, j'entends toujours celui que j'ai décrit dans le Traité des maladies aiguës, au chapitre de la dysenterie (3); et pour ce qui est du sirop diacode, j'entends celui qui est fait de la manière suivante.

Prenez quatorze onces de têtes de pavot blanc bien desséchées; laissez-les macérer dans huit livres d'eau de fontaine pendant vingt-quatre heures. Faites ensuite une forte décoction, que vous passerez en exprimant fortement, et ayant ajouté vingt-quatre onces de sucre; faites cuire le tout en consistance de sirop (4).

Ces deux préparations sont, à mon avis, excellentes dans leur genre, surtout le sirop diacode, dont une once opère plus que deux onces de celui où l'on emploie des têtes de pavot moins sèches, où l'on n'exprime pas si fortement la décoction, et où, au lieu de têtes de pavot blanc ou noir, on se sert en grande partie de celles de pavot rouge, qui n'a pas beaucoup de vertu.—Quand je ne suis pas bien sûr de la bonté de ces préparations, j'y substitue un grain et demi de laudanum solide de la pharmacopée de Londres, ou même deux grains, que l'on dissout dans une eau appropriée. De cette manière je suis sûr de mon fait, et le malade n'est pas trompé.

2° *Affection hystérique.*

725. Je passe maintenant à l'affection hystérique. Je conviens qu'il est extrêmement difficile de bien reconnaître cette maladie, et encore plus de la guérir. Je ne laisserai pas moins de rapporter ce que mes observations m'ont appris là-dessus; et selon ma méthode ordinaire, je donnerai d'abord l'histoire fidèle de la maladie, ensuite la manière de la traiter qui m'a le mieux réussi, et que j'ai pui-

(1) Dans ces sortes d'hémorrhagies, il faut saigner copieusement, selon l'âge et les forces du malade, et la violence des symptômes, et réitérer la saignée, si le pouls est élevé, comme il arrive souvent. Les acides minéraux, tels que l'esprit de vitriol ou l'huile de soufre, sont ici d'un grand secours pour tempérer la violence de la chaleur, et remédier à la trop grande ténuité du sang. Les fomentations chaudes sur les extrémités sont utiles pour relâcher les vaisseaux de ces parties-là, en diminuer la résistance et y attirer une plus grande quantité de fluides. (Voyez Hillary, *Essai sur la petite vérole*, p. 133, 134, 136.)

(2) Voyez tom. 1er, sect. 3, chap. 2, articles 257 et 258.

(3) Voyez tom. 1er, sect. 4, chap. 3, art. 327.

(4) Le sirop diacode, suivant le docteur Hillary, est le plus convenable narcotique dans la petite vérole, comme étant le plus doux que nous connaissions et celui qui raréfie le moins le sang. (Voy. *Essai sur la petite vérole*, p. 114.)

sée, non dans la lecture des livres, mais dans ma propre expérience, que je puis regarder comme un guide sûr.

726. L'AFFECTION HYSTÉRIQUE, autrement appelée *les vapeurs hystériques*, est, si je ne me trompe, la plus fréquente de toutes les maladies chroniques. Et comme les fièvres avec leurs dépendances, étant comparées avec les maladies chroniques, font deux tiers par rapport à un, de même les affections hystériques font la moitié de ce troisième tiers, c'est-à-dire la moitié des maladies chroniques. En effet, il est très-peu de femmes qui en soient entièrement exemptes, à l'exception de celles qui sont accoutumées à une vie dure et laborieuse. Or, les femmes font la moitié des adultes ; et même entre les hommes, beaucoup de ceux qui s'attachent à l'étude et mènent une vie sédentaire sont sujets à la même maladie.—Tous les anciens ont attribué les symptômes de l'affection hystérique au vice de la matrice : néanmoins, si l'on compare cette maladie avec celle que l'on appelle communément dans les hommes *affection hypocondriaque*, ou *vapeurs hypocondriaques*, et que l'on attribue à des obstructions de la rate ou des autres viscères du bas-ventre, on trouvera une grande ressemblance entre ces deux maladies (1). Il est vrai que les femmes sont beaucoup plus souvent attaquées

(1) La passion hystérique, dit Hoffmann, est regardée faussement par plusieurs auteurs modernes comme étant la même chose que la maladie hypocondriaque, ou comme n'en différant que par rapport au sexe, et non pas essentiellement : mais pour montrer qu'il y a une différence réelle entre ces deux maladies, il est bon de donner ici la véritable histoire de la maladie hystérique.—Si nous consultons les anciens, et nommément *Hippocrate, Aretée, Fernel, Duret, Montanus, Houllier, Mercuriali, et J. Heurnius*, nous les trouverons tous d'avis qu'un étranglement du gosier, une respiration fréquente et difficile jusqu'à mettre en danger d'être suffoqué, la perte de la parole et de tout sentiment et mouvement, doivent être regardés comme les symptômes propres et essentiels de la maladie hystérique. Mais, quoique la maladie hypocondriaque et la maladie hystérique semblent avoir quelques symptômes communs, elles en ont néanmoins plusieurs de particuliers qui montrent clairement que ces deux maladies diffèrent considérablement l'une de l'autre. — La maladie hypocondriaque est une maladie invétérée, et demande, pour être guérie, un long et ennuyeux traitement ; au lieu que la maladie hystérique attaque souvent, et avec beaucoup de violence, des femmes grosses et des accouchées, et aussi des veuves qui sont fort sanguines, et cela après quelque passion ou trouble d'esprit considérable ; de même aussi des filles lorsque leurs règles s'arrêtent tout à coup ; et néanmoins ces personnes se trouvent souvent si bien guéries de cette maladie, qu'elle ne revient jamais ensuite. De plus, le mal hystérique attaque souvent les femmes tout d'un coup, en sorte qu'elles tombent par terre sans mouvement ni sentiment, ce que l'on ne voit jamais arriver dans le mal hypocondriaque ; et ce qu'il y a encore de remarquable dans l'accès hystérique, c'est que les symptômes diminuent bientôt ou cessent même entièrement, quoique les femmes soient sans mouvement ni sentiment, si on leur tient sous le nez des choses de mauvaise odeur, par exemple, des plumes brûlées. — Dans les accès hystériques, les muscles de l'abdomen sont tirés en dedans par la violence des spasmes, en sorte que le nombril disparait en grande partie ; au lieu que dans les accès hypocondriaques, le ventre est plutôt enflé et avancé en dehors. Les femmes hystériques éprouvent aussi un froid si violent dans la région des lombes, qu'on peut le sentir en y mettant la main, et ce froid ne diminue point par l'application des linges chauds. Souvent aussi elles ont au sommet de la tête une douleur fixe, de peu d'étendue, et appelée, à cause de cela, *clou hystérique*. Beaucoup de femmes sentent une espèce de boule qui monte du bas-ventre vers la poitrine. — On ne voit jamais aucun de tous ces symptômes dans le mal hypocondriaque. La défaillance, la difficulté de respirer, qui menace d'une suffocation soudaine, et l'étranglement violent du gosier n'arrivent pas non plus si fréquemment dans cette maladie que dans la passion hystérique. Enfin on n'a jamais tenu pour morts des hypocondriaques tombés pendant leurs accidents, ni pensé à les enterrer ; ce qui est arrivé quelquefois à des femmes hystériques, comme nous l'apprenons par des historiens dignes de foi. — Nous n'aurions pas tant insisté sur la différence qu'il y a entre ces deux maladies, et sur la nécessité de les distinguer exactement, si cela n'était très-utile dans la pratique ; car les meilleurs remèdes, dans la maladie hypocondriaque, sont le grand exercice, les remèdes carminatifs, les

que les hommes, non que la matrice soit en plus mauvais état qu'aucun autre endroit du corps, mais par les causes que nous expliquerons ci-dessous.

727. L'affection hystérique n'est pas seulement très-fréquente ; elle se montre encore sous une infinité de formes diverses, et elle imite presque toutes les maladies qui arrivent au genre humain ; car, dans quelque partie du corps qu'elle se rencontre, elle produit aussitôt les symptômes qui sont propres à cette partie ; et si le médecin n'a pas beaucoup de sagacité et d'expérience, il se trompera aisément, et attribuera à une maladie essentielle et propre à telle ou telle partie des symptômes qui dépendent uniquement de l'affection hystérique.

728. Pour en venir aux exemples, quand cette maladie attaque le cerveau, elle produit quelquefois une apoplexie entièrement semblable à l'apoplexie ordi-

---

spiritueux et volatils, les stomachiques, les aromatiques, les sels neutres, les eaux minérales, les amers, et surtout les martiaux ; mais tous ces remèdes sont plus nuisibles qu'utiles dans la passion hystérique, où l'on trouve beaucoup de soulagement par la saignée, par les narcotiques, les nitreux, les anti-épileptiques, les rafraîchissants, par la boisson d'eau froide et de petit-lait, évitant tout ce qui échauffe, et même le vin. — Le même auteur recommande le bain chaud dans la maladie hypocondriaque; il n'est point d'occasion, dit-il, où ce remède soit plus utile que dans la maladie hypocondriaque, qui n'est pas seulement un mal opiniâtre, mais encore fort commun dans ce temps-ci; et il ajoute qu'il est ordinairement accompagné de fâcheux symptômes qui donnent beaucoup d'embarras aux médecins, lesquels n'ont pas découvert jusqu'ici la manière de le guérir parfaitement. A dire vrai, il n'est point de meilleur remède et de plus efficace pour diminuer et même pour guérir radicalement cette maladie, que l'usage convenable des eaux minérales chaudes et froides; mais il faut observer que le bain, dans une eau très-pure et très-légère, aide merveilleusement l'usage interne des eaux médicinales; car ces eaux, qui sont très-utiles en boisson, parce qu'elles contiennent une partie considérable de matière pesante, terrestre, saline, astringente et ferrugineuse, ne sont pas si propres pour le bain dans cette maladie que l'eau commune. Les femmes hystériques reçoivent les mêmes avantages des bains chauds que les hommes hypocondriaques. — Pour découvrir la raison des grands effets des bains chauds dans ces maladies, il faut d'abord examiner le siége, l'origine, la nature et les symptômes du mal hypocondriaque ; et, tout bien considéré, l'on verra qu'il réside dans ce conduit nerveux et membraneux qui sert à la digestion et à la dissolution des aliments, c'est-à-dire dans l'estomac et les intestins, dont le mouvement péristaltique, qui consiste naturellement dans une dilatation et contraction réciproques, est entièrement troublé ou même renversé ; ce qui vient principalement de certaines contractions spasmodiques et convulsives, par le moyen desquelles, si les parties inférieures des intestins sont infectées, surtout lorsqu'ils sont pleins, non seulement les excréments sont retenus dans le conduit, mais il s'engendre des vents qui, demeurant renfermés, gonflent et distendent violemment les menus intestins et l'estomac. Toutes les parties nerveuses qui sont douées d'un sentiment exquis se trouvent entraînées par sympathie dans un semblable mouvement spasmodique : de là provient cette multitude de symptômes qui affligent presque toutes les parties du corps. — Si cette maladie n'a qu'une cause passagère, et qui ne soit pas située dans la substance des viscères, on la guérit aisément; mais si elle attaque les viscères, et spécialement le pancréas, le foie, la rate et le mésentère, et que les tuniques des intestins soient endommagées, la guérison radicale est extrêmement difficile; car le fréquent changement de médecins et de remèdes, par où les malades s'amusent vainement et se trompent eux-mêmes, ne sert qu'à augmenter la maladie, et même quelquefois à la rendre entièrement incurable. On voit par-là qu'un fluide chaud et innocent, employé intérieurement et extérieurement, est le plus efficace de tous les remèdes pour rétablir la tension naturelle du canal intestinal, pour en diminuer la contraction spasmodique, pour rétablir le mouvement péristaltique troublé ou renversé ; car la douce chaleur de ce fluide ramollit et relâche les fibres durcies et froncées, rappelle le sang et les humeurs qui auparavant n'y pouvaient aborder, et facilite la circulation des liqueurs dans les vaisseaux des intestins. *Nouv. expér. sur les eaux minérales.* — Il est bon d'observer que la passion hystérique et la maladie hypocondriaque se trouvent quelquefois jointes ensemble dans le même sujet; mais cela arrive très-rarement chez les hommes.

naire, et qui se termine de même par une hémiplégie. L'apoplexie ordinaire est causée par une pituite qui, inondant la substance corticale du cerveau, comprime les nerfs et empêche le cours des esprits. L'apoplexie hystérique semble venir d'une cause bien différente, puisqu'elle arrive souvent aux femmes aussitôt après l'accouchement où elles ont perdu beaucoup de sang, et qu'elle est l'effet d'un accouchement laborieux, ou de quelque violente passion.

•729. Quelquefois l'affection hystérique produit des convulsions horribles, et qui ressemblent à l'épilepsie. Le ventre et la poitrine se gonflent et gênent la respiration; et la malade fait de si grands efforts, que, quoiqu'elle ait d'ailleurs assez peu de forces, tous les assistants suffisent à peine pour la tenir. Durant ce temps-là, elle crie, sans prononcer de paroles distinctes et articulées, et elle se frappe la poitrine. Cette sorte d'affection hystérique est communément appelée *suffocation de matrice*, et les femmes qui y sont sujettes ont le plus souvent un tempérament vigoureux et fort sanguin.

730. D'autres fois l'affection hystérique attaque la partie extérieure de la tête entre le crâne et le péricrâne; et demeurant fixée dans un seul endroit de la largeur simplement d'un travers de doigt, elle y cause une douleur insupportable qui est accompagnée de vomissements énormes. C'est ce que j'appelle le *clou hystérique;* et cette douleur attaque principalement les femmes qui ont les pâles couleurs.

731. Quelquefois le mal se jette sur les parties vitales, et cause une si violente palpitation de cœur, que la malade ne doute point que les assistants ne doivent entendre le bruit que fait le cœur en battant contre les côtes. Cette sorte d'affection hystérique attaque surtout les femmes maigres et sèches, et d'un tempérament faible, comme aussi les jeunes filles qui ont les pâles couleurs.

732. D'autres fois la maladie se fixe dans les poumons, où elle produit une toux très-fréquente et presque continuelle, mais sans aucune expectoration; et quoique cette toux hystérique ne soit ni aussi violente ni aussi douloureuse que celle qu'on nomme *convulsive*, elle donne beaucoup moins de relâche. Cependant elle est très-rare, et survient principalement aux femmes pituiteuses.

733. D'autres fois l'affection hystérique, se jetant sur le colon et sur la région qui est au-dessous dans la fosette du cœur, y cause une douleur insupportable, qui ressemble à la passion iliaque. La malade vomit une quantité excessive de matière, tantôt verte, et semblable à de la bile porracée, tantot de quelque autre couleur extraordinaire. Souvent aussi, après que la douleur et le vomissement continuel ont duré plusieurs jours, et réduit la malade aux abois, l'accès se termine par une jaunisse universelle. Cependant la malade souffre de terribles angoisses, et désespère entièrement de sa guérison. Cet abattement d'esprit et ce désespoir m'ont paru aussi inséparables de la maladie que la douleur cruelle et le vomissement dont je viens de parler. Les femmes qui ont naturellement les fibres lâches et délicates, et celles qui ont épuisé leurs forces en mettant au monde de gros enfants, sont les plus sujettes à cette sorte d'affection hystérique.

734. Quelquefois le mal attaque l'un des reins, et y produit une douleur très-cruelle, et qui est entièrement semblable à un accès de colique néphrétique, non-seulement par la nature et le siége de la douleur, mais encore par les vomissements affreux dont elle est accompagnée, et quelquefois aussi parce qu'elle s'étend le long des uretères. De cette manière, il est extrêmement difficile de distinguer si les symptômes dont il s'agit proviennent de quelque pierre enfermée dans les reins ou d'une affection hystérique, à moins que la personne n'ait eu, peu de temps auparavant, quelque violent chagrin, ou n'ait vomi une matière verdâtre; ce qui montrera que les symptômes de la maladie doivent plutôt être attribués à une affection hystérique qu'à une pierre contenue dans les reins.—La vessie même n'est pas exempte des atteintes de ce mal: non-seulement il y cause de la douleur, mais encore il supprime l'urine, tout de même que s'il y avait une pierre dans la vessie, quoiqu'il n'y en ait aucune. Cette dernière sorte d'affection hystérique qui attaque la vessie est très-rare; celle qui attaque les reins est plus commune. Toutes deux arrivent aux femmes dont les forces sont déjà affaiblies et la santé ruinée par de fréquents accès hystériques qui leur sont survenus.

735. La maladie se jette aussi quelquefois sur l'estomac, et alors elle produit des vomissements continuels; d'autres fois sur les intestins, et alors elle pro-

duit un cours de ventre. Mais ces deux symptômes hystériques sont sans douleur, quoique la personne rende souvent une matière verte. Ils arrivent d'ordinaire aux femmes qui ont été affaiblies par de fréquents retours de vapeurs hystériques.

736. L'affection hystérique ne s'en prend pas seulement à presque toutes les parties internes, elle attaque aussi quelquefois les parties externes et les muscles, savoir, les mâchoires, les épaules, les mains, les cuisses, les jambes ; elle y cause tantôt une douleur, et tantôt une enflure, dont celle des jambes est la plus remarquable. On peut toujours observer deux choses dans l'enflure des hydropiques, c'est qu'elle est plus considérable le soir, et que, quand on la presse fortement avec le doigt, l'impression y reste comme dans la cire molle. Au contraire, l'enflure des personnes hystériques est plus grande le matin ; et quand on la presse avec le doigt, il ne reste aucune marque. Le plus souvent aussi l'enflure n'est qu'à une des deux jambes. Du reste elle ressemble tellement à celle des hydropiques, soit par sa grandeur, soit par sa superficie, qu'on a bien de la peine à persuader aux personnes malades qu'elles ne sont pas hydropiques.

737. On ne croirait peut-être pas que l'affection hystérique attaquât aussi les dents ; toutefois rien n'est plus vrai. On n'aperçoit pas la moindre cavité, ni la moindre fluxion qui puisse occasionner la douleur, et cependant elle n'est ni moins violente, ni moins longue, ni moins opiniâtre. Quant aux douleurs et aux tumeurs qui attaquent les parties externes dont nous avons parlé ci-devant, elles arrivent principalement aux femmes qui sont épuisées par une longue suite de violents accès hystériques.

738. Mais de tous les symptômes de cette maladie, il n'en est point de si fréquent qu'une certaine douleur au dos, laquelle ne manque jamais de se faire sentir, même dans les plus légères attaques de la passion hystérique. Cette douleur et les autres dont j'ai fait mention ont cela de commun, qu'après même qu'elles sont passées, elles laissent les parties qui les ont souffertes tendres et sensibles comme si elles avaient été rouées de coups de bâton, en sorte qu'on n'y saurait toucher ; et cette sensibilité ne cesse que peu à peu.

739. Une chose remarquable, c'est que tous ces divers symptômes sont assez souvent précédés d'une froideur considérable des parties extérieures, laquelle ne cesse qu'après l'accès. J'ai quelquefois trouvé cette froideur presque semblable à celle d'un corps mort, quoique le pouls fût dans son état naturel. J'ajoute que presque toutes les femmes hystériques que j'ai traitées jusqu'à présent se plaignaient d'un grand abattement ; et pour faire voir où elles le sentaient, elles montraient la poitrine. On sait aussi que les femmes hystériques rient ou pleurent immodérément sans aucune cause évidente.

740. Un autre symptôme, qui est le plus essentiel de la maladie, et qui en est presque inséparable, c'est une abondance d'urine claire comme de l'eau de roche que les femmes hystériques et les hommes hypocondriaques rendent dans l'accès du mal. Cette urine claire en est presque toujours un signe pathognomonique ; et j'ai quelquefois observé dans les hommes que, peu de temps ou immédiatement après avoir rendu une urine de couleur citrine, s'ils venaient à être agités tout à coup d'une passion violente, ils rendaient sur-le-champ, en grande quantité et pendant long-temps, une urine très-claire, et qu'ils se trouvaient mal jusqu'à ce que l'urine eût repris sa couleur naturelle ; car alors le paroxysme se terminait.

741. De plus, les femmes hystériques et les hommes hypocondriaques dont le mal est ancien sont sujets, après avoir mangé, à rendre des rots, quoiqu'ils mangent modérément et à proportion seulement de leur appétit. Ces rots sont tantôt nidoreux et tantôt fort aigres ; et les uns et les autres viennent d'une digestion mal faite et d'une chylification dépravée.

742. Or, quoique les femmes hystériques et les hommes hypocondriaques soient extrêmement malades de corps, ils le sont encore plus d'esprit, car ils désespèrent absolument de leur guérison ; et dès qu'on s'avise de leur en donner la moindre espérance, ils se mettent en grande colère, tellement que ce désespoir est essentiel à la maladie. D'ailleurs, ils se remplissent l'esprit des idées les plus tristes, et croient que toutes sortes de maux vont leur arriver. Ils s'abandonnent pour le moindre sujet, et même sans sujet, à la crainte, à la colère, à la jalousie, aux soupçons, et aux passions les plus violentes, et ils se tournentent eux-mêmes. Ils ne peuvent souffrir la

joie ; et s'il leur arrive de se réjouir, ce n'est que très-rarement, et pour quelques moments, encore ces moments de joie leur agitent-ils autant l'esprit que feraient les passions les plus affligeantes. Ils ne gardent aucune médiocrité, et ne sont constants que dans leur légèreté. Tantôt ils aiment avec excès, et tantôt ils haïssent sans raison les mêmes personnes. S'ils se proposent de faire quelque chose, ils changent aussitôt de dessein, et entreprennent tout le contraire, sans néanmoins l'achever ; enfin ils sont indéterminés et si indécis, qu'ils ne savent jamais quel parti prendre, et sont dans des inquiétudes continuelles. — La nuit, qui est pour les autres hommes un temps de repos et de tranquillité, devient pour les malades dont nous parlons, de même que pour les superstitieux, une occasion de mille chagrins et de mille craintes, à cause des rêves qu'ils font, et qui roulent sur des morts et des revenants. Ce n'est pas seulement à des maniaques et des furieux que tout cela arrive, c'est à des gens qui, hors de là, sont très-sages et très-censés, et qui ont une pénétration et une sagacité extraordinaires. Aussi Aristote a-t-il observé avec raison que les mélancoliques ont plus d'esprit que les autres.

743. Il est vrai qu'un si triste état n'est pas le partage de toutes les personnes qui sont attaquées de la maladie dont nous parlons, mais seulement de celles qui en éprouvent depuis longtemps les plus rudes assauts, et qui en sont pour ainsi dire accablées, surtout si les afflictions, les inquiétudes, les chagrins, la trop grande application à l'étude et la trop grande contention d'esprit se joignent à la mauvaise disposition du corps pour augmenter la violence du mal.

744. Je ne finirais point si j'entreprenais de rapporter ici tous les symptômes de l'affection hystérique, tant ils sont différents, et même contraires les uns aux autres. Cette maladie est un protée qui prend une infinité de formes différentes ; c'est un caméléon qui varie sans fin ses couleurs. Aussi Démocrite me paraît avoir eu raison d'assurer, dans sa lettre à Hippocrate, que l'affection hystérique était la source d'une infinité de maux, quoiqu'il se trompât en assignant la matrice pour cause de cette maladie. Ses symptômes ne sont pas seulement en très grand nombre et très-variés ; ils ont encore cela de particulier entre toutes les maladies, qu'ils ne suivent aucune règle, ni aucun type uniforme, et ne sont qu'un assemblage confus et irrégulier : de là vient qu'il est très-difficile de donner l'histoire de l'affection hystérique.

745. Les causes externes ou antécédentes de cette maladie sont des mouvements violents du corps, et beaucoup plus souvent des agitations de l'âme, produites subitement par la colère, le chagrin, la crainte, ou par quelque autre passion semblable. Ainsi, quand les femmes me consultent sur quelque maladie dont je ne saurais déterminer la nature par les signes ordinaires, j'ai toujours grand soin de leur demander si le mal dont elles se plaignent ne les attaque pas principalement lorsqu'elles ont du chagrin, ou que leur esprit est troublé par quelque autre passion. Si elles avouent que la chose est ainsi, alors je suis pleinement assuré que leur maladie est une affection hystérique, surtout si elles rendent en ce temps-là une grande quantité d'urine claire et limpide.—Aux passions de l'âme qui produisent cette maladie, il faut joindre encore d'autres causes, savoir, une abstinence trop longue qui a vidé entièrement l'estomac, ou bien des évacuations excessives et que la personne n'était pas en état de soutenir, soit qu'on l'ait trop saignée, soit qu'on lui ait donné mal à propos des émétiques ou des purgatifs (1).

746. Voyons maintenant quelles sont les causes internes ou immédiates de l'affection hystérique, autant que l'on peut les découvrir en examinant la totalité des symptômes que nous avons décrits. Il me paraît donc que ce qu'on nomme dans les femmes affection hystérique, et dans les hommes affection hypocondriaque, et en général les vapeurs, provient du désordre ou mouvement irré-

(1) On peut dire en général que la maladie hystérique vient principalement d'une faiblesse des nerfs et d'un appauvrissement des liqueurs, d'où s'ensuit une circulation languissante et des sécrétions et excrétions imparfaites. Ainsi, tout ce qui tend à affaiblir le genre nerveux et à appauvrir les sucs peut être compté au nombre des causes externes ou manifestes de cette maladie, comme les exercices violents, les grandes agitations d'esprit par quelque cause que ce soit, les longs jeûnes, les longues veilles, les évacuations immodérées, etc.

gulier des esprits animaux, lesquels se portent impétueusement, et en trop grande quantité, sur telle ou telle partie, y causent des spasmes, ou même de la douleur quand la partie se trouve douée d'un sentiment exquis, et troublent les fonctions des organes, tant de ceux qu'ils abandonnent que de ceux où ils se portent, les uns et les autres ne pouvant manquer d'être fort endommagés par cette distribution inégale des esprits, qui est entièrement contraire aux lois de l'économie animale.

747. La cause antécédente du désordre des esprits animaux, c'est leur trop grande faiblesse, soit naturelle, soit accidentelle, qui les rend faciles à se déranger et à se dissiper. La constitution des esprits, qui ne peut s'apercevoir que par l'entendement, répond à l'état des parties qui tombent sous les sens, c'est-à-dire que les esprits sont plus ou moins capables de se dérégler, suivant que le tempérament des personnes est plus fort ou plus faible. De là vient qu'il y a beaucoup plus de femmes attaquées de vapeurs que d'hommes, d'autant que les femmes sont naturellement plus délicates, et d'un tissu moins serré et moins ferme, étant destinées à des fonctions moins pénibles; au lieu que les hommes ont un corps robuste et vigoureux, parce qu'ils sont destinés à de grands et rudes travaux.

748. Or, que le désordre des esprits animaux soit la cause immédiate des vapeurs, c'est ce que prouvent suffisamment les symptômes que nous avons déjà décrits, et dont nous allons rappeler seulement les principaux, en commençant par celui qu'on nomme vulgairement *suffocation de la matrice*. — Dans cette occasion les esprits s'étant accumulés dans le ventre, se jettent en foule et avec impétuosité sur les muscles du pharynx et du larynx, produisent des spasmes dans toute l'étendue qu'ils parcourent, et causent au ventre une enflure qui ressemble à une grosse boule, et qui cependant n'est autre chose qu'un effet de la convulsion des fibres, lesquelles n'ayant pas la force de résister, sont contraintes de céder et de faire éminence. — Durant ce temps-là les parties extérieures et les muscles étant destitués de la plupart des esprits dont ils ont besoin, et qui se sont portés ailleurs, deviennent très-souvent froids comme un cadavre; et cela n'arrive pas seulement dans la suffocation de matrice, mais encore dans toutes les autres sortes de vapeurs, ainsi que nous avons remarqué auparavant. Le pouls néanmoins n'est pas différent de celui des personnes qui se portent bien, et cette froideur n'est pas dangereuse, à moins qu'elle ne provienne de quelque évacuation excessive qui aura précédé.

749. Le symptôme hystérique qui ressemble extérieurement à la colique bilieuse, ou même à la passion iliaque, et qui consiste dans une douleur insupportable aux environs de la fossette du cœur, avec un vomissement affreux de matière verdâtre, dépend pareillement du désordre des esprits, lesquels, se jetant en foule et avec beaucoup d'impétuosité sur les parties qui sont au-dessus de la fossette du cœur, y causent des convulsions violentes, d'où s'ensuit la douleur et le vomissement.

750. Et quoique les matières que l'on rend dans cette sorte d'affection hystérique, soit par en haut, soit par en bas, se trouvent quelquefois de couleur verte, il n'en faut pas conclure que la maladie consiste dans les humeurs, ou que la douleur cruelle que l'on y ressent soit produite par l'acrimonie de quelque humeur qui déchire les parties où elle s'attache, et qui doive être évacuée par des émétiques ou des purgatifs, comme si elle était le foyer de la maladie. — Il est certain que ceux qui vont sur mer sont sujets à vomir, au bout de quelques jours de navigation, une bile poracée; et cela arrive aux personnes de la meilleure santé du monde, et qui, une demi-heure auparavant, n'avaient pas sûrement de bile poracée. Or, d'où peut venir un pareil vomissement, sinon du trouble que cause aux esprits l'agitation continuelle et le roulis du vaisseau? — Ne voit-on pas aussi que les enfants, dans leurs convulsions qui viennent principalement du désordre des esprits animaux, rendent par haut et par bas une matière verte? Et l'expérience ne montre-t-elle pas chaque jour que, si on emploie des vomitifs ou des purgatifs réitérés, soit chez les femmes, soit chez les enfants, dans le dessein d'évacuer cette matière verte, on ne fait au contraire qu'en augmenter la quantité, sans en changer la couleur, parce que les vomitifs et les purgatifs augmentent le désordre des esprits? d'où il arrive que le levain stomacal et intestinal se corrompt et se déprave, ou que les spasmes violents que souffrent l'estomac et les intestins y font couler un suc étranger, qui est capable de communiquer aux humeurs cette cou-

leur verte. — La chimie fournit de curieux exemples d'une pareille altération de couleur. Deux couleurs claires et limpides, étant mêlées ensemble, produisent une couleur foncée qui semble tenir du prestige. Au reste, on se tromperait grossièrement si l'on prétendait juger de la nature des corps par la qualité des couleurs, qui ne peuvent donner sur cette matière aucune lumière certaine. Et comme il ne s'ensuit pas que tout ce qui est vert soit âcre, il ne s'ensuit pas non plus que tout ce qui est âcre soit vert.— Ainsi, toutes choses bien examinées, il paraît assez clairement que la douleur très-cruelle qui se fait sentir dans la colique hystérique, comme aussi le vomissement de matière verdâtre, proviennent uniquement du désordre des esprits animaux qui se jettent avec trop d'impétuosité sur les parties situées au-dessous de la fossette du cœur, et y causent des contractions spasmodiques (1).

751. Le symptôme que j'ai nommé ci-

---

(1) La bile, dit le docteur Huxham, ne devient pas verte, à moins qu'elle ne soit mêlée avec un acide; et plus cet acide est fort, plus aussi la couleur est verte et foncée, approchant presque de la noirceur, et plus la coagulation est considérable : en sorte que ce mélange ressemble à peu près à de l'encre qu'on verserait sur de la suie. La chose se voit encore mieux quand on fait l'expérience avec la bile humaine, qui est peut-être plus alcaline que celle d'aucun autre animal. Voilà, ce me semble, la cause la plus ordinaire de la bile noire et de la verte; ainsi c'est une erreur de croire, comme quelques-uns, que ces deux sortes de biles ne se forment que dans les premières voies, puisque les anatomistes les trouvent souvent dans la vésicule du fiel et dans les conduits biliaires. — Ce raisonnement est confirmé par l'expérience, sans laquelle la plus belle théorie est vaine. C'est ainsi que j'ai souvent vu avec étonnement une bile verte, et une bile noire qui est encore plus âcre que la verte, et qui avait été rendue par le vomissement, ronger les métaux, fermenter sur le champ, comme si on y avait mêlé de l'esprit de vitriol, agacer fortement les dents et écorcher le gosier. Ne sont-ce pas là des marques certaines d'acidité? L'esprit de vitriol en donne à peine de plus grandes. — Je traitai, il y a quelque temps, un matelot qui, à son retour de la Virginie, ayant été d'abord attaqué de tranchées, et ensuite de convulsions violentes et de délire, vomit une grande quantité de bile verte, et quelquefois de bile noire et très-acide. Les assistants lui ayant mis dans la bouche une cuiller d'argent pendant ses convulsions, afin qu'il ne se mordît pas la langue, cette cuiller devint dans un moment aussi noire que si elle avait été tachée avec de l'esprit de nitre. Il faut remarquer en passant que cet homme aimait beaucoup le suc de limon, en mêlait copieusement dans la plupart de ses boissons. — Les personnes que j'ai trouvées avoir de la bile noire ou verte étaient des gens qui avaient souvent eu des maux d'estomac causés par un acide corrosif et très-piquant. Je me souviens qu'ayant ordonné, il y a environ quinze ans, la saignée à un jeune homme qui aimait beaucoup les acides et le cidre, et qui, par cette raison, était souvent attaqué de coliques et de douleurs rhumatismales, je fus surpris de trouver la sérosité de son sang aussi verte que du suc de porreaux. *Trans. Phil.*, n. 382. — Je sais que l'illustre Sydenham prétend que la bile verte, ou poracée, provient uniquement du mouvement irrégulier des esprits animaux; si cela était vrai, toute agitation extraordinaire de l'âme produirait une semblable bile; ce qui néanmoins n'arrive guère; il est vrai que les passions violentes mettent la bile en mouvement, et la font couler dans l'estomac et les intestins; et si elle y rencontre une humeur acide, elle devient verte, et s'évacue souvent par le vomissement; mais la même personne à qui une violente agitation d'esprit aura fait vomir de la bile verte, en rendra peut-être bientôt après d'entièrement jaune, s'il survient une passion plus violente. C'est ainsi qu'une personne sur mer vomit un jour de la bile verte, et le jour suivant en vomira de jaune, et au contraire. — Quand la bile est hors du corps, elle ne devient pas verte, quoiqu'on l'agite fortement; ainsi elle ne peut guère devenir verte dans le corps sans le mélange d'un acide. Un mouvement déréglé des esprits animaux, ou une violente passion de l'âme, nuit principalement à la digestion, en sorte que le chyle s'aigrit dans l'estomac, et donne une couleur verte à la bile qui coule dans ce viscère, et qui se mêle avec ce liquide; et tant que l'estomac reste faible, la nourriture que l'on prend se digère mal, d'où il arrive que l'estomac et les intestins peuvent demeurer long-temps surchargés d'une pituite acide. *Huxham, de morb. col. damn.*, p. 19, 20, 21, 22. — Quelques expériences de Baglivi prou-

dessus *clou hystérique* doit être attribué de même au désordre des esprits qui, de toute la circonférence du corps, vont se concentrer, pour ainsi dire, dans un certain endroit du péricrâne, y causent une douleur térébrante, comme si on enfonçait un clou dans la tête, et produisent un vomissement abondant de matière verdâtre. Cette concentration des esprits dans un seul endroit du péricrâne ne ressemble pas mal à la réunion des rayons du soleil, laquelle se fait dans le miroir ardent, et est la cause qu'ils enflamment les corps ; de même aussi la réunion des esprits est la cause de la douleur qu'ils font sentir, en déchirant, pour ainsi dire, les membranes de la tête.

752. Les femmes hystériques et les hommes hypocondriaques rendent souvent une grande quantité d'urine claire et limpide, comme j'ai remarqué plus haut. Ce symptôme vient aussi du désordre des esprits animaux qui, troublant l'économie du sang, sont cause que la sérosité s'en sépare avant qu'elle ait eu le temps d'être imprégnée des particules salines qui devaient lui donner une couleur citrine (1). Nous voyons tous les jours un exemple de cela dans les personnes qui ont bu copieusement de quelque liqueur légère et diurétique ; car elles rendent aussitôt une urine très-claire, parce que le sang, étant surchargé et comme inondé d'une sérosité qu'il ne peut retenir, la laisse échapper avant qu'elle ait le temps de prendre la couleur naturelle de l'urine.

753. Il y a près de trois ans qu'un homme de condition me fit appeler pour le traiter d'une maladie qui me parut être une colique hypocondriaque, approchant de la passion iliaque, par la douleur et le vomissement énorme dont elle était accompagnée : elle durait depuis long-temps avec beaucoup de violence, et avait presque entièrement épuisé les forces du malade. Je remarquai soigneusement que, lorsqu'il se trouvait le plus mal, son urine était toujours claire et sans couleur, et que, quand il se trouvait un peu mieux, elle était d'une couleur qui approchait de la citrine, et cela dura ainsi pendant toute la maladie. — Un jour étant allé voir le malade, j'aperçus une urine citrine qu'il avait rendue à trois différentes fois, et qu'on avait gardée dans trois différents vaisseaux. Il se réjouissait de cet heureux changement, et pensait déjà à prendre quelque nouriture légère, me disant qu'il sentait de l'appétit ; mais, dans ce moment-là il survint quelqu'un qui le mit tellement en colère, qu'il se trouva mal à l'instant même ; et ayant demandé le vase, il rendit une grande quantité d'urine qui était claire comme du cristal.

754. Il est assez ordinaire aux femmes hystériques de cracher, durant plusieurs semaines, une matière séreuse, ni plus ni moins que si elles avaient été frottées d'onguent mercuriel. Apparemment que cette salivation dépend aussi du trouble que les esprits causent dans le sang, et qu'alors la sérosité ne pouvant s'en séparer par les voies naturelles, c'est-à-dire par les reins, elle se dépose sur les glandes salivaires, et coule ensuite par les conduits salivaires sous la forme de salive. On peut dire la même chose des sueurs nocturnes qui arrivent quelquefois aux femmes hystériques, et proviennent uniquement de ce que, l'économie du sang étant troublée, sa sérosité est contrainte de se porter à l'habitude du corps.

755. Quant au froid dont les parties extérieures sont si souvent attaquées dans l'affection hystérique, il est plus clair que le jour qu'il vient de ce que les esprits animaux abandonnent ces parties pour se jeter en foule sur d'autres. — Il ne faut pas douter non plus que les pleurs et les ris immodérés auxquels sont sujettes les femmes hystériques ne soient produits par les esprits animaux qui ébranlent vivement les organes destinés à ces sortes de fonctions.

756. Je remarquerai en passant que les hommes hypocondriaques sont aussi quelquefois sujets à pleurer sans raison. Un jour je fus appelé pour voir un homme de condition et de beaucoup d'esprit qui, depuis peu de jours seulement, relevait d'une fièvre ; son médecin l'avait fait saigner, l'avait purgé trois fois, et lui avait défendu la viande. Comme je trouvai cet homme habillé, et

---

vent aussi que la bile humaine et celle des animaux devient verte et ensuite noire, en la mêlant et la faisant digérer avec des acides. *Baglivi oper.*, p. 436, etc.

(1) Ce symptôme semble plutôt venir d'une constriction spasmodique des vaisseaux qui ne laissent alors échapper que la partie la plus séreuse du sang, ou d'un appauvrissement de ce liquide.

que je l'entendis raisonner sensément sur toutes choses, je demandai pour quel sujet on m'avait fait venir : un de ses amis me dit d'attendre un peu, et que je verrais bientôt de quoi il était question. — M'étant donc assis, et m'entretenant avec le malade, j'aperçus bientôt que sa lèvre inférieure s'avançait en devant avec un mouvement fréquent, comme il arrive aux enfants qui boudent et qui se mettent à pleurer ; cela fut suivi d'un torrent de larmes, accompagnées de soupirs et de gémissements qui allaient presque jusqu'à la convulsion ; mais, peu de temps après les larmes et les soupirs cessèrent entièrement. — J'attribuai ce symptôme au désordre des esprits, causé en partie par la longueur de la maladie, en partie par les évacuations qu'il avait été nécessaire de mettre en usage dans le traitement, et en partie par l'épuisement où se trouvait le malade, et par l'abstinence de viande que le médecin avait ordonnée durant quelques jours depuis la convalescence, afin de prévenir plus sûrement la rechute. Je déclarai donc que la fièvre ne reviendrait point, et que le symptôme dont j'ai parlé était uniquement l'effet de l'épuisement. C'est pourquoi je conseillai au malade de manger à son dîner un poulet rôti, et de boire du vin en médiocre quantité. Il le fit ; et ayant continué ensuite à manger de la viande modérément, il n'eut jamais plus d'accident semblable.

757. Enfin, pour ne rien dire des autres symptômes des vapeurs, c'est du désordre des esprits animaux que viennent ces agitations de l'ame et ces inconstances que l'on voit dans les femmes hystériques et les hommes hypocondriaques ; car, comme leurs esprits animaux sont faibles, soit naturellement, soit à cause de la longueur de la maladie, il arrive de là que ces sortes de personnes se trouvent susceptibles des moindres impressions désagréables, et hors d'état d'y résister, tellement qu'elles se mettent tout à coup en colère ou de mauvaise humeur, et le plus souvent sans sujet. — La force de l'ame, tandis qu'elle est enfermée dans ce corps mortel, dépend principalement de la force des esprits animaux (1), qui lui servent comme d'instrument dans l'exercice de ses fonctions, et qui sont la plus fine portion de la matière, et la plus approchante de la substance spirituelle. Ainsi, la faiblesse et le désordre des esprits causent nécessairement la faiblesse et le désordre de l'âme, et la rendent le jouet des passions les plus violentes, sans qu'elle soit en aucune façon maîtresse d'y résister.

758. Je crois donc avoir prouvé suffisamment que l'affection hystérique et hypocondriaque vient uniquement du désordre des esprits animaux, et qu'elle n'est point produite, comme disent quelques auteurs, par une corruption de la semence ou du sang menstruel portant des vapeurs malignes aux endroits affectés, ni, comme veulent d'autres, par une certaine dépravation des sucs ou un amas d'humeurs âcres, mais par les causes que nous avons assignées ci-dessus. — Un exemple fera voir clairement que le foyer de la maladie ne consiste point dans une matière grossière. Si une femme qui s'est toujours très-bien portée, mais qui néanmoins est d'une complexion délicate, vient à être extrêmement affaiblie et abattue pour avoir commis quelque faute dans le régime, ou par un vomitif ou un purgatif trop violent, elle ne manquera pas d'avoir quelque symptôme hystérique. Or, le vomissement ou la purgation devrait plutôt éloigner ce symptôme que de l'attirer s'il était vrai que le foyer de la maladie fût une humeur. — On peut dire la même chose d'une femme qui aura perdu trop de sang, soit par la saignée, soit par un accouchement naturel, ou qui aura trop jeûné, et se sera trop longtemps abstenue de viande. Tout cela devrait plutôt empêcher les symptômes hystériques que les exciter, si leur cause consistait dans une matière grossière ; au lieu que rien ne les produit davantage que ces sortes d'évacuations.

759. Il faut avouer cependant que le désordre des esprits, qui est la seule cause de la maladie, occasionne un amas

(1) Il n'est pas facile de comprendre ce que l'auteur entend ici par *la force des esprits animaux* ; à quoi on peut ajouter que l'idée que nous avons de ces esprits n'est ni claire ni satisfaisante : aussi plusieurs savants ont nié leur existence. La force et la fermeté de l'âme, pour me servir des termes de notre auteur, semblent principalement dépendre de la structure des solides, qui, ayant toute l'élasticité et la souplesse nécessaires, font que l'ame exécute ses opérations avec vigueur et facilité.

d'humeurs corrompues, d'autant que les fonctions des parties, tant de celles qui sont distendues par la violente impulsion des esprits que de celles qui en sont privées, ne sauraient manquer d'être extrêmement lésées ; et, comme la plupart de ces parties sont des espèces d'organes sécrétoires destinés à recevoir les excréments du sang, si leurs fonctions viennent une fois à être endommagées, de quelque manière que ce soit, il s'y accumulera nécessairement une grande quantité d'humeurs impures, lesquelles auraient été évacuées, et par conséquent toute la masse du sang aurait été plus pure si tous les organes s'étaient acquittés de leurs fonctions. Or ils s'en seraient acquittés si une distribution égale des esprits les eût entretenus dans la force qui leur est nécessaire. — C'est à cette cause, je veux dire à des humeurs corrompues accumulées dans le sang et déposées ensuite sur les différents organes, que j'attribue les cachexies considérables, la perte d'appétit, les pâles couleurs des jeunes filles (maladie que je regarde comme une sorte de vapeur), et tous les autres maux dont sont affligées les femmes qui ont long-temps souffert de l'affection hystérique. — L'hydropisie des ovaires provient de la même cause dans les femmes qui sont depuis long-temps vaporeuses. Car les sucs dépravés qui, dans la masse du sang, se déposent sur les ovaires, dérangeant leurs fonctions et détruisant leur économie, rendent d'abord les femmes stériles, et ensuite donnent lieu à la formation d'une sérosité sanieuse qui, s'épanchant entre les tuniques des ovaires, les tuméfie extrêmement, comme on voit en ouvrant les cadavres des femmes qui sont mortes de cette maladie. Néanmoins la disposition vaporeuse est la première cause de la dépravation des humeurs, quoique cette disposition ne soit nullement quelque chose d'humoral.

760. Il en est ici comme de la fièvre quarte qui attaquera les gens de la meilleure santé du monde s'ils viennent à demeurer quelque temps dans des lieux marécageux. Le sang reçoit alors un miasme qui, par son séjour, blesse l'économie naturelle, infecte et altère toutes les humeurs, d'où il arrive que le malade, surtout s'il est déjà avancé en âge, et qu'il approche de la vieillesse, devient sujet à des cachexies et à d'autres maux qui sont une suite des fièvres intermittentes opiniâtres. Cependant on ne doit pas traiter ces sortes de fièvres par les remèdes qui sont propres à évacuer les mauvaises humeurs, mais par les spécifiques fébrifuges.

761. De tout ce que nous avons dit jusqu'à présent, il me paraît clairement que la principale indication qu'on doit se proposer dans le traitement de l'affection hystérique consiste à fortifier le sang, qui est la source des esprits animaux, afin que les esprits, étant fortifiés eux-mêmes par ce moyen, soient en état de garder l'ordre qui convient à l'économie de tout le corps en général, et de chacune de ses parties. — Mais, comme le désordre des esprits, qui est la première cause de la maladie, a vicié et corrompu les humeurs, il est à propos, avant que d'entreprendre de fortifier le sang, de les diminuer par la saignée et la purgation, supposé que les forces de la malade le permettent ; car, tandis que le sang sera surchargé d'humeurs nuisibles, on ne pourra presque jamais venir à bout de le fortifier. — Il arrive néanmoins quelquefois que les douleurs sont si violentes, les vomissements et le cours de ventre si terribles, qu'on n'a pas d'abord le temps de remplir cette première et principale indication. Alors il faut nécessairement laisser pour quelque temps la cause de la maladie et commencer par la cure des symptômes ; c'est-à-dire qu'il faut donner aussitôt les calmants, afin d'apaiser le trouble des esprits qui occasionne de pareils symptômes : et, comme l'expérience montre qu'il y a beaucoup de remèdes qui, par leur mauvaise odeur, sont propres à tranquilliser les esprits agités, et qui, pour cette raison, portent le nom d'*hystériques*, on ne les négligera pas lorsqu'il s'agira de remplir cette indication.

762. Voici la manière dont je m'y prends ensuite : je fais d'abord saigner du bras la malade, puis je le purge pendant trois ou quatre jours de suite. Durant ce temps-là, au lieu de se mieux porter, il lui semble au contraire qu'elle est plus mal, parce que ces évacuations, en agitant les humeurs, ne manquent pas d'exciter quelque trouble dans les esprits. C'est de quoi j'ai soin d'avertir par avance la malade, afin qu'elle ne s'abandonne pas au désespoir qu'inspire naturellement l'affection hystérique (1).

(1) Si la maladie vient de faiblesse

Quoi qu'il en soit, avant que de pouvoir remplir heureusement la principale indication, il est nécessaire d'évacuer une partie des humeurs que nous supposons avoir été produites par la longueur de la maladie. — Cela étant fait, je travaille à fortifier le sang, et par conséquent les esprits qui en naissent; et pour cela, j'ordonne de prendre durant trente jours quelque remède tiré du fer. Rien ne réussit mieux en pareille occasion: le fer communique à la masse du sang affaiblie et languissante un certain feu et une certaine volatilité qui relève et ranime les esprits abattus. Une preuve évidente de cela, c'est que toutes les fois qu'on donne les martiaux dans les pâles couleurs, le pouls devient aussitôt plus grand et plus fréquent, la pâleur se dissipe, et le visage devient rouge et vermeil.

763. Il faut remarquer cependant que la saignée et la purgation ne conviennent pas toujours avant l'usage du fer. On peut et on doit s'en abstenir dans les personnes faibles et épuisées par la longueur de la maladie, et alors il faut commencer tout de suite l'usage des martiaux, ce qui mérite attention.

764. La meilleure façon, à mon avis, d'user de ce remède, c'est de le prendre simplement en substance. Je n'ai jamais observé ni entendu dire qu'étant pris de cette manière il ait fait mal à personne; au contraire, quantité d'expériences m'ont appris qu'il réussit beaucoup mieux de la sorte, et qu'il guérit la maladie plus sûrement et en moins de temps que ne peut faire aucune des préparations qu'on lui donne ordinairement (1). Il arrive au fer la même chose qu'à d'excellents remèdes. La chimie, à force de vouloir raffiner sur leur préparation, les rend quelquefois moins efficaces et moins bons. — J'ai ouï dire que la mine de fer, telle qu'on la tire de la terre, avait plus de vertu pour la guérison des maladies que lorsqu'elle a souffert le feu et qu'elle a été fondue. Si cela est ainsi, ma proposition n'en sera que mieux confirmée; mais, comme je n'ai pas encore éprouvé moi-même si la chose est vraie ou non, je m'en rapporte à ceux qui me l'ont assuré. Ce que je sais certainement, c'est qu'on n'a jamais employé de remède excellent et singulier qui n'ait reçu de la nature ses principales vertus. De là vient que les anciens appelaient par reconnaissance ces sortes de remèdes *mains des dieux*, et non pas *mains des hommes*. — Au reste, deux drogues admirables, je veux dire l'opium et le quinquina, font bien voir que les merveilleux effets des remèdes viennent uniquement de la nature, et non pas de l'art. Aussi l'habileté d'un médecin ne consiste pas tant à les préparer qu'à les bien choisir tels que la nature nous les fournit libéralement, et à savoir les appliquer dans les différents cas où ils conviennent. Il s'agit seulement de leur donner la forme la plus propre à faire passer dans nos corps leur substance, ou du moins leur vertu; et nous avons heureusement plus de moyens qu'il n'en faut pour cela. — Après le fer en substance, je me sers principalement et plus volontiers de son sirop. Il se prépare avec la limaille de fer ou d'acier que l'on met infuser à froid dans le vin du Rhin, jusqu'à ce que le vin en soit suffisamment imprégné; ensuite on coule la liqueur, et y ajoutant suffisamment quantité de sucre, on la fait cuire en consistance de sirop (2).

ou d'un appauvrissement des sucs, comme le pense notre auteur, la saignée et la purgation doivent assurément être nuisibles, puisqu'elles tendent plutôt à augmenter la cause du mal qu'à la diminuer : ainsi on doit alors s'en abstenir soigneusement. Mais s'il y a pléthore, et que les accès soient violents, on emploiera utilement ces évacuations. Il est remarquable que certaines femmes hystériques ne peuvent soutenir les plus doux purgatifs, même les lavements, et qu'une simple selle un peu copieuse les fait tomber en faiblesse. (Voyez la fin de l'art. 763.)

(1) *Baglivi*, *Hoffmann* et plusieurs autres savants sont du même sentiment. On peut aider l'action des remèdes martiaux, et les rendre plus utiles, en usant de temps en temps du bain chaud, qui préparera les humeurs nuisibles, et les disposera à être évacuées. *Nouv. expér. sur les eaux minér.*

(2) *Quincy*, dans son dispensaire sur l'article de *sirop de Mars*, observe avec raison que ce sirop, préparé de la manière que prescrit notre auteur, se candit très-aisément, parce que plus un menstrue est spiritueux, moins il est propre à dissoudre et à tenir suspendu le sucre; mais il n'a pas donné une meilleure manière de le faire, soit qu'il n'en connût point, soit qu'il n'ait pas jugé que ce remède méritât son attention. En effet, on ne saurait en prendre une quan-

765. Durant tout le temps que la malade use des martiaux, je ne la purge point, car il me paraît que, dans l'affection hystérique et hypocondriaque, les purgatifs ne font qu'affaiblir ce remède. Comme mon but principal est de fortifier les esprits, et, par ce moyen, de les contenir dans l'ordre, le plus léger purgatif que je donnerais alors ruinerait en un jour ce que j'aurais fait en huit. Ainsi je perdrais mon temps et ma peine, je n'avancerais rien, et ce serait toujours à recommencer. — Je ne doute point aussi que la coutume où l'on est de purger durant l'usage des eaux minérales ferrugineuses ne diminue beaucoup leur efficacité. Je sais que des malades que l'on purgeait, non seulement de temps en temps, mais encore tous les jours pendant l'usage des martiaux, n'ont pas laissé de guérir; mais cet heureux succès est moins une preuve de la sagesse du médecin que de la grande vertu du fer, lequel opère bien plus promptement la guérison quand on ne purge pas (1).

766. Au reste, les purgatifs si souvent réitérés me paraissent inutiles, ou, pour mieux dire, pernicieux dans plusieurs autres maladies qui n'ont rien de commun avec les vapeurs. A la vérité, on ne saurait nier qu'ils ne nettoient les premières voies et ne débarrassent le sang d'une partie des humeurs nuisibles qui y séjournent; mais il est certain, d'un autre côté, que leur fréquent usage fait beaucoup de tort aux personnes faibles, et surtout aux enfants; car ils attirent sur les viscères des débordements d'humeurs qui, séjournant dans ces parties, y excitent des fermentations contre nature, d'où s'ensuivent des tumeurs dans l'abdomen, lesquelles vont toujours en augmentant à mesure qu'on purge plus souvent le malade. Enfin, il arrive que les parties affectées ayant perdu leur ressort, et étant privées de leur chaleur naturelle, qui se trouve, pour ainsi dire, étouffée sous le poids des humeurs, tombent facilement en pourriture. — D'autres fois l'économie des viscères étant entièrement détruite par les causes susdites, il se forme dans les glandes du mésentère des tumeurs scrophuleuses, et autres semblables, qui conduisent le malade au tombeau. — Ces raisons m'ont persuadé que le parti le plus sûr dans les enfants était de travailler à fortifier le sang et les viscères, après avoir employé très-modérément les évacuations universelles. Le vin d'Espagne seul ou infusé avec les herbes fortifiantes, donné matin et soir pendant un temps suffisant, à la dose de quelques cuillerées, plus ou moins suivant l'âge, est capable de remplir cette indication. — Et comme les topiques agissent aisément sur les corps tendres des enfants, et communiquent par conséquent leur vertu à la masse du sang, il sera à propos, dans les tumeurs du ventre, soit qu'elles viennent d'un levain scrophuleux ou d'un véritable rachitis, d'employer des liniments propres à fortifier le sang et les viscères, et à détruire les mauvaises impressions que la maladie a faites sur eux. Par exemple :

Prenez des feuilles d'absinthe commune, de petite centaurée, de marrube blanc, de germandrée, d'ivette, de scordium, de calamenthe commune, de matricaire, de saxifrage des prés, de millepertuis, de verge-d'or, de serpolet, de menthe, de sauge, de rue, de chardon-bénit, de pouliot, d'aurone, de camomille, de tanaisie, de muguet, toutes nouvelles et coupées menues, de chacune une poignée; du saindoux, quatre livres; du suif de mouton et du vin clairet, de chacun deux livres. Faites macérer tout cela ensemble dans un vaisseau de terre sur les cendres chaudes pendant douze

---

tité suffisante pour qu'il fasse grand effet, à cause du sucre dont il est chargé, et qui le rend désagréable au goût de certaines personnes, et trop pesant pour l'estomac des autres. Néanmoins, comme il peut servir quelquefois, nous donnerons ici la meilleure manière de le faire, selon *Fuller*, dans sa Pharmacopée domestique. — Prenez sel de Mars réduit en poudre, une once; dissolvez-le dans trente-deux onces d'eau claire, et laissez reposer la dissolution jusqu'à ce que les fèces jaunes tombent au fond du vaisseau. Décantez alors soigneusement la liqueur claire et dissolvez-y, sans la faire bouillir, deux onces de gomme arabique et trente-deux onces de sucre fin.

(1) L'auteur a raison de condamner en général les purgatifs pendant l'usage des eaux ferrugineuses. Mais il peut y avoir des cas qui demandent qu'on purge de temps en temps; ainsi cela doit s'entendre avec restriction. Pour aider l'action des eaux, et prévenir tout mauvais effet, il est à propos d'aller à cheval ou de faire quelque autre exercice dans des temps convenables. Souvent aussi on peut joindre à l'usage des eaux quelques correctifs ou altérants appropriés à l'état des malades, et on s'en trouvera bien.

heures ; ensuite faites bouillir jusqu'à la consomption de l'humidité, et coulez cette matière : vous aurez un onguent dont on frottera le ventre, les hypocondres et les aisselles matin et soir pendant trente ou quarante jours de suite.

767. Quant aux rachitis, il faut remarquer que, dans les tumeurs du ventre qui survenaient autrefois aux enfants après de longues fièvres intermittentes, et qui ressemblaient beaucoup au véritable rachitis, il paraissait nécessaire de purger souvent, parce qu'avant que le quinquina fût en usage, ces sortes de fièvres duraient long-temps, et qu'ainsi elles laissaient un sédiment qu'on ne pouvait évacuer que par des purgatifs réitérés. Mais dans le véritable rachitis, il n'est besoin de purger qu'une fois, ou tout au plus deux avant que de mettre le malade à l'usage des altérants. — Pendant tout le temps qu'on se servira du liniment que nous avons proposé, on donnera intérieurement au malade du vin d'Espagne, tel que nous avons dit; ou si cela se peut, on lui donnera, pour toute boisson, de la bière que l'on aura enfermée dans un vaisseau avec suffisante quantité des herbes susdites, ou du moins d'une partie ; enfin, on évitera soigneusement les purgatifs, car je sais un grand nombre d'enfants qui ont péri par des purgatifs souvent réitérés, et qu'on croyait apparemment nécessaires à cause de la grosseur du ventre (1) ; mais cela soit dit en passant.

768. Si on objecte que la limaille d'a-

(1) Le rachitis n'est autre chose qu'une distribution inégale des sucs nourriciers, d'où il arrive que certaines parties maigrissent par trop de nourriture, tandis que d'autres augmentent de volume par trop de nourriture, et que l'épine du dos et les autres os se courbent et deviennent tortus. — C'est une nouvelle maladie qui a commencé en Angleterre vers le milieu du siècle précédent, et s'est ensuite répandue dans le reste de l'Europe. Voici les signes principaux par où elle se manifeste.—Elle paraît environ le neuvième mois de l'enfant, ou plus tard. Différentes parties du corps deviennent peu à peu disproportionnées; la peau devient lâche et le ventre flasque; les muscles diminuent, les articulations des mains, des jambes, des genoux et des pieds grossissent; les os, trop faibles pour soutenir le corps, se courbent, comme aussi l'épine du dos: d'où il arrive que l'enfant marche avec peine, et souvent perd l'usage de ses jambes; les artères carotides se gonflent: la tête devient grosse, et n'est plus ferme à cause de la faiblesse des muscles qui la soutiennent; l'enfant a plus de conception que n'en ont ordinairement les enfants à cet âge; la poitrine est étroite; le sternum s'élève en pointe, et les extrémités des côtes sont noueuses. La maladie augmentant, il s'y joint une fièvre lente, une toux, une difficulté de respirer et d'autres symptômes. Il faut néanmoins se souvenir qu'il y a différentes espèces de rachitis, qu'il dure plus ou moins long-temps, qu'il est plus ou moins violent, et ne produit pas les mêmes symptômes dans tous les sujets. — En ouvrant les corps de ceux qui sont morts dans cette maladie, on a trouvé dans quelques-uns le foie plus gros qu'il n'est dans l'état naturel, et même squirrheux et adhérent au diaphragme, les glandes du mésentère durcies, et le pancréas obstrué : dans d'autres le poumon, adhérant à la plèvre et au dos, est livide ou en suppuration; dans les autres, le péricarde plein d'eau. Plusieurs anatomistes curieux, comme Glisson, Bonnet et Heister, assurent que le sommet de la moelle de l'épine est ordinairement dur et engorgé, l'espace entre la dure-mère et la pie-mère plein d'eau, le cerveau fort gros, les veines jugulaires moins grosses que les artères carotides. — Il paraît de là que la cause prochaine de cette maladie est une compression ou une obstruction de la moelle de l'épine, qui empêche le suc nerveux d'y couler librement; en conséquence de quoi, les parties dont les nerfs viennent de cette moelle ne peuvent recevoir de nourriture, tandis que les autres dont les nerfs ne sont pas obstrués en reçoivent trop. C'est par cette raison que la tête devient grosse, et que le visage est frais et vermeil. — Les os se courbent, et leurs épiphyses grossissent, parce que les muscles et les ligaments qui les joignent ensemble sont nourris inégalement, et que les extrémités des os, qui dans les enfants sont molles et cartilagineuses, ne résistent que faiblement au suc nourricier qui y aborde et qui les distend. Les os continuant à grossir, et les muscles, au contraire, diminuant et se raccourcissant faute de nourriture, il arrive que les os ne peuvent plus s'étendre et sont obligés de se courber, et cela d'autant plus aisément qu'ils sont plus flexibles à cet âge. — La cause médiate de cette maladie est l'épaississement ou la viscosité des sucs, qui, comprimant ou obstruant la moelle de l'épine, empêche le fluide nerveux d'y pénétrer,

cier peut nuire au malade en séjournant dans les intestins, à moins qu'on ne purge de temps en temps, je réponds, en premier lieu, que je n'ai jamais rien trouvé de semblable dans aucun sujet ; en second lieu, qu'il y a beaucoup plus d'ap-

---

et de se distribuer aux nerfs qui en naissent. — Les causes éloignées sont tout ce qui empêche la digestion, et produit un chyle épais et visqueux qui n'est nullement propre pour la nutrition. — Mais la principale cause de la maladie est un air froid, grossier, et rempli d'exhalaisons hétérogènes, lequel, en affaiblissant le ressort de la peau, diminue la transpiration, et, en relâchant les poumons, empêche que le sang ne s'y travaille comme il faut. De là vient que le rachitis est si commun dans les lieux marécageux et maritimes. — Je ne fais pas difficulté d'avancer que la mauvaise coutume qu'ont quelques femmes de porter les enfants sur leurs bras contribue beaucoup à faire séjourner les fluides dans la moelle de l'épine, et non-seulement tient l'épine du dos dans une situation courbée, mais encore rend les pieds tortus, et de cette manière occasionne le rachitis. L'épine du dos peut aussi devenir tortue par une chute ou un coup. — Les maladies qui attaquent les enfants préparent le chemin au rachitis, surtout celles qui causent une stagnation des fluides dans la moelle de l'épine, et qui, par conséquent, empêchent le libre cours du liquide nerveux. — Si cette maladie dure au-delà de la cinquième année de l'enfant, elle devient très-difficile à guérir, et de même après qu'elle est guérie le corps reste ordinairement faible et défiguré pendant quelques années. Mais si on ne la guérit pas de bonne heure et lorsque le corps du malade souffre encore des altérations considérables, elle est absolument incurable. Elle est aussi très-difficile à guérir quand elle est héréditaire ou qu'elle survient peu de mois après la naissance. Enfin elle est dangereuse lorsqu'il s'y joint une phthisie, avec fièvre hectique, ou une hydropisie, ou un asthme, ou une diarrhée. Mais lorsque le rachitis vient de quelque mauvaise qualité de l'air, ou d'un mauvais régime, ou qu'il est suivi de la petite-vérole, de la gale, ou de quelque autre maladie cutanée, sans que les os soient beaucoup courbés, ni le mouvement fort lésé, la guérison n'est pas difficile. — Les indications curatives consistent à dissoudre la viscosité des sucs, à dissiper les obstructions, et à faciliter la circulation des fluides par tout le corps. — Il faut commencer par nettoyer les premières voies, afin d'emporter ce qui entretient la maladie. Pour cela on emploiera les doux purgatifs, et même les émétiques, si on les juge nécessaires et que le malade puisse les soutenir. Mais ces remèdes ne doivent pas être donnés aux malades qui sont fort épuisés ou qui ont les viscères en mauvais état, ou le mésentère fort obstrué. Dans ce cas-là les apéritifs et les savonneux, surtout les sels neutres, sont préférables et très-efficaces. On peut donner aussi de temps en temps des résolutifs doux, et ils réussissent mieux ici que les mercuriaux. — Pour dissiper les obstructions de la moelle de l'épine, et procurer une libre circulation du fluide nerveux, les frictions sur l'épine du dos, les bras, les jambes et les pieds, avec des linges chauds et la fumée d'encens mâle, de succin, de mastic, etc., sont recommandées par différents auteurs. Mais je sais par expérience que plusieurs malades ont été merveilleusement soulagés, et enfin guéris, en se baignant fréquemment dans un bain préparé avec les herbes aromatiques, comme marjolaine, lavande, thym, romarin, camomille, mélisse, etc., bouillies dans l'eau commune, et en se frottant ensuite l'épine du dos et les extrémités avec un liniment nervin, tel, par exemple, que le suivant. — Prenez graisse humaine et huile de macis, de chacune, demi-once ; baume du Pérou, un gros ; huiles distillées de clous de girofle, de lavande et de rue, de chacune, trente gouttes. Mêlez le tout ensemble. — Il faut avoir grand soin de joindre aux remèdes un régime convenable, qui consiste à retrancher à l'enfant tout aliment venteux, visqueux et d'une digestion difficile, à lui donner souvent du bouillon de veau et de poulet où l'on ait fait bouillir des racines apéritives et des écrevisses. Sa boisson doit être quelque liqueur légère ; et pendant qu'il tette, on lui donnera de bon lait un peu clair, sans négliger l'exercice. Si le ventre est resserré, on pourra donner un laxatif ou un lavement. Mais si le rachitis est causé ou entretenu par quelque maladie de la nourrice, on lui donnera les mêmes remèdes qu'à l'enfant, mais en plus grande dose. — Enfin il est bon d'appliquer sur l'épine courbée et sur les membres tortus des bandages convenables, pourvu qu'on ait soin de ne pas nuire, en voulant faire du bien, et de ne pas causer une maladie pire que celle qu'on veut guérir. (*Hoffmann, oper. tome* 3, *p.* 487, etc. Voyez aussi notre auteur, *sect.* 1, *chap.* 5, *articles* 148, 149 *et* 150.)

parence que la limaille s'évacue entièrement avec les mucosités et les différentes humeurs excrémentitielles, dans lesquelles elle se trouve mêlée, que par les purgatifs, qui sont bien plutôt capables de fixer davantage les particules ferrugineuses dans les tuniques des viscères, au moyen des froncements et des contractions qu'ils causent aux fibres en les agaçant et les irritant.

769. Durant l'usage du mars, que l'on emploie à dessein de fortifier le sang et les esprits, il est à propos de donner de temps en temps, et comme en passant, quelques remèdes hystériques, de la manière et sous la forme qui conviendra le mieux aux malades. Les remèdes en forme solide agiront plus puissamment et tranquilliseront mieux les esprits qu'en forme liquide, c'est-à-dire en infusion ou décoction, parce que, séjournant davantage dans l'estomac, ils auront plus de temps de déployer leur vertu.

770. En un mot, pour remplir toutes les indications dont j'ai parlé ci-dessus, j'ai coutume d'ordonner les remèdes suivants, qui, quoiqu'ils ne soient ni en grand nombre, ni fort pompeux, ne laissent pas de me réussir ordinairement.— On tirera du sang au bras droit à la quantité de huit onces.

Prenez du galbanum dissous dans de la teinture de castoréum, ensuite coulé, trois gros; de la gomme tacamahaca, deux gros. Faites un emplâtre qu'on appliquera sur le nombril.

Le lendemain matin le malade commencera à user des pilules suivantes.

Prenez pilules cochées majeures, deux scrupules; castoréum pulvérisé, deux grains; baume du Pérou, quatre gouttes. Faites de tout cela quatre pilules, que la malade prendra à cinq heures du matin, et elle dormira par-dessus : on réitérera la même chose deux ou trois matins de suite, ou seulement de deux en deux jours, suivant les forces de la personne, ou suivant que le remède opérera.

Prenez des eaux de cerises noires, de rue et de brioine composée, de chacune, trois onces; castoréum enfermé dans un nouet et suspendu dans la bouteille, demi-gros; sucre candi, ce qu'il en faut. Faites un julep, dont la malade prendra quatre à cinq cuillerées lorsqu'elle se sentira faible ; et si le paroxisme est considérable, on mettra vingt gouttes d'esprit de corne de cerf dans la première dose.

771. Après l'usage des pilules purgatives décrites ci-dessus, la malade en viendra aux suivantes.

Prenez limaille d'acier, huit grains ; et avec suffisante quantité d'extrait d'absinthe, faites deux pilules, que la malade avalera de grand matin, et autant à cinq heures après midi, buvant par-dessus chaque prise un petit verre de vin d'absinthe : elle continuera ainsi pendant trente jours.

Ou bien, prenez limaille d'acier et extrait d'absinthe, de chacun, quatre onces. Mêlez cela ensemble, et le gardez pour l'usage : la malade en avalera de grand matin, et à cinq heures du soir, seize grains, ou un scrupule en trois pilules.

Ou, si on aime mieux, la forme de bol.

Prenez des conserves d'absinthe romaine et d'écorce d'orange, de chacune, une once; angélique confite, noix muscade confite, et thériaque d'Andromaque, de chacune, demi-once ; gingembre confit, deux gros; sirop d'écorce d'orange, ce qu'il en faut pour former un électuaire.

Prenez de cet électuaire un gros et demi; limaille de fer porphyrisée, huit grains ; et avec suffisante quantité de sirop d'écorce d'orange, faites un bol que la malade avalera de grand matin, et un autre de même à cinq heures du soir, buvant par-dessus un petit verre de vin d'absinthe.

Prenez myrrhe choisie et galbanum, de chacun, un gros et demi ; castoréum, quinze grains; baume du Pérou, suffisante quantité; faites douze pilules de chaque gros de ce mélange. La malade en prendra trois tous les soirs, et par-dessus elle boira trois ou quatre cuillerées d'eau de brioine composée.

Si ces pilules lâchent le ventre, comme elles font quelquefois dans les personnes faciles à purger, à cause des gommes qui entrent dans leur composition, il faudra substituer les suivantes.

Prenez castoréum, un gros ; sel volatil de succin, demi-gros ; extrait de rue, suffisante quantité. Faites trente pilules : la malade en prendra trois tous les soirs.

772. Il faut observer ici que les martiaux, sous quelque forme et en quelque dose qu'on les donne, causent quelquefois aux femmes de grandes agitations d'esprit et de corps, non-seulement les premiers jours qu'elles les prennent, ce qui est ordinaire à presque toutes les fem-

mes, mais encore tout le reste du temps. Dans ce cas-là, on ne doit pas d'abord faire interrompre l'usage des martiaux, mais le faciliter, en donnant pendant quelque temps une dose de laudanum liquide mêlé dans une eau antispasmodique.

773. Quand les symptômes ne sont pas violents, et qu'il paraît qu'on peut se passer de donner le mars intérieurement, je me contente de faire saigner une fois du bras, et de purger trois ou quatre fois, comme je l'ai dit plus haut; ensuite de faire prendre matin et soir, pendant dix jours, les pilules altérantes décrites ci-devant. Cette méthode ne manque guère de me réussir quand la maladie est légère; et même les pilules seules, sans saignée ni purgation, produisent quelquefois de grands effets.

774. Il n'est pas rare de voir des femmes d'un tempérament si singulier que les remèdes anti-hystériques, d'ailleurs si utiles dans la plupart des symptômes des vaporeux, leur nuisent beaucoup, au lieu de les soulager. Alors il faut s'abstenir absolument de ces sortes de remèdes; car, comme dit Hippocrate, *tout ce qu'on fait est inutile quand la nature s'y oppose* (1). — Cette singularité de tempérament, ou idiosyncrasie, mérite beaucoup d'attention, et faute d'y avoir égard, on peut mettre les malades en danger de la vie, non-seulement par les anti-hystériques, mais encore par plusieurs autres remèdes. Je n'en donnerai ici qu'un seul exemple. Il y a certaines femmes qui, ayant la petite vérole, ne peuvent soutenir l'usage du sirop diacode; il leur cause des vertiges, des vomissements, et d'autres symptômes hystériques : ces mêmes femmes néanmoins soutiennent très-bien le laudanum liquide. — C'est ce que j'ai observé depuis peu dans une jeune fille de qualité. Lui ayant donné le sirop diacode le sixième et septième jours de sa petite vérole, elle fut attaquée chaque fois des symptômes dont je viens de parler, et les pustules ne grossissaient point. Mais comme je lui donnai ensuite le laudanum liquide, elle n'eut plus de pareils symptômes; le visage s'enfla, les pustules grossirent, et, ce qui était d'un aussi bon augure, les inquiétudes et les agitations de corps et d'esprit, ordinaires dans la petite vérole, cessèrent entièrement. La malade était plus forte et plus tranquille toutes les fois qu'elle avait pris le narcotique. Mais revenons. — Voilà la méthode par laquelle on vient ordinairement à bout de guérir les vapeurs hystériques, comme aussi la plupart des obstructions des femmes, et surtout les pâles couleurs et toutes sortes de suppressions de règles.

775. Néanmoins, si le sang est tellement appauvri, et les esprits par conséquent dans un tel désordre, que le fer employé de la même manière que j'ai ordonnée ne soit pas capable de guérir la maladie, alors il faudra aller prendre sur les lieux quelques eaux minérales ferrugineuses, comme celles de Tumbridge ou d'autres semblables. La quantité que l'on en boit, et le rapport qu'elles ont avec l'économie, font que leur vertu martiale se communique mieux à la masse du sang, et qu'elles guérissent les maladies plus efficacement que ne peuvent faire toutes les préparations du mars les plus vantées en chimie.

776. Si, en buvant les eaux, il survient quelque symptôme hystérique, on doit alors les interrompre un jour ou deux, jusqu'à ce que ce symptôme ait entièrement cessé, parce qu'autrement il empêcherait les eaux de passer; car, quoiqu'elles agitent moins le sang et les esprits que ne font les plus doux purgatifs, elles ne laissent pas de les agiter un peu, en ce qu'elles sont diurétiques, et souvent même purgatives. S'il est donc vrai que le trouble qu'elles causent dans les humeurs et les esprits empêche qu'elles ne passent aisément, n'est-ce pas une absurdité d'ordonner la purgation une fois ou deux la semaine pendant leur usage; ou, ce qui est encore plus ridicule, de mêler les purgatifs avec les eaux? car il arrive de là que ces eaux, de même que toutes les autres eaux minérales, au lieu d'opérer plus promptement, opèrent au contraire plus lentement et plus difficilement.

777. Je crois devoir dire ici que, nonobstant l'opinion de quelques auteurs qui pensent que ces eaux contiennent une solution des principes du fer, je suis persuadé que ce sont de simples eaux imprégnées de la vertu de la mine par où elles passent. On peut s'en convaincre en mettant infuser dans une certaine quantité d'eau suffisante quantité de clous rouillés. Si l'on prend ensuite de cette eau, et qu'on mêle de la noix de galle en

(1) Ιύσσος γὰρ ἀντιπρατ τούσης κενεὰ πάντα

poudre, ou de feuilles de thé, ou quelque chose semblable, on verra qu'elle aura la même couleur que prennent les eaux minérales quand on y mêle les mêmes choses (1) : d'ailleurs ces eaux artificielles, étant bues en été, et dans un air sain, produiront les mêmes effets que les eaux minérales naturelles.

778. Du reste, si la maladie est si opiniâtre qu'elle ne cède pas aux eaux ferrugineuses, il faudra aller prendre les eaux chaudes sulfureuses, par exemple, celles de Bath. Le malade les boira d'abord pendant trois jours de suite, le matin ; le quatrième jour il s'y baignera ; le jour d'après il recommencera à les boire, de même que la première fois, et continuera ainsi alternativement pendant deux mois entiers : car il ne suffit pas de les prendre jusqu'à ce qu'on soit soulagé, mais il est nécessaire d'en continuer l'usage jusqu'à ce qu'on soit entièrement guéri, et qu'on n'ait plus à craindre aucun retour des symptômes ; et ce que je dis ici des eaux de Bath doit s'entendre pareillement de toutes les autres eaux minérales, de quelque nature qu'elles soient (2).

---

(1) C'est une chose certaine, dit *Hoffmann*, et confirmée par un grand nombre d'expériences chimiques, que les métaux ne peuvent entrer dans la composition des eaux sans être auparavant dissous, ou réduits en sel, ou en vitriol. — De tous les métaux il n'en est point qui se dissolve si aisément, dans toutes sortes d'acides, que le fer. Ainsi l'eau pure, à raison du principe éthéré et du sel universel qu'elle contient, saisit d'abord ce métal et le dissout. Si donc on éteint dans l'eau commune un fer rouge, il lui communique des particules ferrugineuses, comme on voit par la vertu astringente et par le goût rude et styptique de l'eau ainsi échauffée. Et comme on observe que l'humidité de l'air, la pluie, etc., rongent le fer, le rouillent et s'en imprègnent, de même il n'est pas douteux que les sources qui passent par des mines de fer, ou par des terres rouges et argileuses, n'enlèvent en passant des particules ferrugineuses, et n'en soient imprégnées. C'est pour cela qu'on les nomme *eaux chalybées*, ou *ferrugineuses*. — Les signes par lesquels on reconnaît ces sortes d'eaux sont un goût astringent et styptique qu'elles impriment plus ou moins sur la langue, et l'ocre jaune dont les conduits par où elles passent sont tapissés, de même que les bassins et réservoirs qui les contiennent, et aussi les environs des sources. Si on ramasse cette ocre, qu'on la lave, qu'on la sèche, et qu'on l'expose à un feu violent, elle donne des marques certaines de fer, non-seulement parce qu'elle est enlevée par l'aimant, mais encore parce qu'elle se sublime avec le sel ammoniac, et fournit des fleurs qui donnent la plus belle et la plus parfaite teinture de mars. — Les autres signes des eaux ferrugineuses sont la couleur purpurine, ou la couleur d'encre qu'elles produisent quand on y mêle de la poudre de noix de galle, et la couleur jaune, dont elles teignent un linge ou un œuf qu'on y trempe. Tous ces signes prouvent manifestement qu'elles contiennent réellement du fer, mais un fer qui, étant joint à un esprit sulfureux, ne ressemble au vitriol commun que par le goût et la couleur qu'il donne, sans approcher d'ailleurs de la nature du vitriol. *Nouv. exp. sur les eaux min.* — Qu'on puisse imiter par l'art les eaux minérales, c'est un fait trop bien établi pour être contesté. Il est bon néanmoins d'observer que notre auteur avance trop légèrement qu'une infusion de rouille de fer dans l'eau commune se teint de la même manière que les eaux ferrugineuses, en y ajoutant de la noix de galle en poudre ou quelque chose de semblable. On se convaincra du contraire si on veut faire l'expérience avec le soin et l'exactitude nécessaires. — Les eaux minérales artificielles ne donnent pas une couleur si foncée que les naturelles, et diffèrent encore considérablement par d'autres qualités connues, comme la légèreté, la pureté, la subtilité, la volatilité, etc. : d'où il s'ensuit que leur boisson ne saurait produire les mêmes effets que celle des eaux naturelles. Aussi n'est-il pas vraisemblable que l'art puisse préparer sur-le-champ un remède de cette espèce qui soit aussi excellent et aussi subtil que celui que prépare la nature, laquelle emploie peut-être beaucoup de temps pour le porter au point de perfection où elle nous le présente. — Quant à la meilleure manière d'imiter les eaux minérales naturelles, on peut consulter l'ouvrage d'Hoffmann que nous avons cité en dernier lieu, et les leçons chimiques du docteur Shaw, page 89, etc., où le lecteur trouvera abondamment de quoi se satisfaire en ce point.

(2) Quand il s'agit de boire les eaux minérales, il faut avoir beaucoup d'égard aux circonstances particulières qui doivent diriger dans le choix de celles qui conviennent, et à la manière dont les malades doivent se conduire pendant qu'ils les boivent. Il est impossible d'établir sur

*779. La thériaque toute seule, prise fréquemment et pendant long-temps, est un grand remède dans cette maladie, et non-seulement dans celle-ci, mais encore dans plusieurs autres qui viennent d'un défaut de chaleur et de digestion : elle est peut-être le plus puissant remède que l'on ait connu jusqu'à présent, quoique la plupart des gens la méprisent, sous prétexte qu'elle est commune et en usage depuis tant de siècles.

780. Les vins d'Espagne où l'on a fait infuser de la gentiane, de l'angélique, de l'absinthe, de la petite centaurée, de l'écorce extérieure d'orange et d'autres drogues fortifiantes, sont encore d'un très-grand secours, si on en prend trois fois le jour quelques cuillerées, pourvu que la malade ne soit pas d'un tempérament maigre et bilieux. Je me suis même très-bien trouvé d'avoir fait prendre à certaines femmes hystériques un grand verre de vin d'Espagne simple, durant quelques jours, à l'heure du sommeil : cela leur a redonné des forces et de la couleur.

781. Quelquefois aussi le quinquina fortifie merveilleusement bien le sang et les esprits. J'ai observé qu'un scrupule de cette écorce, donné matin et soir durant quelques semaines, avait rendu la santé et les forces à des hommes hypocondriaques et à des femmes hystériques, qui avaient long-temps souffert, et qui étaient dans un pitoyable état ; mais de toutes les maladies vaporeuses, il n'en est aucune où le quinquina réussisse mieux que dans celles qui sont accompagnées de convulsions, et où l'on voit les femmes faire des efforts terribles et se frapper la poitrine. Il faut avouer néanmoins qu'il ne guérit pas aussi sûrement et aussi souvent ce mal que les fièvres intermittentes (1). — Mais, pour le dire en passant, quoique le quinquina soit si efficace pour la guérison des fièvres intermittentes et d'un usage si universel, il y a néanmoins des gens qui le désapprouvent autant maintenant, parce qu'il guérit d'une manière si prompte et si sûre, qu'ils le désapprouvaient autrefois, parce qu'il était connu depuis peu. Tel est le sort des plus grands hommes, ainsi que des meilleurs remèdes ; mais la joie ou la tristesse que nous ressentons du bonheur public est comme une pierre de touche par laquelle nous pouvons nous connaître nous-mêmes, et juger si nous sommes gens de bien ou méchants.

782. Si les remèdes que nous avons proposés jusqu'ici ne conviennent pas, comme il arrive souvent dans les personnes maigres et d'un tempérament bilieux, alors on pourra recourir à la diète lactée. Une chose qui paraîtra d'abord surprenante, c'est que des femmes qui avaient été long-temps tourmentées de vapeurs, et dont le mal avait résisté à tous les remèdes les plus appropriés, ont recouvré la santé en vivant quelque temps de lait pour toute nourriture. Les vapeurs de ces femmes étaient principalement des coliques hystériques, qui n'étaient adoucies que par les narcotiques ; et comme le fréquent usage de ces sortes de remèdes y avait accoutumé la nature, la douleur revenait dès que leur action avait cessé. — Ce qu'il y a de plus particulier dans cette méthode, c'est que le lait, n'étant qu'un aliment froid et faible, ne laisse pas de fortifier les esprits. Rien néanmoins n'est plus naturel, car, comme le lait est un aliment très-simple, il se

---

cela des règles générales qui ne soient pas sujettes à quantité d'exceptions. Ainsi le meilleur est de les abandonner au jugement du médecin, qui doit avoir une prudence singulière pour en faire l'application convenable. — Les eaux ferrugineuses, suivant l'observation d'Hoffmann, sont douées d'une vertu apéritive et fortifiante, en sorte qu'on les emploie avec fruit, soit intérieurement, soit extérieurement. Étant bues, elles lâchent le ventre, fortifient le corps et l'estomac, excitent l'appétit, et peuvent par conséquent être employées utilement dans les maladies qui demandent quelque préparation martiale. Étant employées extérieurement en forme de bains, elles sont très-bonnes pour fortifier et ranimer les membres engourdis et sans mouvement, pour guérir les douleurs, les contractions et les relâchements des parties, pour dessécher et cicatriser les vieux ulcères ; dans ce cas-là on les fait un peu tiédir, et elles échauffent le corps, ouvrent les pores de la peau, et provoquent la sueur, surtout si le malade se met au lit en sortant du bain, *Nouv. expér. sur les eaux min.*

(1) On ne saurait assez recommander le quinquina dans cette maladie, et dans la plupart de celles où le sang est appauvri, les forces épuisées, et le ton des solides considérablement affaibli. Pour le rendre plus efficace en ce cas-là, on peut le joindre avec les remèdes anti-hystériques et martiaux.

digère parfaitement, et avec moins de difficulté que beaucoup d'autres nourritures ; ce qui produit nécessairement un bon sang et des esprits de même nature — On remarquera encore que le désordre des esprits ne vient pas simplement de leur faiblesse considérée en elle-même, mais considérée par rapport à l'état du sang; car il peut se faire que les esprits d'un enfant soient assez forts à proportion de son sang, et ne le soient pas assez à proportion du sang d'un adulte. Or, quoique le lait fournisse une nourriture crue et légère, il ne laisse pas de produire un sang doux et balsamique ; et si les esprits qui en proviennent sont seulement de même force, cela suffit. Il y a cependant des personnes qui ne peuvent soutenir les incommodités que cette diète apporte ordinairement les premiers jours, savoir, que le lait se caille dans leur estomac, et que d'ailleurs il ne les soutient pas suffisamment (1).

783. Mais la meilleure chose que j'aie connue jusqu'à présent pour fortifier et animer le sang et les esprits, c'est d'aller à cheval presque tous les jours, et de faire par cette voiture des promenades un peu longues et en grand air. Cet exercice, par les secousses redoublées qu'il cause aux poumons et surtout aux viscères du bas-ventre, débarrasse le sang des humeurs excrémentitielles qui y séjournaient, donne du ressort aux fibres, rétablit les fonctions des organes, ranime la chaleur naturelle, évacue par la transpiration ou autrement les sucs dégénérés, ou bien les rétablit dans leur premier état, dissipe les obstructions, ouvre tous les couloirs, et enfin, par le mouvement continuel qu'il cause au sang, le renouvelle, pour ainsi dire, et lui donne une vigueur tout extraordinaire. — Il est vrai que l'exercice du cheval convient moins aux femmes, qui, étant accoutumées à une vie tranquille et sédentaire, pourraient en recevoir du dommage, surtout dans le commencement ; mais il convient parfaitement aux hommes, et rien n'est si propre à leur rendre la santé (1). En voici un exemple.

784. Un prélat d'Angleterre, homme d'un vrai génie, d'un grand sens et d'une érudition consommée, ayant épuisé ses forces par une application excessive à l'étude, tomba dans l'affection hypocondriaque, dont la longueur corrompit tous les levains du corps et ruina toutes les digestions. Le malade prit à diverses fois des remèdes martiaux ; il essaya presque toutes sortes d'eaux minérales, auxquelles on joignit de fréquentes purgations; il eut recours aux anti-scorbutiques de toute espèce, et à différentes sortes de poudres testacées, en vue d'adoucir son sang, et tout cela sans aucun fruit. Épuisé par la maladie et par les remèdes continués durant plusieurs années, il fut enfin attaqué d'un dévoiement colliquatif, qui, dans la phthisie et dans les autres maladies chroniques, où toutes les digestions sont entièrement ruinées, est ordinairement l'avant-coureur de la mort. — Voilà où en était ce malade quand il me consulta : je jugeai d'abord qu'il n'y avait plus moyen de lui faire des remèdes, après tous ceux qu'il avait pris inutilement; et je lui conseillai, par les raisons que j'ai rapportées ci devant, d'entreprendre d'aller à cheval, en ne faisant au commencement que peu de chemin, et à proportion de sa faiblesse; d'augmenter chaque jour par degrés, jusqu'à ce qu'il parvînt à faire en un jour la valeur environ d'une médiocre journée, et persister dans cet exercice jusqu'à ce que sa santé fût rétablie. — Or, si ce

(1) Tant s'en faut que le lait soit un aliment cru et léger, il est au contraire un remède et un aliment très-propre et très-salutaire pour les personnes faibles, pour les phthisiques et les goutteux, chez qui les digestions sont lésées, car il se digère facilement, et il nourrit beaucoup; mais pour qu'il remplisse les vues qu'on se propose, il faut en prendre une certaine quantité, et le continuer un temps considérable. — Le lait de femme est le plus doux, le plus léger et le plus conforme à notre nature. Les auteurs rapportent des cures merveilleuses qu'il a opérées; mais la difficulté est d'en avoir une quantité suffisante. Après le lait de femme, le meilleur est celui d'ânesse, ensuite celui de chèvre, puis celui de vache, que la plupart des auteurs mettent au dernier rang. Les vertus extraordinaires du lait d'ânesse, la manière de le prendre avec le plus d'utilité, les cas où il convient, sont expliqués au long avec beaucoup de netteté par le judicieux Hoffmann, dans une dissertation sur ce sujet, intitulée *de mirabili lactis asinini in medendo usu*, à laquelle nous renvoyons le lecteur pour plus ample instruction.

(2) Voyez ci-devant, sect. 4, chap. 7, art. 379.

malade n'avait été homme de grand sens et de beaucoup d'esprit, jamais il n'aurait seulement voulu entreprendre un pareil exercice. Je voulus encore qu'il n'eût égard ni à la nourriture, ni à la boisson, ni à la température de l'air, mais qu'il usât de tout indifféremment et sans distinction, comme fait un voyageur. — Il se soumit entièrement à tout ce que j'ordonnai, et il s'en trouva bien. Chaque jour il faisait un peu plus de chemin; et, encouragé de plus en plus par le succès, il en vint jusqu'à faire dans un jour vingt milles, et même trente milles. Il continua ainsi durant plusieurs mois, pendant lesquels il fit, comme il me raconta lui-même, plus de mille lieues; enfin il recouvra une parfaite santé, et il acquit même assez de force et de vigueur.

785. L'exercice du cheval n'est pas moins utile à ceux qui ont la consomption qu'aux hypocondriaques. Quelques-uns de mes parents qui étaient attaqués de cette maladie ont été guéris en continuant long-temps cet exercice par mon conseil; car je savais certainement que tout autre remède, quelque précieux qu'il fût, et tout autre méthode ne leur aurait absolument servi de rien. Ce n'est pas seulement dans des consomptions légères, accompagnées de toux fréquentes et d'amaigrissement, que l'exercice du cheval a réussi; mais encore dans les consomptions confirmées, accompagnées de sueurs nocturnes et même de ce dévoiement funeste qui est ordinairement le dernier terme de la maladie et l'avant-coureur de la mort. — En un mot, quelque meurtrière que soit parmi nous la consomption, et quelque raison que l'on ait de la regarder comme telle, puisqu'en effet elle enlève presque les deux tiers de ceux qui meurent de maladies chroniques, j'ose assurer néanmoins que le mercure n'est pas plus efficace pour la guérison de la vérole, ni le quinquina pour la guérison des fièvres intermittentes, que l'exercice du cheval pour celle de la consomption, pourvu que le malade fasse suffisamment de chemin, et qu'il ait soin que les draps de son lit soient bien secs. — Il faut cependant observer que les gens qui sont sur le déclin de l'âge doivent continuer cet exercice beaucoup plus long-temps que les autres, comme je m'en suis assuré par un grand nombre d'expériences. Mais quoique l'exercice du cheval soit le plus utile à ceux qui ont la consomption, les voyages en carrosse n'ont pas laissé de produire quelquefois des effets merveilleux (1).

786. Pour revenir maintenant à mon principal sujet, voilà quelle est la méthode générale de traiter les vapeurs hystériques, eu égard à la cause originaire qui consiste dans une trop grande faiblesse du sang, méthode qui, par conséquent, n'a lieu qu'hors le temps de l'accès ou paroxysme. — Mais quand il survient un paroxysme, avec quelques-uns des symptômes rapportés ci-dessus, si la violence du mal est telle, qu'on n'ait pas le temps de fortifier le sang et les esprits, il faut aussitôt recourir aux anti-hystériques qui ont une odeur désagréable, et qui, par là, sont propres à rétablir les esprits dans leur direction ordinaire, soit qu'on donne ces remèdes intérieurement, soit qu'on les approche du nez des malades, soit qu'on les applique extérieurement : tels sont l'assa-fétida, le galbanum, le castoréum, l'esprit de sel ammoniac, et tout ce qui exhale une odeur fort puante et fort désagréable (2).

787. En effet, toutes les drogues qui ont une mauvaise odeur, soit naturellement, soit par le travail de l'art, remplissent très-bien cette indication; et je crois que l'esprit de corne de cerf, de sang humain, d'urine, et celui que fournissent les os et les autres parties animales, tirent leur principale vertu de l'odeur empyreumatique et fétide

(1) L'exercice du cheval, suivant l'observation d'Hoffmann, est fort vanté par les plus grands médecins, tant anciens que modernes, pour la guérison de la consomption et de la phthisie; néanmoins, dans le commencement de la maladie, et dans les jeunes gens pléthoriques, il est nuisible, parce qu'il cause de fréquents retours d'hémoptysie. Il ne convient point du tout non plus lorsqu'on juge que le poumon est considérablement endommagé et abcédé, parce qu'un trop grand mouvement du corps, soit en allant à cheval, soit en carrosse, peut aisément causer à cette partie une inflammation mortelle. Mais, dans la consomption hypocondriaque ou atrophie, le cas est très différent : car un exercice modéré et souvent réitéré y convient extrêmement. (Voyez *Hoffmann oper. tom.* 3, *p.* 294.

(2) Il faut se souvenir ici de la précaution que nous avons recommandée ailleurs. Voyez ci-devant art. 774.

qu'ils contractent par la violence du feu, et qui leur est essentielle. — Il en est de même de la fumée que rendent les plumes, le cuir, et toutes les autres substances animales quand on les brûle. Cette fumée est toujours puante; et si elle est produite par un feu violent, et qu'elle soit reçue dans des vaisseaux, elle se condense et forme les liqueurs que l'on nomme *esprits volatils*. Comme ces esprits sont uniquement l'ouvrage du feu, ils ont des qualités qui n'étaient pas originairement dans les sujets d'où ils sont tirés. Au reste, ils ont tous les mêmes vertus, de quelque substance qu'on les tire, pourvu que ce soit une substance animale.

788. Si le paroxysme hystérique est accompagné d'une douleur violente en quelque partie que ce soit, ou d'un grand vomissement, ou d'une diarrhée, alors, outre les anti-hystériques dont nous avons parlé, il faut encore avoir recours au laudanum, qui est seul véritablement capable de calmer ces symptômes.

Mais, quand il s'agit d'apaiser des douleurs qui excitent le vomissement, alors, à moins qu'elles ne soient presque insupportables, on doit bien se garder d'y employer le laudanum ou quelque autre narcotique, avant que d'avoir fait précéder les évacuations convenables : — Premièrement, parce qu'il y a quelquefois une si grande abondance de sang et d'humeurs, surtout dans les femmes d'un tempérament sanguin et robuste, que cela pourrait empêcher l'effet du plus puissant narcotique, quoique souvent réitéré. De là vient que dans ces cas-là il est nécessaire de saigner du bras et de purger avant que d'en venir à l'usage du laudanum, dont une dose médiocre fera alors ce que n'aurait pas fait auparavant une très-grande dose. — Secondement, parce qu'une longue expérience m'a appris que quand une malade s'est accoutumée à l'usage du laudanum, sans qu'on ait fait précéder les évacuations nécessaires, elle se trouve ensuite obligée, à cause de la douleur qui revient dès que l'action du remède a cessé, de le réitérer chaque fois, et cela tous les jours pendant plusieurs années, en augmentant peu à peu la dose : de telle manière qu'elle ne saurait plus du tout se passer de laudanum, quoiqu'il fatigue les digestions, et affaiblisse les fonctions naturelles : je ne crois pas cependant qu'il nuise immédiatement au cerveau, ou aux nerfs, ou aux fonctions animales.

789. Je juge donc, et je le dis pour l'avoir expérimenté, que l'usage des évacuants doit précéder celui des narcotiques. Par exemple, dans les femmes robustes et dans celles où le sang prédomine, il faut saigner et purger, surtout s'il y a long-temps qu'elles n'ont eu d'accès hystériques. Mais dans les femmes délicates, qui sont d'un tempérament entièrement différent des premières, et qui ont été attaquées peu de temps auparavant d'un semblable paroxysme, il suffira de nettoyer l'estomac en leur faisant avaler quelques pintes de petit-lait, qu'elles rendront par le vomissement, et de leur ordonner ensuite une bonne dose de thériaque ou d'orviétan, faisant boire par-dessus quelques cuillerées d'une liqueur spiritueuse et agréable, mêlée d'un peu de laudanum liquide.

790. Si la malade avait déjà vomi long-temps avant qu'on appelât le médecin, et qu'il y eût à craindre de la trop affaiblir et de mettre les esprits en agitation si on tentait de nouveau le vomissement par les émétiques, il faudrait donner sur-le-champ une dose convenable de laudanum, et la réitérer autant de fois qu'il serait nécessaire pour dissiper entièrement le symptôme dont il s'agit.

791. Il y a ici deux choses principales à observer. La première, c'est que quand une fois on a commencé l'usage du laudanum après les évacuations requises, il faut le continuer jusqu'à ce que le symptôme que l'on veut combattre ait tout-à-fait disparu, ayant seulement la précaution de mettre entre chaque prise du remède autant d'intervalle qu'il est nécessaire pour connaître ce qu'une prise a opéré avant que d'en donner une autre. Il en a été fait ailleurs la remarque. — La seconde chose à observer, c'est de s'abstenir absolument de toute évacuation pendant l'usage du laudanum, et de ne rien faire qui puisse émouvoir tant soit peu le malade. Le lavement le plus doux, comme celui de lait et de sucre, serait capable de détruire tous les bons effets du narcotique, et de renouveler la douleur et le vomissement.

792. Quelque nécessaire que soit le laudanum dans les douleurs hystériques, il l'est encore davantage dans les grands vomissements. Il en faut alors une dose très-forte, et qui soit souvent réitérée, c'est-à-dire après chaque vomissement, sans quoi le remède est rejeté par e

haut avant que d'avoir eu le temps d'opérer. La forme qui convient alors est celle en substance; ou si on donne le narcotique en forme liquide, le véhicule doit être en si petite quantité, qu'il ne puisse être rejeté. — On mettra, par exemple, quelques gouttes de laudanum liquide dans une cuillerée d'eau de cannelle un peu forte ou de quelque autre semblable, et on avertira la malade de se tranquilliser aussitôt après la prise, et surtout de tenir autant qu'elle pourra la tête immobile, parce que le moindre mouvement de tête est capable, plus que toute autre chose, d'exciter le vomissement, ce qui rendrait inutile la prise du remède. — Le symptôme étant surmonté, on continuera encore durant quelques jours, soir et matin, l'usage du narcotique, afin de prévenir la rechute, et on observera la même chose après qu'on aura apaisé par ce remède la douleur hystérique et la diarrhée.

793. Telle est la méthode de remédier à la douleur et au vomissement, qui sont des symptômes des vapeurs hystériques, et qui, ressemblant très-souvent à d'autres maladies, trompent plus aisément les médecins que ne font tous les autres symptômes. Par exemple, dans cette sorte d'affection hystérique qui ressemble à un paroxysme de colique néphrétique, et dont nous avons donné la description, il y a une très-grande ressemblance entre ces deux maladies, car elles attaquent toutes deux la même partie et produisent toutes deux le vomissement. Néanmoins, elles ont des causes entièrement différentes, et elles doivent être traitées si différemment, que les remèdes qui sont salutaires dans l'une sont pernicieux dans l'autre, et au contraire (1). — En effet, si la douleur et le vomissement sont occasionnés par une pierre ou par du gravier contenu dans les reins, rien ne convient mieux alors que de diminuer le volume du sang par de grandes et fréquentes saignées, et de donner beaucoup de lavements émollients et d'autres adoucissants internes, afin de relâcher et de dilater les conduits par où la pierre doit sortir, ajoutant des remèdes diurétiques et lithontriptiques. — Au contraire, si ces symptômes ne viennent pas d'une pierre, mais du désordre des esprits animaux qui se jettent en trop grande quantité sur les reins, il ne faut dans ce cas-là que des narcotiques, et le plus doux lavement est suspect après les premières évacuations. Or, si on suit une méthode opposée, dans quel danger ne met-on pas la malade, qui se trouve ainsi la victime de l'ignorance?

794. On peut dire la même chose de cette sorte d'affection hystérique qui ressemble à la colique bilieuse ou à la passion iliaque, mais qui est d'une nature entièrement différente, et même contraire; car si on la confond avec la colique bilieuse, et qu'on la suppose venir d'une humeur âcre que les artères mésentériques ont déposée dans les viscères, erreur dans laquelle la douleur insupportable et la couleur verte des matières que l'on rend, soit par en haut, soit par en bas, jettent facilement un médecin peu attentif et peu accoutumé à réfléchir; il n'est rien de plus naturel que de travailler à adoucir l'acrimonie des humeurs par l'usage des remèdes rafraîchissants et incrassants, et d'employer les lavements et les purgatifs fréquents pour débarrasser les viscères des humeurs nuisibles, et surtout de mettre en usage le mercure doux et les préparations de scammonée, afin d'évacuer plus à fond la matière morbifique. — Mais quel sera le sort des malades, et quel danger ne courront-ils point par cette méthode, si la maladie que l'on traite de colique bilieuse se trouve réellement une simple affection hystérique ou hypocondriaque? car l'expérience fait voir que dans ce cas-là, après avoir évacué par les remèdes généraux les humeurs corrompues qui ont été produites par le désordre des esprits et qui pourraient empêcher l'effet des narcotiques, il ne reste plus qu'à tranquilliser ces mêmes esprits jusqu'à ce que les symptômes aient cessé, et pour lors on doit ordonner les martiaux ou d'autres remèdes propres à détruire radicalement le mal, en ranimant et fortifiant le sang. — Je ne rapporterai pas ici les accidents que je sais être arrivés à quantité de femmes, parce qu'on avait pris des coliques hystériques pour des coliques bilieuses je dirai seulement que les fréquentes évacuations qui sont absolument nécessaires dans la colique bilieuse, loin d'apaiser la douleur et le vomissement qui accompagnent la colique hystérique, ne font au contraire que les augmenter. Enfin le mal, après avoir duré plusieurs mois, attaque tout-à-coup le cerveau et aboutit à des convulsions qui enlèvent en peu de temps la malade,

(1) Voyez art. 750.

surtout lorsqu'après d'autres évacuations souvent réitérées on s'est avisé de donner l'émétique, sous prétexte que les matières que la personne rendait par le vomissement étaient d'une couleur verte (1).

En un mot, l'observation m'a appris qu'il est de la dernière conséquence de bien distinguer les symptômes qui sont ordinaires aux femmes hystériques, et de ne pas les attribuer à d'autres maladies avec lesquelles ils ont souvent de la ressemblance.

795. Outre les méprises dont nous venons de parler, et qui exposent les femmes hystériques à un danger évident, il arrive encore à plusieurs femmes d'être attaquées de vapeurs par une autre cause, et quoique ces vapeurs ne soient pas mortelles de leur nature, elles ne laissent pas de le devenir, à raison des accidents qui en sont la suite et qui enlèvent un assez grand nombre de femmes. — Par exemple, une femme d'un tempérament faible et délicat vient à accoucher : tout se passe heureusement et le mieux du monde ; la sage-femme, soit par ignorance, soit par vanité, et pour faire voir qu'elle s'est bien acquittée de son devoir, conseille à la malade de se lever peu de jours après ses couches, et de demeurer quelque temps hors du lit. Celle-ci obéit, mais dès le premier mouvement qu'elle se donne elle est attaquée d'une affection hystérique qui diminue d'abord les vidanges, et ensuite les arrête entièrement. — Cette suppression prématurée est suivie d'un grand nombre de symptômes qui tuent bientôt la malade, à moins que le médecin ne soit très-diligent et très-habile. Car quelquefois les vapeurs occasionnent un transport qui, devenant chaque jour plus violent, cause des convulsions et ensuite la mort, ou si la femme en réchappe, il lui reste un affaiblissement d'esprit qui dure quelquefois jusqu'à la fin de ses jours. D'autres fois, après la suppression des vidanges il survient une fièvre qui prend le caractère des fièvres épidémiques du temps, ou qui dépend uniquement de la première maladie. Les vapeurs hystériques qui ont produit la suppression des vidanges redoublent alors leur violence.

796. J'ai fait réflexion, il y a déjà long-temps, que de dix femmes qui meurent en couche, à peine y en a-t-il une qui périsse faute d'avoir eu les forces nécessaires pour se délivrer, ou par les douleurs qui accompagnent un accouchement laborieux ; mais la principale cause de leur mort, c'est qu'elles se sont levées trop tôt, et que le mouvement qu'elles se sont donné a occasionné des paroxysmes hystériques qui ont produit une suppression de vidanges, laquelle a été suivie de symptômes mortels. — Voilà pourquoi je conseille toujours aux femmes en couche qui sont d'un tempérament faible et qui veulent m'écouter, de garder le lit au moins jusqu'au dixième jour, surtout si elles ont déjà eu auparavant des vapeurs hystériques ; car, outre que le repos les garantit de ces vapeurs, la chaleur continuelle du lit répare encore les esprits qui ont été affaiblis et épuisés, tant par les douleurs de l'accouchement que par les évacuations qui l'accompagnent ; outre qu'elle aide la nature et lui sert à digérer et à évacuer toutes les crudités qui se sont accumulées pendant le temps de la grossesse.

797. Si donc une femme, pour s'être levée trop tôt après ses couches, vient à être attaquée de quelques-uns des symptômes dont nous parlons, les vues que l'on doit avoir sont d'apaiser le trouble des esprits, et de rétablir l'écoulement des vidanges, dont la suppression est la cause prochaine et immédiate de ces dangereux symptômes. Il ne faut pas néanmoins suivre trop opiniatrément cette méthode ; mais après avoir employé pendant quelque temps les remèdes qui ont ordinairement du succès en pareil cas, il faut les abandonner s'ils ne réussissent pas : car les remèdes violents ne conviennent point ici, et on ne doit pas même continuer l'usage de ceux qui sont doux, parce que les accouchées sont alors dans un grand abattement et un grand épuisement des forces. — Par exemple, dès qu'on est assuré de la suppression des vidanges, il faut aussitôt faire mettre la malade au lit, lui appliquer sur le nombril un emplâtre antihystérique, et lui ordonner l'électuaire suivant.

Prenez des conserves d'absinthe romaine et de rue, de chacune, une once ; des trochisques de myrrhe, deux gros ; castoréum, safran, sel volatil ammoniac et assa-fétida, de chacun, demi-gros ; sirop des cinq-racines, ce qu'il en faut pour former un électuaire dont la ma-

(1) Voyez sect. 4, chap. 7, art. 387.

lade prendra de trois heures en trois heures la grosseur d'une bonne noix muscade, et elle boira par-dessus chaque prise quatre à cinq cuillerées du julep suivant.

Prenez des eaux de rue et de brioine composée, de chacune, trois onces; du sucre candi, ce qu'il en faut. Mêlez cela ensemble pour un julep.

Ces remèdes étant donnés aussitôt qu'on s'aperçoit de la suppression des vidanges, ils les rappelleront le plus souvent. Mais si on donne toute la quantité que nous avons marquée sans que les vidanges reparaissent, il faut, dans ce cas-là, tenter au moins une fois l'usage du laudanum : car, quoique ce calmant arrête de sa nature les évacuations, néanmoins, comme il tranquillise les esprits, dont le désordre a été cause de la suppression, il peut, par cette raison, être quelquefois très-utile, et rappeler l'écoulement des vidanges, lorsque les emménagogues ne font rien. — La meilleure manière d'employer alors les narcotiques est de les marier avec les anti-hystériques et les emménagogues. Par exemple, on mêlera vingt-quatre gouttes de laudanum liquide dans une certaine quantité d'eau de brioine composée, ou bien un grain et demi de laudanum en forme solide avec douze grains d'assa-fétida, dont on formera deux pilules.

798. Si, après avoir donné une fois ce remède, les vidanges ne reviennent pas, il ne faut en aucune façon le réitérer, comme on le fait et comme on doit le faire en d'autres occasions; car, si on le réitérait, il supprimerait de telle sorte l'écoulement, qu'on ne pourrait ensuite le rappeler par aucun moyen. Mais si, après avoir attendu quelque temps, on ne voit aucun effet du laudanum, il faudra revenir aux emménagogues joints aux anti-hystériques; encore faudra-t-il les employer légèrement, et donner ensuite un lavement avec le lait et le sucre : je dis un lavement, de même que j'ai dit une prise de laudanum, parce que, si un seul lavement ne rappelle pas les vidanges, on ne doit rien espérer de plusieurs. Un seul sollicite doucement les humeurs, et par-là il peut exciter l'écoulement, mais plusieurs le détournent ailleurs (1).

799. Si les emménagogues employés légèrement ne réussissent pas, le parti que doit prendre alors un médecin prudent, c'est de ne rien faire du tout et de gagner du temps, parce que chaque jour donne plus d'espérance de guérison; et si la malade passe le vingtième jour, elle n'a presque rien à craindre; car alors étant un peu soulagée, et ayant repris ses forces, elle se trouvera en état de soutenir les remèdes qui seront nécessaires pour dissiper les accidents qu'a produits la suppression des vidanges; au lieu que si on s'obstinait à donner des remèdes après que les premiers ont été inutiles, on ne ferait peut-être qu'augmenter la maladie et le désordre des esprits, qui est la cause primordiale; et c'est à quoi il faut bien faire attention.

800. Il n'y a pas long-temps qu'une dame, également distinguée par sa vertu et par sa naissance, me fit appeler pour la traiter. Elle avait été attaquée de vapeurs hystériques, parce qu'elle s'était levée très-peu de temps après avoir accouché, et ses vidanges étaient entièrement supprimées. Je tâchai de les faire revenir en me servant des remèdes dont j'ai parlé ci-dessus; mais je n'y réussis

(1) Comme les vidanges peuvent être supprimées par différentes causes, il faut toujours avoir égard à celle qui produit cet accident : ainsi après un accouchement difficile qui a été accompagné de grandes douleurs, lesquelles ont occasionné de violentes contractions spasmodiques des solides et un mouvement tumultuaire des fluides, en conséquence de quoi les vidanges cessent de couler, l'indication curative est d'apaiser ce tumulte : de quoi on peut venir à bout par la saignée, si on la juge nécessaire, par les lavements, les anodins, un régime rafraîchissant, et par l'usage des diaphorétiques doux et des boissons légères et délayantes, et en tenant la malade tranquille. — Mais si les vidanges sont supprimées pour avoir eu froid, ou par une transpiration arrêtée, ou par un chagrin ou une crainte, ou par quelque autre chose semblable, il faut que la malade garde le lit, qu'elle use d'un régime chaud et propre à faire transpirer, qu'elle prenne toutes ses boissons chaudes, qu'elle avale de temps en temps quelques cuillerées d'une cordial convenable, ou de vin chaud, qu'elle vive de gelées, de panades, de bouillons, etc., et lui donner aussi en même temps des remèdes anti-hystériques, comme myrrhe, borax, safran, blanc de baleine, sel volatil de succin, racine de valériane sauvage, esprits volatils, et semblables.

pas : les vapeurs étaient si violentes, qu'elles résistaient à tous les remèdes. — Voyant donc que le moyen de sauver la malade était de ne rien faire du tout, je crus devoir abandonner à la nature et au temps le soin de la guérison. Cela réussit à merveille jusqu'au quatorzième jour, car, visitant chaque jour la malade, je ne la trouvais jamais plus mal que le jour d'auparavant. Mais au bout de ce temps-là, des femmes qui étaient auprès d'elle, et que j'avais eu bien de la peine jusqu'alors d'empêcher de lui nuire, en voulant lui rendre service, persuadèrent au mari de la faire saigner incessamment du pied. Elle fut saignée ; mais bientôt les paroxysmes hystériques devinrent si violents, qu'au bout de quelques heures il survint des spasmes qui furent bientôt suivis de la mort.

801. Ainsi, non-seulement dans les maladies des femmes accouchées, mais encore dans toutes les maladies aiguës, lorsque je ne suis pas assuré de pouvoir les guérir par mes remèdes, le meilleur parti que j'ai à prendre, si je veux remplir les devoirs d'un honnête homme et d'un bon médecin, c'est de ne rien faire du tout, pourvu qu'en visitant le malade je ne le trouve pas plus mal que le jour d'auparavant, et que je puisse conjecturer raisonnablement qu'il ne sera pas plus mal le lendemain : au lieu que si en traitant ce malade j'emploie une méthode dont je ne connaisse pas sûrement l'efficacité, il risquera autant du côté des remèdes que je hasarderai que du côté de la maladie même ; et le danger, au lieu de simple qu'il était, deviendra double, et la guérison par conséquent difficile. — Il est vrai que dans le temps dont je parle je ne vois aucun signe manifeste d'une guérison seulement commencée ; mais cependant je suis très-assuré qu'une maladie aiguë ne saurait toujours durer : ainsi, à mesure que le temps se passe, le danger diminue, ou du moins le médecin trouve l'occasion d'employer des remèdes plus à propos, et avec plus de succès qu'il n'aurait fait auparavant. — Ce que j'avance ici regarde principalement les maladies des femmes accouchées, où la moindre méprise peut avoir des suites funestes, et où l'on est si peu maître de gouverner une évacuation naturelle, dont la suppression produit des accidents terribles que nous avons rapportés ci-devant.

802. Les vapeurs hystériques ne viennent pas toujours d'une faiblesse naturelle des esprits animaux, elles viennent encore très-souvent d'une cause accidentelle, savoir, d'un flux immodéré des vidanges ou des règles. Le premier arrive principalement les premiers jours après un accouchement laborieux, et il est suivi d'un grand nombre de symptômes hystériques ; mais, pour l'ordinaire, il ne dure pas long-temps, et on le guérit sans peine en ordonnant un régime de vivre un peu incrassant, auquel on pourra ajouter la potion suivante (1).

Prenez de l'eau de plantain et du vin rouge, de chacun, une livre : faites-les bouillir ensemble jusqu'à la consomption du tiers, et adoucissez-les ensuite avec suffisante quantité de sucre fin. Quand cette boisson sera refroidie, la malade en prendra un demi-setier deux ou trois fois par jour.

Elle usera de temps en temps de quelque julep anti-hystérique doux, et elle approchera souvent de son nez le nouet suivant :

Prenez galbanum et assa-fétida, de chacun, deux gros ; castoréum, un gros et demi ; sel volatil de succin, un demi-gros : mêlez tout cela ensemble pour un nouet.

Ou bien :

Prenez deux gros d'esprit de sel ammoniac que la malade flairera souvent.

803. Quant au flux immodéré des règles, quoique les femmes y soient sujettes en tout temps, elles en sont néanmoins beaucoup plus souvent attaquées peu de temps avant que les règles cessent entièrement d'elles-mêmes, c'est-à-dire vers l'âge de quarante-cinq ans, lorsqu'elles les ont eues de bonne heure, et vers l'âge de cinquante ans lorsqu'elles les ont eues plus tard. La grande quantité de sang que les femmes perdent alors leur cause des vapeurs presque continuelles. — Les remèdes anti-hysté-

(1) L'auteur, dans le texte latin, appelle, je ne sais pourquoi, les vidanges *des règles qui coulent pendant les couches*; car les règles ne viennent jamais dans ce temps-là. Le flux immodéré des vidanges se guérit en tenant la malade un peu fraîchement, par la saignée, si les forces le permettent, par les calmants et les narcotiques, par l'usage intérieur et extérieur des astringents, et spécialement en appliquant sur le ventre et les lombes des linges trempés dans le vinaigre. La teinture styptique d'Helvétius convient encore extrêmement dans ce cas-là.

riques, tant internes qu'externes, conviennent dans ce cas-là pourvu qu'on les emploie légèrement, et seulement les plus doux, crainte d'augmenter la perte. Mais l'essentiel de la curation consiste à arrêter l'écoulement, et en voici la manière :

804. On tirera 8 onces de sang au bras; le lendemain, on donnera une potion purgative ordinaire qui sera réitérée deux autres fois, en laissant un jour d'intervalle entre chaque médecine; et durant le cours de la maladie, on fera prendre tous les soirs une once de sirop diacode. On prescrira aussi l'électuaire suivant.

Prenez conserve de roses sèches, deux onces; trochisques de terre de Lemnos, une dragme et demie; écorce de grenade et corail rouge préparé, de chacun, deux scrupules; pierre hématite, sang de dragon et bol d'Arménie, de chacun, un scrupule; sirop de corail simple, ce qu'il en faut pour former un électuaire, dont le malade prendra gros comme une bonne noix muscade le matin et à cinq heures après-midi, buvant par-dessus chaque prise six cuillerées du julep qui suit.

Prenez des eaux de bourgeons de chêne et de plantain, de chacune, trois onces; eau de cannelle orgée et sirop de roses sèches, de chacun, une once; esprit de vitriol, autant qu'il en faut pour donner au julep une agréable acidité.

Prenez feuilles de plantain et d'ortie, quantité suffisante; pilez-les dans un mortier de marbre, et exprimez-en le suc, que vous clarifierez ensuite; et quand il sera froid, on donnera à la malade six cuillerées trois ou quatre fois par jour.

Après la première purgation, on appliquera sur la région des reins l'emplâtre suivant :

Prenez d'emplâtre diapalme et de celui pour la hernie, de chaque, partie égale : mêlez-les ensemble et les étendez sur de la peau.

805. Il faut ordonner un régime rafraîchissant et incrassant, si ce n'est que le malade pourra prendre une fois ou deux par jour un petit verre de vin clairet; et quoique ce vin ne convienne pas tout-à-fait, en ce qu'il met aisément le sang en mouvement, on peut néanmoins l'accorder pour soutenir les forces. — Cette méthode, que nous recommandons dans le flux immodéré des règles, n'est pas moins utile pour prévenir les fausses couches dans les femmes qui en sont menacées. Il faudra seulement, dans ce dernier cas, s'abstenir des purgatifs et des sucs des plantes (1).

806. Une autre cause de la passion hystérique, mais moins fréquente, c'est la chute de la matrice qui survient après un accouchement laborieux, et qui produit quantité de symptômes hystériques. On la guérit promptement et facilement par le remède qui suit :

Prenez deux onces d'écorce de chêne; faites-les bouillir dans quatre livres d'eau de fontaine, qui seront réduites à deux. Ajoutez, sur la fin, de l'écorce de grenade pilée, une once; des roses rouges et des fleurs de grenade, de chacune, deux poignées; et ensuite demi-livre de vin rouge. Ayant passé la liqueur, on s'en servira pour fomenter la partie malade avec un morceau de flanelle, le matin, deux heures avant que la personne sorte du lit, et le soir, après qu'elle est couchée, continuant ainsi jusqu'à ce que les symptômes aient entièrement cessé (2).

807. Voilà, monsieur, toutes les observations que j'ai faites jusqu'à présent sur l'histoire et le traitement de la passion hystérique. Il ne me reste qu'à vous prier d'excuser les fautes que je puis avoir commises dans la description de cette maladie, et de recevoir en bonne part cette petite dissertation que j'ai composée exprès pour vous témoigner ma reconnaissance de l'approbation dont vous voulez bien honorer mes autres écrits. C'est un avantage qui m'arrive si rarement de la part des autres hommes, que j'en dois nécessairement conclure, ou que je n'ai rendu aucun service au genre humain, ou que ces hommes généreux et sincères que la nature a remplis

(1) Une infusion de quinquina dans le vin rouge est un remède qui n'est pas à mépriser dans ce cas-là, et il sera bon d'employer sur la partie une fomentation astringente, comme celle qui est décrite à l'art. suivant. On recommande la décoction d'écorce d'orange, et l'expérience a fait voir que c'était un remède innocent et efficace.

(2) Il n'est point parlé ici de la situation que doit garder la malade, et qui est si nécessaire dans cette maladie, que souvent on ne peut la guérir sans cela. Ainsi la malade s'abstiendra de tout mouvement, se tiendra dans une situation horizontale, usera de cordiaux et de légers astringents, et observera un régime convenable.

de reconnaissance sont en bien petit nombre. Je ne laisserai pas néanmoins de continuer à rechercher et à perfectionner de tout mon pouvoir la méthode de traiter les maladies et à instruire les praticiens qui ont moins d'expérience que moi, supposé qu'il y en ait de tels. Du reste, le public aura de moi telle opinion qu'il lui plaira : car, en examinant sérieusement et équitablement lequel vaut mieux, ou de rendre service aux hommes, ou d'en être loué, je trouve que le premier est préférable et très-satisfaisant pour un cœur noble et généreux, au lieu que la réputation et les applaudissements populaires sont plus frivoles qu'une ombre et plus vains qu'un songe. Que si les richesses que procure la célébrité du nom paraissent quelque chose de plus solide, que ceux qui les ont acquises en jouissent, je n'envie pas leur bonheur ; mais qu'ils se souviennent que les plus vils artisans amassent quelquefois, et laissent à leur postérité de plus grands biens, et néanmoins n'ont rien en cela de supérieur aux bêtes, lesquelles n'oublient rien pour se procurer à elles et à leurs familles les choses nécessaires. Car, si nous exceptons les bonnes actions, qui viennent d'un choix libre et d'une disposition vertueuse, et dont les bêtes sont naturellement incapables, elles ne sont point inférieures à ces gens-là ni à tous les autres hommes qui n'ont pas en vue le bonheur public.

Je vous prie, monsieur, de vouloir faire mes compliments à M. Kendrick, notre savant ami ; c'est à lui que je dois l'avantage de connaître l'affection que vous avez pour moi. Je n'oublierai rien pour vous en marquer ma reconnaissance, étant avec tout le dévouement et l'attachement possible,

Monsieur, etc.

TH. SYDENHAM.

A Londres, ce 20 janvier 1681-2.

TRAITÉ DE LA GOUTTE.

808. On ne manquera pas de croire qu'il est très-difficile, et même presque impossible de connaître la nature de la goutte, ou que j'ai bien peu d'esprit et de sagacité, puisque, malgré les observations que j'ai faites sur l'histoire et le traitement de cette maladie, je n'ai pu m'en guérir moi-même depuis trente-quatre ans que j'en suis affligé. Quoi qu'il en soit, je ne laisserai pas de rapporter ici de bonne foi tout ce que j'ai pu découvrir jusqu'à présent sur cette matière ; je ne dissimulerai point les difficultés qui s'y rencontrent, et je m'assure que le temps confirmera et éclaircira mes observations.

809. La goutte attaque le plus souvent les vieillards qui, après avoir passé la plus grande partie de leur vie dans la mollesse, les plaisirs et la bonne chère, dans les excès de vin et d'autres liqueurs spiritueuses, étant ensuite appesantis par l'âge, ont abandonné entièrement les exercices du corps auxquels ils étaient accoutumés dès leur jeunesse. Outre cela, ceux qui sont sujets à la goutte ont la tête grosse, sont ordinairement d'une corpulence pleine, molle et humide, mais d'une constitution forte et robuste, et ont de très-bons principes de vie.

810. On ne laisse pas néanmoins de voir quelquefois, mais plus rarement, des personnes maigres et décharnées sujettes à la goutte, et même des jeunes gens, savoir, ceux qui ont hérité cette maladie de leur père, ou ceux qui, sans l'avoir d'origine, se sont livrés de bonne heure et avec excès aux plaisirs de l'amour, ou qui ont tout-à-fait renoncé à leurs exercices ordinaires, et ont été avec cela de grands mangeurs, et après avoir usé immodérément des liqueurs spiritueuses, sont ensuite passés tout d'un coup à l'usage des boissons légères et rafraîchissantes (1).

(1) Un changement subit d'une extrémité à l'autre ne saurait manquer d'affaiblir beaucoup le tempérament dans la

811. Lorsque la goutte survient pour la première fois dans la vieillesse, elle n'a jamais des périodes si réglées et n'est jamais si violente que lorsqu'elle attaque dans la jeunesse. La raison de cela, c'est que la mort arrive d'ordinaire avant que la maladie ait eu le temps de parvenir à son plus haut degré, et que la chaleur naturelle et la vigueur du corps étant diminuées à cet âge, la matière morbifique ne saurait être poussée si fortement et si régulièrement aux articulations. — Quand la goutte attaque de meilleure heure, elle est d'abord vague et peu douloureuse, ne dure pas longtemps, cesse et revient sans aucune règle, et sans garder de période certaine; mais insensiblement elle se fixe et prend un type régulier, tant par rapport à la saison de l'année où elle arrive que par rapport à la durée de l'accès; et alors elle se fait sentir avec beaucoup plus de violence qu'au commencement.

812. Je parlerai d'abord de la goutte régulière, ensuite de l'irrégulière, c'est-à-dire de celle que des remèdes employés mal à propos ont fait remonter, ou qui, à raison de la trop grande faiblesse du sujet, n'a pu produire les véritables symptômes de la maladie. — La goutte régulière arrive soudainement à la fin de janvier ou au commencement de février, sans presque aucun avant-coureur, si ce n'est que le malade, quelques semaines auparavant, a été incommodé de crudités d'estomac, ou d'indigestion, et qu'il s'est trouvé pesant et gonflé comme par des vents. Cette enflure et pesanteur augmentent de jour en jour, jusqu'à l'arrivée de l'accès, qui est précédé de quelques jours par un engourdissement : en même temps le malade sent comme des vents qui descendent le long des muscles des cuisses, avec une espèce de crampe. — La veille de l'accès le malade a un appétit plus grand que de coutume, et qui n'est pas naturel. Se portant bien en apparence, il se met au lit et s'endort; mais, vers deux heures après minuit, il est réveillé par une douleur qui se fait sentir d'ordinaire au gros doigt du pied et quelquefois aussi au talon, au gras de jambe ou à la cheville du pied. Cette douleur ressemble à celle qui accompagne la dislocation des os de ces parties, avec un sentiment comme d'une eau qui ne serait pas tout-à-fait froide, répandue sur les membranes de la partie affectée; et bientôt après, il survient un froid, un tremblement et une fièvre légère. — La douleur, qui d'abord est supportable, devient par degrés plus fâcheuse, et, à mesure qu'elle augmente, le froid et le tremblement diminuent : cela dure ainsi tout le jour, jusqu'à ce qu'enfin vers le soir la douleur parvient à son plus haut point, s'accommodant aux différents os du tarse et du métatarse, dont elle attaque les ligaments. Cette douleur ressemble tantôt à une tension violente, ou à un déchirement des ligaments, tantôt à celle que cause la morsure d'un chien, et quelquefois à celle qui est produite par une violente compression. De plus, la partie affligée ressent une douleur si vive, qu'elle ne peut seulement supporter le poids de la couverture, ni qu'on marche un peu fortement dans la chambre. Le malade s'agite continuellement, et fait mille efforts pour donner une autre situation tant à tout son corps qu'à la partie affectée. — Mais c'est inutilement qu'il cherche à apaiser la douleur; elle ne cesse que vers les deux ou trois heures du matin, après que l'accès a duré l'espace d'un jour et d'une nuit. Alors l'hétérogène étant un peu digéré et dissipé, le malade éprouve tout à coup un soulagement qu'il attribue mal à propos à la situation où il est parvenu à mettre la partie souffrante. Il lui prend ensuite une douce moiteur, et il se laisse aller au sommeil. — A son réveil, la douleur est encore fort diminuée, et pour lors il aperçoit la partie malade tuméfiée, au lieu qu'auparavant on n'y voyait qu'un gouflement considérable des veines, comme il est ordinaire dans toutes les attaques de goutte. Le lendemain, et même pendant deux ou trois jours, lorsque la matière morbifique est abondante, il reste un peu de douleur, qui augmente sur le soir et diminue dès le grand matin. — Peu de jours après, l'autre pied se trouve attaqué d'une douleur semblable et avec les mêmes symptômes; et quand elle est fort violente, il ne reste plus ni douleur ni faiblesse au pied qui a souffert le premier, et qui se trouve dans le même état

plupart des sujets et peut aisément leur causer la goutte ou d'autres maladies chroniques, suivant qu'ils y ont plus de disposition; de cette manière il fera un plus grand mal que celui qu'on voulait prévenir. Ainsi quand on veut changer sa manière de vivre, il faut toujours avoir soin de prendre conseil, et que ce changement se fasse par degrés et peu à peu.

que s'il n'avait jamais souffert. Quelquefois néanmoins la matière nuisible est si abondante, que, ne pouvant se décharger tout entière sur l'un des pieds, elle se fait sentir en même temps, et avec la même violence, dans tous les deux, dès les premiers jours de la maladie ; mais, pour l'ordinaire, elle n'attaque les deux pieds que successivement. — Après que les deux pieds ont été ainsi maltraités, les accès qui suivent sont sans règle, tant pour leur commencement que pour leur durée, à l'exception que la douleur augmente toujours le soir et diminue le matin. Tous ces petits accès composent l'accès entier de la goutte, qui est plus long ou plus court, suivant l'âge du malade. Car il ne faut pas croire qu'un homme qui a été tourmenté de la goutte pendant deux ou trois mois n'ait eu qu'un seul et même accès ; il a eu une suite et un enchaînement de plusieurs petits accès, dont le dernier a toujours été plus doux et plus court que le précédent, jusqu'à ce qu'enfin, la matière morbifique étant tout-à-fait détruite, le malade recouvre sa première santé. — Dans les sujets vigoureux et dans ceux que la goutte attaque plus rarement, l'accès ne dure souvent que quatorze jours. Dans les vieillards et dans ceux qui ont été souvent attaqués, il dure jusqu'à deux mois ; enfin, dans ceux qui ont déjà été affaiblis par la longueur de la maladie, il dure encore davantage, et on n'en est quitte que lorsque l'été est déjà avancé. — Durant les quatorze premiers jours, l'urine est fort colorée, et laisse, après qu'elle est reposée, un sédiment rouge et plein de petits sables. Le malade ne rend le plus souvent en urinant que la troisième partie de sa boisson ; et, pendant ce temps-là, le ventre est serré. La perte d'appétit, un froid de tout le corps vers le soir, une pesanteur et une sensation douloureuse, même dans les parties qui ne sont point attaquées, accompagnent l'accès pendant toute sa durée. — Lorsque l'accès finit, il survient au pied malade une démangeaison insupportable, surtout entre les orteils, d'où il se détache une matière semblable à du son, et il tombe des écailles de la peau des pieds, comme il arrive à ceux qui ont été empoisonnés. La maladie étant terminée, les forces et l'appétit reviennent plus ou moins vite, à proportion que l'accès a été plus ou moins violent ; et il en est de même de l'accès suivant : c'est-à-dire que si le dernier a été fort cruel, le suivant ne paraîtra précisément qu'au bout de l'année (1).

813. Tels sont les véritables symptômes de la goutte régulière ; mais, quand cette maladie n'est pas traitée méthodiquement, ou qu'elle a duré long-temps, et s'est, pour ainsi dire, naturalisée dans le corps, ou lorsque la nature n'est pas en état d'expulser comme il faut la matière dépravée, les symptômes sont bien différents de ceux que nous venons de décrire. — Les pieds sont le siége propre de l'hétérogène goutteux, et quand il se porte ailleurs, c'est une marque sûre que l'on a employé une mauvaise méthode dans la curation, ou que la force du corps a diminué peu à peu. Or, la douleur qui, dans la goutte régulière, n'occupait que les pieds, occupe dans l'irrégulière, les mains, les poignets, les coudes et d'autres endroits, et s'y fait sentir vivement. Quelquefois, après avoir tourmenté un ou plusieurs doigts, elle les tord et les rend semblables à une botte de panais, les prive peu à peu de leurs mouvements, et forme autour de leurs ligaments des concrétions tophacées, qui détruisent la peau et l'épiderme des articulations, et ressemblent à de la craie ou à des yeux d'écrevisses, qu'on peut tirer avec la pointe d'une épingle. — Quelquefois la matière morbifique se jette sur les coudes, et y forme une tumeur blanchâtre qui est presque de la grosseur d'un œuf, et qui peu à peu s'enflamme et devient rouge. D'autres fois elle occupe la cuisse, et fait sentir comme un poids qui y serait suspendu, sans causer pourtant de douleur considérable : de là passant au genou, elle l'afflige davantage et empêche son mouvement, en sorte que le malade est comme cloué dans son lit, sans pouvoir bouger de sa place. — Quand il s'agit de le remuer, soit à raison du ma-

(1) Cette description de la goutte régulière est la plus exacte qu'on ait jamais donnée et qu'on puisse donner. On voit bien qu'elle est copiée d'après nature, et il n'est point de goutteux qui ne se reconnaisse dans ce fidèle tableau. L'exactitude de notre auteur dans la description des maladies mérite d'être proposée à tous ceux qui voudront écrire sur la médecine comme un modèle vraiment digne d'être imité. Le célèbre Hoffmann a inséré tout au long cette histoire de la goutte dans son discours sur cette maladie, ne croyant pas pouvoir en donner une meilleure.

laise qu'il sent par tout le corps, et qui est si ordinaire dans cette maladie, soit pour quelque besoin naturel, si on n'apporte pas toute l'attention possible à le manier délicatement, on lui cause une douleur qui serait insupportable si elle durait quelque temps. Cette attention et cette délicatesse qu'il faut avoir en remuant le malade n'est pas une des moindres incommodités de la goutte; car les douleurs violentes ne durent pas pendant tout le temps de l'accès lorsqu'on a le soin de tenir la partie affligée dans un parfait repos.

814. La goutte qui, auparavant, ne commençait d'ordinaire que sur la fin de l'hiver, et se terminait au bout de deux ou trois mois, dure ensuite pendant toute l'année, excepté deux ou trois mois en été. Et, comme l'accès entier est alors plus long qu'auparavant, chacun des petits accès qui le composent l'est aussi davantage; car, au lieu qu'auparavant chacun ne durait qu'un jour ou deux, présentement il dure jusqu'à quatorze jours, en quelque endroit qu'il se fixe, surtout s'il occupe les pieds ou les genoux. De plus, dès le premier ou le second jour de l'accès, le malade, outre la douleur, sent un certain malaise et perd entièrement l'appétit.

815. Avant que la goutte fût à ce point de violence, le malade avait de longs intervalles entre les attaques, et alors il jouissait d'une parfaite santé, et faisait bien toutes ses fonctions; mais dans le temps dont je parle, il a les membres presque entièrement retirés et empêchés; et quoiqu'il puisse se tenir debout et même marcher un peu, il ne le fait néanmoins qu'avec beaucoup de peine, et en boîtant, en sorte qu'il ne semble presque pas se remuer du tout; et s'il s'obstine à vouloir marcher au-delà de ses forces, afin de se dégourdir et d'éloigner la goutte, il risque d'attirer sur les viscères l'humeur arthritique, qui, durant cet intervalle, n'a jamais été entièrement dissipée, et qui n'a pas la même liberté de se jeter sur les pieds, quoique, dans ce temps même, les pieds ne soient pas tout-à-fait exempts de douleur, et qu'ils souffrent toujours plus ou moins.

816. Le malade est encore affligé de plusieurs autres symptômes, comme de douleurs aux veines hémorrhoïdales, de rapports nidoreux et fétides, toutes les fois qu'il a mangé quelque chose d'indigeste ou qu'il a pris seulement la même quantité de nourriture qui convient à un homme en santé. Il manque d'appétit; tout son corps est faible et languissant. L'urine, qui auparavant, était fort colorée et en petite quantité, surtout pendant les accès, est alors très-abondante et de la couleur de celle que l'on rend dans les diabétès. Le malade ressent au dos et en d'autres endroits une démangeaison très-incommode, surtout vers l'heure du sommeil. Enfin, sa vie n'est qu'une suite de maux et de douleurs, sans qu'il jouisse d'aucune des douceurs de la vie.

817. Un autre symptôme de la goutte irrégulière invétérée, c'est que, quand le malade s'étend pour bailler, principalement le matin, il survient dans les ligaments des os du métatarse une convulsion violente, avec une sensation comme si on les serrait fortement. D'autres fois, sans qu'il ait précédé aucun bâillement, le malade, s'étant endormi, ressent tout à coup une douleur, comme si on lui brisait le métatarse d'un coup de massue. Quelquefois les tendons des muscles extenseurs de la jambe sont attaqués d'un spasme violent, avec une douleur si horrible que, pour peu qu'elle durât, elle surpasserait toute patience humaine.

818. Après de longs et cruels tourments, les accès qui viennent ensuite sont moins douloureux, comme étant un gage de la délivrance que la mort prochaine doit bientôt accorder au malade; car la nature, étant affaiblie par la vieillesse, ou accablée par le poids de la matière morbifique, n'est plus en état de la pousser fortement et irrégulièrement aux extrémités du corps; et au lieu des douleurs accoutumées, il survient une espèce de mal d'estomac, avec des tranchées, des lassitudes spontanées, et quelquefois un commencement de diarrhée. —Tandis que ces symptômes subsistent, la douleur des extrémités cesse; et quand elle revient, ils disparaissent à leur tour : de sorte que la douleur des membres et le mal d'estomac se succèdent alternativement l'un à l'autre. Mais comme cette douleur va toujours en diminuant à chaque accès, quoique les accès soient plus longs qu'auparavant, il arrive de là que le mal d'estomac, plutôt que la douleur, cause la mort au malade; car celle qu'il ressent alors n'est pas à beaucoup près si grande que celle qu'il souffrait quand il avait toutes ses forces. Mais lorsque les accès étaient plus violents, les intervalles étaient plus longs et la

santé meilleure ; et quand la douleur diminue, les intervalles des accès deviennent plus courts et la santé plus mauvaise. Ainsi l'on peut dire que la douleur dans la goutte est un remède très-amer dont se sert la nature.

819. Ce ne sont pas encore là tous les symptômes de cette maladie : elle produit très-souvent la pierre dans les reins, soit parce que le malade est obligé de demeurer long-temps couché sur le dos, soit parce que les reins ne font pas leurs fonctions ; peut-être aussi que cette pierre est une portion de la matière morbifique de la goutte, ce que je n'entreprendrai pas de décider. Quoi qu'il en soit de l'origine de cette pierre dans les reins, elle ne cause pas de moindres douleurs que la goutte ; quelquefois même, s'engageant dans les conduits urinaires, et supprimant l'urine, elle fait périr le malade, et lui épargne les longues douleurs qu'il aurait eu à souffrir de la goutte.

820. Le comble du mal, c'est que, pendant toute la durée de l'accès, l'esprit n'est pas moins malade que le corps, et qu'il est en proie à la colère, à la crainte, au chagrin et à toutes les passions de cette nature, dont la faiblesse où il est réduit par la maladie le rend très-aisément susceptible. De là vient que les goutteux sont également à charge à eux-mêmes et aux autres, et leur esprit ne devient tranquille que quand le mal cesse et qu'ils ont recouvré la santé.

821. Enfin, pour achever la description de cette cruelle maladie, les viscères se trouvent à la longue tellement surchargés de l'humeur goutteuse qui y séjourne et tellement lésés, que les organes sécrétoires ne peuvent plus s'acquitter de leurs fonctions : d'où il arrive que, le sang dépravé dans son mélange n'ayant plus la liberté de circuler, et la matière arthritique ne se portant plus aux extrémités du corps, comme elle avait accoutumé, la mort vient enfin terminer une vie si misérable.

822. Mais ce qui doit me consoler, ainsi que les autres goutteux qui n'ont ni de grands biens, ni un grand génie, c'est que des rois, des princes, des généraux d'armée, des amiraux, des philosophes, et plusieurs autres hommes illustres ont vécu et sont morts de la sorte. En un mot, la goutte a cela de particulier qu'on ne trouvera dans presque aucune autre maladie, c'est qu'elle tue plus de riches que de pauvres, et plus de gens d'esprit que de stupides. La nature ne nous montre-t-elle pas clairement par-là que la Providence traite sans injustice et sans acception de personnes tous ses enfants? Ceux à qui elle a refusé les commodités de la vie en sont abondamment dédommagés par d'autres avantages, et ceux qu'elle a favorisés avec profusion des biens de la fortune se trouvent à proportion chargés d'infirmités : de sorte que c'est une loi universelle et inviolable qu'aucun homme n'est entièrement heureux, ni entièrement malheureux, mais que chacun éprouve un mélange de biens et de maux ; et ce mélange, qui est si conforme à notre faiblesse et à notre condition mortelle, est sans doute un avantage pour nous.

823. La goutte attaque rarement les femmes, et seulement celles qui sont déjà avancées en âge et dont le tempérament vigoureux approche de celui des hommes. Lorsque les femmes maigres ont quelquefois dans leur jeunesse ou dans l'âge de consistance des symptômes qui ressemblent à la goutte, ils doivent être attribués à des affections hystériques ou à des rhumatismes dont elles ont été autrefois attaquées, et dont le levain n'a pas été d'abord suffisamment évacué. — Je n'ai pas encore vu d'enfants, ni de ceux qui sont au-dessous de la jeunesse, attaqués d'une véritable goutte ; mais je connais des sujets qui, dans cet âge tendre, en ont eu de légères atteintes, savoir, ceux dont les pères avaient actuellement cette maladie lorsqu'ils les engendrèrent (1). Et voilà tout ce que j'avais à dire sur l'histoire de la goutte.

824. Après avoir examiné avec toute l'attention possible les divers phénomènes de la goutte, il me paraît que sa cause est un défaut de coction dans toutes les humeurs par la faiblesse des solides (2) ;

(1) Boerhaave dit qu'il a vu des enfants goutteux, et que des femmes ont gagné cette maladie en couchant avec leurs maris qui en étaient attaqués. *Prax. Méd.*, 1, *vol.* 5, *p.* 195.

(2) Cela peut bien disposer à la goutte, comme aussi à d'autres maladies, soit aiguës, soit chroniques, mais on ne saurait dire, dans un sens exact, que ce soit la seule et unique cause d'aucune maladie plutôt que d'une autre. — La véritable cause de la goutte est le défaut de la transpiration insensible, dont la matière, qui est âcre et saline, étant accumulée dans le corps, se dépose ensuite sur les articulations. Plusieurs raisons

car ceux qui sont sujets à cette maladie étant ou des gens usés par l'âge, ou qui, par leurs débauches, se sont attirés une vieillesse prématurée ; ils manquent universellement d'esprits animaux, qui ont été épuisés par un exercice immodéré des fonctions les plus vigoureuses dans la chaleur de la jeunesse, comme par un usage prématuré et excessif des plaisirs vénériens, par les grandes fatigues qu'ils ont follement essuyées pour contenter leurs passions, et par d'autres causes semblables. — De plus, le grand âge ou la paresse leur a fait interrompre ou abandonner tout d'un coup les exercices du corps auxquels ils étaient accoutumés de jeunesse, et qui servaient à donner de la vigueur au sang, à fortifier les parties solides ; d'où il arrive que le corps tombe dans la langueur, que les digestions se font mal et que les humeurs nuisibles, que l'exercice dissipait auparavant, séjournent dans les vaisseaux et deviennent une semence de la goutte. — Le mal a été quelquefois augmenté par l'étude ou par une application trop constante à des choses sérieuses, application qui détourne les esprits animaux et les empêche de fournir aux différentes coctions d'une manière convenable. D'ailleurs, comme les goutteux ont généralement grand appétit, et surtout pour les aliments les plus indigestes, ils ne se ménagent pas davantage là-dessus que lorsqu'ils faisaient des exercices du corps, et ainsi ils ne sauraient bien digérer ce qu'ils mangent.

825. Mais quoique la gourmandise et la trop grande quantité de nourriture produisent assez souvent la goutte, elle est encore bien plus souvent l'effet des

---

prouvent la vérité de cette proposition. — Les vieillards sont beaucoup plus sujets à la goutte que les autres : aussi la transpiration diminue-t-elle chez eux à mesure qu'ils avancent en âge. — Sydenham dit que la goutte attaque ceux qui ont cessé les exercices auxquels ils s'étaient livrés pendant leur jeunesse. Sanctorius fait voir que l'oisiveté diminue la transpiration, et que l'exercice l'augmente. — Sydenham dit que les gens d'une corpulence humide, lâche et molle sont plus sujets à la goutte que les autres. Sanctorius annonce que ce sont précisément ces gens-là qui transpirent le moins. — Sydenham dit que ceux qui mangent beaucoup et souvent, et ceux qui boivent beaucoup de vin et de liqueurs spiritueuses contractent la goutte. Sanctorius montre que tout cela contribue à diminuer la transpiration. — La goutte attaque pour l'ordinaire à la fin de janvier ou au commencement de février. C'est dans ce temps que la matière de la transpiration a eu le loisir de s'accumuler, et M. Dodart a observé qu'en hiver la transpiration est moindre presque de moitié. — Les remèdes qu'on vante pour soulager la goutte sont propres à rétablir la transpiration, comme le régime de vie, les frictions, le mouvement, l'exercice à cheval, le lait, le quinquina, l'électuaire de Sydenham, l'ail, le mars, la racine de squine, etc. — D'un autre côté, les gens qui sont forcés de vivre d'un travail corporel sont exempts de la goutte. La raison en est claire : c'est qu'ils transpirent beaucoup. C'est par la même raison que les enfants n'y sont pas sujets. Les femmes en sont exemptes tant qu'elles ont leurs règles, parce que la matière de la transpiration retenue s'évacue avec les menstrues. — L'hiver favorise la génération de la goutte plus que l'été. Ce n'est donc pas le défaut de digestion qu'il faut accuser, puisqu'elle s'exécute mieux l'hiver que l'été, mais le défaut de transpiration qui est beaucoup moindre, en hiver qu'en été. — Les voyages dans les climats chauds sont un moyen très-efficace pour guérir la goutte, qu'on chercherait en vain à guérir dans les pays froids. Cependant la digestion ne se fait pas mieux dans les climats chauds que dans les climats froids ; mais la transpiration y est plus abondante. Donc c'est la suppression ou la diminution de la transpiration qu'on doit accuser. — Les purgatifs long-temps continués sont nuisibles dans la goutte : c'est qu'ils diminuent la transpiration, comme font aussi les saignées fréquentes. — Sydenham lui-même propose le rappel de la transpiration comme la crise de la goutte et son remède ; preuve évidente, par la loi des contraires, que la suppression ou la diminution de la transpiration en est la cause. Il paraît même, par la manière dont cet auteur s'exprime dans un endroit de son traité de la goutte, qu'il se défiait de la cause qu'il avait proposée de cette maladie, et même qu'il comptait s'être trompé. — Enfin les douleurs de la goutte augmentent la nuit à la manière des rhumatismes, fluxions et autres maux qui dépendent de la transpiration. Tout cela prouve que le but principal qu'on doit se proposer pour guérir la goutte est de rétablir la transpiration. (Voyez *de Saulx, Dissert. sur la goutte, p. 40, etc.*)

excès de vin, dont les vapeurs nuisibles corrompent les levains digestifs, précipitent les coctions, surchargent le sang d'une abondance excessive d'humeurs, causent des engorgements dans les viscères, affaiblissent et accablent les esprits animaux. Je dis affaiblissent et accablent, car si la goutte ne venait que de la faiblesse des esprits, elle attaquerait également les enfants, les femmes et les personnes infirmes, au lieu qu'elle n'attaque presque que les gens les plus robustes et du meilleur tempérament; mais cela n'arrive que quand le défaut de chaleur et l'épuisement ou l'affaiblissement des esprits ont occasionné le vice des digestions et l'accumulation des humeurs nuisibles.

826. Les causes que nous avons rapportées produisent également le relâchement des fibres et la crudité des humeurs. Ces humeurs crues s'accumulant dans le sang, y séjournent et y acquièrent une chaleur et une âcreté particulières, et comme les vaisseaux affaiblis et relâchés ne peuvent plus les contenir dans leur direction naturelle, elles se jettent sur les articulations et causent dans les ligaments et dans le périoste des douleurs très-violentes. Ce transport des humeurs sur les articulations, en quoi consiste l'accès de goutte, arrive plus tôt ou plus tard, suivant qu'elle est déterminée par telle ou telle cause qui met les humeurs en mouvement.

827. Pour ce qui est de la curation de la goutte, je parlerai d'abord des remèdes dont il faut s'abstenir, et ensuite de ceux qu'il faut employer. — Je dis donc qu'à considérer la crudité des humeurs dans cette maladie, il semblerait d'abord qu'on doit travailler à les évacuer et après cela à fortifier les digestions, afin de prévenir l'accumulation de pareilles humeurs; car ce sont là les deux principales indications que l'on est obligé de remplir dans la plupart des maladies humorales. Mais il n'en est pas de même dans la goutte. La nature dans cette maladie se débarrasse elle seule de la matière nuisible, et pour cela elle la dépose sur les articulations et la dissipe ensuite par la transpiration insensible. Il n'y aurait que trois moyens d'évacuer l'humeur goutteuse, savoir, la saignée, la purgation et les sueurs. Or, aucun de ces trois moyens ne réussira jamais.

828. Premièrement, quoique la saignée paraisse très-propre à évacuer la matière de la goutte, soit lorsqu'elle est sur le point de se jeter sur les articulations, soit lorsqu'elle les occupe déjà, il se trouve néanmoins qu'elle est évidemment opposée à l'indication que présente la cause antécédente de la maladie, et qui est le défaut de coction provenant de l'affaiblissement et de l'épaississement des esprits animaux, car la saignée ne ferait que les affaiblir et les épuiser davantage. Ainsi elle ne convient ni pour prévenir un accès que l'on craint, ni pour adoucir un accès présent, surtout dans les personnes avancées en âge. Et quoique le sang que l'on tire dans l'accès de la goutte ressemble très-souvent à celui que l'on tire dans le rhumatisme ou dans la pleurésie, il est certain néanmoins que la saignée est aussi nuisible dans la première de ces maladies, qu'elle est utile dans les deux autres. — Si l'on saigne dans l'intermission, et même fort loin des accès, il y a lieu de craindre que la saignée, en remuant les humeurs, n'attire un nouvel accès plus long que le précédent et accompagné de symptômes encore plus violents, parce que le sang étant affaibli ne pourra se débarrasser comme il faut du levain morbifique. Le même inconvénient arrive aussi toutes les fois que l'on saigne au commencement de l'accès. Si l'on saigne immédiatement après l'accès, il y a grand danger que la nature, déjà affaiblie par la maladie, ne succombe sous ce nouveau coup et qu'il ne survienne une hydropisie. — Néanmoins, si le malade est encore jeune et qu'il se soit échauffé par des excès de vin, on pourra tenter la saignée au commencement de l'accès; mais il ne faudra pas l'employer toujours dans les accès qui viendront ensuite, autrement la goutte s'enracinera bientôt, même dans les jeunes gens, et elle fera plus de progrès en peu de temps qu'elle n'aurait fait sans cela dans plusieurs années (1).

(1) La saignée n'est pas seulement utile, mais encore nécessaire dans les intervalles de la goutte quand il y a pléthore, et on peut la faire en toute sûreté; car lorsque les vaisseaux sont considérablement affaiblis et relâchés par un grand nombre d'attaques de goutte, la trop grande quantité de sang ne saurait manquer d'être extrêmement nuisible, puisque, en les distendant, elle les affaiblit encore davantage. D'ailleurs il arrive souvent que les goutteux ont un grand appétit dans les intervalles de leur mal, et digèrent très-bien : ainsi ils font beaucoup de

829. Secondement, la purgation, soit par haut, soit par bas, n'est pas moins à rejeter que la saignée. C'est une loi essentielle et inviolable de la nature, que l'humeur goutteuse doit toujours être expulsée aux articulations. Or, les émétiques et les purgatifs ne produiront autre chose que de la faire rentrer dans le sang, d'où elle se jettera peut-être sur quelque viscère; et ainsi le malade, qui auparavant était hors de tout péril, se trouvera en danger de la vie. — C'est ce qu'on voit arriver assez souvent à ceux qui se sont fait une habitude de prendre des purgatifs, afin de prévenir la goutte, ou, ce qui est encore pis, afin d'adoucir l'accès quand il est venu. A la vérité, la douleur des articulations cesse alors entièrement, ou du moins il en reste fort peu. Mais comme on attire les humeurs vers les intestins, et qu'ainsi on force la nature qui, en déposant la matière morbifique sur les articulations, mettait le malade en sûreté, il se trouve qu'au lieu de la douleur des extrémités, le malade est attaqué de maux d'estomac, de tranchées, de défaillances et de tous les autres symptômes de la goutte remontée.

830. Pour moi, je suis très-persuadé, par une longue et constante expérience, que tous les purgatifs, même les plus doux, que l'on met ordinairement en usage pour évacuer l'humeur goutteuse sont très-nuisibles, soit qu'on les emploie dans les accès, en vue de diminuer l'humeur arthritique, ou à la fin de l'accès, pour emporter le reste de la maladie, ou dans les intervalles des accès, et lorsque la personne est en bonne santé, afin de prévenir la goutte. J'ai éprouvé sur les autres et sur moi-même que la purgation, dans tous ces différents temps, n'a fait qu'augmenter le mal au lieu de le guérir. — D'abord, si on purge dans le fort de l'accès, on trouble la nature qui est alors occupée à séparer la matière morbifique et à la déposer sur les articulations, et on met quelquefois les esprits en grand désordre, ce qui rend l'accès plus violent et jette le malade dans un péril manifeste. — Si on purge à la fin de l'accès, on ne vient pas à bout d'évacuer les restes de l'humeur arthritique, et on décide au contraire un nouvel accès aussi cruel que le précédent, malheur que l'on aurait épargné au malade, si l'on n'avait pas mis les humeurs en mouvement. C'est ce qui m'est arrivé plus d'une fois à moi-même, pour avoir voulu mal à propos recourir aux remèdes, afin d'emporter, comme je m'imaginais, les restes de la matière morbifique. — Enfin, si on purge dans les intervalles des accès et lorsque la personne est en bonne santé, il est vrai qu'on ne risque pas tant que dans les deux premiers cas; mais la goutte ne laissera pas de revenir par les mêmes causes que nous avons rapportées ci-devant, et quand elle ne reviendrait pas d'abord, elle ne sera pas guérie pour cela. — Je sais des goutteux qui se purgeaient régulièrement non-seulement au printemps et en automne, mais encore chaque mois et même chaque semaine, sans néanmoins qu'aucun d'eux ait jamais pu se délivrer de la goutte; bien loin de là, elle est devenue plus cruelle et plus terrible que s'ils n'avaient fait aucun remède. Les purgatifs peuvent bien, à la vérité, évacuer une certaine portion de la matière morbifique; mais comme ils ne fortifient pas les digestions, et qu'au contraire ils les affaiblissent encore davantage et achèvent d'épuiser la nature languissante, ils attaquent seulement une des causes de la maladie, et par conséquent sont tout-à-fait incapables de la guérir.

831. On remarquera encore que les esprits animaux, étant faibles et languissants dans les goutteux, sont aisément troublés et mis en désordre par toutes les causes qui peuvent faire des impressions un peu violentes sur l'âme ou sur le corps, comme l'on voit arriver très-souvent dans les hommes qui sont sujets à l'affection hypocondriaque, et dans les femmes qui sont sujettes à l'affection hystérique. Cette facilité qu'ont les esprits à se mettre en désordre fait que la moindre évacuation attire presque toujours un accès de goutte : car les parties solides étant relâchées, et n'ayant plus cette tension qui dépend de la force des esprits, et qui est nécessaire pour la santé, la matière arthritique ne trouve plus

chyle, et surchargent leurs vaisseaux qui ont besoin en conséquence d'être desemplis de temps en temps par la saignée et par d'autres évacuations convenables, afin qu'ils puissent conserver leur élasticité, et que les liquides circulant plus librement ne s'épaississent pas. — Hoffmann recommande d'appliquer des ventouses sous la plante du pied tous les trois mois, et dit que cette méthode a été fort utile à plusieurs personnes, et qu'il s'en est bien trouvé lui-même. *Hoffmann, oper.*, *tome* 2, *p.* 346.

alors de résistance : ainsi elle se met en liberté, et se jetant sur les extrémités, forme l'accès de goutte.

832. Quelque pernicieuse que soit la méthode de purger dans cette maladie, elle n'a pas laissé de donner beaucoup de réputation à certains empiriques qui faisaient un grand secret du purgatif dont ils se servaient. Il est vrai que, durant la purgation, le malade ne souffre point, ou souffre très-légèrement, et que, si on peut la continuer pendant plusieurs jours sans qu'il survienne un nouvel accès, le malade sera délivré de l'accès présent; mais il paiera chèrement dans la suite ce petit avantage par les désordres que causera l'agitation des humeurs (1).

833. Enfin, pour ce qui est de la méthode d'évacuer l'humeur goutteuse par les sueurs, quoique cette méthode ne soit pas aussi mauvaise que les deux précédentes et qu'elle n'attire pas le levain morbifique sur les viscères, puisqu'au contraire elle le pousse vers la superficie du corps, elle ne laisse pas néanmoins d'être nuisible par plusieurs endroits. Premièrement, si on l'emploie hors des accès, c'est-à-dire lorsque l'humeur goutteuse est encore crue et indigeste et ne peut se séparer comme il faut de la masse du sang, on force la nature, et au lieu de détourner l'accès, on ne fait que l'avancer ; secondement, si on excite les sueurs durant l'accès, la violence avec laquelle la matière morbifique est alors poussée sur la partie souffrante augmente extrêmement les douleurs ; et, si cette matière se trouve trop abondante pour que le membre affligé puisse la recevoir toute-entière, elle est obligée de se jeter sur d'autres parties, d'où s'ensuit un orgasme et une violente ébullition ou fermentation dans le sang et dans les autres humeurs : et si le corps est plein de sérosité, on a sujet de craindre une apoplexie.

834. Voilà pourquoi, dans la goutte, de même que dans toutes les autres maladies où l'on entreprend d'évacuer la matière morbifique en excitant les sueurs par art, sans que la nature s'y porte d'elle-même, il est extrêmement dangereux de les pousser avec trop de violence, et de remuer des humeurs qui ne sont pas encore dûment préparées. — Le célèbre aphorisme d'Hippocrate, où il est dit qu'*on ne doit purger que les matières qui ont subi une coction suffisante, et non pas celles qui sont encore crues*, a autant lieu quand il s'agit de provoquer les sueurs que quand il s'agit de purger (2) : c'est ce qu'on voit clairement dans la sueur qui a coutume de terminer les accès des fièvres intermittentes. Car si cette sueur est modérée et exactement proportionnée à la quantité de matière fébrile dont l'accès qui finit a opéré la coction, elle est extrêmement utile ; mais

(1) Sydenham, dit le docteur Cheyne, quoique d'ailleurs très-exact observateur et très-judicieux praticien, a donné occasion, ce me semble, à une grande erreur dans le traitement de la goutte, en interdisant toutes sortes d'évacuations, soit dans l'accès, soit dans les intervalles, crainte d'affaiblir le tempérament. Les attaques périodiques de la goutte régulière arrivent ordinairement en deux saisons, savoir, dans le printemps et dans l'automne. Je les regarde comme des évacuations critiques de la dernière importance, qui servent à dépurer le sang et à le débarrasser des sels de la goutte. Ainsi il ne faut pas plus troubler la nature dans ces sortes d'opérations que dans les purgations menstruelles du sexe, quoiqu'il soit très-avantageux de procurer une transpiration abondante ou une douce moiteur. Mais dans les légères atteintes de goutte qui surviennent lors du printemps et de l'automne, et dans les intervalles des accès, les purgatifs doux et stomachiques sont excellents pour dissiper ces légères atteintes, et pour éloigner et diminuer les accès. — Un goutteux doit être regardé, dans les intervalles de sa maladie, comme un homme qui se porte bien, à l'exception de la disposition naturelle où il est d'avoir un autre accès de goutte; et on peut alors lui donner des remèdes comme à une autre personne, bien entendu qu'on ait égard à son tempérament particulier. Ainsi la véritable méthode de traiter la goutte consiste à entretenir pendant l'accès une transpiration abondante et uniforme, et dans les intervalles de la maladie, à faire faire de l'exercice, et à employer des purgatifs doux et stomachiques. *Cheyne, Essai sur la goutte*, p. 22, 23. — Quelques auteurs recommandent de donner des lavements dans les accès de goutte; et il est certain que, si la fièvre est violente ou le ventre resserré, on peut les employer non-seulement sans danger, mais encore avec beaucoup d'utilité.

(2) Voyez section 3, chapitre 3, article 292.

si on la pousse un peu trop loin, comme lorsqu'on oblige le malade à garder le lit, alors c'est jeter de l'huile sur le feu, et la fièvre, au lieu de cesser, devient continue.—Pareillement, dans la goutte, la douce moiteur, qui ordinairement survient d'elle-même le matin après chacun des petits accès qui composent l'accès entier de la goutte, adoucit les douleurs et les inquiétudes dont le malade a été tourmenté toute la nuit : mais si, au lieu de laisser agir la nature, on va exciter cette moiteur plus long-temps et plus fortement que ne demande la quantité de matière hétérogène dont la coction est alors achevée, on ne fait qu'irriter et augmenter le mal. — Aussi, dans la goutte et dans toutes les autres maladies, à l'exception de la peste, c'est moins l'office du médecin que l'ouvrage de la nature de procurer les sueurs. Car, comme nous ne pouvons savoir, en aucune façon, quelle quantité de matière morbifique se trouve préparée pour être évacuée de cette manière, il nous est impossible de savoir jusqu'à quel point nous devons exciter les sueurs (1).

835. Puisqu'il est clair que les évacuations sont non-seulement inutiles, mais encore nuisibles dans la goutte, il s'agit maintenant de rechercher quelles autres indications on doit suivre dans le traitement de cette maladie. Pour moi, après en avoir examiné tous les symptômes, je trouve qu'il faut principalement attaquer deux causes : la première est la cause *antécédente*, c'est-à-dire l'indigestion des humeurs, produite par un défaut de chaleur et des esprits ; la seconde est la cause *conjointe*, c'est-à-dire la chaleur et l'inflammation des mêmes humeurs, lorsqu'ayant séjourné trop long-temps dans le sang, à raison de leur crudité, elles se sont alcalisées et sont devenues âcres. — Ces deux causes sont absolument différentes l'une de l'autre, en sorte que les remèdes qui conviennent à l'une sont contraires à l'autre ; et de là vient la difficulté de la cure. Car, d'un côté, si l'on emploie les remèdes échauffants pour combattre l'indigestion des humeurs, on risque d'augmenter leur chaleur ; et de l'autre côté, si on met en usage le régime et les remèdes rafraîchissants pour tempérer la chaleur et l'âcreté des humeurs, on augmente l'indigestion, en affaiblissant la chaleur naturelle. J'appelle ici cause *conjointe*, non-seulement celle qui, occupant actuellement les articulations, forme l'accès de goutte, mais aussi celle qui, étant encore dans le sang, n'a pas reçu les préparations nécessaires pour en être séparée : car rarement un accès, quelque long et quelque cruel qu'il soit, évacue tellement l'humeur dépravée, qu'il n'en reste rien du tout dans le corps après qu'il est passé. Ainsi, on doit avoir égard à cette double cause, tant dans l'accès que dans l'intervalle des accès.—Mais, comme l'évacuation de la matière morbifique est uniquement l'ouvrage de la nature, et que pour adoucir l'âcreté et l'inflammation des humeurs, sans affaiblir encore davantage les digestions, on ne saurait faire autre chose que d'éviter les aliments et les remèdes trop chauds ; il s'ensuit que l'indication principale consiste à rétablir les digestions. Je vais parler maintenant des moyens de la remplir, et j'indiquerai aussi, suivant que l'occasion s'en présentera, les remèdes qui sont propres à tempérer la chaleur des humeurs et à adoucir leur âcreté.

836. Les remèdes capables de rétablir les digestions sont tous ceux qui fortifient l'estomac, afin qu'il fasse dûment la coction des aliments ; qui donnent de la vigueur au sang, afin que le chyle se change parfaitement en cette liqueur ; qui fortifient les parties solides, afin qu'elles convertissent mieux en leur propre substance les sucs destinés à leur nutrition et à leur accroissement ; enfin tous ceux qui conservent les différents organes sécrétoires et excrétoires dans un état convenable pour bien faire leurs fonctions. Je nomme *digestifs* tous ces remèdes, soit qu'on les tire de la matière médicale, ou du régime, ou de l'exercice, ou de quelqu'une des six choses non naturelles.

837. Les remèdes proprement dits qui remplissent cette indication sont ceux qui ont une chaleur ou une amertume médiocre, ou qui piquent doucement la langue. Telles sont les racines d'angélique

(1) Plusieurs auteurs recommandent d'exciter et d'entretenir une sueur douce et égale pendant l'accès de goutte, parce qu'il est accompagné de fièvre, et que l'expérience montre l'utilité de la sueur pour diminuer la fièvre, purifier la masse du sang, et évacuer peu à peu et insensiblement l'humeur goutteuse. Mais les remèdes qu'on emploie pour exciter la sueur doivent être délayants et modérément chauds, et point trop actifs.

et d'aunée, les feuilles d'absinthe, de petite centaurée, de germandrée, d'ivette, etc., à quoi l'on peut ajouter les antiscorbutiques, comme les racines de raifort sauvage, les feuilles de cochléaria, de cresson d'eau, etc., dont on doit néanmoins user modérément, parce que ces remèdes, étant âcres et piquants, quoique d'ailleurs bons à l'estomac et favorables à la digestion, entretiennent le foyer de la maladie, et augmentent la chaleur ; au lieu que les premiers, sans produire ces mauvais effets, fortifient l'estomac, et donnent de la vigueur au sang par une chaleur douce et une amertume médiocre.

838. Je crois que toutes ces plantes opéreront mieux si on en mêle plusieurs ensemble que si on ne se sert que d'une à la fois. Il est vrai que les remèdes qui ont une vertu spécifique sont d'autant plus efficaces qu'ils sont moins associés à d'autres; mais quand il s'agit, pour guérir une maladie, de remplir telle ou telle indication, chaque ingrédient y contribue de son côté, et plus il en entre dans un remède, plus le remède a de vertus (1). Ainsi, avec les plantes que j'ai nommées, et avec d'autres semblables, on peut composer différentes formes de remèdes qui tendront au même but. — Pour moi, je préfère à toutes les autres la forme d'électuaire, et je la crois la meilleure de toutes, parce que la fermentation que souffrent les divers ingrédients mêlés ensemble augmente leur vertu, et les rend plus efficaces qu'ils ne seraient chacun séparément; mais je laisse volontiers à la prudence du médecin le choix de ces ingrédients et la composition des formules sous lesquelles il convient de les employer : car j'ai toujours pensé que mon devoir était de marquer les véritables indications que l'on doit suivre dans le traitement des maladies, et non pas de donner des recettes. Les médecins, n'ayant pas toujours eu cette attention, ont donné par là occasion aux empiriques de s'ériger en grands médecins. — Cependant, en faveur des jeunes praticiens, je mettrai ici le remède dont j'ai coutume de me servir, et dont voici la composition.

Prenez des racines d'angélique, de roseau aromatique, d'impératoire, d'aunée, de feuilles d'absinthe commune, de petite centaurée, de marrube blanc, de germandrée, d'ivette, de scordium, de calament commun, de matricaire, de saxifrage des prés, de mille-pertuis, de verge-d'or, de serpolet, de menthe, de sauge, de rue, de chardon-bénit, de pouliot, d'aurone; des fleurs de camomille, de tanaisie, de muguet, de safran ; des graines de thlaspi, de cochléaria des jardins, de carvi et des baies de genièvre, de chacune quantité suffisante. On aura soin de cueillir les feuilles, les fleurs et les racines dans le temps qu'elles ont le plus de vertu ; on les fera sécher, et on les gardera dans des sacs de papier jusqu'à ce qu'on les réduise en poudre très-fine. On prendra six onces de chacun des ingrédients, et on mêlera le tout dans suffisante quantité d'excellent miel et de vin de Canarie, pour faire un électuaire de consistance requise. Le malade en avalera deux dragmes matin et soir.

En place de cet électuaire, on pourra se servir du suivant :

Prenez de la conserve de cochléaria, une once et demie ; de celle d'absinthe romaine et de celle d'écorce d'orange, de chacune, une once ;racine d'angélique confite et noix muscade confite, de chacune, demi-once ; thériaque, trois gros; poudre d'arum composée, deux gros ; et avec suffisante quantité de sirop d'orange, faites un électuaire dont le malade prendra deux gros deux fois par jour, et par-dessus il avalera cinq ou six cuillerées de l'eau suivante :

Prenez de la racine de raifort sauvage coupé menu, trois onces ; des feuilles de cochléaria, douze poignées ; de celles de cresson d'eau, de bécabunga, de sauge et de menthe, de chacune, quatre onces ; les écorces de six oranges, deux noix muscades concassées, et douze livres de forte bière : distillez tout cela, et tirez-en seulement six livres d'eau que vous garderez pour l'usage.

839. Entre les remèdes les plus connus la thériaque est le meilleur pour fortifier les digestions ; néanmoins, comme elle contient plusieurs ingrédients trop échauffants, et outre cela beaucoup d'opium, il vaut mieux se servir d'un électuaire semblable à celui que nous avons décrit, et qui est composé de plantes for-

(1) Il y a lieu de douter si un remède vaut mieux parce qu'il est composé d'un grand nombre de drogues de même vertu. Il est du moins certain que de remplir la même vue par un petit nombre de drogues bien choisies, cela marque beaucoup plus d'habiloté dans le médecin.

tifiantes et médiocrement chaudes ; mais il faut avoir soin de choisir celles qui sont les plus agréables au goût du malade ; car comme on doit continuer fort long-temps, et même toute la vie, cet électuaire, il est très-à-propos de le rendre le moins désagréable qu'il est possible.—Entre les remèdes simples, le quinquina tient le premier rang, car il exalte le sang et lui donne de la vigueur, si l'on en prend quelques grains matin et soir (1).

840. Ce n'est pas seulement dans la goutte, mais encore dans la plupart des maladies chroniques, que les remèdes fortifiants sont les meilleurs, pourvu que la chaleur ne consiste pas dans des esprits ardents, et cela par les raisons que nous rapporterons ci-après ; car toutes les maladies chroniques dépendent, si je ne me trompe, d'une même cause universelle, qui est l'indigestion des humeurs.

841. Pour montrer que la chose est ainsi, je vais exposer la différence qu'il y a entre les maladies aiguës et les maladies chroniques ; et pour cela le lecteur me permettra de faire une petite digression. — Les maladies aiguës sont celles qui se terminent bientôt, soit par la mort, soit par la prompte coction de la matière hétérogène. Les chroniques sont celles où la coction ne se fait point du tout, ou bien se fait très-lentement. Tout cela est évident par les termes seuls. Mais il n'est pas si facile d'en découvrir la différence qui se trouve entre ces deux genres de maladies. C'est un point qui mérite d'être examiné, et dont la connaissance claire et distincte peut beaucoup servir à trouver les véritables indications que l'on doit suivre dans le traitement des maladies, tant aiguës que chroniques.

842. Soit que l'intérieur de la terre subisse divers changements, et qu'à cette occasion, il s'exhale des vapeurs nuisibles qui infectent l'air, ce qui me paraît le plus vraisemblable ; soit que la conjonction particulière de quelque corps céleste altère l'atmosphère, toujours est-il vrai que l'air, en certains temps, se trouve rempli de corpuscules qui sont contraires à l'économie du corps humain, et qu'en d'autres temps il est rempli de substances d'une autre sorte qui sont nuisibles à certaines espèces d'animaux. L'air ainsi infecté, et porté dans le sang par le moyen de la respiration, donne naissance aux maladies épidémiques. Alors la fièvre s'allume, et la nature s'en sert pour expulser la matière morbifique. Ces sortes de maladies sont aiguës et de courte durée, parce que les humeurs sont dans un mouvement violent.—Outre ce genre de maladies aiguës qui viennent d'une cause externe et générale, qui est l'air, il y en a d'autres pareillement aiguës, qui dépendent uniquement d'une inflammation particulière du sang, ou d'une indisposition particulière à certains sujets. Ce sont les fièvres que j'appelle *intercurrentes* et *sporadiques*, parce qu'on les voit presque tous les ans.

843. Les maladies chroniques sont d'une nature bien différente. A la vérité, un air malsain contribue à les produire. Cependant elles doivent moins leur origine à l'air qu'à l'indigestion des humeurs. En effet, lorsqu'un corps a été affaibli et épuisé par la vieillesse, ou par un abus continuel des six choses non naturelles, surtout à l'égard du boire et du manger ; ou bien lorsque les organes sécrétoires sont tellement débilités, qu'ils ne peuvent plus s'acquitter de leurs fonctions, qui consistent à dépurer le sang en le séparant de ses récréments ; dans ce cas-là, il s'amasse une plus grande quantité d'humeurs que la personne n'en peut digérer. Ces humeurs, ainsi accumulées, subissent avec le temps diverses fermentations et altérations, se jettent sur telle ou telle partie suivant qu'elles ont acquis telle ou telle qualité, et suivant que la partie est disposée à les recevoir, et produisent différentes sortes de maladies, avec une infinité de symptômes, lesquels proviennent également de la qualité des sucs et de la lésion des parties. Ces deux causes jointes ensemble, je veux dire la dépravation des liquides et la lésion des solides, constituent ce dérangement de l'économie animale que l'on appelle maladie.

844. Or, que l'impuissance de la nature à digérer les humeurs soit la principale cause de la plupart des maladies chroniques, c'est de quoi l'on se convaincra aisément, si l'on fait attention que les vieillards, dont les coctions sont lé-

(1) Le docteur Cheyne est du même sentiment, et il recommande une forte infusion de quinquina dans de bon vin comme un remède excellent pour fortifier les fibres relâchées de l'estomac et des intestins, surtout si on le joint aux martiaux et à quelques drogues propres à corriger son mauvais goût. *Cheyne, Essai sur la goutte*, p. 24.

sées, et les esprits dissipés par l'âge, sont plus sujets à ces maladies que les jeunes gens, qui ont assez de force et de chaleur naturelle pour dissiper les humeurs nuisibles, et dont les organes sécrétoires destinés à dépurer le sang s'acquittent bien de leurs fonctions, à moins qu'ils ne soient surchargés et comme accablés par l'abondance excessive des mauvais sucs. — Une autre preuve que l'indigestion des humeurs est la principale cause des maladies chroniques, c'est qu'elles arrivent beaucoup plus en hiver qu'en été. Quelques-unes, il est vrai, ne paraissent qu'à la fin de l'hiver; mais les mauvais sucs dont elles dépendent se sont accumulés durant toute cette saison à la faveur du froid, qui affaiblit la nature et la met hors d'état de s'acquitter des fonctions de l'économie animale. Il arrive de là que les gens qui se portent très-bien en été évitent rarement en hiver les maladies auxquelles ils sont le plus sujets, comme l'asthme, le rhume, la toux, etc.—De là vient aussi que les voyages dans des pays chauds sont si efficaces pour la guérison de certaines maladies dont on ne pouvait venir à bout dans des pays froids.

845. La vérité de ce que j'avance touchant la cause générale des maladies chroniques paraîtra encore dans un nouveau jour, si l'on considère les effets merveilleux et incroyables de l'exercice du cheval dans la plupart des maladies chroniques, et surtout dans la phthisie. En effet, cet exercice, par les secousses continuelles qu'il cause, ranime la chaleur naturelle, donne du ressort aux fibres, rétablit les digestions, fortifie les viscères, dissipe les mauvaises humeurs, facilite la transpiration, et renouvelle, pour ainsi dire, toute la machine (1). —Il s'ensuit de tout cela que les plantes échauffantes doivent être d'un grand secours, non-seulement dans la goutte, mais encore dans les autres maladies chroniques, pourvu qu'il n'y ait point de contr'indication : car ces plantes raniment la chaleur naturelle, même au milieu de l'hiver. Mais si on en fait un usage habituel en été, elles préviendront encore mieux les accidents que cause la mauvaise saison; au lieu que si on attend jusqu'à l'hiver, qui est le temps auquel les humeurs s'accumulent, il sera peut-être trop tard pour y avoir recours, et le remède deviendra inutile.

846. J'ai déjà montré que les purgatifs étaient nuisibles à la goutte. Néanmoins, dans la plupart des autres maladies chroniques, il est nécessaire de saigner et de purger plus ou moins, avant que d'employer les remèdes fortifiants et digestifs que j'ai recommandés. Mais quand une fois le malade en aura commencé l'usage, il faudra qu'il les continue sans y entremêler aucune évacuation. Car on doit tenir pour certain, que toute évacuation serait très-nuisible en pareil cas (2). Au reste, je ne prétends pas que les remèdes fortifiants dont j'ai parlé l'emportent sur tous les autres; je veux dire seulement que le remède qui remplira mieux l'indication de fortifier les digestions sera le meilleur dans les maladies chroniques, et qu'avec un tel remède on pourra faire des choses auxquelles on ne s'attendait peut-être pas.

847. La principale attention qu'il faut avoir dans le traitement de la goutte, c'est que les remèdes fortifiants, soit qu'on les tire de la matière médicale, ou du régime, ou de l'exercice, doivent être mis en usage pendant long-temps, et avec tout le soin imaginable. Car comme la cause de cette maladie, et de la plu-

(1) Toutes les raisons que l'auteur allègue pour montrer que les maladies chroniques viennent de l'indigestion des humeurs semblent plutôt prouver qu'elles viennent d'un défaut de transpiration. En effet, puisque, suivant notre auteur, elles attaquent principalement les vieillards, qu'elles arrivent beaucoup plus en hiver qu'en été, qu'elles se guérissent plus aisément dans les pays chauds que dans les pays froids, et que l'exercice du corps y est extrêmement utile, tout cela ne montre-t-il pas clairement qu'elles doivent principalement leur naissance au défaut de la transpiration?

(2) Ceci doit assurément être entendu avec quelque restriction; car il peut se trouver des cas où il soit non-seulement convenable, mais encore absolument nécessaire de recourir aux évacuants pendant l'usage des fortifiants. Les circonstances doivent décider quand et de quelle manière il faut les employer, et on ne doit pas, par une déférence servile à l'autorité de quelque grand nom que ce soit, s'empêcher de les mettre en usage dans le besoin. Combien de fois, par exemple, les joint-on utilement au quinquina, au mars et à d'autres remèdes semblables, qui alors produisent des effets qu'ils n'auraient pas produits sans cela?

part des maladies chroniques, a passé en habitude, et qu'elle est devenue, pour ainsi dire, une seconde nature, il n'y aurait pas de bon sens à croire qu'un changement léger et momentané, produit dans l'état du sang ou des humeurs par les remèdes ou le régime, pût suffire pour la guérison. Il faut, pour cet effet, renouveler la masse des humeurs, et en quelque façon, toute la machine.— Il n'en est pas de la goutte comme de certaines maladies aiguës. Celles-ci attaquent tout d'un coup et jettent dans le plus grand danger un homme qui peu de temps auparavant se portait à merveille. La goutte agit lentement et ne se déclare qu'au bout d'un certain temps, savoir, lorsque, par les débauches et des excès de vin continués durant plusieurs années, par la cessation des exercices ordinaires, par une vie oisive et fainéante, ou bien par trop d'étude et d'application, ou enfin de quelque autre manière, les différents levains se trouvent altérés, les digestions ruinées, les fibres relâchées et flasques, le ressort des parties anéanti, l'économie animale bouleversée, la nature déconcertée : alors les humeurs nuisibles s'accumulent, se développent, s'exhalent, et, ne trouvant point de résistance dans les articulations affaiblies, elles s'y jettent avec impétuosité, et y exercent toute leur violence ; de là, les accès de la goutte. — Tous ces vices des liquides et des solides étant passés en habitude, il s'agit d'y remédier en rétablissant peu à peu les digestions, et en redonnant de l'élasticité aux fibres, à proportion de l'état où les unes et les autres étaient avant la maladie. On voit assez qu'une telle entreprise n'est pas facile, et que, pour en venir à bout, il est nécessaire de continuer très-long-temps l'usage des remèdes ; encore ne peut-on pas espérer de réussir pleinement, non-seulement parce qu'il est toujours extrêmement difficile de changer une habitude, quelle qu'elle soit, en son contraire ; mais aussi parce que la vieillesse, qui, le plus souvent accompagne la goutte, met de fort grands obstacles à la guérison. On doit néanmoins la tenter autant que l'âge et les forces du malade le permettent ; car elle est plus ou moins violente, suivant que le malade est plus ou moins avancé en âge (1).

848. Les remèdes digestifs, soit qu'ils soient tirés de la pharmacie ou de la diète, doivent être surtout employés dans les intervalles des accès, et le plus loin qu'il est possible de l'accès futur : car, à cause de l'obstacle qu'apporte la vieillesse, il n'est pas possible de fortifier les digestions, de rétablir les levains affaiblis, et de remettre le sang et les viscères dans l'état où ils doivent être, sans y employer beaucoup de temps et un usage opiniâtre des remèdes.

849. Mais quelque utiles que soient les médicaments proprement dits, ils ne suffisent pas seuls pour guérir la goutte ni aucune autre maladie chronique, et il faut, outre cela, avoir grande attention aux choses non naturelles, sans quoi tout ce qu'on tenterait d'ailleurs serait absolument inutile. — D'abord il est nécessaire d'observer une certaine modération dans le boire et le manger, en sorte que, d'un côté, on ne prenne pas plus de nourriture que l'estomac n'en peut digérer, et que, d'un autre côté, on ne s'affaiblisse pas davantage par trop d'abstinence : deux extrémités qui sont également nuisibles, comme je l'ai plus d'une fois éprouvé, tant dans moi-même que dans les autres. — Quant à la qualité des aliments, quoiqu'en général ceux qui sont faciles à digérer doivent être préférés aux autres, il faut néanmoins avoir égard au goût des malades ; car souvent une chose indigeste, mais que l'estomac désire fortement, se digérera mieux qu'une autre qui d'elle même est plus aisée à digérer, mais que l'estomac abhorre. Cependant il faut user avec beaucoup de modération des aliments qui sont d'une digestion difficile, quoique l'estomac les demande. — Je crois aussi qu'on doit se contenter à chaque repas d'une seule sorte de mets, parce que si l'on en mange de plusieurs sortes à la fois, elles chargeront davantage l'estomac que ne ferait une seule dont on mangerait la même quantité que de toutes les autres ensem-

(1) Cet avis est fondé sur le bon sens et la nature des choses ; car il serait absurde d'espérer qu'une maladie ancienne et profondément enracinée pût être guérie en peu de temps. Mais si l'usage des remèdes apporte du soulagement, cela doit encourager le malade à les continuer, puisque, pour communiquer leur vertu au sang et aux humeurs de façon à en corriger les vices et le mauvais état, et pour rétablir le ton et le mouvement des solides, il leur faut nécessairement beaucoup de temps et de persévérance.

ble. Au reste, à l'exception de la viande, on pourra user de tout le reste à sa fantaisie, pourvu qu'on évite les choses salées et épicées ; car, quoiqu'elles aident la digestion, elles ne laissent pas d'être nuisibles, en ce qu'elles mettent en mouvement le levain morbifique.

850. Pour ce qui est du nombre des repas, il faut retrancher le souper, et se contenter du dîner, parce que le temps du sommeil n'est pas propre à la digestion des aliments ; mais c'est alors que les humeurs s'atténuent et se préparent. En place du souper, on boira quelques verres de petite bière ou de quelque autre liqueur équivalente. Cette boisson, en rafraîchissant et nettoyant les reins, empêchera la génération de la pierre dans les reins, à quoi les goutteux sont sujets.

851. Depuis vingt ans on s'est mis dans l'usage de donner le lait aux goutteux pour toute nourriture, en y ajoutant seulement une fois le jour un peu de pain. Le lait se prend cru ou cuit. Ce régime a mieux fait que tout le reste à la plupart d'entre eux, tant qu'ils s'y sont tenus régulièrement : mais dès qu'ils s'en sont écartés le moins du monde pour retourner aux aliments ordinaires, quelque légers et salutaires qu'ils fussent d'ailleurs, la goutte est revenue avec plus de fureur que jamais ; car le tempérament ayant été affaibli par la diète laiteuse, il s'est trouvé encore moins en état qu'auparavant de résister à la maladie, qui en est devenue plus violente, plus longue et plus dangereuse. — Celui donc qui veut entreprendre la diète laiteuse doit bien examiner auparavant s'il pourra la continuer tout le reste de sa vie, chose qui lui sera peut-être impossible, quelque courage et quelque résolution qu'il ait. Je sais un homme de condition qui, pendant une année entière, n'avait vécu que de lait ; il n'en avait point été incommodé, et même il l'avait pris avec beaucoup de plaisir. Durant tout ce temps-là il faisait au moins une selle chaque jour. Mais tout-à coup son ventre se resserra, et il eut un si grand dégoût du lait, que, malgré l'envie qu'il avait de le continuer, il fut obligé de l'abandonner. — Certains hypocondriaques qui sont gros et replets, et qui ont fait un long usage des liqueurs spiritueuses, ne peuvent en aucune façon soutenir le lait : et même l'avantage passager qu'en retirent ceux qui s'en accommodent vient de ce qu'il adoucit le sang et en tempère l'âcreté, et surtout de ce qu'étant une nourriture très-légère, il empêche le bouillonnement des humeurs qui produit l'accès de la goutte. — Mais, d'un autre côté, le lait ne convient pas à tout le monde, et pour ce qui est de ceux à qui il convient, il ne les exempte de la goutte que durant le temps qu'ils en usent pour toute nourriture, et non au-delà : car comme il ne remédie point à la cause antécédente et primordiale de la maladie, qui est la faiblesse des digestions, et qu'il l'augmente, au contraire, il devient plus nuisible à cet égard qu'il n'est utile par sa qualité d'adoucir l'âcreté des humeurs. — Quelques médecins, pour n'avoir pas fait cette attention, ont commis d'étranges fautes ; car, ne s'occupant qu'à combattre la cause prochaine de la goutte, savoir, la chaleur et l'âcreté des humeurs, ils ont achevé de ruiner les digestions et toutes les fonctions naturelles. Au reste, je ne doute point que les décoctions d'avoine ne produisent d'aussi bons effets que le lait, pourvu que l'estomac puisse s'en accommoder (1).

852. Quant aux liqueurs qui doivent servir de boisson aux goutteux, je crois que les meilleures sont celles qui tiennent un certain milieu entre la force du vin et la faiblesse de l'eau. Telle est, par exemple, la petite bière houblonnée ou sans houblon ; car les liqueurs trop fortes ou trop faibles nuisent également. — Il y a un proverbe qui dit : Buvez ou

(1) Les auteurs praticiens ont beaucoup écrit pour et contre l'usage de la diète laiteuse dans la goutte et les autres maladies chroniques ; mais on ne peut nier que, si elle a ses inconvénients, elle n'ait aussi de grands avantages, et que si elle manque quelquefois de réussir, il n'y ait une infinité de cas où elle produit des effets merveilleux. Il serait donc à souhaiter que les auteurs qui ont vanté la diète laiteuse dans la goutte, et ceux qui l'ont décriée, eussent communiqué exactement et sincèrement leurs observations sur les bons et les mauvais effets de ce remède, qu'ils eussent rapporté en détail les circonstances dans lesquelles il avait été employé, et les effets qui s'en étaient suivis : de cette manière on saurait pourquoi il a réussi ou n'a pas réussi, et on serait en état de déterminer avec quelque certitude les cas où il convient et les précautions qu'il faut prendre pour en rendre l'usage salutaire, et au contraire les cas où il ne convient pas.

ne buvez pas du vin, vous aurez également la goutte. Néanmoins c'est une chose certaine et confirmée par une infinité d'expériences, que le vin est nuisible aux goutteux. On croit qu'il aide les digestions, dont les vices, comme je l'ai établi auparavant, sont la cause antécédente de la goutte. Mais il est sûrement nuisible en ce qu'il échauffe et remue l'humeur morbifique qui est la cause immédiate de la maladie. — Je ne conviens pas même que le vin pour boisson ordinaire aide les digestions; je soutiens plutôt qu'il les ruine, excepté dans ceux qui y sont accoutumés depuis longtemps. Car quoiqu'il communique une chaleur passagère, il est certain néanmoins qu'il altère les levains du corps, et dissipe les esprits. De là vient, si je ne me trompe, que les grands buveurs et les débauchés périssent ordinairement par la goutte, la paralysie, l'hydropisie, ou par d'autres maladies froides. — De plus, l'usage immodéré du vin relâche et affaiblit le corps, au lieu que les liqueurs tempérées le fortifient : c'est pourquoi ceux qui ont toujours usé de ces sortes de liqueurs sont très-rarement attaqués de goutte. — Il faut encore observer que cette maladie arrive principalement aux hommes pléthoriques et sanguins. Or, l'usage du vin augmente encore la pléthore, accumule de nouvelles humeurs, et met en action le levain morbifique. D'ailleurs, comme le sang des goutteux ressemble entièrement à celui que l'on tire dans la pleurésie et dans les autres maladies inflammatoires, on voit assez que les liqueurs spiritueuses ne peuvent que l'enflammer davantage, et que c'est jeter de l'huile sur le feu. — Mais, d'un autre côté, les liqueurs trop rafraîchissantes ne valent pas mieux; car, quoiqu'elles n'excitent pas de douleur, elles achèvent de ruiner les digestions, éteignent la chaleur naturelle, et causent même quelquefois la mort, comme on a vu arriver à ceux qui, ayant bu du vin avec excès jusqu'à leur vieillesse, l'ont quitté tout d'un coup pour ne boire que de l'eau ou d'autres liqueurs aussi faibles (1).

853. Ainsi, les liqueurs qui conviennent pour la boisson ordinaire des goutteux sont celles qui, quoique prises en grande quantité, n'enivrent point, et qui, d'un autre côté, ne sont pas assez froides pour blesser l'estomac. Telle est, comme je l'ai déjà dit, notre petite bière. Dans les pays où il n'y en a pas, on peut y substituer un mélange de beaucoup d'eau avec un peu de vin. Je crois que l'eau toute pure est dangereuse, et je l'ai éprouvé telle sur moi-même. Cependant elle ne l'est pas quand on en a bu toute sa vie. Encore aujourd'hui la plupart des hommes ne boivent que de l'eau, et ils sont plus heureux dans leur pauvreté que nous avec notre abondance et notre luxe : car, par ce moyen, ils sont exempts de la goutte, de la pierre, de l'apoplexie, de la paralysie, et de plusieurs autres maladies qui règnent dans les pays où l'on use de liqueurs spiritueuses.

854. Lorsque la goutte est légère et n'attaque que de loin en loin, il suffit de se réduire à l'usage de la petite bière ou du vin bien trempé; mais lorsque la maladie est violente, et qu'elle a passé, pour ainsi dire, en nature, il est absolument nécessaire de s'abstenir de toute liqueur fermentée, quelque légère qu'elle soit; car les liqueurs fermentées les plus légères contiennent toujours des esprits ardents qui agitent les humeurs et leur communiquent un certain degré d'acrimonie. Ainsi on doit prescrire aux goutteux, pour boisson ordinaire, des décoctions de plantes ou tisanes les moins désagréables qu'il se pourra; mais il faut qu'elles ne soient pas trop chargées et trop fortes, parce qu'elles échaufferaient presqu'autant que le vin, et qu'elles ne soient pas aussi trop aqueuses et trop faibles, parce qu'elles ruineraient les digestions par trop de rafraîchissement. Une telle boisson dégoûtera d'abord un peu le malade pendant une semaine ou deux, mais ensuite il la trouvera aussi agréable que les autres liqueurs auxquelles il était le plus accoutumé. Son appétit ne diminuera point, augmentera au contraire, et deviendra plus naturel. Un autre avantage que trouvera le malade dans l'usage habituel de cette boisson, c'est qu'il pourra se donner un peu plus de liberté à l'égard des aliments,

(1) L'expérience montre que les gens sujets à la goutte ne doivent pas user d'une nourriture trop légère; ainsi il est à propos, et même nécessaire, de permettre un usage modéré du vin à ceux qui sont avancés en âge, qui ont l'estomac froid, ou qui sont naturellement faibles.

que lorsqu'il buvait du vin ou de la bière; parce que cette liqueur réparera et corrigera en quelque manière les fautes qui se commettront dans le régime, et qu'il est presque impossible d'éviter entièrement. Mais le principal avantage qu'elle procurera, c'est qu'elle préviendra la pierre, qui accompagne presque toujours la goutte ; au lieu que le vin, et même la petite bière, augmentent les douleurs de la pierre et contribuent à sa génération. La liqueur suivante, qui est agréable au goût et d'une belle couleur, me plaît extrêmement.

Prenez de la salsepareille, six onces; de la squine, de sassafras, et de la râpure de corne de cerf, de chacune deux onces; de la réglisse, une once. Faites bouillir le tout dans seize livres d'eau de fontaine pendant une demi-heure; puis laissez cette décoction pendant douze heures sur les cendres chaudes, le vaisseau bien fermé. Faites-la bouillir ensuite jusqu'à la diminution du tiers; et aussitôt que vous l'aurez retirée du feu, mettez-y infuser une demi-once de graine d'anis. Deux heures après, coulez la liqueur, laissez-la dépurer par le repos, et mettez-la dans des bouteilles de verre, que vous boucherez exactement (1).

855. Il ne faudra commencer l'usage de cette liqueur qu'après la fin d'un accès, et non pas dans l'accès même, parce que les humeurs étant alors en mouvement, il serait dangereux de quitter tout d'un coup les liqueurs fermentées et spiritueuses, pour passer à une liqueur aqueuse et non fermentée. Mais quand une fois on aura commencé l'usage de cette dernière, il faudra le continuer ensuite tout le reste de la vie, tant dans les accès que dans leurs intervalles. On usera en même temps de l'électuaire décrit ci-dessus, c'est-à-dire qu'on en prendra tous les jours, soit durant les accès, soit hors des accès. Il suppléera à la faiblesse de la liqueur aqueuse par la chaleur modérée qu'il communiquera au sang et aux humeurs sans les agiter, comme font les liqueurs fermentées (2).

856. On dira peut-être que ce n'est pas vivre que de se passer entièrement de vin et de toute boisson spiritueuse. Mais je demande s'il n'est pas infiniment plus fâcheux et plus insupportable de souffrir chaque jour les cruelles douleurs d'une goutte invétérée; je dis d'une goutte invétérée, car je n'exige pas la même chose dans une goutte nouvelle et légère. D'ailleurs, avec cette boisson, on pourra se donner beaucoup plus de liberté à l'égard des aliments, et l'habitude la rendra agréable. Ceux qui ont éprouvé ce que c'est que la goutte ne balanceront pas, s'ils sont raisonnables, sur le parti qu'ils doivent prendre.

857. Toutefois si le malade, à cause de son grand âge, ou de sa faiblesse, ou pour avoir usé depuis long-temps, et avec excès, des liqueurs fermentées, ne peut faire la digestion sans en boire, il serait dangereux de les lui retrancher entièrement tout-à-coup, et ce retranchement a été funeste à plusieurs goutteux. Ainsi, il n'usera pas de la tisane que nous avons décrite ci-devant, ou s'il veut en user, il faudra qu'il s'y accoutume peu à peu, et que durant quelque temps il boive à chaque repas un verre de vin en qualité de remède, jusqu'à ce que son estomac soit fait à la tisane. Le vin d'Espagne vaut beaucoup mieux que celui de France ou du Rhin, parce qu'il est plus travaillé, plus cordial, plus stomachique, et que d'ailleurs il ne met pas les humeurs en mouvement, et n'augmente pas le levain morbifique, comme fait le vin de France ou du Rhin. Mais en voilà assez sur la nourriture et la boisson des goutteux.

858. Un autre moyen dont on fait peu de cas, et qui néanmoins est d'une grande utilité pour digérer l'humeur morbifique pendant l'accès, et pour empêcher sa génération hors de l'accès, c'est de se coucher de bonne heure, surtout en hiver. Après la saignée et la purgation, rien n'épuise tant que de veiller la nuit. Les personnes délicates et valétudinaires l'éprouvent assez, et elles savent bien qu'elles sont beaucoup plus fortes et plus légères le matin quand elles se sont couchées de bonne heure; et qu'au con-

(1) La salsepareille est une racine sudorifique, qui divise et atténue les humeurs grossières et visqueuses; c'est pourquoi on la regarde comme un spécifique dans la goutte, la paralysie, et autres maladies chroniques invétérées. — Le docteur Cheyne observe que sa principale vertu est dans l'écorce, qui contient ses parties les plus actives, et qui étant tendre et spongieuse les laisse plus aisément échapper dans la décoction : aussi recommande-t-il dans la goutte une légère décoction de cette écorce.

(2) Voyez ci-dessus l'article 838.

traire elles sont extrêmement pesantes et abattues lorsqu'elles ont veillé une bonne partie de la nuit. Il semblerait d'abord que de se coucher plus tôt ou plus tard, cela reviendrait au même, pourvu que l'on demeure aussi long-temps au lit : par exemple, que c'est la même chose de se coucher à neuf heures et de se lever à cinq, ou de se coucher à onze heures, et de se lever à sept. Il y a cependant bien de la différence, et je crois qu'en voici la principale raison. — Durant le jour il se fait une dissipation des esprits, soit par les exercices du corps, soit par l'application de l'âme. Dans les personnes valétudinaires, les esprits sont si faibles, qu'ils ont besoin chaque jour d'être réparés de bonne heure par le sommeil ; et comme la nuit relâche, en quelque façon, toutes les fibres du corps, et que le jour les fortifie par le moyen de la chaleur du soleil, il est nécessaire que la chaleur du lit supplée pendant la nuit à celle du soleil, surtout en hiver. Or, quand les esprits ont été réparés par le repos de la nuit et par la chaleur du lit, il est moins nuisible au corps de se lever de très-bonne heure, et même de se retrancher une heure ou deux du sommeil du matin, que de veiller autant de temps le soir. D'ailleurs le jour qui survient donne du ressort et de la vigueur aux fibres. C'est pourquoi je conseille aux gens qui sont sujets à la goutte de se coucher de très-bonne heure, principalement en hiver, et de se lever de grand matin, quand même ils n'auraient pas beaucoup dormi : car lorsqu'on dort dans la matinée, c'est autant de retranché sur le sommeil de la nuit suivante ; et comme on force alors la nature, et qu'on en trouble l'ordre en faisant du jour la nuit, et de la nuit le jour, il est impossible qu'on ne s'en trouve mal.

859. La tranquillité de l'âme est extrêmement nécessaire, et on ne doit rien oublier pour se la procurer ; car les passions, en troublant les esprits, qui sont les instruments des digestions, contribuent beaucoup à augmenter la goutte. Ainsi le malade doit surtout éviter avec grand soin la colère et le chagrin. — Il doit aussi éviter l'excès d'étude et le trop d'application aux choses sérieuses, ce qui épuise les forces et dérange entièrement l'économie animale.

860. Mais de tous les moyens capables de prévenir l'indigestion des humeurs, qui est, selon moi, la cause primordiale de la goutte, et de donner de la vigueur au sang et de l'élasticité aux parties solides, il n'en est aucun qui égale l'exercice du corps. Mais comme dans la goutte, encore plus que dans toute autre maladie chronique, il est nécessaire, ainsi que je l'ai dit plus haut, de produire un changement dans toute l'habitude du corps, l'exercice doit être quotidien, car s'il est interrompu, il ne servira de rien, ou de très-peu de chose : il pourra même être nuisible, et attirer la goutte, surtout lorsqu'on le reprendra après avoir demeuré long-temps dans l'inaction. — Il ne doit pas être violent, mais tel qu'il convient aux vieillards, car les vieillards sont les plus sujets à la goutte. Un exercice violent cause une trop grande dissipation, et par conséquent affaiblit les digestions, au lieu qu'un exercice modéré et constant les fortifie. Cet exercice paraîtra sans doute une chose bien fâcheuse à un vieillard faible, qui, outre qu'il ne saurait presque se remuer, souffre encore de cruelles douleurs. Sans cela néanmoins tout le reste sera inutile : les accès ne tarderont pas long-temps à revenir, et la pierre, qui est encore plus dangereuse et plus cruelle que la goutte, se formera aisément.

861. D'ailleurs, un long repos augmentera extrêmement la matière tophacée dans les articulations, et surtout dans celle des doigts, qui, à la fin, seront privés de tout mouvement. Quelques-uns prétendent que cette matière tophacée n'est autre chose que la partie tartareuse du sang. Mais si on y fait un peu d'attention, on verra aisément qu'elle est une production de l'humeur goutteuse, qui, se jetant en grande quantité sur les articulations, et ne pouvant s'y atténuer et s'y assimiler, à raison de sa grossièreté et de l'atonie des fibres, y séjourne, s'y accumule de jour en jour, détruit les chairs et la peau de l'articulation, et devient une substance semblable à de la craie ou à des yeux d'écrevisse. — Or, l'exercice pratiqué chaque jour, et long-temps continué, prévient cet accident, en dissipant, par la transpiration, l'humeur de la goutte ; et j'ai éprouvé moi-même que non-seulement il empêche la génération de la matière tophacée, mais encore qu'il la ramollit et la résout, pourvu qu'elle n'ait pas détruit jusqu'à l'épiderme.

862. Quant au genre d'exercice qu'il faut choisir, l'*équitation* est préférable à tous les autres lorsque la personne n'est pas trop âgée, et qu'elle n'a pas la

pierre. Et certes j'ai souvent pensé qu'un homme qui connaîtrait un remède aussi efficace pour la goutte et pour la plupart des maladies chroniques, qui est l'exercice du cheval long-temps continué, et qui voudrait en faire un secret, pourrait aisément gagner beaucoup de bien. Ceux qui ne peuvent pas aller à cheval doivent aller en carrosse, ce qui revient presque au même. La plupart des goutteux ont un avantage, c'est que les richesses qui ont fourni matière à leurs débauches, et par là ont occasionné la goutte qui en provient, leur donnent le moyen de se faire traîner en carrosse, et de pratiquer au moins cet exercice, s'ils ne peuvent en pratiquer d'autres. — L'exercice pris en bon air est beaucoup plus utile que celui que l'on prend dans un mauvais air. L'exercice pris à la campagne vaut mieux que celui que l'on prend dans les villes, et surtout dans les grandes villes, où l'air est étouffé et rempli de vapeurs nuisibles. Les goutteux sentiront bientôt la différence qu'il y a de s'exercer dans la ville ou à la campagne.

863. Pour ce qui est des plaisirs vénériens, un vieillard goutteux dont les esprits sont épuisés, et dont, par conséquent, les articulations et toutes les parties ne sont que trop relâchées et affaiblies, serait aussi imprudent, à mon avis, de se livrer à ces sortes de plaisirs qu'un voyageur qui, ayant une longue route à faire, dépenserait tout l'argent dont il a besoin pour son voyage avant que de se mettre en chemin. De plus, outre le mal qu'il se procure en ne réprimant point les désirs languissants d'un âge avancé, il renonce au grand privilége de jouir de ce jubilé, que la nature accorde aux vieillards comme un présent spécial et un don excellent, lorsqu'elle les affranchit dans les dernières années de leur vie de la tyrannie de ces passions, qui, comme autant de bêtes féroces, les tourmentaient sans cesse durant leur jeunesse. Le plaisir de satisfaire leurs passions ne peut en aucune manière compenser cette longue chaîne de maux qui l'accompagnent, ou qui en sont les suites.

864. Les règles que nous avons établies sur le régime des goutteux, étant observées scrupuleusement, pourront bien les mettre à couvert des violents accès du mal, et procurer assez de vigueur au sang et de fermeté aux solides pour prévenir les accidents dangereux; mais elles n'empêcheront pas que la goutte ne revienne quelquefois, surtout à la fin de l'hiver.—En été, le sang ayant plus de force à cause de la chaleur du soleil, et la transpiration étant plus abondante, les coctions se font beaucoup mieux qu'en hiver, où la faiblesse du sang et la diminution de la transpiration occasionent des amas d'humeurs indigestes, qui, après avoir séjourné dans le sang, ne manqueront pas de s'exalter et de produire un accès de goutte dès que le retour du soleil, ou un excès de vin, ou un violent exercice, ou quelque autre cause semblable les mettra en mouvement.

865. Il s'ensuit manifestement de tout ce que nous avons dit que, pour guérir la goutte, il est nécessaire de changer l'état des solides et des liquides autant que l'âge et les autres circonstances peuvent le permettre. C'est à quoi l'on doit travailler dans les intervalles des accès, et non dans les accès mêmes : car, comme la matière morbifique est alors non-seulement formée, mais encore déposée dans les articulations, il serait trop tard de vouloir la corriger ou l'évacuer par d'autres voies; ainsi on doit l'abandonner entièrement à la nature, et se tenir tranquille de ce côté-là. — Il en est de la goutte comme des fièvres intermittentes : on n'entreprend pas de les guérir pendant l'accès; et quand on se donnerait bien de la peine à combattre leurs symptômes, tels que la chaleur, la soif, l'inquiétude et les autres, on ne serait pas plus avancé. De même il serait absurde de croire guérir la goutte parce qu'on en diminuerait les symptômes : on ne ferait, au contraire, qu'empêcher ou retarder la guérison. Plus on adoucirait les douleurs, plus aussi on mettrait d'obstacle à la coction des humeurs; et plus on garantirait les articulations, plus on empêcherait l'expulsion de la matière morbifique. D'ailleurs, à proportion que l'on modérerait la violence des accès, on les rendrait plus longs, et leurs intervalles plus courts et moins exempts de tout symptôme goutteux. C'est de quoi l'on conviendra aisément, si l'on examine avec attention ce que j'ai dit ci-dessus touchant l'histoire de la maladie.

866. Il ne faut donc rien tenter de considérable durant l'accès de la goutte, mais seulement remédier aux accidents que produit quelquefois une mauvaise méthode de la traiter. Et comme cette maladie, de l'aveu de tout le monde,

vient d'une abondance excessive d'humeurs indigestes, il sera bon de s'abstenir de viande dès le commencement de l'accès, et d'y substituer des décoctions d'avoine, et autres aliments semblables, qui, par leur légèreté, diminueront beaucoup le volume de la matière morbifique, et en faciliteront la coction.—Néanmoins, comme les tempéraments sont très-différents les uns des autres, et qu'il y a des gens qui ne peuvent faire maigre sans en être aussitôt incommodés et sans éprouver des symptômes semblables à ceux que causent les vapeurs hystériques, il faut que ces gens-là ne fassent maigre qu'autant de temps que leur estomac a horreur de la viande, sans quoi ils s'en trouveront mal. Or, cette horreur de la viande ne dure guère que pendant le premier ou le second jour de chacun des accès particuliers qui, tous ensemble, composent l'accès entier de la goutte. —Au reste, soit qu'on se mette plus tôt ou plus tard à l'usage du gras, il faut avoir un soin particulier de ne prendre, durant l'accès, qu'autant de nourriture que la nature en a besoin pour se soutenir; et il ne faut pas moins d'attention dans le choix des aliments; en un mot, on doit apporter tout le soin imaginable pour ne pécher ni dans la quantité ni dans la qualité du boire et du manger. Et quoique cette précaution soit surtout nécessaire dans le temps des accès, elle ne laisse pas de l'être extrêmement dans les intervalles, comme aussi l'observation exacte de tout le reste du régime dont nous avons parlé au long ci-devant. — Il est vrai que la douleur que les malades ressentent dans les accès de goutte et la grande difficulté qu'ils ont à se remuer semblent devoir empêcher l'exercice, que j'ai recommandé par-dessus tous les autres moyens de guérison. Cependant il faut absolument l'entreprendre; car, quoique, dans le commencement, il paraisse impossible au malade de souffrir, par exemple, qu'on le mette en carrosse, et encore moins qu'on l'y promène, il éprouvera bientôt que le mouvement du carrosse lui causera moins de douleur qu'il n'en ressentait lorsqu'il demeurait à la maison assis dans une chaise. — Un autre avantage qu'il trouvera à se promener en carrosse le matin et l'après-dînée pendant quelques heures, c'est qu'étant fatigué par cet exercice, il dormira une bonne partie de la nuit suivante, et sera soulagé d'autant; au lieu qu'auparavant, lorsqu'il demeurait dans l'inaction, il passait presque toute la nuit sans dormir. D'ailleurs cet exercice empêchera la génération de la pierre, qui est le plus souvent un effet de la vie sédentaire. — Mais le plus grand fruit que les goutteux retireront d'un exercice constant et assidu, c'est que cela les empêchera de devenir totalement impotents, ainsi qu'il arrive à plusieurs après un ou deux accès un peu longs. Car, comme ils ne se donnent aucun mouvement, à cause des douleurs violentes qu'ils souffrent, et qu'ils n'étendent point les jambes, surtout lorsque la douleur occupe le genou, cela est cause que les ligaments restent dans un état de contraction, et qu'ainsi les jambes et les pieds demeurent pour toujours privés de mouvement, soit dans les intervalles des accès, soit dans les accès mêmes, que l'on n'évite pas néanmoins pour cela. — Enfin, dans les vieillards dont les digestions sont extrêmement affaiblies, et qui souffrent depuis plusieurs années les douleurs de la goutte, on ne doit pas espérer que la matière morbifique puisse jamais être corrigée ou évacuée sans le secours de l'exercice. Le mal est alors au-dessus des forces de la nature; et l'humeur goutteuse, également abondante et incapable de subir une coction et une assimilation convenable, jette souvent les malades dans un abattement et une langueur qui leur cause la mort.

867. Nonobstant tout ce que j'ai dit de l'utilité de l'exercice pendant les accès de la goutte, il peut arriver que ces accès soient si cruels, et accablent tellement le malade, que tout exercice devienne alors absolument impossible. C'est ce que l'on voit pour l'ordinaire lorsque la goutte est parvenue à son plus haut degré de violence, et n'a pas encore été adoucie par la longueur du temps. — Dans ce cas-là, il faut que le malade se tienne au lit durant les premiers jours de l'accès, c'est-à-dire, jusqu'à ce que les douleurs soient un peu diminuées. La chaleur du lit suppléera en quelque manière à l'exercice, et par ce moyen, la coction de la matière morbifique se fera mieux en peu de jours, surtout au commencement de la maladie, qu'elle ne se ferait en plusieurs jours si le malade demeurait levé, pourvu néanmoins qu'il puisse se passer du gras et se contenter de décoctions d'avoine, de petite bière et d'autres choses de cette nature, sans être at-

taqué de défaillances et d'autres fâcheux symptômes. — Mais si la goutte est invétérée et le malade sujet à des défaillances, à des tranchées de ventre, à des diarrhées et à d'autres pareils symptômes, il sera presque immanquablement emporté dans un accès, à moins qu'il ne fasse de l'exercice en grand air. C'est ce qu'il est d'autant plus nécessaire de remarquer, que la mort de quantité de goutteux a été causée par des symptômes qui leur sont survenus pour avoir gardé la chambre et surtout le lit. Or, ces malades auraient vécu plus long-temps s'ils avaient voulu s'assujettir à aller en carrosse une partie de la journée. — Un goutteux qui n'a d'autre symptôme que la douleur des articulations peut bien, à la vérité, se tenir renfermé dans sa chambre. Mais celui qui, sans souffrir extrêmement, est attaqué de défaillances et des autres symptômes dont nous avons parlé, ne peut le faire sans danger : et c'est un grand avantage que, lorsque les douleurs sont si violentes qu'il est impossible de supporter le mouvement, il se trouve justement que, dans ce cas-là, on n'en a pas fort besoin, la douleur elle-même devenant alors un remède qui met à couvert la vie du malade.

868. Quant aux symptômes de la goutte, il faut obvier à ceux qui sont dangereux. Le plus ordinaire est une langueur et une faiblesse d'estomac, avec des tranchées causées comme par des vents. Il se rencontre dans ceux qui, dans plusieurs années, sont sujets à la goutte, ou dans ceux qui, l'ayant depuis assez peu de temps, l'ont augmentée en quittant tout-à-coup les liqueurs spiritueuses pour passer à l'usage des boissons légères et trop rafraîchissantes, ou dans ceux enfin qui, pour adoucir leurs douleurs, ont appliqué sur les parties souffrantes des emplâtres répercussifs et d'autres remèdes rafraîchissants qui, ayant empêché la matière morbifique de se déposer sur les articulations, l'ont obligée de se jeter sur les viscères. Dans les accès de goutte que j'ai eus ces dernières années, j'ai essayé plusieurs différents remèdes pour guérir ce symptôme ; mais rien ne m'a si bien réussi que de boire de temps en temps, dans le fort du mal, un petit verre de vin de Canarie. Je ne trouve pas que le vin rouge de France, ni la thériaque, ni aucun autre cordial ait autant de vertu ; cependant il ne faut pas s'imaginer que le vin, même de Canarie, ou tout autre cordial, puisse sauver le malade, à moins qu'en même temps il ne fasse de l'exercice (1).

869. Si la goutte, venant à remonter, produit tout-à-coup quelque fâcheux symptôme qui mette la vie du malade en danger, et ne permette aucun retardement, dans ce cas-là, on ne doit compter ni sur le vin de Canarie, ni sur l'exercice, mais recourir aussitôt au laudanum, pourvu que le mal attaque seulement la poitrine et les viscères du bas-ventre, et non pas la tête. Ainsi on donnera vingt gouttes de laudanum liquide dans un petit verre d'eau épidémique, et le malade se tiendra au lit (2).

870. Si l'humeur goutteuse, au lieu de se jeter sur les articulations, et de produire un accès de goutte, cause une diarrhée qui soit accompagnée de faiblesses, de tranchées et d'autres symptômes, et qui continue pendant long-temps, malgré l'usage du laudanum et de toute sorte d'exercices, lesquels sont néanmoins excellents pour la guérir ; l'unique remède que je sache en ce cas-là est de faire suer le malade pendant deux ou

(1) La goutte qui s'est jetée sur l'estomac, et qui est accompagnée d'une violente fièvre et de fréquentes envies de vomir, demande des saignées, des vomitifs, des purgatifs, des stomachiques, des diaphorétiques, des cordiaux spiritueux, des vésicatoires sur les bras et les jambes, des emplâtres stimulants sur les pieds, des fomentations aromatiques sur la partie affligée, des lavements, et un régime propre à exciter la transpiration. — Un bon verre d'eau-de-vie pure a quelquefois débarrassé l'estomac, après que tous les autres remèdes avaient été inutiles. (Voyez *Musgrave, de arthritide anomalâ.*)

(2) Les circonstances peuvent être telles qu'il serait dangereux de recourir tout de suite au laudanum : ainsi le conseil que donne ici l'auteur est trop étendu et trop général. Il est difficile, pour le traitement de la goutte interne, ou de quelque autre maladie que ce soit, d'établir des règles fixes et universelles ; c'est pourquoi on doit prendre ses indications des symptômes, lesquels diffèrent extrêmement, suivant que le mal attaque différentes parties et des personnes de différent tempérament, et demandent par conséquent d'être traités fort différemment. Cependant on peut dire en général que les narcotiques, qui sont plutôt le dernier refuge que le principal remède, doivent toujours être précédés de quelques évacuations.

trois jours, matin et soir, deux ou trois heures de suite chaque fois. La diarrhée s'arrêtera ordinairement par ce moyen, et la matière morbide se jettera abondamment sur les articulations. — Cette méthode me sauva la vie il y a quelques années. Mon mal venait de ce que je m'étais mis imprudemment à l'usage de l'eau froide pour boisson ordinaire. J'avais essayé auparavant, sans aucun succès, différentes sortes de cordiaux et d'astringents (1).

871. Un autre symptôme qui n'est pas aussi fréquent que la diarrhée, et que j'ai vu néanmoins quelquefois, c'est le transport de l'humeur goutteuse sur les poumons : ce qui arrive lorsque le malade, ayant eu froid en hiver, dans le temps d'un accès, est attaqué d'une toux qui détermine l'humeur à se jeter sur les poumons, tandis qu'en même temps la douleur et la tumeur des articulations cesse entièrement ou presque entièrement. — Dans ce cas-là, il ne faut point avoir égard à la goutte, mais traiter ce symptôme de la même façon qu'une simple péripneumonie: c'est-à-dire qu'il faut employer les saignées réitérées, le régime rafraîchissant et incrassant, et les remèdes de même nature ; car le sang que l'on tire alors est entièrement semblable à celui des pleurétiques. On doit aussi purger doucement le malade entre les saignées, afin de débarrasser le poumon de la matière dépravée. Quant aux sueurs, quelque bonnes qu'elles soient d'ailleurs pour attirer l'humeur goutteuse sur les extrémités, elles ne laissent pas d'être très-nuisibles dans le cas présent, d'autant qu'elles épaississent la matière qui s'est jetée sur les poumons, d'où s'ensuit une suppuration qui ne manque pas de causer la mort du malade (2).

872. Comme presque tous ceux qui ont été long-temps affligés de la goutte sont sujets au calcul des reins, il leur arrive ordinairement d'être attaqués de la colique néphrétique au milieu d'un accès, et encore plus souvent sur la fin. Cette colique les fait souffrir cruellement, et achève d'épuiser le peu de forces qui leur restait. La meilleure chose, dans ce cas-là, est de leur faire avaler promptement quatre pintes de posset où l'on aura fait bouillir deux onces de racines de guimauve, et de leur donner le lavement suivant :

Prenez racines de guimauve et de lis, de chacune une once ; feuilles de mauve, de pariétaire, de branche-ursine et fleurs de camomille, de chacune une poignée ; graines de lin et de fénugrec, de chacune, demi-once : faites bouillir tout cela dans suffisante quantité d'eau qui sera réduite à une livre et demie ; passez la liqueur, et dissolvez-y deux onces de sucre et autant de sirop de guimauve.

Dès que le malade aura revomi tout le posset et rendu le lavement, on lui donnera une bonne dose de laudanum liquide, c'est-à-dire, jusqu'à vingt-cinq gouttes ou bien vingt-cinq grains de pilules de Matthieu (3).

873. Pour ce qui est des remèdes externes contre les douleurs de la goutte, quoique j'en aie essayé de bien des sortes, tant sur les autres que sur moi-même, je n'ai trouvé que les simples rafraîchissants et les répercussifs qui fissent quelque chose ; mais ils sont dangereux, comme j'ai dit plus haut : et j'ose assurer, après un grand nombre d'observations, que la plupart des gens que l'on croit être morts de la goutte ont moins péri par la maladie même que par les topiques appliqués mal à propos. Celui qui voudra éprouver la vertu des anodins extérieurs qui passent pour les plus efficaces ne doit pas se faire illusion à lui-même en les appliquant sur la fin d'un accès, car la douleur est alors sur le point de cesser d'elle-même ; mais qu'il les applique au commencement de l'accès, il verra bientôt leur inutilité.

(1) La goutte dans les intestins doit être traitée à peu près de la même manière que lorsqu'elle attaque l'estomac; il faut seulement avoir égard à la diarrhée, qui demande un plus grand usage de la rhubarbe jointe à des astringents modérés, et un peu de laudanum.

(2) Dans ce cas, la saignée, les doux vomitifs, les vésicatoires et les remèdes ordinaires contre l'asthme, conviennent extrêmement, et ont souvent un heureux succès.

(3) Les lavements avec la térébenthine, donnés de douze en douze heures, et les narcotiques en petites doses, sont utiles en cette occasion ; mais les aromatiques, qui conviennent d'ailleurs dans la goutte interne, doivent être employés ici très-légèrement, crainte d'enflammer les parties et d'augmenter les symptômes.

En effet, ces sortes de remèdes ne peuvent jamais être d'aucun secours, et ils peuvent être quelquefois nuisibles. — C'est par cette raison que, depuis plusieurs années, je n'emploie aucun topique pour la goutte. Je me suis servi autrefois d'un cataplasme de mie de pain blanc bouillie dans le lait, où l'on ajoutait du safran et un peu d'huile rosat, et je m'en trouvai mieux que de tout le reste; et néanmoins cela ne servait de rien au commencement de l'accès (1). C'est pourquoi, si la douleur est extrêmement violente, le malade fera mieux de se tenir au lit jusqu'à ce qu'elle soit un peu diminuée que de recourir aux anodins. Cependant, si elle est tout-à-fait insupportable, il sera bon de prendre le soir un peu de laudanum, autrement il vaudra mieux s'en passer.

874. Puisque je suis maintenant sur l'article des remèdes externes contre la goutte, je dirai quelque chose d'une certaine mousse des Indes, appelée *moxa*, qui était ci-devant en grande réputation pour la guérison de la goutte. On allume cette mousse, et on brûle légèrement la partie affectée. Ce remède, que l'on prétend venir originairement des Indes orientales, et être nouveau en Europe, y est très-ancien, puisque Hippocrate, qui a écrit il y a plus de deux mille ans, en fait mention. C'est dans son Traité des *Affections*, Section V, où, parlant de la sciatique, il s'exprime de la manière suivante : « Si la douleur se fixe dans un endroit quel qu'il soit, et qu'on ne puisse l'apaiser par les remèdes, il faudra brûler cet endroit avec du lin cru.» Et, un peu plus bas, il dit, en parlant de la goutte : « La maladie est longue et fâcheuse, mais non pas mortelle. S'il reste de la douleur dans les doigts, on brûlera les veines des doigts un peu au-dessus des articulations, et on se servira pour cela de lin cru. »

Personne, je pense, ne se persuadera qu'il y ait une différence essentielle entre la flamme produite par le lin et celle qui est produite par le moxa, en sorte que la dernière soit plus efficace que la première pour la guérison de la goutte; de même qu'on ne croira pas qu'un feu de bois de chêne ait plus de vertu qu'un feu d'un autre bois. Il est vrai qu'en brûlant ainsi la partie affligée de la goutte, on peut quelquefois soulager les douleurs, parce qu'on évacue par ce moyen la portion la plus fine de l'hétérogène qui est déposée dans les articulations. — Mais comme ce remède ne touche en aucune façon à la cause antécédente de la goutte, qui est l'altération des humeurs, il ne saurait procurer qu'un soulagement faible et passager : d'ailleurs, il ne convient que dans le commencement de la goutte; car, lorsqu'elle s'est jetée sur les viscères, soit par la longueur du temps, soit par des remèdes employés mal à propos, et qu'ainsi le malade, au lieu de ressentir des douleurs violentes aux extrémités, est plutôt attaqué de faiblesses, de tranchées dans le ventre et d'un grand nombre de symptômes de cette nature, il n'y aurait pas de bon sens à vouloir se servir du feu en pareille occasion.

875. Voilà tout ce que j'ai découvert jusqu'à présent sur la manière de traiter la goutte. Si l'on m'objecte qu'il y a beaucoup de remèdes spécifiques contre cette maladie, j'avoue sincèrement qu'ils me sont inconnus; et je crains fort que ceux qui les vantent ne soient aussi ignorants que moi. En vérité, c'est une chose bien triste de voir la médecine, le plus noble de tous les arts, ainsi déshonorée par l'ignorance ou la mauvaise foi de certains écrivains qui remplissent leurs livres de remèdes frivoles : car, dans presque toutes les maladies, on ne manque jamais de trouver des gens qui ont, disent-ils, des secrets admirables pour les guérir; et tous ces secrets ne sont au fond que des bagatelles. Ce n'est pas seulement pour les maladies qui ont un type certain qu'on vante de prétendus spécifiques, c'est aussi pour celles qui n'en ont aucun, et qui dépendent de quelque lésion des organes ou d'une cause extérieure. Et ce qu'il y a de plus étonnant, c'est que des gens de bon sens ont la faiblesse de donner dans une telle extravagance. — Nous en voyons un bel

(1) On a souvent causé de grands malheurs dans cette maladie par des applications extérieures; ainsi on ne doit y avoir recours que dans une pressante nécessité, et alors il faut avoir un soin particulier d'en faire un choix convenable. En général, elles doivent être stimulantes au commencement et dans le fort de l'accès, diaphorétiques et fortifiantes dans le déclin. Une flanelle appliquée chaude est peut-être le meilleur topique, et celui qui convient le plus universellement. Dans une douleur extrême on peut appliquer des compresses trempées dans le laudanum liquide de Sydenham.

exemple dans les contusions, où l'on donne pour spécifique un grand nombre de remèdes, tels que le blanc de baleine, etc., quoique ces prétendus spécifiques ne fassent autre chose que d'empêcher qu'on ne traite la maladie d'une manière convenable. Le véritable moyen de la guérir sûrement et promptement, comme on verra par expérience, c'est d'employer alternativement les saignées et les purgations, jusqu'à ce que le malade se porte bien, au lieu de s'amuser à tous ces remèdes frivoles que l'on fait ordinairement prendre après une seule saignée. — Les sueurs ne conviennent point non plus dans ce cas-là : car, comme elles échauffent le sang, elles ne font qu'augmenter la disposition que les parties ont déjà à s'enflammer.

876. Au reste, si l'on trouve que je suis pauvre en remèdes pour la guérison de la goutte, et que je n'en aie pas rapporté un assez grand nombre, je proposerai ici tous ceux que Lucien a ramassés dans sa pièce comique intitulée *Tragopodagra*. Il y en a d'internes et d'externes. Chacun choisira ceux qu'il voudra, et il les trouvera peut-être aussi efficaces que la plupart de ceux que certaines gens élèvent jusqu'au ciel. Dans cette pièce, Lucien personnifie la goutte, et la fait ainsi parler à ceux qui se vantent d'avoir des secrets pour la guérir. « Qui est-ce » qui ne connaît pas la mère des dou- » leurs, l'indomptable goutte, née pour » tourmenter les malheureux mortels? » Rien ne peut apaiser mon courroux, » ni le sang des victimes immolées sur » mes autels, ni la fumée de l'encens, » ni les plus riches offrandes. Tous les » efforts d'Apollon, le médecin des dieux, » et ceux de son fils, le savant Esculape, » sont inutiles contre moi. Dans tous » temps, les hommes ont travaillé à se » dérober aux traits de ma colère. En- » core aujourd'hui ils n'oublient rien » pour cela. Il n'est sorte de moyens » qu'ils ne mettent en usage. Les uns se » servent de feuilles de plantain, de lai- » tue, de pourpier sauvage; les autres, » de marrube; d'autres, d'orties; d'au- » tres, de grande consoude. Ils emploient » la lentille d'eau, le panais, les feuilles » de pêcher, le pavot, la jusquiame, les » écorces de grenade, l'herbe aux puces, » la racine d'ellébore, les feuilles de » choux, le fénugrec, la noix de cyprès, » la farine d'orge, celle de fève. Ils ont » recours aux os, aux nerfs, à la peau, » à la graisse, au sang, à la moelle, au » lait et même aux excréments des ani- » maux. Quel métal, quel suc d'herbe, » quelle gomme, quelle résine ne met- » tent-ils pas en usage? Les uns pren- » nent des médicaments au nombre de » quatre; les autres, au nombre de huit; » la plupart au nombre de sept. Les uns » se purgent avec de l'hiéra-picra; les » autres cherchent un remède dans le nid » d'hirondelle; d'autres ont recours aux » enchantements, et se laissent tromper » par des imposteurs. Tous ces gens-là » sont des insensés qui ne font qu'irriter » ma colère; aussi je les traite sans mi- » séricorde; mais, pour ceux qui n'entre- » prennent rien contre moi, j'en use » avec indulgence et avec bonté à leur » égard. » Je ne doute pas que ceux qui souffrent depuis long-temps les douleurs de la goutte, désespérant d'une entière guérison, ne s'écrient avec le chœur qui termine cette pièce : « Redoutable » goutte, qui exercez votre empire dans » tout l'univers, jetez sur nous quel- » que regard favorable, et ne nous » traitez pas impitoyablement. Faites que » nos douleurs soient courtes et légères, » qu'elles ne nous empêchent pas de » marcher, et que l'habitude nous les » rende faciles à supporter. Ainsi, mes » compagnons, prenez patience, et ne » vous désespérez pas; souffrez tranquil- » lement qu'on se raille, qu'on se moque » de vous : car tel est le partage des » goutteux, on se rit de leurs maux au » lieu d'y compatir. »

877. Pour conclure enfin ce traité, la méthode que j'enseigne ici est fondée sur l'examen des symptômes de la maladie. C'est celle que j'ai suivie, et dont je me suis bien trouvé, tant pour moi-même que pour les autres. La cure radicale et parfaite de la goutte est une de ces choses cachées dans les mystères de la nature, et je ne sais ni quand ni par qui elle sera découverte. Je crois néanmoins avoir rendu quelques services aux hommes par ce traité, en marquant fidèlement les écueils où j'ai fait naufrage moi-même, et tant d'autres avec moi, et en y joignant la meilleure méthode curative que j'ai découverte jusqu'à présent. C'est tout ce que je puis faire. Néanmoins, après y avoir bien pensé, je suis porté à croire qu'on découvrira un jour le remède spécifique de la goutte; et si cela arrive jamais, on verra clairement par là quelle est l'ignorance des médecins spéculatifs, et combien ils se trompent grossièrement dans la connais-

sance des causes des maladies et dans le choix des remèdes qu'ils donnent pour les guérir. Nous avons une belle preuve de cette vérité dans le quinquina, ce grand spécifique des fièvres intermittentes. Pendant combien de siècles les médecins les plus ingénieux s'étaient-ils exercés à rechercher les causes des fièvres intermittentes, et avaient-ils employé les méthodes curatives les plus conformes aux diverses théories qu'ils avaient inventées? Mais on voit combien ces méthodes ont fait peu d'honneur aux théories qui leur servaient de fondement, par l'exemple récent de ces praticiens qui, attribuant les différentes sortes de fièvres intermittentes à une surabondance de diverses humeurs, tentaient ordinairement la guérison par l'altération et l'évacuation de ces humeurs. Les mauvais succès qu'ils ont eus ont montré la fausseté de leurs systèmes. Mais rien ne l'a mieux fait voir que l'heureux usage du quinquina, par le moyen duquel, sans nous embarrasser de toutes ces humeurs, ni du régime, et en le donnant suivant la méthode convenable, nous réussissons d'ordinaire, à moins que nous n'obligions sans nécessité le malade de garder le lit pendant l'usage de ce remède, lequel est néanmoins si efficace, qu'alors même, nonobstant que la chaleur du lit augmente la fièvre, il ne laisse pas de le guérir le plus souvent. — En attendant donc que l'on découvre la cure radicale de la goutte, ce que tous les médecins doivent souhaiter, et moi particulièrement, j'espère que le public recevra cette faible dissertation. Mais si la chose arrive autrement, je connais si bien le caractère des hommes, que je n'en serai pas fort surpris, et je sais assez mon devoir pour que cela ne me décourage pas. Que si les cruelles douleurs, et les autres maux dont j'ai été affligé durant la plus grande partie de ma vie, et qui, en me rendant perclus, ont fait un grand tort à mes affaires domestiques, en m'empêchant si souvent de pratiquer la médecine, peuvent procurer aux autres quelque soulagement; je me croirai, en quittant ce monde, dédommagé en quelque façon des misères que j'y ai souffertes.

DISSERTATION

SUR

LE PISSEMENT DE SANG,

CAUSÉ PAR UNE PIERRE ENGAGÉE DANS LES REINS.

878. On trouvera peut-être d'abord qu'il y a de l'imprudence à moi de publier des observations que je n'ai faites que sur moi-même. Cependant, comme j'ai souffert pendant fort long-temps de très-cruelles douleurs par un pissement de sang que me causait une pierre engagée dans les reins, j'espère que les personnes équitables ne me blâmeront pas si, en faveur de ceux qui sont attaqués de la même maladie, j'indique ici les remèdes qui m'ont soulagé, quelque ordinaires et méprisables qu'ils semblent être.

879. L'an 1660 j'eus une attaque de goutte aux pieds la plus violente et la plus longue que j'eusse jamais éprouvée auparavant. On était alors en été, et je fus obligé de demeurer couché pendant deux mois entiers. L'accès se termina par une douleur sourde que je commençai à ressentir dans le rein gauche, et quelquefois, mais plus rarement, dans le rein droit. La goutte s'étant dissipée, la douleur de rein resta. Elle augmentait par intervalles, mais elle était modérée et assez supportable; car je n'avais jamais eu une seule attaque de néphrétique, maladie qui est toujours accompagnée d'un vomissement violent et d'une douleur aiguë qui se fait sentir le long

de l'uretère, en tirant vers la vessie. — Or, quoique je n'eusse pas cette douleur ni ce vomissement, qui sont les signes d'un calcul dans les reins, je ne laissais pas d'être bien fondé à croire que j'avais dans le bassinet de l'un des reins une pierre considérable, qui, étant trop grosse pour passer par les uretères, ne causait pas les deux symptômes dont j'ai fait mention. Ce qui m'arriva au bout de plusieurs années me prouva que je ne m'étais pas trompé dans ma conjecture. Car pendant l'hiver de l'an 1676, m'étant beaucoup promené après un grand dégel, je rendis aussitôt de l'urine mêlée de sang. — La même chose m'arriva ensuite toutes les fois que je faisais beaucoup de chemin à pied, ou que j'allais en carrosse sur le pavé, quoique j'allasse très-lentement, mais non pas lorsque j'allais par un chemin qui n'était pas pavé, quelque longue route que je fisse. L'urine que je rendais alors était effrayante, car elle paraissait être du sang tout pur; mais, au bout d'un peu de temps on la voyait transparente et dans son état naturel, et le sang se ramassait en grumeaux au fond du vaisseau.

880. Ponr guérir cette maladie, je me fis faire une assez bonne saignée du bras, et après m'être purgé plusieurs fois, je pris différents remèdes rafraîchissants et incrassants. J'observai un régime assez convenable, évitant avec soin les liqueurs acides, âcres et apéritives. Tous ces remèdes, et plusieurs autres qu'il serait trop long de détailler ici, furent inutiles; et comme je craignais d'employer des eaux martiales contre une pierre que je soupçonnais trop grosse pour pouvoir être expulsée, je perdis enfin toute espérance de guérison, voyant surtout que des vieillards de ma connaissance s'étaient causé la mort en voulant faire sortir le calcul des reins par le moyen de ces eaux. Ainsi je résolus de ne plus tenter aucun remède, et de me contenter d'éviter, autant qu'il me serait possible, tout mouvement du corps.

881. Il me vint alors dans l'esprit que certains auteurs vantent extrêmement la vertu lithontriptique de la semence de frêne. Je pensai donc que si cette substance avait cette vertu, la manne que produit cet arbre devait l'avoir encore davantage, puisqu'elle n'est autre chose qu'une liqueur ou une gomme qui découle des feuilles, des branches et du tronc des frênes de Calabre, et nullement un miel de l'air, ou une rosée céleste. C'est ce que nous ont appris plusieurs auteurs, et entr'autres le célèbre botaniste Jean-Ray, qui, dans son voyage d'Italie, en fut assuré par un très-savant médecin, lequel avait souvent recueilli la manne en couvrant exactement d'un linge les feuilles et les petites branches d'un frêne. *Voyez* Jean Ray, dans son *Catalogue des plantes d'Angleterre*.— Voulant donc essayer l'effet de la manne, j'en fis dissoudre deux onces et demie dans deux livres de petit-lait, et je pris cela par verrées, avalant de temps en temps un peu de suc de limon, afin d'animer l'action de ce purgatif, qui, pour l'ordinaire, opère faiblement, et de le rendre moins désagréable à l'estomac. Ce remède me soulagea infiniment; car quoiqu'auparavant je ne souffrisse pas une douleur continuelle dans les reins, j'y ressentais toujours une pesanteur incommode.—Voyant que cette purgation m'avait si bien réussi, je la réitérai une fois la semaine pendant plusieurs mois de suite, et je me trouvai toujours mieux chaque fois que je fus purgé, tellement que je ne pouvais soutenir d'être rudement cahoté dans un carrosse sans en être incommodé. Enfin je ne ressentis rien du tout jusqu'au printemps dernier. Mais comme j'avais eu la goutte durant presque tout l'hiver précédent, et qu'ainsi j'avais été obligé de renoncer à tout exercice, et de me tenir en repos, je fus de nouveau attaqué d'un pissement de sang.

882. Dans cette conjoncture, j'étais incertain si j'aurais de nouveau recours à la purgation; car, comme la matière goutteuse avait infecté, pour ainsi dire, toutes mes humeurs, je craignais avec raison que le purgatif le plus léger ne m'attirât un long accès de goutte. Enfin, je m'imaginai qu'en prenant un narcotique le soir de la purgation, afin d'apaiser le tumulte qu'elle aurait excité, je pourrais revenir sans danger à mon premier remède. — Dans cette idée, je pris le matin deux onces et demie de manne dissoute dans deux livres de petit-lait; et le soir, à l'heure du sommeil, seize gouttes de laudanum liquide dans de la petite bière. Je réitérai de cette manière la manne et le laudanum deux fois la semaine jusqu'à six fois différentes. Ensuite je me contentai de prendre de la manne seulement une fois la semaine, parce que les humeurs se trouvaient alors purgées si abondamment, qu'il n'y avait pas sujet de craindre que la goutte revînt. — Mais comme je pen-

sais que si la manne avait quelque vertu de dissoudre ou de briser la pierre, cette vertu devait nécessairement être affaiblie par l'action du laudanum, qui est un puissant astringent, je crus qu'il fallait alors supprimer ce narcotique. Je continuai donc pendant plusieurs mois à me purger régulièrement une fois la semaine avec la manne. La douleur que je ressentais au dos diminua dès la première purgation, comme elle avait fait dans l'autre pissement de sang dont j'avais été attaqué. — Il est vrai qu'à la seconde purgation j'eus quelques atteintes de goutte, tantôt aux extrémités, tantôt dans les viscères; mais le laudanum dissipa bientôt cet accident. Ensuite l'hémorrhagie cessa tout-à-fait, et après qu'elle eut cessé, je ne laissai pas de continuer quelque temps l'usage de la manne, afin d'assurer la guérison et de prévenir, autant qu'il m'était possible, la formation du calcul dans les reins.

883. Il s'ensuit de tout cela que lorsqu'un homme sujet à la goutte est attaqué d'un pissement sanguin causé par une pierre dans les reins, on peut et on doit mettre en usage la purgation, pourvu qu'on se serve uniquement de manne, et qu'on la donne de la manière que nous avons expliquée. — Et à cette occasion, je suis obligé de rétracter ce que j'ai dit dans le Traité de la goutte, savoir qu'on ne devait jamais purger dans cette maladie, soit au commencement, soit à la fin, soit dans les intervalles des accès; car alors je ne m'étais pas encore avisé qu'un narcotique donné le soir pouvait empêcher l'accès de la goutte que je craignais de la part du purgatif. Cependant, à ne considérer que la goutte seule, toutes les évacuations, de quelque genre qu'elles soient, y sont fort nuisibles, et par conséquent doivent être retranchées, à moins qu'il ne survienne un pissement de sang, auquel cas elles sont absolument nécessaires (1).

884. Pour ce qui est du régime qui me paraît convenir dans ces deux maladies, voici ce que j'observe moi-même; car je ne veux rien omettre de tout ce qui peut contribuer au soulagement des personnes qui sont sujettes aux mêmes incommodités que moi. Le matin, dès que je suis levé, je bois une ou deux tasses de thé; ensuite je me promène en carrosse jusqu'à midi. Etant de retour chez moi, je dîne, et je mange de tout ce qui me fait plaisir et qui est facile à digérer; mais je mange modérément, car c'est là l'essentiel et à quoi il faut toujours avoir grande attention. Aussitôt après le dîner j'avale un grand verre de vin de Canarie, afin d'aider à la digestion et d'éloigner la goutte des viscères; ensuite je me promène de nouveau en carrosse, et quand mes occupations me le permettent, je vais à la campagne prendre le bon air jusqu'à deux ou trois milles de Londres. — Mon souper ne consiste que dans un verre de petite bière, et j'en bois un autre verre dans le lit avant que de m'endormir, afin de détremper les humeurs âcres qui, séjournant dans les reins, font la matière du calcul. — Pour ce qui est de la bière, je crois qu'on doit préférer la petite bière houblonnée à celle qui ne l'est pas, quelque douce et légère qu'elle puisse être d'ailleurs. Il est vrai que la bière sans houblon, étant plus douce que l'autre, est aussi par cette raison plus propre à faire sortir le calcul déjà formé dans les reins. Mais, d'un autre côté, la petite bière houblonnée, à raison d'une légère astriction que lui communique le houblon, empêche davantage la génération des graviers, ou de la matière calculeuse, que ne fait la bière non houblonnée, qui est toujours plus visqueuse et moins apéritive. — Le jour que je me purge, je ne mange que du poulet à mon dîner; mais à la fin du repas je bois, selon ma coutume, un bon verre de vin de Canarie. J'ai soin de me coucher de bonne heure, principalement en hiver. Rien n'est meilleur que cela pour rendre les digestions parfaites, et conserver tous les organes en bon état. Au contraire, rien n'est plus nuisible aux personnes âgées qui ont quelque maladie chronique que de veiller la nuit : cela affaiblit toutes les digestions et cause un épuisement de forces, auquel il n'est pas facile de remédier. — Voici encore une autre précaution dont je me sers pour prévenir le pissement du sang que produit le calcul des reins. Toutes les fois que je dois aller un peu loin en carrosse dans les rues de cette ville, je ne manque pas de boire auparavant un

(1) Voyez *Traité de la Goutte*, *article* 829, *et suivants*. Voyez aussi Cheyne, *Essai sur la Goutte*, *p.* 54 *et suiv.*, où il blâme avec raison l'entreprise téméraire de certains médecins de sa connaissance, qui, dans le plus fort d'une attaque de goutte, ne faisaient pas difficulté de purger; mais il recommande la purgation dans les intervalles des accès.

bon verre de petite bière ; et si je m'arrête quelque part un peu long-temps, j'en bois un autre verre avant que de revenir chez moi. Par ce moyen j'ai toujours assez bien prévenu l'hémorrhagie. Quand je vais en carrosse dans des chemins non pavés, je puis faire autant de chemin qu'il me plaît sans être du tout incommodé.

885. J'ajouterai ici une chose au sujet de la goutte. Depuis quelques années, s'il m'arrive de commettre quelque faute à l'égard des six choses non naturelles, ma goutte remonte. Les signes de cet accident sont de grands maux de cœur, des envies de vomir et un peu de douleur dans le ventre. La douleur des extrémités cesse tout-à-coup, et leur mouvement est plus libre qu'à l'ordinaire. Dans ce cas-là, j'avale quatre pintes de posset ou de petite bière, et dès que j'ai revomi toute cette boisson, je prends un petit verre de vin de Canarie où l'on a mêlé dix-huit gouttes de laudanum liquide; ensuite je me mets au lit et demeure tranquille. Cette méthode m'a déjà quelquefois sauvé la vie (1).

886. Or, quoiqu'il ne convienne peut-être encore à personne, et encore moins à un homme dont la vie ou la mort est d'une si petite conséquence, de parler si long-temps de lui-même, mon intention néanmoins, en rapportant ces particularités, a été de les rendre utiles à d'autres dont la vie et la santé pourront être d'une plus grande importance.

887. Je dois avertir ici que les gens attaqués du calcul et de la goutte s'exposent à un grand danger lorsqu'ils prennent inconsidérément de la manne dissoute dans des eaux minérales purgatives. Car quoique la manne purge alors plus promptement, et cause moins de nausées, ces faibles avantages ne dédommagent nullement du tort que font les eaux. En effet, si le calcul contenu dans les reins est trop gros pour être expulsé dans la vessie le long des uretères, les eaux causent le plus souvent un accès de néphrétique très-dangereux, et qui dure jusqu'à ce que la pierre soit rentrée dans le bassinet. — Il y a même du danger pour le malade de prendre les eaux martiales, à moins qu'il ne sache sûrement que la pierre contenue dans les reins n'est pas assez grosse pour ne pouvoir descendre par les uretères. Or, le seul moyen, ce me semble, d'en être assuré, c'est lorsque le malade a déjà essuyé précédemment quelques attaques de néphrétique, savoir, une douleur violente dans l'un des reins et le long de l'uretère, avec un grand vomissement; car alors on peut juger que cet accès a été produit par une petite pierre ou un gravier qui, s'étant insinué dans l'uretère, cause les symptômes de la néphrétique, dont l'accès ne cesse guère que quand cette pierre ou ce gravier est tombé dans la vessie; et qu'ainsi il y a plutôt dans le bassinet des reins un amas de petites pierres ou de graviers qu'une pierre considérable. Dans ce cas-là, rien de plus efficace, soit pour empêcher l'augmentation des petits calculs, soit pour en débarrasser les reins, que de boire abondamment tous les étés les eaux martiales.

888. Mais comme il arrive souvent qu'on n'est pas à portée de ces eaux, ou que l'accès de néphrétique survient dans une saison qui n'est pas favorable pour les prendre, voici la méthode qu'on doit suivre en pareil cas. Si le malade est d'un tempérament sanguin, et qu'il ne soit pas trop avancé en âge, on lui tirera dix onces de sang au bras, du côté du rein affecté; ensuite il avalera promptement quatre pintes de posset où l'on aura fait bouillir deux onces de racine de guimauve, et on lui donnera le lavement suivant :

Prenez racines de guimauve, ognons de lis, de chacun, une once; feuilles de mauve, de pariétaire, de branche-ursine, et fleurs de camomille, de chacune, une poignée; graine de lin et de fénugrec, de chacune, demi-once. Faites bouillir tout cela dans suffisante quantité d'eau qui sera réduite à une livre et demie. Coulez la liqueur, et y dissolvez deux onces de sucre et autant de sirop de guimauve.

Dès que le malade aura rejeté le posset par le vomissement et aura rendu son lavement, on lui donnera une bonne dose de laudanum liquide, par exemple, jusqu'à vingt-cinq gouttes, ou bien quinze ou seize grains de pilules de Matthieu. — On ne saignera point les vieil-

(1) Voyez Cheyne, *Essai sur la goutte*, p. 76, 77. Voyez aussi notre auteur, *Traité sur la goutte*, *pag.* 280, *art.* 868, *note* (1). — Les narcotiques ne doivent être employés dans le cas présent qu'avec beaucoup de précaution et de réserve, crainte d'affaiblir les parties internes et de fixer la douleur, comme il arrive aisément quand on les donne en trop grande dose ou trop long-temps.

lards qui sont épuisés par quelque longue maladie, ni les vieilles femmes vaporeuses, surtout si au commencement de l'accès elles rendent une urine noirâtre et mêlée de sable. Pour tout le reste, on se conduira entièrement comme nous avons dit.

889. Si le malade n'a jamais eu d'accès de néphrétique, parce que la pierre contenue dans le bassinet des reins est trop grosse pour en pouvoir sortir, les eaux martiales seront non-seulement inutiles, mais encore très-dangereuses, par les raisons rapportées ci-devant. Elles ne nuisent pas moins quelquefois aux goutteux avancés en âge, comme ils le sont le plus souvent, et qui sont avec cela d'un tempérament faible et pituiteux; car elles achèvent de ruiner le peu de forces qui leur reste. Mais quelle que soit la cause du mal qu'elles font alors, je sais certainement qu'elles ont été mortelles à plusieurs vieillards que la goutte avait réduits à une extrême faiblesse. — Voilà à peu près tout ce que j'ai découvert sur la curation des maladies, jusqu'au jour présent, 29 septembre 1686.

TRAITÉ DE L'HYDROPISIE.

890. L'hydropisie attaque les deux sexes à tout âge. Les femmes néanmoins y sont plus sujettes que les hommes. Ceux-ci en sont principalement attaqués lorsqu'ils commencent à vieillir; celles-là quand elles cessent d'avoir des enfants. La maladie survient aussi quelquefois aux jeunes femmes qui sont stériles. — Des fosses que l'impression des doigts laisse à la partie inférieure de la jambe, qui se remarquent davantage le soir, et s'évanouissent le matin, sont le premier signe de l'hydropisie; mais ce signe n'est pas aussi certain dans les femmes que dans les hommes; car il se rencontre assez souvent dans les femmes grosses, et dans celles qui ont une suppression des règles, par quelque cause que ce puisse être. Il n'est pas même bien certain pour les hommes. Si un vieillard d'un tempérament replet, qui est, depuis plusieurs années, tourmenté d'un asthme, vient à en être délivré tout-à-coup, principalement en hiver, les jambes lui enfleront aussitôt considérablement. Cette enflure, qui ressemblera à celle des hydropiques, sera plus grande en hiver qu'en été, plus grande dans un temps de pluie que dans un beau temps, et elle continuera de la sorte jusqu'à la fin de la vie, sans aucun accident considérable. — Cependant l'enflure des jambes est généralement un signe d'hydropisie dans les hommes, surtout si elle est accompagnée d'une respiration difficile. La sérosité qui la cause, ne pouvant plus être contenue dans les jambes qu'elle grossi[t] de plus en plus chaque jour, se jette su[r] les cuisses et s'épanche ensuite dans l[a] capacité de l'abdomen, qu'elle disten[d] prodigieusement. Quelquefois même ell[e] force l'ombilic et produit un exomphale.

891. Trois principaux symptômes ac-compagnent l'hydropisie, qui sont la dif-ficulté de respirer, la diminution de[s] urines et une soif extraordinaire. — L[a] difficulté de respirer vient de ce que l'ea[u] épanchée dans le ventre comprime l[e] diaphragme, et par-là empêche la libert[é] de son mouvement. La diminution de[s] urines vient de ce que la sérosité du san[g] au lieu de se filtrer par les conduits uri-naires, se dépose dans la cavité de l'ab-domen et dans les autres parties capabl[es] de la recevoir. La soif est causée par [la] chaleur et l'âcreté qui sont un effet [de] l'altération que contractent les eaux d[es] hydropiques en séjournant dans le corp[s], et de là vient aussi qu'il y a toujou[rs] une petite fièvre.

892. A mesure que les parties enflé[es] augmentent de volume, les autres ma-grissent et diminuent, jusqu'à ce qu'e[n]fin, le ventre ne pouvant plus contenir [la] quantité d'eau qui s'y épanche de pl[us] en plus, elle force toutes les barrière[s], inonde les parties nobles et fait périr [le] malade.

893. La cause de l'hydropisie, géné-ralement parlant, est la faiblesse du san[g] qui, n'étant plus en état de chan[ger] comme il faut le chyle en sa [illegible]

stance, le dépose nécessairement sur les extrémités et les parties pendantes du corps, et bientôt après dans l'abdomen. Là, tant qu'il est en petite quantité, la nature forme des espèces de vésicules pour le contenir, jusqu'à ce qu'enfin il augmente à un tel point qu'il n'est plus renfermé que par le péritoine.

894. L'affaiblissement du sang est produit par des saignées trop copieuses ou trop fréquentes, ou par des pertes, ou bien par de longues maladies, ou par un usage excessif des liqueurs spiritueuses, lesquelles détruisent les levains du corps, et dissipent les esprits (1). De là vient que les grands buveurs sont plus souvent attaqués d'hydropisie que les autres, quoique ce soit une maladie froide. D'un autre côté, la boisson d'eau pure n'affaiblit pas moins le sang dans ceux qui sont accoutumés depuis longtemps aux liqueurs spiritueuses.

895. La cause de l'hydropisie des femmes est très-différente. Elle consiste dans une obstruction de l'un des ovaires, laquelle détruit peu à peu le ton de cette partie: d'où il arrive que la tunique de l'ovaire étant distendue outre mesure, par la lymphe qui s'y est déposée, et étant prête à crever, la nature forme des espèces de vésicules pour recevoir cette lymphe; et enfin une ou plusieurs des vésicules venant à se rompre, la liqueur qu'elles contiennent s'épanche dans la cavité de l'abdomen, et produit les mêmes symptômes que dans l'hydropisie des hommes. Mais nous avons déjà traité ailleurs de cette sorte d'hydropisie (2).

896. Il y a deux autres sortes d'enflures du ventre qui ressemblent à l'hydropisie, et qui sont ordinaires aux femmes. La première est une excroissance charnue et contre nature, qui arrive aux parties contenues dans l'abdomen, et qui forme une tumeur aussi considérable que ferait de l'eau enfermée dans cette cavité (3). La seconde sorte d'enflure est produite par des vents, et elle est accompagnée de tous les signes de grossesse. Elle attaque le plus souvent les veuves, et même les femmes qui n'ont été mariées que dans un âge avancé. Ces dernières ainsi affectées ne manquent pas de se croire grosses; elles consultent les sages-femmes, qui sont leur oracle, et qui leur disent la même chose; elles s'imaginent sentir le mouvement de l'enfant pendant tout le temps ordinaire; elles ont de temps en temps les mêmes incommodités que les femmes enceintes; leurs mamelles grossissent, le lait distille des mamelons; quelquefois même elles préparent tout ce qui est nécessaire pour leurs couches, jusqu'à ce qu'enfin le ventre venant à désenfler peu à peu les détrompe de leur erreur (4). Nous ne parlerons point ici de ces deux dernières maladies qui ne sont pas proprement des hydropisies.

897. Les véritables indications curatives dans l'hydropisie proprement dite sont, en premier lieu, d'évacuer les eaux contenues dans l'abdomen et dans les autres parties, en second lieu, de rétablir les forces du sang, afin de prévenir un nouvel épanchement de sérosité.

898. La première indication se remplit par les purgatifs et les diurétiques. Quant aux purgatifs, il faut bien observer que ceux qui agissent faiblement sont plus nuisibles qu'utiles dans toute sorte d'hydropisies; car, comme ils remuent les humeurs sans les évacuer, qu'ils agitent le sang et l'affaiblissent, ils ne produisent d'autre effet sur l'enflure que de l'augmenter encore, particulièrement celle des pieds. Ainsi, les purgatifs violents et hydragogues sont en général les meilleurs dans l'hydropisie. Mais pour qu'ils aient un heureux succès, il est nécessaire de savoir si le malade est facile ou difficile à purger. Le moyen d'être instruit là-dessus, c'est d'examiner comment les purgatifs ordinaires lui ont fait

(1) Les liqueurs spiritueuses, bues avec excès, produisent de très-mauvais effets, car elles raidissent et froncent les fibres, communiquent une âcreté aux liquides, les épaississent et les coagulent, et par conséquent les empêchent de circuler, surtout dans les petits vaisseaux, rendent squirrheux le foie et les glandes du mésentère, et par ce moyen contribuent extrêmement à la génération de l'hydropisie humorale et d'autres maladies chroniques.

(2) Voyez art. 759.

Sydenham.

(3) L'auteur semble entendre ici ce que les écrivains en médecine appellent une molle ou fausse conception, qui peut tromper les femmes pendant un certain temps, et leur faire croire qu'elles sont véritablement grosses.

(4) C'est cette sorte d'hydropisie que les auteurs appellent tympanite, ou hydropisie venteuse, et dans laquelle le ventre ne contient souvent qu'une petite quantité d'eau.

dans un autre temps. — Chaque corps a une disposition particulière, appelée autrement *idiosyncrasie*, qui le rend plus ou moins susceptible de l'action des purgatifs : de là vient qu'on se tromperait grossièrement et qu'on mettrait souvent un malade en péril si, dans le choix et la dose des purgatifs, on ne se réglait que sur la force du tempérament. Il n'est pas rare de voir des gens très-robustes sur qui de médiocres purgatifs opèrent aisément, et de voir au contraire des corps faibles qui cèdent à peine aux plus puissants. — La précaution que je recommande ici au sujet de la différente disposition par rapport à l'action des purgatifs ne doit pas seulement avoir lieu pour les hydragogues, mais encore pour les autres purgatifs, car j'ai souvent observé que des médecines douces ont causé des superpurgations, parce que le médecin n'avait pas bien interrogé le malade s'il était facile ou difficile à purger. — Néanmoins, comme l'hydropisie, plus que toute autre maladie, demande des purgations fortes et promptes, et que les doux purgatifs ne font qu'augmenter l'enflure au lieu de la diminuer, il vaut mieux purger trop fortement que trop faiblement, d'autant plus que s'il arrivait une superpurgation, on peut aisément l'arrêter par le moyen du laudanum, qui est un remède sûr en pareil cas.

899. Lorsqu'on emploie les purgatifs dans l'hydropisie, il est extrêmement important de vider les eaux le plus promptement que l'on peut, eu égard aux forces du malade, c'est-à-dire qu'il faut purger tous les jours, à moins que la grande faiblesse du malade ou l'opération trop violente d'une purgation n'oblige quelquefois de mettre un ou deux jours d'intervalle entre les autres, car si on ne le réitère que de loin en loin, elles auront beau évacuer abondamment, elles n'empêcheront pas un nouvel amas d'eau, et on perdra par ces délais tout le fruit qu'elles auront produit. — D'ailleurs, si on laisse long-temps séjourner la sérosité épanchée dans l'abdomen, il est dangereux qu'elle n'affecte les viscères par l'altération qu'elle contractera, et il faut remarquer aussi que les purgations précédentes l'ayant mis en mouvement, elle se trouve par là beaucoup plus propre à agir sur les viscères que si on l'avait laissée en repos. Cette raison, et les autres que j'ai rapportées ci-dessus, montrent qu'on doit évacuer les eaux des hydropiques le plus promptement qu'il est possible, et continuer les purgatifs jusqu'à ce qu'il ne reste du tout plus d'enflure.

900. Mais il faut remarquer, au sujet de presque tous les hydragogues, une chose qui est constante par l'expérience : c'est que si on les donne seuls, ils opèrent très-peu sur les personnes difficiles à émouvoir, et que si on les emploie en grande dose, ils ne font qu'agiter le sang au lieu d'évacuer les eaux, et augmenter l'enflure au lieu de la diminuer. Ainsi, la véritable méthode de les employer dans les personnes qui sont difficiles à émouvoir, c'est de les joindre aux purgatifs plus doux, afin qu'ils servent à les animer. Mais dans les sujets qui sont faciles à purger, les hydragogues agissent promptement et puissamment.

901. Le sirop de nerprun, même seul, peut suffire pour ces derniers ; il évacue chez eux une grande quantité d'eaux, sans évacuer autre chose ; il ne met point le sang en mouvement, et ne rend point l'urine plus colorée, comme font les autres purgatifs. Tout l'inconvénient qu'il a, c'est de causer une grande soif pendant qu'il opère. Au reste, si on le donne même en grande dose aux personnes difficiles à purger, il n'évacue ni beaucoup de matières ni beaucoup d'eaux.

902. Il y a environ vingt-sept ans que je fus appelé pour traiter une dame qui demeurait à Westminster, et qui était également distinguée par sa naissance et par sa vertu. Elle avait une hydropisie ascite, et son ventre était d'une telle grosseur que je n'ai jamais rien vu au-delà. Je lui fis prendre une once de sirop de nerprun avant le dîner, suivant la coutume de ce temps-là. Elle rendit par les selles une quantité prodigieuse d'eau sans être affaiblie. Cet heureux succès me donna du courage et m'engagea à réitérer chaque jour le même purgatif, sinon que je laissais quelquefois un jour ou deux d'intervalle quand la malade me paraissait plus faible qu'à l'ordinaire. De cette façon, les eaux furent peu à peu évacuées, le ventre se désenfla et la malade guérit parfaitement.

903. Comme j'étais jeune et sans expérience, car c'était la première hydropisie que j'eusse jamais traitée, je m'imaginai mal à propos que j'avais dans le sirop de nerprun un remède capable de guérir toutes sortes d'hydropisies ; mais je ne fus pas long-temps sans être désabusé de mon erreur. Au bout de quelques semaines je fus appelé pour traiter une

autre femme attaquée d'une hydropisie qui avait succédé à une longue fièvre quarte. Je lui donnai plusieurs fois le sirop de nerprun, en augmentant peu à peu la dose, mais sans aucun succès. La malade ne fut point purgée, ni les eaux évacuées; l'enflure du ventre ne fit au contraire qu'augmenter, de sorte que la malade me renvoya et fit venir un autre médecin qui, lui ayant donné des remèdes plus efficaces, la guérit de son hydropisie, autant qu'il me souvient.

904. Lorsque les doux purgatifs n'opèrent pas promptement et ne soulagent pas le malade, il faut recourir à de plus forts, c'est-à-dire aux hydragogues qui, étant joints aux doux purgatifs, sont très-efficaces, au lieu que si on les donne seuls ils ne font presque rien pour la plupart, comme nous avons déjà dit. J'ai souvent donné en pareil cas, avec un heureux succès, la potion suivante.

Prenez tamarins, demi-once; feuilles de séné, deux gros; rhubarbe, un gros et demi; faites bouillir tout cela dans suffisante quantité d'eau de fontaine que vous réduirez à trois onces; coulez la liqueur et dissolvez-y manne et sirop de roses solutif de chacun une once; sirop de nerprun, demi-once; électuaire de suc de roses, deux gros.

Cette potion néanmoins ne convient qu'aux sujets robustes, sur qui elle opère mieux que tous les autres purgatifs, comme je l'ai éprouvé plusieurs fois. On peut aussi employer la suivante:

Prenez vin blanc, quatre onces; jalap réduit en poudre très-fine, un gros; gingembre pareillement pulvérisé, un demi-scrupule; sirop de nerprun, une once: mêlez tout cela pour une potion que l'on donnera de grand matin, et que l'on réitérera chaque jour, ou de deux en deux jours, selon les forces du malade (1).

905. Je me sers assez souvent d'une autre formule qui sera bonne pour ceux qui ont en horreur les autres purgatifs; elle échauffe et fortifie en opérant; la voici:

Prenez jalap pilé grossièrement et hermodactes, de chacun, demi-once; scammonée, trois gros; feuilles de séné, deux onces; réglisse ratissée, graine d'anis et de carvi, de chacune, demi-once; sommités d'absinthe et feuilles de sauge, de chacune, une poignée: mettez infuser tout cela à froid dans trois livres d'eau-de-vie commune, et ne passez la liqueur que dans le temps qu'on s'en servira. On en donnera une cuillerée le soir à l'heure du sommeil et deux autres le lendemain matin, augmentant ou diminuant la dose suivant l'opération.

906. Il me reste à parler de deux remèdes qui, selon moi, l'emportent sur tous les autres, et qui, dans les personnes difficiles à purger, sont encore plus efficaces que ceux dont j'ai fait mention ou qui me sont connus: je veux dire l'élatérium et l'infusion de safran des métaux. L'élatérium, autrement l'extrait de concombre sauvage, purge fortement en très-petite dose, et évacue abondamment les matières fécales et les humeurs aqueuses. Deux grains suffisent pour la plupart des sujets. Ma coutume est de les mêler avec un scrupule de pilules de

(1) Il n'est pas, dans toute la matière médicinale, de meilleur et de plus agréable purgatif que le jalap. Il n'a ni odeur, ni mauvais goût; il opère en petit volume, doucement et promptement, et il évacue particulièrement les humeurs aqueuses. A la vérité, il ne convient pas dans les fièvres aiguës et dans les tempéraments secs, chauds, bilieux, et qui ont les fibres raides; mais on peut l'employer sûrement et utilement dans les tempéraments lâches, humides et pituiteux, et aussi dans les enfants. La meilleure façon est de le donner en substance. Il n'a point besoin de correctif, pourvu qu'on le donne en dose convenable à la maladie, au tempérament et à l'âge du sujet. — Les huiles aromatiques que l'on y joint quelquefois par forme de correctifs causent, par leur chaleur et leur âcreté, une plus grande irritation que le purgatif même, en sorte qu'elles produisent quelquefois une inflammation, et causent aux intestins des contractions spasmodiques qui empêchent plutôt qu'elles n'aident l'action du remède. — Quant aux sels alcalis, tels que le sel d'absinthe, de tartre et semblables, que l'on emploie aussi en qualité de correctif, comme ils dissolvent les parties résineuses du jalap, et augmentent leur surface, il arrive de là que le remède opère plus doucement, et par conséquent moins efficacement, ce que l'on pouvait obtenir en diminuant la dose. La coutume de joindre des correctifs au jalap vient plutôt d'un préjugé et d'un défaut de réflexion que d'une connaissance certaine de leur utilité, fondée sur un nombre suffisant d'expériences dûment vérifiées.

duobus ; je fais de tout cela trois pilules que l'on prend le matin (1).

907. Quant à l'infusion de safran des métaux, il semblerait d'abord que ce remède n'est propre qu'à débarrasser l'estomac des humeurs nuisibles qui y séjournent. Toutefois, on le donne à la dose d'une once et demie, ou bien de deux onces dans les personnes fort difficiles à purger, ayant soin de le réitérer chaque jour, selon les forces du malade : on verra qu'après avoir fait vomir il purgera par les selles, et videra les eaux contenues dans l'abdomen, au moyen de secousses violentes qu'il causerait à l'estomac et aux autres viscères de l'abdomen. Cependant, lorsque je trouve qu'il ne purge pas assez, après que je l'ai donné seul trois ou quatre fois, j'ai coutume d'y joindre l'électuaire du suc de roses, et le sirop de nerprun. Par exemple :

Prenez eau de chardon-bénit, trois onces ; infusion de safran des métaux, une once et demie ; sirop de nerprun, demi-once ; électuaire de suc de roses, deux gros : mêlez tout cela ensemble, pour une potion (2).

908. On ne saurait douter qu'il n'y ait des conduits secrets par où les eaux contenues dans la cavité de l'abdomen passent dans le canal intestinal, puisque les purgatifs hydragogues les évacuent par les selles en aussi grande abondance que si elles étaient simplement renfermées dans les intestins. Mais de découvrir ces conduits secrets, c'est justement la difficulté. Et, à cette occasion, je me rappelle un fameux passage d'Hippocrate, dans son livre de l'Ancienne Médecine, où ce grand homme, le plus sage et le meilleur médecin, au jugement de tous les siècles, s'exprime de la sorte : *Il y a des médecins et des philosophes qui prétendent qu'on ne saurait posséder, comme il faut, l'art de guérir les maladies si l'on ne connaît exactement la nature de l'homme, et la manière dont il a été formé. Pour moi, je pense que tout ce que les médecins et les philosophes ont dit ou écrit sur la physique du corps humain regarde plutôt la peinture que la médecine* (3).

909. Je ne prétends nullement conclure de ce passage qu'Hippocrate ait cru inutile à un médecin l'étude de l'anatomie, ni autoriser l'ignorance des empiriques. Je soutiens, au contraire, après de sérieuses réflexions fondées sur l'expérience, qui est la véritable pierre de touche de l'habileté dans l'art de guérir, je soutiens, dis-je, que la connaissance exacte de la structure du corps humain est tout-à-fait nécessaire à un médecin pour se former de justes idées de l'économie animale, et des causes de certaines maladies. Comment, par exemple, un homme qui ignore la structure des reins et des conduits qui de là portent l'urine dans la vessie pourra-t-il con-

(1) On dit que les anciens donnaient l'élatérium depuis six grains jusqu'à trente ; mais les modernes vont rarement au-delà de quatre ou cinq grains. Le docteur Lister, dans une Dissertation sur l'hydropisie, dit l'avoir donné avec succès à la quantité de dix grains, une fois la semaine, pendant trois mois de suite ; et il rapporte plusieurs particularités curieuses touchant ce remède. Néanmoins, comme c'est un purgatif très-âcre et très-irritant, il vaut mieux le donner d'abord en petite dose, et augmenter ensuite par degrés, suivant les forces du sujet et le besoin de la maladie ; car dans l'hydropisie, de même que dans les autres maladies où le ton des vaisseaux est si affaibli et les fluides si appauvris, l'usage des violents purgatifs a souvent des suites funestes.

(2) Le docteur Lister, dans sa Dissertation sur l'hydropisie, parlant de ce remède, semble craindre qu'il ne cause une grande soif, comme étant d'une nature fort dessiccative ; et il attribue son action par en bas, après qu'il a opéré par en haut, à la grande quantité de liquide que l'on est obligé de boire pendant son opération plutôt qu'à aucune vertu purgative dont il soit doué. Et comme les gens attaqués d'une hydropisie ascite ont ordinairement la respiration très-difficile, cet auteur croit qu'ils ne peuvent soutenir l'action d'un émétique si violent sans tomber en défaillance. — Ainsi la vertu de ce remède paraît fort incertaine, et il a besoin, comme beaucoup d'autres, d'être éprouvé par de nouvelles expériences.

(3) Λέγουσι δέ τινες καὶ ἰατροὶ καὶ σοφισταὶ, ὡς οὐκ ἐνὶ δυνατὸν ἰατρικὴν εἰδέναι ὅστις μὴ οἶδεν ὅ, τι ἐστὶν ἄνθρωπος, καὶ ὅπως ἐγένετο πρῶτον, καὶ ὅπως συνεπάγη. Ἐγὼ δὲ τουτέων μὲν ὅσα τισὶ εἴρηται σοφιστῇ, ἢ γέγραπται περὶ φύσεως, ἧσσον νομίζω τῇ ἰητρικῇ τέχνῃ προσήκειν, ἢ τῇ γραφικῇ. *De prisc. Med.*

jecturer la cause des symptômes cruels qui surviennent à un malade, lorsqu'une pierre se trouve engagée dans le bassinet ou dans les uretères? L'anatomie n'est pas moins nécessaire à un chirurgien, afin de pouvoir éviter, dans ses opérations, les vaisseaux et les autres parties qu'il serait dangereux de blesser. Il n'est pas possible de bien réduire les luxations sans la connaissance du squelette.

910. Celui donc qui n'est pas instruit de la structure du corps humain, marche nécessairement à l'aveugle dans le traitement de certaines maladies; c'est un navigateur qui s'expose à la mer sans boussole. Au reste, cette science s'acquiert en peu de temps, et sans beaucoup de peine. Il ne faut pour cela qu'avoir des yeux et examiner les cadavres, soit d'hommes, soit d'animaux, et il n'est besoin ni d'un grand génie, ni d'un grand jugement. — Mais il faut avouer que dans toutes les maladies aiguës, qui font plus des deux tiers des maladies, et même dans la plupart des chroniques, il y a quelque chose de divin et de singulier qu'on ne découvrira jamais par l'examen des cadavres. C'est pourquoi je pense que l'intention d'Hippocrate, dans le passage qu'on a cité de lui, n'a point été de condamner en général l'étude de l'anatomie, mais seulement d'apprendre aux médecins qu'ils ne doivent pas y mettre leur principale confiance, et que l'observation exacte des symptômes et de ce qui est utile ou nuisible aux malades est un moyen beaucoup plus sûr pour avancer dans la connaissance de l'art de guérir.

911. En effet, un homme aussi grand et aussi sage qu'Hippocrate, ne pouvait ignorer que les recherches anatomiques les plus exactes ne sauraient donner qu'une idée très-imparfaite de la structure du corps humain. On peut bien, par la dissection des cadavres, apercevoir les principaux organes dont la nature se sert pour exercer ses fonctions, et quelques-uns des vaisseaux qui distribuent les sucs aux différentes parties du corps, mais nos yeux ne nous apprendront pas quelle est l'origine et la première cause de ses mouvements, et même, avec le meilleur microscope, il est impossible de découvrir, par exemple, les petits conduits qui, des intestins, portent le chyle dans les vaisseaux, et ceux qui font la communication des artères avec les veines. Il en est de même d'une infinité d'autres petits vaisseaux dont la finesse surpasse tout ce que nous pouvons imaginer; aussi nos connaissances sont-elles fort grossières et fort superficielles. Nous savons bien quelquefois que tel phénomène arrive; mais nous en ignorons presque toujours la cause et la matière. — Quoi qu'il en soit, il n'est pas difficile d'acquérir autant de connaissances de l'anatomie qu'il nous en faut pour nous diriger dans le traitement des maladies qui demandent cette connaissance, et surtout pour nous faire admirer la puissance du divin Ouvrier qui a fabriqué des ouvrages si merveilleux, et si fort au-dessus de notre intelligence.

912. Au reste, comme Hippocrate blâme ceux qui donnent plus à une étude curieuse de l'anatomie qu'aux observations de pratique, on peut blâmer de même aujourd'hui ceux qui croient que les nouvelles découvertes chimiques sont le meilleur moyen pour perfectionner la médecine. Ce serait assurément une ingratitude extrême de ne pas reconnaître les obligations que nous avons à la chimie, de ce qu'elle nous a donné des remèdes utiles et très-propres à remplir différentes indications, entre lesquels un des principaux est l'infusion émétique dont il s'agit maintenant; et par cette raison, la chimie mérite de grandes louanges, pourvu qu'elle se contienne dans les bornes de la pharmacie et n'entreprenne pas de donner des lois à la médecine. — Mais ceux-là se trompent grossièrement qui s'imaginent et se persuadent que le principal défaut de la médecine est qu'elle manque de remèdes puissants et efficaces que la chimie seule peut lui fournir. Au contraire, si on examine les choses comme il faut, on verra clairement que ce qui manque le plus à la médecine, n'est pas de savoir le moyen de remplir telle ou telle indication, mais de savoir précisément quelle est cette indication qu'il s'agit de remplir. Le moindre garçon apothicaire m'apprendra dans un demi-quart d'heure les remèdes dont je dois me servir pour faire vomir ou pour purger, pour faire suer ou pour rafraîchir un malade; au lieu que, pour apprendre avec la même certitude quand et dans quel cas je dois employer tel ou tel remède dans les différentes maladies, il faut être extrêmement versé dans la pratique de la médecine.

913. Rien n'est si propre à former le jugement sur cette matière que d'obser-

ver exactement les symptômes naturels des maladies, les effets des remèdes, les choses utiles ou nuisibles aux malades, et les effets qui en résultent. Toutes ces choses bien examinées et bien pesées feront infiniment mieux connaître la nature d'une maladie, et montreront beaucoup plus sûrement les véritables indications curatives que ne peuvent faire des hypothèses uniquement fondées sur des spéculations physiques et des principes non prouvés ; car les hypothèses de ce genre les mieux conçues ne sont autre chose que de belles imaginations qui ne sont soutenues par rien de solide, et qui ne manquent pas aussi de tomber et de s'évanouir au bout d'un certain temps, au lieu que les axiomes fondés sur la vérité des choses sont aussi immuables que la nature même (1).

914. Or, quoique les hypothèses qui ne sont appuyées que sur des spéculations philosophiques, soient entièrement frivoles, d'autant qu'elles n'ont aucun fondement solide, il y a cependant d'autres hypothèses qu'on ne saurait rejeter ni ébranler : j'entends celles qui sont fondées sur les faits et les observations que fournissent les symptômes naturels des maladies, et qui doivent, pour ainsi dire, leur naissance à la pratique médicinale, je m'explique. — Dans la passion hystérique, par exemple, la raison qui me détermine à employer les remèdes martiaux, à m'abstenir des purgatifs, excepté dans certaines circonstances, et à me servir de calmants, n'est pas parce que j'ai préalablement supposé que cette maladie provenait d'un affaiblissement des esprits animaux, mais parce qu'une observation constante m'a appris que les purgatifs ont toujours augmenté les symptômes vaporeux, et que les remèdes contraires les ont ordinairement apaisés. — C'est en conséquence de cette observation et des autres que j'ai faites sur les symptômes naturels de la passion hystérique, que j'ai formé mon hypothèse par laquelle j'ai établi l'affaiblissement des esprits pour cause de cette maladie ; en sorte que ce raisonnement n'est venu qu'après l'expérience ; et certes, si j'avais commencé par raisonner, au lieu de commencer par observer, j'aurais bâti en l'air, et j'aurais été aussi imprudent que celui qui voudrait placer le toit d'un édifice avant que d'en avoir jeté les fondements.

915. Mais, pour revenir à notre sujet, quels que puissent être les conduits par où les eaux des hydropiques passent de la cavité de l'abdomen dans les intestins, il est très-certain que l'infusion du safran des métaux les évacue puissamment par haut et par bas ; car, après que le malade a vomi deux ou trois fois, il se fait pour ainsi dire une débâcle, et les eaux rompent leurs barrières et sortent à plein canal : ce qui arrive même quelquefois dans les intervalles des vomissements.

916. Au mois d'août dernier, une pauvre femme âgée d'environ cinquante-cinq ans, me pria de vouloir bien la traiter. Elle avait eu pendant long-temps une fièvre intermittente, après quoi elle fut environ pendant trois ans en prison, où elle souffrait beaucoup du froid ; enfin son ventre devint si gros, que je n'ai jamais vu d'enflure pareille. — Je lui donnai d'abord une once et demie d'infusion de safran des métaux trois jours de suite, et après cela je lui en donnai trois autres fois, mais seulement de deux en deux jours, afin de ménager ses forces. Les premières fois qu'elle vomit, elle eut une suppression totale d'urine ; ensuite elle urina par intervalles, mais fort rarement. A mesure qu'elle réitérait la prise de l'infusion émétique, elle rendait une plus grande quantité d'eaux, et sur la fin elle en rendait par haut et par bas. Après la troisième prise, l'enflure du ventre commença à diminuer, et au bout de quatorze jours la malade s'étant mesurée par mon ordre avec le même fil dont elle s'était servie pour cela dans les commencements, elle se trouva de trois pieds plus mince qu'elle n'était auparavant. — Suivant le rapport qu'elle me fit, je jugeai qu'elle avait bien rendu, tant par haut que par bas, douze pintes d'eau. Alors elle pouvait s'étendre dans son lit la tête posée sur l'oreiller, et se tourner librement d'un côté ou d'un autre, au lieu qu'auparavant elle était obligée de dormir assise, crainte d'être étouffée par le

(1) La médecine tire sans doute son origine des observations, soit qu'elles aient été faites par hasard, ou avec dessein, et n'est pas une invention humaine : ainsi l'expérience est le meilleur moyen de perfectionner la médecine. C'est pourquoi le médecin doit se regarder comme le ministre et l'interprète de la nature ; et s'il n'en étudie par les voies, et ne les suit pas exactement, il ne saurait rien faire de grand dans le traitement des maladies, mais seulement beaucoup de mal.

poids des eaux.—Mais comme la violence avec laquelle agissait l'infusion émétique causait de grandes vapeurs à la malade, il aurait été dangereux de continuer plus long-temps ce remède. Néanmoins, comme l'enflure du ventre, qui était encore considérable, la fluctuation des eaux, que l'on sentait toutes les fois que la malade se tournait d'un côté à l'autre, et les creux que l'impression des doigts laissait sur les jambes faisaient assez voir qu'il restait encore beaucoup d'eaux à vider, je fus obligé d'achever la cure par les purgatifs proprement dits. — Ainsi j'ordonnai la potion purgative dont j'ai parlé ci-dessus, ou un autre hydragogue, et cela plus ou moins fréquemment, à proportion des forces de la malade et suivant qu'elle était plus ou moins tourmentée de vapeurs; car les simples purgatifs ne laissent pas d'en exciter quelquefois, quoique non pas d'aussi violentes que celles qui étaient causées par les émétiques. Je continuai cette méthode jusqu'à ce que la malade me parût entièrement guérie.

917. Durant le traitement, j'eus occasion de faire les observations suivantes. Premièrement, les jours que la malade ne prenait pas médecine, elle ne laissait pas de rendre quelquefois par les selles une grande quantité d'eaux, et sur la fin, elle en rendait par les urines jusqu'a quatre pintes, quoique je ne lui permisse pas de boire chaque jour plus d'une livre et demie ou deux livres de liquide: en sorte que tous les conduits paraissaient ouverts chez elle —Secondement, lorsque sur la fin du traitement les purgatifs excitaient des vapeurs, le ventre se gonflait, surtout vers le haut, comme s'il eût été rempli de nouvelles eaux, ce que je savais néanmoins ne pouvoir être, la malade ayant si peu bu; c'est pourquoi j'attribuais uniquement cette enflure à des vents que produisait le désordre des esprits causé par les purgatifs, et l'événement confirma mon opinion. Car, quoique la malade rendît jusqu'à quatre pintes d'eau le jour qu'elle était purgée, son ventre ne laissait pas de se gonfler aussitôt après; l'enflure montait jusqu'au gosier, causait une difficulté de respirer, et ne se dissipait, non plus que les autres symptômes, que lorsqu'on discontinuait de purger; mais chaque fois qu'on revenait aux purgatifs, elle recommençait, et avec elle les autres symptômes. — Troisièmement, les règles revinrent abondamment à cette femme, qui était alors âgée de cinquante-cinq ans, et qui, depuis quelques années, n'a rien eu du tout. Cet écoulement, joint à la faiblesse où elle était et aux évacuations précédentes, lui attira plusieurs symptômes hystériques, savoir, des douleurs violentes dans le dos et vers la région de la rate, des maux de tête et une toux convulsive. — Enfin, quoiqu'il y eût apparence qu'après une si grande quantité d'eau que la malade avait rendue par la bouche, par les selles et par les urines, il ne lui en restait pas beaucoup dans le corps, toutefois son ventre était gonflé comme si elle n'eût souffert aucune évacuation; et cela, avec les autres symptômes, dura pendant une semaine entière depuis la dernière purgation. Je fus contraint pour y remédier de faire prendre à quatre soirs de suite, à la malade, une once et demie de sirop diacode, et il fallait même réitérer cette dose lorsque le sommeil ne venait pas au bout de trois heures. Par ce moyen, l'enflure se dissipa, et tous les autres symptômes cessèrent.

918. Il est bon de remarquer une chose, c'est que quand l'hydropisie ascite est légère, et qu'ainsi les eaux contenues dans l'abdomen sont en petite quantité, l'infusion du safran des métaux ne les évacue pas aussi promptement que dans une hydropisie considérable, où elles sont en grande quantité; car alors l'ébranlement et la secousse que leur donne l'action de l'émétique contribuent merveilleusement à accélérer leur évacuation. Voilà pourquoi, lorsque l'enflure du ventre est considérable, on ne doit vider les eaux que par en bas.

919. Il y a un autre remède assez connu, qui guérit l'hydropisie en excitant le vomissement et les selles, comme fait le safran des métaux. Le voici.

Prenez trois poignées d'écorce intérieure de sureau, que vous ferez bouillir dans une pinte d'eau, et autant de lait mêlés ensemble, et que vous réduirez à la moitié, pour deux prises. Le malade en prendra une le matin et l'autre le soir, continuant ainsi tous les jours jusqu'à sa guérison.

Ce remède, de même que le safran des métaux, ne guérit l'hydropisie qu'en purgeant par haut et par bas, et nullement par une vertu spécifique; car s'il n'excite ni le vomissement ni les selles, ou s'il ne les excite que faiblement, il ne sert de rien; mais quand il produit abondamment l'une de ces deux évacuations, et surtout quand il les produit toutes d eux, il réussit admirablement

920. Il y a cependant des cas, où, quoique les eaux soient épanchées dans les jambes et les cuisses, et même dans la cavité de l'abdomen, on ne doit les évacuer, ni par les émétiques, ni par les purgatifs : c'est, par exemple, lorsque l'hydropisie succède à une longue phthisie, ou bien lorsqu'elle provient d une lésion, ou corruption de quelque viscère, ou d'un affaiblissement total du sang, et d'un épuisement des esprits; ou d'anciennes fistules qui, étant situées dans les parties charnues, ont rendu beaucoup de pus; ou bien d'une faiblesse extrême causée à un malade, parce qu'on l'aura épuisé en le faisant trop saliver ou suer, ou en le purgeant trop violemment, ou en lui faisant garder une diète trop exacte pendant le traitement de la vérole. Dans tous ces cas-là, et en d'autres semblables, les émétiques et les purgatifs, loin de diminuer le mal, ne feront que l'augmenter, parce qu'ils affaibliront encore davantage le sang. — Ainsi la seule vue que l'on doit avoir pour lors, c'est de fortifier, par tous les moyens possibles, le sang et les viscères. Outre les remèdes toniques proprement dits, et dont je parlerai ci après, j'ai trouvé par expérience que le changement d'air et l'exercice en pleine campagne, tel que le malade pourra le soutenir, ont très bien réussi à remplir cette indication; ils ont ranimé les esprits et rétabli les organes sécrétoires et excrétoires dans leur état naturel.

921. Il y a encore d'autres occasions où l'on ne doit employer ni les purgatifs ni les émétiques pour évacuer les eaux : c'est lorsque le malade est d'une complexion très-faible, ou lorsque la personne hydropique est une femme extrêmement sujette aux vapeurs; alors il faut se servir des diurétiques. On en trouve un grand nombre qui sont fort vantés dans les livres de médecine; mais les meilleurs, selon moi, pour ne pas dire les seuls, sont ceux qui sont composés de sels lixiviels, et il n'importe pas de quelle espèce de végétaux les cendres soient tirées. Or, comme il n'est guère de plante plus aisée à trouver que le genêt, et que d'ailleurs cette plante est bien venue dans l hydropisie, j'ai coutume d'en employer les cendres de la manière suivante :

Prenez cendres de genêt, une livre; feuilles d'absinthe commune, une poignée ou deux : mettez infuser tout cela à froid dans quatre litres de vin blanc; filtrez la liqueur dont vous donnerez quatre onces, trois fois par jour; savoir, le matin, à cinq heures après midi, et le soir, continuant ainsi jusqu'à ce que l'enflure soit dissipée.

J'ai vu des hydropisies désespérées qui ont été guéries par ce seul remède, dans des sujets qui étaient trop faibles pour soutenir les purgatifs.

922. Lorsque les eaux d'un hydropique ont été évacuées, il n'y a ordinairement que la moitié de l'ouvrage de fait; pour l'achever d'une manière capable de prévenir un nouvel épanchement de sérosité, il reste à remplir la seconde indication curative, qui consiste à fortifier le sang, dont la faiblesse a été la première cause de la maladie. Cette indication se remplit par un long et constant usage des remèdes échauffants et fortifiants. — Il est vrai que les malades qui sont encore jeunes guérissent souvent après que les eaux ont été évacuées sans qu'il soit nécessaire d'employer aucun autre remède, d'autant que leur chaleur naturelle n'étant plus accablée par le poids des eaux, peut aisément suppléer à la vertu des remèdes; mais, dans les gens âgés ou d'un mauvais tempérament, il est absolument nécessaire, aussitôt que les eaux ont été évacuées, de recourir aux remèdes propres à ranimer et à fortifier le sang.

923. Ceux que nous avons recommandés ci-dessus pour la goutte, soit qu'on les tire de la matière médicale, ou des six choses non naturelles, conviennent ici, indépendamment de ceux que nous indiquerons ensuite. Le vin, par exemple, qui est très-nuisible aux goutteux, est très-utile aux hydropiques pour boisson ordinaire. — Car, quoique les symptômes évidents de la goutte et de l'hydropisie, et les choses utiles ou nuisibles nous aient appris que la première cause de ces deux maladies, de même que celle de plusieurs autres maladies chroniques, consiste dans la faiblesse et l'indigestion du sang, nous ne pouvons néanmoins aller plus avant, ni connaître les différences essentielles et les dépravations spécifiques que produit dans les humeurs cette faiblesse de sang mal travaillé; et par conséquent il ne nous est pas possible de connaître précisément la nature de ces maladies, mais seulement leur cause générale. Il en est de même des maladies aiguës, qui proviennent d'une

cause commune; savoir, de l'inflammation du sang; nous ne connaissons point leurs différences essentielles. — Ainsi, dans les maladies aiguës et dans les chroniques, nous manquons de remèdes spécifiques; et tout ce que nous pouvons faire, c'est d'attaquer leur cause générale, et de varier le traitement, soit en suivant la route que la nature nous indique d'elle-même, soit en s'attachant à ce que l'expérience nous apprend être le meilleur dans chaque maladie.

924. Au reste, pour remplir l'indication dont il s'agit maintenant, et qui consiste à fortifier le sang, soit qu'on ait évacué les eaux par des diurétiques, ou par des purgatifs, ou par des vomitifs, il est nécessaire que le malade boive du vin pendant le traitement; mais il ne doit commencer à en boire que lorsque les passages sont ouverts et que les eaux commencent à couler. A défaut de vin, il boira de la forte bière; car les liqueurs légères et rafraîchissantes, quelqu'agréables qu'elles soient au malade, qui est presque toujours altéré, ne feront qu'augmenter l'hydropisie. Ainsi, on ne doit jamais les permettre, ou du moins très-rarement. — Au contraire, les liqueurs généreuses, pourvu qu'elles ne soient pas alcooliques, sont extrêmement utiles, et elles ont même quelquefois guéri, elles seules, la maladie, savoir, dans le commencement et lorsqu'il n'y avait pas encore beaucoup d'eau épanchée dans l'abdomen. Ces liqueurs généreuses réussissent encore mieux quand elles sont imprégnées de la vertu des herbes échauffantes et fortifiantes Lorsque j'ai eu, par exemple, à traiter des pauvres qui n'étaient pas en état d'avoir de meilleurs remèdes, je leur ai donné pour boisson ordinaire, et pour tout remède, de la bière forte où l'on avait mis infuser une suffisante quantité de racine de raifort sauvage, des feuilles d'absinthe commune, de cochléaria des jardins, de sauge, de petite centaurée et de sommités de genêt. — On peut employer pour les riches une infusion des mêmes herbes dans le vin de Canarie, dont le malade boira un verre deux ou trois fois par jour dans l'intervalle des remèdes que nous avons recommandés ci-dessus; ou, s'il trouve cette infusion trop désagréable, il pourra y substituer le vin d'absinthe, dont il boira pareillement un verre trois fois par jour, savoir, le matin, à quatre heures après midi, et le soir. après avoir avalé chaque fois deux gros de l'électuaire digestif qui a été décrit dans le Traité de la goutte. Cet électuaire est excellent dans le cas dont nous parlons, et il l'emporte de beaucoup sur tous les autres remèdes fortifiants (1).

925. Mais il est absolument nécessaire que le malade use en très petite quantité des liqueurs faibles et aqueuses, supposé qu'il ne puisse tout-à-fait s'en passer; car ces sortes de liqueurs ne manquent pas d'augmenter le mal: de là vient que quelques hydropiques ont été guéris en s'abstenant de toute boisson. Néanmoins, comme la maladie est ordinairement accompagnée d'une grande altération, qui est encore augmentée par l'abstinence des boissons aqueuses, il faut que le malade se rince de temps en temps la bouche avec de l'eau froide où l'on aura mêlé de l'esprit de vitriol jusqu'à une agréable acidité, ou qu'il mâche des tamarins ou des tranches de citron, mais sans rien avaler, parce que cela étant trop froid ne convient pas dans l'hydropisie.

926. Un des meilleurs remèdes dans le commencement de la maladie, c'est le fer, car il fortifie et échauffe le sang. L'ail est aussi très-utile par la même raison, et je sais que d'autres médecins ont guéri des hydropisies par le seul usage de cette plante, sans aucun évacuant.

927. Quand il n'y a que les jambes d'enflées, ou lorsque le ventre ne l'est pas encore beaucoup, il n'est pas nécessaire d'en venir d'abord aux émétiques et aux purgatifs, et les liqueurs échauffantes et fortifiantes suffisent assez souvent pour guérir la maladie; mais il faut bien prendre garde que, lorsqu'on traite l'hydropisie par les seuls fortifiants, ou même par les remèdes lixiviels, on ne doit en aucune façon purger le malade durant ce temps-là; car on détruirait d'un côté tout ce qu'on aurait fait de l'autre, et l'enflure qui aurait commencé à diminuer par l'usage des remèdes fortifiants reviendrait bientôt par celui des purgatifs comme elle était auparavant. Il est vrai que, quand on travaille à évacuer les eaux, il convient de donner de temps en temps des fortifiants; mais, lorsqu'il ne s'agit que de fortifier le sang, on doit s'abstenir tout-à-fait des purgatifs (2).

---

(1) Voyez Traité de la goutte, article 838.

(2) Voyez Dissertation sur l'affection hystérique, note (1).

928. Au reste, la maladie ne se trouve pas toujours guérie, quoiqu'on ait rempli les deux indications curatives, c'est-à-dire, quoiqu'on ait entièrement évacué les eaux contenues dans l'abdomen, et qu'on ait employé les remèdes échauffants et fortifiants pour prévenir un nouvel épanchement de sérosité : car il arrive assez souvent qu'une hydropisie ascite ayant duré plusieurs années, les eaux, par le long séjour qu'elles font sur les intestins, en altèrent la substance, la corrompent, et aussi les parties voisines engendrent des glandes contre nature et des vésicules ou hydatides pleines d'une sérosité sanieuse, et réduisent en une sorte de pourriture toutes les parties contenues dans la cavité de l'abdomen, comme l'on voit par l'ouverture du cadavre de ceux qui sont morts d'une ascite invétérée. — Quand l'hydropisie est arrivée à ce point-là, tous les remèdes, selon moi, sont inutiles. Néanmoins, comme on ne peut savoir au juste quel est le degré de lésion des viscères, un médecin doit faire tous ses efforts pour guérir la maladie, soit par les évacuants, soit par les fortifiants, et ne pas perdre courage, ni ôter l'espérance au malade. Cela est d'autant plus nécessaire qu'on voit souvent la nature guérir d'elle-même plusieurs maladies désespérées. Ainsi, quelque invétérée que soit l'hydropisie ascite, et quelque dommage qu'elle ait causé aux viscères, on ne saurait la traiter que comme si elle était nouvelle.

929. Pour ce qui est des topiques ou remèdes extérieurs, je n'ai jamais vu qu'ils aient produit un grand effet dans cette maladie. Les cataplasmes et les liniments appliqués sur l'abdomen sont les moins malfaisants ; je ne vois pas cependant qu'ils puissent dissiper les eaux ; mais il y a d'autres topiques que quelques-uns ordonnent au lieu de remèdes internes, et qui, au lieu d'être utiles, sont au contraire très pernicieux. Tels sont des onguents préparés avec de forts purgatifs, et appliqués sur le ventre; tels sont aussi les vésicatoires que l'on met sur les cuisses et les jambes, afin d'en tirer les eaux, lorsque ces parties sont fort enflées. Les particules purgatives des onguents s'insinuent quelquefois très-avant dans les muscles et les membranes, et causent des superpurgations que rien ne peut arrêter. Les vésicatoires que les empiriques ont coutume d'appliquer sur les jambes et les cuisses, achèvent d'éteindre la chaleur naturelle de ces parties, et attirent la gangrène, comme on ne voit que trop souvent ; car la moindre plaie dans le corps d'un hydropique, surtout dans l'un des membres, est très-difficile à guérir, parce que la sérosité qui inonde les chairs, et qui sort continuellement par l'ouverture qu'elle trouve, empêche la réunion des lèvres de la plaie, et par conséquent la cicatrisation. La ponction et les scarifications légères dont se servent quelques-uns ne sont, à mon avis, ni plus utiles ni moins dangereuses que les vésicatoires (1).

930. Enfin, quoique l'hydropisie ait toujours passé pour incurable, lorsqu'elle est devenue une véritable ascite, cependant si on la traite de la manière que nous avons dit, on verra qu'elle est aussi guérissable que beaucoup d'autres maladies qui sont estimées moins dange-

(1) L'opération de la paracentèse ou ponction n'était pas pratiquée si communément du temps de notre auteur qu'elle a été depuis, et qu'elle est maintenant. D'ailleurs on attendait ordinairement trop tard, c'est-à-dire qu'on n'y avait recours que lorsque la faiblesse du malade, l'état squirrheux des viscères, leur corruption, ou leur érosion, la rendaient inutile. Ainsi on ne doit pas être étonné que Sydenham en eût si mauvaise opinion. Théodore de Mayerne, qui fut en partie son contemporain, ne dit pas un seul mot de cette opération dans le chapitre où il traite de l'hydropisie. — Mais pour montrer combien elle est utile, il suffira de rapporter ce qu'en dit M. Sharp, chirurgien anglais, lequel, dans son Traité des opérations, à la fin du chapitre de la paracentèse, s'exprime de la manière suivante : « Quoique cette » opération ne guérisse pas souvent d'une » manière radicale, elle ne laisse pas » quelquefois de prolonger la vie de bien » des années, et même de la rendre fort » supportable, principalement si les eaux » ont été long-temps à s'amasser. Je » sais différentes personnes à qui on a » fait durant plusieurs années la ponc- » tion une fois le mois, et qui ne sen- » taient aucune incommodité dans les » intervalles, jusque vers le temps de » l'opération, que la tension du ventre » leur causait de la douleur. Il y a même » des exemples de malades qui, après » cela, ne sont pas retombés. Au reste, » l'opération est si peu douloureuse et si » peu dangereuse, qu'à raison des grands » avantages qu'elle procure quelquefois, » je ne puis que la recommander comme » extrêmement utile. »

reuses, pourvu toutefois que les viscères ne soient pas endommagés (1).

931. Si quelqu'un s'avisait de condamner les remèdes que j'emploie dans l'hydropisie, comme étant trop simples et trop peu recherchés, je pourrais avec plus de raison l'accuser lui-même de malice et de mauvaise foi ; car, tandis qu'il ne voudrait pas qu'on se servît pour les autres de remèdes simples, il serait certainement bien aise, s'il tombait lui-même malade, ou sa femme, ou ses enfants, qu'on employât les plus simples et les plus communs. D'ailleurs, cette censure serait fondée sur une erreur grossière, puisque l'honneur et la dignité de la médecine ne consistent pas à donner de belles et élégantes formules de remèdes, mais à guérir les maladies.

932. Voila ce que j'avais à dire sur la goutte et l'hydropisie, et je ne crois pas que j'écrive jamais sur d'autres maladies. Quant aux ouvrages que j'ai publiés jusqu'à présent, si quelqu'un se contentait de les lire une seule fois, je serais fâché de lui avoir donné cette occasion de perdre son temps : mais, s'il veut prendre la peine de les relire plusieurs fois et de les imprimer profondément dans son esprit, je ne doute nullement qu'il n'en retire une utilité qui réponde en quelque sorte à mes désirs et aux peines qu'ils m'ont données. Ceux qui seront versés dans la pratique de la médecine, et qui apporteront le même soin que moi à observer, verront avec quelle bonne foi je les ai publiés. Que si, dans le peu que j'ai écrit, j'ai suivi uniquement la nature, sans jamais m'asservir aux opinions des auteurs, je suis assuré que les personnes sages m'en sauront bon gré. Elles n'ignorent pas qu'il y a deux sortes de gens qui empêchent également le progrès de la médecine.— Les premiers sont ceux qui, ne faisant eux-mêmes rien du tout pour la perfectionner, trouvent mauvais que d'autres fassent la moindre chose. Ils allèguent, pour couvrir leur ignorance et leur paresse, le faux prétexte du respect extraordinaire qu'ils prétendent être dû aux anciens, dont ils n'osent s'écarter en rien (2).

(1) Une ascite qui survient par-dessus d'autres maladies où les viscères étaient actuellement lésés, ou près de l'être, et qui est accompagnée d'un épanchement de sérosité par la rupture de quelques vaisseaux lymphatiques, et d'hydatides, d'un amaigrissement des parties supérieures, d'une grande soif, d'une évacuation d'urine fort rouge, en petite quantité, et qui laisse un sédiment étant reposée, peut en général être regardée comme incurable.

(2) Rien de plus absurde et de plus ridicule que cette prétention. On ne saurait douter que plusieurs d'entre les plus anciens médecins ne fussent très-habiles, comme il est évident par les écrits qu'ils nous ont laissés, particulièrement sur l'histoire des maladies, où l'on trouve de si excellents diagnostics et pronostics. Hippocrate, par exemple, pour ne rien dire des autres, a peut-être surpassé en cela tous ceux qui l'ont précédé ou qui l'ont suivi, ayant été un exact et infatigable observateur de la nature. Nous sommes pareillement redevables aux anciens de la méthode de guérir certaines maladies invétérées par un usage convenable et long-temps continué des choses non naturelles ; d'avoir introduit dans la médecine l'usage des bains, rétabli dans ces derniers temps, et pratiqué aujourd'hui si universellement et avec tant de succès, celui des ventouses et d'autres remèdes capitaux. — Mais ce serait être bien partial que de refuser aux modernes la gloire qu'ils méritent si justement pour tant de découvertes utiles qu'ils ont faites, entre lesquelles je regarde, comme les deux principales celle de la circulation du sang par Harvey, et celle de la transpiration insensible par Sanctorius, deux découvertes qui ont délivré la médecine du mépris et de l'obscurité où elle était auparavant, ont mis dans un nouveau jour la théorie et la pratique de l'art, et lui ont donné des fondements plus assurés. — Peut-on nier que les modernes, par leur application et leurs travaux, n'aient extrêmement perfectionné la chimie, la pharmacie, l'anatomie et la chirurgie? Tout homme intelligent et impartial ne conviendra-t-il pas que nous surpassons de beaucoup les anciens dans ces branches de la médecine, s'il vient à comparer l'état brillant où elles sont aujourd'hui avec l'état méprisable où elles étaient anciennement ? — Avoir donc une déférence sans bornes pour les anciens, c'est faire entendre, contre l'évidence même, que la médecine est arrivée à son plus haut degré de perfection ; c'est vouloir ne faire aucun usage de sa raison ; c'est autoriser l'erreur à cause de son antiquité, et rejeter la vérité à cause de sa nouveauté ; ce qui est de la dernière absurdité, surtout dans une science qui est fondée principalement sur les faits, et qui ne peut se perfectionner que par l'expérience. — Je

933. Mais je voudrais bien savoir pourquoi nous croirions faire tort aux anciens en avouant qu'ils nous ont laissé la médecine fort imparfaite, tandis que nous ne croyons pas leur faire tort en avouant qu'ils nous ont laissé de même tous les autres arts, qui assurément, intéressent bien moins le genre humain. Les inventeurs de la navigation sur le pied où elle est aujourd'hui n'ont-ils donc pu mettre en usage la boussole, qui leur a été utile, sans déshonorer ces premiers et grossiers navigateurs, qui ne réglaient leur route que par l'aspect des étoiles, et n'osaient perdre la terre de vue? L'art de bâtir les vaisseaux, ou de les gouverner dans un combat naval, art qui s'est si fort perfectionné, et dans lequel les nations occidentales de l'Europe excellent par-dessus tous les autres peuples de l'univers, déshonore-t-il ceux qui construisirent les flottes qui combattirent autrefois près d'Actium? déshonore-t-il Auguste et Marc-Antoine, qui commandaient ces flottes, et qui étaient les chefs de cette fameuse guerre? — Les modernes ont inventé une infinité de choses qui surpassent de beaucoup tout ce que les anciens nous ont laissé. Or, les auteurs de ces découvertes ne font pas plus de tort à la gloire des anciens qu'un fils en ferait à la mémoire de son père parce qu'il augmenterait, par son travail et son industrie, l'héritage qu'il en aurait reçu.

934. La seconde sorte de gens qui empêchent le progrès de la médecine sont des gens naturellement vains et légers, qui, voulant se donner la réputation de génies supérieurs, vous accablent de raisonnements et de spéculations qui ne servent de rien du tout pour la guérison des maladies, et qui, au lieu de montrer le bon chemin aux médecins, ne font que les jeter dans l'erreur. Ces Messieurs-là ont assez d'esprit pour débiter sur la nature de savantes bagatelles; mais ils n'ont pas assez de jugement pour comprendre qu'on ne peut la connaître que par le moyen de l'expérience, qui seule est capable d'en dévoiler les mystères. Car telle est la bassesse de la condition humaine, que toutes nos connaissances des choses naturelles dépendent uniquement des sens, et ne vont pas au-delà de ce qu'ils nous apprennent. Voilà pourquoi nous pouvons bien acquérir une certaine capacité proportionnée à notre état; mais personne ne sera jamais vraiment philosophe suivant toute l'étendue de ce nom. Quant au médecin, toute sa philosophie consiste à connaître l'histoire des maladies et à savoir employer les remèdes que l'expérience a fait voir être les plus efficaces pour les guérir (1); et en même

n'entreprendrai pas ici de faire une comparaison entre les anciens et les modernes, et je n'en suis pas capable; mais le bon sens demande qu'on garde un juste milieu dans le jugement que l'on porte des uns et des autres, en sorte qu'on ne montre ni partialité en faveur des anciens, ni mépris mal fondé des modernes.

(1) La vanité d'avoir la réputation de génie heureux et inventif, a engagé de tout temps certains médecins à se jeter dans des spéculations philosophiques, et à former des systèmes, au lieu de s'appliquer à éclaircir l'histoire des maladies, et à établir de meilleures méthodes curatives, en se donnant la peine de faire de nouvelles observations et de vérifier celles que leur avaient transmises leurs prédécesseurs. — Ces gens-là se sont uniquement occupés à des minuties anatomiques, ou à rechercher les causes cachées, éloignées, et absolument inexplicables des maladies, la figure et la grosseur des parties constituantes des médicaments, et leur manière d'opérer; ils ont étudié les mathématiques, et tâchent d'expliquer les phénomènes du corps humain par l'application des principes de cette science, ce qui les a souvent induits en erreur, et n'a servi qu'à obscurcir et embrouiller encore davantage la matière. — Il est certain que nous ne saurions connaître la nature des corps, ni les causes des effets naturels, et que toutes les peines que l'on se donne pour y réussir sont absolument inutiles. Les différentes opinions des auteurs des systèmes suffisent pour nous en convaincre, et doivent nous tenir en garde contre les découvertes que l'on prétendrait avoir faites en ce genre. — La véritable science d'un médecin consiste à savoir distinguer non-seulement les maladies les unes des autres, mais encore les symptômes qui demandent qu'on varie le traitement; à connaître les plus convenables, et la manière de les employer avec le plus d'utilité. La connaissance de toutes ces choses est si essentiellement nécessaire à un médecin, que s'il en ignore une seule, quand même il saurait tout autre chose, on peut dire que c'est un mauvais médecin; comme, au contraire, celui qui les connaît parfaitement est un bon médecin, quand même il ne saurait rien de plus. (Voyez *Sect.* 1. *Ch.* 5, note (1).

temps, comme je l'ai dit ailleurs, il doit suivre une méthode qui soit fondée, non sur des spéculations, mais sur une manière de raisonner juste et naturelle.

LETTRE

DE HENRI PAMAN

A THOMAS SYDENHAM.

Monsieur,

935. Vous avez rendu un service insigne à la médecine par votre histoire des maladies aiguës; je la regarde comme un ouvrage achevé, parce qu'elle est fondée sur des observations exactes et des expériences certaines, et qu'elle est écrite avec toute la sincérité et la fidélité possibles. Ce n'est pas l'intérêt ou le désir d'une vaine réputation qui vous a mis la plume à la main, mais le noble motif d'être utile aux hommes. Pour moi, en vous donnant les louanges qui vous sont dues, je prétends vous engager à faire sur les maladies chroniques ce que vous avez fait si heureusement sur les maladies aiguës : car vous rapportez exactement tous les symptômes de ces dernières, et vous marquez ce qu'il convient de faire dans les divers temps de la maladie. Rien de plus difficile néanmoins que d'écrire sur les maladies aiguës, parce qu'elles durent si peu, que, si l'on manque l'occasion de donner les secours nécessaires, on ne la trouve plus ensuite, et le malade périt sans ressource : au lieu que dans ma les ladies chroniques on a le temps d'examiner, de se retourner et de prendre le meilleur parti. — Nous nous sommes souvent entretenus ensemble de cette honteuse maladie que les Européens prétendent être originaire des Indes Occidentales, je veux dire du mal vénérien que l'on peut regarder comme la juste peine de la débauche et le fléau de l'impudicité. Celui qui souhaitait que cette vilaine maladie ne pût être guérie qu'une seule fois me paraît l'avoir souhaité afin que les hommes fussent par là détournés du crime; mais, comme aujourd'hui la curation du mal vénérien est souvent abandonnée à des charlatans, à des barbiers, et à quiconque veut s'en mêler, les malades se trouvent les victimes de ces prétendus guérisseurs, qui, soit par l'intérêt, soit par ignorance, allongent si fort le traitement qu'il devient pire que le mal, et font tellement souffrir les malades, qu'ils leur rendent la vie insupportable. — Vous m'avez promis, monsieur, de donner quelque chose sur cette matière. Je vous somme de votre parole. Ayez la bonté de m'expliquer sincèrement quelle est la meilleure manière de traiter une si cruelle maladie. C'est assez que les malades soient châtiés de Dieu, sans qu'ils souffrent encore davantage de la part du médecin. Le public vous aura une obligation singulière, et moi je participerai en quelque manière à la gloire qui vous reviendra de cet ouvrage, puisque vous l'aurez publié à ma sollicitation. Je suis, Monsieur, avec un dévouement infini, etc.

A Lambeth, le 12 février 1680.

RÉPONSE

DE THOMAS SYDENHAM

A HENRI PAMAN,

Membre et orateur public de l'université de Cambridge, et professeur en médecine dans le collége de Gresham, à Londres,

SUR L'HISTOIRE ET LE TRAITEMENT DU MAL VÉNÉRIEN.

MONSIEUR,

936. Quand vous appelez mon Traité des maladies aiguës un ouvrage achevé, c'est un effet de votre politesse et de votre amitié pour moi ; mais l'idée que j'en ai est bien différente. Je ne le regarde que comme un léger essai, et je pense n'avoir fait autre chose que de montrer le chemin à ceux qui, ayant plus de génie que moi, pourront donner quelque chose de mieux sur l'histoire et la curation de ces maladies. *Je ressemble à une pierre à aiguiser, qui, sans pouvoir couper elle-même, ne laisse pas de rendre le fer tranchant* (1).

937. En effet, la nature agit de tant de manières différentes dans la production des maladies aiguës, et ses allures sont si délicates et si variées, que la vie d'un homme, quelque longue qu'elle soit, ne suffit pas pour décrire comme il faut les divers symptômes de ces maladies et le traitement qui leur convient. Que dis-je? la vie d'un homme ! celle de dix hommes qui se succéderaient les uns aux autres pendant un pareil nombre de siècles, et qui joindraient à tout le génie et la sagacité possibles, un travail infatigable, une pratique continuelle et des observations sans nombre, ne serait pas trop longue pour un tel ouvrage. Vous voyez donc que je suis bien éloigné d'avoir acquis ou de croire avoir acquis une parfaite connaissance de la médecine. Je me rends trop justice pour cela, et je connais trop bien mon peu de capacité (2).

938. Quant aux maladies chroniques, dont je vous avais fait espérer que je pourrais écrire l'histoire, j'ai tellement ce dessein à cœur que, si je désire que le ciel prolonge mes jours, c'est principalement afin de pouvoir laisser sur cette matière quelque chose d'utile au genre humain ; mais je sens chaque jour combien une pareille entreprise est difficile, surtout pour moi qui n'ai pas cette pénétration d'esprit et cette sagesse qui seraient ici nécessaires. D'ailleurs, les auteurs de médecine, si on excepte le grand Hippocrate et un très-petit nombre d'autres, ne me fournissent presque aucun secours dans la route inconnue où je dois marcher, et qui est toute semée de ronces et d'épines. Les lumières qu'ils présentent ne sont que fausses et trompeuses, très-propres à égarer et à faire tomber dans le précipice, mais incapables de guider comme il faut dans la recherche des véritables opérations de la nature. C'est que tous leurs écrits ne contiennent presque que des hypothèses qu'a enfantées une imagination déréglée. Aussi les histoires qu'ils donnent des maladies, c'est-à-dire les descriptions de leurs symptômes, ne sont point fondées sur la réalité des choses, mais sur de vains systèmes, qui servent aussi de bases à la méthode que ces auteurs emploient pour traiter les maladies. Une

(1) *Fungor vice cotis, acutum*
Reddere quæ ferrum valet, exsors ipsa secandi.

(2) *Mecum habito, et novi quam sit mihi curta supellex.*

telle pratique ne saurait manquer d'être pernicieuse au genre humain. Voilà comment on néglige d'étudier les opérations de la nature, pour se livrer sans ménagement à la fureur des hypothèses. — Tous ces obstacles ne m'empêcheront pas d'écrire sur les maladies chroniques, si le ciel m'accorde le temps et la santé nécessaires. Maintenant, afin que vous connaissiez l'empressement que j'ai d'exécuter ce que vous demandez de moi, je vous présente un échantillon de l'ouvrage que je médite, savoir, une courte dissertation sur le mal vénérien.

939. J'ai rencontré bien des gens qui, dans une vue louable d'arrêter le crime par la crainte du châtiment qui doit le suivre, ou pour se donner à eux-mêmes une réputation de vertu, prétendaient qu'on ne devait point enseigner la méthode de traiter le mal vénérien. Je ne suis nullement de leur avis ; car je pense que, si on voulait refuser de rendre service au prochain dans tous les cas où il se serait attiré du mal par sa faute ou par son imprudence, il ne resterait presque plus d'occasion aux hommes d'exercer la charité et d'être utiles les uns aux autres. Laissons à Dieu, qui est le souverain maître, le soin de châtier les coupables. Notre devoir est de secourir autant qu'il nous est possible les misérables et de guérir leurs maladies, mais non pas de les affliger eux-mêmes par des recherches curieuses des causes qui ont produit leurs maux ou par des reproches et des censures hors de saison. — Je vais donc exposer librement ce que l'observation et l'expérience m'ont appris sur cette maladie, non en vue de porter les hommes à la débauche, mais afin de contribuer, selon le devoir de mon état, à la guérison des corps.

940. La maladie vénérienne a paru en Europe pour la première fois l'an de N. S. 1493, et fut apportée des Indes Occidentales. Avant ce temps-là, elle n'était point du tout connue en Europe, du moins il n'y en a aucune preuve. Aussi croit-on communément qu'elle est endémique dans les pays de l'Amérique où furent conduites les premières colonies européennes (1). — Pour moi, je croirais plutôt qu'elle a tiré son origine de quelque contrée des Nègres voisins de la Guinée (2) : car j'ai ouï dire à quantité d'Anglais dignes de foi, qui habitent les îles Caraïbes, que les esclaves qu'on y amène de Guinée, sans avoir pris terre, ou du moins sans avoir eu aucun commerce impur, sont attaqués d'une maladie qui désole assez souvent toute une habitation, hommes, femmes et enfants, et dont les symptômes paraissent absolument les mêmes que ceux de la vérole, pourvu qu'on ait égard à la diversité des climats. Les habitants des îles Caraïbes nomment cette maladie *the yaws* (3) ; et ils la traitent par la salivation mercurielle au gaïac et à la salsepareille, nonobstant tout ce que l'on dit parmi nous de la grande vertu qu'ont ces bois dans leur pays natal, et que l'on croit s'affaiblir extrêmement par le long trajet d'Amérique en Europe.

941. Il y a donc apparence que les Espagnols qui apportèrent les premiers

---

(1) Une preuve que le mal vénérien n'était connu ni des Grecs ni des Romains, c'est le silence de tous leurs médecins pendant au moins deux mille ans, et celui des anciens historiens, poëtes, et autres écrivains des deux nations. Une autre preuve de cela, c'est l'autorité de tous les médecins qui vivaient dans le temps que cette maladie commença à paraître, et qui conviennent généralement qu'elle fut apportée pour la première fois en Europe vers la fin du quinzième siècle ; qu'elle différait par ses symptômes de toute autre maladie ; qu'elle n'avait jamais été vue ni observée auparavant : que du royaume de Naples, où elle s'était répandue parmi les Français et les Napolitains, elle s'était ensuite étendue en Europe ; enfin, qu'elle avait été apportée des Indes Occidentales à Naples par les soldats espagnols qui servaient sous Christophe Colomb. (*M. Astruc, des Maladies vénériennes, liv.* 1, *chap.* 1.)

(2) Cette idée est entièrement contraire à la vérité du fait ; car il est certain qu'on ne transporta point de Nègres dans l'île espagnole avant l'année 1505. Or, les Espagnols contractèrent la maladie dans cette île en 1493. Elle fut apportée en Espagne la même année ou l'année suivante, et de là en Italie en 1494 ou 1495, où elle infecta les Français et les Napolitains, et par leur moyen fut se répandre bientôt après dans toute l'Europe. *Ibid. chap.* 11.

(3) Le mal vénérien, dit Turner, se nomme *yaws* en Guinée, comme je l'ai appris de quelques navigateurs, et aussi d'un capitaine de vaisseau qui a souvent fait ce voyage. (*Turner, Siphilis, 4, th., édit. p.* 6, 7.)

en Europe le mal vénérien en furent infectés par le commerce avec les Nègres qui avaient été achetés en Afrique ; car plusieurs voisins de la Guinée sont dans l'usage barbare de vendre des hommes aux Européens, et il se peut faire que la vérole soit endémique chez quelqu'un de ces peuples.—Quoi qu'il en soit, elle fit en Europe de si rapides progrès dans le commencement, que, si elle continuait de même aujourd'hui, il ne resterait plus d'hommes au bout de quelques siècles, ou que du moins ils seraient tous malades et entièrement incapables des fonctions de la société civile ; mais les choses sont bien autrement. La vérole, semblable à ces végétaux qui, étant transportés dans un pays étranger, y dépérissent, ne s'aurait s'accommoder du climat de l'Europe ; elle y déchoit de jour en jour, et la diminution de ses symptômes montre l'état de langueur où elle est déjà tombée. Lorsque cette maladie était encore nouvelle parmi nous, elle corrompait dans un moment toute la masse du sang dans ceux qu'elle attaquait, et elle se manifestait par de cruelles douleurs de tête et des membres, et par des ulcères en différents endroits du corps (1). Mais, depuis cent ans, le premier symptôme qu'elle produit, c'est la gonorrhée virulente, et c'est comme une espèce d'issue par où elle cherche à s'échapper. Quelquefois, mais rarement, elle se manifeste par un chancre à la partie ; et comme alors le virus ne s'évacue point par la gonorrhée, il pénètre bientôt et corrompt toute la masse du sang.

912. Le mal vénérien se communique de deux manières, savoir : par la génération, les parents transmettant la maladie au fœtus dans le temps de sa formation, ou par un attouchement immédiat dans quelque partie molle ; cette dernière communication arrive de trois manières : 1° Par l'allaitement, soit qu'un enfant gâté tette une nourrice saine ; car alors la salive de l'enfant, étant infectée, porte le virus dans les pores des mamelons de la nourrice ; soit qu'une nourrice gâtée allaite un enfant sain ; car alors le lait, étant infecté, communique la même infection au nourrisson. 2° Lorsque des enfants couchent nus et dans le même lit avec des personnes gâtées (2). Car, quoique les adultes qui ont la chair plus

---

(1) Voyez le *Traité des maladies vénériennes de M. Astruc, liv. 1, chap.* 12, 13.

(2) Lorsque le mal vénérien parut pour la première fois en Europe, on le regarda comme épidémique et contagieux ; mais la vérité prévalut enfin, et on sait maintenant, par une expérience certaine et indubitable et par le consentement unanime de tous les médecins, que cette maladie ne se contracte point par quelque faute dans le régime, ni par un mauvais air, ni par l'abus des choses non naturelles, ni par une corruption spontanée des humeurs, mais seulement par la communication avec une personne qui en est infectée. — Cette communication se fait ou par la génération, le virus étant transmis par les parents lorsque l'embryon se forme ; ou par contagion, le mal étant transmis d'une personne malade à une personne saine. La première manière m'est fort suspecte ; car je n'ai jamais vu le mal vénérien proprement dit, et distingué par ses véritables signes pathognomoniques, communiqué des parents à leurs enfants ; ce qui me fait croire que les médecins ont été un peu trop crédules sur cet article, afin de pourvoir en quelque façon à la réputation de leurs malades, en assignant une cause sinon réelle, au moins probable, de leur maladie, et par ce moyen les exempter de blâme. La seconde manière de communication est au moins la plus certaine, et elle se fait de trois façons ; 1° à une certaine distance par un air infecté ; 2° par un sujet attaqué de la maladie ; 3° par un contact immédiat. — Or, il paraît par la raison et l'expérience que le mal vénérien ne peut se communiquer de la première façon. Il n'est pas démontré qu'il puisse se communiquer par l'entremise d'un sujet infecté, comme en couchant dans les mêmes draps, en portant les mêmes habits, en buvant dans le même verre, en s'essuyant la bouche et les lèvres avec la même serviette ; car il y a sujet de croire que les personnes qui ont allégué de semblables causes de leur maladie l'avaient gagnée d'une autre manière que la honte les empêchait d'avouer. Ainsi le mal vénérien se communique seulement, ou du moins le plus souvent, par le contact immédiat entre une personne infectée, et quelque partie d'une personne saine ; comme par le coït, par l'allaitement, par des baisers, en couchant avec une personne infectée, en introduisant le doigt ou la main dans des endroits souillés d'un ulcère ou d'un écoulement vénérien. — Les deux premières de ces voies de communication sont si bien confirmées par l'expérience, qu'on ne saurait les révoquer en doute. Beaucoup plus de gens

ferme, ne puissent guère gagner le mal que par un commerce impur, même en couchant ensemble; il n'en est pas de même des enfants, dont la chair est plus molle et d'un tissu moins serré : aussi ai-je vu plusieurs fois des enfants qui avaient été infectés pour avoir couché avec leurs pères gâtés. 3° Par un commerce impur, lorsque le membre viril, dilaté par la tension, s'imbibe du virus qui sort d'un chancre, ou même d'une pustule située dans le vagin d'une femme infectée, laquelle, nonobstant ce chancre ou cette pustule, peut néanmoins paraître saine, parce que l'humidité, qui détrempe le vagin, retient le virus et l'empêche de pénétrer sitôt dans le sang, ou parce que le flux menstruel le délaie fréquemment et l'évacue en quelque façon.

943. Je crois que dans les hommes ce virus attaque d'abord la substance charnue de la verge, qu'il l'a corrompt, l'enflamme et l'ulcère ensuite peu à peu. De là vient qu'il coule goutte à goutte dans l'urêtre une sanie telle qu'on la voit couler dans la gonorrhée. Ce qui me fait croire que la chose est ainsi, c'est que j'ai vu moi-même une semblable matière virulente qui ne sortait point par l'urètre, mais qui transsudait par la substance poreuse du gland, sans qu'il y eût de chancre, ni sur le gland, ni sur le prépuce (1). Le virus vénérien, pénétrant ensuite plus avant, ronge et ulcère les glandes prostates, comme l'on voit assez souvent dans les cadavres de ceux qui sont morts de la vérole (2).

944. Voici quel est le progrès du mal vénérien : le malade sent d'abord une douleur extraordinaire dans les parties naturelles, avec une espèce de raclement des testicules, et cela arrive plus tôt ou plus tard, suivant que la femme avec qui il a eu commerce était plus ou moins gâtée, et suivant qu'il est lui-même d'un tempérament plus ou moins propre à recevoir le virus. Ensuite, à moins qu'il ne soit circoncis, il se forme sur le gland une tache ou pustule de la couleur et de la grandeur d'un bouton de rougeole.— Aussitôt que cette pustule a paru, il distille une liqueur qui ressemble à la semence, mais qui, s'éloignant chaque jour davantage de la couleur et de la consistance de la semence, devient jaunâtre; et quand le mal est violent et le virus fort âcre, elle devient verdâtre, et même se trouve mêlée d'une humeur aqueuse qui est abondamment teinte de sang.—La pustule du gland devient enfin un ulcère qui d'abord ressemble aux aphthes qu'on voit dans la bouche des enfants, mais qui chaque jour s'étend davantage et devient plus profond avec des bords durs et calleux. Cette pustule est rarement accompagnée de gonorrhée dans ceux qui ont déjà eu quelque flux de ce genre; et ceux qui sont circoncis ont rarement des chancres sur le gland, mais seulement une gonorrhée; car le gland étant exposé à l'air, et souvent frotté par la chemise, il se durcit, et, par ce moyen, ne reçoit pas aisément le virus.

945. La gonorrhée est bientôt suivie d'autres symptômes plus fâcheux. Il y a une érection fréquente, involontaire et très-douloureuse, avec un sentiment d'une forte constriction de la verge, et la douleur augmente pendant la nuit, lorsque le malade est échauffé par la chaleur du lit. Je regarde ce serrement douloureux de la verge, comme le signe le plus essentiel d'une gonorrhée simple. La verge se recourbe aussi par le raccourcissement du frein, lequel étant distendu pendant l'érection, cause une douleur très-vive (3). Le malade est tourmenté d'une ardeur d'urine : le plus souvent il ne la sent presque pas, tandis que l'urine coule; mais, dès qu'elle cesse de couler, il sent une violente cuisson tout le long du canal de l'urètre, principalement à l'endroit du gland (4). — Quel-

sont infectés par là, que par les trois dernières voies, comme l'expérience le montre évidemment : car nous n'avons que deux ou trois exemples de personnes infectées par des baisers, ou pour avoir couché dans le même lit, ou pour avoir touché des parties attaquées de la maladie; au lieu qu'une infinité l'ont prise par l'allaitement, ou par le commerce charnel. (Voyez *M. Astruc, liv.* 11, *chap.* 1.)

(1) Notre auteur s'est trompé sur cet article; aussi M. Astruc n'a pas manqué de le censurer. Cet habile homme croit que les vésicules séminaires sont le siége de la gonorrhée, soit dans les hommes, soit dans les femmes; et de là il établit dans les deux sexes quatre différentes espèces de cette maladie. (*Traité des malad. vénér., liv.* 4, *chap.* 1, *sect.* 2.)

(2) L'auteur entend sans doute qu'on en fait l'ouverture, sans quoi on ne peut voir les prostates.

(3) C'est ce que certains auteurs appellent *chaude-pisse cordée* ou *priapisme*.

(4) C'est ce qu'on appelle ordinairement une *dysurie*.

quefois l'urètre étant excorié et rongé par le flux continuel d'une matière âcre et purulente, il s'y forme des caroncules, c'est-à-dire des excroissances de chair, d'abord molles et fongueuses, mais qui, augmentant chaque jour et se durcissant peu à peu, viennent enfin à boucher tellement le conduit, que l'urine ne saurait plus sortir. Ces caroncules, à cause des petits ulcères qui les environnent, rendent une sérosité. Elles sont extrêmement difficiles à détruire, et infiniment à craindre pour le malade. — Souvent aussi la matière purulente, ensuite d'un violent exercice, ou d'un usage mal entendu des astringents, au lieu de s'évacuer par l'urètre, tombe dans les bourses, les tuméfie considérablement, tantôt d'un seul côté, tantôt des deux côtés à la fois, les enflamme et cause de très-cruelles douleurs. Durant ce temps-là, il coule peu de matière, mais l'ardeur d'urine n'est pas moins violente : et tels sont les symptômes les plus ordinaires de la maladie, tandis qu'elle demeure dans cet état.

946. Mais, lorsque par sa longueur elle a donné au virus le temps de pénétrer dans la masse du sang et de l'infecter, ou lorsque la matière virulente, ayant été retenue dans le corps par des astringents employés mal à propos, a corrompu les humeurs, alors c'est une véritable vérole, autrement une vérole confirmée, et voici quels sont les symptômes. — Il paraît souvent des bubons ou tumeurs dans l'aine, et c'est le premier degré de la vérole. Le malade ressent de cruelles douleurs à la tête, aux bras et aux jambes, dans les interstices des articulations. Ces douleurs prennent irrégulièrement et par intervalles; mais elles manquent très-rarement de se faire sentir pendant la nuit, à la faveur de la chaleur du lit, et elles ne cessent guère que le matin.— Il se forme en divers endroits du corps des croûtes et des gales qui sont de la couleur d'un rayon de miel, signe qui les distingue des autres sortes de gales. Quelquefois elles s'étendent par plaques de la même façon que la lèpre nous est représentée dans les écrits des médecins : plus ces gales se répandent, moins le malade souffre. Tous les symptômes augmentent peu à peu, et les douleurs principalement deviennent si violentes, que le malade, ne pouvant demeurer au lit, se lève tout-à-coup, et ne cesse de se promener de côté et d'autre dans sa chambre jusqu'à ce que le jour paraisse. Les os du crâne et ceux des bras et des jambes sont attaqués d'exostoses en différents endroits, et à la fin ils se carient et se pourrissent par la continuation de la douleur et de l'inflammation. Des ulcères phagédéniques rongent diverses parties du corps. Ils commencent ordinairement par attaquer le gosier; ensuite, s'étendant insensiblement le long du palais, ils gagnent les cartilages du nez, les détruisent, et causent la chute entière du nez.—Les ulcères, la douleur, la carie et la pourriture augmentant chaque jour, le malade mène une vie cent fois plus triste que la mort; il n'est plus qu'un cadavre vivant, dont la vue fait horreur et dont la puanteur est insupportable : ses membres tombent par pièces les uns après les autres, et c'est ainsi qu'il termine sa misérable vie (1).

947. Je ne connais la nature essentielle du mal vénérien que par les symptômes dont j'ai fait mention. Hors de là, elle m'est aussi peu connue que celle d'une plante ou d'un animal. Quoi qu'il en soit, je suis assuré que le virus qui le produit est très-inflammatoire; et de là viennent tant de fâcheux symptômes. Je tiens aussi pour constant que ce virus doit être évacué, et cela par les remèdes que l'expérience, qui est le grand maître en médecine, a fait voir être les plus efficaces : car on n'a point encore découvert de spécifique capable de guérir la maladie vénérienne sans produire d'évacuation. — Le mercure et les bois sudorifiques ne méritent pas le nom de *spécifiques*, à moins qu'on ne cite des

(1) Rien de plus magnifique, de plus complet et de plus exact que cette description du commencement et du progrès de la vérole. On voit bien qu'elle est faite d'après nature : et tant que la maladie durera, elle sera une preuve subsistante de la grande expérience de notre auteur et de son attention à suivre les pas de la nature. Desault, persuadé qu'on n'y pouvait rien ajouter, l'a copiée dans son Traité de la vérole; et à la fin il fait cette remarque. — Par cette exacte description que Sydenham nous a donnée de la vérole, il paraît que la gonorrhée, les bubons, le phymosis, le paraphymosis, les chancres, les verrues, les tumeurs, etc., ne diffèrent de la vérole que du plus au moins : que le levain qui les produit est le même, et que ces différents accidents ne tirent leur distinction que de la différence des parties attaquées. (Voyez Desault, *Traité de la vérole*).

exemples où le mercure ait guéri la vérole sans causer de salivation, et les bois sudorifiques sans causer de sueurs. Et comme l'expérience m'a appris que les sudorifiques ordinaires ne sont pas moins utiles dans cette maladie que la décoction des bois, je ne doute point que, si on pouvait trouver, dans le règne végétal ou dans le règne animal, un remède aussi propre que le mercure à exciter la salivation, il ne guérît pareillement le mal vénérien (1). — Une simple gonorrhée virulente est bien différente d'une vérole confirmée, dans laquelle le virus a corrompu toute la masse du sang. Aussi, l'évacuation par laquelle on expulse la matière de la gonorrhée, est tout autre que celle qui guérit la vérole.

948. Quant à la gonorrhée dont nous allons parler d'abord, je trouve que sa curation consiste principalement dans l'usage des purgatifs, au moyen desquels on évacue le virus, ou bien on diminue la quantité des sucs naturels qui, autrement, serviraient à l'entretenir. Or, quoique la raison et l'expérience m'apprennent que toute sorte de purgatifs fréquemment réitérés peuvent guérir cette maladie, il me semble néanmoins que les cholagogues, et surtout les hydragogues, sont les plus efficaces. En effet, j'ai quelquefois employé avec succès la racine seule du jalap pour les pauvres qui n'étaient pas en état de dépenser beaucoup en remèdes. — Mais, comme la gonorrhée est accompagnée d'inflammation, et que d'ailleurs les purgatifs dont on doit se servir pour la traiter échauffent par eux-mêmes, il faut ordonner, dès le commencement de la maladie jusqu'à la fin, un régime rafraîchissant.

949. Voici donc quelle est ma méthode :

Prenez de la masse des pilules cochées majeures, trois gros; extrait de Rudius, un gros; résine de jalap et de diagrède, de chacune, demi-gros; baume de la Mecque, quantité suffisante, pour diviser en dragmes et chacune d'elles en six pilules.

Le malade avalera quatre de ces pilules tous les matins à quatre ou cinq heures, en sorte qu'il dorme par-dessus; et il continuera de la sorte pendant douze ou quatorze jours, ou même davantage, c'est-à-dire jusqu'à ce que l'ardeur d'urine soit fort diminuée, et que la matière de la gonorrhée ne soit presque plus jaune. Alors il suffira de prendre la même dose de pilules de deux en deux jours pendant deux semaines, et ensuite deux fois la semaine seulement, jusqu'à ce que l'écoulement cesse tout-à-fait, ce qui n'arrive d'ordinaire qu'après bien du temps. — Quand il n'y a plus ni ardeur d'urine, ni écoulement de matière jaunâtre, et qu'on presse avec les doigts l'extrémité de la verge, il en sort, surtout le matin, quelques gouttes d'une humeur séreuse. On dit ordinairement que cette sérosité ne vient que du relâchement et de la faiblesse des parties, à cause du long séjour que le virus y a fait; mais les malades éprouvent, malheureusement pour eux, que c'est un véritable reste du virus qui n'a pas été entièrement détruit. Aussi ne faut-il qu'un léger excès de vin, qu'un exercice un

(1) Turner, après avoir donné une courte histoire du mercure, et avoir rapporté le sentiment de notre auteur, ajoute qu'il est contraire à celui des meilleurs praticiens et à l'expérience : car, dit-il, il s'ensuivrait de là que les autres remèdes purgatifs dompteraient aussi bien le virus vénérien que fait le mercure; ce qui est entièrement faux, puisqu'il est évident qu'en purgeant deux fois avec le mercure, on détruit plus ce virus qu'en purgeant un grand nombre de fois sans employer le mercure, et que la maladie augmente au contraire quand on emploie les autres purgatifs. (Turner, *Syphilis, édit. 4, th. p.* 152, 153). — M. Astruc est aussi d'un sentiment contraire à celui de notre auteur : Nous avons appris, dit-il, par une longue expérience, qui est au-dessus de tous les raisonnements, que le mercure, lors même qu'il ne fait point saliver, produit les mêmes effets dans le sang que lorsqu'il cause une abondante salivation, pourvu qu'il entre dans le sang en suffisante quantité; et qu'ainsi il atténue les fluides, débarrasse les vaisseaux, rétablit les oscillations des solides, dissipe les obstructions, évacue le virus vénérien, et détruit entièrement la maladie. — La méthode de Desault, qui consiste à donner les frictions mercurielles, en empêchant la salivation par des purgatifs, et en faisant user de l'eau de mercure pour boisson ordinaire, est encore une preuve que le mercure peut guérir la vérole sans exciter la salivation, de quoi cet auteur cite plusieurs exemples. — Hoffmann donne aussi une méthode particulière de guérir la vérole sans exciter la salivation. (Hoffmann, *oper., tome* 3, *p.* 321.)

peu trop violent, ou quelque autre cause semblable, et même encore plus légère, pour faire revenir la gonorrhée, lorsque le malade cesse de se purger avant qu'il ne coule plus rien du tout (1).

950. Si la gonorrhée continue encore après toutes ces purgations, il sera bon, surtout dans les sujets difficiles à purger, de substituer de temps en temps aux pilules quelque purgatif plus puissant, tel que la potion suivante qui, étant prise seulement une fois, a quelquefois mieux arrêté la gonorrhée que n'avaient ait un grand nombre de purgatifs.

Prenez tamarins, demi-once; feuilles de séné, deux gros; rhubarbe, demi-gros. Faites bouillir le tout dans suffisante quantité d'eau; et dans trois onces de colature, dissolvez manne et sirop de roses solutif, de chacun, une once; sirop de nerprun et électuaire du sucre de roses, de chacun, deux gros : pour une potion.

Si la maladie est trop long-temps à guérir, il faudra donner huit grains de turbith minéral, seulement deux ou trois fois, ayant soin de mettre entre chaque prise un intervalle convenable, de peur de causer la salivation. Ce remède est le meilleur de tous dans une gonorrhée opiniâtre : on pourra aussi donner deux fois la semaine les pilules suivantes.

Prenez pilules de duobus, demi-gros; mercure doux, un scrupule; baume de la Mecque, ce qu'il en faut. Mêlez tout cela, et faites-en quatre pilules qu'on avalera de grand matin.

951. Le malade se trouve quelquefois si rebuté de tant de purgations, qu'il ne peut supporter l'odeur des remèdes, ni seulement les voir; d'autres fois son tempérament résiste si opiniatrément aux purgatifs, qu'on ne saurait évacuer une suffisante quantité de matière morbifique; et tandis qu'on s'efforce inutilement d'en venir à bout, le virus pénètre dans le sang et cause la vérole. Aussi attaque-t-elle souvent les sujets difficiles à purger.—Dans ce cas-là il faut avoir recours aux lavements, par le moyen desquels on peut remplir les deux indications, qui sont d'évacuer l'humeur et de la détourner de la partie affectée. Cette méthode est quelquefois plus courte que la première, dont la longueur est ennuyeuse : il est vrai qu'elle ne me paraît pas si sûre, et qu'il y a plus à craindre qu'il ne reste dans le corps quelque portion de virus vénérien, qui ne manquerait pas de causer de nouveaux désordres. Mais il est très-facile de parer à cet inconvénient, et cela en faisant prendre un purgatif les jours qu'on ne donnera point de lavement (1).

952. Voici donc la manière dont je me conduis : je donne pendant deux ou trois matins de suite les pilules dont j'ai parlé, ou quelques autres semblables. Après cela, je fais prendre deux fois par jour, savoir : le matin et à cinq heures du soir, le lavement suivant, excepté un ou deux jours de la semaine, que je donne un purgatif. Voici la composition du lavement.

Prenez électuaire de suc de roses, six gros; térébenthine de Venise, dissoute dans le jaune d'œuf, demi-once. Faites dissoudre tout cela dans une chopine d'eau d'orge. Coulez la liqueur, et y ajoutez deux onces de catholicon.

Tous les soirs, un peu avant que le malade ne se couche, je lui donne vingt-cinq gouttes de baume de la Mecque, incorporées dans du sucre. Comme ce

(1) Lorsque le tempérament est faible, et particulièrement lorsque la maladie est accompagnée de beaucoup de chaleur et de douleur en urinant, on doit s'abstenir des purgatifs chauds et irritants, parce qu'ils augmenteraient la douleur et échaufferaient extrêmement le malade : et quand il s'agit de purger, il faut employer les purgatifs les plus doux, et les étendre dans beaucoup de liqueur. Pour ce qui est des purgatifs mercuriaux, on doit les donner avec beaucoup de précaution; car, comme observe très-bien M. Astruc, leur usage gâte l'estomac, ruine les forces, augmente l'âcreté du sang, rend les ulcères vénériens plus malins et plus difficiles à guérir, renouvelle quelquefois la dysurie, et fait quelquefois revenir un écoulement qui avait cessé, et le rend aussi virulent qu'auparavant, comme sa couleur jaune ou verte le fait assez voir.

(1) Cette méthode de donner des lavements semble avoir été particulière à notre auteur. Mais, s'il y a des tempéraments qui ne puissent supporter les purgatifs, pourquoi y avoir recours par intervalles, afin d'aider les lavements qui, faute d'opérer, ne peuvent qu'augmenter le mal, en causant un trouble inutile? Aussi, Turner observe qu'on ne doit pas se fier à cette méthode, et qu'elle réussit très-rarement.

baume est une espèce de térébenthine liquide et très-pure, il a les mêmes vertus que la térébenthine, et il guérit très-efficacement les ulcères causés dans les parties. Quand on n'a pas de ce baume, on peut donner en place la grosseur d'une noisette de térébenthine de Chypre.

953. Dans le traitement, quel qu'il soit, j'interdis absolument au malade les aliments salés ou difficiles à digérer, comme la chair de bœuf et de cochon, le poisson, le fromage, les racines, les herbages et les fruits; mais je lui permets de manger du mouton, du veau, du lapin, et d'autres choses d'une digestion aisée; bien entendu néanmoins qu'il en use très-sobrement, et seulement pour soutenir ses forces. Je défends aussi le vin et toute liqueur spiritueuse ou acide, et je donne pour boisson de l'eau laiteuse, c'est-à-dire, trois parties d'eau bouillies avec une partie de lait : mais à dîné et à soupé on peut accorder un peu de petite bière.—Pour diminuer l'inflammation et tempérer l'ardeur d'urine, j'emploie les émulsions rafraîchissantes, dont je fais prendre abondamment dans l'intervalle des purgations : elles sont composées de la manière suivante :

Prenez graines de melon et de concombre, de chacune, demi-once; graines de pavot blanc, deux gros; huit amandes douces pelées. Broyez tout cela ensemble dans un mortier de marbre, en versant peu à peu par-dessus une livre et demie d'eau d'orge. Coulez la liqueur, et ajoutez suffisante quantité de sucre.

954. Dans les tempéraments fort sanguins, et lorsque la maladie est opiniâtre, après que j'ai purgé durant un mois ou environ, je fais ordinairement tirer huit ou neuf onces de sang du bras droit. Je ne veux pas qu'on saigne plus tôt, crainte de fixer le virus (1) : je ne fais pas grand cas des injections dans l'urètre; car comme elles sont âcres ou astringentes, elles nuisent souvent plus qu'elles ne servent. Cependant on peut, sur la fin de la maladie, injecter de l'eau rose en petite quantité.

955. Cette méthode m'a toujours réussi dans le traitement de la gonorrhée, et je n'en ai point trouvé jusqu'à présent de meilleure, surtout pour ceux qui sont faciles à purger : elle n'est pas moins sûre pour ceux qui sont difficiles; mais elle demande bien plus de temps. Dans ces derniers, il faut réitérer la saignée, donner de plus forts et de plus fréquents purgatifs, et les continuer plus long-temps (2), ou bien il faut employer les lavements de la manière que nous avons dite : car, dans cette maladie, l'essentiel est la purgation et, c'est ici principalement qu'il est vrai de dire que celui qui purge bien, guérit bien.—Mais on doit éviter les eaux minérales; car par leur qualité astringente elles retiennent certainement dans le corps et y fixent les restes du virus qui auraient dû être évacués. Aussi j'ai souvent observé que quand on buvait ces eaux dans le commencement ou dans l'état de la maladie, elles causaient des tumeurs du scrotum, et que quand on les buvait à la fin de la maladie, elles produisaient des symptômes encore plus fâcheux; par exemple des caroncules dans l'urètre. Voilà ce que j'avance hardiment, malgré l'usage où l'on est aujourd'hui d'ordonner assez souvent les eaux minérales dans la gonorrhée.

956. Je sais qu'il y a des praticiens qui se vantent de guérir cette maladie en bien moins de temps et par des remèdes fameux; mais je n'ai vu que trop souvent les malheurs qui sont arrivés pour avoir fixé, par des astringents, la matière morbifique, au lieu de l'évacuer; car alors elle a pénétré dans la

(1) Lorsque la saignée est nécessaire, le meilleur est de commencer par là, afin de prévenir l'inflammation et de diminuer la douleur; car l'expérience montre que la saignée, bien loin d'augmenter la maladie, rend au contraire les symptômes plus doux, et facilite par conséquent la guérison.

(2) On sait, par expérience, qu'il y a des tempéraments où les plus forts purgatifs ne font rien et où les plus doux opèrent; la grande irritation que causent les premiers, produisant dans les intestins de violentes contractions spasmodiques qui ferment l'anus; tandis que les seconds, en relâchant et stimulant en même temps les intestins, opèrent doucement et efficacement. Cette observation a son utilité dans la pratique, et se trouve confirmée par certaines coliques où les purgatifs doux réussissent, et par d'autres où les plus forts, quoique nécessaires, ne font rien, et ne peuvent aussi être donnés sans danger, à moins qu'on n'y joigne un narcotique pour diminuer la tension des fibres intestinales, et par ce moyen disposer les boyaux à obéir à l'opération du purgatif.

masse du sang et a causé la vérole. — Les bois sudorifiques que l'on nous vante comme des spécifiques, sont moins dangereux que les astringents, mais je n'ai pas trouvé qu'ils fussent plus utiles : ils ne font qu'échauffer le corps qui ne l'est déjà que trop, et augmenter encore l'inflammation de la partie malade ; j'ai même vu des cas où ils ont renouvelé la gonorrhée qui avait disparu auparavant (1).

957. Il faut remarquer néanmoins que si le gland se trouve entièrement recouvert du prépuce, et que le bord de celui-ci soit tellement enflé, dur et calleux, en conséquence de l'inflammation, qu'on ne puisse en aucune façon le ramener en arrière, on emploierait inutilement les purgatifs les plus puissants, et même réitérés chaque jour pendant des mois entiers, si on ne travaille en même temps à remettre la partie dans son état naturel, c'est-à-dire à dissiper la dureté et la tumeur qui entretiennent la gonorrhée. Pour en venir à bout, je me sers de la fomentation suivante.

Prenez racine de guimauve et de lys, de chacune une once et demie ; feuilles de mauve, de bouillon-blanc, de sureau, de jusquiame; fleurs de camomille, de mélilot, de chacune une poignée; graines de lin et de fénugrec, de chacune demi-once. Faites bouillir tout cela dans suffisante quantité d'eau de fontaine, et avec cette liqueur fomentez, pendant une heure, deux ou trois fois le jour la partie malade.

Après chaque fomentation, je fais oindre la partie avec de l'huile fraîche de lin, et ensuite appliquer sur les bords tuméfiés du prépuce l'emplâtre de mucilage étendu sur de la peau. — S'il y a un chancre sur les bords du prépuce ou sur le gland, de telle manière qu'on ne puisse qu'avec beaucoup de peine ramener le prépuce en arrière, alors, outre la fomentation dont je viens de parler, j'ordonne le liniment suivant.

Prenez six gros d'onguent basilicum ; deux gros d'onguent de nicotiane ; demi-gros de précipité lavé dans l'eau rose et bien porphyrisé. Mêlez tout cela et faites-en un liniment, que l'on mettra sur de la charpie, et qu'on appliquera sur le chancre après chaque fomentation (2).

958. S'il arrive que la gonorrhée tombe dans le scrotum et le tuméfie considérablement, soit parce qu'on a arrêté trop tôt l'écoulement, soit ensuite d'un violent exercice, soit par quelque autre cause, alors j'ai recours au cataplasme d'oxycrat et de farine de fèves : et si ce cataplasme ne diminue pas la douleur de la tumeur, je fais fomenter deux fois par jour le scrotum avec la décoction émolliente dont j'ai parlé. — Durant l'usage de ces remèdes extérieurs, je ne cesse pas d'employer intérieurement les purgatifs et les rafraîchissants, et le régime que j'ai recommandé ci-dessus. Je ne fais pas même difficulté de saigner, en quelque temps que ce soit de la maladie, si la grosseur de la tumeur et la violence de la douleur me font juger la saignée nécessaire (3), et alors je choisis le bras

---

(1) Voyez ci-dessus, art. 949.

(2) Si l'inflammation est considérable, il faut avoir recours à la saignée, et la réitérer, suivant le besoin, tenir le ventre libre par des lavements émollients ; et s'il y a fièvre, comme il arrive souvent, il faut tenir le malade au bouillon et à la tisane. On fera de fréquentes injections entre le gland et le prépuce, avec l'eau d'orge et le miel rosa, la liqueur un peu chaude, pour emporter les humeurs âcres et nuisibles qui sont cachées sous le prépuce, et on appliquera sur la partie tuméfiée un cataplasme émollient semblable à celui que décrit notre auteur. — Mais si la maladie ne cède pas à ce traitement, il faut recourir à l'opération usitée en pareil cas, qui consiste à inciser le prépuce, et qui est exactement décrite par Heister dans ses Institutions de chirurgie, et par M. Astruc dans son Traité des maladies vénériennes, auxquels on renvoie le lecteur. M. Astruc recommande, comme une chose fort nécessaire en ce cas-là, de tenir la verge attachée au ventre.

(3) Turner appelle cette tumeur une hernie humorale. Elle est ordinairement causée par une gonorrhée arrêtée tout-à-coup, ou par une vérole cachée. La saignée y est nécessaire et doit être réitérée selon le besoin : la nourriture doit être très-légère ; il faut tenir le ventre libre par des lavements rafraîchissants et laxatifs, et bannir entièrement les remèdes stimulants, astringents et balsamiques. Les applications extérieures que prescrit l'auteur sont très-utiles, comme aussi la méthode qu'il emploie ; mais il faut avoir soin en même temps de soutenir la partie avec un bandage convenable. — Hoffman assure avoir vu de pareilles tumeurs, que les plus puissants remèdes, et même le mercure pris intérieurement, n'avaient pu résoudre, se dissiper heureusement en

qui répond au testicule tuméfié, et on tire neuf ou dix onces de sang. Voilà ce que j'avais à dire sur la gonorrhée.

959. Mais quand le mal vénérien est venu au point d'être une vérole confirmée, il faut s'y prendre d'une toute autre manière, et avoir recours à un remède plus puissant, c'est-à-dire à la salivation mercurielle : c'est le seul moyen de guérir cette maladie ; et je ne crois pas qu'on puisse citer un cas où elle ait été guérie autrement, quoique certains auteurs, soit habiles, soit ignorants, aient avancé inconsidérément le contraire (1). Ainsi, comme la salivation est ici l'essentiel, tout ce que j'ai à faire, c'est de rapporter ce que la raison et l'expérience m'ont appris sur la manière d'exciter et de gouverner cette évacuation.

960. Et d'abord, je ne comprends pas ce que veulent dire les auteurs, quand ils nous avertissent si souvent et si sérieusement de bien préparer le malade par des purgatifs, des altérants, des bains et autres remèdes semblables, pour ne rien dire de la saignée, qui est regardée par quelques-uns comme la principale préparation. Il s'agit ici uniquement d'évacuer le virus vérolique par la salivation qui est absolument nécessaire, et que le mercure seul peut procurer; du moins nous ne connaissons, jusqu'à présent, aucun autre remède qui puisse produire cet effet. — Or, je demande lequel vaut mieux, ou de faire saliver le malade lorsqu'il jouit encore de toutes ses forces, et par conséquent lorsqu'il est en état de soutenir l'action du mercure, ou lorsqu'il a été affaibli par des saignées et par la diète. Tout homme éclairé jugera sans doute que le premier parti est le meilleur ; aussi l'expérience le confirme : car ceux qui n'ont été affaiblis ni par des évacuations, ni d'aucune autre manière, soutiennent beaucoup mieux la salivation que ceux qui l'ont été par de telles préparations. On peut comparer ces derniers à des soldats qui se déferaient de leurs armes avant le combat (2).

961. Je laisse donc toutes ces préparations

---

frottant simplement le scrotum avec l'onguent mercuriel. (*Hoffmann. Oper. t.* 3, *p.* 426).

(1) Voyez ci-dessus, où le contraire est prouvé.

(2) Avant que d'exciter la salivation par des frictions mercurielles (et cela doit s'entendre aussi du mercure donné intérieurement), M. Astruc recommande avec raison d'avoir attention, 1° à l'état actuel du malade, pour savoir s'il est en état de soutenir le mercure; 2° au choix de la saison convenable; 3° à la préparation que demande le malade ; 4° à la préparation de l'onguent qui doit être employé. — Quant au premier article, il ne faut pas donner les frictions aux personnes qui ont quelque maladie aiguë ou quelque maladie chronique fort dangereuse, à moins qu'on ne juge très-probablement que la dernière vient originairement de la vérole; ni aux personnes très-faibles et épuisées, de quelque cause que cela provienne, surtout si l'on a dessein de produire une salivation abondante; ni aux femmes pendant que leurs règles coulent. — Quant au second article, le printemps et l'automne sont les saisons les plus convenables, et l'hiver plus que l'été. Mais si les symptômes sont urgents, il faut donner les frictions en tout temps avec les précautions nécessaires. — Quant au troisième article, avant que de donner les frictions, il faut d'abord saigner le malade s'il est pléthorique, ensuite le purger doucement, et lui faire prendre le bain chaud deux fois par jour durant cinq, six ou huit jours, suivant le besoin ; et pendant tout le temps de la préparation, la nourriture doit être en petite quantité, humectante et rafraîchissante, point de vin, ni de commerce vénérien, ni d'exercice violent de corps ou d'esprit. Si la vérole est compliquée avec quelque autre maladie, il faut une plus grande préparation, et qui soit proportionnée à l'état du malade. — Il y a des cas qui ne donnent pas le temps d'user de la préparation ordinaire, savoir, lorsqu'un os carié vient à se fracturer subitement par un coup léger; lorsque la carie d'un os est si profonde qu'elle pénètre jusqu'à la moelle; lorsqu'une exostose, accompagnée de chaleur, de douleur et d'inflammation, tend à la suppuration. Dans ces cas-là, après avoir tout au plus saigné et purgé, on donne aussitôt les frictions mercurielles, et avec une grande dose de mercure, dès la première ou la seconde, si la violence des symptômes le demande. Quand on a diminué cette violence, on peut aller plus doucement, afin que le mercure, demeurant plus long-temps dans le sang, agisse mieux sur le virus vénérien, et aussi de peur qu'en se hâtant trop, on ne cause quelque accident funeste. — Hors ces cas, qui sont très-rares, ajoute M. Astruc, je conseille de ne jamais manquer de préparer soigneusement le malade avant que de lui donner

tions nuisibles, et sitôt que je suis appelé auprès d'un malade qui a la vérole, j'ordonne l'onguent suivant.

Prenez deux onces de sain-doux et une once de mercure cru; mêlez cela ensemble.

Je n'ajoute ni huile spiritueuse, ni aucune autre chose; car toutes ces additions ou prétendus correctifs ne servent qu'à affaiblir l'onguent, ou du moins ne le rendent pas plus efficace; et s'ils font quelque chose, c'est tout de même que lorsqu'ils sont joints aux purgatifs, avec lesquels on voit qu'ils excitent des tranchées et rendent la purgation plus difficile, parce qu'ils brident l'action de ces remèdes, dont toute la vertu consiste dans une opposition à la nature de l'homme. — J'ordonne après cela au malade de se frotter lui-même avec cet onguent les bras, les cuisses et les jambes, trois soirs de suite, en comptant le soir du premier jour où je suis appelé; mais je veux qu'il s'abstienne entièrement de frotter les aisselles et les aines; et pour empêcher même que l'onguent ne touche le ventre, je fais mettre tout autour de cette partie un linge que l'on coud par derrière. — Les gencives s'enflent ordinairement par la troisième friction, et la salivation commence; mais si elle ne paraît pas au bout de trois jours depuis la dernière friction, il faudra donner au malade huit grains de turbith minéral dans de la conserve de roses rouges, et à chaque fois qu'il aura vomi ou aura été à la selle, il boira un demi-verre de petit-lait chaud. Quand la salivation est une fois commencée, le médecin doit prendre garde qu'elle ne devienne trop abondante, parce qu'alors elle mettrait la vie du malade en danger. — Lorsqu'elle est au point convenable, c'est-à-dire lorsqu'on crache environ quatre livres de salive dans vingt quatre heures, ou lorsque les symptômes disparaissent, nonobstant que les crachats soient en moindre quantité, ce qui arrive le plus souvent après le quatrième jour depuis que la salivation est dans sa force; alors il faut que le malade change de chemise et de draps, et que ceux qu'il prendra aient servi quelque temps depuis le dernier blanchissage. Ce changement est nécessaire, parce que les premiers, étant salis d'onguent, augmenteraient trop la salivation et l'entre-

---

les frictions mercurielles, préparation que je crois non-seulement très-utile, mais absolument nécessaire, soit pour corriger les vices du sang ou des premières voies qui sont étrangers à la vérole, soit afin que le mercure, entrant plus aisément dans le sang, produise mieux ses bons effets. Cet auteur blâme ensuite avec raison Sydenham de ce qu'il rejette toute préparation, comme si, dit-il, une saignée et une ou deux purgations, dans l'espace de quinze jours, pouvaient affaiblir le malade jusqu'à le rendre incapable de soutenir l'action du mercure; puisque, au contraire, il est évident qu'en préparant ainsi le malade, les impuretés des premières voies sont évacuées, la pléthore des vaisseaux est diminuée, les parties solides sont relâchées, et par ce moyen le mercure peut pénétrer plus aisément dans le sang, et y produire ses effets, qui sont d'atténuer le sang et les humeurs, et d'évacuer, par les émonctoires de la bouche, des intestins, de la peau et des reins, les humeurs nuisibles. — Le même auteur expose ensuite les règles qu'il faut observer en donnant les frictions mercurielles. Elles méritent d'être consultées. (Voyez *Traité des maladies vénériennes, liv. 4, ch. 6*). — Hoffmann recommande fort le bain chaud, joint à l'usage des préparations mercurielles et des décoctions sudorifiques. Il dit qu'il n'est pas de moyen plus court et plus efficace de débarrasser le sang du virus vénérien, que d'évacuer ce virus par les glandes de la peau qui sont les émonctoires universels du corps, et qu'aussi est-il rare qu'on guérisse radicalement la vérole sans l'usage des bains chauds; que tous les médecins expérimentés savent que la méthode d'employer les décoctions sudorifiques et les préparations mercurielles, à moins qu'on n'ait soin en même temps d'évacuer le virus par les pores de la peau, est souvent inutile et même pernicieuse; qu'il pourrait citer quantité d'exemples où, après la salivation mercurielle et l'usage interne des mercuriaux, soit diaphorétiques, soit purgatifs, soutenus même des décoctions sudorifiques, les symptômes véroliques qui avaient diminué pendant quelque temps, ont recommencé ensuite avec une plus grande violence, parce que le virus n'ayant pas été entièrement évacué, avait repris peu à peu de nouvelles forces; mais qu'en suivant presque la même méthode des mercuriaux et des décoctions sudorifiques, en y joignant l'usage des bains à des intervalles convenables, le virus avait été entièrement évacué, et la vérole guério radicalement. (*Hoffmann, nouv. expér. sur les eaux minérales.*)

tiendraient trop long-temps. Si elle s'affaiblit avant que les symptômes aient entièrement disparu, il faudra la ranimer de temps en temps avec un scrupule de mercure doux qu'on donnera intérieurement.

962. Il arrive quelquefois, surtout dans les sujets faciles à émouvoir, qu'après une ou deux frictions, le mercure qui commence à entrer dans le sang se porte aussitôt aux intestins. De là viennent des tranchées et des déjections muqueuses, semblables à celles de la dysenterie; et la guérison, qui ne peut s'opérer que par la salivation, ne s'opère point. Dans ce cas-là, il faut interrompre entièrement l'usage du mercure, soit extérieurement, soit intérieurement, jusqu'à ce que ces symptômes aient tout-à-fait disparu. Le cours de ventre qui, dans ce cas-là, arrive presque toujours avant que la salivation soit bien établie, doit être arrêté par l'usage du laudanum liquide, dont on augmentera et on réitérera la dose suivant la violence du symptôme, ou par un gros et demi de diascordium, que l'on réitérera selon qu'il sera nécessaire. Quand une fois le cours de ventre aura cessé, la salivation, qui ne paraissait presque pas auparavant, reviendra en quantité convenable.

963. Lorsque le malade est guéri, à l'exception des ulcères qui lui restent dans la bouche et qui sont l'effet de la salivation, cet écoulement, qui diminue alors de jour en jour, ne doit point être arrêté par la purgation, ni d'aucune autre manière; car il peut se faire que, même après la cessation des douleurs et la cicatrisation des ulcères, il reste encore dans le corps une portion du virus. Or, ce virus ne manquerait pas de causer de nouveaux ravages si on laissait aller cette légère salivation, laquelle cessera ensuite d'elle-même quand le malade sera entièrement guéri et qu'il aura pris quelque temps l'air. — Ainsi, je crois qu'il est dangereux de vouloir arrêter, par la purgation ou par la décoction des bois sudorifiques, une salivation qui tend visiblement à sa fin; c'est néanmoins ce que l'on pratique ordinairement, sous prétexte d'évacuer le mercure qui est entré dans le sang, ou de corriger sa malignité; mais c'est de là aussi que viennent les fréquentes rechutes qui arrivent aux malades après qu'ils ont tant dépensé et tant souffert pour recouvrer la santé. Or, ils l'auraient certainement recouvrée, si la salivation eût été abandonnée à elle-même : c'est pourquoi, loin de l'arrêter, il vaudrait beaucoup mieux l'entretenir, en donnant chaque semaine une prise de mercure doux, même après que le malade est entièrement guéri et qu'il a commencé à prendre l'air; et c'est ce que j'ai fait quelquefois durant plusieurs mois (1).

964. Mais, quoique je condamne les purgatifs dans le déclin de la salivation, pour les raisons que j'ai alléguées, il se trouve néanmoins des cas où l'on ne saurait se dispenser de purger, même dans le fort de la salivation; c'est lorsqu'elle est si abondante qu'elle fait craindre pour la vie du malade. Alors il faut nécessairement la modérer par un purgatif; et quand elle sera réduite au point convenable, et que le malade pourra la soutenir sans danger, on la laissera aller.

965. On demandera peut-être si, après que la salivation est finie, on ne doit pas purger et mettre en usage les autres remèdes usités en pareil cas. Je réponds qu'excepté dans le cas d'une salivation trop abondante, où la raison et l'expérience montrent la nécessité de la purgation, je ne vois pas qu'il soit plus nécessaire de purger après la salivation, que d'exciter de nouveau cette excrétion après qu'on a purgé. Les purgatifs, surtout ceux qui sont tirés de la scammonée, et les autres qui sont fort âcres, laissent dans le corps une certaine malignité que nous abandonnons néanmoins à la nature; et la nature la détruit en effet, lorsque le malade revient à son régime

(1) Boerhaave loue fort cette méthode de notre auteur, et blâme comme lui les décoctions sudorifiques, observant qu'on ne doit pas appréhender la rechute, si l'on donne une fois la semaine, pendant quelque temps, quatre, huit, dix ou douze grains de mercure doux, selon que le malade est plus ou moins difficile à émouvoir. (*Boerhaave, Prax. méd., vol. 5, pag. 368*). — Lorsque la salivation a été assez copieuse et a duré suffisamment, les laxatifs conviennent pour évacuer les restes du mercure, et l'expérience quotidienne apprend qu'on emploie ces sortes de purgatifs avec toute la sûreté et l'avantage qu'on peut désirer. — Comme l'appétit est ordinairement grand après la salivation, il faut avoir soin que le malade ne mange pas trop, et que ses aliments soient légers et faciles à digérer. Il ne doit pas non plus s'exposer trop tôt au grand air, surtout en hiver.

ordinaire, qu'il se donne de l'exercice et qu'il prend l'air. Or, comment prétend-on que la purgation puisse évacuer les restes du mercure, tandis qu'on néglige et même qu'on empêche la salivation, qui est le véritable et presque le seul moyen dont la nature se sert pour produire cet effet ? De telles erreurs viennent de la faiblesse de nos lumières ; car comme nous ne pénétrons point jusqu'à la vérité même, nous en saisissons les moindres apparences qui se présentent à nous, ensuite nous raisonnons mutuellement ; et par là nous nous affermissons tellement dans nos préjugés, que nous donnons nos imaginations et nos opinions chimériques pour des principes démontrés. Le cas dont je viens de parler en est, si je ne me trompe, un exemple.

966. La vérole se guérit dans la plupart des sujets par la méthode que j'ai recommandée : c'est-à-dire, en faisant des frictions mercurielles trois jours de suite, en donnant une prise de turbith minérale lorsque la salivation ne va pas bien, et quelques prises de mercure doux lorsqu'elle s'arrête trop tôt. Il faut remarquer néanmoins qu'il se trouve des gens d'un tempérament particulier, qu'on ne saurait presque ni purger, ni faire saliver. Dans ces sujets-là, à peine peut-on, en se servant de la méthode que j'enseigne, causer une ulcération des gencives, beaucoup moins procurer une salivation capable de guérir radicalement la vérole. En pareil cas le médecin doit bien prendre garde de ne pas s'obstiner mal à propos à pousser la salivation contre le dessein de la nature. Ceux qui ont manqué de faire cette attention ont causé la mort à plusieurs malades. En vain s'opiniâtrera-t-on, dans les tempéraments dont je parle, à redoubler les frictions et à donner les mercuriaux intérieurement ; on ne produira point de salivation parfaite, mais on causera des tranchées et des déjections dysentériques, la nature cherchant alors à évacuer le virus par la voie des intestins; ou bien des douleurs d'estomac, des maux de cœur, des sueurs froides, et d'autres symptômes qui réduiront le malade à l'extrémité, et peut-être même lui causeront la mort (1).

967. Il est vrai que dans les sujets dont il s'agit, si la salivation ne vient qu'au bout de quatre ou cinq jours depuis la dernière friction, on peut réitérer les frictions et la dose du turbith minéral, ayant soin de mettre entre chaque friction un intervalle de quelques jours : mais si cette nouvelle tentative est inutile, il faut absolument s'en tenir là, et ne pas vouloir forcer la nature. Dès que le malade sentira des douleurs d'estomac et des tranchées, le médecin doit interrompre les remèdes jusqu'à ce que ces symptômes aient tout-à-fait cessé; car s'il veut aller son train, nonobstant les obstacles que lui présente la nature, il tuera immanquablement le malade. Au contraire, en

(1) Quoique la chose n'arrive pas souvent, il est certain néanmoins par l'expérience, dit M. Astruc, que les frictions mercurielles, quoiqu'administrées avec toute l'habileté possible, manquent quelquefois leur effet, et ne produisent que peu ou même point de salivation. Il est étrange qu'un remède, ordinairement si orageux, demeure quelquefois si tranquille, et cela vient, à mon avis, d'une ou de plusieurs des causes suivantes : 1° Si la peau est épaisse, compacte, et ne laisse entrer que très-peu de mercure ; 2° si le sang est naturellement sec, et quoiqu'atténué par le mercure, ne fournit que peu de lymphe, et pas assez pour entretenir la salivation ; 3° si quelqu'autre évacuation, par exemple, par les sueurs, les urines, les selles, etc., est plus abondante qu'à l'ordinaire, et qu'ainsi la lymphe soit détournée ailleurs où elle trouve une route plus libre et plus facile ; 4° si les glandes salivaires, soit naturellement, soit par maladie, sont denses, compactes, dures, ou même squirrheuses, et par conséquent ne laissent passer que difficilement et lentement la lymphe salivaire ; 5° Si, par une constitution naturelle ou vicieuse du sang, la salive qui coule dans la bouche devient si épaisse et si visqueuse, qu'elle est sans acrimonie, et ne peut ronger les vaisseaux muqueux de la bouche ; 6° si les orifices de ces vaisseaux ne sont pas assez grands pour recevoir le virus qui est mêlé avec la salive, ou en reçoivent trop peu, de sorte qu'il n'agit point ou presque point sur eux ; 7° s'il n'y a que peu ou point de sympathie entre les parties internes de la bouche et les glandes salivaires; en conséquence de quoi il n'y aura que peu ou point d'ulcères à la bouche, et ainsi point de salivation. On ne doit point s'étonner de cette variété de sympathies; c'est la raison pourquoi l'émétique, par exemple, fait vomir les uns plus difficilement que les autres, etc. (*Astruc, Traité des maladies vénériennes.*)

temporisant et en se contentant de donner une fois ou deux la semaine un scrupule de mercure doux, ou seul, ou avec un gros de diascordium s'il y a disposition à la diarrhée, tout ira bien. Car, quoique la salivation ne soit jamais entière, le malade néanmoins crachera davantage qu'à l'ordinaire, et ses crachats auront la même puanteur qu'un ptyalisme abondant; ce qui montrera que le sang et les humeurs auront acquis le degré d'altération qui produit ou qui accompagne la salivation. Par cette manière, continuée pendant le temps utile, on viendra à bout de tous les symptômes de la maladie.

968. Or, quoique la salivation surpasse de beaucoup tous les autres remèdes pour la guérison de la vérole confirmée, elle ne guérit pas néanmoins la gonorrhée qui est jointe à la vérole; et quand celle-ci est détruite, l'autre ne laisse pas de subsister: d'où l'on a raison de conclure que le mercure n'a aucune vertu spécifique immédiate pour guérir la vérole; quoiqu'on puisse peut-être l'appeler un spécifique *médiat*, en ce qu'il la guérit par le moyen de la salivation.

969. Toutes les fois donc que la vérole et la gonorrhée se trouvent ensemble, il faut travailler à guérir la gonorrhée avant que de donner la salivation, ou après qu'elle est finie. Je crois qu'il est plus sûr et plus aisé de guérir la gonorrhée après que la salivation est finie, parce qu'alors n'étant plus accompagnée de la vérole, et se trouvant déjà affaiblie par la salivation, elle sera moins rebelle; mais il faudra s'abstenir scrupuleusement de tout purgatif, tant qu'il y aura le moindre reste de salivation; et au lieu de purgatif, donner une fois ou deux la semaine du turbith minéral. Ce remède entretiendra une légère salivation, pendant que la matière de la gonorrhée s'évacuera peu à peu (1).

970. S'il y a quelque exostose avec carie de l'os, elle ne pourra être guérie ni par la salivation, ni par aucune autre méthode de traiter la vérole; il faudra découvrir l'os par le moyen d'un caustique, et ensuite le faire exfolier au plus tôt, en se servant de remèdes propres à cela (2).

971. Ceux qui salivent ont ordinairement des ulcères à la bouche; si la douleur est trop violente, ou si la bouche est excoriée au point de rendre du sang, le malade se gargarisera fréquemment jour et nuit avec de l'eau rose, ou avec du lait mêlé d'eau, ou avec une décoction d'orge, de racine de guimauve, et de semence de coings. C'est là le seul accident remarquable qui arrive durant la salivation quand elle est bien conduite, du moins je n'en sais point d'autre. Et certes, si l'on pouvait, par quelque moyen, se garantir de la douleur et des ulcères de la bouche, le traitement de la vérole ne serait guère plus fâcheux que celui de quelques autres maladies beaucoup moins considérables (3).

---

(1) L'expérience montre que la gonorrhée continue souvent après que la vérole a été guérie par la salivation. Boerhaave dit avoir vu des ulcères sur tout le corps et la verge, guéris par la salivation, tandis que la gonorrhée subsista. (*Boerhaave, Prax. med., vol. 5, pag. 360.*) — M. Astruc parle de cela comme d'une chose qui arrive souvent, et il donne, avec son exactitude et son jugement ordinaire, la méthode de guérir cet écoulement. Ce qu'il dit là-dessus est si détaillé et si complet, que nous ne saurions mieux faire que d'y renvoyer le lecteur. (*Traité des maladies vénér., liv. 4, ch. 10, sect. 1.*)

(2) M. Astruc est d'avis qu'on ne fasse rien aux exostoses qui restent après les frictions mercurielles, pourvu qu'elles ne causent point de douleur. Mais si ces exostoses, dit-il, ou d'elles-mêmes, ou pour avoir été tourmentées par des applications extérieures, viennent à causer des douleurs aiguës et lancinantes, avec chaleur et rougeur manifeste de la peau, il y a grand danger qu'il ne se forme un abcès qui soit joint à la carie de l'os, ou qui dégénère en cancer, ce qui est encore pire: alors, il faut sans délai en venir à l'opération qui est telle: après avoir fait une incision cruciale sur la peau, emporté les quatre angles et gratté le périoste, on perce en plusieurs endroits l'exostose avec un trépan, ensuite on l'enlève avec une scie ou un ciseau; on fait exfolier la base avec la poudre de myrrhe, d'aloès ou d'euphorbe, ou avec la teinture de ces drogues, ou même avec le cautère actuel, si la profondeur de la carie le demande; et on traite la plaie qui reste comme les ulcères qui sont joints à une carie de l'os. (*Traité des maladies vénériennes*).

(3) Si les ulcères s'étendent et deviennent profonds, il faut employer les gargarismes détersifs, et les toucher souvent avec un mélange de miel et d'esprit de sel ou de vitriol, ou avec quelque chose

972. Quant à la nourriture et au reste du régime, je crois qu'ils doivent être absolument de même que dans la purgation, du moins jusque vers la fin de la salivation. Un homme qui s'est purgé doit simplement, le jour de sa médecine, se garantir du froid, en gardant la chambre, et manger modérément, et des choses faciles à digérer. Cela étant, je ne vois pas pourquoi on voudrait obliger un malade qui salive de garder le lit, ou lui interdire une nourriture médiocre, capable de soutenir ses forces et son courage dans la rude carrière qu'il doit courir. Aussi est-il souvent arrivé que des malades épuisés par des sueurs, des purgatifs et une abstinence inutile, sans parler de l'abattement que cause d'ailleurs la salivation, ont péri malheureusement; souvent aussi, la vérole étant guérie, le malade n'a pas assez de forces pour se rétablir, et il périt de faiblesse; ou, s'il évite la mort, il mène une vie misérable et plus fâcheuse que la mort même. On peut alors lui appliquer ce que dit agréablement un poète moderne : *Les remèdes sont pires que les maux, et ce n'est pas la peine de vivre à ce prix-là* (1).

973. On me demandera peut-être d'où vient que certains Anglais sont obligés d'aller en France pour être guéris de la vérole. Je crois que cela vient de ce que l'air d'Angleterre étant épais et humide, n'est pas propre à rétablir les forces épuisées des malades, comme l'air de France, qui est plus pur et plus sain : car d'ailleurs les médecins français, quelque habiles qu'ils soient, ne savent pas mieux traiter la vérole que les médecins anglais.

974. Mais pour revenir au régime de nos malades, mon sentiment, qui s'accorde avec l'expérience, est qu'outre les décoctions d'avoine, les panades, le petit-lait, la petite bière tiède, etc., on peut et on doit leur permettre les bouillons de veau, de poulet, et autres semblables en médiocre quantité. Et quand les gencives sont désenflées, et qu'ils peuvent mâcher, il faut leur permettre de manger un peu de poulet, de lapin, d'agneau, et d'autres viandes tendres, et leur laisser la liberté de se tenir au lit, ou assis auprès du feu, selon qu'ils aimeront mieux : car puisque la vérole se guérit par la salivation, et non par la transpiration, je ne saurais m'imaginer pourquoi l'on voudrait, sans aucune nécessité, épuiser un malade à force de l'échauffer.

975. La méthode que j'ai proposée est plus courte que toutes les autres, puisqu'avant la salivation elle n'oblige point à de longues et inutiles préparations, et, après la salivation, à ces purgations fréquentes et ces tisanes que l'on met ordinairement en usage. Je suis bien sûr aussi qu'elle est beaucoup plus facile, moins dangereuse et moins sujette à des rechutes : ceux qui voudront en faire l'expérience, après avoir pratiqué les autres méthodes, reconnaîtront la vérité de ce que j'avance. Je puis dire, du moins, qu'elle m'a très-bien réussi dans un grand nombre de malades, dont quelques-uns, après avoir souffert plusieurs fois une longue et cruelle salivation, étaient toujours retombés, par les raisons que j'ai rapportées ci-dessus.

976. Je n'ajouterai rien davantage sur le mal vénérien, n'aimant point les longs discours qui ne vont point au fait et qui ne servent qu'à embarrasser et obscurcir la matière. Quelque peu considérable que soit en toute manière ce petit Traité, je vous prie, monsieur, de le recevoir en bonne part. Je l'ai composé en vue du bien public, et pour faire connaître à tout le monde l'estime infinie que j'ai pour vous : cette estime m'est commune avec tous ceux qui connaissent aussi bien que moi votre rare mérite. J'ai toujours regardé l'amitié dont vous m'honorez comme un des plus grands avantages de ma vie ; conservez-la-moi, et soyez persuadé de l'attachement sincère avec lequel je suis, etc.

semblable, ayant soin en même temps de diminuer la salivation, si elle est très-abondante.

(1) *Graviora morbis patimur remedia :*
Nec vita tanti est, vivere ut possis, mori.

MÉTHODE COMPLÈTE

POUR GUÉRIR

PRESQUE TOUTES LES MALADIES;

AVEC UNE DESCRIPTION EXACTE DES SYMPTÔMES QUI LES ACCOMPAGNENT.

AVANT-PROPOS.

977. Voici, mon cher lecteur, l'essai d'une excellente pratique médicinale que l'illustre Sydenham composa lui-même avec tout le soin et l'exactitude possible. On peut dire, avec raison, qu'on n'a guère vu jusqu'à présent de médecins qui soient comparables à ce grand homme, tant pour la pénétration et la vivacité de son esprit sur tout ce qui regarde son art, que pour sa probité, son humanité, et son inclination bienfaisante à l'égard de toutes sortes de personnes; qualités qui l'ont fait généralement regretter. — Cet abrégé ne se trouve point rempli de bagatelles, ni des vaines et fausses idées de certains demi-savants infatués de leurs chimériques systèmes. Néanmoins, tout simple et modeste qu'il est, il donne une idée juste et précise des maladies, et ne tend à autre chose qu'à faire connaître ce que la nature peut opérer d'elle-même, et ce qu'elle peut supporter.

978. Or, s'il est permis de s'expliquer ici avec sincérité, il faut convenir que, pourvu que l'on connaisse la situation des parties du corps, que l'on ait une notion suffisante des maladies par le moyen des symptômes qui les désignent (ce que l'on apprend par de soigneuses observations), et qu'avec cela on soit instruit de la véritable méthode de les traiter, tant par le régime que par des remèdes sagement administrés, on devient par là un habile praticien, et l'on se trouve en état d'exercer sa profession avec honneur et d'être utile à toute sorte de malades. — Car il importe peu que l'on sache si c'est l'acide ou l'alcali qui pèche dans une maladie; si c'est dans les esprits animaux, ou dans le sang, ou dans quelque viscère particulier, qu'est renfermé le foyer du mal, au moyen de quoi l'on puisse faire de longs et savants raisonnements sur le retour périodique des fièvres intermittentes, pendant que la fièvre, qui fait toujours son chemin, est évidemment connue des assistants, même les moins intelligents, par les inquiétudes du malade, par la soif et l'ardeur qui le dévore, par la vitesse de son pouls, par les nausées et par tous les autres symptômes qui le travaillent.

979. Aussi me suis-je souvent étonné pourquoi des hommes d'un très-grand jugement, et très-versés dans la pratique de la médecine, se donnent tant de peine à rechercher scrupuleusement les causes prochaines et immédiates des maladies, et font des efforts inutiles pour dévoiler les ténèbres dont la nature les a enveloppées; tandis qu'ils n'ignorent pas que les choses qui se présentent à tous moments sous leurs yeux leur sont inconnues; comme, par exemple, d'où vient la couleur verte de l'herbe, ou la couleur blanche de la neige; pourquoi notre âme ne peut raisonner dans l'enfance; en quoi consiste notre forme spécifique, et autres choses semblables. — Il vaut mieux, pour l'utilité commune, être médecin que philosophe; car, qui est-ce qui voudrait avoir Descartes pour son médecin? Il vaut mieux détailler avec soin et d'une manière claire les moindres phénomènes des maladies, et proposer sincèrement les remèdes les plus propres à combattre chacune d'entre elles. C'est par ce moyen que la médecine, cet art

si noble, franchirait enfin les bornes trop étroites dans lesquelles elle a été jusqu'ici renfermée : c'est par là qu'elle procurerait la santé à tout le genre humain, et les plus grands honneurs à ceux qui l'exercent.

980. L'auteur, peu de temps avant sa mort, travaillait à un traité sur la phthisie, mais il ne put l'achever ; car la grande application qu'il y donnait, ayant épuisé ses forces, déjà très-diminuées par la vieillesse et par la goutte, à laquelle il était sujet depuis bien des années, l'humeur goutteuse se jeta tout-à-coup sur les viscères, et lui causa des vomissements et des déjections énormes. Pour comble de malheur, il survint un pissement de sang, causé par le calcul des reins, qui avait déchiré les vaisseaux. Le malade ne put résister à tant de maux, et il expira tranquillement au milieu de ses douleurs. On trouvera ici les morceaux qu'il avait composés sur la phthisie ; ils sont dignes de leur auteur, et font regretter qu'il n'ait pas vécu suffisamment pour traiter à fond cette matière. — L'abrégé de médecine dont il s'agit présentement fait assez connaître combien son auteur a excellé dans le traitement des fièvres, de la petite vérole, de la rougeole, et de toutes les autres maladies aiguës et chroniques. — Le régime et la diète des malades y sont déduits de la manière la plus convenable. On y propose peu de remèdes, mais ce sont les plus nécessaires. Ils ne sont point ordonnés pour faire gagner les apothicaires, ni pour le faste de l'art. — L'auteur propose, pour apaiser la soif des malades, le même moyen qu'il mettait en usage pour étancher la sienne ; savoir, la petite bière, dont il leur fait boire amplement et à discrétion, ce qui les restaure et les rafraîchit à merveille : et il n'est pas de ces médecins impitoyables qui, sourds aux prières des malades, les forcent de prendre des apozèmes et des juleps, malgré toute l'horreur qu'ils en ont. — Il prend bien garde qu'on ne les échauffe à l'excès par un trop grand feu, ou qu'on ne les accable sous le poids des couvertures, ou qu'on ne les gorge de potions sudorifiques, dans la vue de donner issue, par les pores de la peau, à la matière morbifique encore crue et indigeste : d'où il arrive qu'étant mise en mouvement par ces remèdes, elle se porte au cerveau, et cause aux malades la phrénésie ou le coma ; ou bien le sang s'étant extravasé, couvre toute la peau de taches pourprées, ou le cou et la poitrine d'éruptions miliaires. — Il décrit avec la dernière exactitude la petite vérole. Il marque, dans les deux espèces de cette maladie, le jour de l'éruption. Il décrit exactement la nature des pustules ; quand la salivation commence à paroître et combien elle dure ; en quel temps l'enflure du visage et des mains se manifeste ; enfin ce qu'il faut attendre de jour en jour dans cette maladie. — Il a introduit le premier l'usage des calmants. Les praticiens savent quel service il a rendu en cela à la médecine. Il a publié le premier que c'était un mal de donner des cordiaux avant l'éruption, et que cet usage était souvent cause que la petite vérole simple dégénérait en confluente. Mais il est plus à propos, sur tous ces articles, d'aller s'instruire aux sources mêmes. C'est pourquoi je n'en dirai pas davantage.

FIÈVRES.

Fièvres intermittentes.

981. L'accès de ces fièvres commence par un frisson et tremblement qui sont bientôt suivis de chaleur, et ensuite de sueur, laquelle est suivie de l'intermission. Néanmoins, dans les premiers jours de ces fièvres, surtout en automne, il y a quelquefois plutôt une diminution qu'une intermission ; le malade vomit également dans le frisson et dans la chaleur, et il souffre beaucoup de la soif et de la sécheresse de la langue. L'enflure du ventre qui se manifeste dans les enfants, et l'enflure des jambes dans les adultes, termine la fièvre ; la douleur des amygdales, l'enrouement, les yeux caves, la face hippocratique, sont des présages de mort.

Prenez du quinquina réduit en poudre fine, une once ; et avec ce qu'il faut de sirop d'œillet ou de celui de roses sèches, faites un électuaire qu'il faudra partager en douze doses, que le malade prendra de quatre en quatre heures, buvant par-dessus un petit verre de vin, et commençant immédiatement après l'accès.

Si ces bols lâchent le ventre, on mêlera dans le verre de vin qu'on prend par-dessus le bol, dix gouttes de laudanum liquide chaque fois, ou de fois à autre, selon le besoin.

982. Pour empêcher la rechute, sur-

tout dans la fièvre quarte, il faut réitérer la même chose trois fois chaque semaine. Si les pilules font plus de plaisir aux malades, on donnera les suivantes :

Prenez du quinquina pulvérisé, une once ; et avec suffisante quantité de sirop d'œillet, formez des pilules d'une médiocre grosseur, dont on avalera six de quatre en quatre heures.

Ou bien : prenez du quinquina pulvérisé, une once; du vin du Rhin, deux livres : infusez à froid, et coulez par la manche d'Hippocrate. Le malade prendra trois onces de cette infusion de trois en trois heures, ou de quatre en quatre heures.

983. Si le malade a des nausées presque continuelles, et qu'il ne puisse avaler du quinquina, il avalera sept ou huit fois, dans l'espace de deux heures, une cuillerée de suc de limon nouvellement exprimé, avec un scrupule de sel d'absinthe, et ensuite il prendra seize gouttes de laudanum liquide dans une cuillerée d'eau de cannelle forte. Dès que le vomissement aura cessé, on commencera l'usage du quinquina.—Dans les fièvres intermittentes du printemps, un émétique donné à propos, en sorte qu'il puisse produire son effet avant l'accès, réussit quelquefois heureusement. D'autres fois un lavement donné dans les jours d'intervalle, trois ou quatre jours de suite, guérit la fièvre. On peut aussi employer le remède suivant:

Prenez serpentaire de Virginie subtilement pulvérisée, quinze grains ; vin blanc, trois onces.

Le malade prendra ce remède deux heures avant l'accès, et s'étant bien couvert, suera pendant trois ou quatre heures : il fera encore la même chose deux autres fois avant l'accès.

984. Si le malade est fort affaibli par un grand nombre d'accès,

Prenez des conserves de fleurs de bourrache et de buglose, de chacune, une once ; conserve de romarin, demi-once ; écorce de citron confite, noix muscade confite, et thériaque, de chacune, trois gros ; confection alkermès, deux gros. Mêlez tout cela : pour un opiat, dont le malade prendra de la grosseur d'une noisette matin et soir, buvant par-dessus quelques cuillerées d'une eau épidémique simple, adoucie avec le sucre, et s'abstenant pendant ce temps-là de lavements.

985. Si à la fin de la maladie il survient une hydropisie, avant que la fièvre soit entièrement guérie, on ne doit pas employer les purgatifs, mais les infusions de racines de raifort sauvage, de sommités d'absinthe, de petite centaurée, de baies de genièvre, de cendre de genêt, etc., dans du vin ; et quand la fièvre ne revient plus, il faut se servir des purgatifs et des apéritifs.

986. Pour les enfants qui ont une fièvre intermittente :

Prenez eau de cerises noires et vin du Rhin, de chacun, deux onces ; quinquina réduit en poudre fine, trois gros ; sirop d'œillet, une once. Mêlez tout cela : pour un julep, dont on donnera au malade une ou deux cuillerées de quatre en quatre heures, suivant l'âge, jusqu'à ce que les accès aient cessé. S'il y a une diarrhée, on mettra alternativement dans le julep une ou deux gouttes de laudanum liquide.

Fièvre dépuratoire.

987. Si c'est un jeune homme qui en soit attaqué, il faut commencer par le saigner du bras, et le même jour, quelques heures après, ou le jour suivant, deux heures après un léger dîné, on lui donnera pour émétique l'infusion de safran des métaux, et chaque fois qu'il aura vomi ou qu'il aura été à la selle, il boira tout de suite un verre de petite bière mêlée avec le lait. Après l'effet du vomitif, on lui donnera la potion calmante qui suit ou quelqu'autre semblable.

Prenez eau de cerises noires, une once et demie ; eau épidémique, demi-once ; laudanum liquide, seize gouttes ; sirop d'œillet, deux dragmes. Mêlez le tout : pour une portion.

Les vomitifs avec l'infusion de safran des métaux, même en très-petite dose, peuvent être dangereux pour les enfants ; ainsi il vaut mieux s'en abstenir. Les jours suivants jusqu'au onzième et le douzième jour, on donnera tous les matins un lavement, dont voici la formule.

Prenez de la décoction commune, une livre, ou la même quantité de lait de vache, du sucre et du sirop violat, de chacun, deux onces.

Après cela, on tiendra le ventre un peu resserré, afin que la coction de la matière fébrile se fasse plus tôt : à quoi contribuent encore les doux cordiaux que l'on donne les derniers jours. Pour cela,

Prenez de la poudre de pattes d'écrevisses composée, quatorze grains ; électuaire d'œuf, un demi-scrupule ; et avec suffisante quantité de sirop d'œillet, faites un bol que l'on prendra de huit en huit heures, buvant par-dessus cinq ou six cuillerées du julep suivant :

Prenez eau alexitère de lait et eau de cerises noires, de chacune, trois onces ; eau épidémique et sirop d'œillet, de chacun, une once. Mêlez tout cela : pour un julep.

Quand on a traité le malade selon cette méthode pendant quinze jours, on connaîtra, tant par le sédiment des urines que par une diminution évidente des accidents, qu'il sera temps de le purger.

988. Il arrive quelquefois, surtout dans les vieillards, qu'après la guérison de la fièvre et la purgation le malade est très-faible, et rend, soit par la toux, soit par les crachats, une grande quantité de phlegme gluant et visqueux. Dans ce cas-là, il faut qu'il boive du bon vin d'Alicante, où l'on aura trempé du pain rôti. — Si la passion iliaque survient, on ordonnera un scrupule de sel d'absinthe dans une cuillerée de suc de limon, à prendre matin et soir; et dans les intervalles, le malade prendra, de demi-heure en demi-heure, quelques cuillerées d'eau de menthe sans sucre. Pendant ce temps, il faut lui tenir à nu continuellement sur le ventre un petit chien vivant. Après que la douleur et le vomissement auront cessé pendant deux ou trois jours, on donnera un gros de pilules cochées majeures dissoutes dans de l'eau de menthe, et on n'ôtera point le petit chien avant l'usage de ces pilules. Pour prévenir la rechute, on continuera long-temps l'usage de l'eau de menthe, et on garantira le ventre du froid en le tenant bien couvert.

Fièvre stationnaire des années 1685 *et* 1690.

989. La chaleur et le froid se succèdent alternativement; on sent des douleurs à la tête et dans les membres; le pouls n'est pas fort différent de celui des personnes qui sont en santé. Il y a quelquefois de la toux et une douleur au cou et au gosier ; la fièvre redouble le soir, et le malade est agité et altéré ; sa langue est tantôt humide, et alors elle est entièrement couverte d'une pellicule blanche et raboteuse ; tantôt elle est sèche, et alors le milieu se trouve d'une couleur brune, et il est environné de tous côtés d'un bord blanchâtre. Quand on garde continuellement le lit, cela attire le coma ou la phrénésie ; le régime chaud cause des taches de pourpre, des éruptions miliaires plus rouges que les boutons de la rougeole, un pouls déréglé, des soubresauts des tendons, et enfin la mort. Il survient au commencement des sueurs qui ne sont que symptomatiques ; et si on les excite par des remèdes, celles qui viennent de la tête sont gluantes, et la matière morbifique se porte à la tête ou se jette sur les membres.

990. On saignera du bras à la quantité de dix onces de sang, et on réitérera la saignée, supposé que le malade respire difficilement, qu'il ressente en toussant une douleur de tête lancinante, et qu'il ait les autres signes de la fausse péripneumonie. Dans ce cas-là il faut réitérer la saignée et la purgation jusqu'à ce que le malade soit guéri. Le soir on appliquera un vésicatoire, et le lendemain on donnera une douce purgation, qui sera réitérée de deux en deux jours jusqu'à trois fois ; le jour de la purgation, on donnera à l'heure du sommeil la potion calmante que voici :

Prenez eau de primevère, trois onces ; sirop de diacode, une once ; suc de limon nouvellement exprimé, deux cuillerées : mêlez tout cela ensemble.

991. Les aphthes et le hoquet qui surviennent après la guérison de la fièvre se dissipent d'eux-mêmes. Si néanmoins ils durent long-temps, on en vient facilement à bout par le moyen d'une once de quinquina réduit en forme d'électuaire ou de pilules, avec suffisante quantité de sirop de coquelicot, buvant par-dessus chaque prise un verre de lait écrémé. Ce remède réussira certainement, pourvu qu'on ne le rende pas inutile en faisant tenir continuellement le malade au lit.

992. Les jours qu'on ne purgera pas on ordonnera les remèdes suivants :

Prenez des conserves d'alleluia et de cynorrhodon, de chacune, une once ; conserve d'épine-vinette, demi-once ; crème de tartre, un gros ; sirop de limon, ce qu'il en faut pour former un électuaire, dont le malade prendra trois fois par jour la grosseur d'une noix muscade, buvant par-dessus six cuillerées du sirop suivant :

Prenez des eaux de pourpier, de laitue et de primevère, de chacune, trois onces ; sirop de limon, une once et demie ; sirop violat, une once : mêlez tout cela ensemble.

Ou bien, prenez eau de fontaine, une livre; eau rose, suc de limon et sucre fin, de chacune, quatre onces. Faites bouillir tout cela ensemble à petit feu jusqu'à ce que la liqueur ait écumé. Le malade en avalera trois onces toutes les fois qu'il voudra.

On ordonnera aussi le gargarisme suivant :

Prenez suc de pommes sauvages, demi-livre; sirop de framboise, une once: mêlez cela ensemble.

Si la fièvre cause des envies de vomir, en sorte que le malade ne puisse garder la potion purgative, on lui donnera deux scrupules de pilules cochées majeures, et le soir un narcotique; par exemple, un grain et demi de laudanum de Londres, avec égale quantité de mastic; ou bien, dix-huit gouttes de laudanum liquide dans une once d'eau de canelle orgée.

993. La boisson du malade sera de la petite bière, ou bien de la décoction blanche, qui se prépare en faisant bouillir dans deux livres d'eau commune une once de corne de cerf brûlée, et édulcorant ensuite la liqueur avec suffisante quantité de sucre fin.—Après la seconde purgation, on permettra au malade de manger du poulet pour sa nourriture, et après la dernière, pourvu que la fièvre soit diminuée, on lui donnera le matin, l'après-dîner et le soir, trois ou quatre cuillerées de vin de Canarie.

994. Dans le transport et dans le coma, rien n'est si bon que de raser la tête du malade, sans y appliquer d'emplâtre; il suffit de la tenir chaude avec un bonnet. — Il arrive quelquefois, dans les femmes vaporeuses, que la fièvre subsiste après la saignée et les purgations. Dans ce cas-là, pourvu qu'il n'y ait aucun signe de péripneumonie, on doit donner un narcotique tous les soirs et des remèdes hystériques deux ou trois fois par jour. — Pour ce qui est des enfants attaqués de la fièvre stationnaire, on leur appliquera deux sangsues derrière les oreilles, et ensuite un emplâtre vésicatoire sur la nuque du cou. — On les purgera avec la bière, où aura infusé la rhubarbe. — Si après la purgation, la fièvre paraît devenir intermittente, on emploiera le julep avec le quinquina dont nous avons donné la description dans le chapitre de la fièvre intermittente, en parlant de celle des enfants.

Sydenham.

Fièvre pestilentielle des années 1665 et 1666.

995. Après avoir saigné le malade dans son lit, il faut le bien couvrir, et lui serrer le front avec une lisière de laine; et s'il ne vomit pas, on lui donnera le sudorifique suivant, ou un autre équivalent.

Prenez thériaque, demi-gros; électuaire d'œuf et poudre de pattes d'écrevisse composée, demi-scrupule; cochenille, huit grains; safran, quatre grains; et avec ce qu'il faudra de sucre de kermès, formez un bol que l'on donnera de six en six heures, et par-dessus six cueillerées du julep suivant :

Prenez eau de chardon-bénit et eau de scordium, de chacune quatre onces; eau thériacale, deux onces; sirop d'œillet, une once. Mêlez tout cela : pour un julep.

Si le malade vomit, il faut différer le sudorifique jusqu'à ce que le malade, par le seul poids des couvertures, commence à suer, en jetant sur son visage une partie de son drap. — On entretiendra la sueur pendant vingt-quatre heures, en faisant boire de temps en temps au malade un petit verre de lait coupé avec de la bière, où l'on aura mis infuser de la sauge; ou bien un petit verre de bière dans laquelle on aura fait bouillir un peu de macis. Pendant la sueur on peut donner au malade de bons bouillons — Lorsqu'il paraissait une tumeur, je n'osais pas saigner. Durant les vingt-quatre heures qui suivent la sueur, le malade doit se tenir au lit, et éviter soigneusement le froid; il laissera sécher sur lui sa chemise, et prendra toujours sa boisson un peu chaude; il faut aussi qu'il continue l'usage du lait coupé avec la bière, et altéré par la sauge; et le jour suivant on lui donnera une potion purgative ordinaire.

EXANTHÈMES.

Fièvre érysipélateuse.

996. Toutes les parties du corps, et surtout le visage, sont enflées, douloureuses et très-rouges; la peau est couverte de petites pustules fort proches les unes des autres qui se convertissent quelquefois en vésicules qui se répandent sur le front et sur la tête; les yeux sont cachés par l'enflure; le malade est tourmenté de frissons, de tremblements et de tous les

autres symptômes de la fièvre. — Dans une autre espèce de la même maladie, qui arrive après avoir bu des boissons atténuantes, il survient une petite fièvre et des pustules semblables à celles que causent les piqûres d'orties, qui sont quelquefois élevées en forme de vésicules, qui disparaissent ensuite, se cachent sous la peau, causent une grande démangeaison, et se montrent de nouveau quand on les gratte. — Il y a une autre sorte d'éruption qui paraît le plus souvent sur la poitrine par une tache fort large, élevée à peine au-dessus de la surface de la peau, qui est furfureuse et qui fournit des écailles jaunâtres. Tant que cette tache subsiste, le malade se porte assez bien; et quand elle s'évanouit, il est légèrement indisposé, son urine est trouble et jaunâtre. Ce mal se guérit par les mêmes remèdes que le prurit violent et opiniâtre. Le malade usera de vin et d'aliments de bon suc.

997. Il faut d'abord tirer neuf à dix onces de sang au bras, et le jour suivant on donnera une potion purgative ordinaire.

Prenez racines de guimauve et de lys, de chacune une once; feuilles de mauve, de sureau et de bouillon-blanc; fleurs de camomille et de mélilot; sommités de mille-pertuis et de petite centaurée, de chacune, une poignée; graine de lin et de fénu-grec, de chacune, demi-once. Faites bouillir le tout dans suffisante quantité d'eau, que vous réduirez à trois livres. Coulez la liqueur, et sur chaque livre ajoutez deux onces d'eau-de-vie. Trempez dedans un morceau d'étoffe de laine, que vous appliquerez deux fois le jour sur la partie malade; après quoi l'on se servira de la mixtion suivante :

Prenez eau-de-vie, une demi-livre; thériaque, deux onces; poivre long et clous de girofle en poudre, de chacun, deux dragmes. Faites une mixtion, dont on imbibera un papier brouillard pour envelopper la partie malade.

998. Si le mal ne cède pas à une saignée, on en fera une seconde; et si cela ne réussit pas, on en fera encore deux autres, laissant toujours entre chaque saignée un jour d'intervalle. Les jours qu'on ne saigne pas, il faut ordonner un lavement composé de lait avec le sirop violat, une émulsion rafraîchissante et un julep rafraîchissant. — Dans un prurit excessif et des éruptions invétérées de la peau, qui ne cèdent pas à la saignée et à la purgation :

Prenez thériaque, demi-gros; électuaire d'œuf, un scrupule; racine de serpentaire de Virginie réduite en poudre fine, quinze grains; pierre de bézoard oriental, cinq grains; sirop d'écorces de citron, ce qu'il en faut pour former un bol, qui sera donné à l'heure du sommeil pendant vingt-un jours; et le malade boira par-dessus six cuillerées du julep suivant :

Prenez eau de chardon-bénit, six onces; eau épidémique et eau thériacale distillée, de chacune, deux onces; sirop d'œillet, une once. Mêlez tout cela ensemble.

999. Le malade avalera tous les matins une demi-livre de petit-lait chaud et suera pendant une heure. — Après l'usage de ces remèdes, si les pustules ne se dissipent pas, il faudra faire sur les parties malades une onction avec le liniment qui suit :

Prenez onguent de racine de patience sauvage, deux onces; onguent pomatum, une once; fleur de soufre, trois dragmes; huile de bois de Rhodes, un demi-scrupule. Faites un liniment.

Mais il ne faut user de ces derniers remèdes qu'après avoir saigné et purgé le malade, plus ou moins, selon le besoin.

Fièvre rouge.

1000. Cette fièvre arrive à la fin de l'été, et attaque principalement les enfants; ils ont d'abord un frisson, sans néanmoins être fort accablés; toute leur peau se couvre de petites taches rouges en plus grand nombre, plus larges et plus rouges que celles de la rougeole, et qui durent deux ou trois jours, après quoi elles se dissipent, et l'épiderme tombe par petites écailles semblables à du son ou de la farine.

Prenez corne de cerf brûlée, et poudre de pattes d'écrevisse composée, de chacune, demi-gros; cochenille, deux grains; sucre candi, un gros. Faites de tout cela une poudre très-fine qui sera partagée en douze doses, dont on donnera une de six en six heures au malade, et par dessus deux ou trois cuillerées du julep suivant :

Prenez eau de cerises noires et eau de lait alexitère, de chacune, trois onces; sirop de suc de citron, une once : mêlez cela ensemble.

Il faut aussi appliquer un vésicatoire sur la nuque du cou, donner tous les soir un calmant avec le sirop diacode; et quand les symptômes seront calmés, purger le malade.

Rougeole.

1001. Cette maladie attaque principalement les enfants. La chaleur et le froid se succèdent alternativement le premier jour. Le second jour, la fièvre survient; le malade se trouve fort mal; il est attaqué de la soif et dégoûté de toute nourriture; sa langue est blanche, sans être sèche; il a une toux petite et fréquente, une douleur de tête, avec une pesanteur des yeux et une continuelle envie de dormir; il distille sans cesse de son nez et de ses yeux une humeur séreuse (ce qui est un signe certain de la prochaine éruption des pustules de la rougeole); il éternue; ses paupières se gonflent; il vomit; il lui survient une diarrhée qui fournit des déjections verdâtres; principalement lorsque c'est un enfant qui fait des dents.

1002. Les accidents augmentent considérablement jusqu'au quatrième jour. Alors, et quelquefois le cinquième jour seulement, on voit paraître sur le front et sur le visage des taches rouges, semblables à des morsures de puces, qui augmentent en nombre et en grandeur, et se joignant en grappes, se serrent les unes contre les autres sur tout le visage, et le couvrent de taches rouges de différentes figures. Ces taches sont composées de petites bubes de même couleur, qui s'élèvent tant soit peu sur la surface de la peau, et dont on sent plutôt sous le doigt les inégalités lorsqu'on les touche légèrement, qu'on ne les aperçoit à la vue à quelque distance.

1003. Ces taches, qui n'ont d'abord attaqué que le visage, s'étendent ensuite sur la poitrine, sur le ventre, sur les cuisses, sur les jambes et sur tout le corps. Elles sont larges et rouges, et presque point élevées au-dessus de la superficie de la peau. L'éruption des pustules ne diminue pas autant la violence des symptômes que dans la petite vérole. A la vérité, il n'y a plus alors de vomissement, mais la toux, la fièvre et la difficulté de respirer augmentent; le larmoiement, l'envie de dormir et le dégoût continuent.

1004. Vers le sixième jour, la peau du visage devient rude à mesure que les pustules s'évanouissent et que l'épiderme se déchire. Les taches du reste du corps sont très-grandes et d'un rouge très-vif. Vers le huitième jour il n'y a plus de pustules sur le visage, et très-peu ailleurs. Le neuvième jour il n'en reste plus nulle part; mais elles laissent sur le visage, sur les extrémités et quelquefois sur tout le corps des écailles farineuses; pour lors la fièvre augmente, comme aussi la toux et la difficulté de respirer. Dans les adultes, quand on emploie un régime échauffant, les taches deviennent d'abord livides et ensuite noirâtres.

Prenez une livre et demie de décoction pectorale; sirop violat et sirop de capillaire, de chacun, une once et demie. Mêlez cela ensemble pour un apozème, dont le malade prendra trois ou quatre onces trois ou quatre fois dans la journée.

Prenez huile d'amandes douces, deux onces; sirop violat et sirop de capillaire, de chacun, une once; sucre candi, ce qu'il en faut pour un loch que le malade sucera souvent, surtout quand il sera pressé de la toux.

Prenez eau de cerises noires, trois onces; sirop diacode, une once. Mêlez-les pour une potion que le malade prendra tous les soirs depuis le commencement de la maladie jusqu'à la fin, augmentant ou diminuant la dose à proportion de l'âge.

Le malade se tiendra au lit deux jours après que l'éruption aura commencé.

1005. Les boutons étant dissipés, si la fièvre, la difficulté de respirer et les autres symptômes qui imitent la péripneumonie surviennent, il faut saigner copieusement du bras jusqu'à deux et trois fois, suivant le besoin, en laissant entre les saignées des intervalles raisonnables. Il faut aussi continuer la décoction pectorale décrite ci-dessus, de même que le loch ou l'huile d'amandes douces seule. Vers le douzième jour il faut donner au malade une légère purgation. — La diarrhée qui suit la rougeole se guérit par la saignée.

Petite Vérole.

1006. La petite vérole est discrète ou confluente. Celle qu'on nomme discrète commence par un froid et un frisson, qui est suivi d'une grande chaleur, d'une douleur considérable à la tête et au dos, d'envies de vomir, d'une douleur vers la fossette du cœur et d'un assoupissement, quelquefois d'accès épileptiques, surtout dans les enfants; et si ces accès leur arrivent après qu'ils ont leurs dents, on peut assurer que la petite vérole paraîtra bientôt, c'est-à-dire que si un accès épileptique survient, par exemple, le soir, la petite vérole paraîtra le lendemain matin, et sera ordinairement douce et bénigne, et très-rarement confluente. Les adultes ont beaucoup de disposition aux sueurs, ce qui fait juger que leur petite vérole ne sera point confluente.

1007. Le quatrième jour, depuis le commencement de la maladie, quelquefois plus tard, rarement plus tôt, les pustules se manifestent et alors les symptômes diminuent ou cessent tout-à-fait. On aperçoit d'abord au visage, puis au cou, à la poitrine et enfin sur toutes les parties du corps, de petites pustules pas plus grosses que des pointes d'épingle. Le malade sent alors une douleur de gosier qui augmente à mesure que les pustules s'élèvent.

1008. Vers le huitième jour, les intervalles des pustules qui étaient blancs auparavant, commencent à devenir rouges et à s'élever, ce qui est accompagné d'une douleur tensive; les paupières grossissent tellement qu'on ne peut ouvrir les yeux. L'enflure des mains et des doigts succède immédiatement à celle du visage, dont les pustules, qui auparavant étaient rouges et lisses, deviennent blanchâtres et inégales, ce qui est le premier signe de suppuration, et elles jettent un suc jaunâtre. L'inflammation du visage et des mains est alors au plus haut degré; les intervalles des pustules sont d'un rouge vif, et ils le sont d'autant plus que la petite vérole est plus bénigne. — A mesure que la suppuration avance, les pustules du visage deviennent plus inégales et plus jaunes; celles des mains et du reste du corps deviennent au contraire plus lisses et plus blanchâtres.

1009. L'onzième jour, la tumeur et l'inflammation du visage diminuent, et les pustules ayant acquis une juste grosseur, qui est celle d'un bon pois, commencent à se dessécher et à s'en aller. Le quatorzième ou le quinzième jour, elles disparaissent entièrement; celles des mains durent un jour ou deux de plus et s'ouvrent enfin; celles du visage et de tout le reste du corps s'en vont par écailles farineuses; ces écailles laissent sur le visage de petits creux. Durant toute la maladie, le ventre est entièrement constipé ou du moins les selles sont très-rares.

1010. La plupart de ceux que cette maladie emporte meurent le huitième jour dans la petite vérole discrète, et l'onzième dans la confluente. Car, lorsque dans la petite vérole discrète on excite les sueurs par des cordiaux et un régime échauffant, il arrive le huitième jour que le visage, qui aurait dû être gonflé et enflammé dans les intervalles des pustules, se trouve au contraire flasque et blanchâtre, quoique les pustules restent rouges et élevées, même après la mort du malade; la sueur qui avait coulé jusqu'alors, disparaît tout d'un coup; la frénésie survient avec des inquiétudes et des agitations violentes; le malade est extrêmement mal, il urine souvent et peu à la fois, et il meurt au bout de quelques heures.

1011. Les mêmes accidents, savoir la fièvre, l'accablement, les inquiétudes, les envies de vomir, etc., se rencontrent dans les petites véroles confluentes, excepté qu'ils sont beaucoup plus intenses; cependant le malade ne sue pas aussi promptement que dans la petite vérole discrète. La diarrhée précède quelquefois l'éruption et dure un jour ou deux après, ce qui est rare dans la petite vérole discrète. L'éruption se fait le troisième jour, quelquefois plus tôt, rarement plus tard. Quelquefois aussi elle est retardée par un fâcheux symptôme, comme par une violente douleur dans les lombes, qui ressemble à un accès de néphrétique; par une douleur de côté, qui ressemble à celle de la pleurésie; par une douleur dans les membres qui ressemble à celle du rhumatisme, ou enfin par une douleur d'estomac, qui est accompagnée de grands maux de cœur et de vomissements.

1012. Les symptômes ne diminuent pas aussitôt après l'éruption, comme dans la petite vérole discrète, mais ils durent encore plusieurs jours ensuite avec la même violence. Les pustules ressemblent tantôt à celles de la rougeole et tantôt à un érysipèle, quoiqu'il soit facile de les distinguer. Elles ne s'élèvent pas comme dans la petite vérole discrète; mais étant pressées les unes contre les autres sur le visage, elles le couvrent entièrement comme ferait une pellicule rouge, et le tuméfient de meilleure heure que dans la petite vérole discrète; ensuite il paraît sur le visage comme une pellicule blanche qui n'est pas fort élevée au-dessus de la surface de la peau.

1013. Après le huitième jour la pellicule blanche devient de jour en jour plus rude et prend une couleur brune; on ressent à la peau une douleur plus vive, et quand la maladie est violente, ce n'est qu'après le vingtième jour que la pellicule s'en va par de grandes lames. Plus les pustules approchent de la couleur brune à mesure qu'elles mûrissent, plus elles sont d'un mauvais caractère, et plus lentement elles s'en vont ; au contraire, plus elles sont jaunes, moins elles sont confluentes, et plus tôt elles disparaissent.

1014. La pellicule blanche étant tombée, il ne reste aucune inégalité sur le visage, mais il paraît bientôt après des écailles farineuses d'une nature très-corrosive, et qui laissent sur la peau de grandes fosses et souvent des cicatrices. Quelquefois l'épiderme du dos et des épaules s'en va. On ne doit juger du danger de la maladie que par le nombre et la quantité des pustules du visage. Celles des pieds et des mains sont plus grosses que les autres, et à mesure qu'on s'éloigne des extrémités, on les voit plus petites et plus serrées les unes contre les autres.

1015. Les adultes ont ordinairement une salivation et les enfants une diarrhée, quoique cette dernière n'accompagne pas si constamment les petites véroles confluentes. La salivation vient quelquefois dès que l'éruption commence, et d'autres fois deux ou trois jours après. La matière des crachats est d'abord claire et ténue, mais l'onzième jour elle est épaisse et ne sort qu'avec beaucoup de peine. Le malade est altéré, il a la voix rauque, il tombe dans une stupeur profonde, avec de grandes envies de vomir; il tousse en buvant et sa boisson revient par le nez. La salivation cesse le plus souvent vers ce temps-là, et le gonflement du visage diminue peu à peu, mais il ne doit cesser entièrement qu'au bout d'un jour ou deux. Dès que la salivation disparaît, les mains doivent se tuméfier considérablement et demeurer assez long-temps dans cet état, sans quoi le malade périt immanquablement.

1016. La diarrhée ne survient pas sitôt aux enfants que la salivation aux adultes. Dans les deux sortes de petites véroles, la fièvre est considérable dès le commencement de la maladie jusqu'à l'éruption, ensuite elle diminue jusqu'au temps de la maturation des pustules, après quoi elle cesse entièrement.

1017. Le mauvais régime cause divers symptômes funestes, comme l'affaiblissement et l'aplatissement des pustules, la pleurésie, le coma, des taches de pourpre dans les intervalles des pustules, et à leur sommet de petites taches noires dont le milieu est enfoncé, le pissement de sang et l'hémoptysie dès le commencement de la maladie, la suppression d'urine.

1018. La séparation de la matière morbifique se fait les trois ou quatre premiers jours, et c'est alors que la fièvre est plus violente. L'éruption se fait ensuite par le moyen d'une infinité de petits abcès qui couvrent la superficie du corps. — Le jour du plus grand danger dans les petites véroles confluentes les plus ordinaires et où la matière morbifique est moins crue, c'est l'onzième jour, en comptant dès le commencement de la maladie. Dans une éruption plus tardive, c'est le quatorzième ; dans la plus lente, le dix-septième ; quelquefois néanmoins, mais plus rarement, le malade meurt le vingt-unième jour. Entre l'onzième et le dix-septième jour le malade ne manque jamais d'avoir tous les soirs un fâcheux redoublement dans lequel il est fort agité.

1019. Quant à la cure, il faut tirer au malade neuf ou dix onces de sang l'un des trois premiers jours de la maladie, et le faire ensuite vomir avec une once ou une once et demie d'infusion de safran des métaux. — Pendant ces premiers jours, il faut délayer le sang avec de la petite bière houblonnée, dans laquelle on mêlera l'esprit de vitriol, jusqu'à ce que les pustules paraissent entièrement.—Quand elles seront toutes sorties (ce qui arrive ordinairement le treizième jour de la maladie), on donnera le soir une once de sirop diacode, ce que l'on réitérera chaque soir jusqu'au dixième jour de la maladie.

1020. Si la petite vérole est confluente, on augmentera au dixième jour la dose du sirop diacode, dont on donnera une once et demie le soir, jusqu'à ce que le malade soit hors de danger. — Si le sirop diacode ne convient pas, on peut substituer le laudanum liquide, par exemple, dix-huit gouttes pour une once de sirop, et vingt-cinq gouttes pour une once et demie. Que si le narcotique donné deux fois par jour ne peut calmer l'orgasme, comme il arrive souvent sur la fin des petites véroles fort confluentes, il faut alors le donner de huit en huit heures, ou plus souvent s'il est besoin. — Mais si les petites véroles sont discrètes, il suffira de donner le calmant seulement tous les soirs après l'entière éruption des pustules, et même pour lors en moindre dose.

1021. Or, de quelque genre que soient les petites véroles, et en quelque temps que ce soit de la maladie, si la frénésie survient, il faut tout mettre en œuvre pour réprimer le mouvement déréglé des humeurs; de manière que si la dose précédente de narcotique ne produit pas l'effet qu'on en attend, il faut la réitérer jusqu'à ce que le mouvement des humeurs soit apaisé, en mettant assez d'intervalle entre les doses pour qu'on puisse s'apercevoir si la dernière dose a produit son effet, avant que d'en donner une autre. — S'il survient une suppression totale d'urine, il faut que le malade sorte du lit, et fasse quelques tours dans sa chambre. — Si la salive, dans un corps échauffé, est tellement visqueuse que le malade ne puisse la rejeter, il faut, avec une petite seringue, faire souvent dans son gosier une petite injection, qui soit composée de petite bière ou d'eau d'orge, avec le miel rosat; ou bien l'on se servira du gargarisme suivant :

Prenez écorce d'orme, six dragmes; racine de réglisse, demi-once; raisins secs sans pepins, une vingtaine; roses rouges, deux pincées. Faites bouillir le tout dans suffisante quantité d'eau qui sera réduite à une livre et demie. Passez la liqueur, et dissolvez-y oximel simple et miel rosat, de chacun deux onces.

1022. S'il est besoin de vésicatoires, on en appliquera un assez grand et assez fort sur la nuque, le soir qui précède une grande crise, et aussitôt après que le malade aura pris le narcotique. On peut aussi appliquer de l'ail à la plante des pieds depuis le huitième jour de la maladie jusqu'à la fin, et le renouveler chaque jour.

1023. Si un enfant, n'ayant plus à craindre les symptômes qui accompagnent la sortie des dents, est attaqué tout à coup de spasmes, il faut considérer que ces spasmes sont peut-être un effort de la nature, qui pousse au-dehors la petite vérole, ou la rougeole, ou la fièvre rouge. Ainsi on appliquera sur la nuque un vésicatoire; le malade se mettra incessamment au lit, et on lui donnera un cordial où l'on mêlera un peu de narcotique; par exemple, pour un enfant de trois ans, cinq gouttes de laudanum liquide dans une cuillerée d'eau épidémique.

1024. Lorsque l'onzième jour, ou quelques jours après, la fièvre secondaire, accompagnée d'agitations, d'inquiétudes et d'autres pareils symptômes, devient si violent, que les narcotiques réitérés ne peuvent la calmer, et que le malade est en grand danger, il faut faire incessamment une assez copieuse saignée, c'est-à-dire à la quantité de douze onces ou environ, et même la réitérer une ou deux fois les jours suivants, si les accidents le demandent, et non autrement. — On pourra aussi donner une douce purgation le treizième jour, et non plus tôt, ou quelqu'un des jours suivants, pourvu que la saignée ait été faite. Ce purgatif sera composé d'une once d'électuaire lénitif, dissous dans quatre onces d'eau de chicorée ou d'eau alexitère de lait. — Mais ni la saignée ni la purgation n'empêchent pas de mettre en usage les calmants, qu'il faudra donner, sans avoir égard à quoi que ce soit, en forte dose, et les réitérer, s'il est necessaire : car, dans cette maladie, on ne peut se dispenser d'avoir recours à ces remèdes.

1025. Quand les pustules seront entièrement sèches, on enduira la peau du visage d'un liniment fait avec parties égales d'huile d'amandes douces et de pommade pendant deux jours, et non au-delà. — Le vingt-unième jour, depuis le commencement de la maladie, il faut tirer du sang au bras, et le jour suivant donner un purgatif que l'on réitérera jusqu'à trois fois, laissant entre chaque purgation un jour d'intervalle.

1026. Pour ce qui est du régime, le malade doit s'abstenir de garder le lit jusqu'au sixième jour, et s'y tenir ensuite jusqu'au dix-septième, sans être autrement couvert que lorsqu'il était en santé. Il usera de décoctions d'orge et d'avoine, et de pommes cuites pour sa nourriture, et de petite bière pour sa boisson; et après le onzième jour on pourra lui donner quatre ou cinq cuillerées de vin d'Espagne, deux fois par jour.

1027. Si l'enflure des jambes ne cède pas aux évacuations prescrites, il faudra y employer une fomentation faite avec les feuilles de mauve, de bouillon-blanc et de sureau, les fleurs de camomille et de mélilot bouillies dans le lait, ce qui la dissipera aisément.

1028. Si le malade est attaqué d'un crachement de sang dans les premiers jours de la maladie, ou qu'il rende une urine sanglante, il faut en ce cas lui donner la poudre et la teinture qui sont prescrites ci-après, dans l'article de l'*hémoptysie*, et cela de six en six heures, jusqu'à ce que ces symptômes aient entièrement cessé, et y joindre aussi les narcotiques en grande dose.

MALADIES GÉNÉRALES.

Rhumatisme.

1029. Ce mal commence par des tremblements et des frissons, et par tous les autres symptômes des fièvres. Un ou deux jours après, et quelquefois plus tôt, on ressent une douleur très-vive, tantôt dans une partie, tantôt dans une autre, et principalement au carpe, aux épaules et aux genoux. Cette douleur passe d'un endroit à l'autre, et laisse toujours une tumeur dans le dernier endroit qu'elle a occupé. — La fièvre cesse peu à peu, mais la douleur reste, et devient même quelquefois plus violente Dans le rhumatisme des lombes, la douleur se fait sentir cruellement autour des reins, et approche fort de la néphrétique, si ce n'est qu'il n'y a point de vomissement. Le malade, ne pouvant demeurer couché, est obligé de sortir du lit, ou de s'y tenir assis dans une continuelle agitation, tantôt se penchant en devant, et tantôt se penchant en arrière. Le sang que l'on tire est semblable à celui des pleurétiques.

1030. Le premier remède est la saignée, qu'il faut faire au bras du côté de la douleur, à la quantité de dix onces.

Prenez eaux de nénufar, de pourpier et de laitue, de chacune quatre onces; sirop de limons, une once et demie; sirop violat, une once. Mêlez tout cela pour un julep, dont le malade usera à volonté.

On peut encore prescrire l'émulsion des quatre grandes semences froides, et sur la partie douloureuse, l'application du cataplasme de mie de pain et de lait avec le safran. Le jour suivant, il faut tirer la même quantité de sang, et encore deux ou trois jours après, et même plusieurs autres fois s'il est nécessaire; observant néanmoins que, après la seconde saignée, on doit laisser de plus grands intervalles d'une saignée à l'autre.—Les jours qu'on ne fera point de saignée, on donnera au malade un lavement de lait avec le sucre, ou bien celui qui suit :

Prenez de la décoction ordinaire pour les lavements, une livre; sirop violat et cassonade, de chacun deux onces; mêlez-les pour un lavement.

1031. Si la faiblesse du malade ne peut pas supporter un grand nombre de saignées, alors, après deux ou trois saignées, il faut tenter la guérison par la méthode suivante : le malade prendra, de deux en deux jours, une potion purgative ordinaire, et le soir des mêmes jours, un calmant avec le sirop diacode, jusqu'à ce qu'il soit guéri. — Si la maladie se rend rebelle à ces remèdes, et que la grande faiblesse du malade ne lui permette pas de supporter les moindres évacuations, on tentera l'usage de l'électuaire et de l'eau antiscorbutique, qui sont décrits dans l'article scorbut, ces remèdes étant bons contre le rhumatisme scorbutique.

1032. Les jeunes gens, et ceux qui ont vécu sobrement, sans faire excès de vin, sont aussi bien guéris du rhumatisme par une diète simple, médiocrement nourrissante et très-rafraîchissante, que par des saignées qu'ils ne supporteraient pas aisément. — Par exemple, que le malade ne vive que de petit lait pendant quatre jours, ensuite qu'il prenne, outre cela, du pain de fleurs de froment, seulement au temps du dîner, jusqu'à ce qu'il soit guéri; si ce n'est que dans les derniers jours, il pourra manger encore du pain pour son souper. — Les accidents étant apaisés, il mangera du poulet bouilli et d'autres choses de facile digestion; mais de trois jours l'un, il se contentera de petit-lait pour toute nourriture, jusqu'à ce qu'il soit parfaitement rétabli.

Goutte.

1033. Voyez la description de cette maladie dans le traité de la goutte (*article* 812 *et suivants.*) — L'indication curative consiste à rétablir les digestions, ce qui se fait, ou par les remèdes, ou par le régime, ou par l'exercice, ou par les autres choses non naturelles. — Les remèdes propres à remplir cette indication, sont ceux qui ont une chaleur ou une amertume médiocre, ou qui piquent doucement la langue : telles sont les racines d'angélique et d'aunée, les feuilles d'absinthe, de petite centaurée, de germandrée, d'ivette, etc., à quoi l'on peut ajouter des antiscorbutiques, comme la racine de raifort sauvage, les feuilles de cochléaria, de cresson d'eau, etc., dont on doit néanmoins se servir modérément, parce que ces remèdes entretiennent le foyer de la maladie, augmentent la chaleur, au lieu que les premiers fortifient l'estomac par une chaleur douce et une amertume médiocre.

Prenez conserve de cochléaria, une once et demie; de celle d'absinthe romaine et de celle d'écorce d'orange, de chacune une once; racine d'angélique confite et noix muscade confite, de chacune demi-once; thériaque, trois gros; poudre d'arum composée, deux gros; et avec suffisante quantité de sirop d'orange, faites un électuaire dont le malade prendra deux gros deux fois par jour, et par-dessus il avalera cinq ou six cuillerées de l'eau suivante:

Prenez racine de raifort sauvage coupée par tranches, trois onces; feuilles de cochléaria, douze poignées; de celles de cresson d'eau, de bécabunga, de sauge et de menthe, de chacune quatre poignées; les écorces de six oranges, deux noix muscades concassées et douze livres de forte bière. Distillez tout cela, et tirez-en seulement six livres d'eau que vous garderez pour l'usage.

Ces remèdes digestifs doivent être employés avec soin et pendant long-temps, surtout dans les intervalles des accès.

Scorbut.

1034. Il y a des lassitudes spontanées, une pesanteur de corps, une difficulté de respirer, surtout après quelque mouvement; les gencives se pourrissent, la bouche sent mauvais; on saigne souvent par le nez, on marche avec peine; les jambes sont tantôt enflées, tantôt exténuées, et toujours marquées de taches livides, plombées, jaunes ou violettes; la couleur du visage est le plus souvent d'un pâle tirant sur le brun.

1035. On tirera d'abord au malade huit onces de sang au bras, à moins qu'il ne soit menacé d'hydropisie. Le matin suivant on lui donnera une potion purgative ordinaire, qui sera réitérée deux autres fois de trois en trois jours. — Les jours exempts de purgation, et ensuite pendant un ou deux mois, il usera des remèdes suivants:

Prenez conserve de cochléaria, deux onces; conserve d'alléluia, une once; poudre d'arum composée, six dragmes; et, avec ce qu'il faut de sirop d'oranges, faites un électuaire dont on donnera au malade la grosseur d'une noix muscade trois fois le jour, le matin, l'après-midi et le soir, et, par-dessus, il avalera six cuillerées d'eau de raifort composée, ou bien de la suivante:

Prenez racine de raifort sauvage, deux livres; racine d'arum, une livre; feuilles de cochléaria, douze poignées; feuilles de menthe, de sauge, cresson d'eau et de bécabunga, de chacune deux poignées; semence de cochléaria un peu concassée, demi-livre; noix muscade, demi-once; vin blanc, douze livres. Distillez tout cela à la manière ordinaire, et tirez-en seulement six livres de liqueur.

1036. On peut se contenter, pour le même usage, de l'eau distillée de cochléaria. La bière qui suit doit tenir lieu de boisson ordinaire.

Prenez racine de raifort sauvage qui soit nouvelle et coupée menue, deux gros; douze feuilles de cochléaria, six raisins passes mondés, une moitié d'orange coupée par tranches. Mettez tout cela dans une bouteille de verre, avec deux livres de petite bière et la bouchez exactement avec du liége.

Il faut en même temps en préparer six bouteilles pour l'usage, et quelques jours après six autres, avant que les premières soient vidées, et de même ensuite. Ou bien, au lieu de cette bière ainsi préparée, le malade pourra ajouter, dans chaque verre de sa boisson ordinaire, trois ou quatre cuillerées de la mixture suivante:

Prenez racine de raifort sauvage et semence de cochléaria, de chacune, demi-once; feuilles de cochléaria, deux poignées, et la pulpe d'une orange. Pilez tout cela ensemble dans un mortier de marbre, en versant dessus peu à peu demi-livre de vin blanc. Passez la liqueur en exprimant légèrement, et gardez-la pour l'usage.

1037. Les mêmes remèdes sont très-bons dans les rhumatismes tant scorbutiques qu'hystériques; mais il faut alors omettre la saignée et la purgation.

Jaunisse.

1038. La couleur jaune partout le corps, et particulièrement au blanc des yeux, est le premier signe de la jaunisse, ce qui fait que les malades voient tous les objets teints de cette couleur. La démangeaison par tout le corps, la pesanteur, la lassitude, l'amertume de la langue, quelquefois le vomissement bilieux, le hoquet, les déjections blanchâtres, l'urine safranée, qui teint de la même couleur les linges qu'on y trempe, sont encore des signes de la maladie.

1039. Il faut d'abord donner au malade une potion purgative ordinaire, ensuite lui faire user des remèdes suivants; et pendant ce temps-là, il faut réitérer la purgation de quatre en quatre jours.

Prenez conserve d'absinthe romaine et d'écorce d'orange, de chacune, une once; angélique confite, noix muscade confite, poudre d'arum composée et mars préparé avec le vinaigre, de chacun, demi-once; extrait de gentiane et crême de tartre, de chacun, deux gros; safran en poudre, demi-gros; et, avec ce qu'il faut de sirop des cinq racines, formez un électuaire, dont on donnera le matin et l'après-midi la grosseur d'une noix muscade (ou bien, au lieu de cet électuaire, les pilules chalybées), et par-dessus la prise du matin, le malade boira quatre livres d'eau minérale; et par-dessus la prise de l'après-midi, une demi-livre de l'apozème qui a été décrit dans l'article de la colique hystérique.

Mais si le malade est menacé d'hydropisie, il boira matin et soir l'apozème par-dessus la prise de l'électuaire. — Si la maladie résiste à ces remèdes longtemps pratiqués, il faut aller prendre les eaux ferrées sur le lieu même.

Hydropisie.

1040. Les dépressions que le doigt laisse le soir, en appuyant sur la partie inférieure des jambes, et qui se dissipent le matin, sont le premier signe de cette maladie, principalement si la respiration est difficile. Il n'est pourtant pas rare aux femmes grosses et à celles dont les menstrues sont supprimées, et aux hommes qui sont subitement délivrés d'un asthme invétéré, d'être attaqués de cette même enflure. — Les jambes et les pieds étant tendus jusqu'à l'excès, les eaux s'épanchent dans le ventre, et le distendent peu à peu jusqu'au dernier point; enfin elles se jettent sur les viscères les plus nobles et suffoquent le malade. — A mesure que les parties attaquées d'hydropisie augmentent de volume, les autres maigrissent : il y a difficulté de respirer, peu d'urine et une soif violente. Cette maladie arrive ordinairement aux hommes sur le déclin de l'âge, et aux femmes quand elles cessent d'avoir des enfants.

1041. Les indications curatives doivent tendre, 1° à évacuer les eaux; 2° à donner de la vigueur au sang, dans la vue de prévenir un nouveau dépôt de sérosité.

Prenez vin blanc, quatre onces; jalap réduit en poudre très-fine, une dragme; gingembre pulvérisé, un demi-scrupule; sirop de nerprun, une once. Mêlez tout cela : pour une potion, que le malade prendra de grand matin, tous les jours, ou de deux jours l'un, selon ses forces, jusqu'à ce que les parties soient désenflées.

Ou bien,

Prenez pulpe de tamarins, une demi-once; feuilles de séné, deux gros; rhubarbe, un gros et demi. Faites bouillir dans suffisante quantité d'eau, qui sera réduite à trois onces; passez la liqueur, et dissolvez-y manne et sirop de roses solutif, de chacun, une once; sirop de nerprun, demi-once; électuaire de suc de roses, trois gros : pour une potion, qui sera prise comme la précédente.

Ou bien,

Prenez pilules de duobus, un scrupule; élatérium, trois grains; essence de girofle, deux gouttes. Faites de cela trois pilules, qu'il faut avaler de grand matin, et les réitérer selon le besoin.

Ou bien,

Prenez gomme-gutte, quinze grains; vin blanc et eau de chicorée, de chacun, une once et demie; sirop de nerprun, demi-once. Mêlez tout cela : pour une potion, qui sera prise comme la précédente.

Ou bien,

Prenez écorce intérieure de sureau, trois poignées; faites-les bouillir dans une livre d'eau commune et autant de lait, que vous réduirez à une livre : coulez ensuite la liqueur, dont le malade prendra la moitié le matin et l'autre moitié le soir, et il continuera ainsi tous les jours jusqu'à sa guérison.

1042. Mais ce remède ne produit pas un grand effet, si ce n'est dans les corps qui sont très-faciles à purger. — Au sujet des purgatifs, il faut observer trois choses dans la cure de cette maladie : 1° Il faut savoir si le malade que l'on doit traiter est facile ou difficile à purger; car dans ceux qui sont aisés à émouvoir, le sirop de nerprun, donné seul à la dose d'une once, évacue une assez bonne quantité d'eau : au lieu que dans les personnes difficiles à émouvoir, les remèdes précédents suffisent à peine. — 2° Que tous les purgatifs faibles font plus de mal que de bien; c'est pourquoi une purgation un peu trop forte est préférable à une trop faible. — 3°. Qu'il faut vider les eaux le plus promptement qu'il est possible, suivant les forces du malade, de peur qu'un trop long intervalle entre les purgations ne donne lieu à un nouvel amas de sérosités.

1043. Il y a des occasions où tous les purgatifs, quels qu'ils soient, doivent être rejetés; c'est lorsque le malade est d'une constitution très-faible, ou qu'une femme est sujette aux vapeurs. Alors il faut tâcher d'évacuer les eaux par les seuls diurétiques, entre lesquels les plus efficaces sont ceux que l'on tire des sels lixiviels; comme, par exemple,

Prenez une livre de cendres de genêt, infusez-les à froid dans quatre livres de vin du Rhin, et ensuite filtrez la liqueur. Le malade en prendra trois onces le matin, autant à cinq heures après-midi, et autant le soir; et il continuera ainsi tous les jours jusqu'à ce qu'il ne reste plus d'enflure.

1044. Quand les eaux sont entièrement évacuées, il faut avoir recours aux remèdes échauffants et fortifiants; par exemple,

Prenez racine de raifort sauvage; feuilles de cochléaria, d'absinthe commune et de sauge; sommités de petite centaurée et de genêt, de chacune, parties égales. Faites infuser tout cela dans de la forte bière ou du vin blanc, pour la boisson ordinaire du malade.

Cette boisson suffit quelquefois pour guérir une hydropisie commençante, sans le secours des purgatifs. Ou bien on usera du remède suivant :

Prenez conserve de cochléaria et d'absinthe romaine, de chacune, une once; extraits de gentiane, d'absinthe romaine, et de petite centaurée, de chacune, trois gros; et avec suffisante quantité de sirop d'écorce de citron, faites un électuaire, dont le malade prendra la grosseur d'une grosse noix muscade, de grand matin, à cinq heures du soir, et en se couchant, et il boira par-dessus quatre onces de l'infusion qui suit :

Prenez racines de gentiane, une once; sommités de genêt, de petite centaurée et d'absinthe commune, de chacune, une poignée; racines de fenouil et de persil, de chacune, deux gros. Ces plantes étant coupées bien menu, versez dessus deux pintes de vin du Rhin, et laissez-les infuser à froid. On ne coulera la liqueur que lorsqu'on s'en servira.

1045. Il est à remarquer que lorsqu'on en est à l'usage de fortifiants, il ne faut point du tout purger le malade; comme aussi pendant qu'on se sert des sels lixiviels, parce qu'il faut en même temps fortifier tout le corps, afin de soutenir l'évacuation qui se fait par les urines.

Prenez racines de raifort sauvage, trois onces; feuilles de cochléaria, d'absinthe commune et de sauge; sommités de petite centaurée et de genêt, de chacune, trois poignées; trois oranges coupées par tranches. Faites infuser tout cela dans douze pintes de forte bière sans houblon, pendant qu'elle fermente : le malade en fera sa boisson ordinaire.

Vérole.

1046. Lorsque le virus, ou par une longue gonorrhée, ou pour avoir usé mal à propos des astringents, a infecté la masse du sang, le malade a la vérole. Il paraît des bubons aux aines; des douleurs se font sentir à la tête, dans les membres et entre les articulations, surtout pendant la nuit, lorsque les malades sont échauffés dans leur lit : ils ont en différentes parties du corps des croûtes furfuracées qui deviennent jaunes. Plus il se fait d'éruption sur la surface du corps du malade, moins les douleurs qu'il souffre sont cruelles. Il survient des exostoses à la tête, aux bras et aux jambes; des inflammations aux os, et des caries, des ulcères rongeants en différentes parties, qui, pour l'ordinaire, attaquent d'abord le gosier, et qui, se communiquant insensiblement par le palais aux cartilages du nez, les rongent et les consument, en sorte que le nez, n'ayant plus d'appui, paraît tout écrasé. Ces ulcères devenant de jour en jour plus malins et plus rebelles, les membres tombent pour ainsi dire par pièces, et enfin le malade périt insensiblement.

1047. Prenez axonge de porc, deux onces; mercure cru, une once; mêlez-les pour un onguent, que l'on partagera en trois doses, de chacune desquelles le malade se frottera lui-même les bras, les jambes et les cuisses trois soirs de suite.

Si, trois jours après la dernière friction, il n'y a encore aucun signe de salivation, il faut alors donner au malade huit grains de turbith minéral incorporés dans de la conserve de roses rouges; ou bien, aux sujets délicats, un scrupule de mercure doux; et si la salivation déjà commencée se ralentit avant que les symptômes soient dissipés, il la faut exciter de nouveau par la même dose de mercure doux. Il faut faire en sorte de régler tellement le flux de bouche, que le malade, dans l'espace d'un jour et d'une nuit, évacue environ quatre livres de salive. Si l'évacuation passe cette mesure, que l'inflammation de la bouche soit excessive, et que d'autres accidents surviennent, il faut réprimer par des purgatifs la salivation trop abondante, et la réduire à son juste degré. Quand les symptômes seront calmés, il faudra aussitôt changer le malade de linge et de draps, et lui donner ceux qu'il avait auparavant.

1048. Si la diarrhée survient (ce qui arrive souvent avant que la salivation soit bien déclarée), il faut l'arrêter par l'usage du laudanum liquide, en réglant tellement la dose de ce remède, qu'il produise son effet. Quand la bouche s'ulcère, il faut laver ces sortes d'ulcérations avec l'eau rose, ou avec un mélange d'eau et de lait, ou avec la décoction suivante :

Prenez racine de guimauve et orge mondé, de chacune, une once ; semences de coings, demi-once : faites bouiller dans suffisante quantité d'eau que vous réduirez à deux livres : pour un gargarisme, dont le malade usera souvent.

1049. Le régime de vivre doit être le même que celui que l'on prescrit pour la purgation, si ce n'est que, dans les premiers jours, on doit boire de la petite bière tiède, ou du petit-lait, et user de décoction d'avoine ou d'orge. Tout cela étant fait avec exactitude (quoique les symptômes soient dissipés, et que la maladie semble être absolument détruite), de peur néanmoins d'une rechute, il faut faire prendre au malade, une fois la semaine, un scrupule de mercure doux, et réitérer cela cinq ou six fois.

Gonorrhée.

1050. On ressent une douleur extraordinaire aux parties génitales, et une espèce de tournoiement aux testicules. Dans ceux qui ne sont pas circoncis, on observe sur le gland une tache semblable à une pustule de rougeole ; et dès qu'elle paraît, il sort une liqueur qui ressemble à la semence, et qui, changeant de jour en jour de couleur et de consistance, devient d'un jaune clair ; et quand la gonorrhée est plus mauvaise, cette liqueur est verdâtre, et mêlée avec une sérosité teinte de sang. La pustule qui est sur le gland dégénère en ulcère semblable aux aphthes des enfants. Cet ulcère augmente chaque jour en largeur et en profondeur, et ses bords deviennent calleux. Ceux qui sont circoncis n'ont jamais d'ulcère au gland ; il survient de plus une grande douleur à la verge dans le temps de l'érection, en sorte qu'il semble qu'on serre fortement cette partie avec la main. La douleur est plus grande la nuit que le jour, quand le malade est échauffé par la chaleur du lit. La contraction du frein fait courber la verge. On sent une ardeur d'urine, moins pendant que l'urine s'écoule qu'après avoir uriné ; car pour lors on sent une douleur brûlante le long du canal de l'urètre, principalement à l'endroit du gland où finit ce canal. Il arrive aussi quelquefois que des carnosités empêchent l'écoulement de l'urine, et qu'il y a douleur et inflammation au scrotum.

1051. Prenez masse de pilules cochées, trois gros ; extrait de Rudius, un gros ; résine de jalap et de scammonée, de chacune, demi-gros ; et avec ce qu'il faut de baume de la Mecque, faites une masse à diviser en trente pilules.

Le malade en prendra quatre tous les matins, jusqu'à ce que l'ardeur d'urine, et la couleur jaune de la matière soient fort diminuées : ensuite il en prendra encore de deux jours l'un pendant deux semaines ; et après cela seulement deux fois la semaine, jusqu'à ce que l'écoulement soit tout-à-fait arrêté. Quand les malades sont difficiles à purger, on peut donner de temps en temps une potion purgative ordinaire, en y ajoutant deux gros de sirop de nerprun, et pareille quantité d'électuaire de suc de roses. Ou si la maladie résiste à ces remèdes, on peut donner deux ou trois fois jusqu'à huit grains de turbith minéral, laissant quatre jours d'intervalle entre chaque dose. Ou bien, au lieu de turbith minéral,

Prenez pilules de duobus, demi-gros ; mercure doux, un scrupule ; et avec ce qu'il faut de baume de la Mecque, faites quatre pilules qui seront prises de grand matin.

Si le malade a de l'aversion pour ce purgatif, il faut qu'après avoir usé des pilules premièrement décrites, et les avoir prises trois matins de suite, il reçoive tous les jours dans la matinée, et à cinq heures après-midi, le lavement suivant ; si ce n'est qu'une fois ou deux la semaine, laissant le lavement, il prendra le purgatif.

Prenez électuaire de suc de roses, six

dragmes; térébenthine de Venise dissoute avec le jaune d'œuf, demi-once. Dissolvez cela dans une livre de décoction d'orge; puis ajoutez à la colature deux onces de sirop violat : pour un lavement.

1052. Le malade prendra tous les soirs vingt-cinq gouttes de baume de la Mecque incorporé avec du sucre en poudre; ou, au défaut de ce baume, la grosseur d'une aveline de térebenthine de Chipre. Il boira du lait coupé, le long de la journée, et de la petite bière à ses repas.

1053. On pourra encore suivre la méthode suivante :

Prenez pilules de duobus, un demi-gros; baume de la Mecque, trois gouttes: formez trois pilules, que le malade prendra de grand matin, dormant par-dessus; et il réitérera ce remède de deux ou trois jours l'un.

Les jours exempts de purgation, on lui donnera matin et soir le lavement décrit ci-dessus.

1054. Dans la suite du traitement, quelque méthode que l'on emploie, il faut saigner le malade une ou deux fois; il faut que son régime soit rafraîchissant et incrassant, et qu'il use de remèdes qui aient les mêmes qualités, comme sont le lait coupé, les émulsions avec les semences froides, etc.

1055. Si la verge est tuméfiée,

Prenez racine de guimauve, oignon de lis, de chacun, une once et demie; feuilles de mauve, de bouillon-blanc, de sureau et de jusquiame; de fleurs de camomille et de mélilot, de chacune, une poignée; graines de lin et de fenugrec, de chacune, une demi-once. Faites bouillir le tout dans suffisante quantité d'eau de fontaine : pour une fomentation, qui sera faite sur la partie malade, pendant une heure, deux ou trois fois par jour.

Après la fomentation, il faut faire une onction sur la partie avec de l'huile de lin nouvellement tirée, et y appliquer ensuite l'emplâtre de mucilage étendu sur une peau mince.

1056. S'il y a un ulcère aux lèvres du prépuce ou sur le gland, il faut user du liniment qui suit :

Prenez onguent basilicum, six gros; onguent de tabac, deux gros; précipité lavé dans de l'eau de rose et réduit en poudre impalpable, demi-gros. Mêlez tout cela : pour un liniment, dans lequel on trempera de la charpie, et dont on enduira l'ulcère, après l'avoir fomenté.

Si le scrotum est tuméfié, il faut aussitôt tirer du sang, et fomenter deux fois le jour la partie affectée avec la fomentation ci-dessus décrite, y ajoutant à chaque fois une ou deux cuillerées d'eau-de-vie; ou bien, au lieu de la fomentation, appliquer le cataplasme fait avec l'onguent et la farine de fèves, et, pendant ce temps-là, user intérieurement des purgatifs et des rafraîchissants décrits ci-dessus.

MALADIES DE LA TÊTE.

Apoplexie.

1057. C'est un très-profond sommeil et une privation entière de sentiment et de mouvement, à l'exception de la respiration que les malades ont difficile, et avec ronflement. Il faut au plus tôt tirer douze onces de sang du bras, et ensuite huit onces des veines jugulaires : après cela, donner aussitôt un vomitif composé d'une once et demie ou de deux onces d'infusion de safran des métaux. On appliquera sur la nuque un grand vésicatoire. Pendant ce temps-là, le malade doit être droit sur son séant, dans son lit, et peu chargé de couvertures. Il faut lui faire flairer de l'esprit volatil de sel ammoniac le plus rectifié.

1058. L'opération du vomissement étant finie, on lui donnera trois ou quatre cuillerées du julep suivant :

Prenez eau de rue, quatre onces; eau de brioine composée, et eau épileptique de Langius, de chacune, une once; esprit de corne de cerf, vingt gouttes; sucre candi, ce qu'il en faut : pour un julep.

Ou bien on lui fera prendre deux ou trois fois pendant l'accès, de demi-heure ou d'heure en heure, une cuillerée d'esprit de lavande tout pur.

1059. Il faut avoir soin de ne pas donner en cette occasion des cordiaux trop chauds, et trop fréquemment, comme on a coutume de faire : car, de quelque vertu spécifique qu'ils semblent être doués, ils sont plus nuisibles qu'utiles, parce qu'ils agissent en fondant les humeurs, et par conséquent ils augmentent le mal. Le fardeau des couvertures trop pesantes produit le même effet.

1060. L'accès étant fini, il faut, pour prévenir la rechute, donner les remèdes suivants :

Prenez pilules cochées majeures, deux

scrupules. Le malade les prendra six fois, et de trois en trois jours, à quatre heures du matin, et il dormira par-dessus.

Prenez des conserves de fleurs de sauge et de romarin, de chacune, une once; conserve d'écorce d'orange, six gros; noix muscade confite et gingembre confit, de chacun, demi-once; thériaque vielle, deux gros; poudre de diambra et de diamoschi, de chacune, un gros; sirop de citrons confits, ce qu'il en faut pour former un opiat, dont le malade avalera la grosseur d'une châtaigne matin et soir, et il boira par-dessus deux cuillerées d'eau épileptique de Langius.

Prenez ambre gris, demi-gros; huiles distillées de graine d'anis, de cannelle et de noix muscade, de chacune, deux gouttes; huile de girofle, une goutte; sucre dissous dans l'eau de fleurs d'oranger, quatre onces: formez de cela des tablettes. Le malade en prendra une à volonté.

Il doit s'abstenir de toute boisson forte, et vivre de décoctions d'orge et d'avoine, et de bouillons de poulet; et quelquefois, surtout pendant qu'il se purgera, manger du poulet, de l'agneau, et d'autres choses semblables qui sont d'un bon suc et de facile digestion.

Paralysie.

1061. Le sentiment et le mouvement sont abolis, ou diminués, ou tous les deux ensemble, ou seulement l'un des deux, dans les parties affectées. — Le malade prendra six fois, de deux jours l'un, deux scrupules de pilules cochées mineures; ensuite il prendra trois fois par jour, durant un mois, deux dragmes d'électuaire antiscorbutique, et par-dessus il avalera six cuillerées d'eau antiscorbutique. *Voyez* l'article du scorbut.

Prenez onguent nervin, trois onces; esprit de lavande composé et esprit de cochléaria, de chacun, une once et demie. Mêlez-les, et en frottez les parties malades, comme l'épine du dos, etc., matin et soir.

Quoique la plupart des remèdes que l'on vient de prescrire semblent être uniquement destinés à la guérison du scorbut, néanmoins, comme ils sont très-propres à volatiliser les humeurs crues, ils conviennent aussi à la guérison de la paralysie.

Manie.

1062. Un sang trop exalté et trop vif cause cette sorte de manie. Il y en a une autre qui succède aux fièvres intermittentes de longue durée, et qui dégénère enfin en stupidité. Elle vient de la faiblesse du sang, qu'une trop longue fermentation a privé de ses parties les plus spiritueuses. C'est pourquoi il faut prescrire aux malades les plus forts cardiaques, comme la thériaque, l'électuaire d'œuf, la poudre de la Comtesse, etc., dans l'eau épidémique ou thériacale, ou dans quelque autre de même qualité, et ordonner un régime restaurant. — Les jeunes gens doivent d'abord être saignés du bras à la quantité de huit ou neuf onces de sang, deux ou trois fois, mettant trois jours d'intervalle entre chaque saignée; ensuite ils seront saignés une fois à la jugulaire. Après quoi tout le traitement doit rouler sur la purgation suivante que le malade prendra de trois en trois ou de quatre en quatre jours, jusqu'à ce qu'il se porte bien, observant néanmoins, lorsqu'il aura été purgé huit ou dix fois, de cesser la purgation durant huit ou quinze jours.

Prenez racine de brioine blanche pulvérisée, un gros; lait de vache, quatre onces: mêlez-les ensemble.

Ou bien:

Prenez de la même racine, demi-once ou six gros; vin blanc, quatre onces; mettez-les infuser pendant une nuit, et dissolvez dans la colature une once de sirop violat: pour une potion.

Ou bien:

Prenez gomme-gutte préparée, vingt-cinq grains; eau de cerises noires, trois onces; sirop d'œillet, une demi-once: pour une potion.

Hystérie.

1063. Quand l'âme se trouve désagréablement émue par quelque accident fâcheux, l'économie des esprits animaux est troublée; il survient un flux abondant d'urine très-claire; les malades perdent toute espérance de recouvrer la santé, et n'ont que des pensées affligeantes. En quelque endroit du corps que la maladie exerce sa violence (car elle attaque plusieurs parties), elle produit aussitôt les symptômes dont cette partie est susceptible. — La tête est attaquée d'apoplexie immédiatement après l'accouchement, et cette apoplexie se termine par une hémiplégie: il survient des convulsions semblables à celles de l'épilepsie (on les appelle vulgairement suffocation de matrice, symptôme dans lequel le ventre et les parties précordiales se gonflent vers le gosier). Le clou hystérique survient aussi, qui cause dans un endroit de la tête une très-violente douleur, laquelle ne se fait sentir que dans l'espace d'un travers de pouce. La malade est cruellement tourmentée par des vomissements d'une bile verte, de couleur de porreau, et quelquefois elle a une diarrhée. L'accès est accompagné de la palpitation de cœur, de la toux, de la passion iliaque, de la néphrétique et de la suppression d'urine. — Extérieurement, il y a tantôt une douleur dans les muscles, et tantôt une douleur dans les jambes qui ressemble à l'hydropisie. Ce qui est surprenant, c'est que les dents mêmes ne sont pas exemptes de douleur. On en ressent très-souvent au dos; très-souvent aussi les parties extérieures sont tellement refroidies, que la personne semble morte. Les malades rient ou pleurent ridiculement, et sans aucun sujet. La salivation est quelquefois si abondante, qu'on croirait qu'elle est l'effet du mercure. Quand les douleurs hystériques sont calmées, elles laissent aux parties qu'elles occupaient une telle sensibilité, qu'on n'ose les toucher, et on dirait que les chairs ont été meurtries.

1064. Il faut d'abord tirer à la malade huit onces de sang, lui appliquer ensuite sur le nombril l'emplâtre de galbanum, et dès le lendemain lui faire user des pilules suivantes :

Prenez pilules cochées majeures, deux dragmes; castoréum pulvérisé, deux grains; baume du Pérou, trois gouttes. Faites de tout cela douze pilules : la malade en prendra quatre tous les matins ou de deux jours l'un, suivant ses forces, et elle tâchera ensuite de dormir.

Prenez eau de rue, quatre onces; eau de brione composée, deux onces; castoréum enfermé dans un nouet et suspendu dans le vaisseau, demi-dragme; sucre candi, ce qu'il en faut. La malade prendra quatre ou cinq cuillerées de cette eau dans toutes ses faiblesses.

Après l'usage de ces premières pilules, elle viendra aux suivantes :

Prenez limaille d'acier, huit grains; extrait d'absinthe, ce qu'il en faut. Formez trois pilules, que la malade avalera de grand matin, et autant à cinq heures du soir pendant deux jours, buvant par-dessus un verre de vin d'absinthe.

Si la forme du bol plaît davantage,

Prenez conserve d'absinthe romaine et conserve d'écorce d'orange, de chacune, une once; angélique confite, noix muscade confite et thériaque d'Andromaque, de chacune, demi-once; poudre d'arum composée, trois dragmes; gingembre confit, deux dragmes; sirop de limon ou sirop d'orange, ce qu'il en faut pour former un électuaire.

Prenez deux gros de cet électuaire, huit grains de limaille d'acier, et avec ce qu'il faut de sirop d'orange, formez un bol, que l'on prendra matin et soir, et par-dessus un verre de vin d'absinthe, ou bien six cuillerées de l'infusion suivante :

Prenez racine d'angélique, d'aunée et d'impératoire, de chacune, une once; feuilles d'absinthe commune, de petite centaurée, de marrube blanc et de germandrée, de chacune, une poignée; l'écorce de deux oranges coupée menu. Versez sur tout cela ce qu'il faudra de vin d'Espagne, pour qu'il surnage deux doigts. On ne passera l'infusion que chaque fois qu'on en usera.

1065. On pourra donner aux personnes délicates le mars en poudre de la manière suivante :

Prenez limaille d'acier porphyrisée, une once; poudre d'arum composée, six dragmes; graines de coriandre, d'anis et de fenouil doux, de chacune, demi-once; cannelle fine et corail rouge préparé, de chacun, trois dragmes; noix muscade, deux dragmes. Faites de tout cela une poudre très-subtile, et ajoutez-y du sucre fin en poids égal à tout le reste. Il faut en prendre d'abord une demi-dragme deux fois le jour pendant quatre jours, et ensuite une dragme deux fois le jour pendant quarante jours, et boire par-dessus trois ou quatre cuillerées du julep suivant :

Prenez eau alexitère de lait, douze onces; eau de gentiane composée, quatre onces; eau d'absinthe composée, deux onces; sucre fin, ce qu'il en faut : pour un julep.

Ou bien :

Prenez du vin blanc d'absinthe, demi-livre; eau de gentiane composée, deux onces; sirop d'œillet, une once. Faites un julep.

Prenez myrrhe choisie, galbanum et assa fœtida, de chacun, un dragme; castoréum, demi-dragme; baume du Pérou, quantité suffisante. Partagez chaque dragme de cette masse en douze pilules. On en prendra trois chaque soir en se couchant, et on boira par-dessus trois ou quatre cuillerées d'eau de brioine composée.

Si ces pilules lâchent le ventre de la malade, on lui fera user des suivantes :

Prenez castoréum, un gros ; sel volatil de succin, demi-gros ; extrait de rue, ce qu'il en faut. Faites vingt-quatre pilules, dont on prendra trois tous les soirs, buvant par-dessus trois ou quatre cuillerées du julep hystérique.

1066. L'esprit de corne de cerf, donné souvent jusqu'à seize ou dix-huit gouttes dans une eau appropriée, produit un très-bon effet.

Si ces remèdes ne réussissent pas, la malade aura reconrs aux pilules suivantes :

Prenez trochisques de myrrhe pulvérisés, un scrupule ; baume de soufre térébenthiné, quatre gouttes ; gomme ammoniac dissoute, ce qu'il en faut. Faites quatre pilules, que l'on prendra matin et soir, et on boira par-dessus quatre ou cinq cuillerées du julep hystérique, y ajoutant douze gouttes d'esprit de corne de cerf.

L'électuaire antiscorbutique, avec l'eau décrite au même endroit, est un remède utile dans ces maladies, aussi bien que l'électuaire fortifiant, avec la conserve de cochléaria, une once, et de la poudre d'arum composée, six dragmes, buvant par-dessus l'eau qui a été prescrite.

1067. Si le mal ne cède pas à ces remèdes, il faut aller prendre les eaux minérales ferrugineuses ; et si elles ne réussissent pas, il faudra avoir recours aux sulfureuses, comme sont celles de Bath. Lorsqu'on use des eaux ferrugineuses, il faut observer ce qui suit. S'il survient quelque accident considérable qu'on puisse raisonnablement attribuer à l'usage des eaux, on doit alors cesser de les prendre, jusqu'à ce que cet accident soit entièrement cessé. Mais, s'il ne survient aucun obstacle, il faut que la malade continue de les prendre au moins durant six semaines, et même jusqu'à deux mois ; et pour fortifier l'estomac, elle usura de temps en temps du gingembre confit ou de la graine de carvi sucrée. Elle pourra aussi prendre trois pilules hystériques les dix premiers jours, buvant par-dessus quatre ou cinq cuillerées du julep hystérique. Pour ce qui est des eaux de Bath, il faut les boire pendant deux jours ; et le troisième jour, les prendre en manière de bain ; et ainsi alternativement en boisson et en bain pendant six semaines ou deux mois. Quand l'usage du fer échauffe trop, il faut, durant son usage, prendre de quatre en quatre jours quatre livres d'eaux minérales purgatives ; et quoiqu'elles lâchent le ventre, elles n'exciteront pas de trouble, comme les purgatifs des boutiques ont coutume de faire.

1068. Si le fer cause beaucoup de trouble, il faut donner tous les soirs, pendant quelque temps, le laudanum liquide dans une eau hystérique. Quand les forces sont abattues par la longueur de la maladie, on ne doit pas faire précéder la saignée et la purgation, mais commencer tout de suite l'usage du fer. Si les symptômes ne sont pas violents, il suffit de saigner et de purger pendant trois ou quatre jours, et de donner ensuite les pilules hystériques pendant dix jours, matin et soir.

1069. Dans une douleur insupportable, dans un vomissement et une diarrhée énormes, il faut donner le laudanum, et fortifier ensuite les esprits ; mais si les forces le permettent, on doit, avant l'usage du laudanum, saigner et purger, surtout les femmes vigoureuses et sanguines. Quant aux personnes faibles, et qui, depuis peu de temps, ont souffert un accès, il faut leur faire avaler une grande quantité de lait coupé avec la bière ; et quand elles l'ont rejeté par le vomissement, il faut leur donner une forte dose de thériaque ou d'orviétan, et leur faire boire par-dessus quelques cuillerées d'une liqueur spiritueuse, avec quelques gouttes de laudanum liquide. Si la malade a déjà vomi auparavant, et qu'il soit dangereux de la faire vomir de nouveau, on lui donnera au plus tôt une dose suffisante de laudanum, que l'on réitérera chaque fois qu'elle vomira. Il sera mieux de donner le laudanum en forme solide ; ou si on le donne en forme liquide, il faudra que ce soit dans un véhicule en petite quantité, par exemple, dans une cuillerée d'eau de cannelle spiritueuse ; et quand la malade l'aura pris, elle se tiendra en repos et la tête immobile. Après que ce symptôme aura cessé, on continuera pendant quelques jours, matin et soir, l'usage du laudanum. Il faut bien remarquer deux choses : la première, que quand, après les évacuations, on aura une fois commencé l'usage du laudanum, il faudra le continuer en dose convenable, jusqu'à ce que les symptômes aient entièrement cessé ; mettant entre chaque dose autant d'intervalle qu'il est nécessaire pour juger quel effet la première a produit avant que d'en donner une autre. La seconde chose qu'on doit observer, c'est que, pendant l'usage du laudanum, il ne faut exciter aucun mouvement dans le corps, ni procurer aucune évacuation, pas même par le plus doux lavement. La thériaque, employée fréquemment et long-temps, est un grand remède dans cette maladie, et dans plusieurs autres qui viennent d'un défaut de chaleur et de digestion.

1070. Les vins d'Espagne où l'on a mis infuser de la gentiane, de l'angélique, de l'absinthe, de la petite centaurée, de l'écorce extérieure d'orange, et d'autres drogues fortifiantes, sont très-utiles, étant bus à la dose de quelques cuillerées trois fois par jour, pourvu que la malade ne soit ni trop délicate, ni d'un tempérament bilieux. Le quinquina pris à la dose d'un scrupule matin et soir durant quelques semaines, est admirable, surtout dans les spasmes hystériques.

1071. Les personnes délicates et bilieuses pourront se réduire à la diète lactée, principalement dans la colique hystérique, pourvu qu'elles n'éprouvent pas les inconvénients qui accompagnent ordinairement l'usage du lait les premiers jours, savoir, qu'il se coagule dans l'estomac, et qu'il n'est pas suffisant pour conserver et soutenir les forces. Au reste, rien ne fortifie tant le sang et les esprits que d'aller tous les jours à cheval, et long-temps chaque fois. Les voyages en chaise roulante ont aussi leur utilité.

Colique hystérique.

1060. C'est une espèce, ou plutôt un symptôme considérable de l'affection hystérique, et un des plus fréquents de cette maladie, auquel se joint une douleur très-violente vers la fossette du cœur, et l'excrétion d'une humeur verdâtre par le vomissement.

1061. De peur qu'un amas de mauvaises humeurs n'empêche l'effet du remède calmant ; il faut que la malade boive promptement beaucoup de petit-lait, et qu'elle le rejette par le vomissement ; après quoi on lui donnera vingt-cinq gouttes de laudanum liquide, dans une once d'eau de cannelle forte, ou d'eau épidémique, ou de quelqu'autre véhicule. Dans l'usage du narcotique, il faut observer de le réitérer jusqu'à ce que tous les symptômes soient calmés, mettant néanmoins un intervalle raisonnable entre les doses, afin de pouvoir juger de l'effet qu'a produit la première avant d'en donner une seconde.

1062. Si la malade est d'un tempérament sanguin, ou si elle est fort vigoureuse, et qu'elle n'ait pas été souvent attaquée de la colique hystérique, en ce cas-là, il lui faut tirer du sang au bras, avant que de lui donner le vomitif qui a été prescrit.

1063. Le clou hystérique se guérit par la même méthode ; mais si la colique hystérique dure long-temps, et attaque la malade par accès, elle doit, dans l'intervalle des accès ou hors des accès, user des remèdes qui suivent :

Prenez zédoaire réduite en poudre subtile, un gros ; et avec suffisante quantité de sirop d'écorce de citron confite, formez un bol qui sera pris matin et soir pendant trente jours. La malade boira par-dessus l'infusion suivante :

Prenez zédoaire coupée menu, une demi-once ; vin de Canarie, quatre onces. Faites infuser à froid pendant douze heures, coulez la liqueur et la gardez pour l'usage.

Ou bien on usera du baume du Pérou, comme pour la colique de Poitou.

1064. Ce que l'on propose ici pour la colique hystérique, peut aussi convenir pour la colique hypocondriaque ; et il faut soigneusement observer que la nature de ces deux maladies semble demander que l'on tente, pour les guérir, diverses sortes de remèdes, jusqu'à ce qu'on trouve celui qui est véritablement propre à les détruire. Le fer est un des plus utiles. La colique hystérique se convertit très-souvent en ictère, tant dans les hommes hypocondriaques que dans les femmes hystériques. Cet ictère se guérit de lui-même ; mais lorsqu'il dure trop long-temps, il faut donner l'apozème qui suit :

Prenez racine de garance et de curcuma, de chacune, une once ; grande chélidoine et sommités de petite centaurée, de chacune une poignée. Faites bouillir tout cela dans parties égales de vin du Rhin et d'eau de fontaine, que vous réduirez à deux livres ; coulez la liqueur, et y dissolvez deux onces de sirop des cinq racines : pour un apozème, que la malade prendra chaudement, à la quantité d'une demi-livre matin et soir, jusqu'à sa guérison.

Chien enragé.

1065. Après quarante jours, et quelquefois plus, les symptômes se manifestent, qui sont la fièvre, la soif, l'hydrophobie, et enfin la convulsion des extrémités.

Prenez esprit de vin très-rectifié, quatre onces; thériaque, une once. Faites une mixtion, dont on frottera trois fois le jour la partie mordue, appliquant par-dessus un linge trempé dans la même mixtion.

Ophthalmie.

1078. On connaît assez cette maladie par la rougeur et l'inflammation des yeux du malade. Il faut d'abord tirer dix onces de sang au bras, et donner le lendemain une potion purgative ordinaire, qu'il faut encore réitérer deux fois, laissant deux jours d'intervalle. Le soir de chaque purgation, le malade prendra une potion calmante faite avec une once de sirop diacode. Les jours exempts de purgation, il prendra trois ou quatre fois dans la journée quatre onces d'une émulsion faite avec les grandes semences froides, et la semence de pavot blanc.

Prenez eau de plantain, de roses rouges et de frai de grenouilles, de chacune une once; tutie préparée, une dragme. Mêlez cela : pour un collyre, dont on fera tomber quelques gouttes dans l'œil deux fois le jour; ce qu'il ne faut faire qu'après la première purgation.

1079. Si la maladie ne cède pas à ces premiers remèdes, on réitérera la saignée une ou deux fois, surtout si le sang est semblable à celui des pleurétiques, et la purgation sera aussi réitérée à proportion. Le malade s'abstiendra de vin et de toute liqueur forte; il évitera les aliments indigestes et de haut goût; et les jours exempts de purgation, il boira du lait coupé, après l'avoir fait bouillir. Il est à remarquer que l'ophthalmie ne cède pas toujours aux saignées et aux purgations réitérées. En ce cas-là une potion calmante, faite avec une once de sirop diacode, et donnée tous les soirs, achève la cure, sans qu'il soit besoin d'autres secours.

Hémorrhagie du nez.

1080. On sent au front une douleur et une chaleur lancinantes. Il faut faire plusieurs saignées du bras au malade, et que son régime soit rafraîchissant et incrassant : il faut par conséquent lui prescrire un julep de même qualité, avec des émulsions rafraîchissantes. — On lui donnera tous les jours un lavement rafraîchissant, et tous les soirs une potion calmante avec le sirop diacode. On le purgera une ou deux fois avec une potion ordinaire.

1081. On lui appliquera sur la nuque et autour du cou des compresses trempées dans l'eau froide, où l'on aura dissous du sel de prunelle, et légèrement exprimées, et cela plusieurs fois dans la journée.

1082. Après les évacuations suffisantes, on appliquera la liqueur qui suit :

Prenez vitriol de Hongrie et alun, de chacun une once; flegme de vitriol, une demi-livre : faites-les bouillir jusqu'à ce que tout soit dissous. La liqueur étant refroidie, filtrez-la et la séparez des cristaux qui s'y seront formés; ajoutez-y ensuite une douzième partie d'huile de vitriol (acide sulfurique).

Ou plutôt,

Prenez eau de plantain, trois onces; bol d'Arménie réduit en poudre subtile, demi-once : mêlez-les exactement; puis faites une tente de charpie qui, étant trempée dans cette eau, sera mise dans la narine du côté que le sang sort, et on l'y laissera pendant deux jours.

1083. Ce moyen ne réussissant pas, il faudra dissoudre du vitriol romain dans de l'eau commune, et introduire dans la narine une tente imbibée de cette dissolution. Des linges trempés dans la même liqueur arrêtent le sang, qui sort d'une partie extérieure, quand on les applique sur la partie même.

Esquinancie.

1072. L'esquinancie arrive le plus souvent entre le printemps et l'été. La douleur et l'inflammation du gosier succèdent à la fièvre; de sorte que la luette, les amygdales et le larynx étant tuméfiés, le malade ne peut ni avaler ni respirer. — Le premier remède doit être une saignée du bras très-copieuse; ensuite il faut toucher les parties enflammées avec le miel rosat et l'esprit de vitriol ou de soufre, mêlés ensemble jusqu'à une grande acidité. On se servira ensuite du gargarisme suivant, non pas à la manière ordinaire, en l'agitant dans la bouche, mais en l'y tenant simplement jusqu'à ce qu'il s'échauffe : pour lors on le rejettera et on réitérera souvent la même chose.

Prenez eau de plaintain, de roses rouges et de frai de grenouilles, de chacun quatre onces; trois blancs d'œufs battus, sucre candi, trois onces. Mêlez tout cela : pour un gargarisme.

Le malade usera en même temps de l'émulsion rafraîchissante décrite dans l'article sur la pleurésie. — Le lendemain matin, si la fièvre et la difficulté de respirer ne sont pas diminuées, on réitérera la saignée, remettant la purgation au jour suivant; sinon, il faut donner au malade un doux purgatif. — Lorsque la maladie persévère, ce qui est assez rare, il faut encore réitérer la saignée et la purgation, et appliquer sur la nuque un ample vésicatoire après la première saignée.

1073. On donnera tous les matins, hors les jours de la purgation, un lavement émollient et rafraîchissant. Le malade observera une diète exacte, et il sortira chaque jour du lit pendant quelques heures. — Dans toutes ces fièvres que j'appelle *intermittentes* ou *accidentelles*, de même que dans la fièvre stationnaire, il faut observer avec soin que le malade soit hors du lit une grande partie du jour, qu'il vive de décoctions d'orge, d'avoine, et d'autres choses semblables, et qu'il use pour sa boisson ordinaire de petite bière houblonnée ou d'eau laiteuse.

MALADIES DE LA POITRINE.

Pleurésie.

1074. Cette maladie règne entre le printemps et l'été : elle commence par un frisson qui est incontinent suivi de chaleur, de soif, d'inquiétude, et des autres symptômes de la fièvre. Après quelques heures, le malade est saisi d'une violente douleur au côté de la poitrine, qui s'étend tantôt vers les omoplates, tantôt vers l'épine, tantôt vers le devant de la poitrine. Cette douleur est accompagnée d'une toux fréquente. — Au commencement de la maladie, la matière des crachats est ténue et en petite quantité, et souvent mêlée de particules de sang; mais dans les progrès de la maladie, elle est plus abondante et plus épaisse par la coction qu'elle a acquise, et toujours sanglante. — La violence de la fièvre suit celle de la toux, des crachats sanglants et de la douleur, et elle diminue à mesure que l'expectoration devient plus libre. Le ventre est quelquefois resserré, et quelquefois trop lâche; le sang que l'on tire au malade est semblable à du suif fondu quand il est froid.

1087. Il faut d'abord tirer dix onces de sang au bras, du côté de la douleur.

Prenez eau de coquelicot, quatre onces; cristal minéral, un gros; sirop violat, une once. Mêlez cela ensemble : pour une potion, que l'on donnera aussitôt après la première saignée.

Prenez cinq amandes douces pelées, semences de melon et de courge, de chacune, demi-once; semence de pavot blanc, trois gros; eau d'orge, une livre et demie; eau rose, deux gros; sucre candi, ce qu'il en faut : pour une émulsion, dont le malade prendra quatre onces de quatre en quatre heures.

Prenez décoction pectorale, deux livres; sirop violat et de capillaire; de chacun une once et demie. Mêlez cela : pour un apozème, dont le malade prendra demi-livre trois fois dans la journée.

Prenez huile d'amandes douces, deux onces; sirop violat et sirop de capillaire, de chacun une once; sucre candi, ce qu'il en faut. Mêlez tout cela : pour un loch, que le malade avalera souvent.

On peut donner pour la même fin l'huile d'amandes douces, ou l'huile de lin seule, quand elles sont nouvelles. — Prenez huile d'amandes douces, huile de lys et onguent de guimauve, de chacun une once; mêlez-les : pour un liniment, dont on frottera matin et soir le côté douloureux, et par-dessus on appliquera des feuilles de choux.

On réitérera la saignée jusqu'à trois autres fois pendant quatre jours de suite, lorsque la douleur et la difficulté de respirer le demanderont, et on tirera chaque fois la même quantité de sang, c'est-à-dire dix onces.

Fausse péripneumonie.

1088. Cette maladie se fait sentir au commencement de l'hiver, et souvent à la fin de cette saison. Le malade qui en est attaqué, l'est tantôt par le chaud et tantôt par le froid; il a des vertiges pour peu qu'il se remue; ses joues et ses yeux sont rouges et enflammés; il tousse fréquemment, et en toussant il ressent à la tête une douleur lancinante; il vomit la boisson; son urine est trouble et fort rouge, son sang est semblable à celui des pleurétiques, sa respiration est fréquente et difficile : il ressent une douleur à la poitrine. Ce mal diffère de l'asthme sec, en ce que l'asthme n'est jamais accompagné de fièvre ; au lieu que dans le mal dont il s'agit, la fièvre est manifeste, quoique bien moins violente que dans la vraie péripneumonie.

1089. Il faut d'abord tirer dix onces de sang du bras droit, et donner le lendemain la potion suivante :

Prenez casse mondée, une once ; réglisse, deux gros ; quatre figues grasses ; feuilles de séné, deux gros et demi ; trochisques d'agaric, un gros. Faites bouillir le tout dans suffisante quantité d'eau, qui sera réduite à quatre onces ; coulez ensuite la liqueur, et y dissolvez une once de manne et demi-once de sirop de roses solutif.

Si le malade a de l'horreur pour cette potion, on lui donnera à quatre heures du matin deux scrupules de pilules cochées majeures. — Le jour suivant on réitéra la saignée, et on tirera la même quantité de sang ; le lendemain on réitérera la purgation, qui sera encore réitérée de deux ou trois jours l'un, selon les forces du malade ; et si les symptômes se rendent opiniâtres, il faudra saigner encore deux fois, ou même davantage, en mettant quelques jours d'intervalle, selon le besoin plus ou moins pressant : mais pour l'ordinaire deux saignées suffiront. — Durant ce temps-là, surtout hors des jours de la purgation, le malade usera de la décoction pectorale, du loch et de l'huile d'amandes douces, comme on a dit dans la pleurésie.

Asthme.

1090. L'asthme est de trois espèces. La première est appelée *dyspnée*, qui est une difficulté de respirer, consistant dans une respiration fréquente et serrée, causée par un embarras dans le poumon, sans ronflement. La seconde espèce est l'asthme vrai, où la respiration est grande et fréquente, dans laquelle le diaphragme, les muscles intercostaux, et même ceux du bas-ventre sont mus violemment, et qui est avec ronflement et sifflement. Dans la première espèce, les poumons sont obstrués, et les bronches le sont dans la seconde. La troisième espèce est appelée l'*orthopnée*, qui est une extrême difficulté de respirer, dans laquelle les malades ne peuvent respirer à moins qu'ils ne soient assis et n'aient le cou élevé : les muscles de la poitrine et des omoplates sont alors fort agités.

1091. Il faut tirer dix onces de sang au bras, et le jour suivant le malade prendra la potion purgative, qu'il faudra réitérer deux autres fois de trois en trois jours. — Les jours exempts de purgation, il usera des remèdes suivants :

Prenez graine d'anis subtilement pulvérisée, deux dragmes, et avec suffisante quantité de baume de Locatelli, faites six pilules de chaque dragme. Le malade en prendra trois le matin et trois l'après-dîner, buvant par-dessus quatre onces de décoction amère, et sans purgatif.

Si les symptômes continuent, il faudra réitérer entièrement la même méthode.

Toux, Phthisie.

1092. La toux se fait suffisamment connaître. Quant à la phthisie, elle attaque ordinairement depuis dix-huit ans jusqu'à trente-cinq. Tout le corps s'exténue dans cette maladie : il y a une fièvre hectique qui augmente après le repas, et que l'on connaît par la vitesse du pouls et par la rougeur des joues ; la matière que la toux chasse au dehors par les crachats est sanglante ou purulente ; lorsqu'on la jette sur les charbons ardents, elle rend une mauvaise odeur ; et si on la jette dans un vaisseau plein d'eau, elle va au fond ; le malade sue pendant la nuit ; enfin les joues deviennent livides, le visage pâlit, le nez devient aigu, les tempes s'affaissent, les ongles se courbent, les cheveux tombent, et un flux de ventre colliquatif, joint à tous ces autres symptômes, annonce une mort prochaine.

1093. Si la toux est nouvelle, et qu'elle ne soit pas accompagnée de fièvre, ni des autres signes de la fausse péripneumonie, ou si elle ne procède pas d'une pleurésie, ou d'une péripneumonie, dans le traitement desquelles on aurait négligé de saigner suffisamment, il suffira que le malade quitte l'usage du vin pendant quelques jours, qu'il s'abstienne de manger de la viande, et qu'il use, à sa volonté, de quelques-uns des remèdes suivants :

Par exemple, du baume de soufre anisé jusqu'à la dose de dix gouttes dans une cuillerée de sucre candi pulvérisé, et cela deux ou trois fois le jour ; ou bien des tablettes suivantes, que le malade portera toujours sur soi, afin d'en user le plus souvent qu'il pourra.

Prenez sucre-candi, une livre et demie : faites-le bouillir dans suffisante quantité d'eau de fontaine, jusqu'à ce qu'il s'attache aux doigts ; ajoutez-y pour lors des poudres de racines de réglisse et d'aunée, de semences d'anis et d'angélique, de chacune demi-once ; de la poudre d'iris de Florence et du soufre, de chacun deux dragmes ; de l'essence d'anis, deux scrupules. Faites des tablettes que l'on peut appeler, si l'on veut, *domestiques*.

1094. Le malade usera aussi, pendant ce temps-là, du loch suivant :

Prenez huile d'amandes douces, deux onces ; sirop de capillaire et sirop violat, de chacun une once ; sucre-candi, ce qu'il en faut : pour un loch dans lequel on trempera un bâton de réglisse pour le sucer souvent.

Dans une fluxion d'humeur ténue, le malade pourra user des lochs incrassants.

1095. Mais si la toux ne s'apaise pas par l'usage de ces remèdes, si elle est accompagnée de fièvre, ou si elle est la suite d'une pleurésie, d'une péripneumonie, dans ce cas il serait inutile de se fier aux remèdes pectoraux ; mais il faut alors traiter cette toux par la saignée et la purgation, comme nous avons enseigné dans l'article de la fausse péripneumonie. — Que si, malgré tous ces remèdes, la toux, bien loin de cesser, affaiblit tellement les poumons par de continuelles secousses, que la phthisie s'ensuive, on doit, en ce cas-là, employer la méthode suivante :

Prenez baume du Pérou, dix gouttes ; mêlez-les dans une cuillerée de sirop de lierre terrestre.

Ou, si cette manière n'est pas agréable au malade, on les mêlera dans une cuillerée de sucre-candi pulvérisé. Le malade prendra cette dose trois fois par jour, et, par dessus, il boira quatre onces de la décoction amère sans purgatifs ; ou, si cette décoction lâche le ventre, il n'en prendra que trois onces.

1096. Mais entre tous les remèdes que l'on a proposés jusqu'ici contre cette maladie, l'exercice à cheval est, sans contredit, le meilleur de tous, en observant de le continuer pendant un assez long temps et par des voyages assez longs ; et de plus, si le malade est d'un âge viril, il doit employer plus de temps à cet exercice, que s'il était dans l'enfance ou la jeunesse. Au reste, on peut assurer que le quinquina n'est guère plus certain pour la guérison des fièvres intermittentes, que l'est cet exercice pour guérir la phthisie à l'âge que l'on vient de dire.

Crachement de sang.

1097. Dans le crachement de sang, on ressent une douleur et une chaleur à la poitrine, avec de la faiblesse.—Il faut tirer au malade dix onces de sang du bras. Il prendra le lendemain une potion purgative ordinaire, et le soir une potion calmante, composée de trois onces d'eau de cerises noires et d'une once de sirop diacode. On viendra ensuite à l'usage des remèdes suivants :

Prenez bol d'Arménie, une once ; racine de grande consoude pulvérisée, deux gros ; terre sigillée, pierre hématite et sang-dragon, de chacun un gros ; sucre fin, autant que de tout le reste. Mêlez tout cela ensemble : pour une poudre très-fine, dont le malade prendra un gros le matin, autant l'après dîner sur les cinq heures et autant le soir, et par-dessus il boira l'apozème suivant :

Prenez feuilles de plantin, de ronce sauvage et de mille-feuille, de chacune une poignée : faites-les bouillir dans suffisante quantité d'eau, que vous réduirez à une livre et demie ; dissolvez dans la colature une once de sirop de grande consoude.

Ou bien on prendra six cuillerées de la teinture suivante :

Prenez roses rouges, six gros ; écorce intérieure de chêne, demi-once ; graine de plantin grossièrement concassée, trois gros ; eau de fontaine, deux livres ; esprit de vitriol, ce qu'il en faut pour une agréable acidité : faites infuser le tout dans un vaisseau bien fermé, à une douce chaleur pendant quatre heures, coulez ensuite la liqueur et ajoutez-y trois onces d'eau de cannelle orgée et ce qu'il faut de sucre fin pour rendre cette teinture agréable au goût.

1098. Si le malade a de la répugnance pour les poudres, il usera de l'électuaire qui a été prescrit dans l'article du flux immodéré des menstrues. Il prendra tous les jours un lavement, et le soir une dose de sirop diacode. La saignée sera réitérée une, deux ou trois fois, selon le besoin, à quelques jours d'intervalle, et la purgation sera aussi répétée autant qu'il sera nécessaire. Le régime doit être incrassant et rafraichissant.

Phthisie.

1099. Il y a plusieurs espèces de phthisies. La première et la principale est le plus souvent causée par le froid de l'hiver. Peu de temps avant le solstice d'hiver, un grand nombre de gens sont attaqués de la toux, à cause de la rigueur de la saison. Ce sont des gens qui ont naturellement les poumons faibles, et les efforts réitérés qu'ils font pour tousser affaiblissent encore davantage cette partie. Les poumons ainsi mal disposés ne peuvent s'assimiler la nourriture qui leur est nécessaire. De là, un grand amas de pituite crue qui accable la poitrine, et que l'agitation continuelle des poumons, et les efforts violents pour tousser, font sortir abondamment par les crachats. Il se forme ensuite des ulcères dans les poumons, et la matière purulente rentrant dans le sang, l'infecte et le corrompt, ce qui produit une fièvre habituelle et putride. Cette fièvre redouble sur le soir, et le redoublement finit le matin par une sueur abondante qui affaiblit beaucoup le malade. —Pour comble de maux, la diarrhée survient à cause de l'humeur purulente que les artères mésentériques déposent sur les intestins, et parce que le ressort de ces parties est entièrement détruit. Cette diarrhée épuise bientôt le malade, et la phthisie, qui s'est formée pendant l'hiver, se termine l'été suivant par la mort.

1100. Comme en hiver, le sang abonde extrêmement en pituite, et que la transpiration arrêtée tout-à-coup produit une difficulté de respirer, il arrive de là que les sérosités se jettent sur les poumons par les rameaux de la veine artérielle, ou au moyen des conduits salivaires; elle s'accumule dans les glandes du gosier, d'où elle tombe dans les poumons par la trachée-artère. Ainsi elles les affaiblissent, les irritent continuellement, et causent une toux fréquente et violente, avec les autres symptômes dont nous avons parlé. Les poumons étant déchus de leur état naturel, et ayant perdu leur ressort, il s'y forme d'ordinaire des engorgements et des tubercules que l'on trouve le plus souvent remplis d'une sanie purulente, lorsqu'on examine les poumons de ceux qui sont morts de cette maladie.

1101. Quand une fois la phthisie est avancée, elle résiste presque toujours à toute sorte de remèdes. On peut néanmoins tenter de la guérir en diminuant la quantité de l'humeur catarrheuse qui se jette sur les poumons Pour cela il faut employer la saignée du bras, les doux purgatifs, les remèdes pectoraux appropriés aux différents états de la maladie, c'est-à-dire les incrassants, lorsque l'humeur, étant trop claire, ne peut s'évacuer comme il faut par la toux et par les crachats; et les atténuants, lorsque l'humeur trop épaisse ne sort qu'avec beaucoup de peine et d'incommodité.

1102. Ensuite il faut détruire la fièvre hectique par le moyen des remèdes tempérants et rafraîchissants. Tels sont le lait d'ânesse, le lait distillé, les émulsions avec les amandes douces, les semences froides et la graine de pavot blanc, l'eau de fleurs de primevère, etc. — Enfin il s'agit de déterger l'ulcère du poumon. On regarde le baume blanc, ou baume de la Mecque, comme excellent pour cela.

1103. Voici donc, selon moi, la meilleure manière de traiter la phthisie. On commencera d'abord par une saignée du bras, ensuite on purgera le malade trois jours de suite, soit avec les pilules cochées majeures, soit avec notre potion purgative ordinaire. Le soir du troisième jour, on donnera une demi-once de sirop diacode. Deux ou trois jours après, on purgera de nouveau, et on réitérera encore la purgation autant de fois qu'on le jugera nécessaire, jusqu'à ce que les symptômes aient entièrement disparu, ou du moins soient fort adoucis.

1104. Après que chaque purgation aura cessé d'agir, on donnera au malade vingt gouttes de baume blanc mêlées dans du sucre pulvérisé, ou bien une pilule faite avec la térébenthine de Chio et le sucre candi, et le malade ne boira rien par-dessus. Le baume blanc ne doit être employé qu'après avoir fait précéder les évacuations convenables. On peut substituer à ce baume un électuaire composé de baume de Locatelli, de réglisse et de graine d'anis en poudre, et de térébenthine.

1105. Lorsqu'on a évacué suffisamment, il faut travailler à apaiser la toux, de peur que les poumons ne s'affaiblissent par les secousses continuelles qu'ils souffrent. Le meilleur remède pour apaiser la toux, est le sirop diacode que l'on peut donner de la manière suivante :

Prenez décoction pectorale, une livre; sirop diacode et sirop de capillaire, de chacun deux onces. Mêlez cela ensemble. Le malade en prendra cinq cuillerées trois fois par jour.

Ce remède pris fréquemment arrêtera peu à peu le flux de l'humeur catarrheuse, et l'empêchera de tomber sur les poumons, lesquels, par ce moyen, se rétabliront dans le premier état, à moins qu'ils ne soient extrêmement endommagés. Le narcotique aidera aussi la coction de la matière purulente qui est formée dans les poumons.

1106. Mais de tous les moyens de guérir la phthisie, il n'en est point qui égale l'exercice du cheval continué tous les jours. Les malades qui choisissent ce moyen de guérison n'ont plus besoin d'être asservis à aucun régime particulier, et ils peuvent boire et manger de tout ce qui leur plaît, parce que cet exercice leur tient lieu de tout. Quelques-uns de ceux qui sont revenus en santé par cette méthode ont été attaqués d'une tumeur au cou, laquelle ressemblait fort aux tumeurs scrophuleuses.

1107. Il y a une autre sorte de phthisie qui vient de la toux, mais qui commense dans une autre saison que la précédente, savoir au commencement de l'été. Elle attaque le plus souvent les jeunes gens délicats, dont le sang est âcre et échauffé, qui en crachent en toussant, et qui se sont échauffés par des excès de vin. Les malades sentent une douleur ou un embarras dans les poumons; et si on ne remédie promptement à ces symptômes par des remèdes convenables, il survient bientôt un ulcère, et le malade crache le pus.—On guérit aisément cette sorte de phthisie par la saignée et la purgation alternativement reitérées, surtout dans le commencement de la maladie, joignant à cela un régime rafraîchissant et incrassant, et s'abstenant tout-à-fait de viande.

1108. La troisième espèce de phthisie arrive lorsque, sur la fin d'une fièvre, la matière fébrile s'étant jetée sur les poumons, les affaiblit, et donne lieu aux funestes symptômes dont nous avons fait mention. — Elle est produite aussi quelquefois par la suppuration d'une pleurésie, lorsque la matière purulente n'a pas été assez abondamment évacuée par l'expectoration.

1109. Il y a aussi des gens qui, pour avoir été extrêmement affaiblis par des évacuations trop abondantes et trop fréquentes, tombent dans une sorte de phthisie que je nomme la quatrième. Ces malades ont, le soir après souper, un redoublement de chaleur et de fièvre, et ils sont particulièrement attaqués d'aphthes.

MALADIES DU BAS-VENTRE.

Dysenterie.

1110. La dysenterie commence par des frissons qui sont suivis d'une chaleur partout le corps; ensuite viennent des tranchées, et bientôt après des déjections fréquentes et glaireuses, mêlées quelquefois de matières stercoreuses; et ces déjections ne se font qu'avec de violentes douleurs, de manière qu'il semble que tous les viscères sont près de s'échapper hors du ventre, toutes les fois que le malade se présente au siége. On aperçoit quelquefois dans les matières des stries de sang, et d'autres fois on n'y en remarque pas la moindre pendant toute la maladie. — Dans le progrès du mal on rend quelquefois le sang tout pur, et les intestins tombent dans une gangrène incurable. Lorsque le malade est dans la fleur de son âge, ou qu'il a été trop échauffé par des cordiaux, il lui survient une fièvre violente; sa langue est blanchâtre et couverte d'une mucosité épaisse; quelquefois elle est noire et sèche; les forces s'abattent, les esprits se dissipent, l'intérieur de la bouche et le gosier se trouvent couverts d'aphthes, surtout lorsque l'humeur délétère a été mal à propos fixée par des astringents, au lieu d'avoir été évacuée par les purgatifs. Il arrive quelquefois, sans qu'il y ait de fièvre, que le mal commence par les tranchées, qui sont suivies des autres accidents.

1111. Dans la diarrhée, les malades rendent leurs matières sans qu'elles soient mêlées de sang, et sans qu'il y ait aucune marque d'ulcération aux intestins.

1112. Dans le ténesme, il y a des continuelles envies d'aller à la selle, quoique le malade ne rende que quelques mucosités sanglantes ou purulentes, en très-petite quantité.

1113. Il faut commencer par tirer promptement du sang au bras, et donner le même soir une potion calmante, et le lendemain une potion purgative ordinaire, que l'on réitérera deux fois, laissant un jour d'intervalle, et réitérant de même les potions calmantes dès que les purgations ont produit leur effet: et les jours qu'on ne purge pas, il faut donner le calmant matin et soir. — Après avoir fait au malade une saignée, et l'avoir purgé une fois, on lui fera user du cordial qui suit, durant tout le cours de la maladie.

Prenez eaux de cerises noires et de

fraises, de chacune trois onces ; eau épidémique, eau de scordium composée, et eau de cannelle orgée, de chacune une once ; perles préparées, un gros et demi; sucre candi, ce qu'il en faut; eau rose, demi-once, afin de donner un goût agréable. Mêlez tout cela : pour un julep, dont le malade prendra quatre à cinq cuillerées dans ses faiblesses, ou bien à volonté.

1114. La boisson doit être du lait bouilli avec trois fois autant d'eau, ou bien la décoction blanche qui suit :

Prenez corne de cerf calcinée et mie de pain blanc, de chacune deux onces. Faites-les bouillir dans trois livres d'eau de fontaine que vous réduirez à deux. Puis ajoutez-y ce qu'il faut de sucre pour donner à la liqueur un goût agréable. Ou, si la faiblesse du malade le demande, faites bouillir deux livres d'eau avec demi-livre de vin de Canarie. On prendra cette boisson froide.

1115. Quand le malade aura été purgé trois fois, tout le traitement consiste à user deux ou trois fois dans la journée du laudanum liquide, et à donner de temps en temps un lavement d'une demi-livre de lait de vache avec un gros et demi de thériaque; remède qui est excellent dans les cours de ventre.

1116. Lorsque le flux de ventre n'est qu'une simple diarrhée, donnez au malade tous les matins le bol suivant, sans saignée ni purgation.

Prenez rhubarbe en poudre, demi-gros, plus ou moins, selon les forces du malade, et, avec suffisante quantité de diascordium, faites un bol, où vous ajouterez deux gouttes d'essence de cannelle.

Le soir des mêmes jours on donnera un calmant composé d'une once d'eau de cannelle orgée, et de quatorze gouttes de laudanum liquide.

1117. Lorsque de simples tranchées sans déjections tourmentent le malade, on les guérit en faisant boire beaucoup de petit-lait froid, et en le donnant tiède en lavement, comme dans le choléra-morbus on donne l'eau de poulet, ou le lait coupé avec la bière.

1118. Si cette maladie dure plus longtemps, en sorte que toute sa violence se fasse sentir à l'intestin rectum, avec une continuelle envie d'aller à la selle, il faut mettre le malade à un régime fortifiant, et lui donner quelque liqueur cordiale propre à rétablir les forces; et à mesure qu'elles se rétabliront, le ténesme se guérira de lui-même.

1119. Quand la dysenterie est mal guérie, le malade est quelquefois travaillé de douleurs pendant des années entières : en ce cas, la saignée réitérée opère la guérison.

Il faut observer que, dans les constitutions de l'air qui ne sont pas trop favorables à la dysenterie, cette maladie, sans qu'il soit besoin de recourir aux évacuations, se guérit par le seul laudanum, qu'il faut réitérer matin et soir, jusqu'à ce que tous les symptômes soient apaisés, et même trois fois, s'il est nécessaire, dans l'espace d'un jour et d'une nuit.

Choléra-morbus.

1120. Cette maladie, qui arrive ordinairement dans le cours du mois d'août, ne passe guère les premières semaines du mois de septembre ; mais quand elle est causée par la crapule et la gourmandise, elle arrive dans tous les temps : et quoique ces deux sortes de maladies se guérissent l'une et l'autre de la même manière, celle-ci est pourtant d'une espèce différente. — Le mal se manifeste par des vomissements énormes et par des déjections d'humeurs corrompues, que l'on rend avec beaucoup de peine et de difficulté, par des douleurs du ventre et des intestins qui sont très-violentes, et accompagnées de gonflement et de tension, par la cardialgie, la soif, le pouls vite et fréquent, petit et inégal, par des ardeurs, des angoisses, des nausées très-incommodes, des sueurs, des contractions des bras et des jambes, des défaillances, par la froideur aux extrémités, et par d'autres symptômes qui font assez souvent périr le malade en vingt-quatre heures.

1121. Il faut faire bouillir un jeune poulet dans une grande quantité d'eau, en sorte que la décoction n'ait presque aucun goût de la chair de l'animal. Le malade boira coup sur coup plusieurs grands verres de cette décoction tiède, ou, à son défaut, de petit-lait, et on lui donnera en même temps plusieurs lavements de la même décoction. On peut ajouter à chaque verre de boisson et à chacun des lavements une once des sirops de laitue, de pourpier, de nénuphar, ou violat. — Après tout ce lavage, qui demande trois ou quatre heures, un narcotique termine le traitement.

1122. Si le médecin ne vient qu'après que les vomissements et les déjections ont réduit le malade aux abois, et que les extrémités soient déjà froides, il faut alors avoir recours au laudanum liquide, qui sera donné en plus forte dose, par exemple, vingt-cinq gouttes dans une once d'eau de cannelle forte; et quand les symptômes seront apaisés, il ne faudra pas laisser de réitérer tous les jours ce remède soir et matin, mais en moindre dose, jusqu'à ce que le malade soit rétabli.

1123. Il y a une sorte de choléra-morbus qui attaque souvent les enfants, et qui en enlève plusieurs. Ce mal leur arrive dans le temps que les dents poussent ou parce qu'on les a trop gorgés d'aliments. — Leur âge tendre ne permet pas de leur laver l'estomac avec cette ample boisson qui est nécessaire aux adultes, et moins encore de mettre leurs humeurs dans un grand mouvement par des purgatifs réitérés; de manière qu'il faut les traiter par le seul usage du laudanum liquide. Ainsi on leur en donnera deux, trois ou quatre gouttes, ou plus encore, suivant leur âge, dans une cuillerée de petite bière, ou de quelqu'autre liqueur appropriée, et on réitérera ce remède selon qu'il sera nécessaire.

Passion iliaque.

1124. Le mouvement péristaltique des intestins se trouve renversé dans cette maladie. Les purgatifs et les lavements émétiques, et les excréments sont rejetés par la bouche. On commencera par tirer neuf ou dix onces de sang au bras, et quelques heures après on donnera la poudre suivante :

Prenez racine de scammonée, ou, à son défaut, résine de jalap, douze grains; calomélas de Turquet, un scrupule. Mêlez-les : pour une poudre, que le malade prendra dans une cuillerée de lait de vache, et il boira par-dessus une ou deux cuillerées du même lait.

Ou bien, si l'on aime mieux les pilules :

Prenez pilules de duobus, un demi-gros; calomélas, un scrupule; baume du Pérou, ce qu'il en faut pour former quatre pilules, qui seront avalées dans une cuillerée de sirop violat.

1125. Si le malade vomit ce remède, on lui donnera aussitôt vingt-cinq gouttes de laudanum liquide dans une demi-once d'eau de cannelle forte. Les envies de vomir et les tranchées ayant cessé par ce moyen, on réitérera le purgatif dont nous venons de parler. Mais si, après que l'opération du narcotique sera finie, les envies de vomir et les douleurs recommencent, sans que le purgatif produise son effet, on reviendra de nouveau à l'usage du calmant, que l'on réitérera de quatre en quatre, ou de six en six heures, jusqu'à ce qu'il n'y ait plus de douleur dans les intestins, et alors le purgatif agira par les selles.

1126. Après l'opération du purgatif, le malade prendra vingt gouttes de laudanum liquide dans une once d'eau de cannelle forte, et il réitérera cette potion deux ou trois fois, et plus encore s'il est besoin, dans la journée, jusqu'à ce que le vomissement et la douleur aient entièrement cessé; et alors même, pour confirmer la guérison, il faudra continuer pendant quelques soirs le narcotique, mais à moindre dose.

Colique bilieuse.

1127. C'est une très-cruelle douleur des intestins, qui serre le ventre comme avec une bande, ou qui, étant fixée dans un point, semble percer le ventre : elle se ralentit de temps en temps, et revient ensuite de plus belle. Dans le commencement, elle n'est pas si fixe dans un point; le vomissement n'est pas si fréquent, et le ventre n'est pas si obstinément rebelle aux purgatifs : mais plus elle augmente, plus elle se fixe; le vomissement devient plus fréquent, le ventre plus resserré, et la colique dégénère enfin en passion iliaque.

1128. On la distingue aussi de la néphrétique. 1° La douleur néphrétique est fixée dans le rein, et elle s'étend du rein au testicule, selon la longueur de l'uretère; au lieu que la douleur de colique est vague, et entoure le ventre comme une ceinture. 2° La colique augmente après le repas, et la néphrétique diminue plutôt. 3° Dans la colique on est plus soulagé par les déjections et le vomissement que dans la néphrétique. 4° Dans la néphrétique, l'urine est d'abord claire et ténue; ensuite elle dépose quelque sédiment, et enfin il sort du sable et du gravier : mais dans la colique, les urines sont fort grossières dès le commencement.

1129. Il faut saigner copieusement le malade au bras, et trois ou quatre heures après donner une potion anodine : le jour suivant un doux purgatif; puis, laissant un jour d'intervalle, on réitérera le purgatif jusqu'à trois fois.

1130. Mais si la colique a été causée

par l'usage excessif des fruits d'été, ou d'autres aliments semblables, il faut d'abord nettoyer l'estomac en faisant boire abondamment du lait coupé avec la petite bière ; après quoi on donnera la potion anodine. Le lendemain, on saignera le malade, et on continuera à le traiter suivant la méthode prescrite.

1131. Quand cette colique mal traitée a beaucoup fatigué un malade, et l'a, pour ainsi dire, épuisé, un grand usage de l'eau épidémique, ou de quelque autre confortatif que ce soit, qui a toujours été plus agréable au goût du malade, même pendant la santé, le soulage alors contre toute espérance.

Colique de Poitou.

1132. C'est une espèce de colique qui dégénère ordinairement en paralysie, et par laquelle le mouvement des mains et des pieds se trouve entièrement dépravé. Elle est très-commune dans les îles Caraïbes, où elle attaque un grand nombre de gens.—Cette cruelle douleur se guérit par le baume du Pérou donné fréquemment et en grande dose. On en donnera deux ou trois fois par jour vingt, trente ou quarante gouttes mêlées avec une cuillerée de sucre fin pulvérisé. Les douleurs cèdent â ce remède, mais la paralysie n'est pas guérie.

Néphrétique.

1133. Ce mal se manifeste par une douleur fixe à la région des lombes, par une urine sanglante, par des sables ou des pierres que l'on rend : il y a un engourdissement à la cuisse du côté du rein malade ; le testicule du même côté se retire ; les nausées et les vomissements se joignent aux autres symptômes. La douleur de colique ressemble à celle de la néphrétique, quoiqu'il y ait des symptômes entièrement différents, qui sont énoncés dans l'article de la colique bilieuse.

1134. Si le malade est d'un tempérament sanguin, il faut lui tirer dix onces de sang au bras du côté qui répond au rein malade ; ensuite on fera bouillir deux onces de racine de guimauve dans huit livres de petit-lait, que le malade boira incessamment ; puis on lui donnera le lavement qui suit :

Prenez racines de guimauve et de lys, de chacune une once ; feuilles de mauve, de pariétaire et de branche-ursine, de chacune une poignée, et autant de fleurs de camomille ; graines de lin et de fénugrec, de chacune demi-once. Faites bouillir tout cela dans suffisante quantité d'eau, que vous réduirez à une livre et demie.

Après le vomissement et le lavement rendu, on ordonnera une assez forte dose de laudanum liquide, par exemple, jusqu'à vingt-cinq gouttes, ou bien quinze ou seize grains de pilules de Matthieu. La saignée ne convient pas aux gens âgés et à ceux qui sont affaiblis par la longueur de la maladie, non plus qu'aux vieilles femmes qui sont sujettes aux vapeurs, surtout si, au commencement de l'accès, elles rendent des urines noires et sablonneuses. Pour tout le reste, il faut suivre la route que nous venons d'indiquer.

1135. Pour guérir le pissement de sang qui est produit par le calcul des reins, le malade prendra, une fois chaque semaine, deux onces et demie de manne dissoute dans deux livres de petit-lait. Il est quelquefois avantageux de boire abondamment de la petite bière.—Quand le calcul des reins est considérable, on sent une douleur obtuse et assez supportable, sans qu'il y ait d'accès néphrétique. — Le malade ne doit point prendre les eaux ferrugineuses sans s'assurer auparavant que le calcul est assez petit pour descendre par les uretères. Voici à quoi on le connaîtra sûrement. Si le malade a déjà souffert auparavant quelque attaque de néphrétique, savoir, une violente douleur à l'un des reins, laquelle s'étend le long de l'uretère, avec un vomissement considérable, c'est une marque certaine que le rein ne contient pas une grosse pierre, mais un amas de petites ; une desquelles entrant de temps en temps dans l'uretère, produit l'accès néphrétique, qui ne cesse guère que cette petite pierre ne soit tombée dans la vessie. Dans ce cas-là, il n'est pas de meilleur remède que la boisson des eaux martiales. Mais si le malade n'a jamais eu d'accès de néphrétique, c'est une preuve que le calcul est trop gros pour qu'il puisse sortir du rein, et alors il faut éviter les eaux ferrugineuses.

Diabètès.

1136. Les sucs portés dans le sang sortent par les voies de l'urine, encore crus et indigestes, ce qui fait que les forces du malade se dissipent insensiblement et que le corps se consume. Cette mauvaise disposition est accompagnée de soif, d'ardeur des viscères, de tumeurs des lombes et des cuisses, et d'un crachement fréquent d'une salive écumeuse. — Il faut se conduire dans le traitement de cette maladie comme dans celui des fleurs blanches, à l'exception de la saignée et des purgatifs qu'il en faut bannir.

Hémorrhoïdes.

1137. On souffre de très-violentes douleurs quand il s'agit d'aller à la selle, et la surface des matières est teinte de sang. Quelquefois des tumeurs semblables à des verrues sont cachées au-dedans du sphincter ou paraissent même autour de l'anus. — Il faut commencer par tirer dix onces de sang au bras.

Prenez semences de melon et de courge, de chacune demi-once; semence de pavot blanc, deux dragmes; cinq amandes douces pelées; broyez tout cela dans un mortier de marbre, et versez-y peu à peu une livre et demie de décoction d'orge, ajoutez deux dragmes d'eau rose et suffisante quantité de sucre fin pour une émulsion, dont le malade prendra trois ou quatre onces de temps en temps.

Prenez fleurs de soufre et poudre de réglisse et de sauge, de chacune un gros, et avec ce qu'il faut de baume de Locatelli, formez de chaque gros six pilules; le malade en prendra trois, trois fois par jour, et avalera par-dessus six cuillerées de l'émulsion précédente.

Prenez eau de frai de grenouilles, quatre onces; dissolvez-y litharge, deux dragmes; opium, un scrupule, pour une mixtion dans laquelle on trempera un linge qui sera appliqué sur la partie malade; mais si la tumeur des hémorrhoïdes est intérieure, il faut y injecter trois cuillerées de ladite mixtion.

La boisson ordinaire du malade sera du lait bouilli avec de l'eau simple ou avec de l'eau d'orge; il ne mangera point de viande et il prendra tous les soirs une dose de sirop diacode.

MALADIES PARTICULIÈRES AUX FEMMES.

Suppression des règles.

1138. Les femmes, dans cet état, sont dégoûtées; elles ont le visage d'une mauvaise couleur, une pesanteur de tout le corps, des douleurs au-devant de la tête, aux lombes, aux cuisses et au bas ventre, et leurs pieds sont enflés. — Il faut traiter cette maladie comme l'affection hystérique, et si elle résiste à ces remèdes, on prendra les suivants. — La malade prendra tous les matins et à quatre heures après-midi, cinq cuillerées du julep hystérique sans castoréum, en y joignant douze gouttes d'esprit de corne de cerf. Tous les soirs, avant que de se coucher, elle prendra un scrupule de trochisques de myrrhe avec le sirop d'armoise, en forme de bol ou de pilules.

Flux excessif des menstrues.

1139. L'excès de ce flux paraît par la peine qu'ont celles qui le souffrent à le supporter, par le dégoût et la faiblesse qu'il leur cause, la cachexie où il les jette, l'enflure de jambes et la mauvaise couleur du visage. — On tirera d'abord huit onces de sang au bras; on donnera le lendemain une potion purgative ordinaire, et on la réitérera deux autres fois, laissant un jour d'intervalle. Le soir de la purgation on donnera une potion calmante composée de sirop diacode.

1140. Les jours exempts de la purgation, le malade usera des remèdes suivants :

Prenez conserve de roses sèches, deux onces; trochisques de terre de Lemnos, un gros et demi; écorce de grenades, corail rouge préparé et bol d'Arménie, de chacun deux scrupules; pierre hématite et sang-dragon, de chacun un scrupule, et avec suffisante quantité de sirop de coings, réduisez tout cela en consistance d'électuaire. La malade en prendra la grosseur d'une noix muscade le matin et à cinq heures après-midi, et elle boira par-dessus six cuillerées du julep suivant :

Prenez eau de bourgeons de chêne et eau de plantain, de chacune trois onces; eau de cannelle orgée et sirop de roses sèches, de chacun une once; esprit de vitriol, ce qu'il en faut pour une agréable acidité.

Prenez feuilles de plantain et d'orties, de chacune également, ce qu'il en faut; pilez-les ensemble et en exprimez le suc que vous clarifierez ensuite. La malade en prendra souvent quatre ou cinq cuillerées.

1141. Après la première purgation, il faut appliquer sur la région des lombes l'emplâtre qui suit :

Prenez emplâtre de minium et emplâtre pour les hernies, de chacun parties égales. Malaxez-les ensemble, étendez-les sur la peau et les appliquez.

Fleurs blanches.

1142. L'écoulement est tantôt blanc, tantôt pâle, jaune, vert ou noirâtre; tantôt âcre et corrosif, et quelquefois de très-mauvaise odeur; le visage perd sa couleur naturelle, l'épine du dos est douloureuse, l'appétit se perd, les yeux se bouffissent, les pieds s'enflent. — Il faut d'abord tirer huit onces de sang au bras.

Prenez pilules cochées majeures, deux scrupules; castoréum, deux grains; baume du Pérou, trois gouttes; formez quatre pilules que la malade prendra à quatre heures du matin et dormira par-dessus.

Elle usera du même remède deux autres fois, en mettant un ou deux jours d'intervalle entre les prises.

Prenez eau de rue, quatre onces; eau de brioine composée, deux onces; sucre candi, ce qu'il en faut pour un julep dont la malade avalera trois ou quatre cuillerées dans toutes ses faiblesses, et elle usera ensuite des remèdes suivants :

Prenez thériaque, une once et demie; conserve d'écorce d'orange, une once; diascordium, demi-once; gingembre confit et noix muscade confite, de chacun trois gros; poudre de pattes d'écrevisses composée, un gros et demi; écorce extérieure de grenade, racine d'angélique d'Espagne, corail rouge préparé et trochisques de terre de Lemnos, de chacun un gros; bol d'Arménie, deux scrupules; gomme arabique, demi-gros; sirop de roses sèches, ce qu'il en faut pour former un électuaire dont la malade prendra la grosseur d'une noix muscade, de grand matin, l'après-dîner et le soir, pendant un mois entier, et par-dessus elle boira six cuillerées de l'infusion suivante :

Prenez racines d'aunée, d'impératoire, d'angélique, de calamus aromaticus, de chacune demi-once; feuilles d'absinthe romaine, de marrube blanc, de petite centaurée, de calament ordinaire et de sauge sèche, de chacune une poignée; baies de genièvre, une once; coupez tout cela menu et le faites infuser à froid dans quatre livres de vin de Canarie. On ne coulera l'infusion que lorsqu'on voudra en user.

1143. La malade usera d'aliments de facile digestion; elle s'abstiendra de toutes sortes de légumes et de fruits, et elle boira du vin d'Espagne à tous ses repas.

Pâles couleurs.

1144. Ce mal rend le visage et tout le corps pâles; le visage est bouffi, de même que les paupières et les malléoles; tout le corps est pesant; les jambes et les pieds souffrent une tension accompagnée de lassitude. La respiration est difficile, avec palpitation de cœur, douleur de tête, pouls fiévreux, assoupissement, dégoût et suppression des règles. — La malade prendra les pilules chalybées, ou la poudre d'acier qui ont été prescrites dans l'affection hystérique, plus ou moins suivant l'âge; et elle avalera par-dessus un verre de vin, tel qu'elle voudra; ou bien l'infusion fortifiante avec la racine d'angélique qui a été décrite dans le même article. Si la malade n'est pas beaucoup affaiblie, on la purgera une ou deux fois avant l'usage de ces remèdes.

Avortement.

1145. Il faut prescrire les mêmes remèdes que pour prévenir le flux excessif des menstrues, en omettant seulement la purgation et les sucs de plantes.

Vidanges.

1146. Le flux naturel des vidanges consiste en trois choses. D'abord il coule un sang pur et abondant pendant trois jours; ensuite un sang aqueux semblable à la lavure de chair, et qui continue ainsi environ quatre jours : il sort après cela une matière visqueuse et mucilagineuse, point ou peu mêlée de sang, ce qui dure pendant six ou sept jours, et même plus long-temps. — Le flux immodéré des vidanges se fait connaître par l'affaiblissement de la malade, par les défaillances, par la sortie d'un sang grumelé, par un dégout pour toute sorte de nourriture, une douleur dans les hypocondres, une tension du ventre, un pouls débile et fréquent, un obscurcissement de la vue, un tintement des oreilles, et par des convulsions.

1147. Le régime doit être incrassant, et on y joindra la boisson suivante.

Prenez eau de plantain et vin rouge, de chaque une livre. Faites-les bouillir jusqu'à diminution du tiers, et les édulcorez avec suffisante quantité de sucre fin : laissez refroidir cette boisson, dont vous donnerez une demi-livre deux ou trois fois par jour.

1148. Pendant ce temps-là on fera prendre au malade quelque julep hystérique doux, et on lui fera flairer le nouet suivant :

Prenez galbanum et assa fœtida, de chacun deux dragmes ; castoréum et sel volatil de succin, de chacun demi-dragme. Mêlez tout cela, et l'enfermez dans un nouet.

Ou bien :

Prenez esprit volatil de sel ammoniac, deux dragmes, que le malade portera souvent à son nez.

1149. Dans cet état, le ventre se gonfle, une douleur gravative se fait sentir au ventre, aux lombes et aux aines ; le visage devient rouge, la respiration est difficile, les yeux se troublent ; il survient des frissons et une fièvre aiguë, des défaillances, des sueurs froides ; on sent une pesanteur et une ardeur à la matrice ; il y a paralysie aux parties inférieures, et quelquefois même il survient une épilepsie. — La malade se doit mettre d'abord au lit ; il faut lui appliquer au plus tôt un emplâtre hystérique sur l'ombilic, et lui donner de l'électuaire suivant.

Prenez conserves d'absinthe romaine et de rue, de chacune une once ; trochisques de myrrhe, deux gros ; castoréum, safran, esprit volatil de sel ammoniac et assa fœtida, de chacun demi-gros ; et avec suffisante quantité de sirop des cinq racines, faites un électuaire, dont la malade prendra la grosseur d'une noix muscade, de quatre en quatre heures, buvant par-dessus quatre ou cinq cuillerées du julep suivant :

Prenez eau de rue, quatre onces ; eau de brioine composée, deux onces ; sucre candi, ce qu'il en faut.

Ou bien la malade prendra, de quatre en quatre heures, un scrupule de trochisques de myrrhe.

1150. Si ces remèdes ne font pas revenir les vidanges, il faut donner le laudanum, au moins une fois, de la manière suivante :

Prenez laudanum liquide, quatorze gouttes, dans une once d'eau de brioine composée ; ou bien un grain et demi de laudanum solide, réduit en pilules, avec un demi-scrupule d'assa fœtida.

Ces remèdes n'ayant pas de succès, il faut alors donner, au moins une fois, un lavement avec le lait et le sucre.

Chute de matrice.

1151. Prenez écorce de chêne, deux onces : faites-les bouillir dans quatre livres d'eau que vous réduirez à deux ; ajoutez-y sur la fin écorce de grenade concassée, une once ; roses rouges et fleurs de grenade, de chacune deux poignées ; vin rouge, demi-livre. Coulez la liqueur, et trempez-y une flanelle que vous appliquerez sur la partie malade. Cette application se fera le matin, deux heures avant que la malade sorte du lit, et le soir quand elle sera couchée ; et cela jusqu'à ce que la maladie soit guérie

---

MALADIES PARTICULIÈRES
AUX ENFANTS.

Fièvre des dents.

1152. Prenez esprit de corne de cerf, deux, trois ou quatre gouttes, selon l'âge, dans une ou deux cuillerées d'eau de cerises noires ou d'un julep approprié. On en donnera de quatre en quatre heures, jusqu'à quatre, cinq ou six fois.

Epilepsie.

1153. Cette maladie attaque plusieurs enfants dès le premier mois de leur vie, à cause de leurs trop fréquentes déjections. Dans ce cas-là, une petite dose de diascordium, comme la grosseur d'un grain de poivre, dissous dans l'eau de saxifrage, ou dans le lait de la mère, est un excellent remède. Ce mal leur arrive encore vers le temps où les dents poussent, depuis le septième jusqu'au dixième mois : il est alors accompagné de toux, ou, ce qui est encore plus fâcheux, de vomissement et de diarrhée. L'enfant rend, comme les femmes hystériques, des matières verdâtres.

1154. Quelquefois l'accès du mal est imprévu ; l'enfant tourne les yeux et la bouche ; son visage devient noir, et il a des convulsions en différentes parties. D'autres fois l'accès est précédé d'une contraction des doigts, et d'un regard fixe et extraordinaire.

Les accès sont tantôt plus, tantôt moins fréquents ; quelquefois ils ont leurs périodes marqués, et quelquefois ils sont vagues et sans règles : mais quand la mort approche, ils reviennent les uns sur les autres ; et s'ils donnent quelque trève, les enfants restent assoupis jusqu'à ce qu'ils soient réveillés par un nouvel accès.

1155. Il faut appliquer au plus tôt sur la nuque un vésicatoire. Ensuite :

Prenez eau épileptique de Langius, trois gros; laudanum liquide, une ou deux gouttes, ou davantage, selon l'âge de l'enfant; sirop de pivoine, un gros. Mêlez cela : pour une potion, qui sera donnée au plus tôt.

Prenez eau de rue, trois onces; eau épileptique de Langius et eau de brioine composée, de chacune une once; sirop d'œillet, demi-once. Mêlez-les : pour un julep, dont on donnera une cuillerée d'heure en heure, si la potion précédente n'a pas dissipé l'accès.

Toux convulsive.

1156. Elle se guérit par la saignée et par des purgations réitérées ; autrement il est presque impossible d'en venir à bout ; mais il ne faut employer que les plus doux purgatifs, et ne les donner même que par cuillerées, à proportion de l'âge de l'enfant.

Danse de St.-Guy.

1157. Voyez la description de cette maladie, § 554-556. Quant à la cure, on commencera par tirer huit onces de sang au bras, plus ou moins, selon l'âge et les forces du malade. Le jour suivant on lui donnera la moitié, ou un peu plus, à proportion de son âge, d'une potion purgative ordinaire, et le soir la potion suivante :

Prenez eau de cerises noires, trois onces; eau épileptique de Langius, une once; thériaque, un scrupule; laudanum liquide, huit gouttes : mêlez tout cela ensemble.

On lui donnera de deux jours l'un, jusqu'à trois fois, une potion purgative, et le soir une potion calmante. Ensuite on réitérera la saignée et la potion purgative comme ci-dessus, jusqu'à trois ou quatre fois, laissant néanmoins un intervalle entre les évacuations, pour ménager les forces du malade.

1158. Les jours qu'il ne sera pas purgé, on lui donnera les remèdes suivants :

Prenez des conserves d'absinthe et d'écorce d'orange, de chacune une once; conserve de fleurs de romarin, demi-once; thériaque vieille et noix muscade confite, de chacune trois gros ; gingembre confit, un gros ; sirop de suc de citron, ce qu'il en faut pour former un électuaire, dont le malade prendra la grosseur d'une noix muscade, le matin et à cinq heures après-midi ; et il boira par-dessus cinq cuillerées du vin médicamenteux que voici :

Prenez racines de pivoine, d'aunée, d'impératoire et d'angélique, de chacune une once ; feuilles de rue, de sauge, de bétoine, de germandrée, de marrube blanc, et sommités de petite centaurée, de chacune une poignée ; baies de genièvre, six dragmes, et l'écorce de deux oranges : coupez tous ces ingrédients et les mettez infuser à froid dans six livres de vin de Canarie, que l'on ne coulera qu'à mesure que l'on en fera usage.

Prenez eau de rue, quatre onces; eau épileptique de Langius et eau de brioine composée, de chacune une once; sirop de pivoine, six gros. Mêlez tout cela : pour un julep ; le malade en prendra tous les soirs quatre cuillerées en se mettant au lit, y joignant huit gouttes d'esprit de corne de cerf.

On lui appliquera à la plante des pieds l'emplâtre de gomme caragne. De peur de rechute, on lui fera une saignée, et on le purgera pendant quelques jours dans la même saison de l'année suivante, ou un peu auparavant.

1159. Il me paraît vraisemblable que cette méthode peut convenir à la cure de l'épilepsie des adultes ; ce que je n'ai pourtant pas encore éprouvé ; mais, comme la danse de St-Guy a coutume d'attaquer plutôt les enfants, il faudrait, dans la cure de l'épilepsie des adultes, tirer du sang en plus grande quantité, et augmenter la dose des purgatifs.

Fièvre hectique.

1160. Sans être fort échauffés, les enfants sont languissants et sans appétit ; tout leur corps s'amaigrit.

Prenez rhubarbe coupée menu, deux gros : mettez-la dans une bouteille de verre avec deux livres de petite bière, pour la boisson ordinaire du malade.

Cette bouteille étant bue, on jettera deux autres livres de petite bière sur la même rhubarbe ; ce que l'on réitérera jusqu'à trois fois. Si cette boisson devient trop purgative, après en avoir fait boire la moitié, on ajoutera de nouvelle bière à l'autre moitié.

Rachitis.

1161. Dans le rachitis, les parties du corps sont molles et relâchées, faibles et languissantes ; les malades sont paresseux et engourdis, et la nutrition des membres se fait inégalement. Par exemple, la tête est plus grosse qu'il ne faut, le visage plein et plus fleuri ; les parties qui sont au-dessous de la tête s'exténuent ; les jointures ont des nodus, surtout le carpe ; les extrémités des côtes sont tuméfiées ; les os se courbent, principalement le tibia et le péroné, ensuite le cubitus et le radius, quelquefois le fémur et l'humérus ; les dents poussent lentement et avec peine, sont vacillantes, noircissent et tombent par morceaux. — La poitrine est rétrécie par les côtés, et mincente par devant ; le ventre est plein, les hypocondres sont tendus ; la toux et d'autres vices du poumon travaillent les malades, et ils répugnent à se coucher sur les côtés, tantôt sur le côté droit, tantôt sur le gauche.

1162. Prenez feuilles d'absinthe commune, de petite centaurée, de marrube blanc, de germandrée, de scordium, de calament vulgaire, de matricaire, de saxifrage des prés, de mille-pertuis, de verge-d'or, de serpolet, de menthe, de sauge, de rue, de chardon-bénit, de pouliot, d'aurone, de camomille, de tanaisie et de muguet, de chacune une poignée. Toutes ces feuilles seront fraîches et coupées menu : on y joindra une livre d'axonge de porc, de suif de mouton et du vin clairet, de chacun deux livres : faites macérer le tout dans un vaisseau de terre pendant douze heures, sur les cendres chaudes ; ensuite faites bouillir jusqu'à consomption d'humidité, et le coulez : pour un liniment.

On en frottera matin et soir le ventre et les hypocondres de l'enfant, et tous les membres qui sont atteints du mal, pendant trente ou quarante jours, et même jusqu'à la guérison.

Prenez des mêmes plantes ci-devant prescrites, de chacune deux poignées : faites-les infuser à froid dans suffisante quantité de bière sans houblon pour la boisson ordinaire.

1163. Dans les tumeurs qui occupent le ventre des enfants, et qui sont causées par de trop grandes évacuations, il faut fortifier le sang et les viscères par le moyen des herbes corroboratives, comme dans le vrai rachitis, si ce n'est qu'il est à propos de frotter les aisselles, et de ne pas frotter les membres.

MALADIES CHIRURGICALES.

Brûlure.

1164. Il faut fomenter la partie brûlée avec des linges trempés dans l'eau-de-vie, lesquels seront appliqués sur le mal jusqu'à ce que la douleur soit apaisée ; et l'on réitérera l'application de ces linges ainsi imbibés trois ou quatre fois par jour.

Piqûre des tendons.

1165. Il sort continuellement de la plaie une humeur aqueuse.

Prenez racines de lys blanc cuites et ramollies dans le lait, et ensuite pilées, quatre onces ; farines de graine de lin et d'avoine, de chacune trois onces : cuisez-les en consistance de cataplasme dans le même lait où les racines ont été cuites. On appliquera matin et soir ce cataplasme sur la partie blessée.

Contusions.

1166. On tirera dix onces de sang au bras du côté malade, et le lendemain on donnera une potion purgative ordinaire ; ensuite la saignée et la purgation seront alternativement réitérées jusqu'à la guérison. Durant le traitement, si l'on a des signes de la lésion des parties internes, on prescrira les remèdes suivants :

Prenez décoction pectorale, une livre et demie ; sirop violat et sirop de capillaire, de chacun deux onces : faites un apozème, dont le malade prendra une demi-livre trois fois par jour ; et de plus, il avalera fréquemment une cuillerée d'huile d'amandes douces nouvellement exprimée.

Prenez huile d'amandes douces, onguent de guimauve et pommade officinale, de chacun une once ; mêlez-les pour un liniment, dont on frottera matin et soir la partie contuse, et on appliquera par-dessus une feuille de chou.

Ulcère de la vessie.

1167. Avec les urines il sort un pus de mauvaise odeur, ou du sang, et quelquefois de petites écailles ou pellicules membraneuses, et comme des croûtes furfureuses : il y a de plus une continuelle dysurie, et une douleur qui ne cesse point. Lorsque l'ulcère est dans les reins, il fournit tantôt de petites caroncules, et tantôt de plus grosses ; la dysurie et les douleurs laissent des intervalles; le pus est aussi plus abondant, blanc, léger, et nullement puant ; les urines ressemblent à du lait, et long-temps après qu'on les a rendues, il reste au fond du vaisseau un pus qui s'en sépare.

Prenez emplâtre appelé fleur des onguents dans la pharmacopée de Londres, une dragme et demie. Faites-en neuf pilules. Le malade en prendra trois le matin, autant l'après midi, et autant le soir; et par-dessus il avalera six cuillérées de l'eau suivante :

Prenez racines de fenouil, de consoude, d'aristoloche et de benoite, de chacune trois onces ; feuilles d'aigrimoine, de mille-pertuis, de sanicle et de plantain, de chacune 6 poignées. Les ayant coupées menu, on les distillera avec du vin et du lait, de chacun quatre livres ; et on tirera seulement quatre livres de liqueur.

Prenez racine de grande consoude et gomme arabique, de chacune une once ; sucre tors, deux onces. Faites une poudre, dont le malade prendra plein une cuillerée deux fois le jour.

Gale de la tête

1168. Il faut d'abord purger deux fois le malade avec une potion ordinaire : ensuite :

Prenez huile d'amandes amères, huile de laurier et cendres de feuilles d'aurone, de chacune une once ; mêlez-les exactement : pour un liniment, dont on frottera toute la tête chaque matin, mettant par-dessus une vessie de porc.

Mais auparavant il faut raser tous les cheveux, et ensuite brosser la tête tous les matins.

FORMULES

DE QUELQUES REMÈDES QUI SONT LE PLUS USITÉS DANS LA PRATIQUE.

Potion purgative commune.

Penez pulpe de tamarins, demi-once ; feuilles de séné, deux gros; rhubarbe, un gros et demi : faites bouillir dans suffisante quantité d'eau que vous réduirez à trois onces; passez la liqueur, et dissolvez manne et sirop de roses solutif, de chacun une once.

Potion émétique commune.

Prenez eau de charbon-bénit, deux onces; infusion de safran des métaux, une once; sirop d'œillet, demi-once. Mêlez cela : pour un vomitif, qui sera pris à quatre heures après-midi ; et chaque fois que le malade vomira, il avalera un grand verre de posset, ou de petit-lait.

Julep perlé.

Prenez eau de cerises noires et eau alexitère de lait, de chacune trois onces; eau de cannelle orgée, une once ; perles préparées, un gros et demi ; eau rose, demi-gros ; sucre candi, ce qu'il en faut. Mêlez tout cela : pour un julep, dont le malade prendra quatre à cinq cuillerées dans ses défaillances.

Julep cordial.

Prenez eau de cerises noires, six onces; eau épidémique, sirop d'œillet et sirop de limon, de chacun demi-once. Mêlez tout cela : pour un julep, dont le malade prendra souvent par cuillerées.

Décoction pour boisson ordinaire.

Prenez racines de salsepareille, six onces ; racine de squine et bois de sassafras, de chacun deux onces ; réglisse, une once : faites bouillir le tout dans seize livres d'eau de fontaine pendant une demi-heure ; laissez ensuite infuser pendant douze heures sur les cendres chaudes, le vaisseau bien fermé ; puis faites bouillir une seconde fois jusqu'à diminution du tiers. Ayant retiré la décoction du feu, mettez-y infuser demi-once de graine d'anis ; et deux heures après, coulez la liqueur; laissez-la se dépurer par résidence, et la versez ensuite dans des bouteilles de verre qui seront bien bouchées. Le malade en fera sa boisson ordinaire pendant trente jours.

Apozème apéritif et antiscorbutique.

Prenez racines de chiendent, de chicorée, de fenouil et d'asperge, de chacune une once; raisins de Corinthe et raisins passés sans pepins, de chacun deux onces; feuilles d'hépatique, de scolopendre et de capillaire, de chacune une poignée; feuilles de becabunga, qui ne seront ajoutées que sur la fin, deux poignées : faites bouillir le tout dans suffisante quantité d'eau qui sera réduite à deux livres; ajoutez sur la fin une demi-livre de vin du Rhin. La colature étant encore chaude, faites-y infuser pendant deux heures une poignée de cochléaria. Coulez de nouveau, et ajoutez sirop des cinq racines et sirop de suc d'orange, de chacun deux onces; eau de cannelle orgée, une once : pour un apozème, dont le malade prendra demi-livre le matin et l'après-dîner pendant quinze jours.

Loch incrassant contre la toux.

Prenez huile d'amandes douces, une once; des sirops de coquelicot, de pourpier et de jujubes, et du loch sain, de chacun demi-once; sucre candi, ce qu'il en faut : broyez tout cela dans un mortier de marbre pendant une heure entière, et vous aurez un loch bien mêlé, que vous garderez dans un vaisseau de terre. Le malade sucera souvent un petit bâton de réglisse trempé dans ce mélange.

Loch plus incrassant.

Prenez conserve de roses rouges, sirop violat et sirop diacode, de chacun une once; graines de pavot blanc, trois dragmes : broyez tout cela ensemble, et le passez par un tamis de soie; ajoutez ensuite six gouttes d'huile de noix muscade tirée par expression.

Autre loch pour une fluxion âcre et ténue.

Prenez conserve de roses rouges, deux onces; sirop diacode et sirop de jujubes, de chacun une once; oliban, mastic et succin, de chacun un gros; huile de noix muscade tirée par expression, six gouttes. Mêlez tout cela : pour un loch, dont le malade usera souvent, et dans une cuillerée duquel on ajoutera deux fois le jour depuis huit gouttes jusqu'à douze de baume de soufre anisé.

Bière purgative.

Prenez polypode de chêne, une livre; racine de rapontic, feuilles de séné et raisins secs sans pepins, de chacun demi-livre; rhubarbe concassée et raifort sauvage, de chacun trois onces; feuilles de cochléaria et de sauge, de chacune quatre poignées; quatre oranges coupées par tranches : mettez infuser tout cela dans quarante ou cinquante livres de bière sans houblon lorsqu'elle fermente; et quand elle sera faite, on en donnera pour boisson ordinaire, pendant quinze ou vingt jours, et surtout un verre tous les matins.

Emplâtre hystérique.

Prenez galbanum dissous dans la teinture de castoréum et ensuite coulé, trois dragmes; gomme tacamahaca, deux dragmes. Mêlez-les ensemble : pour un emplâtre, qui sera appliqué sur le nombril.

Purgation pour un petit enfant.

Prenez sirop de chicorée composé de rhubarbe, une petite cuillerée, que l'on fera avaler à l'enfant.

Décoction amère purgative.

Prenez de la décoction amère avec le séné, quatre onces; sirop de nerprun, une once; électuaire de suc de roses, deux gros. Mêlez tout cela : pour une potion.

Laudanum liquide de l'auteur.

Prenez vin d'Espagne, une livre; opium, deux onces; safran, une once; cannelle et clous de girofle en poudre, de chacun un gros : mettez infuser tout cela au bain-marie pendant deux ou trois jours, jusqu'à ce que la liqueur ait acquis une consistance requise; coulez-la ensuite, et la gardez pour l'usage.

TABLE DES MATIÈRES

CONTENUES

DANS CE VOLUME.

ESSAI
SUR LES FIÈVRES,

ET DISSERTATIONS

SUR LES MAUX DE CORGE GANGRÉNEUX,

ET

LA COLIQUE DE DÉVONSHIRE;

PAR JEAN HUXAM.

Je
obse
avec
ture
sur l
motif
qui c
coles,
impo
sur l
hire,
ouvra
niéme

Jean Huxam a été un des plus grands praticiens et un des meilleurs observateurs de l'Angleterre. Ses ouvrages seront toujours lus et étudiés avec fruit par tout médecin jaloux d'être au courant de la bonne littérature médicale, et de consulter les auteurs qui se sont formés à la pratique sur le modèle d'Hippocrate, et des meilleurs auteurs de son école; ces motifs nous ont décidé à faire entrer Huxam dans les auteurs classiques qui composent la septième division de l'*Encyclopédie des Sciences médicales*. Nous n'avons cru devoir donner que l'*Essai sur les Fièvres*, le plus important des ouvrages de cet auteur, ainsi que deux Dissertations, l'une sur les *maux de gorge gangréneux*, et l'autre sur la *colique de Dévonshire*. Parmi les deux traductions françaises que nous possédons de cet ouvrage, nous avons choisi la meilleure, celle de 1765, faite sur la troisième édition anglaise.

AVERTISSEMENT DU TRADUCTEUR.

Le *traité des fièvres* de M. Huxam a été regardé avec raison comme un des meilleurs ouvrages que les praticiens pussent consulter pour le traitement des maladies aiguës. L'auteur, qui a pris la nature pour guide, et qui a marché sur les traces d'Hippocrate, son plus fidèle interprète, a eu l'art d'éviter un écueil, dans lequel sont tombés la plupart des auteurs de pratique les plus accrédités, celui de généraliser trop leurs méthodes curatives, et a su tenir un juste milieu entre la pratique de Morron et celle de Sydenham, ses compatriotes. Il a appris à distinguer les cas où il fallait soutenir les forces vitales, de ceux où il était nécessaire de les diminuer, lorsqu'on a lieu de craindre que la nature ne les employe à son détriment.

Il n'est donc pas étonnant que les différentes nations de l'Europe se soient empressées de s'approprier un ouvrage aussi utile : à peine a-t-il paru en Angleterre, qu'on en publia deux versions françaises ; mais malheureusement les traducteurs, quoique très-versés dans les deux langues, ne l'étaient pas assez dans la matière ; il leur est échappé une infinité de fautes très-graves, qui pouvaient induire les lecteurs peu attentifs dans des erreurs toujours dangereuses, lorsqu'il s'agit de la santé et de la vie des hommes. Malgré ces défauts, ces deux éditions ont été enlevées avec assez de rapidité : comme on songeait à les réimprimer, j'ai cru que je ferais une chose utile si je traduisais de nouveau cet ouvrage, et si je le donnais tel qu'il est sorti des mains de son auteur ; j'ai profité pour cela de la troisième édition qu'il a publiée en anglais, et à laquelle il a joint une dissertation sur les *maux de gorge gangréneux*, qui n'avait pas encore été traduite en français. Je me suis attaché surtout à éviter les fautes dans lesquelles mes prédécesseurs étaient tombés ; j'ai cru que dans une matière aussi grave, il m'était permis de sacrifier les grâces du style à la fidélité de la traduction, et qu'on me dispenserait de l'élégance de la diction, pourvu que je rendisse la pensée de mon auteur d'une manière claire et précise.

Comme l'essai de M. Huxam, même en y joignant sa dissertation sur les maux de gorge gangréneux, ne fait qu'un très-petit volume, on avait ajouté à l'édition précédente un *traité des fièvres* de Cluton : mais outre que cet ouvrage est de beaucoup inférieur à celui de M. Huxam, et que la pratique n'en est pas fondée sur les mêmes principes, j'ai pensé qu'on verrait avec plus de plaisir un ouvrage du même auteur qui, quoique écrit en latin, est cependant assez peu connu en France. C'est l'histoire d'une colique de la nature de la colique de Poitou, qui régna à Plimouth et dans les environs en 1724. Je me suis déterminé d'autant plus volontiers à traduire ce morceau, qu'il me paraît qu'on s'occupe beaucoup depuis quelque temps de la maladie qui en fait l'objet, sur laquelle il s'en faut de beaucoup que tout soit dit, et que M. Huxam est certainement un des auteurs qui en a traité avec le plus d'exactitude.

PRÉFACE.

Je publiai, il y a environ dix ans, un petit volume d'observations sur l'air et sur les maladies épidémiques qui avaient eu cours depuis l'année 1727 jusqu'à la fin de 1737; je viens de mettre la dernière main à un autre recueil d'observations semblables, sur les maladies qui ont régné depuis l'année 1738 jusqu'à l'année 1747 inclusivement. J'ai décrit avec un peu plus d'exactitude dans ce dernier volume l'histoire des maladies régnantes, et les méthodes curatives qui ont le mieux réussi. Malgré cela, comme je n'aurais pu, sans trop interrompre la suite de mes observations, entrer dans des discussions particulières sur la nature et sur le traitement des différentes maladies que je n'indiquais qu'en passant; j'ai cru devoir réserver ces recherches pour l'essai suivant, dans lequel je développe d'une manière plus étendue ma façon de penser, et la méthode que j'ai suivie dans les fièvres en général, et en particulier dans les espèces dont je traite. J'espère que ce travail pourra être de quelque utilité aux jeunes praticiens, cet essai étant le résultat d'une longue expérience, et étant fondé sur des observations faites avec le plus grand soin et la plus grande exactitude. Quel que puisse en être le succès, j'ose espérer qu'on le recevra comme l'effort louable d'un homme zélé pour sa profession, et d'un ami de l'humanité. — Dans cet essai, je renvoie fréquemment aux deux volumes de mes observations; et dans le dernier volume de celles-ci, j'ai souvent cité cet essai : j'ai tâché par ce moyen de les éclaircir les uns par les autres. — Quoique dans tout mon ouvrage je me sois attaché rigoureusement aux faits et à l'expérience, et que lorsque j'ai cru pouvoir raisonner d'après les principes qu'ils me fournissaient, j'aie suivi l'analogie la plus sévère, j'ai néanmoins appuyé fréquemment ma doctrine et ma pratique, sur l'autorité des anciens, et en particulier sur celle d'Hippocrate, tant parce que je savais l'utilité que j'en avais retirée dans mes études et dans ma pratique, que parce que je croyais en devoir recommander la lecture aux jeunes médecins. Quoique mes conseils ne soient pas d'un grand poids, j'espère que le jugement des grands maîtres qui pensent comme moi, paraîtra mériter quelque attention. — Je n'oserai pas dire qu'on ne peut être bon médecin sans consulter le grand oracle de la médecine, et sans étudier les anciens; mais je crois pouvoir avancer que ceux qui les méditent, ont de très-grands avantages; et je n'imagine pas qu'il y ait jamais eu beaucoup de médecins qui aient fait quelque figure dans leur profession, sans les avoir étudiés. En effet, on a regardé Hippocrate comme le père de la médecine; le plan qu'il nous a laissé, comme la base et le véritable fondement de l'art; et il a joui de la plus grande vénération de la part de ceux qui lui ont succédé, au moins de tous ceux qui étaient capables d'en juger. La raison en est, que personne n'a étudié la nature avec plus de soin et d'assiduité, ne l'a copiée et ne l'a suivie avec plus d'exactitude; aussi ses observations ont-elles été trouvées vraies dans tous les siècles. — Ce n'est pas seulement dans la médecine qu'on a reconnu que l'étude des anciens était avantageuse, elle ne l'est pas moins dans les autres arts. Quiconque veut exceller dans la poésie, dans la sculpture, etc., doit nécessairement consulter les ouvrages des anciens maîtres, comme les modèles les plus parfaits, et les copies les plus exactes de la nature; de sorte que ce précepte d'Horace :

Vos exemplaria Græca
Nocturna versate manu, versate diurna.

peut s'appliquer également à la médecine comme à la poésie. — En effet, les anciens étaient non-seulement des hommes de beaucoup de génie, mais encore des hommes exacts, et d'une application que rien ne distrayait; (on trouve dans tous les portraits, que les historiens romains nous ont tracés de leurs grands hommes, ces traits *incredibilis industria*, *diligentia singularis*, qui les caractérisent singulièrement). Ils avaient les yeux constamment fixés sur les objets qu'ils voulaient décrire; aussi nous ont-ils donné des peintures vraies et des tableaux d'après nature; ce qui est infiniment préférable à toutes les fleurs, et aux peintures affectées que nous tracent les modernes. Plus une description est exacte, meilleure elle est; un portrait ne saurait être bon, s'il ne ressemble pas à son original. Comme la nature ellemême paraît d'autant plus admirable, qu'on la voit avec plus de soin; celui qui nous en trace le portrait le plus fidèle doit être regardé comme le plus grand maître. Hippocrate a tellement excellé en cela, qu'il a réuni le suffrage de tous les peuples contemporains, qui lui ont même décerné des honneurs divins : parce que cette exactitude à observer la nature ne le mettait pas moins en état de guérir les maladies que de les connaître et de les décrire. Je suis très-persuadé que si les médecins qui lui ont succédé eussent exactement suivi la route qu'il leur avait tracée, l'art aurait fait depuis long-temps de plus grands progrès qu'il n'a fait jusqu'ici, progrès qui n'ont pas répondu au grand nombre de découvertes qu'on a faites dans ces derniers temps, dans la physique, l'anatomie, la matière médicale et la chimie. L'homme étant par sa nature destiné à la mort, il est impossible que l'art le rende immortel; mais il est très-possible qu'il lui fournisse des secours plus efficaces et plus sûrs que ceux qu'il lui fournit à présent. — Depuis Galien, et même long-temps auparavant, de vaines hypothèses, l'amour de la nouveauté, la mode, les cabales des médecins, ont égaré ceux qui ont professé cet art utile, et les ont attachés au char de l'erreur : on ne sait que trop que ce même malheur nous poursuit encore aujourd'hui. Malgré cela, nous sommes forcés d'avouer que la pratique la plus sage, la plus régulière et la plus judicieuse, a toujours été conforme à la doctrine d'Hippocrate, comme l'a démontré le docteur Barker dans son dernier essai, auquel je renverrai le lecteur; il peut consulter aussi les ingénieux commentaires du docteur Glass, où il trouvera le tableau de la pratique d'Hippocrate. — Je suis bien éloigné de blâmer une théorie raisonnable en médecine, je pense au contraire qu'elle doit être la base de la saine pratique; mais il faut pour cela qu'elle soit, comme le conseille Hippocrate, κατὰ φύσιν θεωρέων(1), fondée sur la nature. Si la médecine est jamais perfectionnée, ce sera par cette méthode, et non pas par des hypothèses chimériques, ni par une charlatanerie insoutenable. Chaque médecin doit donc s'occuper de l'étude des anciens, et de la parfaite connaissance des lois de l'économie animale, qui nous ont été tracées avec assez d'exactitude par quelques modernes. Mais il y en a qui s'avancent dans le monde à moins de frais; il suffit d'être le favori de quelque homme en place, ou, ce qui vaut encore mieux, de quelque femme à la mode, d'être l'instrument d'un parti, d'avoir un brillant équipage, et d'être doué d'effronterie, pour passer pour un habile homme, à la honte de la profession et pour le malheur de la société. — Celse a été justement surnommé l'Hippocrate latin, non-seu-

(1) *De Vict. rat. in acut.* Sect. XLVI, édit. Lind.

lement pour avoir fait entrer dans son ouvrage un très-grand nombre de passages de ce divin vieillard, mais encore, pour avoir suivi sa méthode et sa pratique : sa latinité est très-pure, et sa médecine et sa chirurgie ne sont pas moins exactes (1).

Aucun auteur n'a marché de plus près sur les traces d'Hippocrate, qu'Arétée de Cappadoce (2), qui a affecté jusqu'à

(1) Quoique je sois bien éloigné de penser que Celse ait pratiqué la médecine comme Asclépiade, Thémison et Cassius, il paraît cependant qu'il l'avait bien étudiée, et qu'il avait lu avec soin les meilleurs auteurs qui avaient écrit sur la médecine et sur la chirurgie en philosophe, qui s'occupe de l'étude de la nature, semblable à ces anciens sages, desquels il dit lui-même : *Medendi scientia sapientiæ pars habebatur, ut et morborum curatio, et rerum naturæ contemplatio sub iisdem auctoribus natâ sit.... ideoque multos ex sapientiæ professoribus peritos ejus fuisse accepimus;* et c'est avec raison que Columelle l'appelle *universæ naturæ vir prudens;* en effet, non seulement il a écrit sur la médecine, mais encore sur l'agriculture, sur les maladies des troupeaux, etc. — Qu'il ait été versé dans la pratique de la médecine et de la chirurgie, c'est ce que démontrent ses livres sur la médecine, dans lesquels il donne une histoire fort exacte des maladies, la méthode de les traiter, et entre dans des détails particuliers sur les opérations chirurgicales, sans omettre les plus petites circonstances des pansements et des bandages; de sorte qu'il paraît très-vraisemblable qu'il y avait mis la main lui-même, ou que du moins il s'était souvent trouvé présent à ces opérations. — Il paraît en outre qu'il connaissait très-bien la matière médicale, et la manière de faire les compositions pharmaceutiques sur lesquelles il donne des directions particulières; il a même ajouté une évaluation précise des poids et des subdivisions usitées pour désigner la dose des médicaments. — Il est vrai qu'on peut dire qu'il a compilé la plus grande partie de son ouvrage d'après les auteurs les plus célèbres qui l'avaient précédé ; mais dans beaucoup d'endroits il donne son avis et son opinion particulière, très-souvent même contre le sentiment de ses auteurs favoris, Hippocrate et Asclépiade. — En général, je suis persuadé que tout lecteur attentif trouvera dans Celse un grand nombre de passages qui ne lui permettront pas de douter que cet auteur ne fût très-versé dans la pratique de la médecine et de la chirurgie. Le Dr Jacques Griève en a cité un très-grand nombre dans la préface de sa traduction de Celse. Je vais en ajouter un plus grand nombre encore; mais pour ne pas trop allonger cette note, je me contenterai d'indiquer les pages de l'édition d'Almeloveen (qui s'accordent parfaitement avec celle que Vulpius a publiée à Padoue en 1722), dans lesquelles on peut trouver des passages de cette espèce : si cela eût été nécessaire, j'aurais pu les multiplier beaucoup davantage. — Pages 4, 19, 26, 29, 30, 81, 89, 90, 91, 96, 111, 122, 129, 140, 144, 150, 152, 159, 165, 176, 181, 194, 197, 200, 204, 227, 230, 232, 242, 249, 263, 271, 296, 318, 332, 338, 360, 364, 393, 405, 406, 408, 409, 416, 426, 440, 441, 446, 458, 475, 477, 509, 512, 517, 528, 530, 546.

(2) Il est très-étonnant qu'aucun auteur n'ait fait mention d'Arétée, avant Aëtius Amidenus, qui écrivait dans le cinquième siècle. Il est bien vrai qu'on le trouve nommé dans l'*Euporiste*, qu'on attribue à Dioscoride, mais peu de gens croient que cet ouvrage soit véritablement de cet auteur : ni Galien, ni Cælius Aurélianus, ni Oribase, n'en disent rien, quoiqu'ils aient été fort attentifs à citer tous les médecins de réputation qui les ont précédés ou qui ont vécu de leur temps. Cependant Arétée paraît avoir été un très-grand praticien, un homme de beaucoup de savoir et de jugement. Il a affecté un style singulier, ayant employé un grand nombre de mots qui n'étaient plus d'usage, s'étant approprié les tournures et les phrases d'Homère et d'Hippocrate, et ayant écrit dans le dialecte ionique, qu'on ne parlait presque plus de son temps; car, malgré ce qu'en a dit Vossius, il n'a sûrement pas écrit dans le temps de Néron. Tout cela devait le rendre fort remarquable, surtout s'il exerçait la médecine à Rome ou dans les environs, comme il y a beaucoup d'apparence, puisqu'il prescrit à ses malades les vins des environs de cette capitale du monde, tels que ceux de Falerne, de Surrentum, de Sienne et de Fundi. — Mais de plus, Galien et Aëtius rapportent différents passages d'Archigènes, qui sont exactement les mêmes pour le sens, la doctrine, la méthode curative et la manière de les exprimer, que ceux qu'on trouve dans Arétée, et desquels ils ne diffèrent que parce que ce dernier leur

ses expressions et son style. Les descriptions qu'il donne des maladies sont admirables, et ses méthodes curatives très-judicieuses. — Il faut lire Galien, si l'on veut consulter les commentaires les plus exacts, et les plus travaillés sur Hippocrate : on trouve en outre dans ses œuvres un nombre infini d'observations fines et utiles sur toutes les parties de la médecine ; il est le premier qui nous ait donné une description particulière des pouls, de leur différence, et de ce qu'ils indiquent. Il est fâcheux qu'il soit si diffus, et qu'il se soit si fort livré au péripatétisme. On verrait avec beaucoup de satisfaction un abrégé de ses ouvrages, pourvu qu'il fût fait avec jugement.—Cælius Aurélianus serait un auteur inestimable, s'il eût écrit dans le style de Celse ; mais, tel qu'il est, nous lui avons une très-grande obligation de nous avoir conservé la Doctrine des méthodistes, en particulier celle du judicieux Soranus ; et la manière de penser des anciens, sur un grand nombre de maladies qui sans lui auraient été perdues pour nous. Malgré ses barbarismes, les descriptions qu'il donne des maladies, sont très-exactes et très-précieuses. — Alexandre de Tralles est un des anciens dont je crois devoir encore recommander la lecture : il a copié à la vérité en beaucoup d'endroits Hippocrate et Galien, auxquels il donne le titre de divins ; mais on trouve dans ses ouvrages une infinité de remarques utiles, qui lui sont propres, et un grand nombre d'excellents remèdes. D'ailleurs il a écrit d'une manière judicieuse et très-correcte.—J'ai moins eu en vue, en publiant cet essai, de donner des dissertations particulières sur chacune des maladies dont je traite, ce qui aurait rendu cet ouvrage très-volumineux, et aurait pu ennuyer beaucoup de lecteurs, que de présenter quelques idées et quelques observations relatives à leur nature et à leur traitement.—Je n'ai donné que peu ou point de formules ou de recettes, parce que, comme l'observe Hippocrate, celui qui connaît la maladie, connaît bientôt ce qui est propre à la guérir. Lorsqu'un médecin sait quels remèdes sont indiqués, des stimulants ou des anodins, des relâchants ou des astringents, des atténuants ou des incrassants, il ne lui est pas difficile de mettre en usage les drogues propres à remplir ces vues, qu'on trouve dans la vaste matière médicale que nous possédons. Il peut faire choix, pour son usage, d'un petit nombre

---

a donné une tournure ionique. Ils s'accordent l'un et l'autre à recommander certains remèdes particuliers qu'on ne trouve presque point dans les autres auteurs; tel est l'usage extérieur des cantharides, dont aucun médecin n'a fait mention avant lui, si l'on en excepte Celse. — Archigènes a-t-il copié Arétée, ou celui-ci le premier? — Il est certain qu'Archigènes exerçait la médecine à Rome, où il jouissait d'une très-grande réputation; c'était un médecin et un auteur très-célèbre. C'est ainsi qu'en parlent Juvénal, Galien, Cælius, Oribase, Aëtius, etc. Galien le critique avec sévérité; tantôt il le censure; quelquefois il le loue; mais jamais il n'en parle comme d'un compilateur. Arétée, au contraire, n'a été cité que par Aëtius et Paul d'Egine; et, ce qui est assez étonnant, on ne le trouve pas même dans la bibliothèque de Phocius : c'est une chose assez singulière et qu'il est difficile d'expliquer. On serait tenté de penser qu'Arétée a beaucoup emprunté d'Archigènes, ou plutôt qu'il l'a copié en entier, qu'il lui a donné une nouvelle forme, et l'a représenté sous la diction d'Hippocrate, et dans le dialecte ionique. Il se peut qu'Arétée ait fait, à l'égard d'Archigènes, ce que Cælius Aurelianus fit, peu de temps après, à l'égard de Soranus : si cela est ainsi, on peut dire qu'il a beaucoup mieux habillé Archigènes à la grecque, que Cælius (pour nous servir de son expression) n'a latinisé Soranus. Dans cette supposition, nous ne devons pas nous étonner de trouver les vins des environs de Rome recommandés dans Arétée[1], quoiqu'il ait peut-être écrit et pratiqué en Cappadoce, ou partout ailleurs, à une très-grande distance de Rome : telles sont mes faibles conjectures. Quoi qu'il en soit, nous avons dans Arétée un ouvrage très-estimable, dans lequel on trouve la description la plus exacte des maladies, et en général une méthode curative très-sage et très-judicieuse. Il est fâcheux qu'il nous soit parvenu si mutilé.

de médicaments de chaque espèce, qu'il croira les plus efficaces, et s'y borner, plutôt que de parcourir un immense fatras de drogues, dont certains médecins font parade : en se comportant ainsi, il se sera bientôt familiarisé avec leurs vertus et leurs effets, et par-là il apprendra à distinguer les effets de la maladie de ceux du remède, ce qui, dans beaucoup d'occasions, est d'une très-grande importance. J'ai vu dans la pratique de quelques médecins, et dans quelques auteurs, des formules où l'on avait entassé tant de drogues, qu'Apollon lui-même aurait été embarrassé de deviner le but qu'on s'était proposé. Ce n'est pas qu'il n'y ait très-souvent des complications, et quelquefois même des contre-indications dans les maladies, qui obligent d'avoir recours à des remèdes plus composés, et quelquefois même de vertu contraire. Mais une formule ou une recette ne peut être que d'une très-petite utilité ; il y a des personnes qui sont aussi purgées par vingt ou trente grains de rhubarbe, que d'autres par deux fois cette quantité de jalap. Un grain d'extrait d'opium, ou vingt gouttes de sa teinture, font dormir certaines personnes aussi sûrement que trois fois cette dose en fait dormir d'autres. Outre cela, lorsqu'il s'agit de prescrire un remède, il ne faut pas moins avoir d'égard à la constitution et à la manière de vivre du malade, que lorsqu'on examine la nature de sa maladie. Une personne sobre et tempérée, ou une personne qui vit de lait, de végétaux et d'eau, ne soutiendra pas les remèdes échauffants, les eaux et les esprits composés, qui peuvent convenir parfaitement aux personnes qui font usage de beaucoup de ragouts et de ratafias. Mais cela est connu de tous les médecins; il n'est pas moins évident qu'il faut toujour commencer par de petites doses, et qu'on doit user de la même prudence, non-seulement en prescrivant les remèdes ; mais encore, en ordonnant la boisson et la diète du malade ; car ce que nous prenons par onces et par livres, doit nous affecter pour le moins autant que ce que nous prenons par grains et par scrupules. Hippocrate et les anciens étaient fort attentifs à prescrire le régime : les jeunes médecins ne sauraient mieux faire que de les consulter encore à cet égard. Quant à ceux qui ne veulent ni étudier, ni raisonner, et qui, se bornant à une routine aveugle, prescrivent à l'aventure, je crois devoir les exhorter sérieusement de réfléchir au sixième commandement.

S

CHAP

Be
par
effet
prog
ment
bien
ce q
exam
conv
la fi
pers
dont
leme
exer
autre
conti
déral
la cha
seron
au-d
l'état
ple.
de l'a
de la
fièvr
mouv
Supp
ment
mide
résul
[illegible]
effet
[illegible]
[illegible]

ESSAI
SUR LES FIÈVRES,
ET
SUR LEURS DIFFÉRENTES ESPÈCES.

CHAP. Ier. — DES FIÈVRES SIMPLES, COMPLIQUÉES ET INFLAMMATOIRES.

Boerhaave a commencé ses *aphorismes* par les maladies de la fibre simple : en effet, le vrai moyen de faire quelque progrès dans une science, est de commencer par ses élements; car on conçoit bien plus aisément ce qui est simple que ce qui est compliqué. — Ainsi voulant examiner la nature des fièvres, il paraît convenable de commencer d'abord par la fièvre la plus simple. Supposons une personne en parfaite santé, c'est-à-dire dont les solides et les fluides soient également bien constitués; qu'elle fasse un exercice violent, comme de courir, ou autre semblable : cet exercice, si elle le continue long-temps, augmentera considérablement la vitesse, les frottements et la chaleur de son sang; lesquels, lorsqu'ils seront portés jusqu'à un certain point au-delà de l'état naturel, constitueront l'état fébrile. C'est la fièvre la plus simple, produite par la seule augmentation de l'action des solides sur les fluides, et de la réaction de ceux-ci sur les premiers : fièvre qui s'évanouit par la cessation du mouvement et du violent exercice. — Supposons une seconde personne également saine, exposée à un air froid et humide qui arrête sa transpiration; il en résultera une augmentation dans la quantité des humeurs, et par conséquent un effort proportionné de la part de la nature pour s'en débarrasser et pour détruire les obstructions, d'où s'ensuit nécessairement un état fébrile, qui se dissipe très-souvent avec assez de promptitude par la chaleur douce et relâchante du lit, ou par quelqu'autre moyen semblable qui favorise les efforts salutaires de la nature. — Une troisième personne d'une constitution également bonne, boit une trop grande quantité de vin ou de quelqu'autre liqueur spiritueuse, qui augmentant la quantité de ses humeurs, et le mouvement de son sang, par sa qualité stimulante, produit une fièvre, qui cède bientôt à l'abstinence, etc. — Dans tous ces cas il ne s'engendre qu'une simple fièvre éphémère qui ne dure pas long-temps. Mais si dans le premier cas, le sang était assez violemment agité et raréfié, pour que, par son accélération et par la dilatation des vaisseaux, quelques globules rouges fussent poussés dans les artères séreuses, il se formerait une obstruction inflammatoire, comme on le voit arriver toutes les fois que les globules rouges pénètrent dans les vaisseaux de la conjonctive, qui, dans leur état naturel, ne reçoivent que de la lymphe ou de la sérosité. Si avec cela la vitesse et la chaleur du sang sont assez grandes pour dissiper ses parties les plus atténuées, celles qui resteront deviendront grossières, épaisses et moins propres à circuler librement dans les plus petits vaisseaux; la sérosité elle-même sera convertie en une espèce de gelée. Car une chaleur peu supérieure à celle de la fièvre coagule la sérosité du sang, dont la consistance est alors proportionnée à la violence et à la durée de la chaleur. Dans ce cas, dis-je, la simple accélération du mouvement du sang produira une fièvre inflammatoire beaucoup plus longue et beaucoup plus dangereuse. Si l'inflammation attaque les poumons il en résultera une péripneumonie, si elle attaque la plèvre, il en naîtra une pleurésie ; et une phrénésie si elle attaque le cerveau ou ses membranes. Tous ces désordres seront beaucoup plus violents si, avant que le mouvement du sang ne fût accéléré, les fibres du malade avaient de la roideur, si son sang était dense et abondant.

Dans le second cas, si l'obstruction des pores de la peau et l'arrêt de la transpiration sont portés jusqu'à un certain point, si les fibres sont fortes et tendues, le sang abondant et épais, il s'ensuivra une fièvre de la même espèce : si dans le troisième les fibres étant fort tendues, le sang visqueux et dense, le malade boit une grande quantité de vin ou d'autre liqueur stimulante, la quantité et la vitesse du sang peuvent en être augmentées au point qu'il en résulte une fièvre aiguë très-dangereuse, suite trop commune des débauches excessives des ivrognes. — Mais puisque chacune de ces causes est capable de produire seule la fièvre, le concours de deux ou de trois doit, toutes choses d'ailleurs égales, en produire une plus violente. C'est ainsi que lorsqu'on se refroidit très-promptement après un violent exercice, en s'exposant, par exemple, à un air froid, et en arrêtant en même temps la sueur et la transpiration, on se procure une fièvre inflammatoire très-dangereuse, qui est beaucoup plus violente, si le sang a été échauffé et sa quantité augmentée immédiatement auparavant par une grande quantité de boisson spiritueuse. Mais, pour le dire en passant, rien ne prévient aussi efficacement les suites fâcheuses des excès de vin que de se tenir chaudement et de se coucher dans un lit pour y *cuver son vin*, comme on dit communément. — Pour peu qu'on considère les causes prochaines de ces fièvres, la méthode curative qu'on doit suivre se présente d'elle-même : elle consiste à diminuer la vitesse, la quantité et l'acrimonie du sang : rien ne peut produire si promptement ces effets que la saignée, qui, en diminuant la quantité des globules rouges, affaiblit la force motrice. En saignant jusqu'à la défaillance, comme Galien et quelques-uns de ces anciens médecins le faisaient dans les fièvres inflammatoires, on arrête pour quelques moments le cours du sang. — La saignée satisfait donc à la première indication qui se présente à remplir dans le traitement des fièvres qui sont produites par la trop grande quantité et le trop grand mouvement du sang : plus on la diffère, plus le sang devient visqueux et âcre par la dissipation qui se fait de ses parties les plus ténues, par la condensation de ses globules rouges, et par la chaleur qu'acquiert la partie séreuse ; chaleur qui devient assez forte pour la convertir en une espèce de gelée. L'exaltation des sels et des huiles animales (ce qui les rend de plus en plus âcres, puisqu'ils le sont toujours en proportion de la chaleur qu'ils éprouvent), rend à la longue toute la masse des humeurs putride et incapable de servir aux usages auxquels elle est destinée dans l'économie animale. En outre, les obstructions qui se sont formées à l'extrémité des branches des artères sanguines ou au commencement des vaisseaux séreux doivent nécessairement être augmentées par le trop violent mouvement du sang : de sorte que si on néglige la saignée au commencement des maladies, on y revient inutilement dans les périodes subséquentes de la fièvre, lorsque l'engorgement de la matière obstruante est si considérable, l'épaississement et la viscosité des humeurs si grands qu'elles éludent les forces des atténuants et des délayants. — En général, la quantité du sang qu'il est nécessaire de tirer, doit être déterminée par les forces du malade, par l'état de son pouls, par l'intensité de la fièvre et de la chaleur, et par la violence des symptômes, tels que la douleur, la difficulté de respirer, etc. On doit aussi avoir égard à la corpulence du malade ; car, à choses égales, un homme gros et fort peut certainement soutenir une plus grande perte de sang qu'un homme mince, quoique robuste. Il est cependant plus sûr d'en tirer moins que trop à la fois, parce qu'il est aisé d'y revenir aussitôt et aussi souvent que les indications le demandent. Si la douleur, la chaleur, la difficulté de respirer, etc., ne diminuent pas après la saignée, c'est une marque qu'il est nécessaire de la réitérer.

Qu'il me soit permis d'avertir ici les jeunes praticiens de ne pas s'en laisser imposer par l'oppression du pouls qui est souvent l'effet d'une trop grande plénitude des vaisseaux, comme le prouvent la liberté et la force que les vibrations des artères acquièrent dans ce cas par la saignée. Si la chose paraît douteuse, le médecin fera bien de tâter le pouls du malade pendant qu'on le saigne de l'autre bras ; s'il sent qu'il s'affaiblit ou qu'il devient intermittent, il est temps de fermer la veine : si au contraire ses battements deviennent plus forts et plus développés, il peut laisser couler le sang avec sûreté. Il y a, à la vérité, des personnes sujettes à se trouver mal lorsqu'on les saigne, parce que leurs fibres n'ont pas assez de force, ni leurs vaisseaux assez de ressort pour se contracter à mesure qu'ils se vident. On prévient cet accident en les saignant couchés, et en arrêtant le sang de temps en temps. Quoique ces personnes aient des fibres et des vaisseaux très-lâches, cela n'empêche pas qu'elles ne soient souvent pléthoriques, et que par conséquent elles n'aient besoin d'être saignées, surtout lorsque le poids des humeurs commence à surmonter la force du cœur, ce qui est le cas ordinaire du pouls oppressé. — La saignée ne diminue pas seulement la quantité et la vitesse du sang, elle fait place aux liqueurs délayantes qui trouvent par-là une entrée plus facile. Il est absolument nécessaire de délayer dans toutes les fièvres, surtout dans les fièvres ardentes et inflammatoires : car dans ces fièvres le sang devient trop dense et trop visqueux par la dissipation qui se fait de ses parties les plus fines ; et la sérosité qui reste s'épaissit et se convertit en gelée par la violence et la durée de la chaleur. De-là, la nécessité des liqueurs légères rafraîchissantes et délayantes pour suppléer à la dissipation de la partie lymphatique et séreuse, et pour conserver toute la masse des liqueurs dans un état de fluidité suffisant. En général, il faut les choisir aigrelettes et légèrement savonneuses. Aigrelettes, parce qu'elles sont très-rafraîchissantes et qu'elles préviennent l'acrimonie alcalescente des humeurs, qui sans cela ne cesserait d'augmenter par les grands frottements et la grande chaleur qu'éprouve le sang ; car les sels des animaux sont considérablement exaltés et rendus plus corrosifs par la chaleur de la fièvre, et leurs huiles deviennent à la longue, rances et très-âcres par la même cause : les huiles les plus douces et le beurre acquièrent de la causticité lorsqu'ils sont exposés à une trop grande chaleur. Il faut les choisir savonneuses, parce que non-seulement elles dissolvent les matières épaissies, mais encore parce qu'elles procurent une mixtion plus exacte des humeurs, en unissant plus intimement avec le sang les sels, les soufres et l'eau. J'ai souvent vu, dans les fièvres aiguës, les malades rendre l'eau qu'ils avaient prise en grande quantité, presque aussi claire et aussi insipide qu'ils l'avaient bue ; ce qui, pour le dire en passant, est un symptôme très-dangereux. L'eau comme eau ne s'unit point aux liqueurs huileuses ; il n'est donc pas étonnant, lorsque la sérosité du sang a été convertie en gelée par la chaleur, et que ses parties huileuses ont été exaltées et se sont accrues par la fonte de la graisse de la membrane adipeuse ; il n'est pas étonnant, dis-je, que l'eau pure ne s'unisse pas bien avec le sang, et se trouve insuffisante pour le délayer. Il s'ensuit de-là qu'il faut nécessairement mêler avec elle quelque substance savonneuse, comme du sucre, du sirop, des gelées ou des robs de quelque fruit, tels que les groseilles, les framboises, les cerises, etc. Le suc de limon ou d'orange, mis avec un peu de sucre dans une suffisante quantité d'eau, fournit une boisson très-agréable, qui réunit le double avantage des délayants acides et des savonneux.

Outre les avantages que les délayants procurent en redonnant aux humeurs leur fluidité, ils sont aussi très-utiles par le relâchement qu'ils produisent des fibres et des vaisseaux, surtout lorsqu'on les boit un peu chauds. Car la trop grande tension des fibres, etc., accompagne nécessairement la grande vitesse, la chaleur et la densité du sang, symptômes inséparables, ou plutôt qui constituent l'essence de la fièvre inflammatoire. Il n'est personne qui ne connaisse les effets que les bains ont coutume de produire sur l'extérieur de notre corps, il est naturel de supposer que des délayants tièdes feront un effet analogue. Tout cela tend à rendre le sang moins visqueux, et son mouvement moins rapide ; ce qui doit nécessairement diminuer sa chaleur, effets de la plus grande importance dans la cure des fièvres ardentes et inflammatoires. On peut ajouter même qu'il n'y a point de moyen plus sûr et plus efficace pour remédier à l'obstruction des capillaires et à l'arrêt de la transpiration, puisque par là les humeurs reprennent leur fluidité et que les plus petits vaisseaux sont rendus perméables. Car il est bon de remarquer que les sueurs douces et générales qui suivent l'usage des liqueurs délayantes et rafraîchissantes, sont communément critiques et emportent bientôt la fièvre. Je dis les sueurs douces, car celles qui sont très-abondantes sont toujours désavantageuses, surtout dans le commencement des fièvres, parce qu'elles emportent les parties les plus atténuées du sang, et laissent le reste trop épais, trop visqueux et propre à former des obstructions. J'ai souvent observé d'une manière particulière qu'elles étaient très-funestes au commencement des pleurésies, des péripneumonies et de la petite vérole. Il en est de même des évacuations abondantes par les selles et par les urines. — De toutes les manières de provoquer les sueurs au commencement des fièvres, la plus pernicieuse est de donner des remèdes chauds, volatils et alexipharmaques, de tenir le malade dans un lieu trop chaud, de l'accabler sous le poids des couvertures; car tous ces moyens augmentent le mouvement et la chaleur du sang qui ne sont que trop violents, et ne font que jeter de l'huile sur le feu. Il arrive même trop souvent que bien loin d'exciter la sueur, ils la suppriment en accélérant le mouvement du sang; ce qui doit nécessairement troubler l'ordre naturel et régulier des sécrétions. Tout le monde sait que, plus la fièvre est forte, moins il se fait de sécrétion par les sueurs, l'urine, la salive, etc. — Certainement si la seule augmentation du mouvement du sang est capable de produire la fièvre, tout ce qui tend à augmenter ce mouvement doit nécessairement l'entretenir et l'augmenter : or, c'est ce que ces remèdes et ces méthodes ont coutume de faire.

C'est pour la même raison que les vésicatoires qui jettent dans le sang un sel âcre, et qui irritent fortement les fibres, ne conviennent point, du moins au commencement des fièvres ardentes et inflammatoires. Cependant, combien de fois ne voyons-nous pas dans la pratique ordinaire saigner abondamment un malade, ensuite le couvrir de vésicatoires et enfin le mettre à l'usage de bols échauffants et alexitaires, de cordiaux, etc.? Ce qui est aussi peu raisonnable que, si après avoir ôté une partie d'un grand feu, on tâchait ensuite d'éteindre le reste en y jetant de la poudre à canon et de l'esprit-de-vin, ou si l'on voulait arrêter un cheval en le fouettant et en lui donnant de l'éperon dans le flanc : c'est là en effet le cas des vésicatoires, lorsque le mouvement oscillatoire des vaisseaux est trop fort, et celui des fluides trop rapide. — Après avoir saigné et rafraîchi, les clystères émollients et laxatifs sont d'une très-grande utilité dans la cure des fièvres aiguës, même dans le commencement, parce qu'ils entraînent les excréments endurcis, qui se trouvent fréquemment arrêtés dans les intestins, et procurent l'évacuation d'une matière bilieuse âcre, qui sans cela serait absorbée, au moins en partie, par les vaisseaux lactés, et portée dans la masse du sang. Outre cela, ils font une espèce de fomentation pour les parties contenues dans le bassin et le bas-ventre, déchargent la tête et les hypocondres, et procurent une abondante sécrétion d'urine. — Un léger purgatif est souvent d'une très-grande utilité, en ce qu'il nettoie plus efficacement le canal intestinal, et emporte la sabure putride qui y séjourne. Je conseille pour cela de n'avoir recours qu'à ceux qui agissent sur les premières voies, tels que la manne, la crême de tartre, le sel admirable de Glauber, la rhubarbe, les tamarins, etc. : tous les purgatifs drastiques, les teintures et les pilules où entre l'aloës sont pernicieux dans ce cas, dans lequel toute évacuation trop abondante est dangereuse, en ce qu'elle entraîne une trop grande quantité de la partie lymphatique du sang et laisse le reste à sec. Lorsque la nature paraît se porter vers ce côté, on se trouve bien de faire prendre au malade d'abord une prise de rhubarbe, ensuite une petite quantité des espèces du diascordium, enfin un calmant avec le sirop diacode, ou autre chose semblable. — Rien ne paraît plus utile pour la cure des fièvres ardentes que des évacuations convenables faites à temps, des boissons abondantes, délayantes et rafraîchissantes, avec quelques remèdes nitreux et des sucs acides et savonneux de végétaux; car ces remèdes tendent non-seulement à conserver le sang dans un degré convenable de fluidité, mais encore à empêcher qu'il ne tombe dans un état de putridité. En administrant ces remèdes abondamment, nous ne faisons que suivre la nature, le meilleur guide que nous puissions prendre, qui les demande avec empressement; car quelque aversion qu'elle ait pour tout aliment solide dans le temps de la fièvre, elle désire ardemment les boissons; et c'est un symptôme d'un très-mauvais augure lorsque le malade est sans altération avant que la fièvre ne soit tombée. — Si quelqu'une des causes dont nous avons fait mention ci-dessus produit une fièvre inflammatoire chez une personne dont les humeurs ont de l'acrimonie, la fièvre en sera beaucoup plus violente, parce que les sels acrimonieux, agissant comme autant d'aiguillons, accéléreront le mouvement du sang et produiront une putréfaction plus prompte et plus considérable. C'est donc une nécessité indispensable que d'avoir recours, dans ce cas, aux boissons délayantes pour dissoudre et emporter ces sels (car l'eau est le seul dissolvant des sels) et aux remèdes opposés à l'acrimonie particulière du sujet. Mais il faut que les délayants qu'on emploiera aient aussi quelque chose de savonneux pour les raisons que nous avons déjà indiquées, surtout lorsque les parties huileuses du sang seront accrues de celles qui résultent de la fonte de la graisse produite par la chaleur de la fièvre; ce qui arrive quelquefois à un point surprenant et très-subitement chez quelques personnes grasses. Ces parties huileuses devenant de plus en plus âcres et rances, ont besoin de quelque substance savonneuse pour leur servir de moyen d'union avec les parties aqueuses; autrement, elles produisent les obstructions les plus dangereuses et l'acrimonie la plus forte. —Quant à la manière particulière de faire usage de ces délayants, je pense qu'on doit laisser boire le malade aussi souvent qu'il voudra, pourvu qu'il ne surcharge pas son estomac en buvant de trop grands coups à la fois; ce qui lui occasionnerait des nausées, des indigestions, des vents, des anxiétés, des inquiétudes, et à la fin des vomissements, ou une diarrhée. — La pratique d'Asclepiade n'avait rien de si monstrueux que l'abstinence absolue de toute boisson, qu'il prescrivait pendant les trois premiers jours de la fièvre. Rien n'était plus opposé à la règle qu'il avait établie, de guérir *tutò, celeriter et jucundè*, puisque, comme dit Celse, *convellebat vires ægri luce, vigiliâ, siti ingenti, sic ut ne os quidem primis diebus elui sineret*; lib. II, cap. IV. Je suis bien sûr qu'il n'avait pas puisé ce précepte dans Hippocrate, la raison, la nature, ni l'expérience. Mais cet homme, qui de déclamateur s'était fait médecin, crut devoir prendre une route toute opposée à celle que suivaient les médecins de son temps. La nouveauté de la chose le soutint, comme elle fait encore les charlatans du temps présent, et comme elle le fera tant que les fous feront le plus grand nombre.

Huxam.

Je crois que les boissons prises à petits coups, et souvent réitérées, sont le moyen le plus sûr de délayer les humeurs. Car il est à présumer qu'à égales quantités de boisson prises dans un temps donné, il en passera beaucoup plus dans les vaisseaux absorbants qui se trouvent entre la bouche et l'estomac, si on boit fréquemment, que si on avale tout à la fois et d'un seul coup; parce que, par ce moyen, la boisson est plus souvent et plus long-temps appliquée à l'orifice de ces vaisseaux. D'ailleurs, l'estomac et les intestins peuvent mieux la faire passer dans les veines lactées et mésentériques, lorsqu'elle est en petite quantité, que s'ils étaient inondés par une trop grande quantité de liqueur. — On peut aider l'effet de ces boissons délayantes et relâchantes par des fomentations émollientes, des bains tièdes, des lavements rafraîchissants et lénitifs, etc. Les bains des bras et des mains, des jambes et des pieds et des hypocondres, sont d'une très-grande utilité dans les fièvres inflammatoires, comme je l'ai éprouvé une fois sur moi-même. Mais il ne faut pas que ces fomentations soient d'un degré de chaleur supérieur à celui du corps humain, ce qu'on peut déterminer aisément avec le secours d'un thermomètre. En suivant cette méthode, non-seulement on fournit au sang une humidité qui s'introduit par les vaisseaux absorbants, mais encore on tend à lever les obstructions et à relâcher les fibres qui sont ordinairement trop tendues. Elle ne peut être que d'un très-grand secours dans les tempéraments secs: les peaux et les vessies des animaux ne laissent rien passer lorsqu'elles sont sèches; mais lorsqu'on les a imbibées, elles laissent passer l'eau par leurs pores. La boisson fréquente des liqueurs tièdes et émollientes fournit en même temps une espèce de bain relâchant aux premières voies, aux hypocondres, etc., ce qui n'est pas d'une petite conséquence, surtout dans les inflammations des poumons, de la plèvre, etc. Je n'ajouterai plus qu'un mot: cette pratique était celle des anciens, qui ne donnaient guère autre chose dans les fièvres que des délayants très-légers, leur tisane, ou l'eau d'orge, l'hydromel, l'oximel, etc., et qui faisaient un usage fréquent des fomentations et des lavements. — Puisque l'accélération de la vitesse des humeurs qui circulent est capable de produire la fievre par elle-même, toutes les causes qui accélèrent le mouvement du sang doivent nécessairement augmenter la fièvre; la force de la fièvre sera donc en raison composée des forces accélératrices : la tension des fibres, un sang dense, abondant et chargé de sels âcres qui irritent le cœur et les artères et les font entrer dans des contractions plus fréquentes et plus fortes. Le trop grand usage du sel et d'aliments épicés excite une chaleur fébrile, même dans les personnes qui se portent le mieux.

Au contraire plus les fibres sont faibles et lâches, le sang plus dissous et plus apauvri, moins la fièvre est forte. C'est le cas de ce que nous appelons les *fièvres lentes* ou *nerveuses*, qui sont produites par un régime peu nourrissant, aqueux et mal sain, des fruits crus, un temps pluvieux, chaud et humide, de longues et de grandes inquiétudes, l'abattement des esprits, etc. Il s'engendre dans ces cas une espèce de viscosité dans les humeurs, qui est la cause immédiate de la maladie : mais elle n'est point de l'espèce inflammatoire (ou de celle que les anciens appelaient *phlegmon phlegmoneux*, qui est inhérente dans les globules rouges du sang); car elle a son siége principal dans les vaisseaux séreux et lymphatiques, qui s'obstruent par ce moyen. Le sang appauvri et visqueux ne peut fournir qu'une petite quantité d'esprits animaux qui se séparent et se distribuent d'une manière irrégulière, ce qui produit les symptômes nerveux qui ont fait donner à cette fièvre le nom de *nerveuse*. Les obstructions font que la lymphe qui séjourne devient de plus en plus âcre, ce qui produit plus ou moins de fièvre qu'on connaît par la fréquence du pouls, des chaleurs irrégulières, des frissons, etc. Toutes les humeurs deviennent de plus en plus corrosives, selon qu'elles séjournent plus long-temps ; les enflures hydropiques des jambes, quoique dans le commencement aussi froides que le marbre, s'enflamment à la longue; les humeurs deviennent si âcres qu'elles produisent l'érysipèle, des phlyctènes, des ulcères, etc., comme on l'observe souvent à la fin des hydropisies.

Puisque ces fièvres paraissent avoir leur siége dans les derniers vaisseaux ou dans les vaisseaux séreux et lymphatiques et peut-être même dans l'origine des nerfs ; qu'elles sont toujours accompagnées de relâchement et d'engourdissement dans les nerfs et dans les fibres, et que les obstructions font fort éloignées de la route de la circulation du sang : il n'est pas étonnant que les remèdes n'agissent pas aussi aisément, et qu'elles ne soient pas dissipées aussi promptement que si leur cause était dans les vaisseaux sanguins. Il est bon de considérer en outre qu'il faut un certain temps pour que les nerfs et les fibres puissent reprendre leur ton. D'où il est aisé de voir que cette fièvre doit être plus long-temps à se produire, et beaucoup plus long-temps à se dissiper qu'une fièvre inflammatoire. — Ces deux sortes de fièvres paraissent avoir des causes très-opposées, et par conséquent des effets et des symptômes très-différents. Considérons quelque fièvre moyenne, elle nous pourra servir à éclaircir l'une et l'autre; c'est pourquoi nous allons passer à l'examen de la fièvre intermittente.

Des fièvres intermittentes.

Les causes les plus ordinaires des fièvres intermittentes, sont un air épais et humide, chargé des exhalaisons d'un terrain submergé et marécageux, ou des temps froids, pluvieux et des brouillards; aussi voit-on que les fièvres intermittentes sont endémiques dans les pays bas et marécageux, et épidémiques dans les temps dont on vient de parler. Une pareille constitution de l'air relâche beaucoup trop les fibres, et dérange la transpiration; ce qui produit bientôt de la viscosité dans le sang, d'où résultent des obstructions et une stagnation dans les derniers rameaux des artères sanguines; c'est ce que prouvent le froid, la pâleur, la lividité des doigts, des ongles et des lèvres, etc., qui précèdent immédiatement le frisson d'un accès de fièvre intermittente. Le sang reflue alors vers le cœur, et la nature fait tous ses efforts pour écarter les obstructions qui sont bientôt emportées par la chaleur qui survient, et la matière morbifique s'évacue par les sueurs, les urines, etc. On éprouve, lorsqu'on fait usage de bains extrêmement froids, quelque chose d'approchant d'un accès de fièvre intermittente, accompagné de pâleur, de froid, de frisson, d'un arrêt du sang dans les artères cutanées, et de sa répulsion vers le cœur ; à peine est-on sorti du bain, que le cœur et les artères surmontent la résistance produite par le resserrement des vaisseaux, et la chaleur se réveille par tout le corps. Mais si la personne qui se baigne est faible, l'eau très-froide, et qu'elle y reste long-temps, elle peut mourir dans le bain, comme un malade d'un tempérament faible peut mourir dans le frisson (ce qui arrive ordinairement lorsque la maladie est mortelle), le cœur n'étant pas capable de vaincre la résistance. — Lorsque les fibres sont fortes, la viscosité du sang et les obstructions peu considérables, le paroxysme cède aisément à cet effort de la nature. Mais si la viscosité et les obstructions sont considérables, les fibres fortes et plus tendues, la fièvre est très-vive, et peut aisément devenir continue, si elle est mal traitée. On observe encore, dans certaines épidémies, que les fièvres intermittentes prennent d'abord, dans certains tempéraments, l'apparence des fièvres ardentes, et finissent par suivre le type des fièvres quotidiennes ou tierces; et il est assez ordinaire de voir des fièvres quotidiennes, ou tierces, dégénérer lorsqu'on les traite dans les commencements par des remèdes chauds, tels que les esprits volatils, l'eau-de-vie, le poivre, le polygala, etc. (dont on ne voit que trop de malades être la victime) dégénérer, dis-je, en une fièvre inflammatoire accompagnée de phrénésie, pleurésie ou péripneumonie. De sorte que l'état des solides et des fluides, dans quelques espèces de fièvres intermittentes, ne paraît pas fort différent de celui qu'ils ont dans les fièvres inflammatoires. Je me souviens que la fièvre catarrhale qui se répandit dans toute l'Europe dans le printemps de l'année 1743, se métamorphosait souvent en pleurésie ou en péripneumonie, et prenait aussi souvent au bout de deux ou trois jours le caractère d'une fièvre quotidienne ou tierce : tellement la différence des tempéraments changeait la face et la nature de la maladie.

Quelquefois on voit régner avec les pleurésies et les péripneumonies épidémiques des fièvres quotidiennes, demi-tierces et tierces; ce qu'on observa en 1744 (1). Cela vient de ce que le froid resserre les fibres, et condense le sang dans certaines constitutions, au point de produire des fièvres inflammatoires; tandis que dans les personnes qui ont les nerfs et les fibres plus lâches et plus faibles, et les humeurs plus aqueuses, il augmente seulement la force des vaisseaux, et échauffe le sang de manière à prévenir, par des accès répétés de fièvre intermittente régulière, toutes les suites fâcheuses du défaut de transpiration, de la densité et de la viscosité des humeurs. On voit souvent des personnes dont les esprits sont abattus, et qui ont l'habitude du corps leucophlegmatique, être attaquées de la fièvre, pour avoir fait usage de remèdes toniques chauds, des martiaux, etc., et si l'on dirige bien cet effort de la nature, elles se rétablissent parfaitement. Toutes les fois qu'on peut changer une fièvre lente nerveuse en fièvre intermittente, on guérit promptement son malade. — J'ai souvent vu régner, dans des printemps froids et secs, beaucoup de pleurésies, de péripneumonies et de rhumatismes inflammatoires, qui étaient suivis d'un grand nombre de fièvres intermittentes, lorsque le temps devenait plus chaud; la chaleur diminuant la raideur des fibres, et résolvant en quelque manière la viscosité et la densité du sang : au lieu que si les solides eussent conservé leur tension, et le sang sa densité et sa viscosité, il en serait résulté des fièvres inflammatoires, toutes les fois qu'on aurait été exposé au froid, ou à quelqu'autre cause, qui dans ce cas ne produisait qu'une fièvre intermittente. — Les fièvres intermittentes régulières du printemps ont souvent des effets très-salutaires, en détruisant la viscosité et la cohésion morbifique du sang; comme un orage purge une atmosphère chargée de brouillards. La vigueur que le corps acquiert à mesure que le printemps avance, jointe à la chaleur vivifiante et à la sécheresse de l'air, raréfient et atténuent les humeurs grossières et visqueuses, ouvrent les pores; de là vient que les fièvres intermittentes du printemps se guérissent si facilement aux approches de l'été. Il y a bien de l'apparence que les premières influences de cette saison, qui ranime et atténue tout, mettent en action les puissances de la nature, qui se trouve par-là en état de se débarrasser de l'amas d'humeurs épaissës et gluantes, dont un hiver froid et humide la surcharge dans un grand nombre de sujets, ce qui peut être au moins une des raisons de la fréquence des fièvres intermittentes, qu'on observe dans le printemps. Il est certain que dans cette saison, toute la nature éprouve une espèce d'orgasme; les végétaux eux-mêmes sortent de leur état d'engourdissement, reçoivent une nouvelle vie, et leurs sucs épaissis reprennent leur mouvement.

(1) Voyez mes *Observ. de aëre et morb. epid.*, vol. II. Martio, aprili, maio 1744.

Il paraît par les expériences (1) que le sang est plus dense et plus tenace dans les fièvres quotidiennes que dans les fièvres tierces ; dans les tierces que dans les quartes ; de sorte que, toutes choses d'ailleurs égales, il approche beaucoup plus de l'état inflammatoire dans les fièvres quotidiennes ; et on remarque communément que si la fièvre, de tierce légitime, devient demi-tierce ou quotidienne, ou anticipe beaucoup sur le temps du paroxysme régulier, elle se métamorphose en fièvre rémittente ou continue. C'est ce que ne produit que trop souvent un régime trop chaud, ou l'usage trop précipité du quinquina. En effet, on observe très-fréquemment que le quinquina ne convient pas dans le commencement des fièvres quotidiennes et doubles tierces (qui, pour le dire en passant, sont la même chose), jusqu'à ce qu'on ait fait usage des mixtures salines, des délayants et atténuants appropriés, et dans certains cas, qu'après qu'on a eu recours à la saignée, à la purgation et au vomissement. Je n'ai jamais cru qu'il fût prudent, dans cette espèce de fièvre intermittente, de donner le quinquina sous quelque forme que ce fût, avant le troisième ou le quatrième accès au moins, et qu'après avoir saigné plus ou moins les personnes qui ont quelques dispositions à la pléthore. Cette méthode doit surtout être observée dans les fièvres printanières. Je dois faire remarquer en outre, que comme rien n'est plus efficace dans les fièvres intermittentes qu'un vomitif donné à propos et même répété (comme la nature nous l'indique, par les efforts constants qu'elle fait dans le paroxysme pour produire le vomissement), rien n'est plus propre à en prévenir les mauvais effets chez les sujets pléthoriques, que de faire précéder la saignée, surtout lorsqu'on veut l'administrer dans le paroxysme ; ce qu'on pratique souvent avec succès ; car Celse conseille *cum primum aliquis inhorruit, et ex horrore incaluit, dare ei oportet potui aquam subsalsam, et vomere eum cogere*. Lib. III, cap. 12.

Nous voyons par-là que quelques espèces de fièvres intermittentes approchent beaucoup de l'état inflammatoire, et demandent un régime rafraîchissant, des délayants, et souvent la saignée et d'autres évacuations. J'ai été obligé dans beaucoup de cas, de joindre le nitre au quinquina pendant tout le traitement, et même quelquefois d'en suspendre l'usage pendant un jour ou deux, et de donner à la place du sel d'absynthe avec le suc de citron, dans une infusion de fleurs de camomille et d'écorces d'oranges de Séville. Lorsqu'une fièvre intermittente tend à dégénérer en fièvre continue inflammatoire, on la ramène à son type par la saignée et une légère purgation antiphlogistique. — Mais si quelques fièvres intermittentes se métamorphosent en fièvre inflammatoire, on en voit un beaucoup plus grand nombre, surtout en automne, qui dégénèrent en fièvres rémittentes irrégulières, en putrides ou en fièvres lentes nerveuses. Et ce n'est pas une chose rare de voir la fièvre quotidienne se changer en tierce, ensuite en quarte, et enfin se terminer en hydropisie, surtout dans certaines saisons et en certains lieux. Cela démontre évidemment que les fibres s'énervent de plus en plus, et que le sang s'appauvrit et devient aqueux. Les fièvres tierces du printemps elles-mêmes, qui, dans une saison favorable, se guérissent le plus souvent toutes seules, deviennent très-rebelles lorsque l'été est humide et pluvieux ; et les malades sont sujets à retomber à la moindre occasion. C'est ce qu'on observa particulièrement dans les étés froids et humides des années 1734 et 1735 (2). Dans ces cas, j'ai trouvé que l'usage journalier de se faire frotter le corps avec une brosse, et les bains froids, étaient le moyen le plus sûr de prévenir ces rechutes. Peut-être n'est-ce qu'en fortifiant les fibres que le froid de l'hiver met fin aux fièvres qui règnent en cette saison ; car on a remarqué qu'elles sont souvent très-opiniâtres dans les hivers chauds et humides. — Une saignée faite mal à propos, une purgation donnée à contre-temps, une nourriture mal saine, des aliments grossiers et visqueux, des boissons corrompues, comme des eaux croupies, de mauvaise bière et autres semblables, rendent ces fièvres intermittentes très-anomales, très-rebelles et dangereuses, et les font souvent dégénérer en fièvres malignes, putrides, ou lentes nerveuses ; quelquefois elles se terminent en hydropisies, en jaunisse, ou en des obstructions de tous les viscères de l'abdomen,

(1) Voyez le ve chap. de la *Théorie moderne de M. Langrish*.

(2) Voyez *Observat. de aëre et morbis epidemic.*, lib. I.

et souvent en affections nerveuses. En un mot, tout ce qui affaiblit trop le ressort des fibres et appauvrit le sang produit ces fâcheuses maladies; surtout lorsque la transpiration est souvent interrompue par un air froid et humide, le défaut d'un exercice convenable, des aliments grossiers, pesants et visqueux, tels que le poisson, les laitues, les concombres et les autres fruits aqueux insipides, qui, comme on le sait, diminuent considérablement la transpiration. — Ces observations démontrent évidemment la nécessité d'un régime chaud, fortifiant et atténuant dans le traitement des fièvres intermittentes qui affectent les personnes d'une complexion lâche, et dont le sang est appauvri, mais plus particulièrement lorsque la saison est humide. Dans ces circonstances, le quinquina, quelque bon et quelque bien choisi qu'il soit, est souvent sans effet, à moins qu'on n'y joigne des alexipharmaques, appropriés, tels que la *racine de serpentaire de Virginie*, le *contrayerva*, la *myrrhe*, le *camphre*, etc. Après quatre ou cinq accès, on peut y mêler avec succès les martiaux; mais on ne doit jamais se presser de donner le quinquina, ni les martiaux, lorsque le malade est jaune, qu'il a le ventre tendu, et qu'il est resserré : dans ce cas, on doit faire précéder les *apéritifs mercuriels et savonneux*, avec *la rhubarbe*, *l'aloës*, le *tartre régénéré* ou *soluble*, et dans quelques occasions on peut très-bien les joindre avec le quinquina. — Il paraît par tout ce qui a été dit dans ce chapitre, que la fièvre tierce régulière tient le milieu entre la fièvre inflammatoire et la fièvre lente nerveuse; et que d'un côté, la constitution des solides et des fluides peut être exaltée au point d'embraser le sang et de produire une fièvre continue inflammatoire; et que de l'autre, elle peut être tellement affaiblie qu'il en résulte une fièvre lente nerveuse. Ce qui nous fait connaître les causes et la méthode qu'on doit suivre pour le traitement de ces fièvres. — Maintenant, puisque chaque espèce de fièvre peut être considérée comme un effort que la nature fait pour se débarrasser de quelque chose qui l'opprime, nous devons toujours la favoriser par tous les moyens que la raison et l'expérience peuvent nous fournir. Il faut, surtout dans le commencement, être bien circonspect dans la manière de procéder, soit qu'il faille l'aiguillonner ou modérer ses efforts, jusqu'à ce qu'on ait bien considéré la nature, la force, et la qualité de la maladie, et la constitution du malade. Pour y parvenir, il est nécessaire que nous examinions avec soin, 1° *l'état des solides*; 2° *celui des fluides*.

CHAP. III. — DE L'ÉTAT DES SOLIDES.

La force du corps et du tempérament dépend originairement, selon toutes les apparences, des premiers rudiments de nos corps, et c'est sans doute de leur tissu plus ou moins ferme que dépend en grande partie la bonne ou mauvaise santé de toute notre vie. La nature a donné à nos fibres une constitution et une force déterminées, et tout ce qui s'en écarte peut être appelé une maladie; cet écart peut venir ou de la faiblesse des parents, ou de quelque erreur commise dans le régime, dans l'exercice, etc., et on doit y faire une attention particulière dans la pratique. — La santé parfaite consiste dans un juste milieu, entre la trop grande tension et la trop grande flexibilité des fibres. Le trop de raideur dissipe trop promptement les sucs nourriciers et produit à la fin le marasme, comme le trop de lâcheté des vaisseaux les expose à être surchargés et amène la leucophlegmatie ou l'hydropisie. Dans le premier cas, les fluides animaux éprouvent un changement trop prompt; dans le second, les aliments que nous prenons ne sont pas assez assimilés. — Un système de vaisseaux forts et élastiques agit avec force sur les fluides qu'il contient, produit de très-grands frottements et par conséquent une grande chaleur, accompagnée nécessairement de la dissipation des parties aqueuses les plus subtiles, ce qui augmente la proportion des globules rouges, les rend plus denses, plus compacts, et les humeurs en général plus visqueuses; comme le démontre l'état du sang dans les personnes laborieuses, qui pèche constamment par-là. Lorsque cet état passe de beaucoup les bornes de la nature, il devient une maladie de tempérament, produit une fièvre continue, et à la fin se termine par l'atrophie et par le marasme complet, si les personnes de ce tempérament ne sont pas emportées beaucoup plus tôt par quelque inflammation; genre de maladie auquel elles sont très exposées et auquel elles échappent beaucoup plus difficilement, à raison de la densité et de la viscosité de leur sang, de la raideur et de la contraction de leurs vaisseaux, que les personnes qui ont les fibres moins tendues et le sang plus fluide. Il n'y a point de bien sans mélange, les roses ont leurs épines; ces inconvénients découlent naturellement de la santé et de la vigueur la plus forte : telle est la malheureuse condition des hommes. — Les personnes de ce tempérament se trouvent bien des aliments et des boissons farineux et émollients, ainsi que des bains tièdes, surtout dans les temps secs et froids. Lorsque j'ai à traiter ces personnes de fièvres inflammatoires, de pleurésies, de péripneumonies, ou d'autres maladies semblables, je leur conseille toujours de boire une très-grande quantité de liqueurs aqueuses émollientes et délayantes, que je leur fais prendre tièdes; leurs vapeurs chaudes relâchent les parties et les canaux des poumons, procurent au sang un passage plus libre dans leur tissu, rendent l'expectoration plus facile et plus abondante, en même temps qu'elles délayent le sang. Je leur fais appliquer aussi des fomentations de même espèce, médiocrement chaudes aux pieds, aux jambes, aux mains, aux bras, aux hypocondres, à la poitrine : elles produisent souvent des effets surprenants et sont infiniment plus utiles que les drogues indigestes des boutiques, sur lesquelles on comptait beaucoup trop autrefois. — J'ai reconnu l'abus des bains froids pour les personnes d'un tempérament sec et d'une constitution trop raide, auxquelles ils font quelquefois très-grand mal, en augmentant le froncement et la tension de leurs fibres. On observe assez généralement que la plupart de ceux qui font usage du bain froid, deviennent plus maigres quoique plus vigoureux et plus actifs. Il y a quelques années que je fus consulté par une personne extrêmement maigre qui avait malgré cela une très-grande vivacité d'esprit; elle faisait beaucoup d'exercice et se baignait très-fréquemment dans la mer, même lorsque l'eau était très-froide. Elle maigrissait chaque jour de plus en plus, et à la fin elle devint faible, et perdit presque toute la vivacité de son esprit. Je jugeai que l'usage de ces bains avait procuré une trop grande raideur à ses fibres, et que cela avait occasionné la dissipation des parties les plus fines de la lymphe et même du fluide nerveux, etc. Car, pendant tout ce temps, elle avait pris une quantité suffisante de nourriture et n'avait éprouvé aucune évacuation extraordinaire. Je lui prescrivis un régime doux, nourrissant et relâchant, je lui interdis l'usage des bains froids, et je l'envoyai à la fin prendre les eaux de Bath. Elle eut bientôt repris par ce moyen son embonpoint et sa vivacité; sa santé fut entièrement rétablie. Rien au contraire ne fortifie si efficacement des fibres trop faibles et trop lâches que les bains froids : ils rétablissent quelquefois comme par enchantement les enfants faibles et rachitiques : c'est à cet effet que plus d'un puits doit la réputation qu'il a acquise dans des temps d'ignorance et de superstition.

La doctrine du *strictum* et du *laxum* des anciens méthodistes bien entendue, peut être d'une très-grande utilité dans la pratique de la médecine, quoiqu'ils les aient souvent confondus dans la théorie et dans la pratique; mais Boerhaave a fait sur les maladies qui reconnaissent pour cause les fibres trop lâches ou trop tendues d'excellentes observations, qui sont d'un très-grand usage en pratique. Il y a un autre état des fibres dont personne n'a parlé jusqu'ici : on peut le nommer l'état des *fibres tendres*, ou la constitution trop délicate des solides, qui rend les personnes qui ont cette constitution, plus sensibles au plaisir et à la peine : les filaments qui composent ces fibres sont si déliés, qu'un rien peut les rompre : c'est ce qu'on observe fréquemment dans les personnes minces et belles, d'une complexion délicate, mais extrêmement vives, et dans lesquelles la vivacité de l'esprit l'emporte sur la force du tempérament. Elles sont souvent exposées aux hémoptysies, ou autres hémorrhagies, aux colliquations, aux phthisies pulmonaires, et finissent par la consomption. — Nous venons de voir en raccourci les mauvais effets que produit la trop grande tension des solides; nous allons maintenant examiner, le plus rapidement qu'il nous sera possible, les désavantages qui résultent de leur trop grand relâchement. — Des vaisseaux faibles n'agissent pas suffisamment sur les fluides qu'ils contiennent; ils ne broyent point assez les molécules du chyle, ils ne les arrondissent et ne les assimilent pas comme il faut. En effet, le chyle n'est jamais bien préparé, lorsque les organes de la digestion sont trop faibles. Quand les vaisseaux ont le ton qui leur est nécessaire, qu'ils agissent avec force sur les sucs nourriciers qu'ils reçoivent de l'estomac, on ne trouve plus de parties chyleuses dans le sang quelques heures après le repas; au lieu que chez les personnes leuco-phlegmatiques et d'une complexion faible, elles ne se changent jamais, ou du moins qu'après un très-long-temps, en globules rouges et en sérosité. D'ailleurs, dans ces complexions lâches, le sang n'a pas assez d'activité, et n'est pas mu avec la force qui serait nécessaire pour entretenir la chaleur vitale, pour atténuer les sels, et les soufres ou les huiles, au point que demande l'économie animale. Les globules rouges du sang, qui sont le grand principe de la vie et de la chaleur, n'acquièrent ni la densité, ni la rotondité, ni la consistance nécessaires; ce qui produit des concrétions irrégulières dans les vaisseaux; la ténacité et la viscosité de la partie séreuse ou de la lymphe diminue la quantité des esprits et dérange toutes les sécrétions. De là découlent la cachexie, la leucophlegmatie, et les différentes espèces d'hydropisie, les fièvres intermittentes et rémittentes régulières, ou les fièvres lentes nerveuses; les humeurs tombant en putrescence, faute d'un mouvement ou d'une circulation suffisante, et parce qu'elles sont forcées de séjourner dans les vaisseaux capillaires, par les obstructions qu'occasionne l'action trop faible des vaisseaux : action, qui ne suffit pas pour agiter, pour atténuer, ni pour mouvoir les liqueurs qu'ils contiennent. — Toutes les humeurs du corps qui séjournent, commencent bien vite à se corrompre et à devenir acrimonieuses, et elles le deviennent souvent au point de produire les fièvres de la plus mauvaise espèce : car quoique la circulation soit très-languissante, à raison de la faiblesse de la force motrice des vaisseaux, elle suffit cependant pour produire plus ou moins de chaleur fébrile, étant excitée par l'irritation que fait l'acrimonie; et à la fin, elle cause une putréfaction générale, comme le prouve la fièvre qui survient dans les pâles couleurs des filles, et qui a souvent des suites très-fâcheuses : les tumeurs froides et œdémateuses des jambes se terminent, dans bien des cas, par une espèce d'érysipèle ou gangrène. — Le médecin doit donc examiner avec la plus scrupuleuse attention l'état des fluides, non-seulement dans les maladies chroniques, mais encore dans les maladies aiguës; car ils sont généralement la cause primitive et efficiente de l'état particulier des fluides. Par exemple, on peut naturellement conclure qu'un homme d'une constitution robuste, qui a les fibres fortes et tendues, et qui a fait beaucoup d'exercice, a le sang dense et épais, tendant à ce degré de viscosité qui produit les inflammations, lorsque la fièvre se met de la partie; et que, par conséquent, le moyen le plus sûr de prévenir cette inflammation, c'est d'avoir recours promptement à la saignée : qu'au contraire les personnes faibles, d'un tempérament mou et lâche, ont le sang aqueux et appauvri, et qu'elles ne peuvent supporter la saignée, ni les grandes évacuations. — Cet examen est extrêmement important au commencement des maladies aiguës, surtout dans la petite vérole et les autres fièvres éruptives, pour déterminer s'il convient de saigner ou non.

Par exemple, lorsqu'un homme robuste, qui a le pouls fort, est saisi de violents symptômes de la petite vérole, ce serait une faute impardonnable de ne le pas saigner avant l'éruption; car il n'est pas possible de ne pas prévoir que la fièvre inflammatoire sera très-violente dans un homme de cette constitution : mais il y aurait de l'imprudence à saigner une personne d'un tempérament faible et lâche, à moins que quelque symptôme urgent ne le demandât. Cependant combien ne voit-on pas de médecins qui ne font pas cette attention? Il y en a qui emploient constamment la saignée et les vomitifs à la moindre apparence de petite vérole, au lieu qu'il y en a d'autres qui craignent si fort d'affaiblir leurs malades, qu'ils les laissent périr de l'inflammation plutôt que de la virulence de la maladie. Si le médecin connaît le malade, il ne sera pas fort embarrassé pour juger de sa constitution; aussi Celse a-t-il raison de dire (1) qu'on doit toujours préférer un médecin qui nous connaît, à un étranger, quand même ils seraient également habiles. Mais si le médecin ne connaît pas son malade, il peut juger par la dureté et la fermeté de ses chairs, par la sécheresse et la chaleur de sa peau, par la soif et la couleur, par la chaleur de l'haleine, la violence des douleurs, et par un pouls fort tendu et fréquent, il peut juger, dis-je, qu'il a les fibres fortes et élastiques, et que la fièvre est de l'espèce des fièvres inflammatoires. Un pouls faible, fréquent et mol, une chaleur peu considérable, point de couleur, une soif légère, des urines pâ-

(1) Voyez sa préface vers la fin.

les, des chairs et une peau molles, des sueurs visqueuses, partielles, irrégulières, froides ou abondantes; de la pesanteur et des inquiétudes, plutôt que des douleurs vives; une langue humide, quoique peut être blanche ou chargée, indiquent le contraire. Mais toutes ces choses s'apprennent plutôt par l'expérience que par les préceptes; c'est pourquoi je n'en dirai pas davantage sur cet objet.

CHAPITRE IV. — DE L'ÉTAT DES FLUIDES.

Nous allons examiner maintenant l'état des fluides; nous avons déjà dit qu'il dépendait en grande partie de celui des solides. — Il y a, en premier lieu, un état du sang, dans lequel les humeurs sont trop denses et trop visqueuses, dans lequel les globules rouges sont en trop grande quantité, trop compactes ou trop denses, dans lequel les globules séreux pèchent par les mêmes défauts: en un mot, dans lequel toute la masse des fluides est trop gluante et trop disposée à prendre une forme solide et concrète. On observe particulièrement cet état dans les personnes d'une constitution robuste, qui ont les fibres fortes, qui font beaucoup d'exercice et qui se nourrissent bien. Mais lorsque les globules rouges sont très-denses et en très-grande quantité, que les vaisseaux sont très-forts et très-élastiques, ils doivent communiquer une très-grande force aux fluides qui circulent, et par conséquent, produire un très-grand frottement et beaucoup de chaleur, qui dissipent les parties les plus fluides du sang, augmentent sa viscosité: ce qui reste doit devenir plus gluant, et moins propre à passer par les extrémités capillaires des artères; de là les obstructions et les inflammations. — Outre cela, la grande chaleur tend à coaguler la lymphe, une chaleur un peu supérieure à la chaleur de la fièvre ardente suffit pour coaguler toute la partie séreuse du sang et la convertir en une gelée, comme l'expérience le démontre. De là vient que le sang qu'on tire dans les fièvres inflammatoires paraît couvert d'une croûte épaisse et glutineuse, qu'on appelle la *couenne pleurétique*; je l'ai vue épaisse d'un pouce dans quelques pleurésies et dans quelques rhumatismes très-graves. Il est évident qu'elle est formée, comme nous venons de le dire, par la chaleur fébrile; car à la première saignée, surtout si on la fait au commencement de la fièvre, le sang paraît d'un très-beau rouge, quoique très-dense, au lieu qu'à la seconde, troisième ou quatrième saignée, lorsque la chaleur a eu un peu plus de durée, et qu'elle a été portée à un degré plus considérable, il devient très-gluant et se couvre d'une couenne très-épaisse. En général, plus la fièvre est forte et plus la personne qu'on saigne est vigoureuse, plus cette couenne est épaisse et tenace: cela se remarque d'une manière plus particulière dans les fièvres accompagnées de douleurs violentes, telles que les pleurésies, les rhumatismes, etc., car la douleur étant un *stimulus* qui augmente considérablement le mouvement, le frottement et la chaleur, elle doit épaissir la sérosité à proportion de sa violence. Cette colle inflammatoire adhérant dans les vaisseaux capillaires des membranes, etc., doit les distendre prodigieusement, ce qui augmente l'inflammation et les douleurs; de sorte qu'elles contribuent à leur augmentation réciproque. Quoique cet état de densité du sang, en santé, soit accompagné d'une très-grande force de corps, d'un pouls fort et de beaucoup de chaleur naturelle, cependant, s'il survient un accès de fièvre, il produit des symptômes très-violents qui deviennent dangereux en très-peu de temps, à moins qu'on ne les prévienne par des saignées faites à propos, par des boissons et des médicaments rafraîchissants, délayants et émollients.

La surabondance d'un sang même bien conditionné est un degré de maladie; c'est pour cela qu'Hippocrate prononce (1) que la santé athlétique est dangereuse, et Celse a dit très-élégamment après lui, que les personnes de ce tempérament doivent se défier de leur santé: *Suspecta habere sua bona debent* (2). Une pléthore de cette espèce, non-seulement distend trop les artères sanguines, mais même dilate les orifices des artères séreuses et lymphatiques; ce qui, à la plus légère occasion, donne lieu aux globules rouges d'entrer dans les vaisseaux, forme des obstructions par erreur de lieu, comme on s'exprime ordinairement, et est suivi fréquemment d'inflammation et de ruptures de vaisseaux plus particulièrement dans le cerveau et dans les poumons. Par conséquent, rien ne sou-

(1) Aph. III, sect. I.
(2) Lib. II, cap. II.

lage le malade comme la saignée qui, pourvu qu'on ne passe pas les bornes, bien loin de l'affaiblir, le fortifie en rétablissant l'équilibre entre les solides et les fluides. Le maintien de cet équilibre est dans certains cas et dans certaines constitutions une chose très-délicate : quoiqu'en général il ait une certaine latitude compatible même avec la santé. Il y a des personnes pléthoriques si délicates, qu'elles ne peuvent commettre la moindre erreur dans le régime sans en être incommodées, et j'ai connu quelques hommes de ce tempérament, qui éprouvaient tous les mois quelques hémorrhagies comme les femmes. L'homme le mieux constitué et le mieux nourri ne conserve guère plus de vingt-quatre heures sa force athlétique (1), il en décheoit très-promptement, *quia non ultrà progredi potest, retrò quasi ruinâ quâdam revolvitur*, dit Celse, lib. 11, cap. 2, de l'homme pléthorique. — Il y a en second lieu une autre constitution du sang entièrement opposée à la première, dans laquelle il y a très-peu de globules rouges, encore sont-ils liés très-lâchement entr'eux, et dans laquelle la sérosité est trop aqueuse, et quelquefois visqueuse et gluante. Toutes les humeurs qui se séparent de ce sang appauvri et pituiteux sont mal conditionnées et ne participent pas assez à la nature animale; la bile est sans force, les esprits animaux faibles et peu abondants, la salive, une pure muscosité insipide et ainsi des autres. Ce qui donne lieu aux indigestions, à la faiblesse, au froid, à la pâleur, à la cacochymie, à l'hydropisie, etc., en un mot, à une telle lenteur dans le mouvement des humeurs, que, faute d'un mouvement suffisant, elles forment des concrétions qui obstruent les vaisseaux de certaines parties, séjournent dans d'autres, et éprouvent une corruption spontanée par laquelle elles acquièrent à la fin un degré d'acrimonie qui donne naissance à des fièvres d'une nature très-maligne et très-dangereuses, et cela arrive d'autant plus promptement, que les vaisseaux ont perdu presque tout leur ressort, et le sang la plus grande partie de ses principes vitaux. De manière qu'à la fin, la matière visqueuse s'arrête dans le cœur, ou bien les humeurs corrompues corrodent et détruisent les parties les plus délicates et les plus essentielles de la fabrique animale, surtout le tissu du cerveau dans lequel les humeurs se meuvent très lentement, et les vaisseaux ont un tissu très-délicat. Ainsi, si d'un côté une circulation trop rapide accasionne la rupture des plus petits vaisseaux, des humeurs qui se meuvent trop lentement, croupissent, se corrompent, et à la fin les rongent et les détruisent. — On peut appeler à assez juste titre ces deux états des fluides, *constitutionnels*, puisqu'ils découlent naturellement de l'état respectif des solides ; de sorte qu'un sang riche et abondant accompagne toujours un système de vaisseaux forts et élastiques, et un sang aqueux, une complexion faible et lâche. Lorsque les uns et les autres s'écartent jusqu'à un certain point de la nature, ils occasionnent un véritable dérangement auquel on doit faire attention dans quelque maladie compliquée qu'il se rencontre (1).

CHAP. V. — DE L'ÉTAT DE DISSOLUTION ET DE PUTRÉFACTION DU SANG.

Outre les deux états du sang que nous venons de décrire, il y en a un troisième beaucoup plus dangereux ; je veux parler de celui qui tend plus immédiatement à la dissolution et à la putréfaction. Tel est l'état de quelques scorbutiques, qui, sans presque aucun dérangement précédent, si l'on en excepte une espèce de lassitude et de langueur, sont tout-à-coup couverts de taches violettes, livides, ou même noires et bleues, et éprouvent des hémorrhagies abondantes, dangereuses et souvent funestes dans un temps qu'ils croient à peine être malades. Les exemples n'en sont pas rares ; j'en ai vu un très-grand nombre, tant parmi les enfants que parmi les adultes, et j'ai souvent prédit les hémorrhagies dont ils étaient menacés. — Les femmes à qui il survient de ces éruptions, ou des marques noires ou bleues semblables à des

(1) Voyez Brian Robinson on the food and discharges of human Body, p. 119.

(2) Les fièvres ardentes inflammatoires sont l'effet naturel de la tension et de la trop grande élasticité des fibres, et de la densité du sang ; comme les fièvres lentes nerveuses le sont du relâchement et de la faiblesse des vaisseaux et de l'appauvrissement du sang ; mais il y a différentes maladies, surtout celles qui viennent de contagion, qui sont communes à l'une et à l'autre de ces constitutions.

coups de fouets, ou de grandes taches irrégulières comme des meurtrissures, sont toujours sujettes à de grandes pertes si elles n'éprouvent pas quelqu'autre hémorrhagie. Les personnes de l'un et de l'autre sexe qui sont affectées de ces sortes de taches, sont exposées à perdre beaucoup de sang, pour peu qu'elles se blessent, et souvent même sans s'être blessées, des gencives, du nez, par le fondement ou par la voie des urines. — Le sang qu'on tire de ces personnes pour arrêter l'hémorrhagie (méthode qui, pour le dire en passant, est très-dangereuse, à moins qu'il n'y ait des signes manifestes de pléthore), paraît toujours comme une espèce de sanie qui ne se partage pas en caillot et en sérosité, mais reste en une masse uniforme à demi-figée; en général, d'une couleur livide ou plus foncée qu'à l'ordinaire, et quoique dans certains cas il conserve sa couleur vive et brillante pendant long-temps, il se putréfie toujours très-promptement. On remarque même que l'haleine de ces personnes est ordinairement très-puante avant l'éruption, et que leur urine sent souvent très-mauvais; ce qui indique bien évidemment un commencement de putridité dans les humeurs, qui, devenant de plus en plus acrimonieuses, corrodent à la fin les vaisseaux. Car ces espèces d'hémorrhagies arrivent souvent à des personnes qui n'ont pas le moindre signe de pléthore, qui n'ont le pouls ni trop plein ni trop vif, qui n'ont que peu ou presque point de fièvre, pas même lorsqu'elles font un exercice violent. D'où il est naturel de conclure qu'elles sont produites par l'érosion des vaisseaux, plutôt que par leur rapture occasionnée par une trop grande quantité ou un trop grand mouvement du sang. Il y a à la vérité des personnes d'une constitution si faible et si délicate, que le plus petit effort suffit pour crever leurs vaisseaux trop minces, comme on l'observe dans des personnes qui sont sujettes aux hémoptysies ou aux saignements de nez par le plus petit accident; mais ces hémorrhagies sont rarement précédées ou suivies de taches livides ou violettes, etc. Dans ces cas, une petite saignée convient pour diminuer l'effort du sang contre des vaisseaux trop faibles, lors même qu'il n'y a point de pléthore apparente.

Quoique je sois très-persuadé que ces hémorrhagies naissent le plus souvent de l'acrimonie des humeurs qui détruit la contexture du sang et ronge les extrémités des artères capillaires, je n'ignore pas qu'elles viennent quelquefois aussi du tissu trop lâche des globules rouges qui n'ont pas été assez condensés par l'action du cœur, des artères, etc., faute de quoi ils forment des sphéroïdes allongés ou des molécules irrégulières au lieu de sphères régulières, et par conséquent ont un plus grand diamètre et un tissu moins solide que dans l'état naturel. On observe avec le microscope, surtout avec le microscope solaire, que les globules du sang, en passant dans les plus petites ramifications des artères sanguines, changent leur figure globulaire en une figure oblongue pour pouvoir passer au travers de ces petits vaisseaux. Il est aisé de concevoir comment ces globules si peu liés peuvent se briser dans leur passage, puisque l'augmentation de leur diamètre rend leur passage plus difficile. Ces parties brisées étant d'un beaucoup plus petit diamètre que les globules primitifs, elles peuvent entrer facilement et même passer par les tuyaux excréteurs et transsuder par diapedèse, comme s'exprimaient les anciens. C'est ce que semblent prouver les urines et les déjections sanguinolentes et les autres hémorrhagies qui surviennent quelquefois sans douleur, sans mouvement violent, ou sans qu'on puisse soupçonner qu'il se soit rompu quelque vaisseau. J'ai observé une ou deux fois dans les fièvres malignes, lors même que le mouvement du sang était bien éloigné d'être rapide, une espèce de sueur sanguinolente (1) qui découlait des aisselles et teignait le linge d'une couleur qui approchait beaucoup de celle du vin de Bourgogne. Il est bon d'observer que lorsque ces sortes d'hémorrhagies viennent par le nez, elles fournissent une matière qui n'est qu'une sanie sanguinolente qui ne se coagule pas comme le sang qui découle du nez des personnes en santé ou qui ont une fièvre inflammatoire, lequel est ordinairement épais, brillant et d'un rouge vif. Les filles qui ont les pâles couleurs, sont très-sujettes à saigner du nez, mais leur sang teint à peine le linge. Les pétéchies, les bandes ou les stigmates livides qui accompagnent très-souvent ces hémorrhagies, démontrent que les globules

(1) Le docteur Hodges, dans son *Traité de la peste*, dit avoir observé des sueurs couleur de pourpre et quelquefois semblables à du sang.

rouges sont dissous ou brisés, et qu'ils entrent dans les artères séreuses et dans les vaisseaux exhalants, etc., où ils s'arrêtent et produisent des taches. J'ai remarqué particulièrement dans quelques fièvres malignes putrides une espèce de pétéchies jaunes, ou plutôt brunes et très-nombreuses (1), d'un aussi mauvais présage que les autres. Ici les globules rouges sont brisés en si petites parties, qu'ils perdent entièrement la couleur qu'ils doivent à leur combinaison. Peut-être que les sueurs fuligineuses et les urines foncées ou noires avec un sédiment livide, ce qu'on observe quelquefois dans les fièvres malignes, sont-elles produites par des globules brisés et corrompus? J'ai vu plus d'une fois des urines presque entièrement blanches qui déposaient une quantité immense de matière qui approchait de la couleur du café moulu. On est surpris quelquefois de voir le visage et les mains des malades devenir sales et terreuses en quelque sorte, quelque soin qu'on prenne de les tenir propres.

Il y a des substances qui paraissent détruire l'union des globules rouges et accélérer la séparation des six globules qui entrent dans leur composition : de ce nombre est principalement l'eau de laurier (cerise), qui rend le coagulum beaucoup moins dense et beaucoup plus mol et plus tendre qu'il ne l'est naturellement, et donne à la sérosité une couleur rouge, approchant de celle du vin de Bourgogne, comme il paraît par les expériences du docteur Nicholls (2) et du docteur Langrish (3). La morsure du serpent hémorrhoïdal (4) occasionne une telle dissolution du sang, qu'il sort de toutes les parties du corps, et même des pores de la peau, et tue par une hémorrhagie universelle. Il se peut que les sueurs abondantes, la diarrhée, le diabétès et la salivation spontanée, ne viennent que d'une espèce de dissolution des globules séreux. Un grand et long usage de mercure convertit toute la masse du sang en une sanie purement aqueuse. — Mais, comme je l'ai dit plus haut, cet état brisé et corrompu des globules rouges du sang, est en général l'effet d'une acrimonie. Le sel volatil huileux (5), mêlé avec du sang nouvellement tiré de la veine, détruit ou dissout les globules en une minute (6). L'esprit de corne de cerf pris en grande quantité, produit des hémorrhagies ; ce que font aussi les remèdes aloétiques pris à grandes doses, comme je l'ai observé plusieurs fois. En effet, cet état du sang est communément l'effet d'aliments et de remèdes âcres, etc. On observe que les provisions salées et à demi-pourries des navigateurs produisent dans les voyages de long cours une telle acrimonie et une telle corruption dans les humeurs, qu'elles cessent d'être propres aux usages de l'économie animale ; de là naissent de grandes faiblesses, des langueurs, des douleurs vagues, des maux de tête ; elles rendent l'haleine puante, les gencives sont rongées et deviennent spongieuses. Elles donnent naissance à des taches noires, bleues et pâles, à des ulcères noirs, livides, fongueux, à la gangrène, etc. Ceux qui sont attaqués de ce scorbut sont souvent exposés à des fièvres pétéchiales, à des dysenteries, à des hémorrhagies, etc. Ce que M. Walter rapporte dans son histoire du voyage de lord Anson, est très-étonnant : il assure qu'on a vu chez quelques scorbutiques le sang sortir de plaies qui étaient cicatrisées depuis vingt ou trente ans. J'ai vu plusieurs équipages de vaisseaux partir en parfaite santé pour faire la course, revenir au bout de trois mois en très-mauvais état, rongés de scorbut, et dont un tiers était hors d'état de servir. Au bout de quatre ou cinq semaines de course ils commençaient à tomber l'un après l'autre, et à la fin par douzaines, de sorte qu'à peine la moitié pouvait-il faire le service. Je me rappelle particulièrement qu'il y a quelques années, nous fûmes obligés de faire mettre à terre douze cents hommes de l'escadre de l'amiral Martin, qui étaient tombés malades tous à la fois ; ils furent parfaitement rétablis, et se trouvèrent en état de se rembarquer au bout d'environ trois mois (7). — Ces maladies attaquent tou-

(1) Voyez mes *Observ. de aëre et morbis epidemicis*, vol. I, ann. 1735, mars et avril ; et vol. II, année 1740, juin.

(2) Dr Mead, *des Poisons*, 3e édit. anglaise, p. 270.

(3) Voyez ses *Expériences sur les brutes*.

(4) Voyez Lucien, Dioscoride, Nicander, *in Theriacis*, et le Dr Mead, *des Poisons*.

(5) Voyez Leeuwenhoek, *Arcan. natur.* Epist ad Christoph. Wren.

(6) Arbuthnot, sur la *nature des aliments*.

(7) Je proposai à cette occasion un

jours ceux qui font un grand usage de sels alkalis volatils et fixes, d'épiceries et de remèdes aloétiques. Un grand nombre de ceux qui ont fait usage pendant long-temps du *salmigondi*, alkali et savoneux de Mlle Stephens, et de la lessive des savoniers, sont tombés dans des chaleurs hectiques, le scorbut chaud, les hémorrhagies, la dysenterie, etc. On en a eu depuis peu une preuve très-remarquable chez une personne de la partie occidentale du pays de Cornouailles, qui avait depuis plusieurs années une pierre dans la vessie. Le malade était originairement d'une constitution délicate, et avait pris la lessive pendant plusieurs semaines jusqu'à ce que ses gencives commencèrent à devenir très-spongieuses, enflammées et livides, et à la fin ulcérées et putrides, de manière qu'on pouvait en emporter des lambeaux avec la plus grande facilité; elles saignaient beaucoup à la moindre pression, et il en découlait continuellement une sanie ténue et sanguinolente. Il parut sur sa peau des taches livides, ses jambes et ses cuisses surtout devinrent extrêmement malades et rouges, ou plutôt livides, de sorte qu'on craignait la mortification. C'est dans ces circonstances que M. Hingston, habile apothicaire de Penryn, me consulta sur son état. Craignant l'alcalescence et la putridité des humeurs, et la dissolution du sang qu'avait dû opérer l'usage des remèdes qu'il avait pris, et que démontraient les symptômes qu'il éprouvait, je conseillai l'extrait de quinquina avec l'élixir de vitriol, et des boissons et des aliments acidules. Ces remèdes calmèrent promptement l'inflammation et le saignement des gencives, et arrêtèrent les progrès que faisait la couleur livide de ses cuisses, etc.; elle disparut entièrement au bout de quelques jours. Quinze jours ou trois semaines après il se fit une éruption abondante de pustules rouges et enflammées qui parurent promettre quelque changement en mieux. Mais réduit à la plus grande faiblesse par une complication de maux et une éthisie confirmée, il mourut dans le marasme environ trois semaines après. On tira de sa vessie, après sa mort, une très-grosse pierre qui avait la forme d'une poire, et qui pesait huit onces demi-gros *avoir de pois*. Le plus petit bout était du côté du col de la vessie.

Il paraît évidemment par les expériences faites sur l'urine des personnes qui ont pris une grande quantité des remèdes de Mlle Stephens, qu'elle devient alkaline (1), ainsi que la sérosité dont elle est séparée. C'est à la vérité une très-forte présomption en faveur de la vertu lithontriptique ou dissolvante de ces remèdes, puisqu'ils dissolvent certainement les pierres de la vessie qu'on y fait macérer hors du corps. Mais je crois qu'en même temps on peut craindre avec quelque fondement, qu'un long usage de ces médicaments n'ait des suites fâcheuses, surtout pour les constitutions délicates. — On sait que les alkalis volatils mêlés au sang qu'on vient de tirer ou tandis qu'il sort de la veine, l'empêchent de se figer et de se décomposer en caillot et en sérosité comme il a coutume de faire : l'expérience est aisée, et tout le monde peut la répéter. Ce sang ressemble parfaitement à celui qu'on tire des scorbutiques et de la plupart de ceux qui sont attaqués de fièvre pétéchiale, surtout lorsqu'on les saigne de bonne heure. — Toutes les humeurs du corps, lorsqu'elles sont putréfiées, deviennent fortement alkalines et le sang putréfié perd sa consistance, et bientôt après sa couleur, se convertissant en une espèce de sanie d'un jaune foncé. On a observé la même chose dans le sang qu'on a tiré dans certaines fièvres pétéchiales très-putrides, et il a paru puer presqu'aussitôt (2). Il en était de même de l'urine qui répandait une mauvaise odeur pendant que le malade la rendait, tant la putréfaction était avancée, quoique la vie subsistât encore. L'excessive et la prompte corruption des cadavres de ceux qui meurent d'une fièvre pestilentielle exanthémateuse, démontrent la même

moyen de prévenir le scorbut parmi les matelots, que je communiquai à plusieurs capitaines et à plusieurs chirurgiens des vaisseaux de guerre. Je le publiai ensuite dans le *General Evening Post*, au mois d'octobre 1747 : il a été réimprimé dans le *Gentleman's Magazine* du même temps. Comme on l'a employé depuis avec succès, tant dans les vaisseaux de guerre que dans les armateurs, et que je suis très-convaincu de son utilité, j'ai cru devoir le remettre à la fin de cet ouvrage.

(1) Voyez les expériences de MM. Hartley, Rutty, Morand, etc.

(2) Voyez van der Mye, *de morbis Bredanis*; Morton, *Pyritolog. prolegomen*, p. 26.

chose. J'ai vu de ces cadavres être aussi putréfiés au bout de sept ou huit heures (1), que ceux des personnes mortes de maladies ordinaires ont coutume de l'être au bout de sept ou huit jours, et laisser échapper par toutes les ouvertures du corps la sanie la plus putride : ce qui, pour le dire en passant, est une raison pour enterrer très-promptement les personnes qui meurent de ces sortes de fièvres. — Quelques espèces de poisons, en particulier la morsure de la vipère et de quelques autres animaux vénéneux, produisent une corruption et une dissolution presque subite du sang et le convertissent en une sanie jaunâtre. Les miasmes pestilentiels détruisent également la contexture du sang, et communiquent aux humeurs une disposition générale à la gangrène. Cela est démontré par les hémorrhagies fatales et fréquentes, par les sueurs, les vomissements et les déjections extrêmement fétides, et qui sont suivies d'une mortification universelle ; toutes choses qui ont été observées par les meilleurs auteurs dans la peste et dans les fièvres pestilentielles (2). Les hémorrhagies en particulier sont souvent très-abondantes et très-opiniâtres dans la peste; et j'ai plusieurs fois observé la même chose dans les fièvres pestilentielles et pétéchiales. Le sang qui sort de cette manière ne se coagule pas (2), comme il a coutume de faire; ce qui prouve la plus grande acrimonie et la dissolution du sang.—La contagion de la petite vérole paraît affecter certains tempéraments de la même manière, puisqu'elle produit des taches, la putréfaction et d'abondantes hémorrhagies de différentes parties du corps, quelquefois dans le même instant. J'ai vu plus d'un exemple de personnes attaquées de cette maladie, qui ont eu le quatrième ou le cinquième jour, le corps couvert de taches pourprées, et ont éprouvé des hémorrhagies très-abondantes de différentes parties, particulièrement de la matrice, des conduits urinaires et du nez; les pustules sont devenues presques noires, et il en est suinté un ichor sanguinolent très-abondant, même sans qu'il eût précédé aucun symptôme violent. Il y a environ quatorze ans que Mlle R-n, qui n'avait que cinq ans, essuya une petite vérole de cette espèce ; l'éruption se fit sans grande fièvre et sans douleur; mais il parut en même temps des taches très-larges, livides et noires. Les boutons de petite vérole étaient en petit nombre; il y en eut quelques-uns autour des lèvres, dans le dedans des joues et à la langue, qui devinrent très-noirs et rendirent beaucoup de sang. La malade tombait souvent dans de légères défaillances, au sortir desquelles elle retournait à ses jeux. A la fin elle rendit par les selles une grande quantité de sang très-vermeil, parmi lequel il y en avait une petite quantité de noir et de coagulé ; elle s'affaiblit peu à peu et mourut le neuvième jour de l'attaque de la maladie. — J'ai vu depuis peu la même chose arriver à la jeune Mlle B... qui, peu de temps avant d'être attaquée de la petite vérole, s'était beaucoup fatiguée à monter a cheval, à se promener et à danser, etc., par un temps fort chaud. Elle eut un million de très-petits boutons de petite vérole, et un très-grand nombre de taches noires et bleues qui lui couvraient tout le corps; le troisième jour de l'attaque ses jambes et ses cuisses parurent pourprées : elle saigna abondamment des gencives et du nez, et elle eut en même temps un flux périodique très-abondant qui précéda de six jours son retour régulier; elle mourut le sixième jour de la maladie. Elle avait senti depuis le commencement jusqu'à la fin un poids énorme sur sa poitrine; elle éprouvait avec cela des anxiétés, de fréquentes défaillances; son pouls était petit, extrêmement fréquent et entrecoupé.

C'est toujours un très-mauvais signe lorsqu'il survient, pendant que l'éruption de la petite vérole se fait, des taches et des hémorrhagies ; le malade ne passe jamais, ou du moins que très-rarement, le neuvième jour de la maladie, le sang tombant d'abord en dissolution et en putréfaction. Je suis persuadé qu'il n'en échappe pas un sur mille dans ces circonstances terribles, surtout si les taches sont très-livides, noires et nombreuses. Si l'on peut faire quelque chose dans ces cas désespérés, c'est d'administrer à temps les acides, le quinquina et les astringents alexipharmaques, qui produisent souvent de très-bons effets dans les fièvres pétéchiales accompagnées d'hémorrhagie. Le

(1) *De aëre et morbis epidem.*, vol. I, mens. martio, 1735.

(2) En particulier, Diamerbroeck, Hodges et les auteurs du *Traité de la peste*, fait par ordre du roi. Paris, 1744, in-4°).

(3) *Traité de la peste*, part. I, p. 343.

docteur Méad, dans son excellent traité *De variolis et morbillis* (1), nous donne lieu d'attendre quelque succès de l'usage de ces remèdes dans les petites véroles accompagnées d'hémorrhagie et de taches pourprées, et nous a appris la manière de les administrer. — Cette dissolution du sang accompagne souvent les fièvres putrides malignes qui naissent fréquemment de contagion; mais elle est quelquefois l'effet d'une simple fièvre chez les personnes dont le sang et les humeurs ont beaucoup d'acrimonie, telles sont celles qui ont le scorbut au plus haut degré. Dans le premier cas, les miasmes contagieux agissent sur le sang d'une manière analogue à celle du poison de la vipère; dans le second, ce sont les pointes salines dont l'énergie est considérablement augmenté par le mouvement fébrile et par l'effervescence du sang qui agissent sur les globules rouges. C'est ainsi que les tumeurs inflammatoires, dans les sujets d'une bonne constitution et d'un tempérament sain, rendent, lorsqu'elles viennent à suppuration, une matière douce et louable; au lieu que dans celles dont les humeurs ont beaucoup d'acrimonie, elles fournissent ou une sanie gangréneuse, ou un ichor cancéreux. On peut voir dans les personnes qui meurent de famine l'effet que la chaleur animale et le mouvement sont capables de produire sur les sels contenus dans les humeurs. Car qu'on prenne la personne la plus saine, qu'on la prive de toute sorte de nourriture, soit solide, soit liquide, ses sels deviendront de plus en plus âcres, et produiront par leur grande irritation la fièvre, le délire, etc., ce qui occasionnera à la fin une putréfaction générale et la mort. On peut s'assurer des progrès rapides que cette putrescence des humeurs peut faire, en prenant une nourrice bien portante : son lait, lorsqu'on l'examine quelques heures après qu'elle a mangé, est blanc, fluide, doux et agréable; mais si elle est seize ou dix huit heures sans rien prendre, il devient épais, jaune, salé et désagréable : si elle s'abstient encore quelques heures de tout aliment, il devient d'un jaune beaucoup plus foncé, nauséabonde et puant; et tout cela arrivera bien plus tôt si elle vient à avoir la fièvre; on ne trouvera dans ses mamelles qu'une espèce de matière sanguinolente au lieu de lait. Si cela arrive à celle de nos humeurs la plus disposée à tourner à l'acide et la plus douce, que sera-ce de la bile, de la lymphe? etc.

Lorsque la chaleur et l'attrition du sang sont très-considérables, sa putréfaction fait des progrès surprenants. Il paraît d'après les expériences (2) de Boerhaave, sur un chien qu'il avait renfermé dans l'étuve d'une sucrerie, que toute la masse des humeurs s'était corrompue en quelques minutes à un point qu'elles exhalaient une puanteur insupportable; elles étaient si dissoutes que la salive même était teinte de sang, et si horriblement puante, qu'un homme très-vigoureux qui faisait l'expérience se trouva mal.

Les humeurs animales tendent naturellement à la dissolution et à la putréfaction, à moins qu'on ne les prévienne et qu'on y remédie tous les jours par des aliments acescents. Quelqu'un qui ne se nourrit que de viande, de poisson, d'épiceries et d'eau, serait bientôt attaqué d'une fièvre putride. Le pain est le soutien de la vie, non-seulement comme aliment, mais encore parce que par sa nature acescente, il corrige les sucs rances de la nourriture animale. Les prisonniers français et espagnols que nous avions ici, s'étant gorgés contre leur coutume d'une très-grande quantité de viande, tombèrent dans une espèce de fièvre qui en emporta un très-grand nombre. Ils en étaient si avides, qu'ils mouraient, pour ainsi dire, le morceau à la bouche. — Mais en voilà assez sur la génération de l'acrimonie alcaline dans le sang; j'ajouterai seulement qu'il paraît résulter de ce que nous avons dit précédemment, que, dans quelques cas, les sels animaux deviennent actuellement alcalins, volatils, corrosifs, et capables de détruire les globules rouges, et les petits vaisseaux même du vivant de l'animal. Lorsque les huiles animales sont très-fort exaltées et rances, elles s'unissent avec ces sels et font le savon le plus destructif, qui approche beaucoup de la nature de la bile putride, et qui corrode et dissout tous les principes de la vie. — Mais comme, d'un côté, l'acrimonie du sang peut se trouver compliquée avec des fibres trop tendues et trop raides, et un épaississement inflammatoire; elle peut aussi, d'un autre côté, se rencontrer avec un sang dissous et des fibres faibles et lâches. — Substituons la contagion à l'a-

(1) Cap. III, *de Variol. curationib.*

(2) *Vid. Boerhaavii Chem.*, cap. de Igne, exp. XX, coroll. 16.

crimonie (car elle agit de la même manière et se trouve telle par accident), et nous aurons des exemples de ces cas dans la petite vérole, qui, quelquefois, est accompagnée d'une très-grande viscosité du sang, d'une fièvre très-inflammatoire, de douleurs violentes, de la péripneumonie, de la phrénésie, etc., quelquefois, au contraire, d'un sang appauvri et dissous, d'un pouls concentré et lent, ou faible et fréquent, de symptômes nerveux, d'urines crues, d'hémorrhagies abondantes, de peu ou point de douleur, d'enflure, d'anxiété ou d'autres symptômes semblables. Dans le premier cas, la fièvre est violente et dévore le malade; dans le second, il n'y a pas assez de fièvre pour pousser au-dehors et amener à maturation les pustules; mais elles restent plates, crues et indigestes; de-là vient qu'à la fin toute la masse du sang se change en un ichor putride et corrosif, ou en une sanie gangréneuse.—Examinons cette matière sous un autre point de vue. Il m'est arrivé plusieurs fois de voir des personnes dont le sang était âcre et dissous, attaquées de fièvres pulmoniques, ou pleuro-péripneumoniques, accompagnées d'une très-violente inflammation; cela arrive fréquemment aux gens de mer attaqués de scorbut.—En 1740 et 1745, il y eut beaucoup de personnes qui furent saisies d'un frisson qui était suivi de grande chaleur, de fièvre, de difficulté de respirer, d'une toux importune et laborieuse, de douleurs lancinantes très-aiguës à la poitrine, aux côtés ou au dos, et très-souvent aussi à la tête et aux tempes. Leur pouls était le plus communément très-fréquent et très-dur, mais comme concentré; leur haleine très-chaude et mal saine; leurs crachats étaient quelquefois clairs et crus; quelquefois jaunes comme du safran, mais le plus ordinairement elles crachaient une matière claire, glaireuse, teinte de sang, assez souvent très-fétide, et quelquefois si âcre qu'elle causait de l'enrouement et de la douleur dans la gorge et dans la trachée-artère; quelquefois même des excoriations. Le sang qu'on leur tirait était d'une couleur noirâtre livide, et recouvert d'une espèce de toile très-mince, de couleur de plomb, ou verdâtre; ou bien il était d'un rouge très-vif, surtout à la première saignée, mais lorsqu'il était refroidi, il paraissait d'une consistance lâche et molle, ce qui trompait souvent le chirurgien et l'apothicaire qui s'étaient attendus à trouver le sang dans un autre état; eu égard aux symptômes. Quoi qu'il en soit, dans plusieurs de ces fièvres, le sang qu'on tirait se couvrait d'une espèce de couenne très-épaisse et dure qui n'était pas d'un jaune blanchâtre comme elle a coutume d'être dans le sang des personnes attaquées de pleurésies ou de pleuro-péripneumonies, mais d'une couleur approchant de celle de la cornaline, ou un peu plus pâle que celle de la gelée de groseilles rouges. J'ai constamment observé que cette couleur de la couenne était d'un mauvais augure : je conjecture que c'est parce qu'elle indique une grande viscosité, et une très-grande quantité de sels âcres dans le sang, qui déchirent ses globules, et le font entrer dans une espèce de dissolution putride; car cette couleur paraît venir des globules brisés et enveloppés dans la gelée inflammatoire. Si on mêle de l'alcali volatil au sang d'une personne attaquée d'une pleurésie violente, à mesure qu'il sort de la veine, la partie supérieure du coagulum ressemblera beaucoup à celle du sang que je viens de décrire. Il est bon de remarquer en outre, que la sérosité du sang d'une telle espèce, a souvent une teinte rouge, presque aussi forte que celle du vin de Bourgogne; ce qu'on observe à la vérité assez souvent dans les autres espèces de sang, quoique plus ordinairement elles soient d'un jaune trouble. L'urine était communément très-haute en couleur, et quelquefois noire avec une espèce de sédiment de couleur de plomb; les malades en général en rendaient peu à la fois. Il survenait souvent des sueurs produites par la faiblesse, qui étaient variables et partielles, sortant plus particulièrement du visage et de la tête; mais elles devenaient assez ordinairement très-abondantes et coliquatives lorsque les malades approchaient de leur fin. Il paraissait fréquemment vers l'état de la maladie des taches livides ou noires, qui ne manquaient guère ou du moins que très-rarement d'être les avant-coureurs de la mort. Les phlyctènes noires ou brunes, qui paraissaient quelquefois vers la fin, n'étaient guère d'un pronostic plus favorable. Une démangeaison brûlante universelle terminait quelquefois la fièvre; et quelquefois elle finissait par une éruption abondante de pustules douloureuses et ulcérées sur le col, les épaules et les bras, mais plus particulièrement autour du nez et des lèvres.

Je parlerai plus au long ci-dessous, de

cette espèce de fièvre péripneumonique, et de la manière de la traiter; je me contenterai pour le présent d'observer que pendant le temps que cette péripneumonie maligne, si je puis l'appeler ainsi, régnait à Plymouth et dans son voisinage, les pleurésies, les péripneumonies et les pleuro-péripneumonies étaient partout épidémiques, et généralement de l'espèce véritablement inflammatoire; elles étaient produites par les vents froids et secs de nord et de nord-est, qui avaient régné pendant long-temps. Le sang des personnes qui en étaient atteintes était dense et visqueux, et le plus souvent couvert d'une couenne très-épaisse, blanche ou jaunâtre; les malades supportaient très-bien les saignées; on pouvait sans danger tirer jusqu'à 40 onces de sang, et même davantage : au lieu que le sang dans les fièvres péripneumoniques malignes était tel que je l'ai dit; et lorsqu'il était très-couenneux, cette couenne était telle que je l'ai décrite; les malades se trouvaient excessivement abattus après la première ou seconde saignée; ce qui me surprenait et m'embarrassait quelquefois d'autant plus, que la dureté du pouls, la grande oppression de la poitrine, la douleur aiguë du côté et la violence de la toux semblaient l'exiger. D'ailleurs, quoique ces derniers expectorassent des matières crues et ténues, ou plus communément visqueuses et teintes de sang, ils n'en étaient point soulagés, au lieu que lorsque les premiers crachaient abondamment et librement, ils en retiraient un très-grand avantage.

Je dois en outre faire observer, qu'il régnait dans cette ville et aux environs, en même temps que ces deux maladies, une fièvre putride, pétéchiale, contagieuse, surtout parmi les matelots, les prisonniers et ceux qui les fréquentaient; et c'était principalement parmi ces personnes, que la fièvre pulmonique maligne faisait ses ravages. De sorte qu'elle paraissait être une complication de la péripneumonie inflammatoire ordinaire, avec la fièvre pétéchiale contagieuse; les miasmes contagieux, agissant sur le sang à la manière des sels âcres, et détruisant son tissu. Il est certain que nous voyons souvent des péripneumonies de cette espèce, produites par la seule acrimonie des humeurs de ceux qui en sont attaqués. — Voilà les fièvres dans lesquelles l'épaississement inflammatoire se trouve compliqué avec un grand degré d'acrimonie, ou mêlé avec des miasmes vénéneux et dissolvants : mais nous en trouvons souvent d'autres, dans lesquelles l'acrimonie des humeurs est combinée avec le relâchement des vaisseaux et le peu de densité des globules rouges du sang; ce qui arrive très-communément dans les fièvres pétéchiales, surtout dans celles qui sont accompagnées d'hémorrhagies. — J'espère qu'on me permettra de tracer ici l'histoire d'une de ces fièvres, la plus violente, je pense, qu'ait éprouvée aucun de ceux qui ont survécu à la maladie, d'autant mieux que je donnerai la méthode que j'ai employée; méthode que j'ai éprouvée très-efficace, non-seulement dans ce cas, mais dans plusieurs autres de même nature, quoique la maladie ne fût pas au même degré, et qui, je suis persuadé, est la seule qu'on puisse employer avec succès, quelque éloignée qu'elle paraisse de la pratique ordinaire.

Un fameux chirurgien d'une ville voisine, d'un tempérament faible et délicat, mais accoutumé à faire beaucoup d'exercice, et sujet à la fièvre et aux rhumatismes scorbutiques, dès qu'il s'exposait au froid, etc., tomba au mois d'octobre 1741, dans une espèce de fièvre lente accompagnée le légers frissons, de fréquentes bouffées de chaleur, d'un pouls fréquent, mais faible, de faiblesse, de dégoût, d'un grand poids sur la poitrine et de difficulté de respirer. Malgré cela il continua de vaquer à ses affaires; montant à cheval et ne cessant pas de se fatiguer pendant quatre ou cinq jours après avoir été pris de la maladie. Je le rencontrai chez un de mes malades, et l'ayant trouvé dans l'état que je viens de dire, et avec une haleine très-puante, je lui conseillai très-fort de songer à sa santé, et de se faire quelque chose pendant qu'il en était encore temps. Deux jours après, étant chez une personne du voisinage, il fut tout d'un coup saisi d'une syncope très-violente, et tomba de sa chaise : en le relevant on remarqua plusieurs taches livides et violettes sur ses bras et sur son cou; on eut beaucoup de peine à le ramener chez lui, quoiqu'il n'en fût qu'à deux ou trois milles, à cause des faiblesses très-fréquentes qu'il eut sur la route. Le mal augmentait à chaque moment, il était dans une extrême langueur, accompagnée d'une violente oppression dans les hypocondres, et de soupirs continuels. Son haleine avait une odeur insupportable et il coulait continuellement une sanie puante de ses gencives; son corps parut couvert de taches livides, violettes et noires, qui étaient dispersées sur le tronc comme sur les membres.

On lui tira près de douze onces de sang du bras, sans lui procurer aucun soulagement; l'oppression, les soupirs, les syncopes et l'anxiété continuèrent comme auparavant, ou plutôt augmentèrent. Il survint de plus un saignement de nez très-abondant dont la continuité obligea de lui faire une seconde saignée de dix onces, douze heures après la première. Il n'en éprouva aucun soulagement, au contraire la faiblesse augmenta, les anxiétés, les agitations et l'oppression continuèrent comme auparavant, sans qu'il pût goûter le moindre sommeil. Le sang continua à venir, non-seulement par les gencives et par le nez, mais encore il en cracha; à la vérité le saignement de nez était un peu diminué; mais celui des gencives était augmenté d'une façon surprenante. Le sang se fit jour aussi, quoique très-lentement, par la caroncule d'un de ses yeux; il sortit de sa langue et de la face interne de ses lèvres, plusieurs pustules livides, desquelles il découlait une matière sanguinolente très-copieuse. — L'hémorrhagie ayant été un peu calmée, il survint un flux de sang dysentérique, accompagné de tranchées et de syncopes très-fortes; il était également agité, et son pouls était toujours fébrile; on y observait des intermissions toutes les six ou les huit pulsations, ensuite il reprenait avec beaucoup de vitesse : il avait des tremblements et des soubresauts continuels. Pendant tout ce temps, l'hémorrhagie continua d'un côté ou d'autre, et lorsqu'on arrêtait le sang dans une partie, il se faisait jour par une autre; de sorte que son urine paraissait teinte de sang, étant d'une couleur très-foncée ou, pour mieux dire, noire. C'est après la seconde saignée qu'on m'envoya chercher en hâte, je le trouvai dans l'état où je l'ai dépeint, dans des anxiétés inexprimables, cependant sans délire, quoiqu'il y eût déjà plusieurs jours et plusieurs nuits qu'il n'avait pas fermé l'œil : sa langue était très noire et son haleine si puante, qu'il n'était pas possible de la supporter, même à une distance assez considérable. Ses excréments exhalaient une puanteur si horrible que la garde vomit et se trouva mal en les enlevant.

Je trouvai que le sang qu'on lui avait tiré, pas même le premier, ne s'était pas décomposé en caillot et en sérosité, comme il a coutume de le faire; mais il formait une masse à demi-figée, d'une couleur bleue, livide à sa surface; le plus léger attouchement le divisait, et il ressemblait plutôt à une sanie purulente qu'à du sang; on remarquait au fond une espèce de poudre noire, qui ressemblait à de la suie. Les hémorrhagies continuaient, surtout par la langue, les lèvres et les gencives, avec un écoulement perpétuel d'une matière ichoreuse et sanguinolente du nez; de sorte qu'il était réduit au dernier degré de faiblesse, avec des tremblements et des soubresauts aux tendons qui ne discontinuaient pas, et des défaillances presque continuelles. — Que faire dans un cas si effrayant? convenait-il d'avoir recours aux cordiaux chauds, alexipharmaques, volatils, et aux vésicatoires, comme on aurait pu l'imaginer en voyant son extrême faiblesse, ses défaillances, le poids qu'il avait aux hypocondres, ses tremblements, etc? Mais n'auraient-ils pas été funestes; ne l'auraient-ils pas tué sûrement, en ajoutant à l'acrimonie, en augmentant la fièvre et détruisant le tissu du sang qui était déjà presqu'entièrement dissous et réduit à une espèce de sanie? — J'envisageai les choses sous ce point de vue, et comme j'avais éprouvé plusieurs fois l'efficacité du quinquina pour prévenir et arrêter les progrès de la gangrène (1); je le lui fis prendre à petites doses, souvent répétées avec l'élixir de vitriol, ayant fait précéder une petite quantité de rhubarbe. Je lui donnai outre cela une mixture faite avec la teinture de roses et l'eau de canelle, auxquelles j'ajoutai un acide jusqu'à une agréable acidité, et une décoction d'écorces d'oranges douces, de roses rouges, et de cachou que je rendis également acide : il buvait à discrétion du vin de France ou du vin d'Oporto, avec environ la moitié d'eau. Comme il se trouvait bien du quinquina, j'en continuai l'usage et j'en augmentai même la dose; je le lui donnai avec un peu de confection de fracastor sans miel, pour modérer le flux dysentérique, ce qui ne m'empêchait pas d'entremêler de temps en temps de petites doses de rhubarbe pour entraîner le sang ou les matières bilieuses et sanieuses qui pouvaient être retenues ou suinter dans les intestins.

(1) J'avais, outre cela, employé le quinquina avec succès dans les fièvres malignes pétéchiales de l'année 1735. Voyez mes *Obs. de aëre et morb. epid.*, mense maio.

En même temps je le soutenais en lui faisant prendre fréquemmment du riz, des panades, du sagou, des gelées de corne de cerf bien acidulées; des rôties au vin de France ou au vin rouge d'Oporto; et je lui faisais appliquer plusieurs fois le jour, sur tout l'abdomen, des fomentations aromatiques et astringentes faites avec le vin rouge.

Par cette méthode, que je suivis avec constance, je parvins, avec l'aide de Dieu, à rétablir cet homme qui était entièrement pourri. Il resta extrêmement faible pendant très-long-temps après que la fièvre l'eut quitté; et lors même qu'il fut en état de sortir, il saignait du nez à la plus légère occasion, ses gencives saignaient pour peu qu'il les frottât, et son haleine continua à sentir mauvais pendant long-temps. Tous ces accidents furent dissipés par l'usage du quinquina, de l'élixir de vitriol, etc. Mais ses jambes et ses pieds restèrent enflés long-temps après, et les chairs de tout son corps étaient si molles, si tendres et si sensibles qu'elles pouvaient à peine supporter le plus léger attouchement. Les purgations avec la rhubarbe, les stomachiques chalibés, l'élixir de vitriol, les eaux de Pyrmont, avec des diurétiques appropriés et un exercice léger, mais continué, détruisirent à la fin tous ces symptômes; et au bout d'environ deux ou trois mois il recouvra toute sa santé dont il jouit encore.

Je vis plusieurs de ces fièvres pétéchiales accompagnées d'hémorrhagie, dans l'été et l'automne de 1745, entr'autres chez une femme d'Anthony, près Plymouth, qui fut attaquée d'une fièvre accompagnée des mêmes symptômes que celle dont je viens de tracer l'histoire, quoique moins violents. Elle eut une perte considérable par la matrice, quoique ce ne fût pas le moment où ses règles auraient dû paraître; ensuite il lui survint une hémorrhagie abondante par le nez: ses gencives saignèrent; enfin elle eut un flux dysentérique. — Elle était tombée dans une phrénésie violente avant que le saignement de nez ne la prît, et tout son corps fut couvert de taches pourpres et noires, dont quelques-unes étaient de la largeur d'une pièce de douze sols. Je la traitai suivant la méthode que j'ai indiquée ci-dessus, et elle guérit parfaitement, quoique ses jambes fussent considérablement enflées, et qu'elle conservât pendant long-temps une très-grande faiblesse. Elle avait été saignée deux fois avant que je fusse appelé. Je ne pus pas voir le premier sang qu'on lui tira; M. Freke, son chirurgien, me dit qu'il était d'un rouge vif et *riche*, c'est son expression; mais fort mou, et qu'il ne contenait qu'une petite quantité d'une sérosité rougeâtre: je vis le second qui était d'une couleur noire très-foncée, et couvert d'une pellicule verdâtre, très-mince et très-tendre. Pendant presque tout le temps de la fièvre, son urine était d'une couleur de vin blanc, ou de cidre qu'on a laissé exposé à l'air, et qui y devient noir; à la fin cependant elle déposa une espèce de sédiment noir et farineux.

La fièvre qui accompagne les gangrènes est ordinairement de cette espèce; elle corrompt et dissout le sang; la matière sanieuse de la partie gangrénée étant reportée dans la masse du sang, produit dans les humeurs une disposition universelle à la gangrène et décompose les globules sains; c'est ce qui produit les taches, les hémorrhagies, la couleur noire de la langue, le délire, etc. Celse (1) observe très-judicieusement que la fièvre aiguë, le délire, la soif excessive et la puanteur de l'haleine accompagnent toujours la gangrène, tous signes qui désignent la corruption du sang et une très-grande acrimonie. J'en vais donner un exemple, qui, je crois, n'est pas commun dans beaucoup de circonstances.

Mademoiselle Élsabeth S***, de Saint-Germain en-Cornouailles, âgée d'environ vingt-cinq ans, d'une constitution faible et d'une mauvaise habitude de corps, qui n'avait jamais été bien réglée, fut attaquée à la fin de mai 1742, d'une douleur au pied droit, près des orteils, accompagnée d'un engourdissement dans toute la jambe; cette douleur augmentant d'heure en heure, elle envoya chercher M. Dyer, chirurgien de Looe, qui frotta la partie avec de l'esprit-de-vin camphré, et lui fit prendre quelques remèdes nervins et cordiaux. Ces remèdes n'ayant produit aucun effet, il fit fomenter le pied et la jambe avec une décoction aromatique très-chaude, et y fit appliquer le marc auquel il ajouta les spiritueux, la thériaque, etc.; malgré cela la partie perdit bientôt sa couleur, devint froide et tout-à-fait insensible. Lorsque j'arrivai, je fis scarifier profondément la partie, mais il n'en sortit presque pas de

(1) Lib. v, cap. xxvi.

sang, il en suinta seulement çà et là quelques gouttes. La peau et les chairs étaient comme si la jambe avait été coupée depuis quelques jours, quoique nous ne fussions encore qu'au commencement du quatrième jour de l'attaque Il n'y avait point de vessies, et les scarifications qu'on fit ensuite ne laissèrent exhaler aucune odeur, ni découler aucune matière ou sanie. Je la mis sur-le-champ à l'usage du quinquina, avec l'élixir de vitriol et la confection Ralegh, et je lui prescrivis un julep acidulé chaud, qu'elle but avec plaisir se sentant extrêmement faible. Dans l'après-midi elle fut saisie d'une violente douleur dans la cuisse et dans l'aine; la fièvre se mit de la partie, elle sentit des tranchées très-vives, et eut un flux de ventre qui la réduisit au plus grand degré de faiblesse, et la jeta dans des défaillances et une agonie continuelle. — La nuit suivante, elle tomba dans le délire, sa langue devint entièrement noire, elle ne fit plus que bégayer; son pouls était très-vite, faible et chancelant, avec des convulsions et des tremblements continuels dans les tendons. Comme le quinquina ne s'arrêtait pas, et qu'il passait debout, je lui en donnai une forte teinture, que je mêlai avec la décotion de fracastor, l'élixir de vitriol, etc., ce qui parut mieux réussir. — Elle resta trois ou quatre jours dans cette triste situation, ceux qui l'entouraient attendant sa mort à chaque instant. Cependant la gangrène ne fit point de progrès, elle ne passa pas le genou, quoiqu'elle sentît dans toute la cuisse une douleur très-vive, qui paraissait avoir principalement son siége dans le périoste. A la fin, il parut une trace ou ligne noire tout autour de la jambe, immédiatement au-dessous du genou, qui indiqua le lieu où la nature se disposait à séparer le mort du vif. Cette tendance à la séparation devint chaque jour de plus en plus visible, et le chirurgien employa tous les moyens possibles pour l'accélérer : car quelque indispensable que fût l'amputation, ni elle, ni ses parents ne voulurent jamais y consentir. La malade resta dans ces fâcheuses circonstances (la partie morte de la jambe se pourrissant de jour en jour, et se séparant par ce moyen des parties saines) jusqu'au 14 juillet, que le chirurgien s'étant aperçu que l'escarre était tombée, et que les chairs s'étaient presqu'entièrement séparées dans la jointure, il emporta avec un couteau, la jambe morte dans l'articulation même, sans attendre le consentement de la malade qui n'en sentit rien : et ne s'en aperçut presque que lorsque la chose fut faite. Peu de temps après cette opération elle commença à se rétablir de jour en jour, et avec le secours d'un régime convenable, et de remèdes appropriés, elle se rétablit en assez peu de temps, et recouvra une santé supportable.

CHAP. VI. — DE LA DIFFÉRENCE QU'IL Y A ENTRE LA FIÈVRE LENTE NERVEUSE ET LA FIÈVRE PUTRIDE MALIGNE.

Je ne puis terminer cet *essai sur les fièvres*, sans faire mention de la grande différence qui se trouve entre la fièvre putride maligne et la fièvre lente nerveuse; je suis très-persuadé que, faute de faire cette distinction, on est souvent tombé dans de grandes erreurs en pratique : car elles se ressemblent à quelques égards, quoiqu'elles diffèrent essentiellement à d'autres; ce que j'entreprends d'autant plus volontiers que je n'ai pas assez indiqué cette différence dans ma *dissertation sur les fièvres lentes et nerveuses*; et je ne connais point d'auteur qui l'ait fait d'une façon claire et précise, à la réserve du docteur Langrish, dans sa *Théorie et pratique moderne*. — Il paraît évidemment par ce qui a été dit ci-dessus, que dans les fièvres putrides, malignes et pétéchiales, le sang, proprement dit, est affecté; au lieu que les fièvres lentes nerveuses paraissent avoir leur siége dans les sucs lymphatiques et nerveux. On observe dans les premières, lorsqu'elles sont portées à un certain degré, une corruption dans les humeurs et une dissolution du sang; au lieu que les fièvres lentes nerveuses peuvent durer très-long-temps, sans qu'on puisse remarquer un certain degré de putréfaction. — D'ailleurs ces deux sortes de fièvres peuvent être produites artificiellement, si j'ose m'exprimer ainsi, par deux régimes différents, etc., ce qui n'arrive en effet que trop souvent. Des aliments chauds, âcres, salés, volatils et épicés, des remèdes de même espèce, un air très-chaud, etc., produiront une fièvre putride maligne : au contraire des aliments aqueux, froids, visqueux et mucilagineux, tels que des concombres, des melons, de mauvais fruits crus, des liqueurs *vappides*, un air froid et humide, etc., occasionnent des fièvres lentes nerveuses.—En supposant que les unes et les autres naissent de la contagion (ce qui est ordinaire dans les fièvres pestilentielles et pétéchiales, et peut arriver quelquefois dans les fièvres lentes nerveuses), je comparerai l'action des miasmes morbifiques dans la première à celle du poison de la vipère, qui affecte immédiatement et détruit le tissu des globules rouges, et produit une corruption très-prompte; et dans les dernières à celle du virus d'un chien enragé, qui n'agit que lentement, et paraît affecter d'abord la lymphe et le suc nerveux, sans donner aucun signe de corruption, au moins jusqu'au terme de la catastrophe.

Mais puisque ces fièvres ont une origine si différente, elles doivent se manifester par des symptômes différents, et demandent un traitement particulier. Cependant je suis très-persuadé qu'elles peuvent, et qu'elles sont en effet très-souvent compliquées l'une avec l'autre; je veux dire que l'acrimonie du sang peut se rencontrer avec le relâchement des vaisseaux, ce qui l'empêche d'agir avec autant de violence que si les vaisseaux étaient forts, élastiques et plus sensibles aux impressions du stimulus morbifique, aux sels âcres, etc., et par conséquent elle agit avec plus de lenteur, quoique peut-être elle soit également funeste. Il n'est pas douteux que lorsque la contagion est la cause prochaine de la maladie, l'état des fibres et des forces de la nature n'influe considérablement sur la fièvre. La description exacte de ces fièvres servira à faire connaître plus particulièrement leur nature et les différences qui les distinguent.

CHAP. VII. — DES FIÈVRES LENTES NERVEUSES.

Je commence par une description de la fièvre lente nerveuse, que j'ai tracée avec soin d'après ce que j'ai observé dans un très-grand nombre de malades, qui en ont été malheureusement les victimes. — Le malade devient d'abord indifférent à tout, et éprouve des frissons, ces tremblements légers, suivis de bouffées de chaleur qui se font sentir subitement, et d'une manière irrégulière, et une espèce de lassitude universelle, semblable à celle qu'on sent quand on a beaucoup fatigué. Ces symptômes sont toujours accompagnés de pesanteur et d'abattement et, plus ou moins, d'un poids, de douleur à la tête et de vertige. Cela est bientôt suivi de nausées, d'un dégoût universel, sans grande soif, et de fréquents efforts pour vomir, quoique le malade ne rende qu'une petite quantité de phlegme insipide. — Quoiqu'il y ait quelquefois des intervalles de quelques heures, cependant les symptômes reviennent avec plus de violence, surtout aux approches de la nuit. La tête devient plus pesante, le vertige et la chaleur augmentent, le pouls est plus fréquent, mais faible, et la respiration paraît plus gênée. Il arrive fréquemment que la partie postérieure de la tête est affectée d'un grand engourdissement ou d'une douleur obtuse, et d'un sentiment de froid, tandis que le malade éprouve une douleur pesante au sommet de la tête, tout le long de la suture coronale. Ces deux symptômes accompagnent constamment les fièvres lentes nerveuses, et sont communément suivis d'un peu de délire. — Le malade reste très-souvent cinq ou six jours dans cet état; sa contenance est triste et abattue; quoiqu'il ne paraisse pas bien malade, il est cependant éloigné de se bien porter : il est agité, inquiet, et, communément, totalement privé de sommeil, quoiqu il soit quelquefois asssoupi et appesanti; et malgré qu'il paraisse dormir à ceux qui l'approchent, il se plaint de ne pouvoir pas fermer l'œil. —Pendant tout ce temps le pouls est fréquent, faible et inégal, quelquefois ondulant et quelquefois lent, et même intermittent pendant quelques minutes, ce qui est accompagné d'une chaleur soudaine au visage; immédiatement après il est très-fréquent, et peut-être singulièrement calme et égal à la suite de tout cela; ce qui se répète alternativement. La chaleur et les frissons ne sont pas moins irréguliers. La chaleur et la rougeur s'emparent quelquefois soudainement des joues, tandis que le bout du nez et les oreilles sont froids, et que le front est couvert d'une sueur froide. Il est très-ordinaire que le malade se sente le visage en feu lorsque les extrémités sont froides. — L'urine est communément pâle et souvent limpide, fréquemment de la couleur de petit-lait, ou semblable à de la petite bière éventée. Elle n'a aucun sédiment, ou celui qu'elle contient est sans liaison, comme du son, et se soutient çà et là. La langue, au commencement de la maladie, est rarement sèche ou pâle, mais on la trouve souvent recouverte d'une mucosité blanchâtre, peu épaisse. Il est vrai qu'à la longue elle paraît très-sèche, rouge, gercée, ou de la couleur de l'écorce de grenade ; mais cela n'arrive guère que dans l'état ou à la fin de la maladie ; cependant quelque sèches que la langue et les lèvres paraissent, le malade se sent rarement altéré, quoiqu'il se plaigne d'avoir la langue brûlante. — Vers le septième ou le huitième jour, le vertige, la douleur ou la pesanteur de tête augmentent considérablement ; elles sont accompagnées d'un tintement d'oreille continuel, qui incommode beaucoup le malade, et amène souvent le délire. L'oppression les anxiétés et les défaillances augmentent aussi, et elles se terminent souvent par la syncope. Une sueur froide se répand tout-à-coup sur le front du malade et sur le dos de ses mains (quoique dans le même temps il sente une très-grande chaleur au visage et dans la paume des mains), et elle disparaît aussi rapidement. Si l'urine devient pâle et limpide dans ces circonstances, on doit s'attendre sûrement à un délire, à un tremblement universel, et à des soubresauts dans les tendons. Le délire n'est presque jamais violent, et ne consiste que dans une confusion de pensées et d'actions, le malade marmottant continuellement entre ses dents, et balbutiant en parlant. Quelquefois il s'éveille dans le trouble et la confusion ; mais il revient à lui presqu'aussitôt : il recommence bientôt à marmotter, et s'assoupit de nouveau. — La langue devient souvent très-sèche dans l'état de la maladie, surtout dans son milieu ; elle est bordée de jaune de chaque côté et tremble lorsque le malade veut la sortir. C'est un très-bon signe lorsqu'elle devient humide à ce période, et que le malade crachotte beaucoup, mais s'il survient une difficulté d'avaler et un étranglement continuel, c'est un très-dangereux symptôme, surtout s'il est accompagné du hoquet. — Les malades éprouvent très-fréquemment vers le 9, le 10 ou le 12e jour, des sueurs très-abondantes, ordinairement froides et gluantes aux extrémités : ils ont aussi des déjections très-fluides ; ces deux espèces d'évacuations sont généralement colliquatives et l'affaiblissent considérablement. Cependant une moiteur chaude sur la peau est en général un très-bon signe, et une légère diarrhée emporte souvent le délire et la propension au sommeil. — La nature s'affaiblit insensiblement, les extrémités deviennent froides, les ongles pâles ou livides, le pouls paraît plutôt trembler ou frémir que battre, ses vibrations étant si faibles et si promptes qu'on peut à peine les distinguer, quoique quelquefois il soit très-lent, et souvent très-intermittent. Le malade devient tout-à-fait insensible et stupide, le plus grand bruit et la plus vive lumière l'affectent à peine, quoiqu'il ait été au commencement très-sensible aux impressions de l'un et de l'autre. Le délire se termine en un profond sommeil, qui est bientôt suivi de la mort. Le malade rend involontairement ses excréments et ses urines ; ses larmes coulent, ce qui annonce une prompte dissolution, comme les tremblements et les soubresauts des nerfs et des tendons sont les précurseurs des convulsions qui rompent le fil de la vie. Les malades finissent de l'une ou de l'autre de ces deux manières, après avoir langui quatorze, dix-huit ou vingt jours, et quelquefois plus long-temps. — Tous ceux qui sont attaqués de cette espèce de fievre deviennent sourds et stupides vers la fin de la maladie (il y en a qui sont extrêmement sourds), quoique dans le commencement ils fussent trop vifs et trop sensibles, puisque le moindre bruit et la moindre lumière les incommodaient beaucoup. Il y en a un assez grand nombre qui paraissent se précipiter dans le tombeau par leurs craintes immodérées, quoique le danger ne semble pas considérable dans le commencement : il y en a qui ne veulent pas dormir de peur de dormir toujours; d'autres, à cause du trouble, des anxiétés et de la confusion qu'ils éprouvent en s'éveillant. C'est en général un très-bon signe lorsque la surdité se termine par un abcès dans l'oreille, ou que la parotide suppure, ou qu'il survient de grosses pustules autour des lèvres et du nez.

Telle est la description (ennuyeuse peut-être, mais exacte) de la fièvre lente nerveuse dans ses circonstances les plus graves, dans laquelle j'ai placé les symptômes dans l'ordre dans lequel ils se présentent naturellement ; et c'est, je crois, ce qu'on devrait observer dans toutes les descriptions des maladies. Cette fièvre attaque le plus ordinairement les personnes qui ont les nerfs faibles, les fibres lâches et le sang appauvri, ceux qui ont éprouvé de grandes évacuations, une longue déjection des esprits, des veilles et des études immodérées, des fatigues et autres choses semblables ; ceux qui ont fait un grand usage d'aliments crus, malsains, de boissons *vappides* et impures ; ou qui ont séjourné long temps dans un air humide et chargé, qui ont détruit la force de leur tempérament par des salivations, des purgations trop fréquentes, qui se sont livrés aux plaisirs des femmes, etc.; d'où il me paraît résulter évidemment que cette maladie doit sa naissance au relâchement des solides, à l'appauvrissement du sang, à l'épaississement et à la rapidité des sucs lymphatiques et nerveux. C'est ce que démontre la méthode curative qui réussit le mieux, qui consiste dans des stimulants, des atténuants doux, de légers cordiaux, une diète et des remèdes fortifiants. Hippocrate a dit, dans quelques-uns de ses ouvrages, que le traitement qui réussit indique la nature de la maladie. Exposons maintenant la meilleure méthode de traiter cette fièvre. C'était encore une autre maxime du grand Hippocrate (1) que, qui connaît bien la nature d'une maladie connaît aussi la méthode qu'il faut suivre pour la guérir. Il est au moins du devoir d'un médecin, avant de prescrire aucun remède, de bien examiner le tempérament du malade et la nature de sa maladie : car, comme Celse l'a dit très-élégamment, *æstimatio causæ sæpè morbum solvit* (2). Cela n'est jamais plus nécessaire que dans les fièvres dans lesquelles le temps est court et les tentatives sont dangereuses. Lorsque la maladie ne commence pas avec violence, il vaut mieux attendre un peu et observer les mouvements de la nature, que d'agir avec précipitation. Mais il est rare que le médecin soit appelé au commencement d'une fièvre lente ; et souvent elles sont trop avancées lorsqu'on le consulte. —Il me paraît qu'il résulte évidemment de l'histoire que je viens de tracer de la fièvre lente nerveuse, que les grandes évacuations, et surtout la saignée, n'y conviennent point, particulièrement chez les personnes d'un tempérament originairement faible et lâche, qui y sont le plus sujettes. J'ai vu un purgatif ordinaire, qui, pour avoir été donné mal à propos au commencement de cette fièvre, a été suivi de langueurs, de syncopes, et d'une foule d'autres accidents aussi funestes. Cependant il est quelquefois nécessaire, même au commencement de cette maladie, de nétoyer les premières voies par un doux purgatif, tel que la rhubarbe, la manne, etc., mais il faut bien se garder de donner les drastiques, le malade s'en trouve toujours mal, et le médecin a lieu de s'en repentir. Mais je dois faire observer qu'un doux vomitif dérange moins la nature que les purgatifs ordinaires ; il est utile et même nécessaire, lorsqu'il y a des nausées, des pesanteurs et des faiblesses d'estomac, ce qui arrive fréquemment dans la première attaque de cette fièvre. Les lavements de lait où l'on fait entrer le sucre et le sel, peuvent être très-utiles tous les deux ou trois jours, lorsque la nature a besoin d'être excitée. —Les remèdes tempérés, cordiaux, diaphorétiques, sont ceux qui conviennent le plus dans ces fièvres, et il est nécessaire de tenir le malade à un régime réglé, fortifiant et délayant; le dernier tout seul, lorsqu'on sait en faire un bon usage, avance beaucoup la cure, surtout si l'on l'applique à propos quelque vésicatoire, et qu'on ait soin de calmer les agitations du malade, tant celles du corps que celles de l'esprit. Il est bon de faire observer que les opiats sont ordinairement très-pernicieux, quelqu'indiqués qu'ils paraissent par les agitations et le défaut de sommeil. Les diaphorétiques doux, tels que la poudre de *contrayerva* composée avec un peu de castoreum et de safran, et de petites doses de thériaque d'Andromaque, ou d'élixir parégorique, produisent de beaucoup meilleurs effets : car en excitant une légère sueur ou une abondante transpiration, ils calment l'agitation du sang et des esprits, et procurent par ce moyen le sommeil. Lorsque le trouble et l'abattement des esprits sont fort considérables, il faut y joindre le *galbanum* ou le *sylphium* avec un peu de camphre, et appliquer au plus tôt des vésicatoires à la nuque, à l'occiput, ou derrière les oreilles. Pendant tout ce temps il faut faire boire au malade du petit lait, quelque tisane agréable, ou de l'eau de gruau, auxquels on peut ajouter une petite quantité de quelque vin léger. Il est bon que le malade boive souvent dans ce cas; et quoiqu'il ne soit pas nécessaire qu'il prenne une aussi grande quantité de boisson que dans les fièvres ardentes, et même dans les fièvres putrides malignes, il faut cependant qu'il boive assez pour délayer le sang, entretenir la sueur, et substituer un liquide benin à la place de la sérosité âcre et rappide qui sort continuellement. C'est pourquoi je crois qu'une eau de poulet légère convient également comme ali-

(1) *De arte sub finem.*
(2) Cels., *Præf. sub finem.*

ment et comme remède, surtout vers la fin de la maladie; j'imagine, pour la même raison, que la gelée de corne de cerf, le sagou et les panades peuvent être très-utiles, surtout si on y ajoute un peu de vin, et du suc d'orange et de limon.

Il est bon d'observer que jamais le malade ne se trouve si bien que lorsqu'il a une sueur douce, parce que cette sueur apaise la violence de la chaleur, l'agitation, etc., mais il ne faut jamais entretenir les sueurs abondantes, encore moins les exciter par des remèdes chauds, des alkalis volatils, des esprits, etc., surtout au commencement ou dans le progrès de la fièvre, parce qu'elles épuisent trop le liquide vital, et sont suivies d'un très-grand abattement des esprits, de tremblements, de soubresauts des tendons, et finissent quelquefois par des frissons, des sueurs froides et gluantes, des syncopes, ou une disposition comateuse; quelquefois il survient des accès irréguliers de chaleur dans certaines parties, des anxiétés, des agitations, du délire, des difficultés de respirer, un poids et un serrement dans les hypocondres, ce qui pourrait faire penser à un observateur peu attentif qu'il y a quelque chose de péripneumonique; mais même dans ce cas, gardez-vous bien de faire saigner le malade, car vous trouverez le pouls très-petit et inégal, quoique vite. La saignée n'est pas seulement contre-indiquée par la faiblesse et l'inégalité du pouls; mais encore par la pâleur des urines qui sont ordinairement limpides et aqueuses dans ces circonstances. Ces symptômes indiquent que le poids, les anxiétés et l'oppression que le malade sent dans les hypocondres, sont l'effet d'un orgasme nerveux, et non pas d'une obstruction ou d'une inflammation péripneumonique. La respiration, dans ce cas, quoique fréquente et laborieuse, n'est pas chaude, mais ressemble à celle des gens qui soupirent ou qui boivent quelque liqueur, et très-souvent elle n'est point accompagnée de toux; par conséquent ce symptôme vient d'un spasme dans les parties vitales, et non pas d'une inflammation: ce qui est très-manifeste dans les paroxysmes hystériques.—On doit donc, dans ce cas, avoir recours aux remèdes nervins et cordiaux, et appliquer des vésicatoires aux cuisses, aux jambes ou aux bras. Je fais ordinairement usage du bol et de la mixture saline qui suivent:

℞ *Pulv. Contrayerv. cont.* gr. xv (1).
Croci Anglicani . . . . . . iij.
Confect. Ralegh. . . . . . . ℈ j.
Syrup. Croci . . . . q. s.
M. Fiat Bolus.

℞ *Salis C. C.* . . . . ℈ ß.
Succi limon . . . . ʒ iij.
Aquæ Alexitar simpl. . . . ℥ j ß.
M. Peractâ effervescentiâ adde
Sp. lavendulæ.
Syrup. Croci. . . . . . aa ʒ j ß.
M. Fiat haustus.

Je fais prendre ces remèdes, ou d'autres semblables, toutes les 5, 6 ou 8 heures, avec un julep tempéré cordial; on peut donner de temps en temps de l'esprit volatil aromatique ou fétide dans du petit vin ou dans du petit lait fait avec du cidre, ou, ce qui vaut encore mieux dans beaucoup de cas, dans du petit lait fait avec la semence de moutarde: ce remède qui ne demande pas beaucoup d'appareil, n'est pas à dédaigner, surtout pour les pauvres. Ces médicaments aiguillonnent doucement les vaisseaux engourdis et réveillent leurs oscillations; ils atténuent les humeurs et les délayent, et, par ce moyen, excitent des sueurs salutaires, qui font bientôt cesser l'éréthisme, pour nous servir du langage des anciens. La mixture saline, préparée comme il est dit ci-dessus, est beaucoup plus propre à passer par les pores de la peau, que lorsqu'on la prépare avec le sel d'absinthe, qui se porte plus ordinairement aux urines. Lorsque je crois pouvoir garantir, d'après des expériences répétées, l'efficacité de cette mixture contre l'asthme, on peut aisément juger de celle qu'elle doit avoir dans ce cas.— Mais, pour revenir à notre sujet, cette difficulté de respirer, ces inquiétudes, cette oppression, sont très-souvent les avant-coureurs d'une éruption miliaire, qui paraît le plus souvent le septième, le neuvième ou le onzième jour de cette fièvre, et quelquefois plus tard. En effet, dans toute sorte de fièvres, les éruptions sont toujours précédées de grandes anxiétés, et d'une grande oppression dans les hypocondres. Il n'est personne

(1) Lorsqu'il survient de grands tremblements et des soubresauts des tendons, j'emploie avec beaucoup de succès, à la place de poudre de Contrayerva, un demi scrupule de musc.

qui ne sente combien la saignée serait mal placée dans ces circonstances, où l'on doit éviter surtout de retarder cette opération de la nature, qui produit souvent une crise parfaite; au contraire, il faut la favoriser par de doux cordiaux, des délayants appropriés, etc., auxquels on doit ajouter quelquefois la thériaque d'Andromaque, ou l'élixir asthmatique. Ces remèdes peuvent non-seulement calmer le malaise dont les malades se plaignent communément, mais encore exciter la transpiration, ou une douce sueur, qui accélère et facilite l'éruption miliaire. — Mais quelque avantageuses que soient ces sueurs, elles ne le sont jamais quand elles sont trop abondantes, même lorsqu'elles sont accompagnées d'une éruption copieuse. J'ai vu deux ou trois éruptions miliaires se succéder l'une à l'autre avec des sueurs abondantes, sans que les malades en aient reçu aucun soulagement; elles leur ont été au contraire fort nuisibles, en les réduisant à une extrême faiblesse. Il est vrai que ces sortes de sueurs sont beaucoup plus communément symptômatiques que critiques, et par conséquent l'éruption est très-souvent le symptôme d'un symptôme, car les glandes miliaires de la peau sont très-gonflées, et ressemblent à une gale, chez les personnes même qui se portent le mieux, lorsqu'elles suent abondamment. — J'ai donné avec beaucoup de succès, dans ces sueurs abondantes et colliquatives, un peu de bon vin trempé, s'il est nécessaire; il modère sur-le-champ la sueur, soutient le malade et favorise l'éruption si elle a commencé à se faire. Celse conseille le vin pur dans la maladie cardiaque (1), que je suppose avoir été une espèce de fièvre nerveuse, accompagnée de sueurs colliquatives. Vers le déclin de la fièvre, lorsque les sueurs sont le plus abondantes, et affaiblissent le plus le malade, je donne en outre de petites doses de la teinture de quinquina avec le safran, et la serpentaire que je décrirai ci-dessous; et j'entremêle de temps en temps de petites doses de rhubarbe, pour emporter les matières putrides contenues dans les premières voies, ce qui rend les rémissions et les intermissions qui arrivent très-fréquemment dans le déclin des fièvres nerveuses, plus distinctes et plus marquées, et mettent en état de faire usage des autres préparations de quinquina : je le donne en général vers ce temps, avec des mixtures salines faites avec le sel d'absinthe et le suc de limon, qui le rendent plus efficace. Je suis persuadé que cette méthode abrège ces fièvres, même celles qui sont accompagnées d'éruptions miliaires, et qui ne se prolongent que trop souvent, pendant un temps très-considérable, et sont suivies de rechutes dangereuses. J'ai vu plus d'une fois des malades périr de cette fièvre, après avoir été tenus dans des sueurs de cinq à six semaines, et après avoir éprouvé trois ou quatre éruptions miliaires, fondant et nageant dans leur sueur, et leur lit pourrissant sous eux. Quoiqu'une douce diarrhée soit quelquefois très-utile vers la fin de cette fièvre, il n'en est pas de même des déjections crues, liquides et colliquatives; elles affaiblissent au contraire le malade très-promptement : c'est un très-mauvais signe lorsqu'elles sont livides ou d'une espèce de couleur plombée, quelle que soit leur consistance.

Il n'y a point d'évacuation d'un plus heureux présage, qu'une salivation copieuse sans aphthes; lorsqu'elle survient avec une légère moiteur à la peau, je ne désespère jamais du malade, quelque faible et engourdi qu'il soit. La surdité fait souvent que le malade paraît à la fin de la maladie beaucoup moins sensible qu'il n'est en effet; quoiqu'il y en ait souvent dans ces circonstances qui n'échappent du tombeau que pour devenir idiots. — Il faut nécessairement, dans ces évacuations abondantes, donner au malade une nourriture fortifiante et délayante, pour soutenir les esprits, réparer les pertes des sucs nourriciers qui se dissipent, et corriger ce qui reste. Lorsque le malade est trop appesanti et trop stupide, il faut l'engager fréquemment à en faire usage; car elles lui sont aussi nécessaires que les remèdes. — Nous avons rarement, dans cette fièvre, des évacuations complètement critiques; le temps seul dans beaucoup de cas paraît l'emporter. L'urine ne présente presque jamais de signe de coction : elle est plus souvent crue et pâle, pendant tout le cours de la maladie, et fréquemment trop abondante; quelquefois cependant, à la fin des accès, ou dans la sueur, elle est haute en couleur, mais sans sédiment, en petite quantité, et comme si elle était couverte de graisse. — Je suis convaincu que la trop grande viscosité

(1) Lib. III, cap. XIX.

de la lymphe et des humeurs les plus exaltées du corps est une des causes conjointes des fièvres lentes nerveuses ; et j'imagine que, comme la sérosité, lorsqu'elle a été une fois coagulée par la chaleur de la fièvre, ne peut plus se résoudre en un fluide propre aux usages de l'économie animale, mais se convertit en une espèce de liqueur putride et acrimonieuse; de même, la lymphe épaissie et stagnante se corrompt peu à peu, et se change en une sanie, qui doit être évacuée par les émonctoires ordinaires, ou par quelque issue que l'art lui procure. Quoique les pores de la peau et les conduits de la salive soient en général les voies les plus avantageuses, elle s'évacue cependant assez souvent en partie par les intestins et les voies urinaires. Malgré l'abondance de ces évacuations, l'expérience a démontré qu'il ne faut pas se hâter de les arrêter, de peur d'occasionner une métastase toujours dangereuse de la matière morbifique sur les parties vitales. La suppression trop subite de la sueur est communément suivie de frissons convulsifs, d'un grand malaise, et d'oppression dans les hypocondres, de syncope, etc.; comme les nausées, les maux de cœur, les coliques, et le délire sont l'effet le plus ordinaire de l'usage prématuré des astringents. Il ne faut pas se hâter non plus dans ces cas, de guérir les plaies des vésicatoires ; plus elles suppurent, et mieux le malade se trouve; c'est même un assez bon symptôme, lorsqu'elles deviennent ulcéreuses, car quoiqu'il dénote l'acrimonie de l'humeur qui sort par cette voie, c'est une preuve que la nature a assez de force pour s'en débarrasser ; de sorte que si les premiers vésicatoires viennent à se sécher, il est nécessaire d'en appliquer de nouveaux sur d'autres parties ; car ils ne sont pas seulement utiles par l'irritation qu'ils causent, mais encore par l'évacuation qu'ils procurent. Les pustules larges et incommodes qui sortent souvent dans ou après l'état de cette fièvre, et qui s'ulcèrent et s'étendent quelquefois beaucoup, sont une espèce de vésicatoires naturels, qui procurent une issue à la sanie putride et corrosive, et nous indiquent la route qu'il faut prendre pour aider la nature.

Après tout, quand quelques-unes de ces évacuations sont excessives, on doit les modérer, mais non les arrêter tout-à-fait; c'est pourquoi on doit faire éviter au malade un air froid, du linge froid, des boissons ou des aliments froids ; d'un autre côté, on doit bien se donner de garde d'abuser des cordiaux, des alcalis volatils, de tenir le malade dans un air trop chaud pour exciter la sueur : ce serait l'épuiser et non le soulager. Les éruptions abondantes et répétées des pustules miliaires blanches et rouges, n'indiquent pas seulement la grande quantité de la matière morbifique, mais encore la mauvaise manœuvre du médecin. Réussit-on mieux en procurant une éruption abondante des pustules de la petite vérole par un régime chaud? Néanmoins la dernière de ces évacuations se prête plus à une évacuation critique abondante que la première. Or je demande à tous les médecins expérimentés, s'ils ont jamais vu que les sueurs abondantes ayent été de quelque utilité dans les petites véroles ou les rougeoles; je les ai trouvées très-souvent préjudiciables. — Je me suis étendu sur cet article, parce que je suis pleinement persuadé que la méthode de traiter les fièvres miliaires par des remèdes et un régime chauds et sudorifiques, a conduit des milliers de personnes au tombeau. En un mot, le seul but que le médecin doit se proposer dans les fièvres miliaires ou dans les fièvres lentes nerveuses sans éruption, est d'aider la nature dans ses opérations, et de la soutenir de la manière la plus conforme aux lois de l'économie animale, en procurant, par les secours de l'art, les évacuations nécessaires, lorsque la nature ne suffit pas pour les produire ; ou en les modérant lorsqu'elles sont excessives, évitant en même temps de déranger, dans aucune maladie, les crises que l'observation et l'expérience ont démontrées régulières, constantes et salutaires, mais au contraire tâchant de les favoriser. Pour en donner un exemple dans la fièvre dont je viens de traiter, lorsqu'il survient une diarrhée trop abondante, on peut la modérer par un opiat cordial, tel que la thériaque d'Andromaque ou autre semblable, qui diminuera l'abondance des matières en calmant l'irritation, et en procurant une évacuation cutanée ; car les sueurs douces sont toujours avantageuses. Ce serait s'opposer aux efforts de la nature que de la supprimer tout à coup par de forts astringents, qui arrêteraient non seulement la diarrhée, mais même la transpiration. Ceux qui voudront avoir de plus grands détails sur le traitement des fièvres lentes nerveuses, doivent consulter l'excellent traité de *Richard Manningham* : *de febricula*, etc.

CHAP. VIII. — DES FIÈVRES PUTRIDES, MALIGNES, PETÉCHIALES.

Examinons maintenant les fièvres putrides, malignes ou pestilentielles, pétéchiales; je donnerai ensuite quelques conseils sur la manière de les traiter. — Les fièvres éminemment putrides, malignes, même pétéchiales, doivent souvent leur origine à la seule acrimonie du sang agité par la fièvre qui survient; cependant les fièvres pestilentielles et pétéchiales sont produites encore plus fréquemment par la contagion, et peuvent par conséquent affecter des personnes de différents tempéraments, ce qui doit nécessairement mettre une très-grande diversité dans les symptômes. Car comme la contagion une fois reçue, agit à peu près de la même manière que l'acrimonie, lorsqu'elle attaquera les personnes d'un tempérament fort et vigoureux, qui ont un sang riche et visqueux, elle produira des effets différents de ceux qu'elle produit, lorsqu'elle attaque des personnes d'une constitution faible et délicate, dont le sang a peu de consistance et est d'un tissu lâche; ces effets différeront encore de ces deux premiers si elle attaque des personnes dont les humeurs ont beaucoup d'acrimonie.—En général, cependant ces fièvres attaquent avec beaucoup plus de violence que les fièvres lentes nerveuses: les frissons, lorsqu'il y en a, sont plus forts (et quelquefois ils le sont beaucoup), les chaleurs plus vives et plus durables, quoique dans les commencements elles arrivent subitement, qu'elles soient passagères et rémittentes. Le pouls est plus tendu, ou plus dur, communément fréquent et petit, quoique quelquefois il soit lent et régulier en apparence pendant quelque temps, ensuite ondulent et inégal. Le mal de tète, le vertige, les nausées et le vomissement sont beaucoup plus considérables, même dès le commencement. Quelquefois on sent une douleur fixe, très-vive dans une ou dans les deux tempes, ou au-dessus de l'un ou des deux sourcils, souvent au fond des orbites. Les yeux paraissent toujours chargés, appesantis, jaunâtres et souvent un peu enflammés; le visage bouffi et plus livide que de coutume. Ordinairement les artères temporales battent beaucoup, et les malades éprouvent un tintement d'oreille très-incommode; souvent aussi ils sentent des battements dans l'artère carotide, à mesure que la fièvre fait des progrès, quoique le pouls puisse être petit et même lent : ce symptôme est un signe qui annonce le délire et provient en général de quelque grande obstruction dans le cerveau.

L'abattement des esprits, la faiblesse et les défaillances sont souvent excessives et subites, quoiqu'il n'y ait aucune évacuation extraordinaire; quelquefois même dans le temps que le pouls paraît avoir assez de force. La respiration est le plus souvent laborieuse et accompagnée de soupirs, l'haleine brûlante et de mauvaise odeur.—Presque toutes ces fièvres sont accompagnées de maux de reins, d'une lassitude universelle, de douleurs dans tout le corps et surtout dans les membres. Les malades se plaignent quelquefois d'une grande chaleur, d'un poids et d'une douleur dans le creux de l'estomac; ils vomissent continuellement une bile porracée ou noire, et ils sont tourmentés d'un hoquet très-incommode; les matières qu'ils rendent par les selles, exhalent souvent une odeur très-nauséabonde. — La langue est blanche dans le commencement, mais elle devient de jour en jour plus noire et plus sèche, quelquefois d'une couleur livide, avec une espèce de vessie noire à sa pointe; quelquefois elle est extrêmement noire, ce qui dure pendant plusieurs jours, même après la crise. Dans le fort de la maladie, elle devient généralement sèche, épaisse et noire, ou de la couleur de l'écorce de grenade, ce qui rend la parole embarrassée et presque inintelligible. — Tant que la fièvre augmente, la soif est excessive et quelquefois inextinguible; malgré cela le malade ne peut supporter aucune espèce de boisson, elles lui paraissent toutes amères et fades. Dans d'autres temps on est étonné de voir qu'il ne se plaint pas de la soif, quoique sa bouche et sa langue soient extrêmement sèches et chargées; c'est toujours un mauvais symptôme, qui finit par la phrénésie ou le *coma*. Les lèvres et les dents sont incrustées d'un limon très-noir et très-tenace. — Au commencement de la maladie les urines sont souvent crues, pâles et *vappides*, mais à mesure que la fièvre fait des progrès, elles se colorent de plus en plus, et ressemblent quelquefois à une forte lessive, ou à une urine teinte d'une petite quantité de sang; elles n'ont ni sédiment, ni même de nuage, ce qui continue pendant plusieurs jours : peu à peu elles deviennent plus noires, prennent la couleur d'une forte bière éventée, et exhalent une odeur très-fétide et insupportable. J'ai souvent vu, dans les fièvres pétéchiales, l'urine presque noire et très-puante; celle entre autres de M. Sirley, chirurgien de vaisseau, qui était presque entièrement noire, et déposait un sédiment aussi noir que de la suie. Il avait sur le corps une grande quantité de taches noires, et des marques comme des coups de fouet; il avait, outre cela, un flux de sang dysentérique; une phrénésie comateuse; il mourut le treizième jour.

Les selles, surtout lorsque la maladie est dans son état, ou que la fièvre commence à décliner, sont pour la plupart d'une puanteur insupportable, de couleur verte, livide ou noire, elles sont accompagnées très-fréquemment de tranchées très vives et de sang. Lorsqu'elles sont plus jaunes ou brunes, il y a moins de danger; mais le danger est très-grand lorsqu'elles coulent sans que le malade s'en aperçoive, de quelque couleur qu'elles soient. C'est encore un très-mauvais symptôme lorsque le ventre est dur, enflé et tendu après des évacuations abondantes; car c'est en général une suite d'une inflammation ou mortification des intestins. Une légère diarrhée est souvent très-avantageuse, et c'est quelquefois la seule voie que la nature prenne pour se débarrasser de la matière morbifique. — Lorsqu'il paraît des taches noires, livides, brunes ou vertes, on ne peut plus douter de la malignité; cependant plus ces taches sont vermeilles, moins il y a à craindre; et c'est un très-bon signe lorsque de noires ou violettes elles prennent une couleur plus vive. Les grandes taches noires ou livides sont presque toujours accompagnées d'hémorrhagies abondantes. Celles qui sont petites, d'un brun foncé, semblables aux taches de rousseur, ne sont guère moins dangereuses que celles qui sont livides et noires, quoiqu'elles soient rarement accompagnées d'hémorrhagie; elles sont plus souvent compliquées avec des sueurs très-abondantes, froides et visqueuses, qui les font quelquefois disparaître, mais sans que le malade en retire aucun avantage. L'éruption des pétéchies n'est pas déterminée; quelquefois elles paraissent le quatrième ou le cinquième jour; quelquefois ce n'est que le onzième jour, ou même plus tard. Les grandes marques livides, ou d'un vert foncé, qui ressemblent à des coups de fouet, ne paraissent guère que lorsque le malade est sur le point de mourir. J'ai observé souvent dans les fièvres malignes une espèce d'efflorescence semblable à celle de la rougeole, mais d'une couleur plus livide et plus sombre; la peau, surtout celle qui couvre la poitrine, paraît marbrée; c'est en général un mauvais signe, et je l'ai souvent vu accompagné d'accidents funestes.

Quelquefois, vers le onzième ou quatorzième jour, lorsqu'il survient une sueur abondante, les taches disparaissent, et il sort une grande quantité de petites pustules blanches miliaires. J'ai rarement vu qu'elles procurassent quelque soulagement au malade; mais si au lieu de cela il survient une efflorescence rouge, accompagnée de démangeaisons et de cuissons, il s'en trouve mieux; il en est de même de ces vessies pleines d'eau qui s'élèvent quelquefois sur le dos, la poitrine, les épaules, etc. Les gales qui viennent autour du nez et des lèvres, sont encore un très-bon signe, surtout lorsqu'elles sont accompagnées de beaucoup de chaleur et de démangeaison. Les aphthes d'un brun-noirâtre sont suivies d'un événement plus incertain et plus dangereux : celles qui sont blanches, épaisses et semblables à du lard, ne promettent rien de bon. Elles sont bientôt suivies d'une très-grande difficulté d'avaler, de douleur, d'ulcération de la gorge et de l'œsophage, etc., et d'un hoquet qui ne discontinue point. Toutes les premières voies s'affectent; à la fin, il survient un flux dysentérique qui est suivi de la mortification des intestins, comme le prouvent les déjections noires, sanieuses, sanguinolentes, d'une puanteur horrible, et d'une infection excessive.

On observe souvent vers le déclin de la fièvre de grandes taches noires et bleuâtres, qui ressemblent à des meurtrissures; et lorsqu'elles sont accompagnées de la lividité et du froid des extrémités, elles annoncent sûrement une mort prochaine. J'ai souvent vu ces taches s'étendre jusqu'aux coudes, et les mains froides comme le marbre un ou deux jours avant la mort du malade. J'ai eu il y a quelques années un exemple remarquable de ce symptôme dans mademoiselle Hopkins, pour laquelle je fus appelé le septième jour de sa maladie. Elle était affaissée et un peu en délire, soupirant continuellement comme si elle eût eu le chagrin le plus vif, et se plaignant d'un poids énorme et d'oppression dans la région du cœur. Elle avait le pouls fréquent, petit, tremblant et inégal, et la respiration courte, coupée et laborieuse ; elle fut pendant longtemps sans dormir, et malgré cela elle était accablée ; elle n'avait pas une grande chaleur, cependant elle éprouvait une soif intarissable ; la langue n'était pas fort sèche, mais elle était noire ; elle avait un peu de mal à la gorge et avalait avec peine, ses yeux étaient étincelants fixes et enflammés. Le huitième jour elle eut une sueur très-abondante, sa langue devint tout-à-fait noire, ou plutôt livide, et extrêmement sèche : sur le soir ses règles la prirent et vinrent avec profusion (elle nourrissait et c'était la première fois qu'elle les voyait depuis ses couches); les sueurs continuèrent et exhalèrent une odeur très-mauvaise. Le neuvième on aperçut de grandes marques noires en différents endroits de son corps, une entr'autres sur le bout de son nez, une autre sur sa cloison qui devint entièrement noire, ainsi qu'une grande tache sur chaque joue de la largeur d'un écu. Le dix les règles cessèrent, il survint un grand dévoiement, le ventre s'enfla excessivement. Ses ongles et ses mains devinrent très-noires, et aussi froids que du marbre : elle rendit ses excréments et ses urines involontairement, et parut entièrement insensible jusqu'au onzième jour qu'elle mourut. Malgré le soin que l'on prenait pour la tenir propre, il sortait de son corps une odeur insoutenable qui se fit sentir quarante heures avant sa mort.

Je sais que l'épithète de *Maligne* qu'on a donnée à certaines fièvres, n'est plus si fort en usage depuis quelques années ; il est vrai qu'on s'en est servi souvent pour couvrir l'ignorance, ou augmenter le mérite de la cure ; mais cependant cette dénomination n'est pas sans fondement dans la nature, ou du moins quelqu'autre qui puisse désigner la fièvre que je décris et la distinguer de la fièvre inflammatoire ordinaire : en effet le terme de *fièvre inflammatoire* suppose qu'il y a d'autres espèces de fièvres. Il est peut-être indifférent de les appeler *putrides*, malignes ou pestilentielles ; lorsqu'il paraît des pétéchies, on les appelle *pétéchiales* ; si elles sont produites par contagion, *contagieuses*. Je ne disputerai pas sur les mots, mais il en faut nécessairement pour communiquer nos idées, et quand on a soin de les bien définir, on a tort de chicaner dessus. — J'ai toute la vénération possible pour la mémoire du grand Sydenham, mais j'ose dire cependant que s'il n'avait pas traité toutes les fièvres et même la peste comme des maladies purement inflammatoires, sa pratique aurait été plus exacte et plus digne d'être suivie, étant extrêmement bien adaptée à la viscosité inflammatoire; mais il est certain qu'elle ne mérite pas d'être toujours imitée, même dans la petite vérole, qu'il a si admirablement bien décrite et plus judicieusement traitée. On ne saurait douter qu'il y ait des fièvres qui demandent quelque chose de plus que des saignées, de la petite bière et des purgations. Traiterait-on ainsi une fièvre lente nerveuse ? Quelques espèces de petite vérole, de fièvres pétéchiales, miliaires, peuvent-elles être conduites de cette manière ? J'en appelle à tout praticien expérimenté et raisonnable. Mais rendons honneur à qui il est dû ; c'est avec raison qu'il rejeta le régime chaud, tout de feu, et les sudorifiques qu'on employait communément alors dans toutes les espèces de fièvres, et qu'il introduisit les évacuations et un régime rafraîchissant, délayant et tempéré ; méthode beaucoup préférable dans toutes les espèces de fièvres inflammatoires et ardentes. Il est vrai que des évacuations seules et des délayants froids et aqueux ne conviennent pas indifféremment dans toute sorte de tempéraments et de fièvres. On pousse quelquefois les méthodes opposées trop loin ; une opinion favorite peut obliger un médecin à éteindre presque entièrement le feu vital, et une autre à mettre tout en feu, de peur que les miasmes destructeurs ne se logent quelque part.

Si la fièvre est un effort de la nature qui tend à expulser la matière morbifique, comme il n'y a pas lieu d'en douter, il est certain qu'il n'est pas toujours avantageux de l'abattre. La chaleur de la fièvre tierce met fin au paroxysme, en atténuant la viscosité des humeurs, et en levant les obstructions des extrémités des artères capillaires : une saignée faite mal-à-propos et une purgation donnée à contretemps, la prolongent considérablement et la rendent irrégulière et dangereuse. Lorsque la contagion de la petite vérole a été reçue dans le sang, elle produit une fièvre qui, dans l'espèce la plus bénigne, se termine par une éruption complète, et cesse tout-à-fait ; la fièvre, ou l'effort de la nature ayant chassé la matière morbifique. Mais il arrive souvent que des évacuations trop abondantes, des craintes immodérées, l'abattement des esprits, et le mauvais traitement, lui ôtent les forces qui lui auraient été nécessaires pour se débarrasser de la matière morbifique par une crise convenable ; les pustules restent pâles, aplaties et dans un état de crudité ne parvenant pas à une maturation parfaite. La même chose arrive dans les autres fièvres et dans la peste elle-même.

La raison pour laquelle on doit saigner dans le commencement de ces fièvres, c'est afin d'empêcher que la fièvre n'aille trop loin et ne produise des inflammations au cerveau, aux poumons, ou dans quelqu'autre partie essentielle à la vie, auxquelles la surabondance d'un sang riche et épais, violemment agité, est très-propre à donner naissance. La saignée ne paraît pas indiquée dans les maladies contagieuses, en tant que contagieuses, parce que la contagion est intimement mêlée avec les humeurs, de sorte qu'en tirant une petite quantité de sang on ne diminue que de bien peu la quantité des miasmes contagieux, qui agit plus ou moins, soit qu'on saigne ou qu'on ne saigne pas. On voit par l'expérience de l'inoculation, que la plus petite quantité de la matière varioleuse introduite dans le sang, suffit pour produire la petite vérole : on observe la même chose dans d'autres cas, comme dans la morsure de la vipère, ou du chien enragé. Dans cette dernière une petite blessure est généralement plus dangereuse qu'une grande, surtout si elle a été bien déchirée, parce qu'alors elle donne une plus libre issue au venin. — Lorsqu'on a intimement mêlé un ferment avec une liqueur fermentable, il n'est plus possible d'en arrêter la fermentation en tirant une partie de la liqueur ; car chaque partie de la liqueur en fermentation est un ferment : c'est ainsi qu'agit la contagion ; aussitôt qu'elle est reçue dans le sang, elle agit sur chacune de ses parties. En rafraîchissant et en ajoutant des acides, etc., on peut, il est vrai, modérer la fermentation ; et lorsqu'elle est trop violente, on peut prévenir la rupture des vaisseaux, s'ils sont trop pleins, en leur donnant de l'air : de même dans les fièvres contagieuses, en tirant du sang on diminue sa quantité, et on empêche qu'il ne distende trop, qu'il n'enflamme et qu'il ne crève les vaisseaux, et on diminue la chaleur, qui augmenterait sans cela la force de la contagion, et convertirait toutes les humeurs en une gelée inflammatoire. Mais si (pour continuer la comparaison) on rafraîchit trop une liqueur qui fermente, et qu'on arrête la fermentation avant le temps, on rend toute la masse *vappide* et gluante ; elle ne se dépure pas par la despumation et ne fait jamais un bon vin. De même lorsque la contagion a été introduite, si l'on affaiblit trop les forces de la nature par la saignée, etc., et qu'on l'empêche de rejeter les humeurs morbifiques, on concentre le mal, et toute la masse des humeurs se convertit en un ichor ou une sanie putride. Cependant comme la saignée peut diminuer l'aliment du feu, quoiqu'elle n'éteigne pas le feu de la contagion, elle convient toutes les fois qu'il y a trop de sang : malgré cela l'infection aura toujours son effet, et j'ai vu des petites véroles aussi abondantes et d'une aussi mauvaise espèce après des saignées copieuses que j'en aie jamais vu lorsqu'on les avait omises. Il est certain néanmoins que la peste, qui est la première, sauf la liste des fièvres contagieuses, demande très-rarement la saignée, comme on peut le prouver par les meilleures autorités.

Nous allons finir ce chapitre en marquant en peu de mots les indications qu'on doit se proposer de remplir dans l'espèce de fièvres dont il traite. Je remarquerai d'abord que quoique les fièvres malignes et pestilentielles abattent considérablement les esprits et causent une faiblesse extraordinaire, même dans leur commencement, surtout lorsqu'elles sont produites par la contagion ; cependant il est très-fréquemment nécessaire de tirer une certaine quantité de sang, surtout chez les personnes pléthoriques, non-seulement pour diminuer la masse que les organes sont obligés de mouvoir, et donner plus de liberté aux oscillations des vaisseaux, mais encore pour prévenir les obstructions inflammatoires qui peuvent se former dans le commencement, et pour diminuer les frottements et la chaleur qui sont très-considérables les premiers jours de la maladie, et exaltent de plus en plus les sels et les soufres du sang, augmentent l'acrimonie et la putrescence des humeurs, et secondent l'action de la matière morbifique. Lorsqu'elle est indiquée, il faut la faire le plus tôt qu'il est possible. Elle est indiquée par la vitesse et la tension du pouls, la vivacité de la chaleur, la difficulté de respirer, les palpitations du cœur, et les douleurs vives à la tête et aux reins. Il est bon d'observer que quoique la chaleur soit précédée d'un frisson et que l'oppression soit considérable, il faut cependant tirer moins de sang que dans une véritable péripneumonie, qui s'annonce souvent par les mêmes symptômes : mais la faiblesse subite et le grand abattement des esprits, le tremblement des mains, la pâleur et la crudité des urines jointes à l'absence de la toux et la chaleur de l'haleine qui accompagnent toujours la véritable fièvre péripneumonique, les distinguent l'une de l'autre. On est moins exposé à s'y méprendre lorsqu'il règne des fièvres putrides, pestilentielles ou pétéchiales, et que la constitution de l'air y dispose. Quoi qu'il en soit, le sang qu'on tire fait bientôt voir la différence ; dans les fièvres malignes, il est d'un tissu beaucoup plus lâche et d'une consistance plus molle (quoiqu'il paraisse d'un rouge fort vif) que celui des pleurétiques, ou des péripneumoniques, lequel, bien qu'à la première saignée il puisse paraître d'un rouge vif et sans couenne blanche, surtout s'il coule le long du bras et qu'il ne coule pas à plein jet ; cependant lorsqu'il est froid il forme un caillot ferme et dense. Si on le trouve différent, il faut dans tous les cas être fort réservé et ne pas prodiguer ce fluide vital.

Quoiqu'il puisse être nécessaire de saigner les personnes fortes et robustes au commencement des fièvres contagieuses, il faut néanmoins avoir égard à la nature de la fièvre qui est l'effet de la contagion, vu que celle-ci paraît affecter non-seulement le sang, mais encore les esprits animaux qui sont même les premiers. Cela me paraît démontré par la moiteur subite, la faiblesse, les tremblements et la grande déjection des esprits dès la première invasion de la maladie. Dans quelques pestes on a vu des hommes tomber morts comme s'ils avaient été frappés de la foudre, sans fièvre ni indisposition précédente. Il est impossible d'expliquer dans une autre supposition l'effet soudain de la morsure du serpent à sonnettes qui tue en moins d'une ou deux minutes, ni celui de certaines odeurs sur quelques personnes qu'elles jettent presqu'en un instant dans la plus grande confusion et même dans des convulsions. Les effets si connus de la commotion, non-seulement paraissent confirmer cette notion, mais encore montrer la manière analogue dont cela se fait. Ceux qui voudront s'instruire plus à fond sur cette matière, peuvent consulter l'introduction de la troisième édition de *l'Essai sur les poisons, par le docteur Mead.* — Les nerfs et les esprits étant affectés par les miasmes contagieux ne meuvent plus avec assez de force ni avec la même régularité les fibres musculaires et les vaisseaux ; de là vient la grande faiblesse du malade et celle des vibrations du système vasculaire, ce qui fait que le sang forme des concrétions dans quelques endroits, et qu'il est dans un véritable état de dissolution dans quelques autres. On trouve chez les personnes mortes de la peste, le cœur et les oreillettes excessivement distendus par un sang grumelé qui a reflué vers cet organe, dont la force n'est plus suffisante pour l'expulser ; mais dans les autres vaisseaux, le sang paraît ténu et dissous, puisqu'il s'échappe souvent partout où il trouve quelque issue. Timoni (1) et quelques autres médecins ont observé qu'il est très-difficile de l'arrêter lorsqu'on a ouvert la veine ou qu'on a scarifié des ventouses. Je l'ai observé également dans les fièvres pestilentielles et pétéchiales ordinaires. — La disposition particulière des filaments nerveux, et celle des parties les plus subtiles et les plus exaltées des liqueurs animales qui diffèrent si fort dans les différents sujets, donnent naissance à ces différentes affections qui sont produites par la même cause. L'odeur d'une herbe, d'une fleur, du musc, qui affectent agréablement un millier de personnes, en font trouver mal quelques autres ; la commotion électrique affecte les différentes personnes d'une manière très-différente ; ce qui vraisemblablement ne vient pas seulement de la constitution des esprits animaux, mais encore de la différente tension, force, etc., des fibrilles nerveuses ; à peu près comme les cordes de musique de longueur et de tension différentes, qui sont différemment ébranlées par la même note. C'est peut-être en partie la disposition particulière des nerfs et des esprits animaux qui fait que certaines personnes sont très-promptement affectées de la peste, de la petite vérole, etc., et que quelques autres n'en sont jamais affectées, quoi-

(1) Voyez les *Transact. philos.*, n. 64.

qu'entourées de personnes qui en sont attaquées.

Mais, quoi qu'il en soit, la contagion affaiblit certainement les forces des solides, et tend à dissoudre le sang ; par conséquent toutes les fois qu'on soupçonne qu'une fièvre vient de contagion, on doit saigner avec réserve, même lorsque les symptômes se présentent d'une manière formidable dès le commencement, et paraissent demander de grandes évacuations de sang. J'ai vu plus d'une fois avec douleur commettre des fautes de cette espèce dans les pleuro-péripneumonies et péripneumonies malignes, surtout dans les années 1740, 1741 et 1745. Par conséquent, quoiqu'il soit très-à propos de faire une première saignée, une seconde peut être pernicieuse. Le premier sang paraît fréquemment d'une couleur vive; celui qu'on tire vingt-quatre heures après est communément livide, noir, et a peu de consistance; celui d'une troisième saignée est livide, dissous et sanieux. C'est ce qu'on observe très-fréquemment dans les fièvres pétéchiales ; j'ai vu quelquefois la consistance du sang tellement détruite, qu'il déposait au fond une poudre noire, semblable à de la suie, la partie supérieure étant une espèce de sanie, ou une espèce de gelée d'un vert foncé, et d'une consistance excessivement molle ; à quoi l'on peut ajouter que dans ces sortes de cas, le pouls devient quelquefois extrêmement faible après une seconde saignée, et même quelquefois après la première. C'est ce que j'ai remarqué plus d'une fois, et dont j'ai été embarrassé et étonné, lors même que je croyais avoir des indications suffisantes dans le pouls, etc., pour faire une seconde saignée ; tant il est nécessaire d'avoir égard à la nature d'une fièvre épidémique.

Les fièvres contagieuses n'attaquent guère personne, qu'elles ne leur causent des maux de cœur et des vomissements, puisque les miasmes contagieux s'insinuent dans le corps avec la salive, etc. Ne peut-on pas les expulser, au moins en partie, en favorisant le vomissement que la nature tâche d'exciter ? vomissement qui entraîne aussi les humeurs bilieuses, âcres, putrides, qui séjournent dans l'estomac, et qui en s'y corrompant de plus en plus, produiraient une infinité de symptômes dangereux, et augmenteraient considérablement la maladie primitive. D'ailleurs la nature, lorsque l'art ne vient pas à son secours, fait, pour se débarrasser par le vomissement, des efforts aussi violents que ceux que les émétiques et les lavages ont coutume de produire : les boissons mêmes qu'on prend pour le favoriser, le rendent beaucoup plus aisé, et plus efficace, et en entraînant la matière irritante, tendent à arrêter le vomissement. Mais je suis d'avis qu'on n'employe pour cela que les moyens les plus doux, tels que les infusions ou les décoctions d'ipécacuanha, l'oxymel scillitique, avec une légère infusion de fleurs de camomille, ou autres semblables. Je n'approuve point la méthode de ceux qui se contentent de faire vomir avec de l'eau chaude, parce qu'on est obligé d'en faire boire une quantité immense, avant de pouvoir parvenir à exciter le vomissement, ce qui surcharge quelquefois l'estomac à un tel degré qu'il devient également incapable de soutenir le fardeau et de s'en débarrasser, de sorte que plus on boit, moins il est en état de faire ses fonctions ; la distension qu'il éprouve détruit toute son activité, ce qui peut être suivi des effets les plus terribles. Dans tous les cas par conséquent où une chopine ou deux ne suffisent pas pour produire le vomissement, il faut engager le malade à l'exciter, en mettant son doigt ou une plume dans la bouche ; en général, il faut employer tous les moyens possibles pour le débarrasser de ce déluge d'eau, dont on l'a accablé fort mal-à-propos. Je pense, pour le dire en passant, qu'il résulte de ce que l'estomac perd son activité, et ne peut rien rejeter lorsqu'il est trop distendu, à peu près comme la vessie qui ne peut pas s'évacuer lorsqu'elle est trop pleine, il en résulte, dis-je, que le vomissement n'est pas seulement l'effet de l'action du diaphragme et des muscles abdominaux, comme M. Chirac et quelques autres l'ont prétendu ; car leurs plus grands efforts ne produisent aucun effet sur un estomac ou une vessie trop pleine. A l'égard de la dernière, on est souvent obligé d'avoir recours au cathéter.

Si le vomissement continue après que l'estomac a été nettoyé, il faut donner un peu de thériaque d'Andromaque dans une mixture stomachique, appropriée, telle que le sel d'absinthe, le suc de limon, l'eau de menthe, etc., appliquer une fomentation aromatique, ou plutôt un cataplasme fait avec les espèces aromatiques et la thériaque, qui réussit souvent lorsque tout le reste est sans effet.— Ce n'est pas seulement l'estomac qu'il faut nettoyer, il est bon également de débarrasser au commencement de ces fièvres tout le canal intestinal ; mais la raison et l'expérience démontrent qu'on ne doit le faire que par les méthodes les plus douces, les lavements faits avec le lait, le sucre et le sel : les potions laxatives, où l'on fait entrer la manne, la crême de tartre, le sel cathartique de Glauber, les tamarins et la rhubarbe, sont les remèdes qu'on doit employer par préférence. J'ai souvent vu résulter les effets les plus funestes des purgatifs âcres et trop vifs. Hoffmann(1) avertit de se défier même du séné. Les émétiques doux et les écoprotiques que je viens d'indiquer ont cet avantage qu'on peut les répéter et les donner de temps en temps pour évacuer les matières bilieuses putrides à mesure qu'elles passent dans les premières voies. Je ne crains jamais d'employer ces moyens pour produire une ou deux selles dans quelque temps de la fièvre que ce soit, lorsqu'ils sont indiqués par l'amertume de la bouche, les maux de cœur, les rapports nidoreux et fétides, ou par la trop grande constipation, l'enflure du ventre, les borborygmes, les tranchées, etc. — Quoiqu'Hippocrate (2) défende en général d'évacuer les humeurs crues au commencement des maladies et avant qu'elles n'aient été cuites, cependant il convient qu'on peut purger au commencement lorsqu'il y a turgescence des humeurs et qu'elles font effort pour sortir : c'est ainsi que le *cholera-morbus* est un effort que la nature fait pour se décharger d'une bile âcre et surabondante. Lorsque les fièvres putrides malignes de l'automne doivent leur origine au débordement d'une bile putride et *aduste*, pour me servir du langage des anciens, qui séjourne dans la région du foie ou de l'estomac, etc., ce qui arrive souvent après les étés fort chauds, qui ont considérablement augmenté et exalté la bile, les sels et les huiles animales, on doit commencer par les émétiques et les purgatifs doux, dont je viens de parler. — Il est certain que la bile prédomine dans toutes les fièvres putrides, malignes et pétéchiales. On trouve dans les cadavres de toutes les personnes qui meurent de la peste, la vésicule du fiel, les conduits biliaires, et même l'estomac et le duodénum, etc., remplis d'une bile noire ou verte (3). Si on n'évacue pas cette bile, elle se corrompt de plus en plus, produit de grandes anxiétés, des maux de cœur, des douleurs, etc., et étant reportée dans le sang, elle y cause de très-grands désordres, irrite le genre nerveux, détruit la texture du sang et convertit la lymphe en un ichor corrosif. Par conséquent toutes les fois qu'il y a des signes qui annoncent qu'elle surabonde, il faut l'évacuer par le vomissement ou par les selles, selon que la nature l'indique. J'ai souvent observé avec beaucoup de plaisir dans ces fièvres putrides, qu'un vomissement, qu'une selle ou deux, étaient immédiatement suivis d'un changement étonnant en mieux ; toutes les fois qu'il avait précédé des anxiétés inexprimables, un poids sur les hypochondres, des maux de cœur perpétuels, des rapports et des hoquets. La langue chargée, les maux de cœur, les pesanteurs d'estomac, l'amertune de la bouche, une haleine puante et des rots fréquents, indiquent l'état de l'estomac ; et les matières fétides, noires, bilieuses, qui viennent par les selles, la nécessité de ces évacuations. S'il y avait un poison logé dans l'estomac et dans les intestins, nous n'hésiterions pas à l'en chasser le plus promptement qu'il serait possible ; une bile véritablement putride n'est guère moins pernicieuse qu'un poison actuel. Communément, vers l'état de ces fièvres, c'est-à-dire entre le septième et le quatorzième jour, la nature s'efforce de se débarrasser de cette bile putride par le vomissement ou plus ordinairement par une diarrhée ; l'art doit toujours la favoriser dans ces opérations : en conséquence, je donne assez généralement un doux laxatif le huitième ou le neuvième jour, à moins qu'il ne paraisse quelque éruption, ou qu'une douce sueur ne m'en empêche. Jusqu'à ce temps-là je n'emploie guère de purgatif, si l'on excepte un peu de manne, de crême de tartre et autres choses semblables que je donne au commencement, surtout lorsque j'ai lieu de soupçonner que la maladie vient plus de contagion que de la saburre des premières voies ; prescrivant néanmoins un clystère laxatif et émollient, tous les deux ou trois jours, selon les circonstances. Je répète ce doux laxatif de temps en temps, selon que les

(1) *De Febribus petechialibus vocis*, tom. IV.

(2) *Aphoris.* XXII, sect. I, et lib. *de Humorib.*

(3) *Traité de la peste.* Paris 1744, in-4.

symptômes l'indiquent, et pendant son opération je soutiens mon malade par un régime, des boissons et des remèdes fortifiants. Par ce moyen, non-seulement je préviens l'amas et la corruption de cette matière bilieuse putride dans les premières voies, mais encore je l'empêche de passer dans le sang; et, la dérivant vers le canal intestinal, j'en facilite l'évacuation hors du corps. Il y a déjà plusieurs années que j'emploie avec succès cette manière de purger vers ce temps dans ces sortes de fièvres; mais je rejette les purgatifs où entrent l'aloës, la scammonée ou la coloquinte, que je regarde plutôt comme des poisons que comme des remèdes dans cet état d'acrimonie, de putridité et de dissolution du sang; il n'y a qu'un fou qui puisse les employer dans ce cas. La nature, il est vrai, ne passe que trop souvent les bornes sans le secours de ces puissants stimulants, et produit des diarrhées excessives ou une dysenterie qui fait bientôt périr le malade, si on ne l'arrête. Mais cela n'arrive guère que lorsqu'on laisse séjourner trop long-temps et putréfier de plus en plus dans les intestins la matière bilieuse corrompue; le meilleur moyen de le prévenir, c'est de l'évacuer à temps et à des intervalles convenables. Quand on est menacé de ces évacuations immodérées, on doit avoir recours aux astringents alexipharmaques les plus convenables, la thériaque d'Andromaque, la confection de Fracastor, la teinture de roses, du vin rouge brûlé avec de la cannelle, etc.; mais avant tout, si le cas est très-pressant, à un clystère astringent fait avec la confection de Fracastor, et une petite quantité de décoction de tormentille, de roses rouges ou de cachou. Mais il ne faut faire usage de ce remède qu'avec beaucoup de prudence, car il est toujours dangereux d'arrêter à contre-temps une diarrhée critique, et je crois qu'on ne doit jamais le faire qu'on n'ait fait précéder une ou deux petites doses de rhubarbe. Avant de finir ce paragraphe, je crois devoir faire observer que quoique j'aie souvent vu des diarrhées critiques dans l'état ou sur le déclin de ces fièvres, je les ai trouvées constamment préjudiciables au commencement, surtout lorsque les déjections ont été liquides, séreuses et très-abondantes.

Quoique la nature affecte très-souvent dans les fièvres putrides malignes de se débarrasser de la matière morbifique, par le vomissement ou les selles, cependant ses efforts les plus constants sont vers les pores de la peau. J'ose assurer que je n'ai jamais vu aucune de ces fièvres complètement jugées qu'il ne soit survenu une sueur plus ou moins abondante. Cette sueur est salutaire toutes les fois qu'elle est modérée, chaude, également répandue sur tout le corps; lorsqu'elle survient dans la vigueur de la maladie, que le pouls se développe, devient mol et calme un peu auparavant et pendant qu'elle continue. Mais lorsqu'elle est très-abondante, froide, visqueuse, ou qu'elle ne sort que d'une partie de la tête ou de la poitrine seulement, il y a plus à craindre qu'à espérer. Les sueurs abondantes qui surviennent au commencement sont en général pernicieuses, surtout si elles sont suivies du frisson. Mais comme ces sueurs sont d'autant plus favorables qu'elles sont l'ouvrage de la nature plus que de l'art, on ne doit jamais chercher à les exciter ni à les augmenter par des remèdes ou un régime chaud, etc.; il suffit de les favoriser et de les soutenir par des délayants acidulés et de doux diaphorétiques cordiaux, capables de délayer le sang, d'emporter les sels, de tempérer l'acrimonie, de prévenir les progrès de la putréfaction et de la dissolution du sang, et de conserver et de fortifier le ton des solides.—Comme des personnes de tempérament différent quant à l'état des solides et des fluides, peuvent être attaquées de maladies contagieuses, il faut employer des méthodes très-différentes dans les différents cas: celles qui ont des fibres fortes et un sang riche et épais, n'ont pas besoin des remèdes chauds qui sont nécessaires pour soutenir celles qui sont d'un tempérament faible et phlegmatique. On doit néanmoins observer en général que, comme le sang et les humeurs tendent à la dissolution, à la stagnation et à la putréfaction dans les fièvres pestilentielles et pétéchiales, il est nécessaire d'employer les moyens propres à conserver la force de contraction des vaisseaux et de prévenir les progrès de la putréfaction. Les acides végétaux et même les minéraux bien préparés sont très-utiles pour remplir la dernière indication, et les alexipharmaques astringents pour satisfaire à la première. Mais je suis très-persuadé que l'usage des sels et des esprits alcalis volatils est très-nuisible, puisqu'ils augmentent bien certainement la putridité des humeurs (1), et

(1) M. Pringle a démontré, dans les mé-

qu'ils sont comme autant d'aiguillons qui accélèrent la destruction : on a observé que l'abus de ces sortes de remèdes, sans qu'il fût nécessaire qu'il y eût eu de contagion, produisait la dissolution et la corruption du sang, et ces sortes de fièvres, même chez les personnes qui jouissaient de la meilleure santé. Peut-être que les miasmes pestilentiels ne sont que des sels animaux très-atténués et volatilisés ; c'est ce que semblent démontrer les fièvres pestilentielles que produisent des exhalaisons putrides qui sortent des cadavres après les batailles, les siéges, etc.

Ce que je viens de dire des sels alcalis volatils me conduit à une réflexion sur l'usage que l'on fait des vésicatoires dans toutes ces fièvres sans distinction : il y a même des médecins qui fondent sur eux toutes les espérances dans les cas dangereux ; mais je pense qu'on les applique très-souvent trop tôt et mal à propos, surtout dans les commencements, lorsque la fièvre est encore violente et n'a pas besoin qu'on l'excite par de nouveaux stimulants ; car les cantharides n'agissent pas seulement sur la peau, mais elles affectent tout le système nerveux et vasculaire : par conséquent on a tort de les appliquer lorsque l'irritation et les vibrations des vaisseaux sont trop fortes, comme cela arrive fréquemment au commencement de ces fièvres. D'ailleurs, les sels de ces mouches agissent comme les sels alcalis volatils, et tendent à accélérer la dissolution, et par conséquent la putréfaction du sang. Il est vrai que la nature peut quelquefois avoir besoin d'aiguillon, surtout vers le déclin de ces fièvres; lorsque les solides sont engourdis, que la circulation languit, que les esprits sont sans vigueur et que le malade est dans un état d'assoupissement : dans ce cas on peut avoir recours aux vésicatoires, qui sont alors d'une très-grande utilité dans quelque temps de la fièvre que ces symptômes paraissent. Mais dans les circonstances que j'ai décrites ci-dessus, j'ai souvent vu résulter de très-mauvais effets de leur application prématurée, comme des insomnies cruelles, le délire, la suppression de l'urine, des tremblements, des soubresauts dans les tendons, etc. Je conseille donc aux jeunes médecins, avant de faire usage de ces remèdes, de lire Baglivi *De usu et abusu vesicantium*, ils l'entendront beaucoup mieux s'ils lisent auparavant son traité *De fibrâ motrice;* et Bellini *De stimulis*. J'ajouterai encore que lorsqu'on applique plusieurs vésicatoires dans les maladies aiguës, il faut faire boire abondamment au malade du petit-lait, des émulsions ou quelqu'autre liqueur aigrelette et adoucissante ; lorsqu'on néglige cette précaution, il souffre presqu'autant du remède que de la maladie. — On s'attend bien que je mettrai le camphre au nombre des plus puissants correctifs de l'acrimonie des cantharides ; je m'en sers en effet fréquemment pour cet usage, sachant que rien n'émousse plus efficacement les pointes des sels que ce soufre volatil, extrêmement subtil ; il adoucit même celles des préparations mercurielles. Mais je crois que dans ces fièvres pestilentielles il remplit une indication beaucoup plus importante, celle d'exciter la transpiration, ou une douce sueur qu'on regarde universellement comme très-salutaire dans ce cas. Rien en effet ne l'excite plus efficacement que le camphre, qui d'ailleurs a cet avantage qu'il n'échauffe pas à beaucoup près, autant que les sels alcalis volatils, et les esprits ardents. Outre cela, sa qualité adoucissante et anodine le rend très-propre à apaiser l'éréthisme, à calmer les esprits et à faciliter le sommeil, dans les cas où les opiats sont sans effet et augmentent même le tumulte et le désordre. En effet, lorsqu'on le joint avec quelque opiat, c'est le sudorifique le plus sûrement efficace qu'il y ait dans la nature, et l'*elixir asthmaticum*, ou *parégorique*, est non-seulement à cet égard, mais à beaucoup d'autres, un excellent remède. Quand on ordonne les opiats dans ces fièvres, il faut que ce soit à très-petites doses à la fois, qu'on peut répéter suivant les indications; la thériaque d'Andromaque, le mithridate, le diascordium, l'élixir parégorique, sont certainement les meilleurs. Le camphre a ce désavantage qu'il est très-désagréable et révolte l'estomac, à moins qu'on ne le dissolve ou plutôt qu'on ne le mêle intimement avec du vinaigre tiède, comme dans le *julep è camphora* : alors c'est un excellent remède très-propre pour les fièvres malignes et même pour la peste ; car presque tous les méde-

---

moires sur les substances septiques et anti-septiques, que les alkalis volatils, bien loin d'accélérer la putréfaction, étaient le meilleur remède qu'on pût employer pour l'arrêter et même pour la prévenir.

cins recommandent fortement le camphre et le vinaigre dans les maladies pestilentielles. Les médecins français employèrent l'un et l'autre avec succès dans la dernière peste de Marseille, etc., et on érigea une statue à la mémoire de Hensius (1), en reconnaissance du service qu'il avait rendu à la ville de Vérone dans la peste dont elle fut affligée, au moyen d'un remède dont le camphre faisait la base. — Dans l'obligation où l'on est de donner des acides et des astringents doux dans les fièvres putrides malignes et pétéchiales, pour conserver la texture du sang, et le ton des vaisseaux, et pour prévenir la putréfaction des humeurs, il faut y joindre des diaphorétiques dont le camphre est le principal, pour faciliter la transpiration ou une douce sueur que les premiers sont capables de retarder. Cette méthode est entièrement conforme à la méthode des anciens, qui mêlaient les astringents aux alexipharmaques dans la composition de leurs antidotes, comme on peut le voir dans la thériaque d'Andromaque, le mithridate, etc.; je suis persuadé que c'est pour cela qu'ils sont si supérieurs. Ils ont pour eux le témoignage des siècles, et sont sans contredit d'excellents remèdes lorsqu'on les emploie comme il convient, quoiqu'il y ait beaucoup de choses plus importantes, soit par leurs qualités, soit par la petite quantité qui y entre. Je sais qu'on peut donner avec succès dans d'autres fièvres que les intermittentes l'alun et la noix muscade, surtout lorsqu'on y joint un peu de camphre et de safran. — Je demande la permission d'insérer ici la préparation suivante de quinquina, que j'ai employée avec succès depuis plusieurs années, non-seulement dans les fièvres intermittentes et les fièvres lentes nerveuses, mais encore dans les fièvres putrides, pestilentielles et pétéchiales, surtout vers le déclin, malgré que les intermissions fussent souvent peu marquées. Lorsque le malade est constipé, ou qu'il a le ventre gonflé et tendu, je fais toujours précéder une dose de rhubarbe, de manne, etc.

℞ *Corticis peruv. opt. pulv.* . . ℥ ij
Flaved. Haurant. hispal. . . ℥ ß
Rad. serpent. Virgin. . . ʒ iij
Croci anglic. . . . . ℈ jv
Coccinel. . . . . ℈ ij
Spirit. vini gallici . . . . ℥ xx
F. Infusio clausa per aliquot dies (tres saltem quatuorve) deinde coletur.

J'en fais prendre un gros ou une demi-once toutes les trois, six ou huit heures, avec dix, quinze ou vingt gouttes d'élixir de vitriol, dans quelque liqueur appropriée ou dans du vin trempé. J'ordonne aux apothicaires de ce pays de tenir ce remède tout préparé dans leurs boutiques, et j'exhorte tous les médecins à s'en servir comme d'un excellent remède. Je sais qu'il réussit quelquefois dans les fièvres intermittentes, lorsque les malades ne supportent pas aisément le quinquina en substance ou en décoction. C'est souvent un avantage de pouvoir donner sous forme liquide un remède qui est désagréable sous forme solide ;, lorsqu'on peut le faire sans le déranger, on doit le préférer. Cette composition fortifie les solides, arrête les progrès de la dissolution et de la corruption du sang, et le rétablit dans son premier état : il le fait même sans boucher les pores de la peau, ce que le quinquina en substance produit très-souvent. Car il faut noter que quoique des sueurs abondantes soient nuisibles dans ces fièvres et dans toutes les autres, cependant on doit toujours favoriser une sueur douce, facile et modérée, surtout dans la vigueur et le déclin, par des délayants pris en abondance, par des aliments liquides, etc. En effet, comme ces fièvres sont très-souvent de longue durée, il est nécessaire de donner au malade des boissons et des aliments capables de le soutenir; sans cela il succomberait infailliblement. Dans cette vue et dans les autres que j'ai indiquées ci-dessus, je recommande de bon vin rouge comme le meilleur cordial astringent et le plus naturel; je doute que l'art en puisse substituer un meilleur. Je suis même persuadé qu'il est extrêmement utile dans la vigueur, encore plus dans le déclin des fièvres putrides malignes, surtout lorsqu'on y joint le jus d'une orange de Séville ou d'un limon. On peut aussi l'imprégner de quelque aromate, comme la cannelle, l'écorce d'orange de Séville, les roses rouges, etc.; selon l'indication qui se présente; on y peut même ajouter quelques gouttes d'élixir de vitriol. Je ne dirai point avec

(1) Voyez Etmuller, *De peste*, tom. 1, p. 263; édit. de Francfort, 1688, fol.

Asclépiade (1) que *la puissance des Dieux égale à peine l'utilité du vin*, mais personne ne peut douter qu'il ne soit d'une utilité merveilleuse, non-seulement dans la vie, mais encore dans la médecine. Les vins blancs du Rhin et de France avec de l'eau font une boisson excellente dans différentes espèces de fièvres; le bon cidre ne leur est guère inférieur. Le vin rouge un peu vieux est, comme je l'ai déjà dit, un bon julep cordial et astringent. Les Asiatiques et les autres nations chez lesquelles la peste est plus commune que parmi nous comptent plus sur le suc de limon dans ces fièvres que sur les alexipharmaques les plus vantés. Ce n'est pas seulement en cela, mais en beaucoup d'autres choses, que nous cherchons dans l'art les secours que la nature bienfaisante nous fournirait plus efficaces et à moins de frais, si nous avions assez de diligence et de sagacité pour les observer et nous en servir. Je ne puis m'empêcher de faire remarquer ici qu'on n'étudie pas la partie diététique de la médecine autant qu'elle le mérite. Je suis très-persuadé que c'est le moyen le plus naturel de traiter les maladies, quoique moins pompeux que tous ces bols alexipharmaques, ces boissons fébrifuges, et ces juleps cordiaux. Je joindrai ici les dissertations qui suivent, parce qu'elles me paraissent propres à éclaircir et à confirmer la doctrine précédente.

ESSAI

SUR LA PETITE VÉROLE.

Il n'y a point de maladie dans laquelle les divers effets de la même cause sur les différentes constitutions des solides et des fluides soient plus sensibles que dans la petite vérole. Car, premièrement, lorsque la contagion variolique attaque des personnes qui ont les fibres fortes et tendues, et le sang riche et épais, elle produit communément une violente fièvre inflammatoire, dans laquelle tantôt les poumons, tantôt le cerveau, tantôt la gorge ou telle autre partie sont extrêmement enflammées, et dans laquelle le sang qu'on tire est épais et inflammatoire, ce qui oblige très-souvent de répéter la saignée, à moins qu'on ne veuille laisser périr le malade de frénésie ou étouffer par une péripneumonie inflammatoire. Dans ce cas, le pouls est fréquent, plein, tendu; la respiration chaude, fort courte et pénible; la chaleur très-âcre et l'urine fort colorée; le malade éprouve une soif ardente; la langue est sèche et chargée; il ressent des douleurs très-vives à la tête, au dos, aux reins et dans les membres. Avec ces symptômes, je saignerais même dans la peste, ou dans quelqu'autre maladie que ce fût; autrement le malade courrait les plus grands dangers par la disposition inflammatoire de son sang, abstraction faite de la contagion. — Mais je ne puis approuver l'usage que l'on fait de la saignée dans toutes les petites véroles indistinctement. Car, secondement, cette maladie se présente souvent avec les symptômes ordinaires de la fièvre lente nerveuse, et le malade languit pendant long-temps; sa fièvre est lente, ses esprits sont abattus, le pouls est faible, fréquent et ondoyant; le visage pâle et défait, les urines crues et ténues; il n'éprouve pas de grande soif, la chaleur n'est pas forte; il sent des vertiges et des pesanteurs de tête continuelles, avec des tremblements, des nausées et des envies de vomir perpétuelles, un malaise universel, de la faiblesse et des lassitudes, etc. J'ai vu plus d'une fois ces symptômes continuer pendant sept

(1) Pline, *Histor. natur.*, ex edit. Harduin. Paris, 1723, fol., tom. II, p. 301.

ou huit jours, et finir par la petite vérole, qui était presque toujours d'une mauvaise espèce; les boutons étaient pâles, crûs, enfoncés et aplatis, ne s'élevaient jamais bien et ne mûrissaient pas comme il faut; mais continuaient à être plats et flétris, ou se réunissaient et formaient de grandes vessies pleines d'une matière ichoreuse, ténue et indigeste, et restaient en cet état jusqu'au dernier jour; tandis qu'au visage, de pâles et de cadavéreux qu'ils étaient, ils devenaient d'un noir foncé, et formaient une croûte très-adhérente, si le malade vivait assez long-temps pour cela; alors même ils étaient généralement funestes. — 3° Quelquefois la petite vérole est accompagnée d'une fièvre maligne ou pétéchiale, dans laquelle le tissu du sang est entièrement détruit; il paraît des taches noires et livides; il survient des hémorrhagies; les pustules deviennent noires, gangréneuses, et souvent pleines de sang bientôt après l'éruption, et même quelquefois quoique les pustules soient en petit nombre et discrètes. Nous trouvons donc trois espèces de fièvres produites par une seule espèce de contagion; on est obligé, dans le traitement, d'avoir égard à la fièvre, ainsi qu'à la nature de la maladie contagieuse. — Cela nous fait voir combien il est absurde de proposer généralement un régime chaud ou rafraîchissant pour toutes les espèces de petites véroles sans distinction. La méthode de Sydenham est bonne dans certaines circonstances; dans d'autres, celle de Morton lui est préférable. En un mot, chaque cas particulier demande un traitement particulier, et le médecin doit montrer son jugement en l'appliquant avec exactitude.

Quoique la contagion de la petite vérole produise la même espèce de maladie, néanmoins les degrés de cette maladie sont très-différents. La même contagion produit souvent dans la même maison, la même famille, ou le même village, des espèces de petites véroles très-différentes, les unes très-bénignes et très-discrètes, d'autres très-malignes et très-dangereuses. Nous voyons dans beaucoup d'occasions que celui qui en est le premier attaqué a une petite vérole très-bénigne, tandis que le suivant en a une confluente, maligne et funeste; c'est une chose qu'on voit tous les jours; ce qui n'empêche pas que dans l'intervalle il n'y en ait de tres-bénignes. De sorte que cela démontre complètement que la constitution du malade diversifie considérablement la maladie. La même chose arrive dans tous les autres cas, car on voit une simple égratignure s'envenimer dans quelques sujets et donner lieu à un ulcère, tandis que dans d'autres les plus grandes plaies se guérissent avec une facilité merveilleuse. Un phlegmon se résout aisément dans l'un, ou suppure doucement; dans d'autres, il tombe en gangrène ou devient squirrheux ou cancéreux.

La contagion de la petite vérole ne produit pas toujours la fièvre, au moins une fièvre considérable, quoiqu'elle ait tous les caractères de la fièvre, car il y a un très-grand nombre d'enfants, et même de personnes adultes, qui l'ont naturellement d'une manière si douce qu'ils ne s'aperçoivent pas qu'ils ont la fièvre, et qu'ils ne sentent pas de mal avant ou pendant la maladie. Le pus de la petite vérole infeste souvent la peau de ceux qui l'ont déjà eue, et y produit un grand nombre de pustules, semblables en tout à celles de la petite vérole, qui ont la même durée, qui suivent la même marche, mais qui ne sont accompagnées d'aucune fièvre. Cela est très-ordinaire chez les personnes qui soignent et touchent les gens affectés de cette maladie, surtout celles qui ont la peau fine. Dans ce cas, la contagion n'affecte que les glandes cutanées, etc., et non pas le sang, qui a éprouvé une telle altération lors de la première petite vérole qu'il n'est plus capable de la prendre dans la suite. Il y a des tempéraments particuliers, qui ne sont pas susceptibles de prendre cette maladie; on voit des personnes qui n'ont jamais eu la petite vérole quoiqu'elles s'approchent ou même soignent des malades attaqués de cette maladie. Je connais une vieille garde et un apothicaire, qui depuis plusieurs années font ce métier sans l'avoir jamais eue; il y en a même qui ont tenté inutilement de la prendre en entrant dans des chambres où il y en avait : ces mêmes personnes cependant l'ont eue naturellement quelques mois ou quelques années après. Le pus variolique qu'on emploie dans l'inoculation n'infecte pas tous ceux qui se soumettent à cette pratique; et on sait parfaitement que le même pus, pris sur la même personne, produit un plus ou un moins grand nombre de boutons dans les différentes personnes, et des fièvres plus ou moins violentes. En général, il est évident que l'état précédent du corps et la disposition des humeurs contribuent beaucoup à déterminer la quantité et la qualité de la petite vérole. Ce n'est pas que les miasmes contagieux ne puissent être d'une nature beaucoup plus virulente et plus active dans un temps que dans l'autre, sous une certaine constitution de l'air que sous une autre, comme on remarque en effet qu'ils le sont. Mais cela même peut venir de la disposition particulière de l'air, qui produit dans les solides et les fluides des qualités qui les rendent plus ou moins disposées à telle ou telle espèce de fièvre, car on observe des constitutions de l'atmosphère qui disposent aux fièvres inflammatoires; d'autres aux fièvres lentes, nerveuses, rémittentes, intermittentes, etc.; une troisième aux fièvres putrides, malignes ou pétéchiales. Par conséquent, lorsque la contagion se rencontre et coopère avec telle ou telle constitution, elle doit produire telle ou telle espèce de petite vérole, ou plutôt telle ou telle espèce de fièvre avec la petite vérole. On a souvent remarqué des fièvres d'une très-mauvaise espèce accompagner des petites véroles qui ne produisaient qu'un petit nombre de pustules très-discrètes, quoique d'un mauvais caractère. Je crois avoir observé très-fréquemment que la fièvre épidémique courante se rencontrait avec la petite vérole, et que la contagion ne faisait que diversifier la maladie, ou plutôt que la fièvre épidémique se compliquait avec la petite vérole dans le même sujet. C'est ce qui est arrivé fréquemment en 1740, 1741 et 1745, lorsqu'il régnait ici une fièvre épidémique pestilentielle parmi les matelots, les soldats et les prisonniers (surtout la dernière année). Ils avaient communément les symptômes les plus marqués de la fièvre maligne avec la petite vérole, qui fit un très-grand ravage parmi eux; au lieu que plusieurs personnes du voisinage qui n'avaient aucune communication avec l'hôpital, et qui se portaient d'ailleurs assez bien, en eurent une espèce bénigne. Il y a bien de l'apparence que cette fièvre maligne était due à la disposition scorbutique, à la manière de vivre, au resserrement, etc., de ce grand nombre de gens, quoique je pense que la fièvre de 1740 eût une autre origine (1).

Il semblerait que si l'on pouvait conserver ou produire une disposition particulière dans le sang ou les humeurs, on pourrait éluder la force de l'infection; on en a en effet parlé, mais je crois que c'est sans fondement. On a cru que certaines préparations de quinquina et de mercure auraient cette vertu, et j'ai vu quelques expériences qui m'ont fait pencher à le croire, mais je n'en ai pas été assez content pour le conseiller ou m'y fier. — Il est certain que les mêmes remèdes produisent des effets très-différents sur les différents tempéraments, et ce serait une folie de donner comme prophylactiques, du quinquina ou des corroborants, à un homme qui aurait les fibres raides et le sang épais, quoiqu'ils puissent être utiles aux personnes dont les vaisseaux sont faibles et lâches, et le sang aqueux et appauvri. Les remèdes mercuriels pourraient-ils convenir à ceux dont le sang est dans un état de dissolution? L'usage qu'on en a fait a souvent produit de très-mauvais effets dans la suite de la petite vérole, ayant donné naissance, entre autres, à des pétéchies, des hémorrhagies, des diarrhées, etc., quoique je sois persuadé qu'ils peuvent être utiles dans d'autres circonstances. En un mot, tout ce qu'on peut faire de plus raisonnable à cet égard, c'est de corriger ce qui pèche dans la constitution, ou de suppléer à ce qui lui manque, soit en la fortifiant contre l'attaque de la maladie, ou en la préparant à la soutenir lorsqu'elle vient. Ce petit nombre de réflexions me paraît mériter l'attention, surtout de ceux qui préparent des sujets pour l'inoculation. — Je suis persuadé que si on était préparé régulièrement, lorsqu'on est attaqué de la petite vérole naturelle, la plus grande partie de ceux qui l'ont, n'éprouveraient que des petites véroles bénignes; car il n'est pas douteux que les plus mauvaises espèces de petite vérole ne doivent leur origine qu'à la surabondance du sang, à l'acrimonie des humeurs, à la saburre dont les premières voies sont surchargées, souvent même aux erreurs dans la diète, l'exercice que le malade commet après avoir pris l'infection, ce qui produit souvent des effets très-pernicieux. C'est surtout de ces erreurs qu'on doit garantir ceux qu'on a inoculés; de là le grand succès de l'opération. Ce n'est pas que la bénignité de la petite vérole dont on emprunte le pus, et la petite quantité de matière qu'on reçoit par l'insertion ne contribuent en partie à la béni-

(1) Voyez-en l'histoire : *Obs. de aere, etc.*, vol. II, mense iunio, 1740.

gnité de la maladie. C'est peut-être tout l'avantage de l'inoculation, surtout si on ajoute qu'on ne la pratique que sur des sujets jeunes, qui par conséquent n'en ont pas peur, et qui sont ordinairement d'une bonne santé. Cependant un très-grand nombre d'expériences ont suffisamment démontré le grand succès et les avantages de cette méthode; et en accordant même tout ce que la prévention et l'esprit de parti ont publié contre cette pratique, le danger auquel expose la petite vérole naturelle, est à celui que fait courir l'artificielle, au moins comme 10 est à 1.

Il faut donc avoir égard au tempérament du malade et à la constitution de l'air, si l'on veut réussir dans le traitement de la petite vérole, et même dans celui des autres maladies épidémiques. — Car premièrement les personnes d'une constitution robuste et vigoureuse ont les humeurs plus visqueuses et plus denses, une plus grande quantité de sang, et d'un sang plus compacte; et par conséquent sont plus exposées à de grosses fièvres et à de fortes inflammations que celles qui ont la fibre lâche et le sang pauvre et aqueux, et par cette raison soutiennent mieux les évacuations, surtout les saignées. Il est donc prudent, lorsque les premières sont attaquées de la petite vérole, de leur tirer du sang, et même, si les symptômes augmentent, de répéter la saignée. Un pouls plein, tendu et agité, une chaleur vive, une respiration gênée et chaude, un visage allumé, des yeux rouges, la frénésie, etc., l'exigent plus particulièrement. Un mal de tête violent, l'inflammation des yeux, le battement des artères carotides et temporales, indiquent une inflammation du cerveau, ou de ses méninges, qu'on ne saurait trop se hâter de prévenir. Après avoir tiré une quantité suffisante de sang du bras, la saignée du pied produit des effets merveilleux. — Dans ces sortes de cas, la saignée ne retarde pas l'éruption, au moins au-delà du terme ordinaire. Tant que le sang et les esprits sont violemment agités, et que la circulation est extrêmement rapide, la nature est tellement embarrassée qu'elle ne peut pas expulser d'une manière régulière la matière morbifique, encore moins la cuire, ni même procurer les sécrétions naturelles. Dans les fièvres ardentes et inflammatoires, on est souvent obligé de saigner une ou deux fois avant de parvenir à procurer la plus légère sueur. Outre cela, il faut nécessairement un certain degré de coction dans toutes les éruptions critiques, du moins dans celles qui sont salutaires : de là vient qu'on trouve en général plus ou moins de sédiment dans l'urine, immédiatement avant ou pendant l'éruption, et que la fièvre diminue. Lorsque tout est dans le trouble, et que la petite vérole sort trop tôt, souvent même au bout de 30 heures, la fièvre continue et l'issue est toujours funeste. La saignée, dans les circonstances que nous avons rapportées ci-dessus n'affaiblit pas même les forces de la nature; au contraire, en calmant le mouvement excessivement violent du fluide vital, et en procurant une sécrétion plus régulière des esprits animaux, elle la soulage et la seconde dans ses opérations.

On sait que la saignée du pied procure une puissante révulsion de la tête et de la poitrine, parties qu'on doit s'efforcer de garantir, autant qu'il est possible, contre la violence de cette maladie. Dans cette vue, je conseille de faire mettre les pieds et les jambes dans l'eau tiède ou dans du lait coupé avec de l'eau, pendant quelques minutes, deux ou trois fois le jour, avant et pendant l'éruption; et je voudrais qu'on appliquât aux pieds des cataplasmes de mie de pain et de lait, ou de navets cuits dans l'eau, ou autres semblables. J'ai suivi cette pratique avec beaucoup de succès pendant plusieurs années, et je l'ai recommandée dans une courte description d'une petite vérole irrégulière qui régna ici en 1724 et 1725 (1). Ces moyens attirent le sang vers les parties inférieures, et par conséquent soulagent la tête et la poitrine; en déterminant une plus grande quantité de sang vers ces parties, ils doivent nécessairement y entraîner une plus grande quantité de la matière varioleuse; et ce qui vaut encore mieux, en faciliter la sortie dans ces parties, ce qui diminue la quantité de celle qui sort autour de la tête, etc. En même temps la qualité relâchante du bain tiède tend à calmer l'impétuosité du sang et le délaie en quelque sorte. Il est certain que lorsqu'on fait usage de cette méthode, il sort une très-grande quantité de boutons aux jambes et aux pieds, et lorsqu'on y applique des cataplasmes, on y sent quelquefois de très-vives douleurs : c'est surtout lorsque les boutons sont très-abondants à la

(1) Voyez les *Trans. philos.*, n° 390.

tête, à la gorge ou sur la poitrine, que les petites véroles sont à craindre. Un érysipèle ordinaire est infiniment plus dangereux lorsqu'il attaque le visage ou la tête que lorsqu'il se manifeste aux parties inférieures. Il faut donc bien se garder de tenir la tête trop chaude; on ferait bien même de la raser avant l'éruption, surtout si le malade a beaucoup de cheveux; non-seulement cela tient la tête plus fraîche et empêche qu'elle ne soit surchargée de pustules, mais encore prévient un grand nombre d'accidents très-dangereux dans le cours de la maladie.— Si malgré cela la fièvre continue à être très-forte, et que l'éruption ne se fasse pas régulièrement, je serais d'avis qu'on baignât non-seulement les jambes et les pieds, mais encore les bras et les mains, et même tout le tronc. J'ai eu l'occasion plus d'une fois de pratiquer cette méthode sur quelques enfants à qui les bains froids qu'on leur avait fait prendre dans le rachitis avaient rendu la peau plus dense et plus dure qu'elle n'aurait dû l'être naturellement, ce qui avait probablement retardé l'éruption. Il y en eut un, qui est maintenant un homme fort et vigoureux, chez qui l'éruption ne se fit que le sixième jour, quoiqu'il eût une fièvre très-vive depuis le commencement; on ne l'eut pas plus tôt plongé jusqu'aux mamelles dans du lait tiède coupé avec de l'eau que la petite vérole commença à sortir d'une manière très-douce, quoiqu'elle fût très-abondante. Ces bains tendent non-seulement à garantir la tête et la poitrine, mais encore à attirer en dehors la matière morbifique, à en favoriser l'éruption à l'habitude du corps; ce qui doit nécessairement empêcher qu'elle ne fasse tant de ravage sur les parties internes plus nécessaires à la vie. On n'éprouve que trop souvent que les pustules qui s'élèvent sur les poumons et sur les viscères de l'abdomen produisent des effets funestes. D'ailleurs, cette méthode n'est pas nouvelle, puisque Rhazes (1) ordonne de tenir le malade dans une espèce de bain de vapeur pour faciliter l'éruption. — Il arrive très-souvent que les personnes fortes et pléthoriques tombent dans un abattement et une faiblesse générale, accompagnée d'un pouls lourd et embarrassé dès le moment qu'elles sont attaquées de la petite vérole; ce qui fait que les médecins qui ont peu d'expérience craignent de les saigner. Cependant la saignée est également nécessaire, et rien ne les soulage plus promptement, surtout lorsque cet abattement est produit par la crainte qu'ils ont de la maladie : ce qui arrive souvent aux adultes, lesquels, pour le dire en passant, sont cependant ceux qui supportent le mieux la saignée, à moins qu'ils ne soient fort âgés. Car, non-seulement la contagion affecte les esprits, peut être même est-elle la première cause de l'abattement, mais encore la crainte et l'inquiétude affaiblissent les forces de la nature, et troublent tellement ses opérations que le cœur et les vaisseaux n'agissent que faiblement sur les fluides; ce qui doit diminuer considérablement les sécrétions et les excrétions naturelles, surtout celles des esprits animaux et de la transpiration, qui sont si importantes; d'où il s'ensuit que la masse à mouvoir augmente en même temps que la force motrice diminue : par conséquent, diminuer la quantité du sang dans ces circonstances, c'est dans le fait augmenter la force motrice. D'ailleurs, en évacuant une partie des humeurs les plus visqueuses, le reste s'atténue plus aisément et devient plus propre à fournir une suffisante quantité de principes actifs ou d'esprits animaux. Il faut donc saigner dans ce cas le plus tôt qu'il est possible, évitant cependant de tirer beaucoup de sang à la fois. Il vaut beaucoup mieux répéter la saignée, si cela est nécessaire, ou au moins fermer l'ouverture de temps en temps : par là on évite les défaillances dans lesquelles les malades tombent fréquemment, à moins qu'on ait soin de les saigner couchés.

Mais lorsqu'une crainte immodérée et un abattement considérable se joignent à la maladie, il est souvent nécessaire de recourir aux cordiaux, même au commencement, et de les donner quelquefois à très-fortes doses. On les emploie avec plus de sûreté et d'avantage après avoir diminué la quantité du sang; et je leur ai souvent vu produire de très-bons effets dans des cas où la crainte et l'abattement empêchaient l'éruption des pustules, qui était deux ou trois jours sans faire de progrès. Je ne suis pas grand partisan du régime chaud, surtout au commencement de la petite vérole, mais je sais qu'il faut y avoir recours dans ce cas; et il faut appliquer des vésicatoires pour ranimer les oscillations des vais-

(1) Voy. Rhazes, *De Variol. et morbill.*, cap. vi, éd. Mead.

seaux, si on ne veut pas voir succomber son malade sous la violence du mal. Cependant, je n'approuve pas en général les vésicatoires au commencement de cette maladie, à moins qu'on n'ait à craindre que la langue, la gorge, et les narines ne soient infestées de pustules. C'est ce qui arrive lorsque la maladie commence par une indigestion, des douleurs, ou une grande chaleur dans la bouche et dans le gosier, et par un grand rhume ou un enchifrenement accompagné d'éternuments fréquents et d'une toux vive, à moins qu'on ne le prévienne par une prompte application des vésicatoires, ce qui m'a souvent réussi. De grands éternuments et un rhume de la gorge et du cerveau indiquent que la membrane de Schneider qui tapisse tous ces passages, est considérablement affectée, et qu'il faut travailler à rappeler au dehors l'humeur varioleuse qui s'y porte; car un petit nombre de pustules dans la gorge et dans les narines est d'une bien plus dangereuse conséquence qu'un nombre beaucoup plus considérable qui se jetterait sur l'habitude du corps. Ils produisent ordinairement une grande difficulté de respirer et empêchent la déglutition, surtout vers la fin de la maladie; ce qui étouffe très-souvent le malade, à moins qu'on ne fasse un grand usage de gargarismes, d'injections, etc. J'ai vu quelquefois la matière variolique se jeter si abondamment sur ces parties qu'elle produisait une salivation excessive, même au commencement de la maladie, ce qui tenait le malade continuellement éveillé, lui excoriait la langue, les lèvres et la gorge, et occasionnait des douleurs si vives que cela contribuait à prolonger l'insomnie et rendait la déglutition des boissons et des aliments solides, etc., presque insupportable. Lorsque cela arrive, il faut absolument appliquer des vésicatoires au col, derrière les oreilles, etc.—En second lieu, lorsque la petite vérole attaque des personnes qui ont la fibre lâche, le sang pauvre et dissous, ou qui ont souffert depuis peu de grandes évacuations, il faut bien se garder de les saigner si l'on veut leur conserver la vie. Ces sortes de personnes ont ordinairement le visage pâle et l'air abattu, le pouls faible, fréquent et ondulant; ils sont très-faibles; leur urine est pâle, crue ou limpide; ils éprouvent des frissons et des chaleurs alternatives; ils sont peu altérés et ne sentent presque point de douleurs, mais ils se plaignent continuellement de pesanteurs et de maux d'estomac, de vertiges, etc. Dans ce cas, rien ne convient mieux qu'un peu de vin de Canarie avec du safran, ou quelques autres médicaments légèrement cordiaux et nervins, tels que le petit-lait fait avec le vin de Canarie, le vin et l'eau et autres semblables. Mais on peut remplir toutes ces indications sans avoir recours à de grandes doses d'alkalis volatils, d'esprits, de serpentaire de Virginie, d'eau-de-vie, de vins forts, etc. J'ai cependant vu dans quelques cas d'affaissement considérable donner de grandes quantités de vin avec beaucoup de succès : on peut aussi employer les vésicatoires et appliquer des cataplasmes irritants à la plante des pieds; les bains ne paraissent pas si bien convenir.

Dans ce cas, rien ne favorise tant l'éruption, lorsque les pustules ont de la peine à sortir, et qu'elles restent ensevelies sous la peau sans presque faire de saillies et sans couleur, qu'un doux émétique donné à propos. La nature fait presque toujours des efforts pour procurer le vomissement dans cette maladie, et je crois qu'on ne saurait mieux faire que de suivre l'indication qu'elle présente. Par là non-seulement on évacue une partie de la matière morbifique qui affecte d'abord l'estomac, mais encore l'amas de bile pesante et putride qui peut s'être fait dans ce viscère, dans le foie, dans la vésicule du fiel, etc. On sait d'ailleurs que le vomissement facilite la transpiration, la sueur et l'éruption des pustules. Je sais qu'on objecte que le vomissement porte le sang à la tête, et par conséquent ne convient point au commencement de la petite vérole. Cela est vrai chez les personnes pléthoriques, si on n'a pas fait précéder la saignée; j'ai même vu résulter des accidents terribles de l'usage inconsidéré de ce remède. Mais si l'on considère que la nature, indépendamment des secours de l'art, fait des efforts continuels, quoique souvent inutiles, pour procurer cette évacuation et débarrasser l'estomac, on se convaincra qu'en favorisant ses mouvements et en secondant ses efforts par une boisson appropriée, on l'aide beaucoup, et le vomissement cesse plus tôt; on doit même observer qu'il cesse dès que l'éruption est faite, mais on l'accélère par ce moyen. Je fais appliquer les cataplasmes aux pieds aussitôt que le vomissement est cessé; il est aisé d'en voir les raisons. — L'émétique a de plus cet avantage qu'il produit une ou deux selles, ce qui débarrasse les intestins des excréments et des matières bilieuses, putrides, qui y sont contenues ; s'il n'opère pas cet effet, il faut faire donner au malade un lavement émollient et laxatif, et dans beaucoup de cas une potion purgative très-douce, composée de manne, de crême de tartre, de sel de Glaubert ou de rhubarbe ; et même, s'il survenait une diarrhée un peu considérable, il faudrait donner une ou deux doses de rhubarbe. — Puisque les différentes constitutions de l'air influent sur les personnes qui se portent le mieux, à plus forte raison doivent-elles influer sur les malades et les maladies ? Il y a long-temps qu'on a observé que telle constitution de l'atmosphère hâtait et telle autre retardait les progrès des maladies épidémiques, surtout de la petite vérole. Car il arrive souvent que cette maladie, qui commence dans un coin d'une ville, s'étend bientôt dans tous ses quartiers ; dans d'autres occasions, elle naît dans le centre et s'éteint aussitôt. La peste elle-même cesse ses ravages, lorsque l'air de chaud et humide devient froid et sec. L'état du sang dépend en grande partie de la constitution passée et présente de l'air, et il a été prouvé que la contagion produisait différents effets, selon que la constitution du sang était différente. Il importe donc dans la méthode que nous proposons, d'avoir égard non-seulement à la constitution présente de l'air, mais encore à celle qui a précédé.

Comme le froid et la sécheresse de l'air rendent les fibres fortes et très-élastiques, et le sang dense et visqueux, il est raisonnable d'en conclure que dans cette constitution les malades, toutes choses d'ailleurs égales, ont plus besoin et supportent beaucoup mieux la saignée que lorsque l'air est chaud, humide et relâchant ; et qu'ils ont plus besoin de délayants, de boissons, d'aliments et de remèdes émollients et anti-phlogistiques ; au lieu que dans l'autre cas, les cordiaux, les doux astringents et les anti-putrides conviennent mieux. — Il est certain que ceux qui ont la petite vérole crachent beaucoup moins dans un temps sec, très-froid ou très-chaud, que dans la constitution opposée de l'air ; il est donc nécessaire dans les temps secs d'employer tous les moyens possibles pour délayer les humeurs et exciter la salivation, qui est si nécessaire et si avantageuse dans cette maladie. Il arrive cependant quelquefois qu'elle devient trop abondante, surtout dans les temps un peu froids et humides, et chez les personnes sujettes aux catarrhes. J'ai vu plusieurs fois la salivation commencer de si bonne heure, et continuer si abondamment, qu'elle emportait l'enveloppe commune de la langue, de la bouche et de la gorge, produisant les douleurs les plus aiguës, empêchant le sommeil et la déglutition, et tenant les malades dans des angoisses continuelles. C'est ce qui m'a toujours fait craindre une salivation prématurée, surtout lorsqu'elle est abondante et très-âcre. — Comme il y a des constitutions de l'air qui empêchent la salivation, il y en a d'autres qui en occasionnent d'excessives et qui les rendent même acrimonieuses. Les catarrhes épidémiques ne produisent dans certains cas qu'une évacuation d'une mucosité ténue, douce, insipide ; dans d'autres, l'écoulement est si abondant et si âcre qu'il excorie le nez, les lèvres, la gorge, etc. Il y a très-grande apparence que la même disposition dans l'atmosphère qui occasionne ces salivations excessives peut aussi produire en partie cette petite vérole crue, crystalline et indigeste qu'on n'observe que trop souvent. Car une saison humide, vilaine, froide, non-seulement relâche considérablement les vaisseaux, et imprègne le sang de vapeurs froides, nitreuses, mais aussi diminue considérablement la transpiration, ce qui accumule nécessairement dans le corps les matières âcres et séreuses ; et c'est principalement dans ces saisons que cette espèce de petite vérole s'observe le plus fréquemment ; comme celle qui est petite, semblable à des verrues, et noire, avec peu ou point de salivation, s'observe plus communément lorsque les vents ont été long-temps au nord-est, et que le temps a été extrêmement chaud ou extrêmement froid et sec. Cette observation ne nous indique-t-elle pas le régime qui convient dans les différentes saisons ? — La petite vérole crystalline ou lymphatique ne vient jamais à parfaite maturité, mais la matière reste crue, et ne forme à la fin qu'une sanie purement aqueuse : en beaucoup d'endroits, les pustules se joignent ensemble, et forment de très-grandes vessies, qui, crevant à la longue et venant à ronger la peau tout autour, font paraître le malade tout couvert d'ulcères, et comme un lapin écorché. J'ai vu des malades se consommer par cette espèce de maladie pendant vingt ou trente jours, pendant lesquels on voyait suinter continuellement cette humeur âcre de leur corps, jusqu'à ce qu'enfin ils périssaient tout-à-fait. Il arrive fréquemment qu'une partie de cette humeur crue et absorbée est reportée dans le sang, et laisse un grand nombre de pustules fluides et flétries, ce qui les a fait appeler *siliqueuses*, parce qu'elles ressemblent à des gousses ou siliques. Cet accident est suivi de désordres affreux, qui finissent généralement par la mort. Les frissons convulsifs, la fièvre peripneumonique, le délire, la dysenterie, la syncope, etc., en sont les suites ordinaires. Néanmoins lorsqu'il se termine par un cours de ventre modéré, ou une évacuation abondante d'une urine haute en couleur et qui dépose abondamment, le malade en échappe souvent, mais lorsque les déjections sont noires, sanguinolentes ou sanieuses, elles indiquent en général la mortification des intestins, surtout si l'abdomen est gonflé, douloureux et tendu. La *micturition*, ou l'envie continuelle d'uriner, sans une évacuation abondante, est un très-mauvais signe, à moins qu'elle ne soit produite par les vésicatoires. Si jamais les sueurs abondantes sont utiles dans la petite vérole, c'est dans cette espèce; et j'ai éprouvé plusieurs fois qu'elles étaient très-avantageuses.

Dans cette petite vérole crue, sanieuse, et indigeste, et ces salivations abondantes dans lesquelles la peau et les pustules sont pâles et livides, le pouls faible, l'urine ténue, aqueuse, crue, il faut avoir recours aux remèdes les plus chauds: tels que la poudre de contrayerva composée, la myrrhe, le musc, le safran, le camphre, la thériaque, le mithridate, la confection cardiaque. Ces médicaments sont extrêmement utiles pour faire élever les pustules, et digérer la matière. On peut les délayer dans du petit-lait fait avec du vin de Canarie, la décoction rouge, un julep testacé tempéré, ou dans une tasse de café auquel on mêlera de temps en temps un peu de lait. J'ai vu des malades qui en ont pris pendant tout le cours de leur petite vérole sans en éprouver de mauvais effets, et, qui plus est, s'en sont bien trouvés, car ils apaisaient la toux que le rhume avait produite.

Les opiats sont encore très fort indiqués dans ce cas, et il convient de donner fréquemment au malade de la thériaque, de l'élixir parégorique, ou de la teinture thébaïque avec du diacode, mais à une dose qui le calme sans lui donner de stupeur, ce qui est en effet la méthode la plus sûre de donner des opiats dans toutes sortes de fièvres, et celle qui est la plus efficace. Car, quoiqu'une plus grande dose puisse procurer plus promptement le sommeil, cependant elle est beaucoup moins rafraîchissante. Mais lorsqu'elle ne produit pas cet effet, le malade tombe dans le délire ou dans une stupeur fort longue. Dans tous les cas, de grandes doses d'opium causent un très-grand relâchement et une très-grande faiblesse, qu'on ne fait cesser que par une nouvelle dose d'opium au bout de quelque temps, ou d'un cordial chaud. Ses effets sont semblables à ceux des liqueurs spiritueuses, qui, lorsqu'on en prend une trop grande quantité, produisent un délire ou un assoupissement passager, suivi d'une faiblesse générale, de tremblements et d'un très-grand abattement. D'ailleurs, il n'est pas possible, sans l'avoir éprouvé, de prévoir l'effet qu'une certaine dose d'opium produira sur telle personne; il y a des gens qui sont tellement disposés que la plus petite dose suffit pour les affecter beaucoup; au lieu que d'autres, d'une force et d'un tempérament en apparence les mêmes, en prennent quatre fois davantage sans en éprouver les mêmes effets. Il y en a qui se trouvent très-bien du diacode, et qui ne peuvent supporter l'opium : par conséquent il est toujours prudent d'employer les opiats les plus doux et aux plus petites doses.— Malgré cela, il n'y a pas de remède si propre à incrasser les humeurs ténues et acrimonieuses, à diminuer leur irritation et leur défluxion, et à mener les pustules à maturation, que les opiats donnés à propos. En effet, lorsque les pustules sont nombreuses, on ne peut presque rien faire sans leur secours, surtout vers l'état de la maladie, qu'elles deviennent très-douloureuses. Néanmoins, dans ce cas, lorsque la matière de la salivation est visqueuse, et qu'elle sort difficilement, que la respiration est courte et laborieuse, il faut être fort réservé sur leur usage, et y joindre la gomme ammoniaque, l'oxymel scillitique, etc.

On ne doit pas épargner les vésicatoires dans cette petite vérole lymphatique ou crystalline: entre autres bons effets qu'ils produisent, ils donnent une issue à la matière âcre morbifique, et pour cette raison il est nécessaire d'ouvrir avec la lancette les grandes vésicules que les pustules produisent en se réunissant plusieurs ensemble. Il n'est pas nécessaire de les percer toutes avec une aiguille d'or, comme Avicenne le propose (1). Tout ce qu'on fait rend les cicatrices plus difformes que lorsqu'on s'en remet à la nature ; mais dans cette occasion le danger l'emporte sur cette considération, car il arrive quelquefois que cette matière est si corrosive qu'elle produit une véritable mortification ; d'ailleurs, il y en a toujours une partie qui est absorbée et reportée dans le sang. — Je suis aussi d'avis qu'on joigne quelques diurétiques appropriés avec les remèdes alexipharmaques, comme le nitre, le sel de succin, l'esprit de nitre dulcifié, etc. J'ai souvent observé qu'un flux d'urine abondant suppléait très-heureusement au défaut des autres évacuations : s'il survient lorsque la salivation commence à cesser, et que le visage se désenfle, il est toujours salutaire : d'où on est obligé de conclure qu'il est nécessaire de l'exciter par tous les moyens possibles ; il faut même engager le malade à uriner souvent, ce qu'on obtient en le faisant tenir debout sur ses genoux, car tant qu'il reste couché, il n'en a souvent ni l'envie ni la faculté, au lieu que, lorsqu'il est levé, il urine sur-le-champ et abondamment. — Rien n'est plus commun que de voir la matière ténue et âcre de la petite vérole se porter sur les intestins, souvent d'une manière très-violente. Il y a un nombre infini d'exemples dans lesquels une diarrhée critique a sauvé la vie des malades ; et la nature même substitue chez les enfants cette évacuation à la salivation qui survient chez les adultes. Il faut donc bien prendre garde de ne pas trop se hâter de l'arrêter ; et même, lorsqu'elle est excessive, il ne faut le tenter qu'après avoir donné au malade une ou deux doses de rhubarbe : dans ce cas, on peut employer les astringents appropriés, les opiats, la décoction rouge, la décoction de Fracastor, la teinture de roses, etc. ; et, lorsque tout cela est sans effet, un lavement avec le diascordium ou la thériaque l'arrête infailliblement. Mais, en général, il faut se contenter de la modérer, surtout dans l'état de la maladie ou après, ayant soin, pendant tout ce temps, de soutenir le malade avec un régime fortifiant et un peu astringent. — Je n'ai jamais observé que les acides végétaux ou minéraux fussent d'un grand secours dans la petite vérole crystalline ; mais je les ai souvent trouvés très-utiles dans celle où les pustules sont petites, noires, confluentes et accompagnées de pétéchies, dans laquelle la putréfaction des humeurs paraît beaucoup plus grande et la matière des pustules est beaucoup plus fétide et sanieuse que celle de la crystalline, dont la matière ichoreuse n'a souvent que peu ou point d'odeur. Quoiqu'il échappe peut-être à peine un sur quatre malades attaqués de cette petite vérole noire et confluente (et lorsqu'elle est accompagnée de taches noires, de pissement de sang et d'autres hémorrhagies, à peine un sur mille) ; cependant on a quelquefois fait des prodiges avec les acides minéraux, les alexipharmaques astringents et les préparations de quinquina, lors même que les pétéchies ont été très-nombreuses, les pustules de la petite vérole très-noires, très-petites et très-confluentes, et même accompagnées de quelque hémorrhagie. J'ai vu quelques malades guéris dans ces circonstances par cette méthode ; mais je n'en ai vu aucun survivre au pissement de sang, à moins qu'il ne fût manifestement l'effet des cantharides. Mais comme cette espèce de petite vérole dure très-long-temps, et que le malade, s'il prend à la fin le dessus, est pendant plusieurs jours entre la vie et la mort, non-seulement il faut faire usage des remèdes ci-dessus, mais encore il faut soutenir le malade, particulièrement dans le dernier période, par des boissons et un régime analeptique et anti-putride ; jusqu'à ce qu'enfin, comme le serpent, emblème du rétablissement de la santé, il sorte de sa noire dépouille pour reprendre une nouvelle vie. J'ai vu des malades dans un état si désespéré que leur guérison paraissait une véritable résurrection.

Ce n'est que sur des expériences et des autorités suffisantes que je recommande le quinquina dans quelques espèces de petites véroles ; ceux qui ne seraient pas contents de la mienne peuvent consulter le docteur Mead (2), le professeur Monro (3) et le docteur Wallo (4) sur cette matière. Je commence ordinairement par la teinture alexipharmaque de quinquina, que j'ai décrite ci-dessus. J'y mêle l'élixir de vitriol jusqu'à une acidité suffisante ;

(1) Avicenna, *Canon. medic.*, lib. IV ; *De variolis*, p. 66, ex edit. Pemplii.

(2) *De variolis et morbilis.*

(3) *Essais de médecine*, vol. V, p. 120.

(4) *Transact. philos.*, n. 486.

de là je passe à la décoction ou à l'extrait, si cela est nécessaire. Je crois devoir avertir qu'il faut bien se garder de rien donner de pareil lorsque la respiration est difficile, que le malade est constipé et qu'il a le ventre dur et gonflé, au moins jusqu'à ce qu'on ait écarté ces symptômes. J'ajouterai que la teinture alexipharmaque de quinquina est particulièrement utile dans la petite vérole lymphatique, et doit être employée immédiatement après l'éruption, afin de procurer une espèce de maturation; car il est certain que le quinquina produit ordinairement un pus louable dans les ulcères sanieux. Morton (1) le donne non-seulement dans le déclin, mais encore dans le temps de la suppuration, s'il aperçoit quelque rémission, et cela à la dose d'un gros toutes les trois ou quatre heures. Je sais que plusieurs habiles médecins suivent avec beaucoup de succès cette méthode depuis plusieurs années. — Le danger est beaucoup plus grand et la cure beaucoup plus difficile lorsque la petite vérole est arrivée à son état (ce qui arrive plutôt dans quelques espèces que dans d'autres, et toujours plutôt dans les bénignes), car quelque bien que les choses se soient passées jusque-là, on est souvent surpris le septième, le neuvième ou le onzième jour depuis l'éruption, de les voir changer de face et de voir arriver les symptômes les plus terribles. Le visage s'affaissant tout d'un coup, la salivation cesse, les pustules se flétrissent, leurs interstices deviennent pâles, livides, ou prennent une couleur cendrée; le malade est saisi du frisson auquel succède une fièvre accompagnée d'une grande difficulté de respirer, de défaillances, et bientôt après suivie d'anxiétés continuelles, de tremblements, de soubresauts, etc. On doit s'attendre à un pareil changement si les pustules paraissent en très-grand nombre le premier, le deuxième ou le troisième jour de la maladie; si après que l'éruption est achevée, elles ne se remplissent pas bien, si elles ne deviennent pas rondes et pointues, mais au contraire restent plates et s'étendent ou ont une petite fossette ou une tache noire dans leur milieu; si elles ne sont pas entourées à leur base d'un cercle d'un rouge vif, et si elles paraissent pâles ou noirâtres. Si avec cela l'urine reste pâle, crue et ténue ou le devient; si les artères carotides et temporales battent beaucoup, le danger est encore plus grand. Dans ce cas le médecin doit renouveler son attention; car peu d'heures décident de la vie et de la mort du malade. Quoiqu'il ne soit pas possible de donner des règles absolues dans une maladie qui est accompagnée de tant d'accidents que la petite vérole, cependant les réflexions suivantes pourront n'être pas tout-à-fait inutiles.

Premièrement, c'est avec raison qu'on regarde comme un mauvais signe si l'enflure des mains ne succède pas régulièrement à celle du visage, et l'enflure des pieds à celle des mains; car c'est un transport régulier et critique de l'humeur morbifique sur ces parties qui se fait ordinairement lorsque la salivation commence à diminuer et que le visage se désenfle; c'est pourquoi, lorsque les circonstances sont menaçantes, je conseille d'appliquer des épispastiques aux poignets et aux chevilles des pieds, un peu avant le temps où cette enflure doit se faire dans ces parties respectives; car non-seulement ces remèdes déterminent l'humeur vers ces endroits, mais encore lui procurent une issue. Je crois aussi qu'on ferait très-bien, quelque temps avant, de faire usage des vésicatoires, d'appliquer à ces parties des cataplasmes, et d'y faire des fomentations qui tendent aussi à produire ces enflures critiques. Baglivi (2) dit avoir employé avec beaucoup de succès des éponges trempées dans une décoction émolliente. Quelquefois il arrive que la nature porte la matière morbifique avec tant de violence sur les extrémités qu'elle y cause beaucoup d'inflammation, d'enflure et de douleur: rien ne calme avec plus d'efficacité ces accidents que les fomentations émollientes, qui relâchent les parties et ouvrent les pores. — J'ai recommandé, il y a plus de vingt ans (3), cette méthode, et je l'ai pratiquée depuis avec succès dans un très-grand nombre d'occasions. La disparition prématurée des tumeurs critiques est toujours d'une très dangereuse conséquence, comme le prouve la goutte; de sorte qu'on est très-souvent obligé de les fixer par des cataplasmes âcres. Dans le cas ci-dessus, les vésicatoires n'attirent pas seulement la matière morbifique, mais encore l'évacuent. J'ajoute souvent des cantharides aux cataplasmes, et je

(1) *De variolis*, cap. IX, p. 250.

(2) *De variolis et morbillis*.

(3) *Transact. philos.*, n. 390.

sais de très-grands médecins qui font appliquer des vésicatoires à la plante des pieds lorsqu'il y a du danger. — Secondement, si la chaleur, le mal de tête, le mal et la pesanteur d'estomac, de grandes agitations ou quelque engourdissement surviennent vers le sixième ou le huitième jour de l'éruption, et que le malade soit constipé, comme il l'est le plus communément, il faut lui faire donner un lavement de lait, de sucre et de sel, qui ne manque presque jamais de le soulager, et cela est surtout nécessaire lorsque le malade fait des efforts inutiles pour aller à la selle : car les excréments recuits par la chaleur et par le séjour s'accumulent dans le colon et le rectum, où ils pressent sur le bas de l'aorte, sur les iliaques et sur le col de la vessie, et par là empêchent que le sang ne se porte librement vers les parties inférieures, ce qui le fait refluer vers la tête et la poitrine, qui en sont surchargées; outre cela, ils s'opposent à la sortie des urines, de sorte que rien ne sort, ni vents, ni matière, ni urine, jusqu'à ce que, par le moyen de quelques lavements appropriés, on soit parvenu à ramollir les excréments, à relâcher et lubréfier les intestins et à les exciter à faire leur fonction. Je préviens presque toujours la constipation dans mes malades, surtout lorsque ce sont des jeunes gens, en leur faisant prendre, si cela est nécessaire, un lavement émollient tous les deux, trois ou quatre jours, depuis le commencement, jusqu'à ce que je commence à faire usage des doux purgatifs ; cette méthode rafraîchit le malade et rend l'usage des anodins beaucoup plus sûr et plus efficace ; car bien souvent ils n'agissent que lorsque le corps est déchargé des excréments, souvent même ils produisent une disposition comateuse.

Troisièmement, les anodins conviennent presque toujours, et sont même nécessaires dans la petite vérole, surtout vers le temps de la crise. On doit les employer, ne fût-ce que pour calmer la douleur que cause l'inflammation de la peau et les pustules, car si un seul bouton cause tant de douleur, que sera-ce lorsqu'il y en aura dix mille? Néanmoins c'est en général un bon signe quand le malade ressent des douleurs, et c'en est un très-mauvais lorsque la peau ni les pustules ne s'enflamment ni ne deviennent douloureuses ; car cela indique l'affaiblissement des forces vitales, le défaut de circulation dans les derniers capillaires et un engourdissement général. J'ajouterai même que vers l'état, il faut donner les opiats le soir d'assez bonne heure pour prévenir le redoublement, même à fortes doses, qu'on répétera s'il est nécessaire. Le diacode suffit rarement ici, à moins que ce ne soit chez des enfants. Il est nécessaire d'augmenter toujours la dose de l'anodin, surtout le soir du jour où l'on attend la crise, afin de calmer l'agitation qui doit survenir la nuit suivante. Car, comme l'observe Hippocrate (1), la nuit qui précède la crise dans toutes les fièvres est toujours fâcheuse. Lorsque le malade a beaucoup de fièvre et de chaleur, je lui donne l'opiat dans une liqueur acide ou dans quelque mixture saline, et lorsqu'il est faible et abattu, je le joins à de la thériaque ou à quelqu'autre alexipharmaque.

Quatrièmement, si aux approches de la fièvre secondaire, le pouls est fréquent, dur et fort, que les carotides battent fortement, que la chaleur devienne très-vive, la respiration difficile, que le malade éprouve une grande douleur à la tête, et qu'il tombe plus ou moins en frénésie, il faut le saigner sur-le-champ, ou bientôt il n'en sera plus temps. Il est bon d'observer que le sang qu'on tire dans ces circonstances est très-visqueux et aussi couenneux que dans la plus forte pleurésie, et il est bien évident qu'il est dans un état d'inflammation très-violente par les ophthalmies, les maux de gorge, les péripneumonies, les rhumatismes et les inflammations externes qui ont coutume de venir à la suite.

Cinquièmement, si au contraire le pouls est faible, le malade a des défaillances, que les pustules et leurs intervalles deviennent pâles ou livides, s'affaissent et disparaissent; que les extrémités soient froides et gluantes, on ne peut donner trop de remèdes ni de boissons cordiales, etc., ni appliquer trop de vésicatoires. J'ai vu donner avec le plus grand succès, dans ces circonstances, du vin chaud en très-grande quantité.

Sixièmement, vers la fin du troisième période de la petite vérole, la salivation diminue beaucoup pour l'ordinaire, et la matière devient très-souvent si épaisse et si gluante, que le malade ne la détache souvent qu'avec la plus grande difficulté, et est en danger d'être suffoqué à chaque minute, à moins qu'il ne fasse un usage

(1) *Aphor.* XIII, sect. II.

continuel de gargarismes et d'injections détersives. Je ne connais point, dans ce cas, de gargarisme plus efficace que le cidre et le miel, ou du vinaigre, de l'eau et du miel, ou l'oxymel scillitique avec un peu de nitre, ou du sel ammoniac. On peut aussi ajouter la moutarde dans ces gargarismes lorsqu'on n'a pas de plus puissant stimulant. Les acides végétaux sont plus savonneux et plus détersifs que l'huile de vitriol qu'on emploie cependant de préférence. Il arrive souvent que tous ces remèdes sont sans effet, et qu'il n'y a qu'un vomitif qui puisse soulager le malade. Sydenham, dans ces occasions, faisait prendre le vin émétique à la dose d'une once et demie. Nous en avons de plus doux et d'aussi efficaces : l'oxymel scillitique donné fréquemment réussit souvent en produisant un léger vomissement, et en facilitant l'expectoration et la respiration ; il a en outre l'avantage de faciliter l'évacuation des urines et celle des gros excréments, qui souvent ne se fait pas dans ce temps de la maladie ; mais lorsque le cas est pressant, il faut en accélérer l'action en y joignant une décoction ou une infusion d'ipécacuanha. J'ai eu plusieurs fois le courage de recourir à ce remède lorsqu'il ne me restait pas d'autre ressource, et je suis quelquefois parvenu, par ce moyen, à arracher mes malades des bras de la mort, aux risques de ma réputation ; mais il m'est arrivé aussi quelquefois d'avoir perdu l'un et l'autre. Malgré cela, je serai toujours de l'avis de Celse, qu'il vaut mieux risquer un remède douteux que de n'en faire aucun. Il n'est pas rare de trouver la langue et le fond de la gorge couverts d'une pellicule très-épaisse, adhérente, blanchâtre ou brune, ce qui les faisait paraître comme s'ils avaient été échaudés ; l'œsophage et la trachée-artère sont communément dans le même état ; le vomissement ni les gargarismes ne peuvent la détruire, et c'est ordinairement un très-mauvais symptôme qui indique qu'il ne se fait aucune sécrétion dans les glandes de ces parties. — La grande ténacité du mucus qui tapisse la bouche et le gosier, vient souvent de ce que le malade n'a pas bu abondamment pendant le cours de sa maladie : car c'est une chose absolument nécessaire pour délayer le sang, soutenir la salivation, remplir les pustules, entraîner les sels âcres morbifiques, et fournir aux vaisseaux des liqueurs plus salutaires. Les aliments, dans cette maladie, doivent être liquides, et il n'est pas possible de leur en substituer d'autres, car le malade n'a aucun goût pour les solides qu'il ne saurait avaler. Dans la petite vérole noire et confluente, il faut boire ou mourir ; le petit-lait acidulé, la décoction des bois, le gruau, ou l'eau avec du vin du Rhin, ou quelque petit vin blanc de France, le cidre et l'eau sont les boissons les plus appropriées, et s'il paraît des pétéchies, ou qu'il survienne des hémorrhagies, il faut y joindre la teinture de roses ou du vin rouge et de l'eau bien acidulée.

Septièmement, lorsque la dessiccation s'est faite et que la salivation diminue, il faut faire en sorte de procurer quelqu'autre évacuation, car il ne faut plus faire d'effort pour pousser à l'habitude du corps, rien ne pouvant transpirer au travers de la peau qui, dans ce moment, se trouve toute couverte d'écailles et enveloppe le corps comme une cotte de mailles, ou plutôt comme la chemise empoisonnée d'Hercule ; car non-seulement ces croûtes empêchent la transpiration, mais encore retiennent le pus et la sanie qui se putréfient de plus en plus, et qui étant continuellement portés dans le sang, excitent, entretiennent et augmentent la fièvre secondaire. — Lorsqu'on peut dans ce période entretenir la salivation et exciter un flux suffisant d'urine bien cuite, les choses vont passablement bien ; mais il arrive très-souvent qu'elles cessent tout-à-coup, ce qui jette le malade dans le plus grand danger. Il faut alors faire les plus grands efforts pour les rétablir l'une et l'autre ; il faut appliquer de nouveaux vésicatoires, donner sur-le-champ un lavement émollient, faire un usage fréquent des mixtures faites avec l'oxymel scillitique, le lait ammoniac de la pharmacopée de Londres, qui sont très-propres à procurer l'expectoration. — Outre cela, c'est une chose très-utile dans ce période de la maladie que de faire changer au malade son linge qui est alors extrêmement sale, raide de pus, puant, et qui l'incommode beaucoup ; d'ailleurs il infecte l'air de la chambre et le rend si malsain, que les personnes qui jouissent de la meilleure santé peuvent à peine le supporter. Non-seulement cet air nuit à la respiration, mais encore les miasmes de cette humeur empoisonnée, repassant continuellement dans le sang par la voie des vaisseaux inhalants, des poumons, etc. corrompent de plus en plus ce fluide. On est surpris de voir combien les malades sont soulagés lorsqu'on renouvelle l'air de leur chambre en ouvrant avec précaution les fenêtres, les portes, et en leur ôtant leur linge infecté, etc. Ils reçoivent une nouvelle vie, comme ils savent très-bien le dire, car le bon air est l'aliment de la vie. Rien n'est plus funeste que d'emprisonner le malade dans un air renfermé de cette espèce. La méthode absurde d'avoir dans les maisons une chambre où l'on met plusieurs malades, est souvent très funeste. L'infection, les murmures, les cris de l'un d'eux trouble et nuit à tous les autres ; il est rare qu'ils dorment tous à la fois ; mais il arrive souvent qu'ils veillent tous ensemble ; il ne fait pas bon vivre avec de si mauvais voisins. Quoi qu'on en puisse dire, il n'y a aucun danger à faire changer de linge au malade, pourvu qu'on lui donne du linge bien échauffé. C'est une simplicité de faire porter à un autre pendant douze ou vingt-quatre heures la chemise qu'on veut lui donner. N'y a-t-il donc pas d'autres moyens de bien sécher et bien chauffer le linge ? La transpiration ou la sueur de la personne la plus saine ne la salit et ne la rend-elle pas humide ? — Mais c'en est assez sur cette matière ; je reviens aux évacuations, et je vais terminer ce chapitre par quelques observations sur les purgatifs dans la fièvre secondaire de la petite vérole. — Lorsque la salivation se soutient régulièrement, que les pustules grossissent et viennent en parfaite maturité, que le visage, les mains et les pieds s'enflent à temps, que le malade dort bien et respire facilement, tout va bien, et la nature n'a pas besoin de secours ; il suffit de ne pas la troubler. Dans ce cas, je m'abstiens même de lavements, quoique le malade soit quelquefois plusieurs jours sans aller, jusqu'après la dessiccation ; ils conviennent alors pour préparer à la purgation, qui devient indispensablement nécessaire.

Mais il survient très-souvent, et même presque toujours, à ce période, dans les petites véroles confluentes, une fièvre secondaire, produite en partie par la résorption de la matière des pustules externes ou internes, en partie de la transpiration supprimée, et en partie de la saburre putride des premières voies, saburre qui doit nécessairement être très-considérable, n'étant pas possible que le malade n'avale une partie de la matière morbifique qui se sépare dans les glandes de la bouche, du gosier, etc. ; d'ailleurs, il doit se séparer une beaucoup plus grande quantité de cette même humeur dans les glandes des intestins, dans les conduits biliaires, etc., qui la portent dans le canal intestinal : car, comme il en sort très-peu par les pores de la peau, il faût qu'il passe beaucoup plus d'humeurs dans les intestins. On sait qu'une évacuation ne peut diminuer qu'il n'y en ait une autre qui augmente dans la même proportion ; et qu'il y a un rapport très-intime entre la peau et les intestins. A tout cela se joint la matière des pustules qui peuvent se trouver dans l'estomac et dans les intestins. De sorte qu'il doit nécessairement y avoir dans les premières voies un amas énorme de matière putride, qui devient de plus en plus virulente, à mesure qu'elle y séjourne. De là elle passe continuellement dans le sang, au moyen des vaisseaux absorbants des intestins, et fournit un aliment à la fièvre, que la nature s'efforce d'éteindre, du moins en partie, par cette voie. Doit-on l'y laisser séjourner, ou faut-il l'en chasser ? La réponse n'est pas difficile. La nature l'entreprend souvent de son propre mouvement avec beaucoup d'avantage chez les adultes et presque toujours chez les enfants, dans lesquels la diarrhée tient lieu de la salivation des personnes plus âgées. Elle nous indique suffisamment par-là la manière dont nous devons venir à son secours dans une pareille conjoncture. En effet, combien de matières d'une puanteur horrible et putride ne faisons-nous pas rendre par l'usage des lavements, et plus particulièrement par les purgatifs. Je veux parler de l'état ou du déclin de la maladie. Bien plus, cet amas de corruptions séjournant dans les intestins, s'y putréfiant de plus en plus, devient à la fin si excessivement âcre qu'il les ronge, ou au moins les irrite tellement qu'il produit cette diarrhée ou cette dysenterie, que quelques médecins craignent mal à propos d'attirer par un doux purgatif.

Mais si la nature ne peut par elle, ni par le secours de l'art, prévenir le dépôt de la matière morbifique sur les parties vitales, et qu'elle coure risque d'en être accablée par quelque métastase, comme lorsque l'enflure du visage ou des mains disparaissent tout-à-coup, ou que la salivation se supprime avant le temps, ne paraît-il pas nécessaire de tâcher d'expulser cette matière nuisible, par quelqu'autre voie, comme, par exemple, par celle du canal intestinal, par lequel il est plus aisé d'exciter une évacuation que par les pores de la peau, les conduits urinaires ou ceux de la salive? En effet, lorsque la salivation cesse, je suis d'avis qu'on tâche de procurer quelqu'autre évacuation en sa place ; et si l'on a recours à des lavements ou à un doux purgatif, on est toujours le maître, supposé que l'évacuation soit trop grande, de l'arrêter par un opiat. — On m'a objecté que cette pratique tend à détourner ces humeurs nuisibles de l'habitude du corps sur les parties vitales. A cela je réponds que les purgatifs sont plus particulièrement indiqués, lorsque la dessication est faite, et la matière morbifique, cuite, au moins autant qu'elle le sera (car on ne doit jamais attendre une parfaite coction ou maturation dans la petite vérole lymphatique) ; que je les propose surtout lorsqu'il s'est déjà fait une métastase funeste de la matière morbifique, et qu'on ne peut la détourner par aucun autre moyen; que je les substitue à la place d'une évacuation critique supprimée, et que la nature travaille à procurer et demande une évacuation par cette voie. Qu'il n'y a point d'autre méthode pour déloger cet amas de matières putrides, des intestins, qui entretient la fièvre, et que toutes les fois qu'il y a une grande quantité de matière corrompue dans les premières voies, de quelque espèce qu'elle soit, elle produit nécessairement la fièvre : témoin les fièvres vermineuses, bilieuses et celles qui sont produites par la crapule, qui ne cèdent qu'aux purgatifs et qu'aux émétiques. Enfin, que tout le monde convient de la nécessité absolue de purger à la fin de la petite vérole ; autrement il survient des furoncles, des parotides, des ulcères malins, des caries aux os, des abcès aux poumons, ou une fièvre hectique qui consomme le malade. — En conseillant les purgatifs dans la fièvre secondaire de la petite vérole, je recommanderai de commencer toujours par les plus doux ; les drastiques, la scammonée, l'aloès, etc., ne pouvant convenir jusqu'à ce que la fièvre soit considérablement diminuée. Il est vrai qu'alors on fait bien de donner un purgatif un peu fort, auquel je joins toujours un peu de calomel. Je suis très-persuadé qu'il est souvent arrivé des accidents lorsqu'on a employé des purgatifs forts dans le commencement ; qu'on n'a point calmé l'irritation de la purgation par quelque anodin, et qu'on n'a point soutenu le malade pendant l'opération par un régime approprié. Mais je suis très-sûr que rien n'est plus utile que de purger dans la fièvre secondaire de la manière que j'ai indiquée ; j'ai vu plusieurs exemples du succès de cette méthode.

DISSERTATION

SUR

LES PLEURÉSIES ET LES PÉRIPNEUMONIES.

CHAP. 1er. — DU POUVOIR QU'ONT LES VENTS ET LES SAISONS DE PRODUIRE CES MALADIES.

Comme les pleurésies et les péripneumonies ont été de tout temps très-communes, Hippocrate en a traité beaucoup plus au long que de toutes les autres maladies aiguës ; ses observations se trouvent parfaitement justes, et mériteront toujours d'être méditées avec soin par les médecins. Il a observé entre autres choses que les vents froids de nord-est amènent les maladies de poitrine, de côté et des poumons (1) ; ce que ceux qui l'ont

(1) *Aphor.* v, sect. III.

suivi ont trouvé constamment vrai. Ce n'est pas qu'il ne règne assez fréquemment des pleurésies, et surtout des péripneumonies dans d'autres constitutions de l'air, puisque les dernières succèdent souvent aux autres fièvres aiguës : mais il est certain que ces deux maladies sont beaucoup plus fréquentes dans une saison froide et sèche, et lorsque les vents de nord et d'est ont régné pendant un temps considérable. — Les effets que les vents secs et froids produisent sur le corps sont de resserrer l'habitude extérieure, de rendre la peau plus sèche et plus froncée, d'en boucher les pores, de diminuer la transpiration, enfin de ne laisser exhaler que la partie la plus atténuée des humeurs. Un froid sec rend toutes les fibres du corps plus solides, plus fortes et plus élastiques, et l'action des vaisseaux sur les fluides qu'ils contiennent plus vigoureuse et plus puissante : d'où doit résulter nécessairement une circulation plus vive, plus de chaleur et des esprits plus actifs ; ce qui doit augmenter la partie globuleuse du sang, la rendre plus dense et plus compacte, et disposer toute la masse des humeurs à une plus grande ténacité. On peut ajouter que comme l'air froid et sec est presque toujours très-pesant et très-élastique, il doit concourir par la plus grande pression qu'il exerce sur le corps avec ses qualités froides et sèches à produire de plus grands effets. C'est un fait que, toutes choses d'ailleurs égales, le sang qu'on tire lorsque ces constitutions de l'atmosphère dominent est constamment plus dense et plus visqueux que lorsqu'il y a long-temps que le temps est chaud et humide, et que les personnes sujettes à l'asthme souffrent beaucoup plus quand les vents sont pendant long-temps au nord-est.

Cependant tous ces effets ne sont pas incompatibles avec la santé ; c'est ce qui a fait dire à Celse (1), après avoir reconnu les désordres que les vents froids du nord ont coutume de produire : *Sanum tamen corpus spissat, et mobilius atque expeditius reddit.* — Mais hélas ! telle est la fragilité de la nature humaine que rien n'est plus aisé ni plus commun que le passage de la santé la plus parfaite à la plus grande maladie. Car ce sang si riche et si dense, poussé par des vaisseaux forts et vigoureux, est très-disposé à acquérir un tel degré de viscosité qu'il devienne incapable de pénétrer dans les dernières ramifications des artères : ce qui peut produire très-aisément des obstructions, et par conséquent des inflammations, surtout si l'on fait quelque excès dans le régime ou dans l'exercice, ou que la transpiration s'arrête ; ou s'il se fait dans la température de l'air quelque changement subit capable de raréfier les humeurs, avant de relâcher les vaisseaux. De là viennent, pour le dire en passant, ces douleurs dans les membres qui ont été fracturés, dans les cicatrices des vieilles blessures, celles des cors aux pieds, etc., (dans lesquels le diamètre des petits vaisseaux a été considérablement diminué et leurs tuniques ont été rendues calleuses), qui se réveillent aux changements de temps, lorsqu'il doit faire une tempête, ou qu'il devient chaud et humide : douleurs que rien n'apaise si promptement que des fomentations émollientes, qui dilatent et assouplissent les vaisseaux. Il n'y a point de bonne femme qui ne conseille de tremper les pieds dans l'eau chaude quand les cors font mal. Et cette méthode n'est pas moins utile dans ces douleurs de côté qui subsistent souvent des années entières après les pleurésies, ou les pleuro-péripneumonies, et qui sont produites par l'étranglement que les vaisseaux ont souffert dans les maladies précédentes, et par l'adhésion des poumons à la plèvre. Il arrive souvent que la grande raréfaction du sang, les changements de temps, etc., réveillent ces maladies, et exposent le malade à des retours fréquents, pour le reste de ses jours. — Il est bien vrai que les personnes qui ont le sang très-visqueux et les fibres très-raides sont sujettes à toutes les espèces de maladies inflammatoires dans toutes les saisons : mais il n'est pas moins certain que quelques constitutions de l'air sont non-seulement plus propres à produire ce sang inflammatoire, mais encore à disposer certaines parties aux inflammations. Car lorsqu'un air très-froid resserre l'habitude du corps, fronce la peau, et bouche les pores, une plus grande quantité de sang est portée vers les parties internes, et surtout vers les poumons, qui, à raison de l'étendue de leur surface beaucoup plus grande que celle de la peau, (2) sont destinés par la nature à partager

(1) Lib. II, cap. I.

(2) Voyez la *Statique des végétaux*, du Dr Hales.

avec la peau la faculté de procurer l'exhalaison de l'humidité âcre et vappide du sang; et par conséquent lorsque les pores de la peau sont fermés jusqu'à un certain point, il faut que l'exhalaison pulmonaire compense le défaut de la transpiration de la peau. On observe en effet immédiatement après avoir eu froid que les poumons sont plus ou moins fatigués par la toux et par l'évacuation abondante d'une humeur ténue, ce qui est souvent très-incommode. Mais lorsqu'on respire continuellement un air froid, il fronce aussi la membrane interne des poumons, bouche ses conduits excréteurs, et empêche par-là que cette surcharge produite par l'arrêt de la transpiration ne s'exhale par cette voie. On peut ajouter que l'air, par son grand froid et par son application presque immédiate au sang dans les vésicules et cellules pulmonaires, peut le congeler, ou du moins le condenser considérablement. Il y a plusieurs exemples qui prouvent qu'un air extrêmement froid a produit un arrêt absolu et subit du sang dans les poumons, et a fait mourir presque dans l'instant. On observe très-souvent qu'un vent très-froid affecte et contracte même la peau des mains, des bras et du visage, au point de la rendre très-rude, de la gercer et de l'ulcérer: pourquoi ne supposerions-nous pas qu'il produit un effet semblable sur la membrane, beaucoup plus tendre et plus délicate, de la trachée-artère, des bronches, etc? La toux, l'enrouement, et le mal que nous sentons ordinairement, en respirant un air trop froid, prouvent qu'il le produit en effet. Le pharynx et le larynx sont très-souvent si affectés par les vents très-froids, qu'ils en souffrent de violentes inflammations, des tumeurs, etc. — On conçoit donc aisément que lorsqu'il vient à passer dans les poumons une plus grande quantité que de coutume d'un sang épais et visqueux, pendant que les vaisseaux de ce viscère sont restreints, que les conduits excréteurs et les orifices des glandes de la trachée-artère, des bronches, etc., sont considérablement obstrués, il doit nécessairement en résulter des inflammations péripneumoniques.

Mais d'un autre côté, un sang très-visqueux, qui est la suite naturelle d'une saison froide et sèche, dispose non-seulement aux inflammations en général, et aux péripneumonies en particulier, mais encore aux pleurésies. Car comme les artères qui se distribuent aux parties membraneuses sont ordinairement très-petites, elles sont par conséquent exposées à être obstruées par un sang grossier et visqueux. De là vient que les rhumatismes sont si communs dans ces saisons, les parties membraneuses des muscles étant enflammées par une lymphe visqueuse. Mais la plèvre est une membrane très-étendue, et parsemée d'une infinité de très-petites artères qui sont des ramifications des intercostales. Ces artères intercostales, partant presque à angles droits de l'aorte, doivent pour cette raison recevoir la partie du sang la plus visqueuse, parce qu'elle est la plus légère, car la plus pesante suit l'axe de la grande artère, et par conséquent être extrêmement exposées aux obstructions qui naissent de la viscosité inflammatoire du sang: il en doit être de même des muscles intercostaux et du périoste des côtes, qui reçoivent le sang, au moins en partie, de la même distribution d'artères. — De là vient que les pleurésies et les péripneumonies sont si communes et même épidémiques dans les saisons froides et sèches; et qu'elles sont endémiques dans les pays froids, élevés et exposés aux vents de nord-est. En effet, les pleurésies proprement dites sont très-propres à produire des péripneumonies, comme elles font, pour les raisons qu'on verra ci-après. De là vient qu'on observe beaucoup plus de pleurésies compliquées avec des symptômes péripneumoniques, que de véritables pleurésies; et c'est avec raison que les modernes ont donné à cette maladie composée, le nom de *pleuro-péripneumonie*. — Comme ces maladies se trouvent souvent jointes ensemble, les anciens et plusieurs modernes les ont entièrement confondues, attribuant les mêmes symptômes à l'une et à l'autre indifféremment. Il y a cependant une différence réelle dans le siége et dans les symptômes de ces deux maladies. Les anciens, comme nous l'apprenons de Cœlius Aurelianus (1), étaient très-partagés sur le siége de la pleurésie: les uns assuraient que c'était une affection de la plèvre proprement dite, les autres des poumons et de ses membranes: l'une et l'autre de ces opinions a aussi eu ses partisans parmi les modernes. Je me flatte que les remarques suivantes jetteront quelque jour sur leur nature et sur la manière de les traiter.

(1) Lib. II, cap. XVI.

CHAP. II. — DE LA PLEURÉSIE ET DE LA PÉRIPNEUMONIE.

La péripneumonie, en prenant ce mot dans sa signification la plus étendue, est une maladie si commune, soit comme maladie primitive, soit comme une suite de quelque autre, que les médecins ne sauraient étudier sa nature avec trop de soin ; car elle attaque un des organes le plus essentiels à la vie ; elle est souvent accompagnée du plus grand danger, et demande des traitements très-différents dans ses différentes périodes. D'ailleurs, il y a différents degrés de cette maladie, je puis même dire différentes espèces, qui demandent chacune une attention et une méthode curative particulière. Car une péripneumonie qui est produite par une inflammation violente des poumons, occasionnée par un sang très-épais et très-dense, qui obstrue une grande partie des artères pulmonaires et bronchiques, demande un traitement entièrement différent de celui qui serait nécessaire pour une obstruction des poumons par une matière visqueuse, pesante et pituiteuse, comme dans ce que les écrivains modernes ont appelé fausse péripneumonie. Et celle-ci doit être conduite d'une manière très-différente de celle qu'on doit suivre lorsque la maladie reconnaît pour cause la fluxion d'une matière âcre et ténue sur les poumons. Cependant elles ont quelques symptômes communs à toutes, entre autres l'oppression, la difficulté de respirer, la toux, et plus ou moins de fièvre. Ce sont ces symptômes qui leur font donner le nom de péripneumonies, quoiqu'elles soient d'une nature très-différente, et qu'elles doivent être traitées très-différemment. Car dans le premier cas, il est absolument nécessaire de faire promptement des saignées copieuses et répétées, afin de diminuer la quantité et la force du sang, qui est trop bouillant, et de mettre le malade a l'usage du régime et des remèdes le plus rafraîchissants, le plus relâchants et le plus délayants. Dans le second, on peut a la vérité tirer un peu de sang au commencement, pour prévenir l'entier engorgement de la matière obstruante, et pour faire place aux délayants incisifs et atténuants ; mais si l'on abuse de ce secours, on affaiblit le malade et non pas la maladie, qui n'a besoin que d'atténuants, de détersifs, d'expectorants, de doux vomitifs, de purgatifs appropriés, et de larges vésicatoires, qui ne peuvent convenir dans le premier cas, à moins que ce ne soit vers la fin de la maladie, où ils peuvent être quelquefois nécessaires. Dans le troisième, il peut être aussi nécessaire de saigner pour arrêter les progrès de l'inflammation ; mais les remèdes lubréfiants et adoucissants, quelques opiats donnés à petites doses, et répétés souvent, sont les remèdes qui conviennent le mieux et qui seraient pernicieux dans le premier cas. — Il faut avoir aussi égard aux différents périodes d'une même espèce de péripneumonie, et aux symptômes différents qui l'accompagnent. Car quoique de grandes saignées répétées soient indispensablement nécessaires au commencement d'une violente inflammation des poumons, cependant, si, après la seconde ou troisième saignée, le malade commence à expectorer facilement une matière bien cuite, teinte de sang, il faut cesser d'évacuer par cette voie ; car autrement on affaiblit son malade sans nécessité, et souvent on supprime l'expectoration à son grand détriment. Mais si le malade crache en grande quantité un sang fleuri et écumeux, il faut répéter la saignée, calmer la toux avec des opiats tels que le sirop de diacode ou autres semblables ; faire prendre au malade une grande quantité de boissons acidules, appropriées avec des incrassants, au lieu que s'il crache une matière ténue, visqueuse et noirâtre, c'est un signe de malignité, et que le sang est dans un état de dissolution putride ; alors il ne peut pas supporter les grandes saignées. En un mot, la maladie est tout autre chose lorsque l'inflammation se forme, ou lorsque la matière obstruante est cuite ou qu'elle suppure. Examinons la chose plus en détail. — Si une personne qui est en bonne santé est saisie, à la suite d'un violent exercice, de quelque débauche, ou après avoir éprouvé un grand froid, est saisie, dis-je, d'un frisson auquel succèdent une chaleur brûlante, beaucoup d'oppression et de pesanteur sur la poitrine, avec une respiration difficile, courte et chaude, et une toux plus ou moins considérable, il faut lui faire, sans perdre de temps, une bonne saignée, et ne point ménager l'ouverture : plus le malade est fort et pléthorique, plus aussi il faut lui tirer de sang, observant néanmoins de l'arrêter au premier signe de défaillance, ou s'il paraît une sueur froide sur son front et sur son visage, s'il éprouve des bâillements etc., ce qu'on prévient souvent en saignant le malade couché. En général, les personnes grasses et replètes supportent moins bien la saignée que les personnes maigres et musculeuses, parce que leur sang contient moins de globules rouges, et que leurs vaisseaux sont moins élastiques. Il faut aussi avoir égard à l'âge et à la taille des personnes : il serait absurde de vouloir tirer autant de sang d'un nain que d'un géant, quoique également forts dans leur espèce ; la saignée ne convient ni aux jeunes gens, ni aux vieillards, quoiqu'il y ait des cas où elle leur est nécessaire. — Sanctorius a observé qu'aux approches des fièvres le corps devient plus pesant et par conséquent plus pléthorique ; le frisson indique la viscosité du sang, qui s'arrête dans les extrémités des artères capillaires (c'est ce que démontrent aussi les ongles, les lèvres, etc., qui deviennent pâles et livides), cette viscosité augmentant doit nécessairement diminuer la transpiration, et augmenter la quantité des humeurs. En général, plus le frisson et les horripilations sont grands, plus la fièvre, qui leur succede, est violente ; et ils peuvent en quelque sorte nous guider pour la quantité de sang que nous devons faire tirer. Un frisson long et violent annonce une grande fièvre et beaucoup de viscosité dans le sang.

Si une première saignée ne calme pas les symptômes, il faut la répéter au bout de huit, dix ou douze heures et même plus tôt ; s'ils viennent à augmenter, on y reviendra une troisième fois, si l'oppression, la difficulté de respirer, l'anxiété augmentent ou se soutiennent avec la même force, surtout si le sang qu'on a tiré paraît très-ferme et très-dense, et s'il est couvert d'une croûte jaunâtre et épaisse, qui ne paraît souvent qu'après la seconde ou troisième saignée, malgré que les symptômes indiquent une inflammation très-violente. Cela arrive très fréquemment, parce que le sang coule le long du bras, lorsque l'ouverture est trop petite, parce que la bande est trop serrée, ou que la peau recouvre l'orifice, ce qui empêche que le sang ne sorte à plein jet. — Cette croûte et la densité du sang, jointes à un pouls fort et dur, doivent nous engager à répéter les saignées jusqu'à ce que la respiration devienne plus libre et plus facile. Mais si le caillot est d'un tissu très-lâche, qu'il ne soit pas couvert par cette espèce de croûte, et que le pouls paraisse s'affaiblir et devenir plus petit après la saignée, il est temps de s'arrêter et de changer de batterie. Une pellicule mince et bleuâtre sur le sang, avec une espèce de gelée verdâtre et molle au-dessous (le caillot étant lui-même livide, lâche et mou, et accompagné d'une sérosité trouble, rougeâtre, ou verte) indique le peu de consistance et l'acrimonie du sang, qui ne permettent pas beaucoup de saignées. Un sang d'un rouge vif, sans consistance, et d'un tissu lâche, dont il ne se sépare que peu ou point de sérosité, après avoir été quelque temps en repos, quelque bon qu'il paraisse aux personnes sans expérience, est bien éloigné d'être aussi excellent qu'ils l'imaginent ; mais en général, il annonce surtout dans cette maladie une grande tendance à la putréfaction et à l'acrimonie, car lorsqu'on mêle de l'esprit de corne de cerf ou de sel ammoniac au sang des personnes les plus saines, à mesure qu'il coule de la veine, il lui donne cette apparence vermeille, et empêche la séparation de la sérosité, quelque temps qu'on le garde ; mais il conserve toujours un tissu lâche, comme s'il était à moitié fluide. Il est bon de remarquer que l'esprit de corne de cerf, si on en prend fréquemment, dissout le sang et produit de grandes hémorrhagies ; observation qu'il est bon de faire faire à ceux qui en usent si libéralement.

Le pouls fort et fréquent dans la péripneumonie, indique toujours le besoin de la saignée, au moins jusqu'à ce qu'on aperçoive un peu plus de liberté dans la respiration, ou jusqu'à ce qu'on ait obtenu une expectoration louable. Mais il arrive fréquemment que le pouls, même au commencement, paraît obscur, gêné, engourdi, irrégulier, et même intermittent, et que le malade se plaint d'une grande faiblesse et de beaucoup d'oppression, ce qui semble contre-indiquer la saignée, quoique le poids qu'il a sur la poitrine, la difficulté de respirer, la grande anxiété, et la chaleur autour des hypocondres, la demandent. Cela embarrasse souvent les jeunes praticiens. Mais ils doivent faire attention que cette faiblesse soudaine ne peut venir du défaut du sang, la maladie ne pouvant en quelques heures avoir épuisé jusqu'à un certain point ce fluide vital. En effet, ces symptômes viennent plutôt dans ce cas de la trop grande quantité de sang, que de son défaut : car les vaisseaux sanguins étant surchargés par les humeurs, et distendus au delà de leur ton naturel, ne peuvent pas réagir avec assez de vigueur. L'équilibre entre les solides et les fluides étant rompu, les vaisseaux sont incapables de pousser le sang avec une force suffisante, comme on voit qu'un trop grand poids empêche le jet du piston d'une seringue ; de-là le manque d'esprits, qui résulte nécessairement de ce que le sang ne circule pas comme il faut, et qu'ils ne se séparent pas ; ce qui dispose les humeurs à la stagnation et à la concrétion, d'où résultent une foule de symptômes effrayants, et la mort même, à moins qu'on ne les prévienne par une saignée faite à propos, qui, diminuant la trop grande quantité du sang, rétablit l'équilibre entre les solides et les fluides, et la force élastique de ces canaux musculaires, lesquels réagissent avec plus de force sur les humeurs qu'ils contiennent, et rendent leur circulation plus régulière et plus constante. Tout cela tend à atténuer ce sang trop épais et trop visqueux, et à le rendre plus propre à la sécrétion des esprits animaux, qui à leur tour augmentent la force du cœur et des vaisseaux. De sorte que dans ce cas, la saignée, bien loin d'affaiblir, réveille les forces de la nature, comme on l'observe toutes les fois qu'on tire du sang à une personne pléthorique, dont le pouls est, comme on dit avec raison, opprimé, lequel se relève constamment après la saignée.

Dans quelques péripneumonies très-violentes, dans lesquelles les deux lobes des poumons sont considérablement enflammés et obstrués, le malade tombe dans des faiblesses excessives, dans des anxiétés inexprimables; sa poitrine est oppressée, son pouls très-petit, très-faible et tremblotant; ses extrémités deviennent froides ; il survient des sueurs froides, visqueuses et partielles ; ses yeux sont étincelants, fixes et enflammés, son visage bouffi et presque livide. Ces symptômes sont bientôt suivis d'assoupissement, de délire, et comme je l'ai vu dans quelques cas, à la vérité en petit nombre, d'une parfaite paraplégie.

Cet état est certainement très-effrayant; mais il est moins l'effet du défaut de sang, que de la manière irrégulière dont il circule et se distribue ; car les grandes et les nombreuses obstructions qui sont dans les branches de l'artère pulmonaire doivent nécessairement retenir le sang dans les poumons, et empêcher qu'il ne passe du ventricule droit dans le gauche; de sorte que l'aorte ni ses branches ne reçoivent pas assez de sang pour fournir aux besoins de l'économie animale ; la circulation s'arrête, et le malade meurt. L'ouverture des cadavres a démontré cette cause, on a trouvé les poumons entièrement engorgés d'un sang coagulé, rouge, dur et comme charnu, ou plutôt de la couleur et de la consistance du foie, et si pesant qu'il allait au fond de l'eau lorsqu'on y en plongeait quelque morceau (1). Si l'on peut tenter quelque remède dans un cas si désespéré, c'est de saigner le malade le plus promptement qu'il est possible, ou en peu d'heures sa perte est inévitable. J'ai vu des effets surprenants produits par la saignée faite à temps, aux deux bras en même temps. — Il y a cependant quelques espèces de péripneumonies qui ne supportent pas de grandes saignées, comme l'ont remarqué de savants médecins. J'ai eu lieu de l'observer moi-même dans différentes péripneumonies épidémiques, et en particulier dans celle qui régna sur la fin de l'année 1745, et au commencement de 1746 (2), dans laquelle, après la seconde, et quelquefois même après la première saignée, le pouls et les forces des malades s'affaissaient à un point étonnant ; et ils tombaient dans une espèce de fièvre lente nerveuse, accompagnée de grands tremblements, de soubresauts dans les tendons, de sueurs abondantes et d'un flux de matières noires bilieuses; leur langue était noire, et ils tombaient dans l'assoupissement ou le délire, quoique dans le commencement le pouls parût être plein et vif, et que la douleur, la toux et l'oppression fussent si violentes, qu'elles paraissaient exiger la saignée. Mais dans ce cas, le sang était rarement couenneux jusqu'à un certain point ; au contraire, il était d'un rouge vif, et d'*une consistance lâche et molle, ou noir et couvert d'une pellicule très-fine de couleur bleuâtre ou verdâtre*, au-dessous de laquelle on trouvait une *gelée verdâtre*, et un *caillot d'un noir livide* au fond. Quelquefois cependant la couenne était plus épaisse et plus *coriace*, mais *d'un rouge pâle, et ressemblant à celui de la cornaline ou de la gelée de groseilles un peu délayée*. J'ai souvent remarqué cette apparence dans de véritables pleuro-péripneumonies. Toutes les fois que je vois cette dissolution du sang, je suis très-réservé à répéter la saignée, surtout si je m'aperçois que le pouls ou les forces du malade s'affaiblissent après la première, quand même l'oppression, la pesanteur, ou même la douleur, sembleraient

(1) Hoffmann, *De febrib. pneumonicis*, obs. I.

(2) Voyez mes *Obs. de aere et morbis epid.*, vol. II.

l'exiger. C'est sur de pareilles observations que Lancisi et Baglivi après lui, avertissent de ne pas réitérer la saignée, lorsqu'on n'aperçoit pas de véritable couenne sur le sang, dans la seconde saignée. *In pleuritide, peripneumoniâ, etc., si in sanguine è venâ sectâ extracto non appareat in superficie crusta alba........ pessimum....... si vero in alterâ sanguinis missione incipiat apparere, bonum; contrà, si in secundâ nequidem apparebit, abstineto statim à sanguinis missione, aliter interficies ægrotantem* (1). Je suis d'accord avec Baglivi sur la première et la dernière parties de ce prognostic, ayant toujours observé que lorsque le sang qu'on tirait au commencement des péripneumonies était d'un rouge vif, c'était d'un très-mauvais présage; car cela démontre que la texture du sang est détruite et dissoute, ou que le sang inflammatoire le plus grossier est arrêté dans les artères pulmonaires, et qu'il ne peut transsuder et passer dans le ventricule gauche que la partie la plus ténue et la plus séreuse du sang. — Je dois cependant faire remarquer que quelquefois dans les péripneumonies ou pleuro-pneumonies le sang qu'on tire par la première ou la seconde saignée, ne paraît pas couenneux, quoique celui de la troisième le soit beaucoup, surtout si le sang coule le long du bras et qu'il ne sorte pas à plein jet: mais il est bon d'observer que ce sang, quoique d'un rouge vif en apparence, lorsqu'il est froid, est très-dense et très-visqueux; au lieu que dans le cas ci-dessus, le sang, bien que d'un rouge vif, était d'un tissu très-mol et très-lâche, et ne prenait jamais une consistance bien ferme. On tirait fréquemment un sang de cette espèce aux gens de mer au commencement de l'année 1746 (2); et il était toujours suivi de symptômes fâcheux, souvent même funestes. Ces péripneumonies malignes attaquent très-fréquemment les marins après de longs voyages, et les personnes affectées du scorbut. Elles sentent d'abord de la difficulté de respirer, ne se soucient de rien, tombent en faiblesse au moindre mouvement qu'elles font; elles ont des frissons et des chaleurs vagues et passagères, et sentent des douleurs par tout le corps; la fièvre se met ensuite de la partie, elle est accompagnée d'un très-grand poids aux hypocondres, et d'une toux sèche très-importune; le pouls est fréquent, petit et plus mol qu'il n'a coutume d'être dans les péripneumonies véritablement inflammatoires; il survient des sueurs gluantes et inégales, des agitations et des anxiétés perpétuelles; à la fin, elles commencent à expectorer une matière ténue, putride, sanguinolente ou de couleur brune, qui exhale souvent une très-mauvaise odeur; outre cela, ces sortes de péripneumonies sont assez communément accompagnées d'une éruption de taches rouges, brunes, livides ou noires. L'urine est ordinairement noirâtre, ou de couleur de lessive foncée, comme s'il y avait une petite quantité de sang en dissolution: les malades en rendent peu à la fois, et elle ne dépose aucun sédiment; la première cependant contient quelquefois un sédiment livide très-abondant, quelquefois une matière semblable à du sang qui y flotte çà et là. Comme ces symptômes sont de très-forts indices de l'état de dissolution du sang, et de l'acrimonie des humeurs, il n'y a pas d'apparence que les saignées puissent réussir dans cette maladie, quoiqu'on y ait malheureusement recours trop souvent.

Quoique en général une couenne d'une certaine épaisseur ne soit pas un mauvais symptôme dans les fièvres pulmoniques; cependant, lorsqu'elle est excessivement épaisse, d'un jaune foncé ou d'une couleur pâle et plombée, elle n'est pas sans danger, et montre que la viscosité inflammatoire est portée à un très-haut point, et qu'elle est très-difficile à résoudre ou à atténuer, le sang ne pouvant que très-difficilement se mêler aux délayants que le malade prend. C'est ce que démontre la figure extraordinaire du caillot de sang qui prend une forme globulaire ou plutôt d'une espèce de sphéroïde aplati, après de grandes et de fréquentes saignées dans les pleurésies ou les péripneumonies violentes; car ce caillot, qui nage dans une très-grande quantité d'une sérosité très-ténue et très-limpide, est recouvert d'une couenne très-contractée, concave, presque aussi dure que du cuir, et toute sa masse est presque aussi ferme qu'un morceau de chair. Dans ce cas, comme les fréquentes saignées ont diminué considérablement la partie rouge du sang, le caillot est moins considérable, mais il conserve toujours sa grande viscosité, et le petit nombre de globules qui le com-

(1) Cap. *De pleuritide.*

(2) Voyez *Observ. de aere, etc.*, vol. II, mens. jan., feb., martio.

posent, étant très-denses, s'attirent fortement les uns les autres, comme il paraît par la figure et la consistance du caillot; et quoique la proportion de la sérosité ait été considérablement augmentée par l'usage copieux des délayants, il paraît cependant par sa ténuité et sa limpidité, qu'ils ne sont pas bien mêlés, ni unis avec la partie globuleuse et sulfureuse ou huileuse du sang. On observe même souvent que les délayants aqueux que les malades prennent en grande quantité dans ces sortes de fièvres, passent par la voie des urines sans changer de nature (1), ou s'échappent par les sueurs sans se mêler en aucune manière avec le sang proprement dit, ni agir le moins du monde sur ses parties salines et sulfureuses, dont l'étroite combinaison élude toute leur force. C'est ce que j'ai vu arriver plusieurs fois dans les pleuro-péripneumonies, dans lesquelles la douleur subsistait aussi violente qu'au commencement après la quatrième et la cinquième saignée, et dans lesquelles la partie globulaire du sang était diminuée au point que le caillot faisait à peine un sixième du volume total du sang, et néanmoins était aussi solide qu'un morceau de chair. Ces sortes de cas sont généralement mortels.

Si après la seconde ou la troisième saignée, ou même après la première, le malade commence à expectorer librement une matière jaunâtre, cuite, légèrement teinte de sang, il faut s'en tenir là, surtout si la respiration devient plus libre, comme elle fait ordinairement; autrement on affaiblit le malade sans raison, et même on supprime entièrement l'expectoration, dont la nature se sert pour chasser la maladie comme de la crise la plus favorable et de la voie la plus courte. La matière qui obstrue les extrémités des artères bronchiales et pulmonaires, étant assez résoute et assez cuite ou digérée, pour passer librement dans les cavités des vésicules, des bronches, etc., et sortir de la trachée-artère par le secours de la toux et de l'expectoration : par là, les dernières branches de ces artères redeviennent perméables, et la circulation est rétablie dans les poumons. — Il est évident qu'il y a un passage des artères bronchiales dans les cavités de la trachée-artère et de ses ramifications, puisque la mucosité huileuse qui dans l'état naturel tapisse et lubréfie la membrane interne de la trachée-artère et de ses branches est fournie par les artères bronchiales. Il n'est pas moins certain que l'eau, la sérosité, etc., passent librement des artères pulmonaires dans les cavités des bronches et des vésicules, comme Ruysch et le docteur Hales l'ont démontré par leurs expériences. En effet, comme les ramifications des artères bronchiques et pulmonaires se joignent par une infinité d'anastomoses, les artères pulmonaires peuvent encore communiquer avec les bronches par cette voie. Mais lorsque la matière obstruante est suffisamment atténuée et cuite et les vaisseaux dilatés au point de lui donner un libre passage, elle est portée dans la cavité des bronches et ensuite hors des poumons par l'expectoration. Il paraît évidemment que l'extrémité des branches latérales ou séreuses de ces artères peuvent se dilater suffisamment pour donner dans certains cas un passage libre aux globules rouges et leur permettre de s'épancher dans les cavités des bronches, comme on l'observe en particulier dans les crachements de sang qui se font par diapédèse, pour parler le langage de Galien et des autres médecins de l'antiquité ; car je crois qu'il y a des hemoptysies qui arrivent sans aucune rupture de vaisseaux, puisqu'elles ne sont précédées, accompagnées ni suivies d'aucune douleur, d'aucune suppuration ou autre accident semblable.

Lorsque la nature ou l'art ont rendu ces petits vaisseaux du poumon aisément dilatables, ils souffrent moins de l'épaississement inflammatoire que lorsqu'ils sont très-raides et très-élastiques ; comme sont ceux des personnes robustes et laborieuses, qui, suivant l'observation d'Hippocrate, sont le plus exposées aux inflammations de la plèvre et des poumons, et en sont le plus dangereusement affectées (2). C'est ce que l'expérience journalière démontre ; il en est de même de la remarque suivante de ce père de la médecine, touchant l'expectoration salutaire dont j'ai parlé ci-dessus. *Αἵματι δὲ ξυμμεμιγμένον μὴ πολλῷ πτύελον*

(1) Hippocrate observe que c'est un très-mauvais symptôme, dans les péripneumonies et les pleurésies, lorsque les malades rendent immédiatement par les urines ce qu'ils ont bu. *Coac. prænot.*, sect. v, edit. Lond.

(2) *Coac. prænot.* 29, lib. II, cap. XVI; *de Pleuritide*, edit. Dureti.

ξανθὸν ἐὸν τοῖσι περιπλευμονικοῖσιν, ἐν ἀρχῇ μὲν τῆς νούσου, πτυόμενον περιεσηκὸν (1) καὶ κάρτα ὠφελέει. *In pulmonis inflammationibus, si inter initia morbi sputum excernitur flavum non multo permixtum sanguine, salutare est et confert admodùm.* (Hippocrat. *Prognosticon*, *edit. Foes*). En effet, les gardes malades elles-mêmes ont observé dans quelques pleuro-pneumonies et péripneumonies épidémiques, que tous ceux qui ont craché du sang s'en sont bien trouvés. Ce n'est cependant pas généralement vrai, à moins que la matière ne soit conditionnée comme je l'ai dit ci-dessus ; il en est tout autrement lorsque le sang qu'ils crachent est très-écumeux, d'une couleur vive, ou qu'il est noir et à demi coagulé, spongieux ou de couleur de suie ; ce qui démontre que la matière obstruante n'est ni résoute, ni digérée ; mais que l'obstruction ayant jeté de profondes racines, et l'impulsion du cœur étant très-violente, il s'est rompu quelques vaisseaux dont le sang s'est épanché dans les cavités des poumons, d'où il a été expulsé par l'expectoration. Car lorsqu'il y a de grandes obstructions dans quelque partie du poumon, il faut nécessairement que le sang passe en plus grande quantité et avec beaucoup plus de rapidité par les vaisseaux libres, lesquels, étant trop distendus par cette surcharge, viennent souvent à crever, et laissent épancher le sang dans les cavités des bronches et souvent même dans les cellules les plus éloignées du tissu vésiculaire. Le sang qui sort immédiatement par les crachats paraît d'un rouge vif et écumeux ; il ne fait aucun ravage, mais par malheur il en reste ordinairement la plus grande partie dans les poumons, dont il bouche les vésicules aériennes, comprime et obstrue les vaisseaux sanguins, ce qui augmente la difficulté de respirer et met un très-grand obstacle à la circulation du sang dans les poumons. Outre cela, comme il est très-difficile qu'il soit repompé de ses petites vésicules, il se corrompt de plus en plus par le séjour qu'il y fait, jusqu'à ce qu'enfin il se convertit en une sanie corrosive qui détruit la substance même des poumons ; mais nous en parlerons plus au long dans la suite.

Comme toutes les inflammations du poumon, ou font périr promptement le malade, en empêchant la circulation du sang dans ce viscère, ou se terminent par la suppuration, la gangrene, ou un squirrhe, si la matière obstruante n'est pas promptement résoute ou cuite, il faut faire le plus tôt qu'il est possible les plus grands efforts pour diminuer l'inflammation par des saignées suffisantes : car lorsqu'une fois l'abcès a commencé à se former, la saignée n'est plus d'aucune utilité ; il y a plus, lorsque le phlegmon est au point de ne pouvoir plus se résoudre, la saignée est pernicieuse, en ce qu'elle retarde l'opération de la nature, qui tâche de se débarrasser de la matière obstruante, par une douce suppuration ; car, par son moyen, la matière est obligée de séjourner plus long-temps, ce qui la rend de plus en plus acrimonieuse, et, en affectant les parties qui l'avoisinent, elle forme un abcès plus grand qu'il n'aurait été si l'on eût laissé agir la nature ; quelquefois même elle produit la gangrène ou un squirrhe qui rend le reste de la vie misérable.

Les médecins ont remarqué en général, que passé le quatrième ou cinquième jour d'une péripneumonie vraie, la saignée était d'un faible secours pour prévenir la suppuration, la plupart des phlegmons commençant de suppurer vers ce temps, si on ne parvient pas à les résoudre, ce qui doit arriver plus particulièrement, et plus tôt dans une partie telle que les poumons, parce qu'ils sont entourés de toutes parts d'une humidité chaude, et qu'ils sont situés à une si petite distance du cœur, qui agit sans relâche et avec force sur l'obstruction inflammatoire. De sorte que lorsque les symptômes de la péripneumonie se soutiennent avec violence, passé le quatrième ou le cinquième jour, on doit craindre qu'il ne s'y forme un abcès, ou que les poumons ne tombent en mortification, et on doit peu compter sur de nouvelles saignées. — Cependant si les douleurs recommencent après s'être calmées pendant un temps considérable, ou se font sentir dans une autre partie de la poitrine, c'est une preuve qu'il se forme une autre inflammation qui demande la saignée, comme la première, mais moins forte. Car cette nouvelle attaque étant de la même nature, et affectant le même organe que la première, il faut nécessairement avoir recours à la même méthode, pour prévenir ses progrès et ses suites. La force du malade,

(1) Je préfère de lire ainsi avec Foesius, plutôt que περιεκτικόν, comme étant plus conforme au sens et à la diction d'Hippocrate.

l'état de son pouls, la violence de la douleur, et la gêne de la respiration, doivent servir à déterminer la quantité de sang qu'on doit tirer : il faut avoir aussi quelque égard à la couleur et à la consistance de ce même sang, au volume et à la qualité de la partie séreuse. J'ai quelquefois fait saigner le neuvième ou le dixième jour de l'attaque, et j'ai trouvé le sang presque aussi couenneux que celui qui avait été tiré le deuxième ou le troisième jour, lors même qu'on avait fait une grande ouverture; mais le caillot, quoique extrêmement épais, était considérablement diminué à proportion de la sérosité.

On observe ordinairement que lorsque cette nouvelle douleur se fait sentir avec quelque violence, l'expectoration, quoique libre et abondante auparavant, cesse tout-à coup, ou se fait avec beaucoup de peine, la violence de la douleur ne permettant pas à la poitrine de se dilater suffisamment, ni aux muscles des poumons, du thorax et de l'abdomen, d'agir avec assez de force pour rejeter la matière ; sans compter que l'inflammation empêche que la mucosité destinée à lubréfier la membrane interne de la trachée-artère et des bronches, ne se sépare en assez grande quantité, pour faciliter l'expulsion des matières qui y sont contenues. En effet, on observe que lorsque l'inflammation a été apaisée par les saignées, l'expectoration recommence, et paraît aussi facile et aussi libre qu'auparavant. — Il résulte de ce que nous venons de dire, que quoique dans les péripneumonies et les pleuro-péripneumonies, les saignées doivent être faites avant le cinquième jour, cependant, lorsqu'il survient de nouvelles douleurs, de la difficulté de respirer, et que les crachats se suppriment, il faut recommencer comme si on avait une nouvelle maladie à traiter (1), mais il faut agir avec beaucoup de réserve et de modération : les rechutes, surtout dans ce cas, étant très-dangereuses, parce que le malade devient de jour en jour plus faible, et moins en état de supporter de grandes pertes de sang. Il serait par conséquent très-imprudent de recourir à la saignée pour une légère douleur, car il reste toujours plus ou moins de douleur, surtout après les pleuro-péripneumonies, souvent même longtemps après que la fièvre a cessé : *Debet priùs cessare febris, et postea dolor affecti lateris*, dit Baglivi (2). La saignée convient encore beaucoup moins lorsque le malade expectore avec facilité une matière abondante et louable, quoiqu'elle continue à être teinte de sang, pour les raisons que j'ai indiquées ci-dessus, c'est-à-dire parce que cela indique la résolution et la coction de la matière de la nouvelle inflammation. On doit donc bien se donner de garde d'ordonner la saignée, ou d'employer les astringents pour arrêter ce peu de sang, comme ne le font que trop souvent ceux qui n'ont pas étudié les opérations de la nature, ni Hippocrate son fidèle interprète. Il vaut certainement beaucoup mieux calmer la douleur et la toux par de doux opiats, des adoucissants tempérants et de doux expectorants.

Je n'ai plus que deux observations à faire au sujet de la saignée, dans les maladies des poumons. La première, c'est qu'on fait beaucoup moins d'usage de la saignée du pied dans ces cas, que la raison et l'expérience qu'on a de sa grande efficacité dans les crachements de sang ne sembleraient l'exiger, bien entendu toutefois après qu'on aura tiré une quantité suffisante de sang du bras. Il y a déjà plusieurs siècles qu'Alexandre de Tralles (3) l'a conseillée comme très-utile dans ce cas. La seconde, que lorsque le pouls et la force du malade ne permettent pas de continuer à le saigner, et que cependant l'oppression, la toux et la suffocation subsistent avec le même degré de violence, on peut recourir sans risque aux ventouses sur les épaules, qui souvent procurent un très-grand soulagement dans les affections de la poitrine, aussi bien que dans celles de la tête, quoiqu'il soit difficile d'en assigner la raison. On observera cependant que la plus grande partie du sang qu'on tire par ce moyen est du sang artériel, et que les vésicatoires, les cautères, les sétons, et même les ventouses qu'on applique à ces parties, sont d'une utilité reconnue dans les paroxysmes de l'asthme, les fluxions sur les poumons, etc., et paraissent indiquer que les révulsions et les évacuations qu'on

(1) Hippocrate saigna Anaxion le huitième jour, parce que les douleurs continuaient, et qu'il ne crachait point. Lib. III, *Épid.*

(2) *Prax. medic.*, cap. *de pleuritide.*

(3) Cap. VIII, pag. 94, ex edit. Rob. Steph. Lutetiæ 1548, fol.

fait par cette voie peuvent être très-avantageuses dans les inflammations de ce viscère, et le sont en effet. — Quoique la saignée soit jusqu'à un certain point indispensablement nécessaire dans toutes les inflammations du poumon, et que quelquefois même, lorsqu'elle est employée à propos, elle suffise pour les guérir, il y a cependant en général plusieurs autres indications à remplir. Car la fièvre et l'inflammation particulière, demandent un régime rafraîchissant et délayant, des remèdes nitreux et laxatifs, un air modérément frais qui se renouvelle, et le plus grand repos possible du corps et de l'esprit. Il ne servirait de rien d'évacuer par la saignée une petite portion du sang visqueux et inflammatoire qui fait l'obstruction, si on ne travaillait pas en même temps à rafraîchir, délayer et atténuer celui qui reste, et à prévenir par des atténuants nitreux, des remèdes savonneux, rafraîchissants, des boissons délayantes, relâchantes et émollientes, des émulsions, etc., la reproduction d'un nouvel épaississement inflammatoire, qu'un régime, des remèdes, un air chaud, les grands mouvements du corps et l'agitation de l'esprit tendent à augmenter. Dans les paroxysmes de l'asthme, on est forcé de rester en repos, de respirer un air frais, si on ne veut pas être en danger de suffoquer; combien cela n'est-il pas plus nécessaire lorsqu'il y a non-seulement de très-grandes obstructions dans les vaisseaux du poumon, mais encore une inflammation dans leur propre substance? Une chambre fermée, étroite, étouffée, est très-incommode pour une personne attaquée de la fièvre, à plus forte raison pour celles qui ont une péripneumonie, comme je l'ai observé plus d'une fois, surtout parmi le bas peuple, lorsqu'il y a deux ou trois familles logées dans la même maison. L'avis que Celse donne de tenir le malade dans une chambre spacieuse (1) n'est dans aucune espèce de fièvre plus salutaire, et même plus nécessaire que dans la péripneumonie. Mais supposé qu'on ne puisse pas éviter de laisser le malade dans un lieu serré et étroit, il faut avoir soin de l'aérer souvent, et avec prudence.

Il y a peu de péripneumonies ou pleuro-péripneumonies qui se terminent favorablement, sans une expectoration facile et abondante; c'est la crise naturelle de ce genre de maladies, comme l'ont remarqué Hippocrate et plusieurs habiles médecins, et ils ont toujours regardé comme un symptôme dangereux lorsque le malade n'expectorait pas, comme il convient, la matière qui formait l'obstruction. Αἱ ξηραὶ τῶν πλευριτίδων ἄπτυσοι χαλεπώταται (2), *siccæ pleuritides et sputi expertes, gravissimæ*: et dans ses Pronostics (3), il dit que c'est un très mauvais symptôme lorsque μηδὲν ἀνακαθαίρηται — ἀλλὰ πλήρης ἐὼν ζέῃ ἐν τῷ φάρυγγι. *Nihil expurgatur, — sed propter multitudinem fervet in gutture*. Plus l'expectoration est facile, prompte et abondante, plus la matière en est cuite, mieux le malade s'en trouve. En général, elle est au commencement crue et ténue, bientôt elle devient d'un jaune blanchâtre, et acquiert plus de consistance lorsque la maladie marche régulièrement; vers le troisième jour, elle est ordinairement mêlée de quelques filets de sang, ou bien le sang est tellement incorporé qu'il lui donne une teinte sanguinolente, *flavo-rubescens*, comme s'exprime Baglivi (4), ou, pour nous servir de la phrase d'Hippocrate, πτύελον ὕφαιμον. Lorsque le malade crache abondamment une matière de cette espèce, sa respiration devient plus libre, la douleur et l'oppression diminuent, et la maladie se termine le plus souvent le septième jour.

Mais rien ne favorise autant l'expectoration en atténuant et résolvant la matière obstruante qu'une ample et fréquente boisson composée de rafraîchissants, relâchants, et de délayants savonneux, comme le petit-lait, la tisane d'orge avec la réglisse, les figues, etc.; la décoction ou plutôt l'infusion des plantes pectorales, telles que le lierre terrestre, le capillaire, le pas-d'âne, l'hyssope, etc., qu'il faut rendre aigrelettes avec du suc de limon ou d'orange de Portugal. Si on a besoin d'un détersif plus puissant, on peut y ajouter le miel, qui est une espèce de savonneux naturel, et un cordial admirable. Je ne sais pourquoi ni comment il a été presque entièrement banni de la matière médicale moderne, car, pour une personne

(1) Lib. III, cap. VII.

(2) *Coac. prænot.* 3, cap. XVI, edit. Dureti.

(3) Sect. XIII, edit. Linden.

(4) Cap. *de pleuritide*.

qu'il purge, et à qui il donne des tranchées, il y en a mille qui s'en trouvent bien, encore est-il aisé de lui enlever sa qualité purgative en le faisant bouillir. Hippocrate faisait usage dans ces cas, d'oxymel et d'eau miélée, et défendait de boire de l'eau pure dans les fièvres pulmoniques, parce qu'elle excite la toux et qu'elle ne facilite pas l'expectoration (1). Ces boissons, prises tour à tour, ou l'une d'entre elles, remplissent parfaitement l'indication ci-dessus, en les buvant tièdes et à petits coups, en les humant, pour ainsi dire; par ce moyen, une grande partie de la vapeur relâchante et résolutive qui s'en exhale passe dans les poumons, et peut être absorbée par leurs vaisseaux inhalants; par-là, on relâche et on delaie par deux voies en même temps, ce qui ne peut manquer d'opérer efficacement. Il faut bien se donner de garde de boire de trop grands coups à la fois; on surchargerait son estomac, on courrait risque de se donner des indigestions et des vents, qui soulèveraient le diaphragme et gêneraient la respiration. C'est pour cela qu'Hippocrate conseille dans *ses Maladies*, de se servir, pour boire, de vaisseaux à goulots étroits (2); sans doute afin que la liqueur se conservât plus long-temps chaude, qu'on bût moins à la fois, et afin qu'il passât un plus grand courant de vapeurs dans la bouche et dans le nez. Il veut cependant que le malade boive abondamment pour faciliter l'expectoration, parce que lorsqu'elle ne se fait pas le malade meurt (3). Il conseille pour cet effet différentes espèces de boisons, mais surtout la décoction d'orge, l'eau miellée, l'oxymel, et le vinaigre et l'eau. — Ces boissons et ces vapeurs relâchantes et émollientes sont encore plus nécessaires lorsque l'expectoration est difficile, que la matière en est épaisse, et dans les personnes maigres, dont les fibres sont raides, telles en général que les ouvriers qui travaillent à des ouvrages durs, et celles qui sont d'une constitution chaude et sèche. Car, comme un air sec, soit chaud, soit froid, empêche que l'expectoration ne soit abondante, un air chaud et humide doit nécessairement la favoriser (4), en relâchant les vaisseaux et en atténuant jusqu'à un certain point les humeurs visqueuses. Baglivi recommande beaucoup une boisson bouillante (5), pour résoudre les obstructions des poumons, mais je pense qu'un degré de chaleur modéré est plus propre à relâcher et à résoudre. On a observé que lorsqu'on appliquait des fomentations trop chaudes sur les parties extérieures, elles épaississaient les humeurs, fronçaient la peau, et augmentaient l'inflammation des parties. On peut rendre les vapeurs plus ou moins stimulantes ou relâchantes, suivant que le cas le requiert. J'ai éprouvé les bons effets de la vapeur du vinaigre dans les péripneumonies malignes; on pourrait sans doute administrer avec avantage différentes espèces de remèdes sous la forme de vapeurs; celles du vinaigre camphré ne sont pas à mépriser dans beaucoup de cas. — Hippocrate et les anciens étaient si fort persuadés de la nécessité de l'expectoration dans les péripneumonies qu'ils travaillaient à l'exciter, non-seulement par les moyens que j'ai rapportés, mais encore dans les cas difficiles, par les expectorants les plus puissants (6) : la crême d'orge avec le miel ou l'huile, l'oxymel, l'hyssope, la rue, le galbanum, la moutarde, le silphium (7), étaient les plus doux; ils employaient l'hellébore blanc (8), l'elaterium, les fleurs d'airain, dans les cas désespérés. Il fallait, en effet, qu'ils fus-

(1) *De victu in morb. acut.*, sect. XXX, edit. Linden.

(2) Μὴ ψυχρὸν, ὀλίγον δὲ ἐκ βομβυλίου οὐκ εὐρυστόμου; car c'est ainsi qu'il faut lire, ou simplement βομβυλίου, comme tous les commentateurs en conviennent. *Minimè frigidum paucum ex angusti oris poculo.* Lib. III, *De morbis.* Voy. Galien, Erotien et Foesius, sur le mot Βομβύλιον.

(3) Lib. I, *De morb.*, sect. XXVI; *De locis in homine*, sect. XXX, XXXVII, edit. de Vander Linden, et en plusieurs autres endroits.

(4) Arétée dit que les boissons froides ni l'air froid ne valent rien dans les pleurésies.

(5) *De pleuritide.*

(6) Ἰσχυρότατα ἐπαναχρεμπτήρια φάρμακα. *Validissima excretionem promoventia medicamenta. De locis in homine*, sect. XXIV, edit. de Vander Linden.

(7) Lib. III *De morb.* sect. XVIII, 25e edit. Lind. et ailleurs. Arétée conseille la même chose dans les péripneumonies et les pleurésies.

(8) Lib. III *De morb.*, sect. XVII, edit. Lind.

sent bien désespérés pour justifier aujourd'hui l'usage de tels remèdes; mais comme ils n'en avaient pas d'autres, il leur était permis d'y avoir recours dans ces cas. Comme notre matière médicale est beaucoup plus étendue, nous sommes à même de choisir des choses plus douces. J'ai cependant donné plus d'une fois avec beaucoup de succès l'émétique dans des péripneumonies, dans lesquelles l'expectoration s'était supprimée tout-à-coup, et la difficulté de respirer était considérablement augmentée; mais ce n'était qu'après que la quantité du sang avait été suffisamment diminuée auparavant, et que la violence de la fièvre était apaisée; mais dans ces cas, il faut peu de chose pour exciter le vomissement. L'oxymel scillitique est quelquefois d'une grande utilité dans ces circonstances; tout le monde connaît son efficacité dans l'asthme. Quand on le donne à des doses convenables, non-seulement il fait vomir doucement, mais encore il atténue les humeurs visqueuses, lâche doucement le ventre, et pousse par les urines. Il est fort supérieur à l'oxymel simple, et on peut, en le mêlant avec les émollients huileux, en faire un excellent expectorant. Dans les cas où les adoucissants et les lubréfiants sont indiqués, on peut faire usage du looch de blanc de baleine, de l'huile d'amandes douces, ou de lin tirée sans feu, avec le sirop d'althea, de coquelicot ou de diacode, et autres remèdes semblables. Mais si le malade a de la répugnance pour les huiles, on peut leur substituer le mucilage de graine de coing ou de lin, avec le rob de sureau, ou la gelée de groseilles noires, ou bien leurs sirops ou celui de pavot. Le nitre, cet atténuant indispensable, peut très-bien entrer dans l'une ou l'autre de ces espèces de compositions; et peut-être que le camphre est beaucoup moins dégoûtant donné de cette manière que de toute autre. Il faut avoir le plus grand soin de ne jamais donner de forts expectorants au commencement des péripneumonies, qu'après avoir modéré l'impétuosité du sang et la violence de la fièvre par les saignées, autrement ils augmentent l'inflammation, mettent le malade en danger de suffoquer, et par l'événement, empêchent l'évacuation qu'on avait dessein de produire: il faut que la matière soit cuite avant de pouvoir être expectorée. Une autre observation qu'il est nécessaire de faire, c'est que pendant l'usage de ces expectorants, comme l'oxymel scillitique, les potions huileuses, les mixtures gommeuses et les décoctions pectorales, il faut bien se donner de garde de purger le malade, car, on arrêterait infailliblement l'expectoration, et on mettrait sa vie en danger.

Quoiqu'une expectoration facile d'une matière bien cuite soit d'une très-grande utilité dans la cure des péripneumonies et pleuro-péripneumonies, et qu'on doive toujours la favoriser, cependant il y a des expectorations d'un très-mauvais présage; c'est en particulier un très-mauvais signe lorsque le malade crache une grande quantité de sang, d'un rouge vif ou écumeux: Hippocrate et Arétée l'ont indiqué depuis long-temps, quoiqu'ils parlent avantageusement l'un et l'autre de l'expectoration d'une matière bien cuite teinte de sang. Le premier condamne le πτύελον λίην αἱματῶδες (1), *sputum nimis cruentum*, et le dernier Δίαιμον ἀνθηρὸν σφόδρα, *cruentum floreo colore valdè perfusum* (2). Arétée dit même, Ἐστὶ τὸ Δίαιμον πῶν ἄλλων κάκιον, *id verò cruentum aliis perniciosius est.* C'est ce que je pense aussi pour les raisons que j'ai alléguées plus haut; car ce sang écumeux ne peut venir que de la rupture d'une artère dans le poumon, et non pas de la résolution d'une obstruction inflammatoire. Mais lorsqu'il y a une artère de rompue dans les poumons, le sang s'épanche quelquefois en si grande quantité dans la cavité des bronches qu'il cause une suffocation si on ne le rejette pas promptement. Mais le plus communément, il séjourne dans les vésicules pulmonaires, et souvent l'artère qui le fournit est situé profondément dans le poumon, de sorte qu'il n'y en a qu'une partie qui s'évacue, tandis que l'autre est retenue dans les dernières ramifications et dans les interstices cellulaires des bronches, ce qui engorge les poumons, comprime les vaisseaux qui sont autour, et à la longue putréfie et corrode tout ce qui l'environne; d'où résultent la suffocation, une vomique dangereuse, ou la gangrène. Le malade crache aussi quelquefois cette matière extravasée sous la forme d'une sanie ou de concrétions noires et livides; mais c'est ordinairement avec tant de peine et avec des toux si vio-

(1) *Coac pranot.*, 17, lib. II, cap. XVI, *de pleuritide, etc.*, ex edit. Dureti.

(2) *Areteus de causis et signis acut. morb.*, cap. I, *de pulmonaria.*

lentes que cela augmente l'extravasation : cette évacuation ne se fait même jamais qu'imparfaitement, de sorte que la plus grande partie reste toujours dans les poumons, et y produit les effets les plus funestes. Aussi Hippocrate déclare-t-il, que ces sortes d'expectorations sont très-dangereuses (1): en effet, elles sont pour l'ordinaire le signe d'une mortification actuelle ou prochaine. Je me souviens d'avoir vu, il y a déjà plusieurs années, un certain M. Clarck, maître d'un vaisseau marchand de cette ville, cracher à la fin d'une péripneumonie une matière qui ressemblait parfaitement à des morceaux de rate bouillie, ou même plus spongieuse, et qui sentaient très-mauvais: il mourut le dix-neuvième jour de sa maladie, ce qui s'accorde avec le pronostic de Baglivi (2) tiré de Dodonée : *Qui spuunt sanguinem nigrum porosum* (3), *ad instar spongiæ, cis pars aliqua sphacelo correpta est in pulmone, et omnes pereunt.*

Aussitôt que je vois ainsi cracher un sang vermeil, j'ordonne de saigner le malade à proportion de ses forces, afin d'abattre le mouvement trop rapide du sang, de diminuer l'inflammation, et prévenir, autant qu'il est possible, l'épanchement du sang dans les vésicules et cellules pulmonaires, où il ferait de très-grands ravages. Si l'hémoptysie continue, la saignée du pied pourra être d'un très-grand secours. Outre cela, si elle est considérable, il faut employer les émulsions rafraîchissantes, les remèdes nitreux, adoucissants, mucilagineux, les acides végétaux et même les minéraux; la décoction de coquelicot, de pas-d'âne et de figue, acidulée avec l'élixir de vitriol, fournit une boisson excellente dane ce cas. On doit tâcher de modérer la violence de la toux par le diacode, les loochs, etc. ; mais je ne saurais approuver les astringents ni les opiats, donnés à grandes doses, parce que j'ai observé qu'ils occasionnent souvent, lorsqu'on en use imprudemment, des orthopnées et les accidents les plus fâcheux ; car, il faut que le malade crache tout le sang extravasé, ou bien il est impossible qu'il guérisse, ce qui ne peut se faire sans la toux. J'ai souvent vu survenir de très-grands abcès, à la suite de ces péripneumonies, dans lesquelles le malade a survécu à la fièvre plusieurs jours et même plusieurs semaines. — Quoique la viscosité prédomine communément dans les fièvres pulmoniques, il y en a cependant beaucoup dans lesquelles les humeurs pèchent plutôt par leur ténuité et par leur acrimonie, et comme on observe dans les ophthalmies, que la matière qui coule des yeux est quelquefois épaisse comme de la glu, quelquefois aussi ténue que de l'eau, et aussi âcre que de la saumure, au point d'excorier la peau des joues, le long desquelles elle coule, de même dans quelques péripneumonies, la matière des crachats est extrêmement ténue et crue, et si âcre qu'elle excorie la trachée-artère, etc., et produit une toux violente et continuelle. — Les humeurs ténues et âcres qui accompagnent les fièvres catarrhales, produisent souvent les symptômes de la péripneumonie, en occasionnant une irritation et une agitation constante dans les poumons; il résulte même de grands accidents des violentes secousses occasionnées par les fréquents éternuments qui accompagnent ces sortes de catarrhes âcres, lesquels sont quelquefois assez virulents pour enflammer les narines, et faire l'effet d'un vésicatoire sur les lèvres. Le père de la médecine, dans son admirable livre des *Pronostics*, prononce que les catarrhes et les éternuments qui précèdent ou surviennent dans les péripneumonies, sont très-dangereux. J'ai vu un simple éternument faire renaître immédiatement un point de côté qui avait cessé depuis un temps considérable.

Dans ces péripneumonies catarrhales, si on peut les appeler ainsi, il n'est pas nécessaire de beaucoup saigner; il faut cependant faire tirer un peu de sang au commencement, pour diminuer la disposition inflammatoire et prévenir les accidents. Il faut aussi appliquer de bonne heure des vésicatoires, pour détourner et évacuer la matière âcre de la fluxion; les doux purgatifs peuvent même convenir pour entraîner l'amas de sérosités. L'auteur du second livre *De morbis*, qui se trouve parmi les ouvrages d'Hippocrate (4), conseille une purgation dans

(1) *Prognost. Coac. prænot.* 45, cap. *De pleurit.*, ex edit. Dureti.

(2) Baglivi, *Opera* Lugd. 70, pag. 87.

(3) Αἵματος θρόμβους μέλανος, Hippocrat, lib. III, *De morb.*, sect. XIX, edit. Lind.

(4) Sect. LIV, edit. Linden.

un érysipèle des poumons, dans lequel l'expectoration était abondante, mais claire. J'ai souvent éprouvé les bons effets des purgatifs dans ces péripneumonies catarrhales, quoiqu'ils soient dangereux dans celles qui sont accompagnées de l'expectoration d'une matière cuite. Il faut beaucoup moins de boisson dans cette péripneumonie que dans l'espèce sèche; il est bon cependant de faire user au malade de quelque tisane pectorale et adoucissante, pour tempérer l'acrimonie des humeurs, et il faut qu'il la boive chaude : on peut y joindre quelque doux diaphorétique, pour exciter une légère sueur; le café dans ce cas est une boisson agréable et salutaire. Il faut aussi, pour modérer la toux, avoir recours à quelques doux opiats, tels que le diacode, l'*élixir asthmatique*, à petites doses souvent répétées; on y peut ajouter le blanc de baleine, la myrrhe, l'oliban et le camphre, qui sont propres à donner plus de consistance à l'humeur catarrhale, et à diminuer l'irritation qui, comme le dit Hippocrate, amène les péripneumonies, etc., qui cesse dès que la matière de la fluxion devient plus épaisse et plus cuite (1).

L'expectoration d'une matière livide, glaireuse et sanieuse, qui ressemble à la lie de vin rouge, quelquefois plus noire et quelquefois très-puante, est encore d'un plus mauvais présage que celle de cette matière ténue et crue. Car elle est la suite ou de l'état gangréneux du poumon, ou de la destruction de la texture du sang, par une grande acrimonie, comme cela arrive quelquefois dans le dernier période du scorbut. Nous en avons vu un grand nombre d'exemples parmi les matelots qui venaient de faire de longues croisières ou de quelque expédition en Amérique. Le sang qu'on tirait dans ces péripneumonies paraissait être dans un état de dissolution putride; le caillot était d'un tissu lâche et mol, la sérosité trouble et rougeâtre, la langue noire, les dents couvertes d'une matière noire et épaisse, leur haleine puante, l'urine haute en couleur ou noirâtre : ce qui dénotait une grande corruption dans les humeurs, pleinement démontrée par les taches noires ou le flux dysentérique, qui paraissait souvent le cinquième, sixième ou septième jour. Il est étonnant combien le pouls et la force du malade s'affaiblissent dans ces sortes de cas après une saignée. J'ai vu plus d'une fois, avec chagrin et avec étonnement, de grandes anxiétés, des syncopes, des sueurs froides, et l'intermittence dans le pouls, succéder à cette espèce d'évacuation, même au commencement de la fièvre, et lorsque le pouls paraissait fort et vigoureux. Je l'ai observé dans des pleuro-péripneumonies dans lesquelles la douleur de côté était violente, l'oppression très-forte et la toux très-considérable; sans cela, on aurait pu imaginer que ces accidents péripneumoniques étaient des symptômes d'une fièvre maligne. Je suis très-sûr que dans cette espèce de péripneumonie putride, le malade ne peut pas soutenir une seconde saignée, rarement même une première, à moins qu'il n'y eût une force et une tension considérable dans le pouls (2). Dans les cas où je me défiais de la saignée, je faisais faire des scarifications et appliquer des ventouses, ce qui me réussissait quelquefois; il m'arriva cependant une ou deux fois qu'il ne fut pas possible d'arrêter le sang qui s'écoulait par les scarifications, et que le malade expira.

Dans ce cas, il fallait employer quelque remède pectoral anti-putride; un des meilleurs est la décoction de figues, de tussilage et de pavot rouge, acidulé d'abord avec le suc d'orange de Portugal ou de limon, ensuite avec l'esprit de soufre ou l'élixir de vitriol; le nitre, l'oliban, la myrrhe, les fleurs de soufre et le bol, avec la conserve d'alléluia, le rob de sureau ou de groseilles, le mucilage de semences de coing et le sirop de sureau ou celui de framboises, faisaient aussi très-bien; le vinaigre camphré avec le sirop de sureau ou celui de framboises est encore un excellent remède; on peut donner de temps en temps une cuillerée ou deux de ces derniers. Le bon cidre ou du vin trempé avec le suc d'orange de Portugal ou de limon, bu chaud, excite l'expectoration lorsqu'elle ne se fait pas, et corrige l'acrimonie alcaline. La teinture de roses avec la fleur de coquelicot modère l'écoulement de la sanie ténue et sanguinolente. Cependant l'oxymel scillitique avec l'eau de cannelle étaient souvent nécessaires pour procurer l'évacuation de la matière, lorsque le râ-

(1) *De veteri medicina*, sect. XXXIII, edit. Lind.

(2) Voyez *Obs. de aere, etc.*, vol. II, janv., févr. 1740.

lement qui se faisait entendre dans la trachée-artère et la difficulté de respirer indiquaient qu'elle était en grande quantité dans les poumons. Souvent même on était obligé d'apaiser l'importunité et la violence de la toux par l'élixir asthmatique, le diacode, etc. Le sagou, la panade, la gelée de corne de cerf, les pommes cuites à la braise, la crème d'orge ou du gruau un peu épais avec un peu de vin et de suc de limon, donnés en petite quantité à la fois, mais souvent, étaient nécessaires pour soutenir le malade; on lui accordait aussi quelquefois sans inconvénient des fraises, des framboises, des groseilles, des cerises, et il ne faut pas croire que ce soit une nouvelle pratique, car Arétée (1) conseille les fruits de la saison, tels que les figues, etc., dans la cure de la pleurésie, et le même auteur remarque avec beaucoup de raison qu'on peut tellement adapter les aliments qu'ils deviennent des remèdes (2). J'ai été encore plus indulgent sur ce qui regarde le régime, car en un mot la grande affaire était de soutenir les forces du malade, et de gagner du temps jusqu'à ce que l'acrimonie de l'humeur eût été corrigée, et les poumons débarrassés de l'amas d'humeurs putrides; à la fin du moins, tout dépendait d'un régime bien réglé; on donnait avec avantage au malade des rôties dans le vin rouge de Porto, dans lequel on mêlait un peu d'écorce d'orange de Portugal, de macis ou de cannelle, et qu'on avait soin de bien aciduler. Les vésicatoires furent rarement utiles dans ce cas, souvent même ils étaient funestes, produisant de vives irritations, attirant l'écoulement d'une très-grande quantité d'une matière sanguinolente, et étant quelquefois accompagnés de mortifications.

C'est encore un mauvais symptôme dans les péripneumonies lorsque les crachats sont crus, jaunes comme s'ils étaient teints avec du safran; car c'est une marque que l'épaississement inflammatoire est fortement engagé dans les artères des poumons, et qu'il n'y a que la partie séreuse et la plus ténue du sang qui s'en échappe, ou ils démontrent que toute la masse du sang commence à se dissoudre, ses principes bilieux à s'exalter, et que tout tend à une putréfaction générale. Dans les fièvres très-putrides, le lait lui-même, la sueur, etc., paraissent jaunes, et le sang stagnant prend cette couleur lorsqu'il se putréfie et se dissout. Hippocrate à la vérité met au rang des signes favorables une expectoration dans laquelle le jaune est intimement mêlé au crachat (3) (ou dans laquelle il y a un mélange intime de jaune et de blanc); mais il déclare aussi que les crachats d'un jaune pur (ξανθὸν ἄκρητον) (4) sont dangereux; c'est ce que l'expérience journalière démontre : ils sont ordinairement accompagnés d'une toux violente, et ont beaucoup de peine à sortir; outre cela, ils sont très-souvent suivis d'hémoptysie, produite par la rupture de quelque vaisseau; surtout lorsque la langue paraît très-rouge, sèche, unie, luisante, avec des vessies livides (5) au bout; ce qui, pour le dire en passant, est un mauvais signe dans toutes les espèces de fièvres. Dans la pratique, il faut distinguer avec soin de laquelle des causes que nous avons assignées procède cette expectoration bilieuse : à cet effet, il faut examiner avec attention l'état du pouls, celui du sang, le tempérament du malade; car, les indications doivent varier suivant les différentes causes. — Je terminerai ces remarques sur l'expectoration dans les fièvres pulmoniques par les observations suivantes du grand Hippocrate : « Il » faut, dans les péripneumonies et les » pleurésies, que les crachats viennent » aisément et de bonne heure, qu'ils » soient d'une couleur jaune, bien mê- » lés, ou bien cuits; c'est-à-dire com- » posés d'une matière jaune, teinte d'un » peu de sang, mais qui ne soit pas » abondant. De semblables crachats s'ils » viennent au commencement de la ma- » ladie, sont très-avantageux; on ne » doit pas également compter sur eux

(1) *De curatione pleuritidis.*

(2) Ἐν τροφῇ γὰρ κείσεται τὰ φάρμακα, ἀτὰρ καὶ τὰ φάρμακα ἐν τροφῇ. *In alimentis enim medicamenta ponentur : quin imò in alimentis medicamenta sunt.* Ibid.

(3) Τὸ ξανθὸν ξυμμεμιγμευον ισχυρῶς τῷ πτύελῳ, *Sputo flavum valdè permixtum.* *Prognost.*, sect. XIII, édit. Lind.

(4) Ibid.

(5) Hippocrate dans ses *Coaques*, chap. *de la pleur.*, parag. 6, regarde Πόμφολυξ ὑποπέλιος, *sublivida bulla*, comme dangereuse, et il assure qu'elle précède le crachement de sang.

» après le septième jour. C'est un très-» mauvais signe lorsque la matière mor-» bifique étant très-abondante, qu'y » ayant une espèce de râle dans la tra-» chée-artère, le malade ne crache ce-» pendant point; le défaut de crachats » est d'un mauvais présage dans tous les » cas; mais les crachats très-visqueux, » petits, ronds ou écumeux, sont inuti-» les. Les crachats d'un jaune pur, sans » mélange, sont mauvais; ceux qui sont » teints de beaucoup de sang, ou livides, » sont dangereux, surtout lorsqu'ils pa-» raissent tels dès le commencement de » la maladie; mais ceux qui sont entiè-» rement noirs sont les plus mauvais de » tous; c'est un mauvais signe lorsqu'ils » sont très-verts (ἰώδες). Tout ce qu'on » crache avec peine, à la suite d'une » toux violente, et qui ne diminue ni » la douleur, ni l'oppression, démontre » que la maladie va mal. » *Voyez Coac. Prænot.* 13, 14, 15, 17, 18. *Edit. Dureti, cap. de Pleuritide.* Comparez-les avec les pronostics d'Hippocrate, qui dit que les crachats bien cuits sont semblables à un pus louable (1), qu'ils ne sont ni clairs, ni glaireux, ni extrêmement jaunes, ni chargés de beaucoup de sang, ni verts, ni livides. En effet, ces couleurs sont toujours d'un mauvais présage dans tous les abcès ou ulcères, parce qu'elles dénotent une très-grande acrimonie.

Mais lorsque la matière qui fait l'obstruction inflammatoire des poumons parvient au point d'être résoute ou cuite, non-seulement une partie se dépose dans les cavités des bronches d'où elle est rejetée par les crachats, mais encore une autre partie passe dans les veines correspondantes, qui la portent avec le reste du sang dans le torrent de la circulation, jusqu'à ce qu'elle soit entraînée en partie par les urines qui deviennent troubles, épaisses, abondantes, et déposent une grande quantité de sédiment rougeâtre ou jaunâtre, et qui sont toujours un bon signe dans les maladies des poumons; et en partie aussi quelquefois par des selles bilieuses. Hippocrate observe que cette urine épaisse, rougeâtre, qui dépose, est un bon signe dans les pleurésies (2) et qu'elle emporte les péripneumonies lorsqu'elle est épaisse et abondante (3). Il décrit ces urines cuites comme ayant ὑποσάσιας ὑπερύθρους ὁκοῖον ὄροβος. *Sedimenta habuerint ervo similia* (4), c'est-à-dire une espèce de sédiment pâle, semblable à celui de la brique pilée. Mais il observe avec raison que c'est un très-mauvais symptôme, lorsque d'épaisses qu'elles étaient d'abord, elles deviennent ténues vers le quatrième jour (5); il en est de même pendant tout le temps de la maladie, tant que la fièvre continue à être considérable.

Rien ne provoque les urines et les selles aussi efficacement que des lavements émollients, laxatifs; c'est une espèce de fomentation, et un léger stimulant pour toutes les parties du bas-ventre. Non-seulement ils augmentent les urines et les selles, mais encore ils favorisent la sortie des vents qui, en gonflant le bas-ventre et faisant remonter le diaphragme, gênent considérablement la respiration. D'ailleurs, lorsque les gros excréments pressent sur l'aorte et sur l'origine des iliaques, le sang est forcé de refluer en grande quantité vers les parties supérieures, et surtout sur la poitrine, ce qui augmente l'inflammation, l'oppression, etc. De là vient qu'Hippocrate recommande (6) les lavements rafraîchissants dans les fièvres péripneumoniques, surtout les trois premiers jours (7); et qu'Arétée dit qu'on doit donner un lavement âcre lorsqu'on ne peut pas saigner suffisamment (8). Il faut prendre cependant le plus grand soin de ne pas donner au malade une diarrhée trop forte, qui supprimerait ses crachats sans le soulager; et selon le grand oracle de la médecine (9), c'est un mauvais symptôme dans les péripneumonies et les pleurésies, parce que lorsqu'il y a un grand flux d'humeurs vers les parties inférieures, les supérieures restent à sec, le

(1) Πέπονα δὲ ἐστὶ τὰ μὲν πτύελα ὁκόταν γένηται ὅμοια τῷ πύῳ *Concocta autem sputa quidem sunt, ubi puri similia extiterint. De vict. rat. acut.*, LIII, edit. L.

(2) 586. *Coac. Prænot.*, edit. Foesii.

(3) *De vict. acut.*, parag. LIII, edit. Lind.

(4) Ibid.

(5) *Coac. Prænot.* 53, cap. *de Pleuritide*..... 20; cap. *de Urinis*, edit. Dureti.

(6) *De Affect.*, sect. VIII, edit. Lind.

(7) *De Vict. acut.*, sect. LII, édit. Lind.

(8) *De Curat. pulmon.*

(9) *Hippoc.*, *Aphor.*, sect I, 16.

28

crachement cesse et le malade meurt (1). De sorte qu'il faut que le corps ne soit pas trop resserré, ce qui augmenterait la fièvre ; ni trop lâche, de peur que les crachats ne se suppriment, et que les forces du malade ne s'affaissent. Telle est la médecine d'Hippocrate, et je suis bien convaincu qu'elle est pour le moins aussi bien fondée qu'aucune des modernes. Mais poursuivons. Il arrive quelquefois que la matière morbifique est portée vers les parties inférieures, où elle produit des phlegmons, des abcès, des érysipèles ou des enflures œdémateuses, des ulcères, etc., surtout chez les personnes sujettes à avoir les jambes enflées, ou qui ont déjà eu quelques ulcères; on remarque assez fréquemment qu'elles leur enflent ou s'ouvrent à la fin des péripneumonies, ce qui dégage beaucoup leur poitrine. On sait que lorsqu'on ferme trop promptement les ulcères des jambes, les poumons s'affectent aussitôt ; et que lorsqu'on répercute les tumeurs hydropiques de ces parties, par des brodequins, des bandages, etc., le malade devient asthmatique : ce qui suffit pour démontrer la correspondance qu'il y a entre la poitrine et les parties inférieures. Par conséquent il paraît raisonnable dans les grandes maladies de poitrine de tâcher de procurer la dérivation des humeurs vers les jambes, par les bains de pieds, les vésicatoires, etc.; c'est en effet ce qu'on a souvent pratiqué avec succès. Combien de fois n'est-on pas parvenu à rappeler vers les pieds la goutte qui s'était jetée sur les poumons, par le moyen des cataplasmes âcres? Lorsque le malade est menacé d'un grand danger, il ne faut rien négliger. Lorsque les vésicatoires, qu'on applique aux jambes dans les maladies de poitrine, prennent bien, ils soulagent ordinairement beaucoup, mais il est souvent très-difficile de les sécher. C'est ce qu'on a observé surtout dans les années 1740, 1741, 1746, 1747 (1) J'ai remarqué aussi que lorsque l'écoulement procuré par les vésicatoires venait à s'arrêter tout-à-coup, non-seulement la toux et la difficulté de respirer revenaient, mais encore il arrivait quelquefois que le malade avait de grandes évacuations par le ventre, et quelquefois d'abondantes sueurs : de sorte que, dans beaucoup de cas, les malades étaient épuisés par la douleur et la grande évacuation procurée par les vésicatoires, ou accablés par une diarrhée ou des sueurs colliquatives, et souvent des aphthes affreuses venaient terminer la scène. Cela venait vraisemblablement de la grande acrimonie de la lymphe et de la sérosité, qui ayant été, pour ainsi dire, coagulée par la fièvre précédente, s'était convertie en se fondant en une espèce de matière ichoreuse, putride (car lorsque la sérosité a été une fois coagulée par la chaleur, elle passe nécessairement à l'état de putridité ou de dissolution). Non-seulement elle s'échappe par les selles et les sueurs, mais encore par d'autres voies, par des urines troubles et âcres, des pustules, des furoncles, des phlyctènes très-douloureuses et écorchées, qui paraissent sur différentes parties du corps, telles que les épaules, les bras, le dos, la poitrine, etc. Il y a bien de l'apparence que c'est en conséquence de quelque observation de cette espèce, que les anciens qui s'attachaient avec soin à seconder les efforts de la nature, appliquaient dans les maladies de poitrine, des épithèmes, tels que le sel, la moutarde, etc., sur la poitrine, le dos et les épaules. Il est certain qu'il y a une très-grande correspondance entre la peau et les poumons, comme le prouvent la gale, la petite vérole et la rougeole, qui toutes les fois qu'elles viennent à rentrer, se jettent sur la poitrine. Par conséquent rien n'est plus conforme à la saine pratique, après qu'on a suffisamment évacué les vaisseaux par la saignée, que d'appliquer des vésicatoires sur les parties que nous venons d'indiquer, surtout vers le déclin des fièvres péripneumoniques. — Quoique la nature prenne quelquefois ces différentes voies pour se débarrasser dans les péripneumonies, cependant sa route la plus ordinaire est celle de l'expectoration ; et, tandis qu'elle se fait bien, nous devons favoriser ses efforts, sans jamais la déranger; ce que de fortes purgations ou des sueurs abondantes, etc., feraient infailliblement. De sorte qu'il paraît que ces autres moyens sont des routes détournées que la nature est quelquefois forcée de prendre. Il ne faut donc solliciter vivement la matière morbifique à les prendre que lorsque la grande route est ou fermée ou considérablement embarrassée.

(1) *Hist.* III. *de Morbis*, sect. XVII, edit. Lind.

(2) Voyez *Observ. de aëre et morb. Epidem.* vol. 2.

CHAP. III.—DE LA FAUSSE PÉRIPNEUMONIE.

Ce que j'ai dit dans le chapitre précédent ne regarde que la nature et le traitement des vraies péripneumonies, ou des péripneumonies inflammatoires ; mais il y a une autre maladie dont Sydenham, et quelques autres auteurs modernes ont parlé sous le nom de *fausse péripneumonie*, dans laquelle quoique l'oppression et la difficulté de respirer soient très-grandes, la toux très-importune, et quelquefois même très-violente, tous signes qui indiquent que les poumons sont vivement affectés, cependant la fièvre et la chaleur sont peu considérables, souvent même à peine sensibles; le pouls est très-fréquent, faible et petit, ou lent et oppressé, et jamais dur ni tendu. Cette maladie ayant des symptômes différents et presque contraires à certains égards à ceux de la vraie péripneumonie, il est naturel de supposer qu'elle est produite par des causes différentes, et demande à être traitée différemment. En effet, on observe que la fausse péripneumonie attaque le plus ordinairement les vieillards et les personnes d'un tempérament phlegmatique, les personnes faibles, celles qui ont la fibre lâche, qui sont grasses et paresseuses; et qu'elle règne dans les temps humides, mous, pleins de brouillard et dans l'hiver; au lieu que la véritable péripneumonie inflammatoire attaque en général les gens robustes, vigoureux et actifs, et est la plus fréquente, dans les temps froids et secs, après que le vent du nord-est a régné quelque temps, et lorsque le baromètre est dans sa plus grande élévation. Ces deux maladies paraissent par conséquent différer presque autant que les fièvres ardentes et lentes-nerveuses, ou autant qu'une esquinancie inflammatoire, diffère de celle qui n'est qu'humorale, ou qui vient de fluxion. Il peut se faire également dans les poumons un amas d'une sérosité âcre, qui, se distribuant dans les recoins les plus cachés de leur tissu vésiculaire et cellulaire, produit une forte oppression et une légère obstruction des artères pulmonaires et bronchiales, ce qui doit nécessairement troubler la circulation du sang dans le poumon. Cependant les frissons et les chaleurs passagères que le malade éprouve fréquemment, la vitesse et l'irrégularité de son pouls, l'anxiété et le poids qu'il sent sur la poitrine, la douleur de la tête, les vertiges, la langue chargée, etc., indiquent suffisamment l'état de fièvre où il est. — En un mot, cette maladie paraît devoir son origine à un épaississement pituiteux du sang, à la disposition visqueuse de la lymphe et de la sérosité, lesquelles venant à augmenter par la suppression de la transpiration, etc., et à être mises en mouvement par la chaleur de la fièvre ou par l'agitation soudaine des humeurs, sont poussées dans les poumons avec plus de vitesse qu'elles ne peuvent les traverser (car les humeurs visqueuses ne passent jamais aussi librement dans les extrémités des artères que lorsqu'elles sont plus ténues et plus fluides), où s'acculant de plus en plus, obstruent plus fortement les vaisseaux pulmonaires, jusqu'à ce qu'enfin il se fait une stagnation funeste, qui est bientôt suivie de la mort. C'est ce qu'on observe d'une manière particulière en produisant une péripneumonie artificielle, si je puis l'appeler ainsi. Par exemple, si l'on fait faire un exercice long et pénible à une fille attaquée de chlorose et leucophlegmatique, chez laquelle une pituite visqueuse et pesante (telle que je viens de la décrire), prédomine, ses poumons s'engorgent et se chargent à la fin, au point qu'il lui survient une très grande difficulté de respirer et même une suffocation entière; cela est arrivé en effet plus d'une fois, lorsque ces sortes de personnes ont poussé l'exercice trop loin. Je pourrais ajouter que cet épaississement pituiteux du sang et des humeurs, empêche qu'il ne se fasse une quantité suffisante d'esprits animaux pour mettre en jeu les vaisseaux, et leur donner assez de force pour entretenir une circulation régulière.—Comme il y a plusieurs états intermédiaires entre une violente péripneumonie inflammatoire et celle dont je viens de parler, on ne peut pas donner ni établir une méthode invariable de les traiter, parce que la péripneumonie qu'on a à traiter approche ou s'éloigne quelquefois beaucoup plus de l'état inflammatoire. — Car une maladie est un dérangement dans l'économie animale, distingué à la vérité par tel ou tel symptôme particulier, et désigné par tel ou tel nom. Mais un habile médecin doit considérer chaque maladie particulière qui arrive à chaque individu, non pas relativement à son nom, mais relativement à la nature, aux causes et aux symptômes de la maladie particulière dans une telle personne, et doit agir en conséquence. Ainsi, si le malade se plaint d'un grand poids et d'embarras sur la poitrine, d'une difficulté de respirer, de la toux, etc., que je lui trouve le pouls plein, fort, fréquent, ou très-tendu et très-dur, et qu'il soit fort et vigoureux, cela me suffit pour me déterminer à lui faire tirer beaucoup plus de sang que si l'oppression et la toux, etc., n'étaient pas accompagnées d'un tel pouls fréquent, et fort ou vif, et tendu; surtout si je sais que le malade est d'une constitution faible, lâche ou phlegmatique.

Par conséquent, lorsque le pouls est faible et profond, que la chaleur est peu considérable, ou n'excède pas de beaucoup la chaleur naturelle, que l'urine est pâle et crue, et ainsi des autres symptômes, je suis fort réservé sur l'usage de la saignée, malgré que le poids et l'oppression de la poitrine demandent de prompts secours. Le sang qu'on tire des personnes attaquées de fausse péripneumonie paraît d'un tissu lâche, a peu de consistance et est d'un rouge très-vif, ou plus ordinairement d'une couleur noirâtre et livide, et n'est point couvert de cette couënne épaisse qu'on observe sur celui qu'on tire dans les inflammations ordinaires des poumons. Il est bon de faire observer qu'après une telle évacuation, le malade ne tarde pas à s'affaisser et à devenir beaucoup plus faible, quoique d'abord il eût paru soulagé; car la saignée, surtout dans ce cas, affaiblit les forces de la nature et l'action des solides sur les fluides, ce qui augmente nécessairement l'épaississement morbifique qui fait la maladie. Sydenham lui-même, en était si persuadé, qu'il avertit de ne pas répéter la saignée dans les fausses péripneumonies, surtout chez les personnes corpulentes, et chez celles qui ont passé la fleur de l'âge (1), quoique dans la vraie péripneumonie, il fût persuadé qu'il était en son pouvoir d'emporter la matière de la maladie par l'ouverture de la veine, aussi sûrement que par la trachée-artère (2). Il est de plus certain que les fièvres catharrales dans lesquelles la sérosité abonde, ne comportent pas de grandes saignées, encore moins la fausse péripneumonie, dans laquelle la pituite est surabondante. — Si d'un côté il ne faut user de la saignée qu'avec circonspection, il ne faut pas être moins réservé sur l'usage des remèdes chauds et stimulants, surtout au commencement de la maladie; autrement on court risque, non-seulement d'augmenter l'oppression, mais encore de jeter le malade dans une affection soporeuse; car, par ce moyen, on peut pousser la viscosité morbifique dans les cavités du cerveau, et on peut l'y accumuler aussi bien que dans les poumons; c'est ce que démontrent les vertiges, les maux et les pesanteurs de tête, qui accompagnent ordinairement la péripneumonie. Car, comme les humeurs ne peuvent descendre librement du cerveau, par la trop grande réplétion et la stagnation des humeurs dans les poumons, le ventricule droit du cœur n'a pas assez de jeu pour se décharger du sang qu'il contient, et en recevoir de nouveau. — Il faut donc user de beaucoup de circonspection dans le traitement de cette espèce de maladie, qui est toujours dangereuse et souvent funeste, d'autant plus que la douceur des symptômes qui accompagnent le commencement, est bien propre à en imposer au malade et à un médecin qui ne serait pas sur ses gardes, ou qui n'aurait pas beaucoup d'expérience, et à leur faire négliger la maladie ou à user de peu de ménagement. Je l'ai vu prendre plus d'une fois pour un accès d'hypocondriacisme : on n'a pas été long-temps à s'apercevoir de l'erreur. Mais lorsqu'il survient un enrouement laborieux et perpétuel, de grandes anxiétés, une oppression constante dans les hypocondres, de l'assoupissement, que les ongles et le visage prennent une couleur plombée, le médecin est plus stupide que le malade s'il ne voit pas le danger immédiat.

Je crois, en général, qu'il faut tirer plus ou moins de sang au commencement; mais, comme l'observe très-bien Sydenham (3), il faut saigner le malade couché, afin d'éviter les défaillances auxquelles il serait exposé sans cette précaution. Car, non-seulement on diminue par-là la trop grande plénitude et la distension des vaisseaux, mais encore on fait place aux boissons et aux remèdes auxquels on est obligé d'avoir recours dans la cure de la maladie. Il faut être réservé sur les saignées répétées, et bien considérer l'état du sang, la force du malade et celle de son pouls, avant de se déterminer à y avoir recours. Il y a cer-

(1) Cap. *de Peripneumonià nothâ.*

(2) Cap. *de Pleuritide.*

(3) Cap. *de Peripneumonià nothâ.*

tainement des cas où elles sont nécessaires; on est souvent obligé de saigner plusieurs fois dans une attaque d'asthme, quoiqu'il n'y ait pas de fièvre. Après la saignée, il faut employer les remèdes doux, atténuants et savoneux, des boissons légères, délayantes et détersives, et faire appliquer des vésicatoires. On peut faire user pour boisson ordinaire des infusions de quelques plantes pectorales, incisives et détersives, telles que le lierre terrestre, l'hyssope, le pouliot, la réglisse, du petit-lait fait avec la moutarde adouci avec du miel et aiguisé avec du suc de limon. Il faut aussi un peu délayer dans cette maladie, quoique cela ne soit pas aussi nécessaire que dans la vraie péripneumonie, la nature d'ailleurs ne le demande pas, car le malade est peu altéré; cependant, comme l'eau tiède dissout facilement l'humeur visqueuse qui prédomine dans cette maladie, il est nécessaire d'y avoir recours.—Comme la fausse péripneumonie est ordinairement accompagnée de fréquentes envies de vomir, je pense que cela démontre suffisamment la nécessité d'aider la nature de ce côté : en conséquence, j'ai souvent éprouvé les bons effets d'un doux vomitif après avoir fait tirer un peu de sang. Une cuillerée ou deux d'oxymel scillitique, ou du vin d'ipécacuanha, avec quelques verrées de petit-lait fait avec la moutarde, suffisent ordinairement : il ne faut pas employer une grande quantité de liqueur d'aucune espèce. Non-seulement les vomitifs débarrassent l'estomac et les poumons d'une grande quantité de pituite, mais encore, par la secousse qu'ils donnent à tout le système vasculaire, ils procurent un plus grand degré d'atténuation et de fluidité aux humeurs; on voit succéder ordinairement une selle ou des sueurs.

Les grandes cures que Rulland (1) et quelques autres se vantent d'avoir faites dans les pleurésies, avec leur *eau bénite antimoniale*, sont dues en grande partie à sa vertu émétique, et la fameuse *poudre des Chartreux*, ou le kermès minéral (2), a dû la grande réputation qu'il s'est acquise dans les pleurésies, les péripneumonies et les fluxions de poitrine, aux légers efforts pour vomir qu'il a coutume d'exciter. Il produit sans doute de bons effets dans les fièvres catarrhales et dans les péripneumonies pituiteuses; mais il est très-dangereux de donner l'un ou l'autre dans les péripneumonies ou pleurésies inflammatoires avant de saigner, et il n'y a qu'un empirique qui pût le faire.

Je ne dois pas oublier de répéter ce que j'ai avancé il y a plusieurs années, que la meilleure de toutes les préparations d'antimoine que j'aie employée, et j'en ai employé plusieurs, est le *vin émétique* ordinaire, ou l'infusion de verre d'antimoine dans le vin (3). Il est étonnant qu'on en cherche d'autres, tandis que celle-là possède toutes les vertus de l'antimoine. On peut l'employer comme un puissant émétique, en le donnant à forte dose, ou le prescrire par goutte, pour exciter la transpiration : on peut s'en servir pour faire vomir, pour purger ou pour exciter la sueur, depuis 10 jusqu'à 50 ou 60 gouttes. Il est atténuant, altérant, diaphorétique et diurétique; à une dose un peu plus forte il purge; et tout le monde sait qu'étant donné à forte dose, il fait vomir. Quelle autre préparation d'antimoine en ferait davantage? L'antimoine est ici résout en ses principes, pour parler le langage des chimistes, et comme en vapeur dans l'état de la plus grande atténuation, et mêlé de la manière la plus intime et la plus égale avec son menstrue, ce qui le met en état de pénétrer et d'agir sur les plus petits vaisseaux, et en même temps il est assez puissant pour agir sur le canal alimentaire. Les préparations solides de l'antimoine sont, ou des chaux sans actions, ou leur opération n'est jamais assurée; quelquefois elles sont très-grossières; quelquefois elles séjournent très-long-temps dans l'estomac et dans les intestins, et y excitent des symptômes fâcheux, au lieu que celle-ci agit promptement et passe de même. C'est certainement un atténuant et un désobstruant admirable, qui n'échauffe pas la dixième partie autant que les sels alcalis volatils, et qui, dans beaucoup de cas, est plus sûr et plus efficace, surtout dans la maladie dont je traite maintenant. En un mot, il mérite le nom d'*universel* à beaucoup plus juste titre, qu'un grand nom-

(1) *Mart. Rulland curat. Empiric. passim.*

(2) Voyez les Mémoires de l'acad. pour l'année 1720.

(3) Voyez *Obs. de aëre, etc.*, vol. 1, p. 140, où je l'ai désigné par le nom d'*essence d'antimoine*.

bre de secrets dont on fait très-grand bruit : en des mains habiles il doit opérer de grandes choses. La pratique timide et tremblante de quelques médecins est presque aussi dangereuse que l'empirisme téméraire de quelques autres. Les premiers perdent souvent le temps et l'occasion qu'on ne retrouve plus, tandis que les derniers, par leur témérité, envoyent leurs malades dans l'autre monde.

Il ne faut jamais négliger les vésicatoires dans les fausses péripneumonies ; non-seulement ils sont utiles par leur vertu atténuante et stimulante, mais encore parce qu'ils évacuent une partie de l'humeur morbifique : il faut toujours en appliquer un fort large à la nuque dès le commencement de la maladie. Il est arrivé plus d'une fois que des épipastiques appliqués aux jambes ou aux cuisses ont dégagé la tête et la poitrine, lorsque tous les autres moyens étaient sans effet. Mais comme il arrive souvent que dans cette maladie, les membres sont engourdis et froids (ce qui, pour le dire en passant, est un mauvais symptôme), il faut bien les frotter avant d'y appliquer les vésicatoires, et ensuite les envelopper dans de la flanelle, ce qui est aussi très-souvent nécessaire dans les fièvres lentes-nerveuses, car cela accélère la formation des ampoules, et par conséquent l'évacuation. — Si l'assoupissement et la difficulté de respirer continuent après la saignée, on peut, lorsqu'on n'ose pas la réitérer, avoir recours aux ventouses scarifiées sur le col et sur les épaules, cela a souvent produit des effets surprenants : si le cas est pressant, on peut appliquer un vésicatoire sur la partie scarifiée. — La liberté du ventre est une chose utile dans cette maladie : Sydenham conseille de purger de deux jours l'un (1), après avoir fait une ou deux saignées ; mais je pense que c'est outrer les choses à ces deux égards. Car quoiqu'il soit nécessaire de saigner et même de purger au commencement de cette maladie, il est très-rarement utile de répéter la saignée, et on ne doit employer les purgatifs qu'avec beaucoup de précaution, surtout lorsqu'il s'agit de les répéter. Car le malade est sujet à tomber de faiblesse, dans des sueurs froides, etc., à moins qu'on ne le soutienne suffisamment pendant l'opération, ce qu'il est à la vérité aisé de faire ; mais dans bien des cas, il ne faut plus que de la petite bierre et de l'eau de gruau pour les soutenir. Il y a une chose à observer relativement à ces deux évacuations, c'est que si le malade crache abondamment une matière cuite, ce qui arrive quelquefois, même dans cette espèce de péripneumonie, ni l'une ni l'autre ne convient ; il ne faut employer que des lavements laxatifs, ou de doux eccoprotiques, au moins pendant l'expectoration ; il faut la favoriser en faisant user fréquemment au malade du petit-lait fait avec de la moutarde, d'hydromel ou d'une décoction pectorale, à laquelle on ajoutera une petite quantité de quelque vin blanc léger. Hippocrate recommande en plus d'un endroit l'hydromel, et un vin léger et aqueux (2), dans les pleurésies et les péripneumonies, dans la vue de favoriser l'expectoration. Les diurétiques, lorsqu'ils réussissent, sont d'un très-grand secours, surtout quand on parvient, par leur moyen, à faire rendre des urines troubles et qui déposent. Mais dans le fait, on doit peu compter sur l'urine dans cette maladie, soit qu'on la considère comme crise, soit qu'on veuille s'en servir pour former un prognostic. Il n'y a que les urines claires, pâles ou limpides, qui soient universellement mauvaises dans les péripneumonies. — Le nitre, le blanc de baleine, le cinnabre, le safran, la poudre de contrayerva, le camphre, l'esprit volatil huileux, la dissolution laiteuse de gomme ammoniaque, et l'oxymel scillitique, les décoctions de figues, de réglisse et d'inula campana, sont les remèdes les plus appropriés à cette maladie. Les potions salines faites avec le sel ou l'esprit de corne de cerf et le suc de limon, ou le vinaigre distillé, sont très-utiles, en ce qu'elles favorisent l'expectoration, diminuent la difficulté de respirer, et communément agissent par la sueur ou les urines. Mais les opiats et les remèdes huileux et mucilagineux sont pernicieux ; on en peut dire autant des stimulants trop vifs et des remèdes volatils, si on les donne de trop bonne heure, quoiqu'ils produisent quelquefois de très-bons effets sur la fin. Les différents degrés de la chaleur et de la fièvre, la difficulté de respirer, l'état du pouls, celui

(1) Cap. *de Peripneum. notha.*

(2) Οἶνος γλυκὺς καὶ ὑδαρὴς, lib. III, *de Morb.*, sect. XXIV, edit. Linden.

du sang et les autres symptômes, peuvent seuls aider à déterminer de quelle manière et jusqu'à quel point on peut faire usage des remèdes très-atténuants, échauffants ou rafraîchissants.

CHAP. IV. — DES PLEURÉSIES.

On donne communément le nom de *pleurésies* à une violente douleur de l'un ou de l'autre côté de la poitrine, accompagnée d'une fièvre aiguë, soit qu'elle soit produite par l'inflammation des muscles intercostaux, du périoste, des côtes, ou de la plèvre ; quoique à proprement parler, il n'y ait que cette dernière qui mérite d'être appelée pleurésie, les autres étant des espèces de rhumatismes inflammatoires, et sont désignées par le nom de *fausse pleurésie*. Cependant comme elles affectent très-fort la respiration lorsqu'elles sont violentes, elles ont toujours des suites plus funestes que les douleurs de rhumatisme qui affectent les autres parties du corps et demandent une attention particulière, et un traitement prompt. — Car comme la vivacité de la douleur empêche que la poitrine ne se dilate suffisamment, la respiration se trouve d'abord affectée, les poumons ne recevant pas la quantité d'air nécessaire, le sang ne peut pas passer librement des artères pulmonaires dans les veines du même nom, et dans le ventricule gauche du cœur ; il en doit résulter une congestion et une espèce de stagnation du sang dans les poumons. Mais comme le ventricule droit ne cesse de pousser de nouveau sang dans l'artère pulmonaire, ses branches se distendent de plus en plus, jusqu'à ce qu'enfin elles compriment et obstruent les branches des artères bronchiales ; de sorte que l'inflammation des poumons ou la véritable péripneumonie, marche souvent à la suite de la pleurésie vraie ou fausse, principalement lorsque le sang est très-visqueux. Par conséquent tout ce qui est capable d'interrompre la liberté de l'inspiration et de l'expiration peut produire cette maladie. Aussi voit-on souvent l'esquinancie occasionner la péripneumonie en empêchant le libre passage de l'air par la glotte. Frédéric Hoffmann observe (1) que même les coliques venteuses et spasmodiques sont souvent suivies de pleurésies et de péripneumonies, en partie parce que les douleurs, les spasmes et les flatuosités empêchent la libre action du diaphragme ; en partie aussi parce que, comme il le dit, elles empêchent le libre passage du sang au travers des viscères de l'abdomen, ce qui fait qu'il en reflue une plus grande quantité dans les poumons, la plèvre, etc. Les corsets trop serrés qu'on porte pour avoir la taille fine ont fait cracher le sang à plus d'une jolie femme et ont ruiné leur poitrine en gênant le jeu de la respiration. La fracture d'une côte, souvent même une simple contusion à la poitrine, produit des crachements de sang, la toux, etc. Lorsque quelques-uns des muscles qui servent à la respiration, même de ceux qui ne sont qu'auxiliaires, sont considérablement affectés, il peut survenir des symptômes péripneumoniques. M. Méry parle d'un jeune homme qui fut attaqué d'une très-grande difficulté de respirer et d'une fièvre aiguë, à la suite d'une blessure du tendon du grand pectoral (2). En un mot, toutes les douleurs de poitrine, et en particulier les pleurésies, sont singulièrement dangereuses, en ce qu'elles sont toujours plus ou moins suivies de péripneumonie par l'interruption qu'elles causent dans la respiration. Et c'est la raison pour laquelle on trouve beaucoup plus de fièvres pleurétiques accompagnées de symptômes péripneumoniques que de pleurésies simples : cela arrive toutes les fois qu'un violent point de côté est accompagné de fièvre aiguë, oppression de poitrine, toux, difficulté de respirer, d'expectoration ou de crachement de sang, et on a eu raison d'appeller ces maladies des *pleuro-péripneumonies*. En effet, il arrive à la vérité quelquefois que lorsque la péripneumonie survient, la douleur de côté cesse, ce qui peut avoir lieu lorsque l'engorgement du poumon est tel qu'il passe peu de sang du ventricule droit au ventricule gauche, et que l'aorte ne reçoit pas la moitié de celui qu'elle devrait recevoir : de sorte que la nature s'affaiblissant par ce défaut de sang, tout tend à la stagnation, et les malades deviennent comme insensibles, ou, comme le dit très-bien Aré-

(1) *Consultat. Medicinal.*, tom. 1, Francof. 1734, in-4., p. 450.

(2) Mémoires de l'académie royale des sciences, 1713.

tée (1), ne se plaignent de rien, quoique leur pouls soit intermittent et leurs extrémités froides. J'en ai vu plusieurs exemples. Il y a environ quatre ans, un matelot nommé Cam fut saisi d'une paraplégie le neuvième jour d'une péripneumonie, environ vingt-quatre heures avant sa mort. C'est donc un très-dangereux symptôme lorsque le point de côté cesse tout-à-coup, tandis que la difficulté de respirer, l'oppression continuent ou augmentent; rien n'est plus exactement vrai que l'aphorisme suivant: *La peripneumonie qui survient dans la pleurésie est dangereuse* (2).

Les considérations suivantes feront encore mieux connaître la nature et les conséquences des pleurésies. 1° La plèvre enflammée est disposée à s'attacher à la membrane externe des poumons et à leur communiquer son inflammation; cela se fait encore plus aisément lorsqu'il y a déjà quelque cohésion entre ces membranes, soit qu'elle soit naturelle ou qu'elle ait été produite par quelque maladie : de là vient que ceux qui ont eu une pleuro-péripneumonie sont souvent sujets à la même maladie. La callosité, si l'on peut s'exprimer ainsi, que forme la concrétion, étrécissant les vaisseaux de la plèvre, et les rendant plus propres à être obstrués dans la suite, pour peu que le sang soit épais. Nous ne parlerons pas de l'obstacle plus ou moins grand que l'adhésion des poumons à la plèvre met à la liberté de la respiration. 2° Comme la membrane externe des poumons n'est qu'une continuation de la plèvre elle-même, l'inflammation peut s'étendre d'une partie de la plèvre à l'autre, et même à celle qui revêt immédiatement les poumons; car elle peut s'étendre à un très-grand espace, comme nous voyons qu'une inflammation à l'œil, qui n'est d'abord qu'un point, s'étend bientôt à tout le globe, aux paupières, etc. Outre cela l'inflammation peut avoir son siége dans cette membrane des poumons; il en résultera des douleurs semblables à celles de la pleurésie, quoique la membrane interne du thorax ou la plèvre ne soit pas affectée; je pense avec le célèbre Hoffmann que cela arrive souvent (3). 3° Le médiastin n'est qu'une duplicature de la plèvre, il peut donc se former une inflammation dans quelques-unes de ses parties, ou s'y communiquer des parties voisines : dans ce cas, le malade sent une douleur très-aiguë sous le sternum ou entre les deux épaules; ce cas n'est pas rare, et il est ordinairement très-dangereux. Hippocrate (4) et Arétée (5) parlent d'une pleurésie dorsale dans laquelle la douleur s'étend de l'épine au sternum; elle est accompagnée d'orthopnée, de toux et d'une expectoration difficile et peu abondante. Cette description paraît convenir à la maladie dont nous venons de parler. Quelquefois la douleur est en devant, et directement sous le sternum dans l'endroit où le médiastin s'attache à cet os, et c'est dans ce cas qu'on trouve des abcès dans cette partie. Lorsque la douleur paraît située profondément dans la poitrine, et qu'elle est accompagnée d'oppression, d'anxiété, de palpitations de cœur, et d'efforts continuels pour tousser, le péricarde qui reçoit sa membrane externe de la plèvre est enflammé : lorsqu'elle se fait sentir dans toute la poitrine, que le malade sent des douleurs poignantes et lancinantes çà et là, il paraît que non-seulement le médiastin, mais même la membrane externe des deux lobes du poumon est enflammée; c'est ce que démontrent la grande difficulté de respirer, l'oppression et l'anxiété, la toux perpétuelle et le désir constant qu'a le malade de se tenir levé. Cette maladie est très-dangereuse, ainsi que l'inflammation du péricarde. L'inflammation du médiastin, celle du péricarde et des membranes des poumons paraissent être ce que les anciens ont désigné par le nom d'érysipèle des poumons. Hippocrate (6) le décrit comme une fièvre aiguë accompagnée de douleurs vives à la partie antérieure de la poitrine et dans le dos, de beaucoup d'oppression, de plénitude et de toux sèche. 4° La membrane supérieure du diaphragme est pareillement une continuation de la plèvre, et peut s'enflammer d'elle-même ou en conséquence d'une inflammation de plèvre proprement dite : et cela arrive plus souvent qu'on ne l'imagine. C'est ce qu'on appelle *paraphrénésie*; c'est une maladie accompagnée d'une fièvre très-aiguë,

(1) *De Pulmonaria.*

(2) Hippocrat., *Aphor.* II, sect. VII.

(3) Cap. *de Febrib. Pneumonicis*, t. IV, part I.

(4) Lib. III, *de Morbis*, sect. XXI, edit. Lind.

(5) Cap. *de Pleuritide.*

(6) Lib. I, *de Morb.*, sect. XXIII, edit. Lind.

d'une douleur extrêmement vive, qui s'étend depuis les dernières côtes jusqu'aux dernières vertèbres du dos, d'une respiration courte et convulsive, d'une grande anxiété, et d'un malaise considérable, d'une toux sèche, d'un hoquet et de délire. Le malade sent particulièrement dans l'inspiration une douleur excessive, avec des élancements qui s'étendent du creux de l'estomac vers les reins; l'hypocondre du côté affecté est retiré en dedans et en haut (1) sous les côtes; on voit à peine l'abdomen se mouvoir dans la respiration : il reste fixe, comme s'il était dans un état de convulsion par la violence de la douleur à chaque inspiration.

Toutes les fois qu'une partie de cette membrane si étendue est enflammée, il s'engendre une espèce de pleurésie dans laquelle les poumons eux-mêmes sont bientôt affectés par continuité, contiguité, cohésion ou sympathie. En effet, les poumons peuvent être et sont souvent adhérents au médiastin, au diaphragme ou à la plèvre proprement dite. Mais lors même que les poumons n'adhèrent à aucune partie de la plèvre, il peut survenir des symptômes de péripneumonie à la suite de l'inflammation de cette membrane, parce que l'obstacle que cette inflammation oppose à la respiration, doit considérablement interrompre la libre circulation du sang dans les poumons. On en peut dire de même des inflammations considérables des muscles intercostaux, ou du périoste des côtes. Il est vrai que dans ce cas la péripneumonie ne se déclare que le second, le troisième ou le quatrième jour, mais comme la douleur inflammatoire empêche la dilatation convenable de la poitrine, et la distension suffisante des poumons, ils peuvent aussi s'affecter à la longue. — Les fièvres pleurétiques n'ayant malheureusement que trop souvent des suites aussi funestes, il faut faire tous ses efforts pour détruire l'inflammation dans les pleurésies vraies ou fausses le plus promptement qu'il est possible, par de grandes saignées réitérées selon l'exigence des cas, par des remèdes et des boissons rafraîchissantes, nitreuses, par des fomentations, des opiats, etc. En un mot, nous devons traiter cette maladie comme une véritable inflammation des membranes, des muscles ou du périoste. Mais lorsqu'il survient de l'oppression, de la toux, des crachats, etc., il faut avoir égard à ces symptômes, aussi bien qu'à la douleur du côté, etc.

Je ne me suis si fort étendu sur la description que j'ai donnée des maladies de poitrine et des poumons, qu'afin de faire mieux connaître et d'apprendre à distinguer leur nature, leur siége et leur différence. Car il serait extrêmement absurde de donner des looks huileux, pectoraux et expectorants dans une simple inflammation des muscles de la poitrine ou de la plèvre même, quoiqu'il y ait de la difficulté de respirer et une légère toux symptomatique, surtout au commencement de l'accès; au lieu que des saignées faites à propos et un régime réglé emportent bientôt la maladie. D'un autre côté, il ne serait pas moins dangereux de s'en tenir aux saignées et aux fomentations, lorsque les poumons sont affectés jusqu'à un certain point, soit primitivement, soit à la suite d'une inflammation de la plèvre. — La distinction des pleurésies en vraies et fausses est fondée dans la nature, et est de quelque importance dans la pratique; car lorsqu'il n'y a que les muscles intercostaux d'enflammés, on doit beaucoup plus attendre des applications extérieures, telles que les fomentations, les cataplasmes, les vésicatoires, les ventouses et autres semblables, que lorsque la douleur de côté a pour cause une inflammation de la plèvre ou de la membrane externe des poumons. La douleur que le malade sent lorsqu'on le touche, celle qu'il éprouve lorsqu'il est couché sur le côté affecté, et principalement dans une grande inspiration, la tumeur et la rougeur de la partie qui paraît quelquefois, sont les signes par lesquels on distingue cette maladie de la pleurésie interne.

Outre cela il y a quelquefois des douleurs de côté qui sont même très-aiguës, qui doivent leur origine à une fluxion acrimonieuse sur les muscles de la poitrine et sur le périoste des côtes, et qui cèdent plutôt aux applications extérieures, aux remèdes adoucissants et aux purgatifs convenables, qu'aux saignées qui, dans ce cas, ne sont nécessaires que pour détruire la pléthore si elle existe. En effet, lorsqu'une humeur âcre est la cause de la maladie, on saigne sans succès et on ne fait qu'affaiblir le malade. La saignée guérit-elle des douleurs opiniâtres de

(1) *Si septum transversum percussum est, præcordia sursum contrahuntur*. Celsus, lib. V, cap. XXVI.

scorbut ou de vérole? Elle détruirait aussitôt la douleur que cause une dent gâtée, ou une épine qu'on se serait mise dans la chair. — Les anciens ont distingué avec raison des douleurs pleurétiques les douleurs de rhumatisme ou flatueuses, qui affectent la poitrine. Hippocrate les qualifie ἀλγήματα ἰσχνῶς ἐστηκότα ἄσημα (1) *Dolores leviter formatos et absque ullâ significatione*, et défend de saigner dans ce cas. Ils cherchent à les guérir par des fomentations et non pas par des saignées, au lieu que l'inflammation fixe et *systrophique* de la poitrine, comme les commentateurs l'appellent, demande toujours la saignée. L'expérience nous démontre que les douleurs vagues, scorbutiques et rhumatismales cèdent plutôt aux purgations, aux fomentations, aux diaphorétiques et aux adoucissants qu'à la saignée. Il y en a, à la vérité, que les mercuriels, les antimoniaux, les emplâtres anodins, les ventouses ou les vésicatoires peuvent seuls emporter; il y en a d'autres qu'on ne guérit qu'avec du temps, de la patience et de l'exercice. Lorsque la douleur a son siége au bas des côtes, dans l'hypochondre, au-dessous du diaphragme, qu'elle est accompagnée de borborygmes et de tension dans l'abdomen, rien ne convient mieux que les lavements ou les purgatifs. Ces douleurs sont quelquefois très-aiguës et quelquefois accompagnées de difficulté de respirer occasionnée par les vents qui gonflent les intestins; mais, comme l'observe Arétée, c'est mal à propos qu'on leur donne le nom de pleurésies. J'ai souvent vu ces douleurs se dissiper après avoir pris un lavement, ou après quelques selles, au grand étonnement des personnes qui en ignoraient la cause. La saignée augmente toujours dans ces cas les flatuosités et les douleurs. Ce que nous venons de dire est entièrement conforme à la doctrine d'Hippocrate et à l'expérience; car ce prince de la médecine dit expressément que lorsque la douleur est au-dessous du diaphragme, et que l'abdomen est gonflé, il faut purger avec l'hellébore noir, le peplium, le silphium, auxquels il ajoutait le cumin, l'anis, etc. afin de chasser les vents avec les selles (2).

Mais dans tous les cas, le pouls, le degré de la fièvre, la langue, le siége de la douleur, la manière de respirer indiquent clairement à quiconque est un peu versé dans la pratique, de quoi il s'agit, et ce qu'il faut faire. Lorsque la douleur de poitrine est violente, que le pouls est dur, tendu et fréquent, la fièvre forte, on peut décider hardiment que la maladie est une pleurésie, surtout lorsqu'il a précédé des frissons. Car toutes les vraies pleurésies commencent presque toujours par un frisson, le pouls est très-dur et très-tendu, semblable aux vibrations d'une corde; la douleur est très-aiguë, lancinante et fixe, elle n'est ni tensive, ni errante, comme celles qui sont produites par les vents, ni incertaine, étendue et vague, comme les douleurs rhumatismales. La dureté du pouls est un des signes pathognomoniques le plus assuré de l'inflammation d'une partie membraneuse; par conséquent lorsque la douleur se fait sentir sous le sternum, ou s'étend depuis l'épine du dos jusque sous cet os, on peut juger par la tension du pouls que le médiastin est enflammé. Les poumons étant, comme l'a remarqué Arétée (3), insensibles, ou du moins très-peu sensibles, il se forme souvent des vomiques dans leur intérieur, sans que le malade sente beaucoup de douleur. Les membranes d'un organe sont beaucoup plus sensibles que ce qu'on appelle leur parenchyme, les uretères beaucoup plus que les reins, les membranes du cerveau plus que le cerveau. Par conséquent la dureté du pouls et la violence de la douleur sont les deux principaux signes dans les maladies de la poitrine, et ceux qui doivent déterminer à saigner, etc. Je ne crois pas qu'on doive avoir autant d'égard à la situation de la douleur que quelques médecins en ont. Car comme toutes les parties de la plèvre, les muscles intercostaux ou le périoste des côtes peuvent s'enflammer; la douleur peut se faire sentir dans les différentes parties du thorax: et j'ai observé des douleurs aussi vives sous les fausses côtes que partout ailleurs. Hippocrate et ses commentateurs ont prétendu que la sai-

(1) Douleurs légères, changeantes et vagues, *sans aucun véritable symptôme de pleurésie. Coac. Prænot.* 491, edit. Foesii. Comparez ceci avec les ménagements avec lesquels Duret conseille de saigner, à la fin de son Commentaire sur le deuxième livre des Coaques.

(2) *De Vict. acut.*, sect. XIII, edit. Linden.

(3) Cap. *de Pulmonar.*

gnée convenait principalement lorsque la douleur était située vers la clavicule ou les épaules ; je pense qu'elle n'est pas moins nécessaire lorsque la douleur est très-vive, en quelque lieu qu'elle soit située. La douleur se fait sentir très-bas dans la paraphrénésie, et cependant il n'y en a pas où elle soit plus indispensable. Lorsque les muscles grand pectoral et petit dentelé antérieur sont enflammés, la douleur s'étend nécessairement jusqu'à l'épaule au moyen de leurs tendons qui s'insèrent près de l'articulation. C'est ce qui arrive souvent dans la fausse pleurésie : les saignées et les fomentations sont alors très-efficaces; mais elles ne sont pas moins nécessaires lorsque les muscles intercostaux ou le périoste de quelque côte sont enflammés.—Quoiqu'il y ait des douleurs de côté qui ne sont pas pleurétiques, on ne doit cependant jamais les négliger, surtout si elles gênent beaucoup la respiration : car alors elles ont toujours des suites fâcheuses ; l'histoire suivante en fournit la preuve.

Vers les fêtes de Noël de l'année 1728, M. T-H, homme sobre, d'environ trente ans, d'une complexion mince, mais vif et actif, fut attaqué d'une douleur au côté droit, accompagnée de peu de fièvre; la douleur était si légère qu'il ne garda pas la chambre. Il fut cependant saigné, et prit quelques drogues que lui donna son chirurgien. Mais sentant que sa douleur de côté augmentait tous les jours, il me consulta environ trois semaines ou un mois après la première attaque. Je lui trouvai une chaleur hectique, une petite toux et une difficulté de respirer, qu'il disait n'être occasionnée que par la douleur : il crachait peu et avec difficulté, ses crachats étaient quelquefois teints de sang. Je lui prescrivis une saignée et une mixtion huileuse, expectorante, le lait ammoniacal, l'oxymel scillitique, la mixture saline et une décoction pectorale ; je le mis à un régime délayant et rafraîchissant. Après quelques jours d'usage de ce remède, il commença à cracher une grande quantité d'une matière purulente, fétide, teinte de sang, qui provenait d'une vomique qui s'était formée dans le lobe gauche du poumon. Car il sentit de la douleur, et dit que la matière venait d'un lieu situé à la gauche du sternum, vers la partie inférieure de la poitrine. A la fin, l'expectoration diminua, les crachats n'étaient plus ni fétides, ni teints de sang; sa toux diminuait de jour en jour, et l'oppression n'était plus si considérable. Une décoction pectorale balsamique de quinquina acheva d'emporter les chaleurs et les sueurs, et je me flattais déjà de l'espérance de le voir bientôt rétabli. Mais malgré tous ces symptômes favorables, la douleur de côté subsistait toujours exactement au même point où elle avait commencé ; elle devint même bientôt si violente que je crus devoir le faire saigner deux fois ; je lui prescrivis des fomentations émollientes et un emplâtre anodin, composé d'opium, de camphre et d'emplâtre de cumin ; ces remèdes ne le soulageant pas, je lui fis appliquer des ventouses scarifiées sur la partie. Tout cela fut inutile, la douleur augmenta journellement, et rien ne put lui procurer de calme ni de sommeil que l'opium. A la fin, la partie commença à s'enfler considérablement, et on aperçut des signes manifestes d'un abcès que je travaillai à amener à suppuration. Au bout de quelques jours le chirurgien l'ouvrit, il en sortit une quantité de matière purulente, si immense que nous jugeâmes qu'elle venait en partie de la cavité de la poitrine. Ayant examiné la partie, nous trouvâmes deux côtes noires, et deux ouvertures au sinus, qui pénétraient l'une entre la cinquième et la sixième des vraies côtes qui étaient cariées, et l'autre entre la quatrième et la cinquième, en comptant de bas en haut. Il devint extrêmement faible, tomba dans la fièvre hectique et le marasme, et mourut le 29 mars 1729. — Dans l'examen que nous fîmes du cadavre, nous trouvâmes qu'une partie des muscles intercostaux, une partie du grand dentelé antérieur, et la partie supérieure de l'oblique descendant, étaient noires et sphacelées; l'abcès s'était étendu presque jusqu'à l'épine du dos : la partie inférieure de la plèvre était entièrement noire, le diaphragme était aussi livide de ce côté. Le sinus supérieur pénétrait dans le lobe droit du poumon, qui était purulent tout autour. On trouva dans le lobe gauche une espèce de callosité d'une assez grande étendue, où avait été vraisemblablement la vomique, et auprès des vertèbres, une tumeur en suppuration, beaucoup plus grosse qu'un œuf de poule d'Inde. Il y avait aussi plusieurs autres petits tubercules, dont quelques-uns étaient très-durs et comme pierreux; quelques autres étaient en suppuration et remplis de pus. Les lobes du poumon étaient très-affectés, et, dans quelques parties, entièrement livides. Ils adhéraient fortement à la plèvre en plusieurs endroits; quelques-unes de ces adhérences étaient très-étendues, il y en avait quelques autres qui n'étaient composées que de quelques ligaments fibreux. Il y avait dans la cavité droite de la poitrine environ un demi-septier d'une matière noire très-fétide. — Il y a apparence qu'il s'était formé dans les poumons de cet homme quelque obstruction avant qu'il ne sentît sa douleur de côté, car il avait été sujet pendant quelque temps à une petite toux sèche; mais je suis persuadé que l'humeur âcre qui s'était jetée sur les côtes et sur les muscles intercostaux avait très-fort contribué, en gênant la respiration, à produire les obstructions et les suppurations que nous trouvâmes dans les poumons; et en empêchant la dilatation de la poitrine, elle avait pu au moins augmenter l'adhésion des poumons à la plèvre.

Je vais finir ce chapitre en disant un mot ou deux de la méthode qu'il convient de suivre pour traiter les pleurésies inflammatoires, dans lesquelles il est indispensablement nécessaire de tirer plus ou moins de sang, avant toutes choses : la force du malade, l'état du pouls et de la fièvre, la violence de la douleur et la difficulté de respirer, doivent en déterminer la quantité. J'ajouterai même qu'il faut avoir égard à la qualité du sang; car un sang dense et visqueux, non-seulement indique une grande quantité de globules rouges, mais encore sa disposition inflammatoire, et que le malade peut supporter une grande quantité de saignées, si cela est nécessaire. — Il est bon d'observer que lorsqu'on n'apaise point à temps l'inflammation de la plèvre, etc., par des saignées, ou qu'on ne la résout pas par des boissons et des remèdes délayants, antiphlogistiques et émollients, elle se termine par la suppuration ou la gangrène. Outre cela, ces pleurésies ne manquent guère d'entraîner à leur suite les symptômes de la péripneumonie, pour peu qu'elles durent : par conséquent on ne saurait trop se presser d'essayer d'abattre l'inflammation; car la douleur qui les accompagne gêne beaucoup la respiration, et par conséquent la libre circulation du sang dans les poumons. Ce sang qui, par sa viscosité, est la cause immédiate de l'inflammation primitive de la plèvre, est beaucoup plus disposé à s'arrêter dans les dernières branches des artères pulmonaires ou bronchiales, que s'il était moins visqueux et plus fluide. C'est la raison pour laquelle les points de côté occasionnés par une inflammation, produisent la péripneumonie beaucoup plus fréquemment que lorsqu'ils reconnaissent pour cause cette humeur âcre ou autre semblable. C'est donc avec raison que Celse dit : *Remedium..... est magni et recentis doloris, sanguis missus;* ce qu'il ajoute n'est pas moins vrai : *Et si vetustior casus est.... serum id auxilium est* (1). — On fera prendre au malade, immédiatement après la saignée, un lavement émollient et rafraîchissant, surtout s'il est constipé; ce remède, non-seulement débarrasse les intestins des gros excréments et des vents, mais encore fait dériver une plus grande quantité de sang dans l'aorte descendante et les iliaques, et à ces deux égards, il soulage les parties supérieures. Hippocrate (2) conseille généralement de donner des lavements au commencement des pleurésies, et donne cet excellent avis qu'il ne faut pas souffrir que le corps soit trop constipé, de peur que la fièvre n'augmente; ni trop lâche, de peur que les forces et l'expectoration ne diminuent (3). — Cela fait, on fomentera la partie douloureuse avec la décoction de graine de lin, de semence de fenu-grec, de fleurs de camomille dans le lait ou dans l'eau. C'était aussi la pratique des anciens; Hippocrate (4) dit qu'il faut tenter les fomentations, tant au commencement que dans le cours des pleurésies, pour résoudre l'inflammation pleurétique et apaiser la douleur : il les conseille constamment, soit sous forme sèche, soit sous forme humide dans les pleurésies. Je les ai souvent vues réussir lorsque les saignées avaient été employées sans succès. Les douleurs, surtout les douleurs inflammatoires, provenant toujours de la trop grande tension des fibres, elles doivent céder aux émollients qui les relâchent. Je préfère, dans les douleurs inflammatoires de poitrine ou de côté, les fomentations humides ou les cataplasmes à celles qui produisent une chaleur sèche, parce qu'elles relâchent plus efficacement. Hippocrate défend d'user trop long-

(1) Lib. IV, cap. VI.
(2) *De Victu acutor*, sect. LII.
(3) Lib. III, *de Morb.*, sect. XVII.
(4) *De Victu acutor*, sect. XI, 12e edit. Linden.

temps d'étoupes sèches (1), et recommande de les employer humides (2) vers le temps de la crise. Celse est d'avis qu'on en employe de sèches et de chaudes, lorsque l'inflammation est un peu calmée, et qu'ensuite on passe aux cataplasmes (3). Je fais appliquer ordinairement, avec assez de succès, après des fomentations suffisantes, un emplâtre anodin composé d'un gros d'opium, d'un scrupule de camphre dans de l'emplâtre de cumin ; mais je fais toujours précéder les fomentations humides. Dans les cas très-urgents, on peut appliquer aussi sur l'abdomen, aux aînes, etc., des fomentations, qui, en relâchant les fibres trop tendues, diminuent l'impétuosité du sang. Les bains émollients sont encore plus efficaces, quand on peut les mettre en usage ; Hippocrate dit qu'ils apaisent les douleurs des reins, de côté et de la poitrine : les effets merveilleux qu'ils produisent dans les coliques et dans les paroxysmes de néphrétique, doivent nous engager à les essayer dans les pleurésies violentes, et dans la paraphrénésie. Les anciens supposaient que les applications chaudes cuisaient l'humeur morbifique et excitaient l'expectoration ; elles produisent certainement le dernier effet, en diminuant la douleur, et en donnant plus de liberté aux muscles intercostaux, etc., pour dilater et contracter le thorax, et pour pomper la matière : par conséquent elles ne peuvent être que très-utiles dans les péripneumonies, même à cet égard.

On doit ensuite avoir recours aux remèdes nitreux et à un régime rafraîchissant, émollient et délayant. Le petit-lait clarifié, une décoction d'orge avec le coquelicot, des émulsions, et autres doses semblables, remplissent ces indications. Le nitre rafraîchit et atténue le sang : il y faut joindre les anodins qu'on répétera selon l'occasion ; l'élixir parégorique et le diacode me paraissent le plus appropriés. On y peut ajouter le blanc de baleine, qui est une huile animale très-relâchante, très-pénétrante, et qui ne porte point de chaleur : lorsque la raideur des fibres est très-grande, on peut donner avec succès les huiles végétales, telles que l'huile de lin ou d'amandes. Une preuve que les remèdes émollients et relâchants sont indiqués dans la cure de la pleurésie, c'est que les personnes qui ont la fibre raide et qui sont d'une constitution sèche, sont celles qui sont le plus sujettes à cette maladie, et à qui elle fait courir les plus grands dangers, et que le temps où elles régnent le plus sont les temps froids et secs. — La violence de la douleur exige certainement, après la saignée, qu'on ait recours à l'opium, qui, étant administré avec prudence, produit de très-bons effets. Comme la douleur est un stimulus qui accélère puissamment la circulation, échauffe le sang, et en dérive une quantité surabondante vers la partie affectée, elle doit nécessairement augmenter l'inflammation. Une épine qu'on s'enfonce dans la chair produit un peu de fièvre et une inflammation tout autour. D'ailleurs lorsqu'il se joint une toux violente, comme dans les pleuro-péripneumonies, il faut la calmer par le diacode, ou autre calmant de même espèce; sans cela, la grande agitation qu'elle cause augmenterait aussi l'inflammation. Il est vrai que l'usage de ces remèdes demande beaucoup de précaution et de prudence; c'est pourquoi il ne faut pas ménager les saignées avant de les employer, lorsque la douleur est violente, le pouls dur, vif et tendu, et la fièvre forte. L'exemple suivant nous apprend ce qu'on peut et ce qu'on doit faire dans les pleurésies, lorsque la maladie commence avec une très-grande violence. — Il y a environ quatre ans qu'un homme fort et pléthorique, d'environ quarante ans, fut attaqué de la fièvre, et d'un violent point de côté; on lui tira aussitôt 16 ou 18 onces de sang ; cela calma la douleur. Il se leva, se mit auprès du feu dans une chambre où il fumait beaucoup, et but près d'une pinte de cidre froid; aussitôt il fut pris d'un frisson violent, auquel succédèrent une très-grosse fièvre, une douleur de côté et de poitrine excessivement aiguë, une grande difficulté de respirer, du délire et de la toux la plus terrible que j'aie entendue de ma vie, qui lui faisait cracher une très-grande quantité de sang vif et écumeux. Je fus obligé de le faire saigner trois fois dans l'espace de vingt-quatre heures, et de lui donner sept grains de laudanum solide, après lui avoir fait prendre deux ou trois onces de diacode dans ce court espace de temps ; et cela seul, car il ne prit pas d'autres remèdes, suffit pour le rétablir. C'est à la vérité un cas bien extraordinaire : mais j'ai éprouvé, dans

(1) *De Victu acutor*, sect. XII.
(2) Lib. III, *de Morb.*, sect. XXIII.
(3) Lib. IV, cap. VI.

une infinité de cas, que la méthode que j'ai exposée était très-sûre et très-efficace, beaucoup plus, je pense, que le sang de dragon, le priape de taureau et toutes les autres rêveries que Van-Helmont vante si fort, pour apaiser l'archée et calmer la plèvre en fureur (1), malgré la rigueur et la sévérité avec laquelle il traite les disciples de Galien et l'école, pour avoir essayé de guérir les pleurésies par la saignée.

J'ai remarqué dans plusieurs épidémies que la sueur, surtout lorsqu'elle venait après le troisième ou le quatrième jour, était d'un très-grand secours; c'est dans cette vue que j'ai souvent ajouté le camphre au nitre, etc. qui avec de petites doses d'élixir parégorique donné dans du petit-lait tiède ou de la tisane, manque rarement de produire son effet. Cette méthode convient surtout dans les temps froids et humides, et chez les personnes qui ont été sujettes aux catharres ou aux douleurs rhumatiques, surtout lorsqu'on a tiré une quantité de sang suffisante : les doux purgatifs conviennent aussi dans ce cas. Il est certain, par les meilleures observations, que dans certaines constitutions de l'air, les personnes qui sont attaquées de pleurésies ne supportent pas les saignées abondantes, particulièrement lorsqu'il y a quelque temps que l'air est humide et rempli de brouillards. En général, on trouve qu'ils soutiennent beaucoup mieux cette perte dans un printemps froid et sec que dans un été humide, ou un automne pluvieux. Il y a même quelques pleurésies, du moins qu'on appelle ainsi, qui ne permettent que peu ou point de saignées, dans lesquelles la douleur de côté ne paraît être qu'un symptôme, et non pas la maladie essentielle, comme les douleurs qui précèdent ou qui accompagnent les fièvres putrides malignes, la petite vérole, etc., ne sont pas, à proprement parler, rhumatiques, mais symptômatiques. Ces douleurs qui dans ce cas sont l'effet de l'acrimonie, et non pas de l'inflammation, demandent à être traitées par les délayants, les diaphorétiques, les eccoprotiques, les vésicatoires, etc. et non pas par les saignées que les anciens interdisaient lorsque la bile (par où ils entendaient l'acrimonie) prédomine considérablement.— C'était une observation d'Asclépiade (2), que les peuples de Rome et d'Athènes ne supportaient pas la saignée dans les pleurésies et les péripneumonies, aussi bien que ceux de l'Hellespont; les premiers étant plus au sud-est et dans un pays plus chaud et plus humide que les derniers, qui étaient beaucoup plus exposés aux vents secs et froids de nord et d'est. Houillier a fait la même observation relativement au peuple de Paris, qui est dans un climat très-froid, et aux habitants des parties méridionales de la France, qui sont plus au midi, et dont le climat est plus chaud (3). J'ai remarqué dans un pays moins étendu qu'une maladie épidémique, qui, dans les lieux bas et près de la mer, ne produisait que des fièvres catharrales qui ne demandaient presque pas de saignées, dans les positions élevées et plus froides du voisinage, était accompagnée de violents symptômes pleuro-péripneumoniques qui exigeaient qu'on tirât beaucoup de sang. Il n'est pas douteux que la constitution des solides et des fluides diffère beaucoup, suivant la différente position des habitants. Qu'on me permette d'ajouter ce corollaire. Il faut, dans la pratique, avoir non-seulement égard à la nature particulière de l'épidémie, mais encore à la saison et au tempérament du malade.

---

(1) Voyez *Helmontii pleura furens.*

(2) Voyez Cælius Aurelianus, lib. II, cap. XXII, *de Morbis acutis et chronicis.* Amstel. 1722, in-4.

(3) Holler, *in Aphor.* Hippoc. sect. I.

APPENDIX.

MÉTHODE DE CONSERVER LA SANTÉ DES GENS DE MER DANS LES LONGUES CROISIÈRES, ET LES VOYAGES DE LONG COURS

Tout le monde sait combien nous avons perdu de matelots depuis quelques années par le scorbut. Cette maladie doit principalement son origine à la mauvaise qualité des provisions, de l'eau, de la bierre, qu'il est impossible de conserver dans les longues croisières, et dans les voyages de long cours. Les provisions doivent se gâter naturellement; le meilleur bœuf et le porc se pourrissent, l'eau se corrompt, la bière, du moins celle qu'on embarque pour la provision des navires, ne se conserve pas long-temps bonne. Un long et continuel usage de ces provisions doit naturellement infecter par degrés les humeurs du corps, produire une grande acrimonie dans le sang, et le disposer chaque jour de plus en plus à la putréfaction. Ces effets augmentent considérablement, en vivant dans une atmosphère humide et salée, et en respirant l'air corrompu de l'entrepont. Une expérience constante a démontré ces vérités. J'ai vu une seule escadre obligée, après trois mois de course, de mettre plus de mille malades à terre, dont la plupart étaient scorbutiques au dernier degré; outre un très-grand nombre qui était mort dans le voyage. A peine la flotte fut-elle rentrée, que la pureté de l'air, la salubrité des boissons, les provisions fraîches, et surtout les herbages purifièrent bientôt le sang et les humeurs des malades, et rétablirent leur santé. L'air frais, les provisions, les fruits et les légumes que les Anglais et les Hollandais trouvent à Ste-Hélène et au Cap de Bonne-Espérance, leur sont du plus grand secours dans leurs voyages aux Indes-Orientales; sans cela ils seraient exposés aux plus cruelles maladies. Les médecins savent que les acides minéraux et végétaux sont le moyen le plus efficace de corriger l'acrimonie alcalescente du sang, et de prévenir les progrès de la putréfaction des humeurs : les derniers sont les plus sûrs, on peut les donner à grande dose, au lieu que les autres ne peuvent être donnés que par gouttes.

Rien ne prouve mieux que l'état du sang est tel que nous venons de le dire dans le scorbut de mer, que la puanteur de l'haleine des malades, la pourriture de leurs gencives, la couleur foncée et la fétidité de leurs urines, les ulcères sordides, les taches noires, bleues ou brunes, les éruptions à la peau, les fréquents accès de fièvre, le mauvais état de leur langue, les diarrhées bilieuses et sanguinolentes, qui l'accompagnent toujours plus ou moins. On sait également qu'un régime et une diète végétale et acescente, un air frais, des provisions fraîches, des boissons vineuses un peu aigrelettes, sont les remèdes qui le guérissent le plus souvent et le plus promptement, lorsqu'il n'est pas beaucoup avancé. Les pommes, les oranges et les limons seuls, ont souvent opéré des cures surprenantes dans des scorbuts produits par de mauvaises provisions, de mauvaise eau, etc., dans les voyages de long cours.

Mais ce qui peut guérir une maladie peut encore plus sûrement la prévenir. Par conséquent, si l'on pouvait faire usage de ce régime à la mer, ce serait une espèce d'antidote contre les qualités putréfiantes des provisions ordinaires des vaisseaux, capable d'y remédier, au moins d'en diminuer les mauvais effets. On a abservé en effet que les officiers qui emportent du vin, du cidre, des limons, des provisions fraîches, etc., sont infiniment moins affectés du scorbut que les simples matelots, qui ne sont pas si bien pourvus. — Est-il possible d'introduire un pareil régime sur les vaisseaux? Je crois qu'oui, et c'est d'après la raison et l'expérience que je recommande la méthode suivante : Qu'on fournisse tous les navires destinés à rester long-temps en croisière ou à faire des voyages de long cours de bon cidre bien généreux; le plus âpre sera le meilleur, pourvu qu'il ne soit pas gâté. Si les pommes sont si efficaces contre le scorbut, on ne peut pas douter que leur suc converti en une liqueur vineuse ne soit très-salutaire, et il paraît très-propre à fournir une boisson capable de corriger par son acidité l'alcalescence putride des provisions gâtées. Il faut au moins que ce cidre ait trois mois avant de le boire, et qu'il soit tiré au clair. Lorsqu'il est trop nouveau, et qu'il n'est pas clair, il est sujet à donner de cruelles coliques; il faut le soutirer au moins une fois dans un vaisseau bien propre; cela contribuera à le rendre clair et l'empêchera de graisser, ce qui le rendrait parfaitement inutile. Quand même il viendrait à s'aigrir, ce qui arrive fréquemment, il pourrait toujours servir. Lorsqu'on en a bien soin, il se conserve long-temps, même jusqu'aux Indes Orientales. — On donnera à chaque matelot au moins une chopine de cidre par jour, outre sa bière et son eau. Je conseille aussi de leur faire faire un grand usage de vinaigre dans leurs aliments surtout lorsque les provisions deviennent rances. Outre cela, on aura soin de laver ou d'arroser souvent l'entrepont avec du vinaigre, après avoir purgé l'air du vaisseau à l'aide du procédé de M. Sutton, ou avec le ventilateur de M. Hales; ce qu'on fera au moins une fois le jour. — Dans les croisières d'automne, on pourra se pourvoir d'une certaine quantité de pommes, qui, lorsqu'elles sont bien choisies et qu'on les enferme dans des tonneaux épais et bien secs, se conservent bonnes pendant deux ou trois mois. On peut aussi conserver pendant très-long-temps des limons ou des oranges, en les enveloppant dans de la flanelle ou autre chose semblable, capable de se charger de l'humidité qui s'en exhale, et les gardant dans des vases fermés, bien secs et froids. Si on ne peut pas s'en procurer, on peut emporter une grande quantité de suc de limon et de rhum; cette liqueur se conservera long-temps, et sera beaucoup plus utile que toutes les liqueurs fortes, qui sont des poisons brûlants dont on ne fait que trop d'usage sur les navires et ailleurs; et, pour le dire en passant, rien ne corrige mieux les pernicieuses qualités des liqueurs spiritueuses que le suc de limon. — Dans le cas où l'eau deviendrait puante, il faudrait y mêler du suc de limon, de l'élixir de vitriol ou du vinaigre: cela la rendra moins malfaisante; les soldats romains faisaient leur boisson ordinaire d'eau et de vinaigre, et ils s'en trouvaient bien.

On a déjà introduit l'usage de donner une grande quantité d'élixir de vitriol et de vinaigre sur les navires, ce qui a été d'une très-grande utilité, et les ordres ont été donnés depuis quelque temps pour fournir aussi les navires de guerre, de cidre. Je suis moralement certain qu'il y sera de la plus grande utilité, si l'on sait ménager cette boisson comme il faut. C'est ce qu'on a éprouvé déjà sur quelques navires de guerre et autres vaisseaux, sur lesquels on en a fait l'essai, quoique en petite quantité. Qu'on me permette d'ajouter qu'on pourrait distribuer aux équipages le vin qn'on trouve sur les prises, qui est souvent faible et léger, et qui se gâte ordinairement lorsqu'on veut le garder; il pourrait suppléer au défaut de cidre. — On trouvera peut-être mon projet trop coûteux; mais lorsqu'il est question de la vie de tant de braves gens si utiles à leur patrie, je ne crois pas qu'il y ait de prix qui puisse contre-balancer les avantages qu'on en pourrait retirer. Les Romains portaient constamment avec eux du vinaigre et du vin sur leurs flottes et dans leurs armées; le soldat et le matelot en obtenaient chaque jour leur ration. Ce n'était pas les seules dépenses qu'ils faisaient pour conserver la santé de leurs armées; mais si ce peuple si brave et si prudent croyait la vie d'un soldat romain d'un si grand prix et faisait tant de dépense pour la conserver, pourquoi ne ferions-nous pas le même cas de celle d'un matelot anglais, qui est aussi brave et aussi utile à la nation? — Je ne puis finir sans faire remarquer que l'usage d'enrôler de force les matelots qui reviennent de longs et ennuyeux voyages, dépourvus des choses les plus nécessaires, chagrins de ne pas voir leurs amis et leurs familles, et le plus souvent ne se portant pas bien, sans leur donner le temps de se rétablir, en a fait périr des milliers. Je souhaite, pour l'honneur de la nation, qu'on trouve une méthode d'armer nos flottes plus conforme à l'humanité et à la liberté anglaise.

A Plymouth, le 30 septembre 1747

DISSERTATION

SUR

LES MAUX DE GORGE GANGRÉNEUX.

Depuis la publication de mon *Essai sur les fièvres*, j'ai eu de fréquentes occasions d'observer une maladie de l'espèce des maladies putrides malignes, qui confirme pleinement les notions que je m'étais faites de la cause et de la cure des fièvres malignes pestilentielles. Je veux parler de l'angine maligne ou des maux de gorge gangréneux qui ont paru depuis quelques années en différents endroits de ce royaume, et qui ont été communs et très-dangereux dans certains cantons, surtout parmi les enfants: — M. Fothergill est le premier qui nous ait donné, en 1748, une description bien faite de cette maladie; mais quelques médecins espagnols et italiens avaient déjà décrit exactement une maladie de cette espèce, qui régnait avec beaucoup de violence en Espagne et en différents endroits de l'Italie, où elle faisait de grands ravages au commencement du dernier siècle. Peut-être les ulcères syriens et égyptiens dont parle Arétée de Cappadoce, et les ulcères pestilentiels des amygdales dont il est fait mention dans Aétius Amidenus étaient-ils de cette nature? Quelques-unes des fièvres scarlatines dont parle Morton ne paraissent pas beaucoup en différer. — Ce n'est que depuis cinq ou six ans que j'ai commencé à voir ces maux de gorge dans cette ville et dans les environs, quoiqu'ils régnassent à Lostwithiel, S. Austle, Fowye et Liskeard, il y avait un an ou deux, et qu'ils y eussent été très-funestes. Ils ont été très-communs ici et dans les lieux circonvoisins depuis la fin de 1751 jusqu'en mai 1753; mais surtout en 1752, ils emportèrent non-seulement des enfants, mais encore plusieurs adultes.

Une histoire exacte et fidèle des maladies, de leurs différents symptômes et de leurs méthodes curatives, étant le moyen le plus assuré de perfectionner la médecine, les médecins doivent s'attacher à décrire avec le plus grand soin les maladies qu'ils traitent, et les bons et mauvais effets des différentes méthodes qu'ils ont mises en usage pour les guérir. Mais cela est encore bien plus nécessaire lorsqu'il se présente quelque maladie nouvelle, il faut en décrire les signes diagnostics et pathognomoniques, indiquer quelle espèce d'évacuation, de régime ou de remède est utile ou nuisible. C'est la méthode que je me propose de suivre dans la description suivante: — Il tomba, en 1751, une grande quantité de pluie; l'été surtout fut extraordinairement humide, froid et orageux. Nous eûmes malgré cela, au commencement de juin, un temps très-chaud, et quelques jours étouffants en juillet et août. L'atmosphère fut presque toujours épaisse et humide, et le baromètre se tint constamment fort bas. Les fruits de la terre ne mûrirent pas; ils étaient aqueux et insipides; la moisson fut très-mauvaise, et les grains de toutes espèces souffrirent beaucoup. Malgré cela, nous n'eûmes que peu de maladies, du moins nous n'eûmes pas de maladies épidémiques. Mais la petite vérole, qui nous fut apportée au mois de mai par le régiment de Conway, se répandit beaucoup dans la ville pendant les mois de juillet et d'août; il y avait pour lors des fièvres putrides et miliaires dans les parties méridionales de cette province. Quoique nous n'eussions pas de maladies, les affections hypocondriaques et hystériques furent très-communes, et il régnait une espèce d'engourdissement et d'abattement dans tous les esprits. — La petite vérole devint beaucoup plus commune et d'une beaucoup plus mauvaise espèce dans l'automne, qu'elle ne l'avait été au commencement, et vers le milieu de l'hiver elle devint très-épidémique et très-funeste. Il y avait en même temps beaucoup de catarrhes, de maux de gorge muqueux et inflammatoires, quelques pleurésies et péripneumonies, et le plus souvent toutes ces maladies étaient accompagnées d'éruptions érysipélateuses ou de pustules.

Le temps continua à être humide, et fut souvent orageux, les vents varièrent beaucoup. Le mois de décembre fut froid, mais humide depuis le 15 jusqu'au 25. Les mêmes maladies continuèrent, et, vers la fin de l'année, on observa çà et là des maux de gorge gangréneux. — Le commencement de l'année 1752 fut froid, humide et orageux; les vents soufflèrent le plus souvent de l'est, tournant cependant, tantôt vers le nord, tantôt vers le sud; le baromètre fut ordinairement très-bas, mais il monta très-haut au commencement de janvier : il faisait alors un brouillard très-froid. La petite vérole continua à être épidémique; les pustules étaient souvent crues et cristallines; la matière ne pouvait pas parvenir à la coction, même vers la fin; quelquefois elles étaient très-confluentes, très-petites et très-plates; quelquefois elles étaient noires et sanguinolentes, et çà et là accompagnées de pétéchies. Les pleuro-péripneumonies et les rhumatismes étaient assez communs; il y avait aussi beaucoup d'esquinancies catarrhales et muqueuses, accompagnées de beaucoup de toux et de crachats clairs très-abondants; il y avait aussi un assez grand nombre de maux de gorge gangréneux, accompagnés d'une fièvre assez forte. — Au commencement et à la fin de février, le mercure monta très-haut dans le baromètre, l'air était clair, sec, et il gela; mais depuis le 8 jusqu'au 21 il tomba beaucoup de pluie, et le vent fut assez constamment au sud. Il y avait beaucoup de petites véroles dans la ville, mais peu dans les environs; un assez grand nombre de pleurésies, de péripneumonies et de rhumatismes, une très-grande quantité de maux de gorge catarrhals et muqueux, des esquinancies inflammatoires, et quelques-unes de malignes. — Le temps fut froid et sec pendant le mois de mars, surtout au commencement et à la fin; le baromètre se soutint toujours assez haut : il ne descendit jamais bien bas. La petite vérole parut s'adoucir; elle était en même temps moins fréquente; les autres maladies furent aussi moins communes, mais plus inflammatoires; il n'y eut point de maux de gorge gangréneux. Le vent de nord-est fut le dominant au commencement du mois d'avril, ce qui rendit le temps sec, beau et très-froid; le baromètre était très-haut : de grosses pluies succédèrent pendant quatre ou cinq jours, ensuite le vent revint au nord-est, ce qui ramena la sécheresse; depuis le 21 il fut à l'ouest-nord-ouest. La petite vérole parut se soutenir; il y en eut quelques-unes de mauvaise espèce. On vit un grand nombre de pleurésies et de péripneumonies; les rhumatismes, les jaunisses et les hydropisies furent fréquents; il y eut beaucoup de toux fâcheuses; un plus grand nombre de personnes, tant parmi les adultes que parmi les enfants, fut attaqué de vers.

Quoiqu'on eût quelques jours assez beaux dans le mois de mai, l'été fut humide, froid et désagréable; l'air était épais et plein de brouillards; le baromètre monta rarement; les vents de sud-ouest et de nord-ouest furent les plus fréquents. Les fruits ne mûrirent pas bien, ils furent aqueux et insipides; la moisson fut mauvaise et les grains étaient de mauvaise qualité. On se plaignait généralement d'un abattement d'esprit, d'une indifférence pour tout et de lassitudes. Les petites véroles devinrent beaucoup plus nombreuses en juin et furent épidémiques pendant tout l'été; elles furent d'une plus mauvaise espèce que celles du printemps, non-seulement ici, mais dans tous les lieux circonvoisins; les pustules furent très-fréquemment confluentes, très-petites, quelquefois noires et accompagnées d'hémorrhagies du nez, surtout chez les enfants; mais les pétéchies furent beaucoup moins communes que je ne m'y étais attendu. Quelquefois ces pustules étaient crues, cristallines et formaient de larges ampoules qui rongeaient la peau. Les rhumatismes, la goutte et la toux furent beaucoup plus fréquents qu'ils n'ont coutume de l'être dans cette saison de l'année. — Il régna aussi dans ce temps l'espèce de fièvres que j'ai appelée dans le premier volume de mes Épidémies *anginosa*, fièvres d'esquinancie; elle fut très-violente, elle était accompagnée de taches scarlatines et de pustules, et suivie de grandes démangeaisons et de desquammations de la peau. Le pouls dans cette fièvre était ordinairement dur, petit et fréquent, la respiration chaude, laborieuse et accompagnée d'oppression dans les hypocondres; les urines étaient quelquefois crues et pâles, quelquefois hautes en couleur et troubles, mais sans sédiment; le délire se mettait bientôt de la partie. Ces malades soutenaient très-bien la saignée lorsqu'elle était faite dans le commencement; le sang qu'on leur tirait était souvent couenneux, quoiqu'en général beaucoup moins que dans les esquinancies véritablement inflammatoires : malgré cela il fallait rarement beaucoup saigner; à peine osait-on réitérer la saignée une seconde fois. — Dans toutes les espèces de fièvres, il y avait une singulière disposition aux différentes sortes d'éruptions, aux sueurs, aux ulcères de la gorge et aux aphthes. La petite vérole fut plus funeste dans le mois d'août, et quelquefois elle était accompagnée d'ulcères très-dangereux dans la gorge et de difficulté d'avaler. Les maux de gorge gangréneux furent très-fréquents dans ce même temps et vraisemblablement ils se compliquèrent avec la petite vérole.

L'automne fut beaucoup plus beau et plus agréable que l'été, particulièrement le mois d'octobre qui fut très-beau et très-serein, le mercure se soutint fort haut; cependant en général l'air était épais, et quelquefois très-humide, le vent soufflait le plus communément du côté de l'est. Le mois de novembre fut moins humide et moins orageux qu'il n'a coutume de l'être; en général, il fut assez chaud; le baromètre se soutint fort haut, mais l'air était toujours épais et humide. Au commencement de décembre le mercure monta extraordinairement haut, l'air fut froid et sec, les vents étaient à l'est nord-est; du 6 au 26, le temps fut très-humide, plein de brouillards, quelquefois orageux, le baromètre baissa beaucoup; vers la fin les vents revinrent à l'est, ce qui fit remonter le mercure et ramena le beau temps et le froid. Pendant cette période la petite vérole continua à être épidémique partout, quoiqu'elle fût un peu plus douce pendant les mois de septembre et de décembre; cependant on en observait çà et là de confluentes, accompagnées de taches et d'hémorrhagies du nez. Dans le mois de décembre on vit très-souvent des petites véroles dont les pustules étaient nombreuses, crues, et sans aucune coction jusqu'à la fin, se réunissant pour former de larges ampoules, et rongeant profondément toutes les parties qui se trouvaient au-dessous : les croûtes de celles qui étaient noires et confluentes ne tombèrent que trente jours après l'éruption. La fièvre d'esquinancie continuait toujours; nous eûmes un grand nombre de maux de gorge gangréneux dans le mois de septembre, encore plus en octobre; et ils furent très-communs en novembre et en décembre dans la ville, dans le quartier des chantiers et aux environs, ce qui emporta un très-grand nombre d'adultes et d'enfants. Dans ce même temps, il y eut un nombre prodigieux de maux de gorge catarrheux et muqueux, mais qui ne furent accompagnés de presqu'aucun danger. En octobre surtout après quelques jours de brouillards, de tempête et de pluie, nous eûmes depuis le 12 jusqu'au 16, des matinées très-froides, avec des gelées blanches et même de la glace. Dans ce temps, il y eut des milliers de personnes attaquées de toux, de mal de gorge, de fluxion sur le nez, les yeux et la bouche, avec une légère fièvre et plus ou moins de tranchées; plusieurs avec de grands flux de ventre. Les toux, les catarrhes, les rhumatismes et les dévoiements furent très-communs en novembre et en décembre, surtout les toux catarrhales, dont presque tout le monde fut incommodé; cependant il y eut très-peu de péripneumonies et de pleurésies; quoiqu'il y eût beaucoup de personnes qui tombèrent dans la phthisie pulmonaire, et un grand nombre qui moururent d'étisie. — Pendant plusieurs mois il n'y eut guère de fièvre, quelque légère qu'elle fût, qui ne fût accompagnée de maux de gorge, d'aphthe et de quelque espèce d'éruption à la peau, même dans les pleurésies et les péripneumonies; tant la constitution de l'air, etc., paraissait disposée à produire des éruptions dans toutes les maladies fébriles. Le sang qu'on tirait des malades pendant tout ce temps, parut très-rarement visqueux, il était généralement d'un rouge vif, surtout au commencement de la maladie, et d'un tissu fort lâche. — C'est ainsi que finit l'année 1752; le reste de l'hiver, et le printemps qui le suivit furent très-froids et humides; le froid continua jusque vers le milieu du mois de mai, et rendit le printemps très-tardif. Après cela, le temps se mit au beau et nous eûmes l'été le plus beau et le plus chaud qu'on eût vu depuis plusieurs années. La petite vérole et les maux de gorge catarrhals et malins, devinrent de moins en moins fréquents, et de moins en moins dangereux, depuis le mois de janvier jusqu'au mois de mai qu'ils cessèrent tout-à-fait. A mesure que le printemps avança, nous eûmes des pleurésies, des péripneumonies et un grand nombre d'affections catarrhales. Le sang qu'on tira alors parut beaucoup plus dense qu'on ne l'avait observé depuis long-temps.

J'ai donné cette histoire succincte de la constitution de l'air et des maladies qu'on observa dans cette période, dans laquelle les maux de gorge de l'une ou de l'autre espèce, furent beaucoup plus fréquents que je ne les eusse jamais vus, et dans laquelle les éruptions à la peau furent extraordinairement communes, même dans les fièvres les plus légères, espérant que cela pourrait donner lieu de former des conjectures raisonnables sur la cause et la nature de ces maladies. Les saisons froides et humides les produiraient-elles en arrêtant la transpiration? on sait que lorsque la matière de cette excrétion est retenue, elle devient âcre et produit à la longue un grand nombre de maladies, particulièrement celles de l'espèce qu'on désigne par le nom général de *scorbutiques*; et plus immédiatement des catarrhes, des maux de gorge, des péripneumonies, des flux de ventre, des coliques, etc., qui sont évidemment des effets de la transpiration supprimée. Mais mon dessein n'est pas d'entrer maintenant dans des recherches de cette nature. Je vais donc donner la description la plus exacte qu'il me sera possible, des maux de gorge gangréneux qui ont régné ici pendant la période que nous venons de décrire, surtout en 1752, et j'y joindrai la méthode curative qui m'a le mieux réussi. Cette maladie commençait différemment dans les différents sujets. — Quelquefois le frisson, l'embarras et la douleur de la gorge, la douleur et la raideur du col étaient les premiers symptômes dont les malades se plaignaient. Quelquefois la maladie commençait par des alternatives de chaud et de froid, avec un peu de mal à la tête, de vertige ou de l'assoupissement. Il y en avait d'autres dont la fièvre était plus forte au commencement, qui avaient de violents maux de tête, de reins et dans les membres, une forte oppression dans les hypochondres, et qui soupiraient continuellement. Quelques adultes au contraire agissaient pendant un jour ou deux, sans se sentir ni bien ni mal, mais éprouvant du mal-aise et des anxiétés, jusqu'à ce qu'ils fussent obligés de s'aliter. Telles étaient les différentes faces que cette maladie prenait dans son commencement. Mais communément elle s'annonçait par un frissonnement, de la chaleur, de la pesanteur et de la douleur à la tête, un mal de gorge et de l'enrouement, une petite toux, des maux d'estomac, des vomissements et des déjections fréquentes, surtout dans les enfants, chez lesquels elles étaient quelquefois très-violentes, quoique l'état contraire fût plus commun chez les adultes. On observait dans tous un grand abattement, une faiblesse soudaine, beaucoup d'oppression et des défaillances dès le commencement. Le pouls en général était fréquent, petit et tremblotant, quoiqu'il fût quelquefois lourd et ondulant. Les urines étaient pour l'ordinaire pâles, ténues et crues; cependant dans les adultes elles étaient quelquefois en petite quantité, hautes en couleur, ou semblables à du petit lait trouble. Les yeux étaient pesants, rougeâtres et larmoyants. Le visage était très-souvent plein, rouge et bouffi, quelquefois cependant il était pâle et abattu. — Quelque léger que le mal parût dans le jour, tous les symptômes s'aggravaient la nuit, la fièvre augmentait très-fort, il survenait même quelquefois du délire au commencement de la nuit; et ce redoublement revenait constamment tous les soirs pendant tout le cours de la maladie. En effet, lorsqu'elle était sur son déclin, j'ai été souvent très-surpris d'apprendre que mon malade (que j'avais laissé assez tranquille dans le jour) avait été toute la nuit en phrénésie.

Quelques heures après la première attaque, quelquefois dès les premiers moments on apercevait une enflure et le malade sentait de la douleur dans la gorge; les amygdales devenaient très-enflées et très-enflammées, souvent même les parotides et les glandes maxillaires enflaient beaucoup et très-subitement, même dès le commencement; quelquefois au point que le malade était en risque d'étouffer. Le fond de la gorge paraissait bientôt d'un rouge vif, ou plutôt d'un rouge cramoisi, il était luisant et éclatant. Le plus ordinairement on apercevait sur la luette, les amygdales, le voile du palais, et sur la partie postérieure du pharynx, plusieurs taches blanchâtres ou de couleur de cendre, dispersées çà et là, qui quelquefois augmentaient très-promptement, et couvraient bientôt une amygdale ou toutes les deux, ou la luette, etc.: c'était les escarres d'ulcères superficiels, qui quelquefois cependant rongeaient très-profondément. Dans ce temps, la langue quoique blanche seulement, et humide à sa pointe, était très-sale à sa racine, et couverte d'une croûte épaisse, jaunâtre ou brune. L'haleine commençait alors à devenir très-puante, et cette puanteur augmentait d'heure en heure, de sorte qu'à la fin elle devenait dans quelques-uns, insoutenable aux malades eux-mêmes. — Le second ou troisième jour tous les symptômes devenaient plus graves, et la fièvre beaucoup plus considérable, ceux qui l'avaient le mieux soutenue pendant trente ou quarante heures ne lui résistaient plus. Le défaut de sommeil, les anxiétés et la difficulté d'avaler, augmentaient excessivement. La tête était étonnée, douloureuse et pesante, il y avait toujours plus ou moins de délire, quelquefois une perte totale de sommeil, et une phrénésie perpétuelle, quoiqu'il y en eût d'autres qui fussent comme stupides, mais souvent ils avaient des tressaillements et marmottaient entre leurs dents. On leur trouvait beaucoup de chaleur à la peau qui était sèche et rude; rarement avaient-ils de la disposition à suer. Les urines étaient pâles, crues, souvent jaunâtres et troubles. Quelquefois ils éprouvaient des vomissements considérables, et quelquefois un très-grand dévoiement, surtout les enfants. Les escarres étaient fort étendues et d'une couleur plus foncée; ce qui les environnait paraissait d'une couleur de plus en plus livide. La respiration devenait plus difficile, avec une espèce de râlement, comme si le malade étranglait; la voix était rauque et creuse, ressemblant exactement à celle des gens qui ont un ulcère vénérien dans la gorge. Le bruit qu'ils faisaient en parlant et en respirant, était si particulier, que pour peu qu'on fût familiarisé avec cette maladie on la reconnaissait facilement à ce bruit extraordinaire; c'est ce qui a fait nommer cette maladie par les médecins espagnols *garotillo*, mot qui désigne le bruit que font ceux qu'on étrangle avec une corde. Je n'ai jamais observé dans aucun le glapissement qu'on entend dans les esquinancies inflammatoires. L'haleine de tous les malades était très-nauséabonde; dans quesques-uns même elle était insupportable, surtout aux approches de la crise; il y en avait beaucoup qui vers le quatrième ou cinquième jour, crachaient une grande quantité de mucosité fétide et purulente, quelquefois teinte de sang, quelquefois entièrement livide et d'une odeur abominable. — Chez plusieurs, aussi les narines étaient extraordinairement enflammées et excoriées, dégouttant continuellement une matière sanieuse si excessivement âcre, que non-seulement elle corrodait les lèvres, les joues et les mains des enfants qui étaient attaqués de la maladie, mais même les mains des gardes qui en prenaient soin; lorsque les narines commençaient à s'ulcérer, les malades ne cessaient d'éternuer, surtout les enfants; car j'ai vu peu d'adultes qui fussent affectés de ce symptôme, au moins à un degré un peu considérable. Il était étonnant de voir la quantité de matière que les enfants rendaient par cette voie, et comme ils s'en barbouillaient le visage et les mains, ces parties étaient couvertes d'ampoules. La suppression subite de cet écoulement de la bouche et des narines, a fait périr plusieurs enfants; il y en avait qui en avalaient une si grande quantité, que cela leur occasionnait des excoriations dans les intestins, de violentes tranchées, la dysenterie, etc., et même des excoriations à l'anus et aux fesses. Non-seulement les narines, la gorge, etc., étaient affectées par cette matière si âcre, mais encore la trachée-artère elle-même en était quelquefois corrodée, et on voyait les malades cracher des morceaux entiers de sa tunique interne, avec beaucoup de sang et de matière corrompue. Les malades languissaient pendant un temps considérable, et enfin mouraient phthisiques, quoiqu'il arrivait encore plus souvent qu'elle se jettait plus subitement et avec plus de violence sur les poumons, et les faisait mourir avec les symptômes de la péripneumonie.

J'étais quelquefois étonné de voir plusieurs de ces malades avaler avec assez de facilité, quoique la tumeur des amygdales et de la gorge, la quantité de mucus épais, et le râle en respirant fussent très-considérables, ce qui montre clairement que ces esquinancies malignes venaient plutôt de l'acrimonie et de l'abondance de l'humeur, que de la violence de l'inflammation. — L'esquinancie précédait le plus ordinairement les exanthêmes; mais souvent l'éruption à la peau paraissait avant le mal de gorge, et était quelquefois très-considérable, quoiqu'il n'y eût que peu ou point de douleur dans la gorge : au contraire il y avait des malades qui avaient des maux de gorge très-violents sans éruption; cependant dans ces cas même, il survenait une très-grande démangeaison et une desquammation à la peau, c'était surtout chez les grandes personnes, rarement chez les enfants. En général, il se faisait une éruption sur toute la surface du corps, particulièrement dans les enfants, et cela arrivait le plus communément le second, le troisième ou le quatrième jour, quelquefois cette éruption ne se faisait qu'à certaines parties, quelquefois elle couvrait tout le corps, mais elle attaquait rarement la face. Quelquefois elle était de la nature de l'érysipèle, quelquefois c'était de véritables pustules; ces pustules étaient souvent très-élevées et d'une couleur rouge-foncée et enflammée, principalement sur la poitrine et sur les bras; mais elles étaient quelquefois très-petites et plus sensibles au toucher qu'à la vue, et donnaient une rudesse extraordinaire à la peau. La couleur de l'efflorescence était ordinairement cramoisie, ou comme si la peau avait été barbouillée avec du suc de framboises jusqu'au bout des doigts. La peau paraissait enflammée et comme enflée, les bras, les mains et les doigts étaient gonflés en effet, très-raides, et un peu douloureux. Cette couleur cramoisie de la peau paraissait particulière à cette maladie. Quoique cette éruption manquât rarement de procurer un soulagement marqué au malade dont elle calmait les anxiétés, les maux d'estomac, le vomissement, le dévoiement, etc., cependant j'ai vu plusieurs personnes qui avaient le corps couvert d'une éruption couleur de feu, sans éprouver la moindre diminution dans ces symptômes; ils paraissaient au contraire s'aggraver, particulièrement la fièvre, l'oppression de la poitrine, les anxiétés, le délire. Et j'ai vu deux ou trois malades mourir dans la plus forte phrénésie, tout couverts de l'éruption la plus enflammée que j'aie vue de la vie : de sorte que comme dans la petite vérole confluente, elle désignait *la quantité de la maladie*, si j'ose m'exprimer ainsi.

J'ai traité un jeune homme d'environ douze ans, dont la langue, le gosier et les amygdales étaient aussi noires que de l'encre, et qui avalait avec une extrême difficulté; il ne cessa de cracher une immense quantité de matière sanieuse, noire et très-puante, pendant au moins huit ou dix jours. Le septième jour, sa fièvre était un peu calmée, il tomba dans un flux de sang dysentérique, quoique l'expectoration continuât à se faire comme auparavant, avec une très-grande toux. Il guérit cependant à la fin, au grand étonnement de tous ceux qui l'avaient vu. Il se fit le second ou le troisième jour une éruption aussi considérable et aussi universelle qu'aucune de celles que j'avais vues, et la démangeaison qu'il éprouvait à la peau, était si insupportable, qu'il se déchirait le corps de la manière la plus affreuse; cependant cette éruption, quoique survenue à temps, ne diminua point sa fièvre ni sa phrénésie, ni ne prévint aucun des symptômes effrayants dont nous avons parlé. — Malgré cela, lorsqu'il survenait de bonne heure une éruption douce, c'était le plus communément d'un très-heureux présage: lorsqu'elle était suivie d'une desquammation abondante de l'épiderme, c'était un des symptômes le plus favorable qui pût se présenter; mais lorsque l'éruption devenait brune ou livide, ou disparaissait avant le temps ou trop subitement, tous les symptômes s'aggravaient, et le malade était menacé du plus grand danger, surtout s'il paraissait çà et là des taches pourprées ou noires, comme cela arrivait quelquefois: l'urine devenait limpide, les convulsions se mettaient de la partie, ou une suffocation funeste terminait la tragédie. — La maladie était en général à son plus haut degré vers le cinq ou le six dans les jeunes gens; un peu plus tard dans les personnes plus âgées, et la crise ne se faisait souvent que le 11 ou le 12, alors elle était imparfaite; il y avait malgré cela des adultes qui étaient emportés en deux ou trois jours, la maladie se jetant sur les poumons, et faisant périr le malade péripneumonique, ou sur le cerveau, et le malade mourait phrénétique, ou dans une affection comateuse. Chez quelques-uns la maladie donnait lieu à une toux très-importune, à une expectoration purulente, à l'hémoptysie et à l'étisie, ils languissaient quelques semaines et mouraient étiques. — S'il survenait une douce sueur le trois ou le quatre, si le pouls devenait moins fréquent, plus fort, plus égal; si les escarres du gosier tombaient doucement, et si le fond des ulcères paraissait net et d'une couleur vive, si la respiration était plus douce et plus libre, et si les yeux reprenaient un peu de vivacité, tout allait bien, il se faisait bientôt une crise salutaire par la continuation de la sueur, par des urines troubles qui déposaient un sédiment farineux, par une abondante expectoration, et une très-grande desquammation de l'épiderme. Mais s'il survenait un frisson, et s'il arrivait que les exanthèmes disparussent tout-à-coup, ou qu'ils devinssent livides, si le pouls devenait très-petit et très-fréquent, si la chaleur se soutenait à la peau, qu'elle fût comme séchée, si la respiration devenait plus difficile, si les yeux étaient éteints et vitreux, si l'urine était pâle et limpide, le malade tombait dans la phrénésie ou dans l'assoupissement; une sueur froide et gluante couvrait son visage ou ses extrémités, il n'y avait plus rien à espérer; surtout s'il survenait un hoquet et un enrouement ou un gargouillement dans le gesier, avec une déjection soudaine et involontaire d'une matière liquide, d'une couleur livide et d'une puanteur insupportable. J'observai dans un petit nombre de malades, quelque temps avant leur mort, non-seulement qu'ils avaient le visage bouffi, luisant comme s'il eût été frotté de graisse, mais encore le cou enflé et cadavéreux; tout le corps leur devenait œdémateux, conservant l'impression du doigt, la peau ne se relevant pas comme elle a coutume de faire, ce qui indiquait que le sang stagnait dans les capillaires, et que les fibres avaient entièrement perdu leur élasticité. — Comme il y eut différentes espèces d'esquinancies et de maladies éruptives dans cette période, pendant laquelle les maux de gorge gangréneux régnaient, la ressemblance des symptômes au commencement de ces différentes maladies embarrassa beaucoup les jeunes praticiens, et tous ceux qui n'avaient pas une grande expérience; ils ne savaient quelle méthode ils devaient suivre, surtout relativement aux évacuations, voyant que l'expérience démontrait que la saignée et les purgations étaient funestes, au moins jusqu'à un certain dégré. — Quoique ceux qui exercent la médecine dans nos cantons soient aussi attentifs, aussi capables et aussi judicieux qu'aucun de ceux qui pratiquent dans les autres parties de l'Angleterre, cependant j'eus quelque peine à leur faire comprendre la nature de cette singulière maladie si peu commune et à leur apprendre à la bien distinguer des autres maladies courantes qui avaient beaucoup de ressemblance avec elle. Leur ayant fait faire attention à la petitesse, à la fréquence, à l'inégalité, au trémoussement du pouls, dès la première invasion de cette esquinancie maligne, et que quoiqu'il fût quelquefois plein et ondulant, il était même alors lourd et inégal; à l'abattement subit des esprits et des forces, aux anxiétés, aux soupirs continuels, à la grande oppression dans les hypocondres, à leurs yeux appesantis, mornes, humides et comme larmoyants; aux urines pâles, crues et ténues, quoique souvent troubles comme du petit-lait; à leur langue blanche, mais ordinairement humide, quoique considérablement chargée près de la racine; à la couleur cramoisie et luisante de la gorge, entremêlée de taches ou de pustules blanches ou couleur de cendres, avec une haleine révoltante, et quelquefois très-fétide; à l'efflorescence écarlate ou cramoisie, (dans les uns c'était une érysipèle, dans les autres des pustules) sur les mains, les bras, le cou, la poitrine, etc., symptômes qui accompagnaient la maladie, même dès le premier jour, ils la distinguèrent mieux, se conduisirent avec plus de précaution et avec plus de succès. Je n'avais vu avant cela, que trop souvent faire de grandes saignées et purger abondamment dans cette maladie, j'avais même trouvé des gens assez peu éclairés, pour me dire que le sang qu'ils avaient tiré était très-beau et très-riche; il était à la vérité d'un rouge vif, comme du sang d'agneau, mais d'un tissu si lâche qu'on le divisait avec une plume; il ne s'en séparait que peu ou point de sérosité, mais il ressemblait parfaitement à du sang auquel on a mêlé de l'esprit de corne de cerf au sortir de la veine, ce qui en empêche la coagulation.

Je ne dis pas qu'on ne puisse tirer un peu de sang aux adultes, lorsqu'ils sont pléthoriques au commencement de la maladie, et j'en ai fait tirer à quelques personnes avec succès, lorsque la difficulté d'avaler et de respirer étaient très-considérables; mais je ne puis pas me dispenser d'observer que des saignées répétées sont très-funestes, surtout lorsque le premier sang qu'on tire est d'un tissu lâche et peu dense, car celui qui vient à la seconde ou à la troisième saignée, est toujours une pure sanie, comme je l'ai souvent remarqué : j'ai même vu quelquefois, que le premier sang qu'on tirait était couvert d'une pellicule très-fine, blanchâtre ou de couleur de cendres, très ténue, sous laquelle on trouvait une espèce de gelée molle verdâtre, et au fond un coagulum noir très-lâche, à peine lié. Un sang de cette espèce contre-indique la saignée, autant pour le moins que le précédent, et on l'observe le plus communément lorsque le pouls est palpitant, et que la chaleur est très-grande au commencement de la maladie. J'avoue que je me suis trompé deux ou trois fois moi-même, lorsque cette fièvre commença à se répandre; je la pris une fois pour une véritable péripneumonie, mais le mal de gorge, l'éruption, la puanteur de l'haleine, et les pétéchies qui ne tardèrent pas à se manifester, me firent connaître la nature de la maladie. — J'ai souvent remarqué cette espèce de couenne ou de viscosité apparente du sang dans le commencement des fièvres malignes; mais le sang qu'on tirait deux ou trois jours après à la même personne, était d'un tissu lâche, dissous, et comme sanieux. Je n'en ai eu que trop d'exemples dans les prisonniers français que nous avions ici, et qui mouraient par douzaines, d'une fièvre pestilentielle contagieuse, souvent accompagnée de pétéchies et de dysenterie. Les chirurgiens français saignaient tous les jours, ou de deux jours l'un dans cette fièvre, comme dans les autres. Je remarquai souvent que le sang qu'on tirait aux officiers qu'on traitait de cette manière, n'était qu'une pure sanie à la troisième ou quatrième saignée, quoiqu'il eût paru gluant à la première. Leur pratique était si peu conséquente, que dans le temps même qu'ils faisaient si fort jouer leur lancette, ils gorgeaient leurs malades du bouillon le plus succulent qu'ils pouvaient faire avec du bœuf et du mouton, etc., lors même qu'ils étaient dans le délire, qu'ils étaient couverts de taches noires ou rouges, qu'ils avaient leur langue aussi noire que de l'encre, et aussi sèche et aussi rude qu'une pierre-ponce. Je suis assuré qu'il en périt un très-grand nombre par cette pratique. — Cette couenne qui paraît quelquefois sur le sang, au commencement des fièvres contagieuses pestilentielles, ne détruit pas ce que j'ai dit dans mon *Essai sur les fièvres*, des effets des émanations contagieuses sur le sang dans ces sortes de fièvres, mais plutôt le confirme. Car quoiqu'elles tendent à le dissoudre, et qu'à la longue elles détruisent sa composition, cependant les personnes dont le sang est naturellement visqueux et dense, peuvent être attaquées de ces fièvres malignes contagieuses, et leur sang paraître couenneux, si on les saigne au commencement de la maladie; mais malgré cela, l'action du ferment contagieux (si on me permet cette expression) dissout de plus en plus le sang, et le convertit en une véritable sanie putride, en effet il paraît tel dans les saignées suivantes. Par conséquent, quand on a raison de craindre qu'il n'y ait de la malignité dans une fièvre, il faut être très-réservé sur la répétition de la saignée, surtout vu qu'on observe que le pouls, ainsi que les forces, s'affaiblissent considérablement après la seconde ou troisième, et quelquefois d'une façon surprenante après la première.—Mais pour revenir à mon sujet, toutes les fois que j'étais appelé pour des personnes attaquées de cette maladie; au commencement en général, au lieu de saignées, j'ordonnais un lavement de lait, de miel et de sel, pour débarrasser les intestins, surtout si le malade était constipé. Mais lorsque la maladie commençait avec le dévoiement, j'employais quelques grains de rhubarbe torréfiée, avec les *species è scordio*, la décoction blanche, etc.; et si la diarrhée était abondante, j'ordonnais fréquemment une cuillerée ou deux de *diascordium de Frascastor de Fuller*, qui est un remède très-efficace dans ce cas. S'il survenait des nausées et des vomissements, je prescrivais un doux émétique, surtout aux adultes : bien loin d'augmenter la douleur de gorge, comme on aurait pu l'imaginer, il la diminuait constamment beaucoup; chez les enfants même, il était souvent nécessaire de les faire vomir avec un peu d'oxymel scillitique, d'essence d'antimoine, ou autre chose semblable; autrement l'amas énorme de mucosité tenace qui se faisait dans leur gorge, les aurait étouffés.

Ensuite, je mettais mes malades à l'usage d'une mixture saline, composée de sel d'absinthe, ou de sel volatil de corne de cerf, et de suc de limon dans l'eau alexitaire simple, à laquelle on ajoutait de la poudre de contrayerva, avec une petite quantité de myrrhe et de safran; ou je donnais ces deux dernières substances en bol, avec quelques grains de nitre, lorsque la fièvre était très-forte; un ou deux grains de camphre que j'y ajoutais quelquefois faisaient très-bien chez les adultes, lorsque leur estomac pouvait le supporter; lorsqu'il ne la soutenait pas, j'employais le julep de camphre ou le vinaigre camphré avec le sirop de cassis, de framboises ou autres semblables. Le second ou le troisième jour, j'ajoutais à la mixture saline, ou dans un julep cordial tempéré, un peu de ma teinture alexipharmaque de quinquina, que je trouvais préférable au quinquina en substance dans ce temps de la maladie, parce qu'elle est plus propre à exciter l'éruption des exanthèmes, et qu'elle n'empêche pas tant les sueurs, qui sont d'un très-grand secours dans tous les temps de la maladie, pourvu qu'elles soient douces, uniformes et universelles. Il est vrai qu'il était très-difficile de faire suer les malades, mais toutes les fois qu'il survenait le troisième, le quatrième ou le cinquième jour, ou même plus tard, des sueurs modérées également répandues sur tout le corps, elles étaient constamment critiques et salutaires; l'urine paraissait aussitôt plus cuite, et déposait une grande quantité de sédiment couleur de glaise ou de brique pâle, quoiqu'elle fût auparavant crue, claire ou limpide. C'est pourquoi je tâchais toujours de les exciter par de doux diaphorétiques, et par un usage abondant de délayants, tels que l'eau d'orge, le petit-lait clarifié, l'eau de gruau, le thé, etc. Je ne me rappelle point qu'il soit mort aucun de ceux à qui il survint des sueurs douces, faciles et universelles, quoique la démangeaison qui les accompagnait quelquefois fût toujours insupportable, mais en général la sueur calmait bientôt ces démangeaisons, du moins elle diminuait constamment la fièvre; et le dévoiement (lorsqu'il y en avait) cessait aussitôt; les tumeurs du cou, des parotides, etc., diminuaient aussi considérablement par une douce transpiration : ces sueurs étaient communément d'une très-mauvaise odeur, même dans les enfants.

Je prescrivais ordinairement l'élixir de vitriol avec la teinture de quinquina (excepté dans les enfants en bas âge), ce qui fait un alexipharmaque anti-putride excellent : je faisais souvent prendre l'élixir dans une infusion d'oranges de Séville grillées, faite dans du vin blanc ou du vin rouge de Porto et de l'eau, ce qui fait un remède très-agréable et très-efficace. — Il était absolument nécessaire de laver fréquemment la bouche et le gosier; j'ordonnais communément pour gargarisme une décoction de figues, de roses rouges, de myrrhe et de miel, dans du cidre âpre, et un léger mucilage de graines de coing avec du sirop de framboises ou de cassis, et le malade prenait de temps en temps une cuillerée de teinture de myrrhe perse et d'esprit de vitriol, surtout après s'être gargarisé. Je lui faisais souvent respirer les vapeurs de roses rouges, de fleurs de camomille, de myrrhe et de camphre bouillies dans le vinaigre, aussi chaudes qu'il pouvait les soutenir, ce qui lui procurait un grand et très-prompt soulagement.—Quoique l'enflure du cou et des glandes parotides, etc., fût quelquefois si subite, si considérable et si violente, qu'elle mettait le malade en danger de suffoquer, cependant je crus pouvoir regarder cette tumeur extérieure comme critique en partie; c'est pourquoi je cherchai à l'exciter par des cataplasmes âcres, des vésicatoires, etc.; j'ai même souvent appliqué avec beaucoup de succès, des vésicatoires sur toute la gorge, depuis une oreille jusqu'à l'autre. Ces applications sont utiles dans les esquinancies ordinaires, encore plus dans celles-ci, dans lesquelles les humeurs sont si âcres et si malignes.

Comme il arrivait souvent que le ventre se gonflait et se tendait, et qu'en même temps les urines coulaient moins bien, il était nécessaire d'avoir recours aux fomentations émollientes, avec quelques semences carminatives, ou un peu de fleurs de camomille bouillies dans du lait et de l'eau, et à des lavements faits avec cette décoction, à laquelle on ajoutait du sel et du sucre, afin de favoriser la sortie des gros excréments, des vents et de l'urine; ce qui soulageait immédiatement les intestins, et facilitait la respiration, en donnant plus de jeu au diaphragme. Pour cet effet, lorsque le ventre était tendu et le malade constipé vers le 5e ou le 6e jour de la maladie, je lui donnais une dose de rhubarbe et de manne, ou d'électuaire lénitif, et après cela communément je lui faisais prendre le quinquina en substance, mais je ne l'ordonnais jamais sous cette forme lorsque le ventre était gonflé et qu'il y avait de la constipation; j'attendais même qu'il y eût quelque signe de coction, ou que l'épiderme commençât à tomber en écailles, car je trouvais que ma teinture ou une décoction de quinquina réussissait aussi bien, et même mieux, parce qu'elle causait beaucoup moins d'oppression. J'employais aussi une espèce de résine de quinquina préparée avec l'esprit de vin, que je préfère à l'extrait ordinaire, parce qu'elle est plus légère à l'estomac et se garde mieux; par conséquent, je crois qu'on devrait la tenir de préférence dans les boutiques. — Quoique les purgatifs ne conviennent pas au commencement de cette maladie, les doux laxatifs, tels que la rhubarbe et la manne, etc., étaient nécessaires à la fin, pour entraîner l'amas putride des intestins, qui sans cela aurait entretenu la chaleur fébrile, et occasionné une très-grande faiblesse, le défaut d'appétit, l'enflure du ventre et l'obstruction des glandes. J'étais même obligé de donner à différentes reprises le *calomélas*, pour fondre les tumeurs des parotides et des glandes maxillaires, qui sans cela restaient long-temps dures et enflées, souvent même entraient à la fin en suppuration. J'ai même été souvent dans la nécessité de les faire frotter avec de l'onguent mercuriel, avant de pouvoir dissoudre les tumeurs. Le calomélas était, outre cela, utile pour détruire les vers, dont un grand nombre de gens étaient attaqués dans ce temps. Mais en général, après une ou deux purgations, le malade recouvrait bientôt un très-bon appétit, et ses forces revenaient; il y en avait plusieurs cependant qui demandaient à être purgés fréquemment, qu'on leur fît continuer l'usage du quinquina, de l'éthiops minéral, etc., pendant un temps considérable, et qu'il fallait mettre à l'usage du lait d'ânesse, et envoyer à la campagne pour les empêcher de tomber en étisie, dont quelques-uns mouraient au bout de huit ou dix semaines, à compter du moment que la maladie les avait attaqués.

Il est évident que cette maladie était une espèce de fièvre maligne et pestilentielle, dans laquelle le sang acquérait un très-grand degré d'acrimonie, de dissolution et de putrescence. On ne doute point qu'elle ne fût très-contagieuse, puisqu'elle infectait souvent des familles entières, principalement les jeunes personnes. L'histoire de la maladie démontre que la contagion produisait un très-grand degré d'acrimonie dans le sang. J'ai remarqué dans un autre endroit, que la contagion agit sur le sang comme l'acrimonie, peut-être les miasmes contagieux ne sont-ils que les particules salines et sulfureuses extrêmement exaltées, et les vapeurs qui s'exhalent des corps de ceux qui sont attaqués de la maladie, et qui infectent les autres. C'est une chose très-connue que la puanteur des cadavres putréfiés, des membres gangrénés, que l'air corrompu et puant des prisons, etc., détruisent la composition du sang, et produisent des fièvres malignes pestilentielles; comme la sanie putride d'un membre gangréné détermine, lorsqu'elle est reprise par les vaisseaux et portée dans le sang, une fièvre de la même espèce. Il est certain que les émanations pestilentielles dans la véritable peste, produisent en très-peu d'heures dans les personnes les plus saines, une dissolution putride, et une disposition gangréneuse dans le sang. Ces maux de gorge gangréneux ne paraissaient pas en beaucoup de cas avoir moins de virulence, car à l'ouverture des cadavres on trouvait, non-seulement la gorge, mais encore les poumons, les intestins, etc., grangrénés, et toute la masse changée en une sanie putride. L'inoculation de la petite vérole nous a appris qu'il ne fallait qu'une quantité infiniment petite de matière morbifique, pour infecter toute la masse du sang, puisqu'il ne faut pas un grain de matière varioleuse pour produire cette maladie; et cela n'a rien de surprenant, lorsqu'on sait les effets terribles que produit la plus petite parcelle imaginable du virus de la vipère, ou d'un chien enragé.

Quoique cette esquinancie maligne et ulcéreuse, paraisse être une maladie distincte, cependant elle a une très-grande ressemblance avec la *fièvre angineuse*, que j'ai décrite dans le premier volume de mes *Observ. de Aëre et Morbis Epidemicis*, et c'est une chose très-remarquable que cette espèce de fièvre fut très-commune pendant tout ce temps, et régna çà et là dans ce quartier; il est vrai que la fièvre angineuse tenait beaucoup plus de la nature inflammatoire, que les maux de gorge gangréneux dont je traite ici: le sang était beaucoup plus dense et plus visqueux dans la première que dans la dernière, et par conséquent demandait plus la saignée. Mais il en est peut-être de cette maladie, comme de beaucoup d'autres maladies épidémiques, particulièrement de la petite vérole, de la rougeole, de la fièvre scarlatine, etc. La maladie générale varie beaucoup par la constitution particulière du malade. C'est ainsi qu'on voit la contagion de la petite vérole produire dans les personnes qui ont les fibres élastiques et le sang visqueux et dense, une fièvre inflammatoire au plus haut degré; dans celles dont les fibres sont faibles et lâches, et le sang dissous, une fièvre lente-nerveuse putride qui ne suffit pas pour procurer l'éruption des pustules, encore moins pour les amener à suppuration. En un mot, la petite vérole la plus inflammatoire, diffère autant ou plus, de celle qui est lente et maligne, que la fièvre angineuse des maux de gorge gangréneux. Combien la fièvre scarlatine décrite par Morton, ne diffère-t-elle pas de celle dont parle Sidenham? En effet, quoique la même contagion produise toujours la même maladie, cependant elle diffère beaucoup dans les différents sujets, et doit être traitée en conséquence : il y a certainement quelques maux de gorge gangréneux, accompagnés d'une fièvre très-violente, dans lesquels la saignée réussit au commencement de la maladie, et le régime rafraîchissant est plus nécessaire dans quelques-uns, que dans d'autres. J'ai même été obligé dans différents cas, de joindre le nitre aux diaphorétiques. Mais je dois avouer, qu'en général les remèdes chauds étaient beaucoup plus nécessaires dans cette espèce de fièvre, que dans toutes les autres; et même quelquefois, quoique la chaleur fût très-considérable; autrement le pouls s'affaissait, et il survenait des anxiétés et de l'oppression. J'ai été obligé dans cette maladie, d'employer des alexipharmaques chauds, souvent même chez les jeunes personnes, que je n'aurais jamais osé prescrire, si une expérience répétée ne m'eût enhardi, tels que le safran, le camphre, la poudre de contrayerva, la confection cardiaque, la thériaque d'Andromaque, le cidre chaud, du vin brûlé avec de l'eau, la teinture de quinquina alexipharmaque, etc., et cela avec un succès bien connu qui a justifié ma pratique.— Le mot *fièvre* tel qu'on l'emploie dans la pratique de la médecine est un mot vague et indéterminé. Il y a quelques maladies qu'on désigne communément par ce nom générique, qu'on ne guérit jamais si bien qu'en excitant la fièvre : nous n'en donnerons pour exemple que certaines fièvres quartes et la fièvre lente nerveuse. L'esquinancie maligne que j'ai décrite ici, est une autre espèce de fièvre qui prouve évidemment qu'on ne doit pas traiter toutes les maladies aiguës par les évacuants et les remèdes rafraîchissants. Les délayants appropriés sont certainement utiles dans toutes les fièvres, mais il y en a quelques-unes qui demandent autre chose que de l'eau d'orge et de la limonade. J'ai déjà dit beaucoup de choses à ce sujet dans mon *Essai sur les fièvres*; je n'ajouterai qu'un ou deux mots sur l'usage des alcalis-volatils, dans les fièvres putrides, pestilentielles ou pétéchiales, dans lesquelles je crains bien qu'on ne les administre très-souvent mal à propos. — Je dois faire observer à ce sujet que dans toutes les fièvres de cette nature, on trouve toujours le sang dissous, et qu'à la fin il devient très-acrimonieux et en quelque sorte sanieux et putride: par conséquent tout ce qui tend à accélérer l'acrimonie et la dissolution du sang, est très-propre à produire ces fièvres, et à augmenter leur malignité lorsqu'elles surviennent : mais les sels alcalis-volatils font l'un et l'autre au plus haut degré; car quoiqu'ils puissent retarder la putréfaction des chairs des animaux, et même jusqu'à un certain point celle du sang hors du corps (ce que font aussi l'arsénic et le sublimé-corrosif), cependant lorsqu'ils se mêlent avec le sang, qui est encore soumis à la force de la circulation et à celle de la vie, ils hâtent sûrement sa dissolution, et par conséquent sa putréfaction; et lors même qu'on les mêle avec le sang à mesure qu'il coule de la veine, ils détruisent entièrement le tissu des globules rouges, à peu près de la même manière que le poison de la vipère en détruisant l'union ou la cohésion des parties qui les composent : le sang des hommes les plus robustes (le sang même le plus couenneux des chevaux, comme je l'ai souvent éprouvé) traité de cette manière ne se coagule jamais, mais reste fluide comme un sang corrompu, ou une véritable sanie. J'observerai en outre, que lorsqu'on prend fréquemment et de grandes quantités de ces sels ou esprits alcalis-volatils, même en santé, on sait qu'ils produisent des chaleurs fébriles, des hémorrhagies, qu'ils rendent les gencives molasses et spongieuses, l'haleine puante, l'urine fétide, etc., symptômes qui indiquent suffisamment une dissolution commençante et une putridité du sang. — D'ailleurs ces globules décomposés et dissous, sont bien propres à entrer dans les artères séreuses et lymphatiques, dans les ramifications desquelles ils ne sauraient passer librement, ce qui doit nécessairement les y faire séjourner et s'y corrompre, de sorte qu'à la fin ils doivent ronger ces vaisseaux si faibles, surtout lorsqu'ils sont chargés de sels acrimonieux qui en même temps irritent ces petits canaux, augmentent la chaleur, et accélèrent la corruption des humeurs et des vaisseaux : lorsque cette lymphe et cette sérosité putrides sont absorbées dans la masse du sang, elles doivent hâter la corruption générale.

Les sels alcalis-volatils, lors même qu'on les applique extérieurement à la peau, la rongent et l'ulcèrent très-promptement, et c'est un fait que donnés intérieurement, ils échauffent beaucoup plus, à quantités égales, que les alexipharmaques les plus chauds tirés des végétaux. Et ce n'est pas, je pense, tant en augmentant la force projectile et la circulation du sang, qu'en excitant dans ce fluide un mouvement intestin et une effervescence ; car les expériences les plus exactes nous ont appris que les solutions des sels alcalis volatils affaiblissent le ton des fibres et la force des vaisseaux, et par conséquent le mouvement du sang dans la circulation régulière. Nous observons que lorsque le sang abonde en sels très-âcres, le pouls devient faible, petit, fréquent et trémoussant, comme dans le dernier degré du scorbut, et dans cet état du sang, qui produit la fièvre putride, qui précède les mortifications de cause interne, dans lesquels les forces vitales et en particulier la force des vibrations artérielles s'affaiblissent beaucoup, quoiqu'elles puissent augmenter en vitesse pour compenser le défaut de vigueur et de plénitude naturelle, qu'on remarque dans la pulsation libre et ferme d'une artère suffisamment pleine de sang, et mise en action par une force suffisante. Le volume extraordinaire et la flaccidité du cœur qu'on observe communément dans les scorbutiques, et dans ceux qui meurent de la peste ne sont dus qu'à la faiblesse et au grand relâchement de ses fibres musculaires. Cette espèce de chaleur âcre qu'on sent ordinairement en touchant la peau des personnes qui sont attaquées de fièvres putrides et malignes, paraît venir de l'abondance des sels âcres et des parties sulfureuses dans le sang, et de son mouvement intestin, et non pas de l'augmentation de sa force projectile : car lorsqu'on commence à leur toucher la peau, la chaleur ne paraît pas de beaucoup supérieure à la naturelle, mais en continuant d'y tenir le doigt appliqué plus long-temps, on s'aperçoit d'une chaleur brûlante et désagréable, sensation qui subsiste même pendant quelque temps après qu'on a éloigné son doigt de la peau du malade. C'est ce qu'a très-judicieusement observé le docteur Pringle dans son *Traité des maladies des armées*, et Galien long-temps avant lui, comme il en convient avec candeur. M. Quesnay donne à cette chaleur le nom de *chaleur d'acrimonie*, et la distingue avec raison de la *chaleur d'inflammation*. La sensation en effet, est aussi différente que celle qu'on éprouve en touchant un morceau de bois sec bien chaud, ou en plongeant son doigt dans de l'esprit de corne de cerf chaud. Cette observation prouve évidemment, je pense, l'abondance de sels acrimonieux qu'emporte la transpiration dans les fièvres très-putrides. Il y a bien de l'apparence que cette chaleur brûlante, particulière, que les malades sentent intérieurement dans ces maladies, quoique les parties extérieures de leur corps soient froides, vient de la même cause. Et je crois également que la chaleur qu'on observe dans les fièvres qui précèdent ou accompagnent les mortifications provenant de cause interne, est engendrée par l'acrimonie et le mouvement intestin des humeurs, et non pas par la rapidité de leur mouvemement projectile; car dans ce cas le pouls est toujours faible et petit, quoique fréquent. La promptitude avec laquelle les corps de ceux qui meurent d'une fièvre putride-maligne, deviennent puants et infects, s'enflent et laissent écouler une espèce de sanie de toutes leurs ouvertures, sont des preuves du grand mouvement intestin, de la raréfaction et de l'acrimonie des humeurs. Cela arrivait communément chez tous ceux qui mouraient des maux de gorge gangréneux que je viens de décrire. J'ai vu leur corps s'enfler prodigieusement, même jusqu'à l'extrémité des doigts et des orteils, et devenir d'une lividité cadavéreuse, quoique presque entièrement froids, et exhaler une puanteur insupportable, même avant que la personne ne fût morte ; le sang sortir en même temps des oreilles, du nez, de la bouche et des intestins, lors même que le pouls avait été très-faible et très-petit, quoique excessivement fréquent depuis le commencement de la maladie. Tous ces phénomènes ne sont-ils pas dus à l'air engendré par le mouvement intestin, la chaleur et la putridité du sang qu'on sait produire beaucoup d'air? L'emphysême qu'on observe dans certains sphacèles ne vient-il pas de la même cause?

Mais pour en revenir à notre sujet, si nous considérons la production et la nature des sels animaux, peut-être verrons-nous un peu plus clair dans cette matière. Les acides végétaux les plus forts que nous prenons avec nos aliments, sont bientôt changés par les forces vitales en un sel neutre ou en une espèce de sel ammoniacal : et en continuant à être exposés à l'action des vaisseaux et de la chaleur du sang, ils approchent de plus en plus de la nature alcaline, et à la fin, ils deviendraient effectivement alcalins, s'ils n'étaient pas délayés, emportés et corrigés par des boissons et des aliments acides.

Une personne qui ne vit que d'eau pure, de chair et de poisson, sans prendre rien d'acide ou d'acescent, contracte bientôt une odeur forte, qui vient de la rancidité de ses humeurs ; il est pris de la fièvre, et à la fin son sang tombe dans un état de putréfaction. Le sang des personnes qui meurent de faim, devient très-acrimonieux et produit la fièvre, la phrénésie et un tel degré de putréfaction qu'il détruit le principe vital. J'en ai vu un exemple très-triste chez un pauvre homme qui se laissa obstinément mourir de faim, n'ayant voulu pendant plusieurs jours par force ni par persuasion, avaler aucune espèce de nourriture, ni la moindre goutte de liqueurs. La fièvre le prit, son visage devint rouge, il lui survint beaucoup de chaleur à la tête, son pouls était petit, mais très-fréquent; en quatre ou cinq jours de temps son haleine devint très-mauvaise, ses lèvres devinrent sèches, noires, ses dents et sa bouche sales, noires, sanguinolentes ; son urine (lorsqu'on pouvait en ramasser) était très-haute en couleur, et aussi puante que si on l'eût gardée pendant un mois ; à la fin, il devint tremblant, il ne put plus se soutenir, encore moins marcher; il délirait et s'assoupissait alternativement; il tomba fréquemment en convulsions, pendant lesquelles il suait quelquefois beaucoup de la tête et de la poitrine, quoique ses extrémités fussent absolument froides, pâles et ridées; la matière de la sueur était d'une couleur jaune très-foncée et d'une odeur très-nauséabonde. — Il est certain aussi que si les sels animaux ne sont pas continuellement emportés par les urines, ils sont très-corrosifs, comme on l'observe dans l'ischurie, parce qu'ils deviennent de plus en plus alcalins. Ce n'est pas tant par la quantité que par l'acrimonie des humeurs que les suppressions d'urine deviennent funestes; c'est ce dont j'ai eu bientôt lieu de me convaincre, ayant observé des gens qui avaient de grandes évacuations par les sueurs et par les selles, pendant tout le temps de la suppression : je me rappelle en particulier d'avoir vu il y a long-temps, une ischurie rénale faire périr une femme très-grasse le troisième jour de la suppression, quoiqu'on lui eût fait de fortes saignées, et qu'elle eût eu le dévoiement pendant tout le temps; par conséquent elle ne mourut point d'une surabondance d'humeurs. Elle ne rendit pas une goutte d'urine depuis le premier moment de la suppression jusqu'à sa mort, malgré qu'elle eût pris beaucoup de cantharides en substance et en teinture, et plusieurs autres remèdes, surtout de grandes doses de calomélas. Quoique j'aie vu donner les cantharides avec beaucoup de succès dans les ischuries, cependant si elles n'opèrent pas promptement, et si on est obligé de les continuer long-temps à grandes doses, je crains qu'elles ne concourent avec les sels âcres, et qu'elles ne hâtent la mort du malade, en produisant le délire et des convulsions, comme j'ai eu le malheur de le voir plus d'une fois.

Mais pour ne pas nous écarter de notre sujet, la formation des sels alcalis volatils dans nos corps ne paraît pas différer de leur production hors du corps. Qu'on entasse une grande quantité de quelque plante, même de la plus acide, elle commence bientôt à s'échauffer et devient par degrés de plus en plus chaude (au point que si le tas est considérable elle prend feu), cette effervescence rend bientôt toute la masse putride, les sels acides et essentiels de la plante se changent en alcalis volatils qu'on peut retirer par la distillation de la masse putride, et qui ne diffèrent pas essentiellement des alkalis volatils tirés des substances animales. Les uns et les autres sont les derniers effets de la chaleur et du mouvement sur les sels des végétaux. Plus la force et la chaleur des solides et des fluides agit long-temps et fortement sur eux, plus ils sont exaltés et plus ils deviennent alkalis, état dans lequel ils ne sont plus propres aux usages de la vie; bien plus, ils sont destructifs lorsqu'ils se trouvent très-abondants comme dans les fièvres putrides, pestilentielles et pétéchiales. Je pense donc que de donner dans ces cas des alcalis volatils aux malades, c'est jeter de l'huile sur le feu ; car ils dissolvent et décomposent certainement les globules rouges, et par conséquent accélèrent la putréfaction générale. Ces sels, lors même qu'on les applique extérieurement à la peau, y excitent en peu de temps un ulcère gangréneux, et lorsque le sang en est chargé abondamment, il devient une espèce de lessive brûlante, très-propre à détruire les fibrilles nerveuses et les derniers vaisseaux. Cela arriverait plus souvent et plus promptement, si, par l'usage abondant des délayants acides, des mucilagineux doux en boisson et en nourriture, on ne venait pas à bout de les entraîner et de les corriger ; comme nous voyons que le suc de limon et le vinaigre détruit entièrement leur acrimonie. Il est vrai que, préparés de cette manière, ils peuvent faire un remède utile dans beaucoup de maladies. — Avant de finir, qu'on me permette de rapporter cette observation extraordinaire, elle ne paraîtra pas tout-à-fait hors de propos. — J'ai traité dernièrement un homme de famille qui avait de la fortune; il s'était si fort accoutumé à l'usage de l'alcali volatil, que les femmes le sentaient, et qu'à la fin il en mangeait comme un autre aurait fait du bonbon, goût bien dépravé. Les suites de cet abus furent qu'il tomba bientôt dans une fièvre hectique; il eut de grandes hémorrhagies par le fondement, le nez et les gencives; toutes les dents lui tombèrent, de sorte qu'il ne pouvait rien manger de solide. Il maigrit considérablement, et ses muscles devinrent aussi mous et aussi faibles que ceux d'un enfant qui vient de naître; son corps se couvrit de pustules accompagnées de démangeaisons insupportables, de sorte qu'il se grattait continuellement et se déchirait la peau avec les ongles d'une manière affreuse; son urine était toujours haute en couleur, trouble et très-fétide. On lui persuada à la fin, quoique avec beaucoup de peine, de renoncer à cette pernicieuse coutume, mais il avait tellement ruiné sa constitution, que, quoiqu'il se soutînt de la manière la plus pitoyable pendant plusieurs mois, il mourut hectique et dans le dernier degré de marasme. Je suis persuadé qu'il serait mort beaucoup plus tôt, s'il n'eût pas bu constamment des meilleurs vins, et s'il n'eût pas fait un usage journalier de lait d'ânesse et de sucs anti-scorbutiques bien acidulés avec du suc d'orange de Séville, de limons, etc. — Malgré cela, je suis bien éloigné de croire qu'il faille bannir les sels alcalis volatils de la matière médicale et de condamner leur usage dans tous les cas, je suis assuré qu'on peut les employer avec succès dans beaucoup d'occasions. J'en excepte cependant toujours les cas dont je viens de parler.

DE LA COLIQUE

DE DÉVONSHIRE.

Au commencement de l'automne de 1724, les habitants du Dévonshire furent affligés d'une maladie très-épidémique, qui attaquait surtout le menu peuple et ceux qui menaient une vie plus splendide. Il ne sera peut-être pas inutile d'en tracer l'histoire et d'indiquer la méthode de la traiter; car, quoiqu'elle ne soit plus si épidémique, cependant elle infeste plus ou moins ce pays presque tous les automnes. — Cette maladie commençait par des angoisses dans l'estomac accompagnées de douleurs vives dans l'épigastre, d'un pouls faible et inégal, d'une sueur froide; la langue était couverte d'une mucosité verdâtre ou brune, et l'haleine était très-puante. Ces premiers symptômes étaient suivis de vomissements affreux, le plus souvent d'une bile très-verte, quelquefois noire, mêlée à une très-grande quantité d'une pituite extrêmement acide et tenace; la matière qu'on rendait par le vomissement était même quelquefois si âcre, qu'elle excoriait le gosier et la gorge au point qu'elle se trouvait teinte de sang, et que la déglutition en devenait douloureuse. Au bout d'un jour ou deux, le ventre se resserrait tellement, que les purgatifs les plus drastiques, et les lavements les plus âcres ne pouvaient pas le relâcher; ces derniers sortaient sans entraîner ni matière ni vents, et les premiers étaient rejetés par le vomissement. — Le vomissement s'étant un peu calmé, la douleur descendait et se faisait sentir avec la dernière violence dans la région ombilicale, aux lombes et à l'épine du dos, de sorte qu'on aurait imaginé que le malade était dans un accès de néphrétique, d'autant mieux que les urines se supprimaient, qu'il avait des envies continuelles d'uriner, et qu'il sentait un poids très-incommode dans le périnée, comme s'il avait eu la pierre.

Arétée de Cappadoce avait déjà observé depuis long-temps, que les coliques étaient accompagnées de difficulté d'uriner. Cap. *de Colicis*. Νεφρὺς καὶ Κύσις ξυμπαθέα πόνῳ καὶ Ισχουρίη· τουτέοισι ἄλλα ἄντ· ἄλλων. *Renes et vesica in partem hujus doloris adducuntur et urina cohibetur. Istis alia pro aliis accedunt.* Hippocrate dit aussi Περιῤῥιρόαι στραγγουριώδεες, ού νεφρετικαι ἄλλα τουτέοισιν ἀντ' ἄλλων αλλα. *Circumflui humorum affluxus contigere qui urinæ difficultatem facerent, non ex proprio aliquo renum vitio, sed quòd istis in aliorum vicem succederent.* Epidem. Lib. I, Sect. II. — L'urine était comme une véritable lessive, et déposait une grande quantité d'un sédiment muqueux, rouge et quelquefois vert. Le ventre était presque toujours dur, et si tendu que les malades craignaient qu'il n'en crevât : il y en avait au contraire qui l'avaient si rentré qu'il ne conservait plus sa forme : mais c'était plus rare. Ils sentaient souvent une douleur fixe, vive et brûlante dans l'hypocondre droit, qu'ils avaient dur et tendu. Ils éprouvaient une pulsation très-grande et très-incommode dans la région épigastrique. Et toutes les fois qu'ils allaient à la selle, soit que le ventre s'ouvrît de lui-même, ce qui arrivait très-rarement, ou qu'on l'eût excité par quelque médicament, ils rendaient des matières très-dures, d'un vert-noir, globuleuses, et semblables à des crottes de brebis ; après deux ou trois déjections, elles étaient vertes ou noires, et quelquefois teintes de sang, et excitaient un ténesme très-incommode. Mais le ventre se resserrait aussitôt, et lorsqu'au bout de quelques heures on venait à l'exciter, il en sortait des globules légers très-durs, semblables aux premiers. — Tel était le premier période de cette maladie ; mais la tragédie n'était pas finie, et le malade était en butte à de nouveaux maux : car quoique les grandes douleurs fussent un peu calmées, la peau conservait une telle sensibilité, qu'on pouvait à peine y toucher ; la douleur de l'épine augmentait et s'étendait jusqu'aux épaules, surtout entre les deux omoplates, de là elle passait bientôt au bras, et se fixait surtout dans les jointures, en détruisant le mouvement, principalement celui des mains. Les cuisses, les jambes n'étaient pas en meilleur état, étant en proie à des douleurs atroces qui paraissaient avoir leur siége dans la moelle des os, comme celles qui tourmentent les personnes infectées de virus vénérien : on observait rarement de la tuméfaction ou de la rougeur dans ces parties. Tandis que la matière morbifique se portait des intestins sur les membres, le pouls des malades s'animait, ils avaient un peu de fièvre. Il y en avait même quelques-uns qui avaient du délire dans ce temps de la maladie. Ce délire était constamment annoncé par une urine un peu limpide, et ce qui mérite d'être remarqué, tous ceux qui rendirent pendant tout le cours de leur maladie, une urine pâle sans sédiment, furent pris tout-à-coup de convulsions, de délire ou d'une paralysie aux mains, tantôt avec, tantôt sans douleur. — Lorsque la maladie s'était jetée sur les bras, une sueur abondante, fétide et sentant l'aigre, adoucissait les douleurs, et s'il en restait dans le ventre, elles cessaient tout-à-fait. Il y eut quelques malades, qui après une sueur longue et très-abondante, perdirent entièrement le mouvement et l'usage de la main, y conservant cependant le sentiment. La paralysie qui survenait faisait cesser les douleurs : je ne me rappelle cependant pas d'avoir vu personne attaqué de paralysie aux pieds. Quelquefois il paraissait avec une sueur bénigne, un grand nombre de pustules rouges, accompagnées de beaucoup de démangeaisons, et souvent d'une ardeur insupportable presque par tout le corps ; rien n'était plus favorable ; car dès qu'elles paraissaient, les douleurs de rhumastisme et de colique se dissipaient. C'était l'issue la plus heureuse de cette maladie, mais il arrivait plus communément que les douleurs de rhumatisme et de colique se succédaient alternativement, et tourmentaient tour à tour le malade, la matière morbifique se portant tantôt sur les membres et tantôt sur les intestins. — Quelquefois il arrivait que les douleurs ayant cessé pendant quelques jours, se renouvelaient avec la même violence, surtout pour peu que le malade se fût exposé au froid, ou qu'il eût bu de la bière ou du cidre. Il survenait quelquefois une jaunisse qui faisait cesser pour un temps cette colique, mais celle-ci revenait aussitôt qu'elle disparaissait : dans l'un et l'autre cas, un véritable ictère terminait la maladie, il ne restait au malade que quelques légères inquiétudes dans les membres. — Quoique les douleurs de colique précédassent le plus souvent celles de rhumatisme, cependant la maladie commençait fréquemment par les membres, ensuite il se faisait une métastase sur l'estomac et sur les intestins. J'ai vu un cabaretier, homme robuste, qui fut attaqué d'une façon bien singulière ; ses bras et ses mains perdirent presque toute faculté de se mouvoir, de façon qu'il ne pouvait pas soutenir le poids le plus léger ; cela n'avait été précédé d'aucun autre symptôme de la maladie, et il fut encore un jour ou deux sans rien éprouver autre chose, si ce n'est qu'il était plus faible que de coutume : peu de temps après, il lui survint des vomissements et de la douleur de ventre, et enfin les membres paralysés furent tourmentés de douleurs de rhumatisme. — Quelques-uns, mais en petit nombre, après avoir été affligés pendant long-temps par cette maladie, étant tombés enfin d'épilepsie, succombèrent sous le poids de leurs maux. Mais lorsque je réfléchis au nombre des personnes qui furent attaquées de cette maladie, à sa durée et à sa véhémence, je suis étonné qu'il y ait péri si peu de monde. — Cette maladie se faisait sentir surtout lorsque le vent de nord-est soufflait, ce que je remarquai aussi des petites véroles qui régnaient pendant ce temps. — Les personnes qui avaient le ventre naturellement lâche, en furent beaucoup moins affectées que ceux qui l'avaient resserré : c'est peut-être la raison pour laquelle les enfants qui ont presque toujours le ventre lâche furent beaucoup moins malades que les adultes. — Cette colique épidémique dura depuis l'automne jusqu'au printemps suivant qu'elle cessa peu à peu. — Telle est l'histoire abrégée, mais exacte, de cette maladie, qui fut si universelle, qu'en 1724 presque toutes les familles du peuple en furent attaquées. J'ai même vu jusqu'à cinq ou six personnes affligées de cette maladie dans la même maison ; et je ne crois pas qu'on eût vu jusqu'alors de colique si épidémique, à moins que ce ne fût celle dont Paul d'OEgine parle à la fin du 43e chap. de son IIIe livre, et qui ne paraît pas différer beaucoup de la nôtre, au moins quant à certains symptômes. Je crois donc devoir rapporter la description qu'il en donne : *Quum morbus quidem ille cæpisset (Colica scilicet ab acribus et vellicantibus humoribus) à finitimis Italiæ regionibus et alia pleraque loca Romani Imperii instar pestiferæ cujusdam contagionis peragrasset ; undè non paucis quidem in morbum comitialem, aliis verò in membrorum resolutionem, superstite tamen et incolumi sensu ; nonnullis autem in utrumque delapsis : magna pars eorum qui ex hâc ægrimoniâ in epilepsiam conciderant, vitam cum morte commutabant ; quorum verò morbus in paralysim transierat plerique evaserunt, perinde atque in crisi translatione causæ.* — Je ne sais pas si cette maladie épidémique ne tirait pas en partie son origine de quelque disposition particulière dans l'air ; car elle était tout aussi fréquente lorsque l'air était sec ou lorsqu'il était humide, soit que les vents fussent au nord ou au sud. J'ai remarqué que lorsque le temps était froid et sec, et que les vents étaient à l'est ou au nord-est, les douleurs étaient plus vives. Ce qui arrivait peut-être, parce que la transpiration était diminuée, et que le ventre était resserré, suivant cette maxime d'Hippocrate : αἱ καθ' Ἡμέρην κατασασιἕς βόρεοι τὰς κοιλίας ξηραίνουσι. *Quotidianæ constitutiones aquiloniæ alvos siccant.* Aphor. XVII, Sect. III. Quoi qu'il en soit, je ne crois pas qu'on puisse regarder cette maladie comme contagieuse, à moins qu'on ne voulût donner le nom de *contagieuses* à toutes les maladies épidémiques ; ce que la force du mot ni l'usage ne permettent pas. Les maladies épidémiques doivent leur origine à une cause commune ; par exemple, à la corruption de l'atmosphère, ou à quelque aliment nuisible, mais jamais à des miasmes qui transportent la maladie d'un corps malade à un corps sain.

La cause de cette maladie fut, si je ne me trompe, très évidente : l'abondance incroyable de pommes qu'il y eut cette année, qui fut telle qu'on n'avait pas mémoire d'en avoir vu une semblable, au moins dans ce pays. Les pommiers rompaient sous le poids du fruit, et leurs rameaux venaient s'offrir à la main qui voulait les cueillir ou les en décharger, on en avait pour une modique somme assez pour remplir un muid de leur suc, et on en donnait des sacs pleins à ceux qui voulaient se donner la peine de les cueillir. Plusieurs paysans ingrats envers la Providence, murmuraient contre ses bienfaits, et jetaient aux cochons des quantités immenses de pommes. Ces animaux ne se trouvèrent pas bien de cet aliment, ils maigrirent tous et il en périt beaucoup. D'autres peut-être plus reconnaissants, quoique plus intempérés, se gorgèrent de cidre et invitèrent les passants, qu'ils payaient même quelquefois pour les aider à le boire, pour ne pas laisser perdre les dons de Dieu, et ne cessaient de remplir leurs tonneaux pour en faire de nouvelles libations qui eussent pu être agréables à Bacchus, mais qui ne pouvaient plaire au Père des dieux et des hommes. Il est certain qu'on chercha partout des tonneaux, qu'on en fit de toutes sortes de bois et qu'ils suffirent à peine pour contenir la quantité énorme de cidre qu'on eut cette année. — Les pommes ayant été si abondantes, elles firent presque toute la nourriture du peuple. Il ne mangeait que des pommes cuites et préparées de différentes manières, et ne buvait que du cidre ou plutôt du moût de pommes : le peuple, peu instruit du péril auquel il s'exposait, but abondamment de cette liqueur, moins chère que la petite bière, qui ne lui coûtait guère plus que de l'eau, et qui lui était plus agréable que l'une et que l'autre. — Je ne doute point que le long usage, ou plutôt l'abus qu'on fit des pommes, ne fût la cause de cette maladie; car je ne vis aucun de ceux qui s'en étaient abstenus, qui en fût attaqué : elle ne se fit point sentir parmi les gens aisés qui vivaient un peu plus dans l'abondance, et qui, comme c'est l'usage, méprisant ce qui est trop commun, en goûtaient à peine, ou s'ils en mangeaient, ils remédiaient à la crudité et aux qualités nuisibles des pommes par la grande quantité de viandes et d'épiceries dont ils faisaient usage, et par l'excellent vin qu'ils buvaient.

Il y a long-temps qu'on a observé que lorsque les pommes sont abondantes, il y a ordinairement beaucoup de personnes attaquées de tranchées: de sorte qu'elles sont en quelque sorte endémiques et épidémiques dans ces cantons tous les automnes, et comme Horace l'a dit il y a long-temps : *Pomifero grave tempus anno*, lib. III, ode XXIII. Je me souviens qu'en 1722, où il y eut encore beaucoup de pommes, les coliques et les rhumatismes furent très-communs, mais ils n'étaient pas comparables à celle que je viens de décrire, soit quant à la violence, soit quant au nombre de personnes qui en furent attaquées. Je les observai encore en 1728 et en 1730, années aussi très-abondantes en pommes. Une chose digne de remarque, c'est qu'il y eut beaucoup plus de dévoiements qu'en 1724, qui diminuèrent considérablement les coliques et les rhumatismes : le suc âcre et acide des pommes ne séjournant pas long-temps dans les intestins ni dans le sang, mais étant promptement évacué par les selles. En 1734, qui fut encore une année très-abondante en pommes, les dévoiements furent plus rares, mais les coliques furent beaucoup plus vives, et furent souvent suivies de paralysie. —On me demandera peut-être d'où vient que le suc de pommes produit une année une constipation opiniâtre, accompagnée de douleurs atroces, et l'autre une diarrhée sans douleur considérable. J'avoue que je ne sais trop ce qu'on peut répondre, je voudrais qu'on m'expliquât pourquoi, dans certaines années, les pommes de même espèce, et autant que nous pouvons nous en assurer par nos sens, parfaitement semblables, pourrissent plutôt que dans d'autres, ce qu'on observe cependant fréquemment. Je ferai seulement remarquer que plus les pommes sont douces, plus elles lâchent le ventre; et par conséquent plus la saison est chaude et humide, plus les pommes et tous les autres fruits de l'automne sont doux; plus ils sont disposés à se pourrir, plus ils rendent le ventre libre, ce que l'observation démontre suffisamment. — C'est ici le lieu d'examiner la nature du moût des pommes. Le suc qu'on tire des pommes par l'expression (il en est de même de celui de raisins) contient une grande quantité d'un sel essentiel acide et très-grossier, ou de tartre, beaucoup de parties terreuses et une quantité considérable de soufre impur. Plus les fruits sont acerbes, plus ce sel essentiel est grossier et abondant, comme dans le vin de la Moselle et dans notre cidre; ce dernier dépose son tartre au fond des tonneaux où il est enveloppé dans une grande quantité de lie; le premier dépose ce même sel tartareux ou essentiel sur les parois des tonneaux. Le vin du Rhin ne diffère en effet d'un excellent cidre, qu'en ce que ce dernier contient beaucoup plus de mucilage; car les sels essentiels paraissent de même espèce, et vus au microscope ils ont la même figure. Les sels de ces deux liqueurs demandent un très-long espace de temps pour être atténués suffisamment, pour que le cidre devienne potable et salutaire; et même le cidre qui est fait avec des pommes sauvages et acerbes, ne le devient qu'au bout de deux ou trois ans.

On ne peut pas boire abondamment de l'une ou de l'autre de ces liqueurs, avant qu'elles aient fermenté, sans s'exposer aux douleurs de colique, ou de rhumatisme : les goutteux n'en boivent jamais impunément; car aussitôt ils éprouvent un paroxysme. Les buveurs qui habitent les bords du Rhin ou de la Moselle, et qui se gorgent de vin tartareux, ne sont pas exposés à de moindres accidents que ceux de nos habitants qui font un grand usage du cidre; car la goutte est endémique et très-commune là comme ici, et il n'y a point d'endroit où cette maladie soit plus fréquente, même parmi le bas peuple, que dans la province de Dévonshire si célèbre par ses cidres. Il y a lieu de croire que cette maladie n'est devenue si fréquente, que par le grand et continuel usage qu'on a fait des vins tartareux, tels que ceux de la Moselle, de France et notre cidre; car depuis que leur usage a prévalu, la goutte est devenue beaucoup plus commune qu'auparavant. Dans le siècle passé on faisait peu de cas des vins de Bordeaux, qui font les délices de celui-ci; on fait et on boit aujourd'hui dix fois plus de cidre qu'il y a trente ans. —Si quelqu'un doutait que le cidre contînt autant de tartre que je l'ai dit, qu'il tâche de l'en retirer, en suivant le procédé si bien décrit par Angelus Sala (en séparant le mucilage du suc), il trouvera qu'il y en a beaucoup. Le cidre à la vérité ne dépose pas son tartre aux parois des tonneaux, comme fait le vin du Rhin; cela ne prouve point qu'il n'y en a pas, puisque le vin du Rhin lui-même ne dépose son tartre aux parois des tonneaux qu'après avoir laissé tomber au fond une lie muqueuse et terrestre. C'est par une raison semblable que les vins d'Espagne ne produisent aucun tartre sur les parois de leurs tonneaux, à cause de la grande quantité de matière huileuse et tenace dans laquelle il est embarrassé. Il n'est pas possible de séparer le sel essentiel du citron ou du limon de leurs sucs exprimés, quoique aussi acides que quelque suc végétal que ce soit, parce qu'il est enveloppé dans une grande quantité de mucilage. Ce que Sala a remarqué depuis long-temps dans sa *Tartarologie*, et ce que j'ai trouvé vrai par ma propre expérience. Mais le cidre nouveau contient beaucoup de mucilage, comme le démontre l'épaississement qu'il contracte, qui le rend semblable à une huile, s'il ne fermente pas suffisamment, et s'il n'est pas saturé d'un sel actif qui atténue les soufres et le mucilage : faute de ces deux ingrédiens, le cidre qu'on fait avec les pommes les plus douces se change, en moins d'un an, en une liqueur visqueuse et filante. Outre cela, j'ai presque toujours observé que pendant le temps qu'on garde le cidre dans des cuves pour le faire bouillir, il s'y forme des pellicules tenaces qui ressemblent à du cuir pourri, et il s'en attache de semblables aux parois des tonneaux.

Voyons en peu de mots les désordres que le suc de pommes crues, mal fermenté et mal déféqué, peut produire dans nos corps, et écoutons ce qu'Hippocrate nous dit du moût, lib. II, de Vict. rat. Γλεῦκος φυσᾷ, καὶ ὑπαγει, καὶ εκταρασσει Ζέον εν τῇ κοιλίῃ, καὶ διακωρέει. φυσᾷ μὼν, ὅτι τερμαίνει, ὑπάγει δὲ ἐκ του Σώματος ὅτι καθαίρει. ταράσσει δὲ Ζέον εν τῇ κοιλίῃ καὶ διαχωρέει. *Mustum flatum movet et subducit, turbulationemque in ventre suo fervore excitat, alvumque dejicit. Flatum quidem movet quòd calefaciat, è corpore autem subducit, quia purgat; cùm verò in ventriculo ferveat, turbationem excitat, et alvo secedit.* Les sucs des fruits d'été fermentent promptement; dans la fermentation, l'air qui est contenu dans le moût se dilate si fort, que les plus forts tonneaux suffisent à peine pour le contenir. S'il arrive donc que quelqu'un se gorge de vin qui n'a pas achevé de fermenter, il fermentera nécessairement dans le ventricule et les intestins; l'air qui s'en dégagera distendra ces viscères, et y excitera des douleurs atroces; car la chaleur augmente considérablement la fermentation et la raréfaction de l'air. Mais les vaisseaux de chêne contiennent à peine le moût qui fermente : quels désordres ne doit-il pas produire dans les intestins? On ne sera donc pas étonné, lorsqu'on réfléchira à cela, de trouver dans les fastes de la médecine, qu'on a vu les intestins crever par la distension excessive que leur procurait cette vapeur incoercible.

Le moût qui fermente ne nuit pas seulement aux intestins par la distension qu'il leur fait souffrir, il a en outre une qualité stimulante et détersive; rien en effet ne déterge mieux que le moût, il enporte presque l'épiderme à ceux qui s'en lavent les mains. Pour peu qu'on soit versé dans l'anatomie, on sait que les intestins sont enduits d'une mucosité douce, que la nature a préparée (non-seulement dans cet endroit, mais en beaucoup d'autres) pour les défendre contre l'acrimonie des choses que nous prenons : le trop grand usage des sucs savoneux, tels que ceux que fournissent les fruits d'été, l'emportent entièrement. De là viennent les vomissements, le choléra-morbus, les diarrhées, les dysenteries, etc., qu'ils ont coutume de produire ; car lorsque la mucosité est emportée, la tunique nerveuse qui ne peut supporter la moindre acrimonie, encore moins celle des sels dont ces sucs abondent, mise à nu, se trouve irritée par leurs pointes, et c'est le siége des douleurs les plus atroces ; ces douleurs augmentent le mouvement péristaltique des intestins, qui est le moyen dont la nature se sert pour ce débarrasser de ce cruel ennemi. Il s'ensuit des vomissements énormes et des déjections très-fréquentes ; heureusement les voies lui sont le plus souvent ouvertes. Mais lorsque la liqueur fermentante se trouve emprisonnée, les intestins sont tellement distendus, qu'ils ne peuvent ni se contracter, ni expulser par leur mouvement péristaltique ces humeurs âcres et fougueuses ; à peu près comme l'on voit la vessie perdre la faculté de se vider, lorsqu'elle a été trop distendue par l'urine. Il en résulte des douleurs effroyables, des inflammations des intestins, bientôt suivies de la gangrène ou d'une rupture, si on ne se hâte pas d'y porter remède. — Par conséquent, quoiqu'en conséquence de la vertu astringente des pommes (car on se sert principalement pour faire le meilleur cidre des pommes acerbes et austères, c'est pour cela qu'on en trouve guère d'autres dans nos vergers), ou à raison de la force naturelle de l'estomac et des intestins de ceux qui boivent le cidre nouveau, il ne survienne point de vomissements, et que le ventre ne se relâche pas, il en résulte cependant des accidents affreux. Car lorsqu'on en fait un long usage, il s'accumule une si grande quantité de tartre dans le sang, que non-seulement le sang, mais encore toutes les humeurs qui en sont séparées deviennent extrêmement âcres. Ainsi, au lieu de la mucosité douce et lubréfiante, que les glandes de Clopton Havers ont coutume de fournir, il ne se sépare qu'une matière très-âcre qui produit dans les articulations des douleurs lancinantes et en arrête les mouvements. Au lieu de l'humeur très-douce qui coule dans les nerfs, ils ne sont plus arrosés que par un fluide rongeant ; de-là viennent les convulsions, l'épilepsie. Les corpuscules salins, dont le sang est saturé venant à se réunir, font des masses trop grossières pour pouvoir passer par les artères lymphatiques, et qui traversent avec peine les capillaires sanguins ; ce qui produit des obstructions de différente espèce et une grande irritation dans les productions des nerfs.

Enfin, la bile elle-même, ce baume polychreste se corrompt et est dompté par l'acide surabondant du cidre, elle qui devrait corriger l'acide. Car un grand nombre d'expériences démontre que lorsqu'on mêle une trop grande quantité d'acide, soit minéral, soit végétal, avec la bile, elle perd sa force, elle devient entièrement inerte et se coagule presque. C'est une cause féconde de maladies, car cette bile épaissie doit séjourner nécessairement dans les petites glandes et dans les conduits du foie, d'où s'ensuit nécessairement une tumeur ou une induration au foie, ce qui doit empêcher la libre circulation et la sécrétion qui se fait dans ce grand viscère. Ceux qui voudront se donner la peine d'examiner avec soin la distribution des artères mésentérique et cœliaque, et le cours de la veine-porte, depuis leurs dernières ramifications, verront facilement combien il peut en résulter de maladies ; mais comme il serait trop long de décrire ces vaisseaux, je me contenterai de considérer en peu de mots la bile en tant qu'elle est corrompue par quelque acide, ou qu'elle séjourne trop long-temps dans les pores biliaires et la vésicule du fiel.

Tant que la bile séjourne dans le foie, elle ne coule pas dans le duodénum, par conséquent elle ne peut pas détruire la viscosité du chyle, ni dompter son acide. Mais un chyle visqueux qui se mêle au sang doit nécessairement augmenter les viscosités de ce fluide, que le suc acide et austère des pommes n'a déjà rendu que trop épais : par conséquent la matière de toutes les sécrétions, qui dans l'ordre naturel devait être plus fluide, devient trop épaisse : il en doit résulter un très-grand nombre de maux ; au reste, les intestins privés du stimulus de la bile se déchargent très-tard des excréments, ce qui rend le ventre très-constipé. La couleur pâle et livide de tous ceux qui étaient attaqués de cette maladie et leurs urines épaisses et saffranées, étaient des indices assez manifestes que la bile ne se séparait pas comme il faut, et qu'elle ne coulait pas dans les intestins.

Quoique la bile, coagulée par un acide dans la vésicule du fiel et dans les conduits hépatiques, y soit pendant un certain temps sans force et sans action, ce n'est qu'un calme trompeur. Car si l'humeur même la plus douce portée hors du cours de la circulation y reste exposée pendant long-temps à la chaleur du corps humain, et au mouvement des parties voisines, elle s'atténue de jour en jour, devient plus âcre et se change enfin en une sanie rongeante qui corrode tous les vaisseaux. Ne voyons-nous pas tous les jours des ulcères produits par le lait le plus doux, mais stagnant, ronger le plus beau sein? Si l'humeur la plus douce peut produire ces ravages, ne doit-on pas en attendre de beaucoup plus grands de la bile qui, même dans son état naturel, est la plus âcre de toutes nos humeurs? de cette bile à laquelle s'est joint une très-grande quantité d'un sel acide, lequel quoiqu'il tempère un peu sa putridité alcaline, cependant étant exposé pendant long-temps à l'action de la vie, doit enfin augmenter considérablement l'acrimonie. — La bile ne verdit que lorsqu'on y joint un acide, et plus l'acide qu'on y mêle est fort, plus la couleur verte qu'elle prend est foncée, de sorte qu'elle devient presque noire; et plus le coagulum qui s'y forme devient épais, de sorte que par sa couleur et sa consistance elle ne s'éloigne pas beaucoup de la suie sur laquelle on aurait versé de l'encre : cela paraît beaucoup plus évidemment lorsqu'on fait l'expérience avec de la bile humaine, parce qu'elle est peut-être plus alcaline que celle de tout autre animal. Cela me paraît être l'origine la plus ordinaire de la bile noire et porracée. On se trompe donc lorsqu'on s'imagine que ces sortes de biles ne se forment que dans les premières voies, puisque ceux qui sont accoutumés à ouvrir des cadavres, savent qu'on trouve souvent dans la vésicule du fiel, et même dans les pores biliaires, de la bile noire et porracée. — L'expérience sans laquelle la plus belle théorie n'est qu'une chimère, s'accorde parfaitement bien avec ce raisonnement. J'ai été étonné plus d'une fois de voir de la bile porracée ou même de la bile plus âcre encore, rejetée par le vomissement, ronger les métaux, et faire effervescence sur le pavé, comme aurait pu faire de l'esprit de vitriol, et si acerbe qu'elle agaçait les dents, et excoriait même l'œsophage. Ne sont-ce pas là des preuves de la plus grande acidité? l'esprit de vitriol produirait à peine des effets plus marqués : aussi les caractères que Galien et d'autres ont assigné à l'atrabile (qui conviennent aussi à la bile porracée) sont-ils τὸ δριμὺ τὸ ὀξῶδες καὶ τὸ διαβρωτικόν, d'être âcre, acide et rongeante. J'ai traité autrefois un maître de navire revenant de la Virginie, qui ayant d'abord été attaqué de douleurs dans le ventre, ensuite de convulsions terribles et de délire, vomit beaucoup d'une bile très-verte, ensuite très-noire et très-acide. Dans ses convulsions quelqu'un des assistants ayant mis une cuillère d'argent dans sa bouche pour qu'il ne se mordit pas la langue, l'en retira au bout d'un moment toute noire, comme si on l'eût plongée dans de l'esprit de nitre. Cet homme, pour le dire en passant, avait un goût si marqué pour le suc de citron, même le plus acerbe qu'il en mettait abondamment dans preque toutes ses boissons : j'ajouterai que j'ai souvent remarqué que les personnes qui avaient eu des maux d'estomac produits par un acide rongeant et irritant, étaient affligées de ces biles noires ou porracées. Je me rappelle qu'il y a quinze ans je vis dans un jeune homme qui faisait un très-grand usage de salade et de cidre, et qui, pour cette raison, était souvent attaqué de douleurs de colique et de rhumatisme, que le sang qu'on lui tira nageait dans une sérosité aussi verte que du suc exprimé de porreaux. Voyez la IIe des observations que j'ai communiquées à la Société royale, dans le n° 382 des *Transactions philosophiques*. — Je n'ignore pas que le célèbre Sydenham a assuré que la bile porracée ne tirait son origine que de l'atonie des esprits : si cela était, il devrait s'engendrer de la bile porracée dans toutes les grandes affections de l'ame, ou dans toutes les agitations considérables des esprits, de quelque cause qu'elle vînt; ce qui cependant n'arrive pas toujours, à beaucoup près. Les passions mettent la bile en mouvement et l'expriment (de là vient l'expression de *remuer la bile*, pour dire mettre quelqu'un en colère);

mais si la bile exprimée par le grand mouvement des esprits rencontre quelque liqueur acide dans les viscères, elle devient aussitôt verte, et c'est l'origine de la bile verte qu'on vomit souvent dans les grands troubles de l'âme. N'a-t-on pas vu le même homme qui, après avoir vomi dans un accès de passion violente une bile verte, en rendait peu de temps après de jaune à la suite d'une plus grande agitation? Telle personne qui, voyageant sur une mer orageuse, a vomi aujourd'hui une bile verte, en vomira deux jours après de très-jaune, ou au contraire. La bile, lorsqu'une fois elle est hors du corps, ne verdit point, quelque agitation qu'on lui communique, et elle ne prend cette couleur que lorsqu'on y mêle un acide; il y a bien de l'apparence qu'il en est presque toujours de même dans le corps. Voici ce que je pense à ce sujet; une agitation véhémente des esprits ou les grandes passions dérangent la digestion; par conséquent le chyle aigrit dans l'estomac, la bile qui vient a s'y mêler verdit; et lorsque l'estomac est malade, rien de ce qu'on prend ne se digère bien : ce qui peut faire dominer pendant long-temps dans les intestins et dans l'estomac une pituite acide. — La bile, soit verte, soit noire, qui a été ainsi retenue long-temps dans la vésicule du fiel et dans les conduits hépatiques, où elle a été exposée à l'action de la chaleur du corps, venant enfin à se liquéfier, ou est absorbée par les racines de la veine-cave et portée dans la masse du sang, ou est versée dans l'intestin duodénum par le canal cholédoque. Mais comme l'une et l'autre sont devenues très-âcres, lorsqu'elles viennent à se mêler avec le sang, elles produisent des accidents terribles : car en irritant le genre nerveux, elles causent des douleurs, des anxiétés, des spasmes; elles rongent aussi les vaisseaux les plus tendres, et portées dans le cerveau, elles y font les plus grands ravages. Dans les intestins, elles excitent des vomissements énormes et des coliques effroyables. — Quelque acide ou âcre que soit la bile noire, elle n'est cependant pas si funeste que la bile alcaline : car l'acide le plus fort ne ronge pas si puissamment les parties du corps qu'une lessive alcaline bien forte, qui dissout entièrement les parties animales en un clin d'œil. Bien plus, la bile putréfiée, si elle n'est pas corrigée par un acide, se convertit bientôt en une sanie qui corrode tout. C'est de cette bile seulement qu'il faut entendre ce qu'Hippocrate dit d'une manière générale dans les *Aphor.* 22, 23, 24 de la IVe section, et dans la 74e coaque du liv. I de l'édition de Duret; et d'après Hippocrate, Celse, liv. II, chap. VIII, *Termina ab atrâ bile orta mortifera.* C'est la sanie gangréneuse qui se forme à la suite d'un ulcère ou d'un hépatitis mal jugé. J'en ai vu, surtout chez une dame fort adonnée aux liqueurs spiritueuses, des effets terribles qui la jetèrent dans un ictère noir : peu de temps avant sa mort, elle vomit des matières noires, très-fétides; quelques instants après en ayant rendu de semblables par haut et par bas, elle rendit l'âme. Et c'est l'acrimonie de la bile qui détruit tous les vaisseaux, qui fait que les hémorrhagies sont toujours un symptôme funeste chez tous les ictériques. — Il y a une autre espèce de bile noire ou atrabile, beaucoup plus douce, qui est un véritable récrément du sang; voici ce que Galien dit de cette dernière, dans son commentaire sur le IVe liv. des *Aphorismes* d'Hippocrate : *Meminisse enim oportet eorum quæ in aliis scriptis nostris de atrâ bile definita sunt; nempe quòd quædam ex flavâ bile superassatâ fiat, quæ omninò est maxime perniciosa; alia verò, ut ita dicam, ex cœno et fæce sanguinis, quæ quidem crasiore quàm illâ est substantia, sed multùm à qualitatis malignitate recedit.* Il l'appelle encore plus exactement *humeur mélancolique.* — J'ai cru devoir parler de ces différentes espèces d'atrabiles, de peur qu'on ne les confondît, et qu'on n'imaginât que j'ai attribué à l'espèce la plus douce ou à l'humeur mélancolique ce qui n'est vrai que de l'atrabile acide. — Tels sont les maux que produit l'usage immodéré et trop long-temps continué des fruits d'été et de leurs sucs mal fermentés et mal épurés, surtout des pommes qui ont un suc non-seulement très-acide, mais même austère. Une fermentation suffisante en fait cependant une boisson agréable et salutaire, parce que par le mouvement long et continu de la fermentation les sels tartareux grossiers sont atténués et subtilisés au point de devenir propres à pénétrer dans les plus petits vaisseaux du corps. Mais comme la quantité de force d'un corps qui en choque un autre, est le produit de la masse et de la vitesse multipliées l'une par l'autre, les corps extrêmement petits ont très-peu de force, à moins qu'ils ne soient mus avec une très grande vitesse ; car les sels très-subtilisés n'irritent que très-légèrement les nerfs, et les chatouillent plutôt qu'ils ne les déchirent. Outre cela l'huile du moût qui est très-atténuée, s'unissant intimement avec les sels tartareux, leur fournit des espèces de gaînes sulfureuses : par là le tartre des pommes fait une espèce de sel volatil huileux, et le cidre devient une boisson agréable et assez salutaire. — Il n'y a par conséquent guère de remède préférable contre l'acrimonie alcaline : rien ne peut être ni plus efficace, ni plus agréable pour les matelots attaqués de scorbut ; car il guérit en peu de temps leurs ulcères et détruit entièrement la putridité et la puanteur de leurs gencives : j'ai vu un grand nombre de navigateurs rongés d'ulcères effroyables et presque épuisés par le scorbut, au retour d'un voyage de long cours, rétablis en peu de temps par le seul usage des pommes. Et je ne doute point que le cidre, lorsqu'il est bon, ne fût une boisson excellente pour ceux qui vont aux Grandes-Indes. J'ai vu plusieurs personnes qui en ont éprouvé les effets salutaires, je dois même ajouter que depuis que son usage s'est répandu parmi nous, on a vu disparaître la gale et la lèpre qui infectaient autrefois ces provinces, et surtout le pays de Cornouailles.—L'ordre demande que nous passions maintenant à la méthode curative. Quant à ce qui est de la saignée, quoiqu'elle soit absolument nécessaire dans la colique qu'on appelle bilieuse, et que ce soit avec raison que Sydenham et quelques autres la prescrivent d'abord lorsque de vives douleurs, un pouls fort et une grande chaleur la demandent pour prévenir l'inflammation des viscères, cependant dans la maladie que nous venons de décrire, non-seulement elle ne sert de rien, mais encore elle est nuisible. Le pouls faible et lent, et l'oppression des esprits, bien loin de demander qu'on tire du sang, ne le permettent pas. Et Sydenham lui-même prescrit, lorsque la colique doit son origine aux fruits d'été, de ne saigner qu'après avoir donné l'émétique et quelque anodin ; ce qui est contraire à ce qu'il prescrit pour la colique bilieuse. Je ne vois pas à quelle fin on tirerait du sang, à moins que sa trop grande quantité, sa vitesse ou sa chaleur ne le demandassent absolument, parce qu'il est dangereux de donner un vomitif, dans une personne pléthorique, sans avoir fait précéder la saignée.

J'avoue qu'avant de connaître la nature de cette maladie, je fis saigner quelques-uns de mes malades, dans la vue d'adoucir les douleurs atroces qu'ils souffraient : mais les effets ne répondirent pas à mon attente, car ils tombèrent presque tous en syncope. J'ai aussi éprouvé ce qu'elle pouvait produire dans la douleur des membres et du dos, mais avec aussi peu de succès ; le plus souvent même, elle aggravait le mal. Presque tous ceux à qui on tira une grande quantité de sang, devinrent paralytiques, ils perdirent entièrement la force et le mouvement des mains, et n'en recouvrèrent l'usage qu'au bout d'un temps considérable ; et ce qu'il y avait de plus fâcheux, quelques-uns demeuraient perclus jusqu'à ce temps. Le moindre accident qui suivait cette erreur, était une tumeur hydropique aux pieds ; par conséquent on ne doit prescrire la saignée qu'avec beaucoup de réserve : supposé qu'on doive la prescrire à quelqu'un qui serait pléthorique, il faut le faire au commencement de la maladie avant d'avoir donné les narcotiques, car dans cette maladie, comme dans toutes les autres, les malades soutiennent mieux la saignée avant qu'après l'usage de l'opium.

Quoique la saignée convînt très-rarement dans cette maladie, cependant un vomitif était toujours utile souvent même extrêmement nécessaire au commencement : car lorsqu'on donnait un calmant ou un purgatif, le malade le rejetait aussitôt par le vomissement ; ou bien ces remèdes se trouvant enveloppés dans une pituite très-épaisse, ne calmaient les douleurs ni ne lâchaient le ventre, surtout si on les donnait sous une forme solide. Je me souviens que je fus consulté par un apothicaire français, qui avait fait prendre à la femme d'un peintre, en différentes doses, deux gros de pilules de *duobus*, un demi-gros de calomelas dans une quantité très-considérable d'une infusion purgative assez forte ; qu'en résulta-t-il ? la malade vomit à la vérité, mais peu, et elle n'alla pas une seule fois à la selle. Pour moi je lui donnai d'abord l'émétique, et je lui fis boire abondamment d'une infusion de fleurs de camomille et de petite sauge ; elle rendit une quantité immense d'une mucosité très-visqueuse, avec les pilules qui n'avaient éprouvé presqu'aucun changement, quoiqu'il y eût plusieurs heures qu'elle les eût avalées. — Je dois faire remarquer ici en peu de mots l'erreur de ceux qui donnent des purgatifs résineux, sans y ajouter de sel ou un jaune d'œuf, qui rendent la résine soluble dans les intestins : la résine pure de jalap ou de scammonée, ne fait pas plus d'effet sur les personnes qui ont l'estomac rempli d'humeurs pituiteuses et aqueuses, que si on leur eût fait prendre de l'eau toute pure; et la grande quantité de bouillon d'avoine que le peuple a coutume de prendre, bien loin d'en favoriser l'action, l'empêche au contraire. La nature bienfaisante nous présente les plantes résineuses toutes préparées, et les abondent en un sel résolutif qu'on perd en séparant la résine. — Mais revenons à notre sujet; je prescrivais ordinairement à mes malades le vomitif suivant :

℞ *Radic. ipecuanh*....... ʒ j *vel* ʒ j ß.
Salis absynth......... ℈ ß
Coque *ex aqua font*.. ℥ IV *ad* ℥ ij
Dein coletur decoctum, cui adde
Aquæ flor. chamœmel. comp.
Syrupi è spinâ cervinâ......āā ℥ ß
M. F. potio emetica.

Pour favoriser le vomissement, on faisait boire abondamment au malade de l'eau de poulet, ou, ce que j'aime encore mieux, une infusion de petite sauge et de fleurs de camomille. — Cet émétique m'a paru le plus doux de tous ceux que j'ai employés; il est assez détersif et d'un effet très-assuré ; il excitera bientôt le vomissement et n'augmentera pas les tranchées par son séjour dans les intestins; ce qui arrive quelquefois lorsqu'on emploie l'ipécacuanha en substance : lorsque je veux le rendre plus actif j'y joins quelques grains de tartre stibié, ou une cuillerée ou deux de vin émétique. — Il faut provoquer ainsi le vomissement de deux jours l'un, quelquefois jusqu'à quatre différentes reprises ; car lorsque l'estomac est surchargé d'une très-grande quantité de pituite tenace, ou d'une bile corrompue, que peut-on attendre des remèdes, si on ne l'en débarrasse pas entièrement? ce qu'on fait beaucoup mieux par haut que par bas : car en supposant qu'on pût s'en débarrasser par cette dernière voie, n'est-il pas plus commode de les rejeter par la bouche, que de leur faire parcourir le long trajet des intestins? En effet, pendant qu'on cherche à chasser par la voie des intestins, l'amas putride de l'estomac, la partie la plus fluide pénétrant par les vaisseaux lactés, va infecter le sang, tandis que la partie la plus grossière s'arrêtant dans les plis des intestins, y cause des douleurs cruelles, de sorte que quand on pourrait s'en débarrasser entièrement par-là, en descendant, elles causeraient des douleurs cruelles dans la tunique nerveuse des intestins. Il serait donc absurde de vouloir évacuer la saburre de l'estomac par le ventre. — Le vomissement ne réussit pas seulement dans cette maladie, parce qu'il évacue l'estomac, mais encore parce qu'il secoue les parties voisines de ce viscère : par ce moyen il concourt à exprimer du foie, du pancréas, etc. les humeurs qui y séjournent, et qui sont rejetées par le vomissement. Mais comme toutes nos humeurs se corrompent par le séjour, et contractent de l'acrimonie, s'il fallait les vider par le canal intestinal, elles produiraient un grand nombre de maux, en irritant les intestins, et en pénétrant dans les vaisseaux lactés. Il n'y a donc pas de meilleure voie que le vomissement, pour se débarrasser de la bile, soit porracée, soit noire, si ordinaires dans cette maladie. J'ai même observé que les douleurs des membres et des reins cessaient du moins pour un temps, après le vomissement, ce qui s'accorde avec la maxime du divin Hippocrate, lib. II, *Prædictor*, que Celse a rendue ainsi, lib. II, cap. 8 : *Humerorum dolores qui ad scapulas vel manus tendunt, vomitu atræ bilis solvuntur.*

Lorsque le vomissement est calmé, ce qu'on obtient promptement en donnant un parégorique, il faut, sans perdre de temps, avoir recours aux purgatifs, et y joindre les anodins; car la constipation et des douleurs atroces dans le ventre, sont deux symptômes inséparables de cette maladie. Par conséquent lorsque la douleur de colique est très-violente, il faut joindre les opiats aux purgatifs, afin de rendre la douleur supportable, de procurer le relâchement des intestins, et de rendre le mouvement péristaltique constant et régulier. La douleur agit toujours comme une cause irritante, ou plutôt la cause irritante produit la douleur ; mais tout stimulus excite un mouvement de contraction dans les fibres, et les fait entrer en convulsion, s'il est violent. Lors donc que la douleur de colique est très-vive, il y a quelque partie des intestins qui est en convulsion, et qui est comme étranglée par un ruban ; de sorte qu'il ne peut passer ni excrément, ni vent, que lorsque la douleur a cessé ; c'est pour cette raison que les douleurs de colique violentes sont le plus souvent accompagnées d'une très-grande constipation. On a donc raison de joindre les anodins aux purgatifs dans les coliques violentes : et cela n'est pas nouveau, car le célèbre Rivière prescrit dans son chapitre de la *Colique*, un gros d'alcës, six grains de scammonée, auxquels il ajoute deux grains de *laudanum opiat* : et même dans la première observation de sa seconde Centurie, il y joint cinq grains de laudanum. Mais lorsqu'il croit suivre en cela l'autorité d'Hippocrate, il se trompe selon moi ; car le mot Μηκωνὶς ne signifie pas dans l'endroit cité par Rivière le suc somnifère du pavot (a moins que ce ne soit celui que Dioscoride a désigné par le nom de τῆς ἀφρώδεος ou écumeux, qui purge assez violemment), mais le πέπλον ou πέπλιον (1), genre de médicament purgatif. Ce mot signifie encore très-souvent dans Hippocrate Μηκώνιον (à moins qu'il n'y joigne l'épithète ὑπνωτικὸν, comme dans le 11 livre des maladies des femmes, page 670 de l'édition de Foësius). Galien explique le mot Μηκώνις ou Μηκωνῖτις dans son *Exegesis vocum Hippocraticarum* Μηκώνιον τὸν πέπλον καλούμενον. ὃν καὶ Μηκωνίτην ὀνομάζει.

Mais revenons. Le malade ayant vomi, je lui prescris les pilules suivantes :

℞ *Pil. coch. min.* . . . . ℈ j. *vel* ʒ ß
Calomel. . . . . ℈ ß
Laud. solid. . . . . *gr.* j.
Olei carioph. . . . . *gutt.* j.
M. fiant pilul.

ou ℞ *Radic. jalap.* . . . ℈ j. *vel* ʒ ß
Species diamb. . . . . . . *gr.* viij.
Calomel. . . . . ℈ ß
Syrup. de spinâ cervinâ. q. s.
M. fiat Bolus.

Les malades ne rejettent pas si facilement les pilules. Au bout de deux ou trois heures j'ordonne une infusion de senné, ou une solution de manne, ou quelqu'autre remède de cette espèce, auxquels je joins quelquefois l'huile d'amandes douces, ou celle d'olives, à moins que l'estomac ne puisse pas les soutenir. J'augmente la dose, ou je répète ces médicaments selon les symptômes : par ce moyen je viens à bout de calmer la douleur, de relâcher les intestins, d'exciter tout doucement les déjections ; et de les lubréfier. Mais si cela ne suffit pas pour lâcher le ventre, je fais faire des fomentations émollientes, sur tout l'abdomen, surtout lorsqu'il est dur et tendu ou contracté. La douce vapeur de ces fomentations pénètre les téguments de l'abdomen, et adoucit les intestins, ou bien il ramollit les fibres trop raides, et relâche celles qui sont trop tendues. J'ai souvent éprouvé des effets étonnants de l'application de la fomentation suivante :

℞. *Radic. altheæ,*
Semin. lini.
Fænugreci. . . . . . . ãã ℥ iij.
Flor. chamæmel. . . . . *M* iij.
Capit. papav. alb. . . . . . ℥ iv.
Coque ex aq. font. et lact. dulc. ãã *p. æqual.*

Mais l'effet serait encore plus avantageux si l'on plongeait le malade dans un demi-bain fait des mêmes drogues. Ceux qui connaissent les effets salutaires des bains émollients dans les douleurs de néphrétique, n'auront pas de peine à croire ce que j'avance. J'ai vu assez souvent de cruels paroxysmes de néphrétique ne céder qu'à l'usage du bain, lorsque les saignées copieuses, et les plus fortes doses d'opium ne faisaient aucun effet. J'ai même appris par plusieurs expériences que rien n'était plus efficace pour calmer les douleurs, et pour faire sortir de petites pierres par l'urètre, qu'un bain chaud et émollient. — Il arrive très-souvent que les excréments sont très-durs dans cette espèce de colique, et s'attachent aux valvules du colon, ce qui retient les matières et les vents, de sorte que rien ne peut passer : cette seule cause produit très-souvent de très-grandes douleurs, surtout lorsqu'on irrite les intestins par des purgatifs. C'est pourquoi si quelques heures après que j'ai donné un purgatif, je vois que le ventre ne se lâche pas, je fais donner un lavement émollient et huileux, qui lubréfie les intestins, et ramollit les excréments : et même, s'il en est besoin, on peut solliciter le ventre par un lavement plus âcre. — S'il y a quelque maladie dans laquelle il convienne d'avoir souvent recours aux purgatifs et de tenir long-temps le ventre libre, c'est sans doute dans celle dont il

(1) Πέπλος καὶ πέπλιον ἐγγυτάτω μὲν τὴν ἰδέαν ἀλλήλων ἐς τὸ καθᾶραι. *Ruf. Ephes.*

s'agit dans ce petit traité : il faut donc donner pendant quelques jours de suite de doux purgatifs ; parmi lesquels je recommande surtout la rhubarbe, les pilules de Rufus, la teinture sacrée, auxquelles il faut ajouter quelques grains de calomelas. La térébenthine de Venise, ou de Chypre, délayée dans un jaune d'œuf, et dissoute dans quelque eau cardiaque, purge d'une façon commode, et convient surtout dans les douleurs rhumatismales, qui accompagnent la colique : dans ce même temps, il faut donner les calmants à grandes doses ; il n'y a que ce moyen d'apaiser les grandes douleurs, et de les prevenir, car elles reviennent bientôt, si on ne répéte pas les doses de l'opium. Quant à ce qui est de la dose, on ne peut rien établir de certain, la même dose assoupissant l'un et ne faisant qu'égayer l'autre.

L'expérience a prouvé que ces purgations fréquentes et répétées, quoiqu'elles paraissent nouvelles, étaient cependant salutaires ; sans cela le ventre se resserrerait bientôt, et il en résulterait les plus vives douleurs, produites par les matières qui séjourneraient dans les intestins. — Il ne suffit pas pour guérir cette maladie de purger les premières voies, il faut en outre délayer l'acrimonie saline du sang : car d'une source empoisonnée, il n'en peut découler que des ruisseaux impurs. Il faut donc faire user au malade d'une grande quantité de délayants, parmi lesquels l'eau doit tenir la première place ἄριστον μὲν ὕδωρ; il n'y a point de dissolvant des sels plus pur et plus incorruptible : mais de toutes les eaux je préfère celles de Pyrmont ou de Spa : ces eaux étant douées d'un principe martial, non-seulement dissolvent les sels, mais encore rétablissent la composition du sang, et fortifient le ton des fibres.

Lorsque le sang est bien délayé, il faut faire les plus grands efforts pour provoquer la sueur. Je n'ai rien trouvé qui remplît plus efficacement cette vue que le camphre et l'opium : lorsqu'on les a pris pour exciter d'abondantes sueurs, il faut boire une infusion de sauge ou de romarin bien chaude, ou, ce qui flatte plus l'estomac, du petit lait vineux. — Ceux qui connaissent le grand rapport qu'il y a entre les intestins et la peau, et qui ont observé des sueurs fétides et âcres qui rongent quelquefois cette dernière, ne seront pas étonnés de voir les douleurs de colique ou de rhumatisme emportées par la sueur, au moins pour un temps. C'est marcher sur les traces de la nature, que le médecin qui n'est que son ministre, doit seconder prudemment : il arrivait en effet souvent que les sueurs qui survenaient, soulageaient beaucoup le malade. Cet aphorisme de Baglivi dans son chapitre de la Colique, s'accorde très-bien avec cela. *La colique habituelle et endémique, qui doit principalement son origine aux vins acides, se guérit par les seuls sudorifiques, aidés par un anodin le soir.* Je suis étonné que Baglivi lui-même ait désapprouvé dans le même chapitre l'usage de l'opium dans la colique : soit qu'il fasse suer ou non, il est très-nécessaire dans une colique très-violente, et de beaucoup préférable à la poudre des feuilles de figuier sauvage, même lorsqu'il est né dans la terre et non sur un mur (ce qui y fait beaucoup sans doute), mêlées avec toutes les précautions qu'il prescrit, à des feuilles d'ormeau. Mais *quandoque bonus dormitat Homerus* : car les sueurs ne sont pas la cause de la paralysie, mais l'effet : lorsque la matière morbifique s'est jetée sur les nerfs, il faut nécessairement qu'ils tombent en paralysie ou qu'ils entrent en convulsion. Les nerfs de la peau étant relâchés, les humeurs s'échappent par ses émissaires qui sont trop ouverts (ce qu'on observe dans les mourants pour la même raison), ces sueurs durent même long-temps après que la paralysie a commencé. Le corps réticulaire de Malpighi (ou si on l'aime mieux, de Ruysch) me paraît avoir été fait pour servir comme de sphincter aux conduits de la sueur qui le traversent, et lorsqu'il se contracte avec plus de force (ce qui arrive lorsque la peau se trouve exposée à l'air froid), toute la peau se couvre de petites rugosités comme de pustules, et devient semblable à la peau d'un oie : mais lorsqu'il se relâche trop les sueurs coulent. En voilà assez contre la doctrine de Baglivi. — Après les sudorifiques, il faut avoir recours aux délayants, et surtout aux eaux ferrugineuses, ou, si l'on n'en a pas, à l'eau pure, et les continuer long-temps, afin de mêler à la matière corrompue des substances plus pures, de redonner au sang sa fluidité, et de corriger son acrimonie. Il ne faut pas négliger pendant ce temps les remèdes qui peuvent rétablir l'estomac et fortifier les viscères ; de manière cependant que le malade prenne de temps en temps de la rhubarbe ou de la teinture sacrée, qui ont la faculté de fortifier les intestins, et d'évacuer les matières qui y sont contenues, ce qui empêche que les humeurs âcres ne s'y accumulent. Les poudres testacées sont aussi très-utiles dans ce période de la maladie, parce qu'elles absorbent les humeurs acides : mais à moins qu'on y mêle quelquefois le sel fixe d'absynthe ou de tartre, ou un peu de rhubarbe ou quelqu'autre laxatif doux, il ne faut pas les continuer long-temps, de peur qu'en séjournant dans l'estomac, elles n'y prennent la dureté d'une pierre. Ce que j'ai observé plus d'une fois, surtout chez l'enfant d'un orfèvre, chez lequel, après qu'il eut fait un long usage des testacées, les excréments s'étaient durcis au point qu'ils ressemblaient à une matière gipseuse, et qu'on fut obligé de les lui arracher de l'anus avec un instrument. On ne doit jamais s'écarter de cette règle, lorsqu'on veut faire prendre les testacées, à moins que le ventre ne soit trop lâche. Il est donc plus sûr et plus efficace, quand on veut corriger les acides des premières voies, de donner de l'eau de chaux imprégnée des stomachiques convenables, qui détruit sûrement les acides contenus dans les premières voies et dans le sang.—Les remèdes que j'ai trouvés les plus propres pour dissiper les douleurs rhumatiques, lorsque le mal a gagné les membres, sont le cinnabre, la gomme de gayac, la teinture d'antimoine, des potions faites avec la térébenthine ou le baume de copahu, qui sont aussi très-bons contre les affections paralytiques ; mais surtout quelques petites doses de calomélas répétées de temps en temps : lorsqu'on le sublime une huitième ou une neuvième fois, il devient un remède excellent dans plusieurs maladies. Notre célèbre Musgrave, l'ornement de la médecine anglaise, le prescrivait à la dose de deux ou trois grains. Je joins souvent au calomélas un peu de camphre, qui étant composé de parties très-subtiles pénètre dans les plus petits vaisseaux, donne des ailes au mercure, et en augmente l'activité. Ce camphre sert encore à adoucir la qualité corrosive des préparations mercurielles, et émousse leurs pointes : ce que Bates avait observé il y a déjà long-temps, en le joignant au turbith minéral dans la préparation du mercure précipité, gris. J'ai éprouvé depuis peu de très-bons effets du mercure alcalisé.

Je n'ai rien trouvé qui réussit mieux pour calmer les cruelles douleurs de rhumatisme qui durent très-long-temps, surtout entre les deux épaules, qu'un vésicatoire appliqué sur la partie, qui convient aussi pour prévenir la paralysie et pour la guérir, lorsqu'elle est arrivée. On frottera les membres paralysés et toute l'épine du dos, depuis le col jusqu'au coccyx, avec le *galbanetum de Paracelse* (dont on trouve la recette dans Craton et dans Rivière), ou ce qui vaut mieux selon moi, avec le baume *galbanetum* d'Hartman, auquel on ajoutera aussi du camphre : il a la propriété de pénétrer et de désobstruer. C'est encore un excellent remède lorsque le ventre est trop tendu ou contracté par des spasmes ; il faut en oindre tout le ventre après avoir employé les fomentations appropriées. Mais il est bon de remarquer qu'il est meilleur lorsqu'on le prépare par une longue digestion dans un vaisseau fermé, que par la distillation, comme on fait ordinairement : lorsqu'il est distillé il est plus caustique, quelquefois même il corrode la peau lorsqu'elle est tendre. Mais les excoriations qui se font au nombril, guérissent difficilement, et sont très-douloureuses, ce à quoi il faut prendre garde ; quand on applique des emplâtres de galbanum ou histériques sur le ventre, il faut avoir soin de couvrir le nombril avec un petit morceau d'étoffe de soie. — Lorsque les douleurs de colique et de rhumatisme ont cessé, il faut commencer à nourrir un peu plus abondamment les malades, ayant soin d'éviter les aliments qui gonflent ou de difficile digestion, de peur qu'ils ne dérangent les viscères qui sont encore faibles. La gelée de sagou, celle de corne de serf, ou celle de pied-de-veau plus facile à préparer ; les œufs, les panades, sont les aliments qui conviennent le mieux ; on peut même en faire user au malade pendant tout le cours de sa maladie, pourvu qu'on les donne en petite quantité pour soutenir ses forces. La boisson doit être de l'eau pure, ou quelque eau ferrugineuse, à laquelle on ajoutera de temps de temps un peu de vin blanc généreux : car tout ce qui est flatueux ou acide est très-contraire aux personnes attaquées de cette maladie, qui revient fort aisément, pour peu qu'on commette quelque faute dans le régime. Les stomachiques chalibés sont très-propres pour redonner au sang ses qualités naturelles, et pour fortifier les viscères : je me sers très souvent de l'infusion suivante :

℞ *Radic. gentianæ*
Galangæ. . . . . ãã ℥ ß
Zedoariæ
Calami aromatici
Corticis exter. aurantior. hispal. siccat. . . . ãã ℥ ij ß
Cariophyll. indic. . . . . ß ij
Chalyb. cum tartaro ppti. . . ℥ iij
Misce affunde
Vini albi Olissiponensis. . . ℔ iij ß
Aquæ absynth. comp. . . . . ℔ j ß
Fiat infusio clausa per dies saltem duodecim in vase vitreo, id sæpius agitando.

Ce remède convient principalement lorsque les viscères sont faibles, et surchargés d'un amas de pituite; et il ne dérange pas l'estomac. Les semences de chardon-bénit dans la teinture amère de Lower fournissent une viscosité désagréable; et l'eau de gentiane composée, qui entre dans l'infusion de Lower, n'a de la gentiane que le nom. — L'exercice du cheval doit terminer la cure de cette maladie; rien en effet, n'est plus propre à fortifier les viscères et les intestins: les secousses fréquentes que tout le corps reçoit, se communiquant à l'abdomen, elles détachent par la pression et l'agitation continuelle qu'elles font éprouver aux intestins tout ce qui leur adhère; elles expriment le sang épais et visqueux qui séjourne dans les vaisseaux sanguins, elles accélèrent la circulation dans les vaisseaux mésentériques et dans les petites ramifications de la veine-porte où son cours est extrêmement ralenti: elles dissolvent par des ébranlements continuels celui que la nature de la maladie et le séjour ont rendu concret. Par conséquent elles détruisent les obstructions des glandes du foie, du pancréas, du mésentère et des intestins; elles favorisent l'action de la rate qui concourt à celle du foie. Enfin, de nombreuses expériences démontrent que l'exercice du cheval augmente la transpiration: par conséquent en détournant les humeurs nuisibles, et en les chassant par les pores de la peau, il est utile non-seulement dans cette maladie, mais encore dans presque toutes les maladies chroniques. Aussi voit-on que l'exercice du cheval seul guérit complètement des maladies qu'un très-grand nombre de remèdes avait à peine adoucies: lors donc que le malade pourra se soutenir à cheval, qu'il y monte tous les jours, *viresque acquirat eundo.* — La méthode curative que je viens de tracer pour la colique de Devonshire, pourrait peut-être s'appliquer à la colique de Poitou, qui infeste si souvent les Indes Occidentales, et qui dépendant d'une cause tout-à-fait semblable, l'abus du suc acerbe des limons, demande peut-être le même traitement.

TABLE
DE L'ESSAI SUR LES FIÈVRES,

ET

DES DISSERTATIONS SUR LES MAUX DE GORGE GANGRÉNEUX ET LA COLIQUE DE DÉVONSHIRE,

PAR JEAN HUXAM.

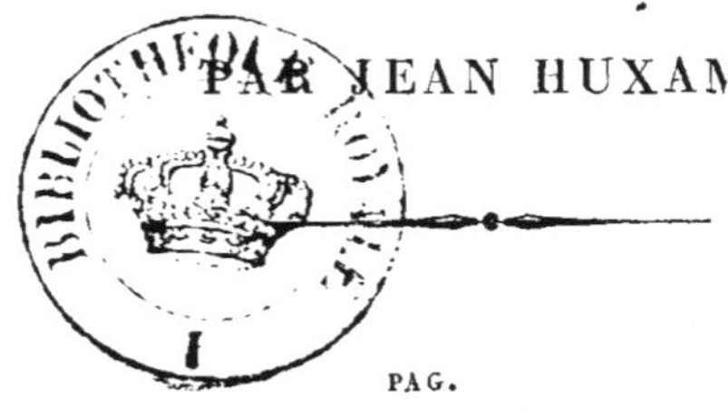

Imprimé en France
FROC030951160919
22144FR00009B/121/P

9 782329 306339